ZOLA

l'Intégrale

Collection dirigée par Luc Estang, assisté de Françoise Billotey

ZOLA

LES ROUGON MACQUART

**PRÉFACE DE
JEAN-CLAUDE LE BLOND-ZOLA**

**PRÉSENTATION ET NOTES
DE PIERRE COGNY**
DIRECTEUR DU COLLÈGE LITTÉRAIRE
UNIVERSITAIRE DU MANS

TOME SECOND

LA FAUTE DE L'ABBÉ MOURET
SON EXCELLENCE EUGÈNE ROUGON
L'ASSOMMOIR

AUX ÉDITIONS DU SEUIL
27, rue Jacob, Paris-VI

La faute de l'abbé Mouret

La place Saint-Georges en 1874.

1874. Au printemps les peintres amis de Zola, qui s'est fait leur défenseur, organisent chez Nadar une exposition où naît le terme d'impressionnisme : Monet, Renoir, Cézanne, Pissarro, Sisley, Degas, Berthe Morisot. Cette même année, Zola, qui passe l'été à Paris, au 21 rue Saint-Georges, écrit *la Faute de l'abbé Mouret*. Sa pièce, *les Héritiers Rabourdin*, va entrer en répétition au théâtre Cluny. Une lettre au peintre Antoine Guillemet explique pourquoi il est resté seul à Paris.

A Antoine Guillemet, 23 juillet 1874.

Mon cher ami,

Ah bien oui, les bains de mer, j'en suis loin ! Je vous ai peut-être dit que j'avais une pièce à caser. Or, ladite comédie est, paraît-il, très effrayante, car, après l'avoir promenée dans des théâtres décents, je viens d'être très heureux de la faire recevoir à Cluny. Par parenthèse, elle y est en compagnie d'une pièce de Flaubert. Depuis la chute du *Candidat*, on a une peur affreuse de nous.

Donc ma pièce est reçue et le pis est qu'elle va entrer en répétition le mois prochain, pour passer dans la seconde quinzaine de septembre. Voilà qui me cloue à Paris, ni Cabourg, ni Villerville, mon cher ami, mais les éternelles Batignolles. Si je veux prendre un bain, je tirerai un seau d'eau à mon puits.

... Je ne vois personne, je n'ai pas la moindre nouvelle. Manet, qui fait une étude à Argenteuil, chez Monet, est introuvable. Et comme je ne mets pas souvent les pieds au café Guerbois, mes renseignements s'arrêtent là...

Monet peignant sur son bateau à Argenteuil, par Manet, 1874.

Commencé avant la Conquête de Plassans, *dès 1873, comme en apporte témoignage le dossier préparatoire, le roman consacré au prêtre et prévu de longue date devait être abandonné pour être repris au printemps de 1874. Selon toute vraisemblance, Zola avait pris conscience de l'importance du milieu familial pour Serge et* la Conquête de Plassans *lui était apparue comme une étude de l'environnement psychologique et social de son héros. Publiée en février et mars 1875 dans* le Messager de l'Europe, la Faute de l'abbé Mouret *parut chez Charpentier au printemps de la même année.*

Dans le premier plan, remis à Lacroix en 1869, on pouvait lire : « Un roman qui aura pour cadre les fièvres religieuses du moment, et pour héros Lucien, le fils d'Octave Camoins, frère de Silvère et d'une demoiselle Goiraud, Sophie. C'est dans ce Lucien que les deux branches de la famille se mêlent. Le produit est un prêtre. J'étudierai dans Lucien la grande lutte de la nature et de la religion. Le prêtre amoureux n'a jamais, selon moi, été étudié humainement. Il y a là un fort beau sujet de drame, surtout en plaçant le prêtre sous des influences héréditaires. »

*Le personnage de Serge devait demander à Zola un certain nombre de remaniements. Il s'appelait d'abord Lucien Camoins. Il naquit d'abord en 1840, puis fut rajeuni d'un an, pour avoir neuf ans en 1851. Ce qui est sûr, c'est que, dès le premier arbre généalogique de 1869, auquel nous faisons allusion ici, il ressemble davantage à sa mère, pour le physique, et serait de tempérament languissant. Sa vocation désespère son père... Dans le deuxième état de cet arbre de 1869, des traits se précisent : « Serge Mouret, né en 1842, a neuf ans en 1851. (Cerveau du père, troublé par l'influence morbide de la mère.) Prêtre mystique et amoureux. » Dans l'arbre de 1878, quelques précisions supplémentaires : « Né en 1841. Mélange dissémination. Ressemblance morale et physique de la mère plus caractérisée. Cerveau du père troublé par l'influence morbide de la mère. Hérédité d'une névrose se tournant en manie religieuse. Prêtre. » Enfin, dans l'arbre de 1893 : « Né en 1841. (Mélange dissémination. Ressemblance morale et physique de la mère. Cerveau du père troublé par l'influence mor-*bide de la mère. Hérédité d'une névrose se tournant en mysticisme.) Prêtre. Vit encore, curé de Saint-Eutrope. »*

Les grandes lignes auxquelles se tient Zola sont évidemment le jeu des influences héréditaires et l'évolution d'une névrose en mysticisme, le mysticisme se confondant pour lui avec la manie religieuse, assimilation que l'on n'a pas suffisamment relevée et qui est pourtant une des clefs du roman. Le fait est d'autant plus intéressant que la bonne foi de Zola n'est pas en cause : le soin avec lequel il s'est, comme d'ordinaire, documenté n'autorise pas à suspecter le moindre apriorisme conscient. Il se trouve, simplement, en terre inconnue, et cette remarque préalable était indispensable pour comprendre l'œuvre. L'ébauche fournit, de son côté, de précieuses indications de recherches, puisque le roman y est défini comme « l'histoire d'un homme frappé dans sa virilité par une éducation première, devenu être neutre, se réveillant homme à vingt-cinq ans, dans les sollicitations de la nature, mais retombant fatalement à l'impuissance ».

Une lettre à Gustave Flaubert, du 7 avril 1874, semble indiquer qu'il aurait envoyé, avant de se mettre vraiment à l'œuvre, un petit ballon d'essai :

« J'envoie incognito au Sémaphore de Marseille *une correspondance qui m'aide à faire bouillir ma marmite — c'est une de mes petites hontes cachées; — cela n'a qu'un avantage, celui de pouvoir m'y soulager le cœur parfois.*

« Je leur ai donc envoyé un bout d'article sur la Tentation; *ils se sont hâtés de m'en couper la moitié, toute la partie religieuse; je ne vous envoie pas moins ce que leurs ciseaux ont épargné. Cela est indigne. J'aurais voulu faire une étude, quelque part, en pleine lumière. Enfin, la bonne intention y est. Ne dites pas que c'est de moi. »*

La Faute de l'abbé Mouret ne serait-elle pas cette étude en pleine lumière ? Une lettre à Tourgueniev, du 29 juin 1874, souligne toute l'importance que Zola attachait à ce nouveau volet des Rougon-Macquart :

« *Moi, je travaille dans la fièvre, en ce moment. Le roman dont je vous ai parlé me donne un mal de chien. Je crois que je veux y mettre trop de choses. Avez-vous remarqué le désespoir que nous causent les femmes trop aimées et les œuvres trop caressées ?* »

La matière lui apparaissait comme presque trop riche, parce qu'il voulait à la fois demeurer objectif et aborder des problèmes qui lui tenaient à cœur depuis longtemps de manière tout intuitive, sans perdre de vue pour autant le cadre qu'il s'était fixé d'une famille déterminée. Les sources sont donc livresques et personnelles, comme il advient souvent, et cela ne va pas sans donner l'impression, parfois, d'un certain placage. Il a lu, certes, les romans sur le prêtre, comme ceux de Barbey d'Aurevilly ou d'Hector Malot, mais il a également dépouillé des études comme Nature et Virginité, considérations physiologiques sur le célibat religieux, de J.-E. Duffieux, ou des ouvrages d'édification, comme l'Imitation de Jésus-Christ, aliment spirituel essentiel de Serge, les Opuscules sur la Très Sainte Vierge de saint Bonaventure, les Deux psautiers de la bienheureuse Vierge Marie, sans parler des traités sur la liturgie ou des livres de théologie le plus en usage à l'époque, le tout complété par de fréquents recours au Grand Dictionnaire universel du XIXe siècle de Larousse. Nous aurons l'occasion de préciser en note un certain nombre de références.

Les sources personnelles sont les souvenirs d'enfance et de jeunesse et, dans ce Paradou du village des Artaud, transposition évidente du Paradis terrestre, on a reconnu le domaine de Gallice, situé à l'ouest d'Aix-en-Provence et qu'il avait pris plaisir à évoquer dans un article du Figaro avant même d'avoir pensé aux Rougon-Macquart.

Il est évident que la « nature » telle qu'elle apparaît dans le Paradou est tout autant une illustration d'un naturisme qu'on veut démontrer que l'écho de joies profondes, presque viscérales, ressenties par Zola au cours de sa libre adolescence. Naturisme étroitement lié à un sensualisme partout présent, et qui n'est pas sans rapport avec tels cris exaltés et d'un lyrisme panthéiste que l'on entend dans les œuvres personnelles de Maupassant, comme Au soleil ou Sur l'eau. L'auteur de Boule de suif s'est reconnu dans ce paganisme exubérant qui rend aux êtres et aux choses leur innocence première et qui ne peut connaître la faute, puisqu'il ne connaît pas le mal. Aussi adressa-t-il à Zola une lettre enthousiaste quand il reçut le livre :

« *(...) Je suis absolument enthousiasmé; peu de lectures m'ont causé une aussi forte impression. (...) Quant à ce qui m'est personnel, j'ai éprouvé d'un bout à l'autre de ce livre une singulière sensation; en même temps que je voyais ce que vous décriviez, je le respirais; il se dégage de chaque page comme une odeur forte et continue; vous nous faites tellement sentir la terre, les arbres, les fermentations et les germes, vous nous plongez dans un tel débordement de reproduction que cela finit par monter à la tête, et j'avoue qu'en terminant, après avoir aspiré coup sur coup et « les arômes puissants de dormeur en sueur... de cette campagne de passion séchée, pâmée au soleil dans un vautrement de femme ardente et stérile »* et *l'Ève du Paradou qui était « comme un grand bouquet d'une odeur forte » et les senteurs du parc, « solitude nuptiale toute peuplée d'êtres embrassés » et jusqu'au magnifique Frère Archangias « puant lui-même l'odeur d'un bouc qui ne se serait jamais satisfait »,* je me suis aperçu que votre livre m'avait absolument grisé, et, de plus, fortement excité!... » (avril 1875).

Maupassant a perçu la nature comme Zola l'avait perçue et a aimé ce qui, précisément, faisait reculer les pudibonds. La longueur des descriptions du Paradou a été fréquemment reprochée à Zola. Il fallait alors refuser le symbolisme du roman, construit tout entier autour du Paradis terrestre et de l'histoire de la chute d'Adam, dont il n'est que la transposition. Mais l'histoire ne se termine pas de la même façon dans la Bible et dans la Faute de l'abbé Mouret, qui pourrait bien, pour Zola, être un message en prolongement de la Genèse, comme, vingt ans plus tard, ses Évangiles seront le prolongement messianique du Nouveau Testament. Adam et Ève, causes pour la durée du monde du péché originel, ont été chassés du Paradis et punis dans leur descendance. Serge, seul dans la Faute, est sauvé, alors que meurt la tentatrice innocente. Mais, en nous exprimant ainsi, nous nous plaçons dans l'optique chrétienne : dans une optique naturiste et finalement pessimiste, n'est-ce pas Serge émasculé à jamais qui est châtié et Albine, rendue à la fécondité universelle de la terre qui est sauvée ?

Serge, dans la deuxième partie, qui est le récit de la faute, découvre simplement une nature que son éducation et ses croyances l'avaient amené à nier dangereusement. Il ne pourra plus oublier son expérience, quand bien même il se pensera racheté par son repentir. La nature l'a tour à tour terrassé et épanoui. Elle se venge de ses mépris. Il a voulu fermer ses sens au monde extérieur et le monde extérieur s'est imposé à lui par tous ses sens enfin éveillés. Arraché à l'ombre protectrice de son église en ruines, il est anéanti par sa marche au soleil, dans son village paganisé des Artaud et il ne peut plus ne pas voir les arbres, images de fécondité et de vie, presque intolérables pour lui, le stérile, il ne peut plus ne pas sentir les odeurs de fécondation qui montent de la terre, il ne peut plus ne pas entendre les cris des mâles victorieux et des femelles soumises. Dès lors qu'il saura, il tombera, parce qu'il est dans la logique de la nature que la nature triomphe. La construction du roman est, à elle seule, une démonstration : un départ — un retour, l'affrontement de deux univers : l'intériorité mystique et la brutale révélation de l'extériorité des sens. De la perte en Dieu à la perte en la femme, puis le retour vers un Dieu, qui n'est plus exactement celui dont il célébrait le sacrifice dans le premier chapitre.

La division en trois parties accentue ce caractère de démonstration :

Première partie : une journée de Serge avant la faute. C'est le bonheur exalté d'une âme désincarnée avec une confiance balbutiante en la Vierge qui, conçue sans péché, devra l'écarter du péché.

Deuxième partie : la chute. La femme a remplacé la Vierge, le Paradou l'église; nous sommes dans l'intemporel et c'est un corps qui trouve son équilibre dans la perte de son âme.

Troisième partie : c'est la grande conclusion centrée sur la Croix. Le corps et l'âme ont pris conscience de leur coexistence et Serge est livré à un combat dont il sait maintenant qu'il n'aura pas de fin. Son amour pour la Vierge lui paraît entaché d'impureté. Avec Albine, il enterre l'homme qu'il avait été pendant quelques jours. Ayant nié la nature, il n'est plus un homme.

En schématisant de la sorte, nous déflorons, mais peut-être comprendrons-nous mieux le symbolisme de l'œuvre. Or ce symbolisme est partout, dans les personnages, dans les bêtes et dans la nature.

Où l'on a voulu voir outrance, il y a, en réalité, symbole et chaque personnage compte beaucoup plus par ce qu'il représente que par ce qu'il est. Ainsi, le couple antithétique formé par Désirée, la grande belle fille aux trois quarts idiote et Frère Archangias, son négatif. Physis et Antiphysis, aurait-on dit quelques siècles auparavant. La Nature innocente, et superbe toujours, même dans la stupidité et l'Anti-Nature, nocive et laide, parce que messagère de mort. L'un et l'autre sont des êtres d'instinct, mais ils suivent des voies opposées : enrobée de purin jusqu'aux épaules, échevelée, primitive, Désirée reste belle, parce qu'elle a le sens de la vie et de l'amour. Dans la fumée opaque qui obscurcit son cerveau, elle a une intelligence très nette de ce que veut la nature : elle trouve la mort aussi naturelle que la vie et s'y résigne. Elle représente la Vie de manière si instinctive et si éclatante qu'Archangias éprouve devant elle un indéfinissable malaise; elle réunit tout ce qu'il hait et aussi, à leur insu à tous les deux, elle le tente. Elle est la lumière et il est l'ombre. Elle va vers le soleil. Il se tapit dans la Nuit. Avec eux, nous retrouvons les mythes manichéens de la Légende des siècles.

S'il est possible qu'en créant le personnage de Désirée et d'Archangias, Zola ait pensé à Hugo, il est certain qu'il a voulu, en Albine, reprendre l'Ève de la Bible, ainsi qu'il le déclarait dans l'Ébauche, où Albine s'est au début appelée Blanche :

« Elle est toute neuve, quand elle se perd dans le paradis avec Serge. Elle l'y promène et l'y instruit.

La femme aide la nature; elle est tentatrice. Cette deuxième partie n'est qu'une longue étude du réveil de l'humanité. Mais, dans la troisième partie, c'est Blanche qui prend la direction de l'action. La femme s'éveille en elle avec une puissance sauvage. Elle veut Serge, il lui appartient. Toute la brutalité de la nature qui va quand même à la génération, malgré l'obstacle. Une inconscience absolue, Ève sans aucun sens social, sans morale apprise, la bête humaine amoureuse. Seulement, Blanche éveillée par la passion, dans sa soif de connaître, ne trouve plus dans la nature que des sollicitations brûlantes, des besoins que Serge ne contente plus. Elle se jette dans la lecture; on a empilé, dans un coin du pavillon, les livres du château, lorsque celui-ci a brûlé. Et là, dans les livres, elle apprend la société, elle voit son crime, elle devient horriblement triste, et cela, après des péripéties, la conduit au suicide. »

La version définitive est beaucoup plus significative. Blanche, en effet, par son désespoir et son suicide, reconnaissait certaines valeurs morales et sociales. Elle accepte tacitement le monde, puisqu'elle se punit de n'avoir pas suivi ses lois. Albine, elle, ne goûtera pas aux fruits empoisonnés de l'arbre de science, elle ne lira pas, elle ne se demandera pas si elle a commis un crime, mais elle ira où la pousse la nature. Son désespoir viendra de ce qu'en la personne de Serge, à qui elle n'avait fait que du bien, la nature l'a trompée, et elle meurt dans l'incompréhension de son destin. Quand elle hésite à chercher l'arbre fatal du Paradou, ce n'est pas par vertu — le mot n'a aucun sens pour elle —, mais par superstition, parce que la dame mystérieuse qui l'avait précédée dans ce lieu de délices serait morte, disait-on, du jour où l'arbre lui avait livré son secret. Très supérieure à Blanche, Albine, qui devait être un symbole, finit par être la victime de sa destinée de Femme. Faite pour aimer, avant de savoir ce qu'est l'amour, et pour enfanter — elle mourra enceinte — avant de savoir ce qu'est l'étreinte, elle l'assumera lentement, presque religieusement, et elle symbolise alors, sans que Zola l'ait souhaité, l'absurdité de la condition humaine. « La société » que Blanche avait appris à connaître et qui est fondée sur le trône et l'autel écrase en elle tous ceux qui la nient. Le malheur de l'homme est de n'être pas libre et les personnages de la Faute de l'abbé Mouret *sont aussi férocement déterminés que ceux du théâtre grec ou des tragédies de Racine. Serge — malgré la faute — reste le* sacerdos in æternum. *Il était né prêtre, prêtre il demeurera, dût-il mater quotidiennement la carcasse qui se rebelle. Il ne se sauvera que par un certain infantilisme. Albine est née femme dans une civilisation étouffée d'interdits qui ne voient dans la femme que* « l'occasion prochaine de pécher » *dont parlent les catéchismes élémentaires. Rien ne la sauvera parce qu'elle ignore jusqu'au nom du crime qu'elle a commis. Elle paie des dettes qu'elle n'avait point contractées. Et Jeanbernat qui, en la perdant, perd tout, est puni de n'avoir pas été conformiste et d'avoir eu foi en la raison. Par une dérision suprême, c'est le porte-parole de Zola, celui dont, pendant vingt ans, il aura édifié la gloire, le docteur Pascal, qui est le* deus ex machina. *Il a provoqué le drame en confiant son neveu malade à Albine. Il était de bonne foi, et il a eu tort, comme ont eu tort, tout en étant de bonne foi, Serge et Albine, parce qu'on ne refait pas un monde créé pour périr, et dans lequel l'abbé Mouret, un soir, voit déjà un cadavre.*

« *En face de lui, la vaste plaine s'étendait, plus tragique sous la pâleur oblique de la lune. Les oliviers, les amandiers, les arbres maigres faisaient des taches grises au milieu du chaos des grandes roches, jusqu'à la ligne sombre des collines de l'horizon. C'étaient de larges pans d'ombre, des arêtes bossuées, des mares de terre sanglantes où les étoiles rouges semblaient se regarder, des blancheurs crayeuses pareilles à des vêtements de femmes rejetés, découvrant des chairs noyées de ténèbres, assoupies dans les enfoncements des terrains. La nuit, cette campagne ardente prenait un étrange vautrement de passion.* »

Ombre et lumière, vie génératrice de mort, mort d'où renaîtra la vie, qui finira bien par l'emporter, tel est le sens de l'hallucination de Serge, dans son église, église de mort que viole l'arbre de vie :

« *Le sorbier, dont les hautes branches pénétraient déjà sous la voûte, par les carreaux cassés, entra violemment, d'un jet de verdure formidable. Il se planta au milieu de la nef. Là, il grandit démesurément; son tronc devint colossal, au point de faire éclater l'église, ainsi qu'une ceinture trop étroite. Les branches allongèrent de toutes parts des nœuds énormes, dont chacun emportait un morceau de muraille, un lambeau de toiture; et elles se multipliaient toujours, chaque branche se ramifiant à l'infini, un arbre nouveau poussant de chaque nœud, avec une telle fureur de croissance, que les débris de l'église, trouée comme un crible, volèrent en éclats, en semant aux quatre coins du ciel une cendre fine. Maintenant, l'arbre géant touchait aux étoiles. Sa forêt de branches était une forêt de membres, de jambes, de torses, de ventres, qui suaient la sève; des chevelures de femmes pendaient; des têtes d'hommes faisaient éclater l'écorce, avec des rires de bourgeons naissants; tout en haut, les couples d'amants, pâmés au bord de leurs nids, emplissaient l'air de la musique de leur jouissance et de l'odeur de leur fécondité. Un dernier souffle de l'ouragan, qui s'était rué sur l'église, en balaya la poussière, la chaire et le confessionnal en poudre, les images saintes lacérées, les vases sacrés fondus, tous ces décombres que piquait avidement la bande des moineaux, autrefois logée sous les tuiles. Le grand Christ, arraché de la croix, resta pendu un moment à une des chevelures de femme flottantes, fut emporté, roulé, perdu dans la nuit noire, au fond de laquelle il tomba avec un retentissement. L'arbre de vie venait de crever le ciel. Et il dépassait les étoiles.* »

Une page comme celle-là permet de classer Zola au nombre des poètes surréalistes, avec, précisément, son lyrisme désespéré et son effroi aux approches du néant. Henri Guillemin a vu dans la Faute de l'abbé Mouret « *un des livres les plus désolés et les plus convulsifs* » des Rougon-Macquart, *avant* la Joie de vivre.

Ne serait-ce pas plutôt le douloureux écho du partage entre un pessimisme raisonné et l'optimisme spontané d'un cœur généreux ?

Livre premier

Décidément, mon village ne sera pas au bord de la mer. La mer est trop grande. Elle absorberait mon intrigue. Il est du côté d'Antibes, mais dans les terres. A la rigueur, on peut voir la mer, comme une tache bleu, du paradis terrestre. Un village très écarté, des paysans très pauvres cultivant des coins de terre brulée, des oliviers et des vignes séches ce qui donne de la fertilité au paradis terrestre

1

La Teuse, en entrant, posa son balai et son plumeau contre l'autel. Elle s'était attardée à mettre en train la lessive du semestre. Elle traversa l'église pour sonner l'*Angelus*, boitant davantage dans sa hâte, bousculant les bancs. La corde, près du confessionnal, tombait du plafond, nue, râpée, terminée par un gros nœud, que les mains avaient graissé; et elle s'y pendit de toute sa masse, à coups réguliers, puis s'y abandonna, roulant dans ses jupes, le bonnet de travers, le sang crevant sa face large.

Après avoir ramené son bonnet d'une légère tape, essoufflée, la Teuse revint donner un coup de balai devant l'autel. La poussière s'obstinait là, chaque jour, entre les planches mal jointes de l'estrade. Le balai fouillait les coins avec un grondement irrité. Elle enleva ensuite le tapis de la table, et se fâcha, en constatant que la grande nappe supérieure, déjà reprisée en vingt endroits, avait un nouveau trou d'usure au beau milieu; on apercevait la seconde nappe, pliée en deux, si émincée, si claire elle-même qu'elle laissait voir la pierre consacrée [1], encadrée dans l'autel de bois peint. Elle épousseta ces linges roussis par l'usage, promena vigoureusement le plumeau le long du gradin, contre lequel elle releva les cartons liturgiques. Puis, montant sur une chaise, elle débarrassa la croix et deux des chandeliers de leurs housses de cotonnade jaune. Le cuivre était piqué de taches ternes.

— Ah! bien! murmura la Teuse à demi-voix, ils ont joliment besoin d'un nettoyage! Je les passerai au tripoli.

Alors, courant sur une jambe, avec des déhanchements et des secousses à enfoncer les dalles, elle alla à la sacristie chercher le missel, qu'elle plaça sur le pupitre, du côté de l'épître, sans l'ouvrir, la tranche tournée vers le milieu de l'autel. Et elle alluma les deux cierges. En emportant son balai, elle jeta un coup d'œil autour d'elle pour s'assurer que le ménage du bon Dieu était bien fait. L'église dormait; la corde seule, près du confessionnal, se balançait encore, de la voûte au pavé, d'un mouvement long et flexible.

L'abbé Mouret venait de descendre à la sacristie, une petite pièce froide qui n'était séparée de la salle à manger que par un corridor.

— Bonjour, monsieur le curé, dit la Teuse en se débarrassant. Ah! vous avez fait le paresseux, ce matin! Savez-vous qu'il est six heures un quart.

---

1. Cette pierre consacrée est le seul élément liturgique de l'autel.

Et, sans donner au jeune prêtre qui souriait le temps de répondre :

— J'ai à vous gronder, continua-t-elle. La nappe est encore trouée. Ça n'a pas de bon sens! Nous n'en avons qu'une de rechange et je me tue les yeux depuis trois jours à la raccommoder... Vous laisserez le pauvre Jésus tout nu, si vous y allez de ce train.

L'abbé Mouret souriait toujours. Il dit gaiement :

— Jésus n'a pas besoin de tant de linge, ma bonne Teuse. Il a toujours chaud, il est toujours royalement reçu, quand on l'aime bien.

Puis, se dirigeant vers une petite fontaine, il demanda :

— Est-ce que ma sœur est levée ? Je ne l'ai pas vue.

— Il y a beau temps que mademoiselle Désirée est descendue, répondit la servante, agenouillée devant un ancien buffet de cuisine dans lequel étaient serrés les vêtements sacrés. Elle est déjà à ses poules et à ses lapins... Elle attendait hier des poussins qui ne sont pas venus. Vous pensez quelle émotion!

Elle s'interrompit, disant :

— La chasuble [2] d'or, n'est-ce pas ?

Le prêtre, qui s'était lavé les mains, recueilli, les lèvres balbutiant une prière, fit un signe de tête affirmatif. La paroisse n'avait que trois chasubles : une violette, une noire et une d'étoffe d'or. Cette dernière, servant les jours où le blanc, le rouge ou le vert étaient prescrits, prenait une importance extraordinaire [3]. La Teuse la souleva religieusement de la planche garnie de papier bleu où elle la couchait après chaque cérémonie; elle la posa sur le buffet, enlevant avec précaution les linges fins qui en garantissaient les broderies. Un agneau d'or y dormait sur une croix d'or, entouré de larges rayons d'or. Le tissu, limé aux plis, laissait échapper de minces houpettes; les ornements en relief se rongeaient et s'effaçaient. C'était, dans la maison, une continuelle inquiétude autour d'elle, une tendresse terrifiée, à la voir s'en aller ainsi paillette à paillette. Le curé devait la mettre presque tous les jours. Et comment la remplacer, comment acheter les trois chasubles dont elle tenait lieu, lorsque les derniers fils d'or seraient usés ?

La Teuse, par-dessus la chasuble, étala l'étole, le manipule, le cordon, l'aube et l'amict [4]. Mais elle continuait à bavarder, tout en s'appliquant à mettre le manipule en croix sur l'étole et à disposer le cordon en guirlande, de façon à tracer l'initiale révérée du saint nom de Marie.

— Il ne vaut plus grand'chose, ce cordon, murmurait-elle. Il faudra vous décider à en acheter un autre, monsieur le curé... Ce n'est pas l'embarras; je vous en tisserais bien un moi-même, si j'avais du chanvre.

L'abbé Mouret ne répondait pas. Il préparait le calice sur une petite table, un grand vieux calice d'argent doré, à pied de bronze, qu'il venait de prendre au fond d'une armoire de bois blanc où étaient enfermés les vases et les linges sacrés, les saintes huiles, les missels, les chandeliers, les croix. Il posa en travers de la coupe un purificatoire [5] propre, mit par-dessus ce linge la patène d'argent doré, contenant une hostie, qu'il recouvrit d'une petite pale de lin. Comme il cachait le calice en pinçant les deux plis du voile d'étoffe d'or appareillé à la chasuble, la Teuse s'écria :

— Attendez, il n'y a pas de corporal [6] dans la bourse [7]... J'ai pris hier soir tous les purificatoires, les pales, et les corporaux sales pour les blanchir, à part bien sûr, pas dans la lessive... Je ne vous ai pas dit, monsieur le curé : je viens de la mettre en train, la lessive. Elle est joliment grasse! Elle sera meilleure que la dernière fois.

Et pendant que le prêtre glissait un corporal dans la bourse et qu'il posait sur le voile la bourse, ornée d'une croix d'or sur un fond d'or, elle reprit vivement :

— A propos, j'oubliais! ce galopin de Vincent n'est pas venu. Voulez-vous que je serve la messe, monsieur le curé ?

Le jeune prêtre la regarda sévèrement.

— Eh! ce n'est pas un péché, continua-t-elle, avec son bon sourire. Je l'ai servie une fois, la messe, du temps de monsieur Caffin. Je la sers mieux que des polissons qui rient comme des païens pour une mouche volant dans l'église... Allez, j'ai beau por-

---

2. Vêtement sacerdotal en soie ou en drap d'or, sans manches, avec deux pans, l'un en avant et l'autre en arrière. Sur le pan du dos est représentée l'image de la croix avec, comme ornementation, les lettres JHS (Jesus hominum salvator — Jésus sauveur des hommes) ou un agneau avec l'inscription PAX.

3. Détail peu vraisemblable. L'on peut, de fait, remplacer trois autres couleurs liturgiques, le blanc, le rouge et le vert, mais, la chasuble étant réversible, le prêtre dispose avec trois chasubles des cinq couleurs (rouge, blanc, noir, vert, violet) auxquelles on peut joindre soit l'or, réservé aux grandes cérémonies, soit le rose qui ne sert qu'exceptionnellement.

4. L'étole est un ornement liturgique formé d'une bande d'étoffe élargie à chaque extrémité. Le prêtre la revêt pour la messe, pour le baptême, la pénitence et, dans certaines conditions, les exorcismes. Le manipule est la bande d'étoffe portée au bras gauche par le prêtre pour la messe. Chasuble, étole et manipule sont de la même couleur.

L'aube est le vêtement blanc, insigne de pureté, porté par le célébrant et les enfants de chœur. Sous l'aube, le prêtre porte l'amict, linge blanc, avec une croix brodée au centre.

5. Le purificatoire est le linge avec lequel le prêtre essuie le calice après la communion et la patène ou vase sacré, en forme d'assiette, qui sert à recouvrir le calice et à recevoir l'hostie.

6. Linge bénit sur lequel le prêtre dépose l'hostie.

7. Carton carré garni de toile blanche pour poser le calice.

ter un bonnet, avoir soixante ans, être grosse comme une tour, je respecte plus le bon Dieu que ces vermines d'enfants, que j'ai surpris encore, l'autre jour, jouant à saute-mouton derrière l'autel.

Le prêtre continuait à la regarder, refusant de la tête.

— Un trou, ce village, gronda-t-elle. Ils ne sont pas cent cinquante... Il y a des jours, comme aujourd'hui, où vous ne trouveriez pas âme qui vive aux Artaud. Jusqu'aux enfants au maillot qui vont dans les vignes! Si je sais ce qu'on fait dans les vignes, par exemple! Des vignes qui poussent sous les cailloux, sèches comme des chardons! Et un pays de loups, à une lieue de toute route!... A moins qu'un ange ne descende la servir, votre messe, monsieur le curé, vous n'avez que moi, ma parole! ou un des lapins de mademoiselle Désirée, sauf votre respect!

Mais, juste à ce moment, Vincent, le cadet des Brichet, poussa doucement la porte de la sacristie. Ses cheveux rouges en broussaille, ses minces yeux gris qui luisaient, fâchèrent la Teuse.

— Ah! le mécréant! cria-t-elle, je parie qu'il vient de faire quelque mauvais coup!... Avance donc, polisson, puisque monsieur le curé a peur que je ne salisse le bon Dieu!

En voyant l'enfant, l'abbé Mouret avait pris l'amict. Il baisa la croix brodée au milieu, posa le linge un instant sur sa tête, puis le rabattant sur le collet de sa soutane, il croisa et attacha les cordons, le droit par-dessus le gauche. Il passa ensuite l'aube, symbole de pureté, en commençant par le bras droit. Vincent, qui s'était accroupi, tournait autour de lui, ajustant l'aube, veillant à ce qu'elle tombât également de tous les côtés, à deux doigts de terre. Ensuite, il présenta le cordon au prêtre, qui s'en ceignit fortement les reins, pour rappeler ainsi les liens dont le Sauveur fut chargé dans sa Passion.

La Teuse restait debout, jalouse, blessée, faisant effort pour se taire; mais la langue lui démangeait tellement, qu'elle reprit bientôt :

— Frère Archangias est venu... Il n'aura pas un enfant à l'école, aujourd'hui. Il est parti comme un coup de vent, pour aller tirer les oreilles à cette marmaille, dans les vignes... Vous ferez bien de le voir. Je crois qu'il a quelque chose à vous dire.

L'abbé Mouret lui imposa silence de la main. Il n'avait plus ouvert les lèvres. Il récitait les prières consacrées, en prenant le manipule, qu'il baisa, avant de le mettre à son bras gauche, au-dessous du coude, comme un signe indiquant le travail des bonnes œuvres, et en croisant sur sa poitrine, après l'avoir également baisée, l'étole, symbole de sa dignité et de sa puissance. La Teuse dut aider Vincent

à fixer la chasuble, qu'elle attacha à l'aide de minces cordons, de façon à ce qu'elle ne retombât pas en arrière [8].

— Sainte Vierge! j'ai oublié les burettes! balbutia-t-elle, se précipitant vers l'armoire. Allons, vite, galopin!

Vincent emplit les burettes, des fioles de verre grossier, tandis qu'elle se hâtait de prendre un manuterge [9] propre dans un tiroir. L'abbé Mouret, tenant le calice de la main gauche par le nœud, les doigts de la main droite posés sur la bourse, salua profondément, sans ôter sa barrette, un Christ de bois noir pendu au-dessus du buffet. L'enfant s'inclina également; puis, passant le premier, tenant les burettes, recouvertes du manuterge, il quitta la sacristie, suivi du prêtre qui marchait les yeux baissés, dans une dévotion profonde.

2

L'église, vide, était toute blanche, par cette matinée de mai. La corde, près du confessionnal, pendait de nouveau, immobile. La veilleuse, dans un verre de couleur, brûlait, pareille à une tache rouge, à droite du tabernacle, contre le mur. Vincent, après avoir porté les burettes sur la crédence, revint s'agenouiller à gauche, au bas du degré, tandis que le prêtre, ayant salué le Saint-Sacrement d'une génuflexion sur le pavé, montait à l'autel, étalait le corporal, au milieu duquel il plaçait le calice. Puis, ouvrant le Missel, il redescendit. Une nouvelle génuflexion le plia; il se signa à voix haute, joignit les mains devant la poitrine, commença le grand drame divin, d'une face toute pâle de foi et d'amour.

— *Introibo ad altare Dei.*

— *Ad Deum qui laetificat juventutem meam*, bredouilla Vincent, qui mangea les répons de l'antienne et du psaume, le derrière sur les talons, occupé à suivre la Teuse rôdant dans l'église.

La vieille servante regardait un des cierges d'un air inquiet. Sa préoccupation parut redoubler, pendant que le prêtre, incliné profondément, les mains jointes de nouveau, récitait le *Confiteor*. Elle s'arrêta, se frappant à son tour la poitrine, la tête penchée, continuant à guetter le cierge. La voix grave du prêtre et les balbutiements du servant alternèrent encore pendant un instant.

8. Au moment de la préparation du roman, Zola avait assisté régulièrement à la messe, ce qui explique la minutie de ces détails.
9. Linge avec lequel le prêtre se purifie les mains après le *Lavabo*.

— *Dominus vobiscum.*

— *Et cum spiritu tuo.*

Et le prêtre, élargissant les mains, puis les rejoignant, dit avec une componction attendrie :

— *Oremus...*

La Teuse ne put tenir davantage. Elle passa derrière l'autel, atteignit le cierge, qu'elle nettoya du bout de ses ciseaux. Le cierge coulait. Il y avait déjà deux grandes larmes de cire perdues. Quand elle revint, rangeant les bancs, s'assurant que les bénitiers n'étaient pas vides, le prêtre, monté à l'autel, les mains posées au bord de la nappe, priait à voix basse. Il baisa l'autel.

Derrière lui, la petite église restait blafarde des pâleurs de la matinée. Le soleil n'était encore qu'au ras des tuiles. Les *Kyrie eleison* coururent comme un frisson dans cette sorte d'étable, passée à la chaux, au plafond plat, dont on voyait les poutres badigeonnées. De chaque côté, trois hautes fenêtres à vitres claires, fêlées, crevées pour la plupart, ouvraient des jours d'une crudité crayeuse. Le plein air du dehors entrait là brutalement, mettant à nu toute la misère du Dieu de ce village perdu. Au fond, au-dessus de la grande porte, qu'on n'ouvrait jamais, et dont des herbes barraient le seuil, une tribune en planches, à laquelle on montait par une échelle de meunier, allait d'une muraille à l'autre, craquant sous les sabots les jours de fête. Près de l'échelle, le confessionnal, aux panneaux disjoints, était peint en jaune citron. En face, à côté de la petite porte, se trouvait le baptistère, un ancien bénitier, posé sur un pied en maçonnerie. Puis, à droite et à gauche, au milieu, étaient plaqués deux minces autels, entourés de balustrades de bois. Celui de gauche, consacré à la Sainte Vierge, avait une grande Mère de Dieu en plâtre doré, portant royalement une couronne d'or fermée sur ses cheveux châtains ; elle tenait, assis sur son bras gauche, un Jésus, nu et souriant, dont la petite main soulevait le globe étoilé du monde ; elle marchait au milieu de nuages, avec des têtes d'anges ailées sous les pieds. L'autel de droite, où se disaient les messes de mort, était surmonté d'un Christ en carton peint, faisant pendant à la Vierge ; le Christ, de la grandeur d'un enfant de dix ans, agonisait d'une effrayante façon, la tête rejetée en arrière, les côtes saillantes, le ventre creusé, les membres tordus, éclaboussés de sang. Il y avait encore la chaire, une caisse carrée, où l'on montait par un escabeau de cinq degrés, qui s'élevait vis-à-vis d'une horloge à poids, enfermée dans une armoire de noyer, et dont les coups sourds ébranlaient l'église entière, pareils aux battements d'un cœur énorme, caché quelque

part, sous les dalles. Tout le long de la nef, les quatorze stations du chemin de la Croix, quatorze images grossièrement enluminées, encadrées de baguettes noires, tachaient du jaune, du bleu et du rouge de la Passion, la blancheur crue des murs.

— *Deo gratias*, bégaya Vincent, à la fin de l'épître.

Le mystère d'amour, l'immolation de la sainte victime se préparait. Le servant prit le missel, qu'il porta à gauche, du côté de l'évangile, en ayant soin de ne pas toucher les feuillets du livre. Chaque fois qu'il passait devant le tabernacle, il faisait de biais une génuflexion qui lui déjetait la taille. Puis, revenu à droite, il se tint debout, les bras croisés, pendant la lecture de l'évangile. Le prêtre, après avoir fait un signe de croix sur le missel, s'était signé lui-même : au front, pour dire qu'il ne rougirait jamais de la parole divine ; sur la bouche, pour montrer qu'il était toujours prêt à confesser sa foi ; sur son cœur, pour indiquer que son cœur appartenait à Dieu.

— *Dominus vobiscum*, dit-il en se tournant, le regard noyé, en face des blancheurs froides de l'église.

— *Et cum spiritu tuo*, répondit Vincent, qui s'était remis à genoux.

Après avoir récité l'offertoire, le prêtre découvrit le calice. Il tint un instant, à la hauteur de sa poitrine, la patène contenant l'hostie, qu'il offrit à Dieu, pour lui, pour les assistants, pour tous les fidèles, vivants ou morts. Puis, l'ayant fait glisser au bord du corporal sans la toucher des doigts, il prit le calice, qu'il essuya soigneusement avec le purificatoire. Vincent était allé chercher sur la crédence les burettes, qu'il présenta l'une après l'autre, la burette du vin d'abord, ensuite la burette de l'eau. Le prêtre offrit alors, pour le monde entier, le calice à demi plein, qu'il remit au milieu du corporal, où il le recouvrit de la pale. Et, ayant prié encore, il revint se faire verser de l'eau par minces filets sur les extrémités du pouce et de l'index de chaque main, afin de se purifier des moindres taches du péché. Quand il se fut essuyé au manuterge, la Teuse, qui attendait, vida le plateau des burettes dans un seau de zinc, au coin de l'autel.

— *Orate, fratres*, reprit le prêtre à voix haute, tourné vers les bancs vides, les mains élargies et rejointes, dans un geste d'appel aux hommes de bonne volonté.

Et, se retournant devant l'autel, il continua, en baissant la voix. Vincent marmotta une longue phrase latine dans laquelle il se perdit. Ce fut alors que des flammes jaunes entrèrent par les fenêtres. Le soleil, à l'appel du prêtre, venait à la messe. Il éclaira de larges nappes dorées la muraille gauche, le confessionnal, l'autel de la Vierge, la grande horloge. Un craquement secoua le confessionnal; la Mère de Dieu, dans une gloire, dans l'éblouissement de sa couronne et de son manteau d'or, sourit tendrement à l'Enfant Jésus, de ses lèvres peintes; l'horloge, réchauffée, battit l'heure, à coups plus vifs. Il sembla que le soleil peuplait les bancs des poussières qui dansaient dans ses rayons. La petite église, l'étable blanchie, fut comme pleine d'une foule tiède. Au dehors, on entendait les petits bruits du réveil heureux de la campagne, les herbes qui soupiraient d'aise, les feuilles s'essuyant dans la chaleur, les oiseaux lissant leurs plumes, donnant un premier coup d'ailes. Même la campagne entrait avec le soleil : à une des fenêtres, un gros sorbier se haussait, jetant des branches par les carreaux cassés, allongeant ses bourgeons, comme pour regarder à l'intérieur; et, par les fentes de la grande porte, on voyait les herbes du perron, qui menaçaient d'envahir la nef. Seul, au milieu de cette vie montante, le grand Christ, resté dans l'ombre, mettait la mort, l'agonie de sa chair barbouillée d'ocre, éclaboussée de laque [10]. Un moineau vint se poser au bord d'un trou; il regarda, puis s'envola; mais il reparut presque aussitôt, et, d'un vol silencieux, s'abattit entre les bancs, devant l'autel de la Vierge. Un second moineau le suivit. Bientôt, de toutes les branches du sorbier, des moineaux descendirent, se promenant tranquillement à petits sauts, sur les dalles.

— *Sanctus, Sanctus, Sanctus, Dominus, Deus, Sabaoth*, dit le prêtre à demi-voix, les épaules légèrement penchées.

Vincent donna les trois coups de clochette. Mais les moineaux, effrayés de ce tintement brusque, s'envolèrent avec un tel bruit d'ailes que la Teuse, rentrée depuis un instant dans la sacristie, reparut, en grondant :

— Les gueux! ils vont tout salir... Je parie que mademoiselle Désirée est encore venue leur mettre des mies de pain.

L'instant redoutable approchait. Le corps et le sang d'un Dieu allaient descendre sur l'autel. Le prêtre baisait la nappe, joignait les mains, multipliait les signes de croix sur l'hostie et sur le calice [11]. Les prières du canon ne tombaient plus de ses lèvres que dans une extase d'humilité et de reconnaissance. Ses attitudes, ses gestes, ses inflexions de voix,

disaient le peu qu'il était, l'émotion qu'il éprouvait à être choisi pour une si grande tâche. Vincent vint s'agenouiller derrière lui; il prit la chasuble de la main gauche, la soutint légèrement, apprêtant la clochette. Et lui, les coudes appuyés au bord de la table, tenant l'hostie entre le pouce et l'index de chaque main, prononça sur elle les paroles de la consécration : *Hoc est enim corpus meum*. Puis, ayant fait une génuflexion, il l'éleva lentement, aussi haut qu'il put, en la suivant des yeux, pendant que le servant sonnait, à trois fois, prosterné. Il consacra ensuite le vin : *Hic est enim calix*, les coudes de nouveau sur l'autel, saluant, élevant le calice, le suivant à son tour des yeux, la main droite serrant le nœud, la gauche soutenant le pied. Le servant donna trois derniers coups de clochette. Le grand mystère de la Rédemption venait d'être renouvelé, le Sang adorable coulait une fois de plus.

— Attendez, attendez, gronda la Teuse en tâchant d'effrayer les moineaux, le poing tendu.

Mais les moineaux n'avaient plus peur. Ils étaient revenus, au beau milieu des coups de clochette, effrontés, voletant sur les bancs. Les tintements répétés les avaient même mis en joie. Ils répondirent par de petits cris, qui coupaient les paroles latines d'un rire perlé de gamins libres. Le soleil leur chauffait les plumes, la pauvreté douce de l'église les enchantait. Ils étaient là chez eux, comme dans une grange, dont on aurait laissé une lucarne ouverte, piaillant, se battant, se disputant les mies rencontrées à terre. Un d'eux alla se poser sur le voile d'or de la Vierge qui souriait; un autre vint, lestement, reconnaître les jupes de la Teuse, que cette audace mit hors d'elle.

A l'autel, le prêtre anéanti, les yeux arrêtés sur la sainte hostie, le pouce et l'index joints, n'entendait point cet envahissement de la nef par la tiède matinée de mai, ce flot montant de soleil, de verdures, d'oiseaux, qui débordait jusqu'au pied du Calvaire où la nature damnée agonisait.

— *Per omnia saecula saeculorum*, dit-il.

— *Amen*, répondit Vincent.

Le *Pater* achevé, le prêtre, mettant l'hostie au-dessus du calice, la rompit au milieu. Il détacha ensuite, d'une des moitiés, une particule qu'il laissa tomber dans le précieux Sang, pour marquer l'union intime qu'il allait contracter avec Dieu par la communion. Il dit à haute voix l'*Agnus Dei*, récita tout bas les trois oraisons prescrites, fit son acte d'indignité; et, les coudes sur l'autel, la patène sous le menton, il communia des deux parties de l'hostie à la fois. Puis, après avoir joint les mains à la hauteur de son visage, dans une fervente méditation, il

---

10. Préparation de l'hallucination de Serge, dans la troisième partie : on y trouve les éléments essentiels, le sorbier, les bourgeons, les carreaux cassés, la vie à l'assaut de l'église et du Christ agonisant.
11. Signes de croix rituels, chaque fois que, dans la prière liturgique, il est fait allusion au Christ.

recueillit sur le corporal, à l'aide de la patène, les saintes parcelles détachées de l'hostie, qu'il mit dans le calice. Une parcelle s'étant également attachée à son pouce, il le frotta du bout de son index. Et, se signant avec le calice, portant de nouveau la patène sous son menton, il prit tout le précieux Sang, en trois fois, sans quitter des lèvres le bord de la coupe, consommant jusqu'à la dernière goutte le divin Sacrifice.

Vincent s'était levé pour retourner chercher les burettes sur la crédence. Mais la porte du couloir qui conduisait au presbytère s'ouvrit toute grande, se rabattit contre le mur, livrant passage à une belle fille de vingt-deux ans, l'air enfant, qui cachait quelque chose dans son tablier.

— Il y en a treize! cria-t-elle. Tous les œufs étaient bons!

Et entr'ouvrant son tablier, montrant une couvée de poussins qui grouillaient, avec leurs plumes naissantes et les points noirs de leurs yeux :

— Regardez donc! sont-ils mignons, les amours!... Oh! le petit blanc qui monte sur le dos des autres! Et celui-là, le moucheté, qui bat déjà des ailes!... Les œufs étaient joliment bons. Pas un de clair [12]!

La Teuse, qui aidait à la messe quand même, passant les burettes à Vincent pour les ablutions, se tourna, dit à haute voix :

— Taisez-vous donc, mademoiselle Désirée! Vous voyez bien que nous n'avons pas fini.

Une odeur forte de basse-cour venait par la porte ouverte, soufflant comme un ferment d'éclosion dans l'église, dans le soleil chaud qui gagnait l'autel. Désirée resta un instant debout, toute heureuse du petit monde qu'elle portait, regardant Vincent verser le vin de la purification, regardant son frère boire ce vin, pour que rien des saintes espèces ne restât dans sa bouche. Et elle était encore là, lorsqu'il revint, tenant le calice à deux mains, afin de recevoir sur le pouce et sur l'index le vin et l'eau de l'ablution, qu'il but également. Mais la poule, cherchant ses petits, arrivait en gloussant, menaçait d'entrer dans l'église. Alors, Désirée s'en alla, avec des paroles maternelles pour les poussins, au moment où le prêtre, après avoir appuyé le purificatoire sur ses lèvres, le passait sur les bords, puis dans l'intérieur du calice.

C'était la fin, les actions de grâces rendues à Dieu. Le servant alla chercher une dernière fois le missel, le rapporta à droite. Le prêtre remit sur le calice le purificatoire, la patène, la pale; puis il pinça de nouveau les deux larges plis du voile, et posa la bourse, dans laquelle il avait plié le corporal. Tout son être était un ardent remerciement. Il demandait au ciel la rémission de ses péchés, la grâce d'une sainte vie, le mérite de la vie éternelle. Il restait abîmé dans ce miracle d'amour, dans cette immolation continue qui le nourrissait chaque jour du sang et de la chair de son Sauveur.

Après avoir lu les oraisons, il se tourna, disant :

— *Ite, missa est.*

— *Deo gratias*, répondit Vincent.

Puis, s'étant retourné pour baiser l'autel, il revint, la main gauche au-dessous de la poitrine, la main droite tendue, bénissant l'église pleine des gaietés du soleil et du tapage des moineaux.

— *Benedicat vos omnipotens Deus, Pater et Filius, et Spiritus Sanctus.*

— *Amen*, dit le servant en se signant.

Le soleil avait grandi, et les moineaux s'enhardissaient. Pendant que le prêtre lisait, sur le carton de gauche, l'Évangile de saint Jean, annonçant l'éternité du Verbe, le soleil enflammait l'autel, blanchissait les panneaux de faux marbre, mangeait les clartés des deux cierges, dont les courtes mèches ne faisaient plus que deux taches sombres. L'astre triomphant mettait dans sa gloire la croix, les chandeliers, la chasuble, le voile du calice, tout cet or pâlissant sous ses rayons. Et lorsque le prêtre, prenant le calice, faisant une génuflexion, quitta l'autel pour retourner à la sacristie, la tête couverte, précédé du servant qui remportait les burettes et le manuterge, l'astre demeura seul maître de l'église. Il s'était posé à son tour sur la nappe, allumant d'une splendeur la porte du tabernacle, célébrant les fécondités de mai. Une chaleur montait des dalles. Les murailles badigeonnées, la grande Vierge, le grand Christ lui-même, prenaient un frisson de sève, comme si la mort était vaincue par l'éternelle jeunesse de la terre [13].

3

La Teuse se hâta d'éteindre les cierges. Mais elle s'attarda à vouloir chasser les moineaux. Aussi, quand elle rapporta le missel à la sacristie, ne trouva-t-elle plus l'abbé Mouret, qui avait rangé les ornements sacrés, après s'être lavé les mains. Il

---

12. L'adjectif *clair*, appliqué à un œuf, désigne un œuf non fécondé.

13. L'opposition entre la vie représentée par la sève et l'éternelle jeunesse, et la mort représentée par le Christ en croix, est le nœud même du roman.

était déjà dans la salle à manger, debout, déjeunant d'une tasse de lait.

— Vous devriez bien empêcher votre sœur de jeter du pain dans l'église, dit la Teuse en entrant. C'est l'hiver dernier qu'elle a inventé ce joli coup-là. Elle disait que les moineaux avaient froid, que le bon Dieu pouvait bien les nourrir... Vous verrez qu'elle finira par nous faire coucher avec ses poules et ses lapins.

— Nous aurions plus chaud, répondit gaiement le jeune prêtre. Vous grondez toujours, la Teuse. Laissez donc notre pauvre Désirée aimer ses bêtes. Elle n'a pas d'autre plaisir, la chère innocente.

La servante se planta au milieu de la pièce.

— Oh! vous! reprit-elle, vous accepteriez que les pies elles-mêmes bâtissent leurs nids dans l'église. Vous ne voyez rien, vous trouvez tout parfait... Votre sœur est joliment heureuse que vous l'ayez prise avec vous au sortir du séminaire. Pas de père, pas de mère [14]. Je voudrais savoir qui lui permettrait de patauger comme elle le fait, dans une basse-cour ?

Puis, changeant de ton, s'attendrissant :

— Ça, bien sûr, ce serait dommage de la contrarier. Elle est sans malice aucune. Elle n'a pas dix ans d'âge, bien qu'elle soit une des plus fortes filles du pays... Vous savez, je la couche encore, le soir, et il faut que je lui raconte des histoires pour l'endormir, comme à une enfant.

L'abbé Mouret était resté debout, achevant sa tasse de lait, les doigts un peu rougis par la fraîcheur de la salle à manger, une grande pièce carrelée, peinte en gris, sans autres meubles qu'une table et des chaises. La Teuse enleva une serviette, qu'elle avait étalée sur un coin de table, pour le déjeuner.

— Vous ne salissez guère de linge, murmura-t-elle. On dirait que vous ne pouvez pas vous asseoir, que vous êtes toujours sur le point de partir... Ah! si vous aviez connu monsieur Caffin, le pauvre défunt curé que vous avez remplacé! Voilà un homme qui était douillet! Il n'aurait pas digéré, s'il avait mangé debout... C'était un Normand, de Canteleu [15], comme moi. Oh! je ne le remercie pas de m'avoir amenée dans ce pays de loups. Les premiers temps, nous sommes-nous ennuyés, bon Dieu! Le pauvre curé avait eu des histoires bien désagréables chez nous... Tiens! monsieur Mouret, vous n'avez donc pas sucré votre lait ? Voilà les deux morceaux de sucre.

Le prêtre posait sa tasse.

— Oui, j'ai oublié, je crois, dit-il.

La Teuse le regarda en face, en haussant les épaules. Elle plia dans la serviette une tartine de pain bis qui était également restée sur la table. Puis, comme le curé allait sortir, elle courut à lui, s'agenouilla, en criant :

— Attendez, les cordons de vos souliers ne sont seulement pas noués... Je ne sais pas comment vos pieds résistent, dans ces souliers de paysan. Vous, si mignon, qui avez l'air d'avoir été drôlement gâté!... Allez, il fallait que l'évêque vous connût bien, pour vous donner la cure la plus pauvre du département.

— Mais, dit le prêtre en souriant de nouveau, c'est moi qui ai choisi les Artaud... Vous êtes bien mauvaise, ce matin, la Teuse. Est-ce que nous ne sommes pas heureux, ici ? Nous avons tout ce qu'il nous faut, nous vivons dans une paix de paradis.

Alors, elle se contint, elle rit à son tour, répondant :

— Vous êtes un saint homme, monsieur le curé... Venez voir comme ma lessive est grasse. Ça vaudra mieux que de nous disputer.

Il dut la suivre, car elle menaçait de ne pas le laisser sortir, s'il ne la complimentait pas sur sa lessive. Il quittait la salle à manger, lorsqu'il se heurta à un plâtras, dans le corridor.

— Qu'est-ce donc ? demanda-t-il.

— Rien, répondit la Teuse de son air terrible. C'est le presbytère qui tombe. Mais vous vous trouvez bien, vous avez tout ce qu'il vous faut... Ah! Dieu, les crevasses ne manquent pas. Regardez-moi ce plafond. Est-il assez fendu! Si nous ne sommes pas écrasés un de ces jours, nous devrons un fameux cierge à notre ange gardien. Enfin, puisque ça vous convient... C'est comme l'église. Il y a deux ans qu'on aurait dû remettre les carreaux cassés. L'hiver, le bon Dieu gèle. Puis, ça empêcherait d'entrer ces gueux de moineaux. Je finirai par coller du papier, moi, je vous en avertis.

— Eh! c'est une idée, murmura le prêtre, on pourrait coller du papier... Quant aux murs, ils sont plus solides qu'on ne croit. Dans ma chambre, le plancher a fléchi seulement devant la fenêtre. La maison nous enterrera tous.

Arrivé sous le petit hangar, près de la cuisine, il s'extasia sur l'excellence de la lessive, voulant faire plaisir à la Teuse; il fallut même qu'il la sentît, qu'il mît les doigts dedans. Alors, la vieille femme, enchantée, se montra maternelle. Elle courut chercher une brosse, disant :

— Vous n'allez peut-être pas sortir avec de la boue d'hier à votre soutane! Si vous l'aviez laissée

---

14. Allusion à *la Conquête de Plassans*, où l'on assiste à la mort de François et de Marthe Mouret.

15. Commune de Seine-Maritime que Zola a pu connaître par Flaubert et par Maupassant.

sur la rampe, elle serait propre... Elle est encore bonne, cette soutane. Seulement, relevez-la bien, quand vous traversez un champ. Les chardons déchirent tout.

Et elle le faisait tourner comme un enfant, le secouant des pieds à la tête, sous les coups violents de la brosse.

— Là, là, c'est assez, dit-il en s'échappant. Veillez sur Désirée, n'est-ce pas! Je vais lui dire que je sors.

Mais, à ce moment, une voix claire appela :

— Serge! Serge!

Désirée arrivait en courant, toute rouge de joie, tête nue, ses cheveux noirs noués puissamment sur la nuque, avec des mains et des bras couverts de fumier, jusqu'aux coudes. Elle nettoyait ses poules. Quand elle vit son frère sur le point de sortir, son bréviaire sous le bras, elle rit plus fort, l'embrassant à pleine bouche, rejetant les mains en arrière, pour ne pas le toucher[16].

— Non, non, balbutiait-elle, je te salirais... Oh! je m'amuse! Tu verras les bêtes, quand tu reviendras.

Et elle se sauva. L'abbé Mouret dit qu'il rentrerait vers onze heures, pour le déjeuner. Il partait, lorsque la Teuse, qui l'avait accompagné jusqu'au seuil, lui cria ses dernières recommandations.

— N'oubliez pas de voir Frère Archangias... Passez aussi chez les Brichet; la femme est venue hier, toujours pour ce mariage... Monsieur le curé, écoutez donc! J'ai rencontré la Rosalie. Elle ne demanderait pas mieux, elle, que d'épouser le grand Fortuné. Parlez au père Bambousse, peut-être qu'il vous écoutera, maintenant... Et ne revenez pas à midi, comme l'autre jour. A onze heures, dites, à onze heures, n'est-ce pas ?

Mais le prêtre ne se tournait plus. Elle rentra, en disant entre ses dents :

— Si vous croyez qu'il m'écoute!... Ça n'a pas vingt-six ans, et ça n'en fait qu'à sa tête. Bien sûr, il en remontrerait pour la sainteté à un homme de soixante ans; mais il n'a point vécu, il ne sait rien, il n'a pas de peine à être sage comme un chérubin, ce mignon-là.

4

Quand l'abbé Mouret ne sentit plus la Teuse derrière lui, il s'arrêta, heureux d'être enfin seul. L'église était bâtie sur un tertre peu élevé, qui descendait en pente douce jusqu'au village; elle s'allongeait, pareille à une bergerie abandonnée, percée de larges fenêtres, égayée par des tuiles rouges. Le prêtre se retourna, jetant un coup d'œil sur le presbytère, une masure grisâtre, collée au flanc même de la nef; puis, comme s'il eût craint d'être repris par l'intarissable bavardage bourdonnant à ses oreilles depuis le matin, il remonta à droite; il ne se crut en sûreté que devant le grand portail, où l'on ne pouvait l'apercevoir de la cure. La façade de l'église, toute nue, rongée par les soleils et les pluies, était surmontée d'une étroite cage en maçonnerie, au milieu de laquelle une petite cloche mettait son profil noir; on voyait le bout de la corde, entrant dans les tuiles. Six marches rompues, à demi enterrées par un bout, menaient à la haute porte ronde, crevassée, mangée de poussière, de rouille, de toiles d'araignée, si lamentable sur ses gonds arrachés, que les coups de vent semblaient devoir entrer, au premier souffle. L'abbé Mouret, qui avait des tendresses pour cette ruine, alla s'adosser contre un des vantaux, sur le perron. De là, il embrassait d'un coup d'œil tout le pays. Les mains aux yeux, il regarda, il chercha l'horizon.

En mai, une végétation formidable crevait ce sol de cailloux. Des lavandes colossales, des buissons de genévriers, des nappes d'herbes rudes, montaient sur le perron, plantaient des bouquets de verdure sombre jusque sur les tuiles. La première poussée de la sève menaçait d'emporter l'église [17] dans le dur taillis des plantes noueuses. A cette heure matinale, en plein travail de croissance, c'était un bourdonnement de chaleur, un long effort silencieux soulevant les roches d'un frisson. Mais l'abbé ne sentait pas l'ardeur de ces couches laborieuses; il crut que la marche basculait et s'adossa contre l'autre battant de la porte.

Le pays s'étendait à deux lieues, fermé par un mur de collines jaunes, que des bois de pins tachaient de noir; pays terrible aux landes séchées, aux arêtes rocheuses déchirant le sol. Les quelques coins de terre labourable étalaient des mares saignantes, des champs rouges, où s'alignaient des files d'amandiers maigres, des têtes grises d'oliviers, des traînées de vignes, rayant la campagne de leurs

---

16. Désirée apparaissait dans *la Conquête de Plassans*, mais elle n'avait pas encore aussi nettement la valeur symbolique que Zola souligne dans *l'Ébauche* : « Belle fille idiote. Elle soigne la basse-cour du presbytère. Une belle brute calme. La matière qui ne s'éveille pas. Opposée à Blanche. Elle rit d'un rire puissant et innocent au milieu du drame. C'est la terre. »

17. Seconde préparation à l'hallucination de Serge.

souches brunes. On aurait dit qu'un immense incendie avait passé là, semant sur les hauteurs les cendres des forêts, brûlant les prairies, laissant son éclat et sa chaleur de fournaise dans les creux. A peine, de loin en loin, le vert pâle d'un carré de blé mettait-il une note tendre. L'horizon restait farouche, sans un filet d'eau, mourant de soif, s'envolant par grandes poussières aux moindres haleines. Et, tout au bout, par un coin écroulé des collines de l'horizon, on apercevait un lointain de verdures humides, une échappée de la vallée voisine, que fécondait la Viorne, une rivière descendue des gorges de la Seille.

Le prêtre, les yeux éblouis, abaissa les regards sur le village, dont les quelques maisons s'en allaient à la débandade, au bas de l'église. Misérables maisons, faites de pierres sèches et de planches maçonnées, jetées le long d'un étroit chemin, sans rues indiquées. Elles étaient au nombre d'une trentaine, les unes baissées dans le fumier, noires de misère, les autres plus vastes, plus gaies, avec leurs tuiles roses. Les bouts de jardin, conquis sur le roc, étalaient des carrés de légumes coupés de haies vives. A cette heure, les Artaud étaient vides : pas une femme aux fenêtres, pas un enfant vautré dans la poussière; seules, des bandes de poules allaient et venaient, fouillant la paille, quêtant jusqu'au seuil des maisons, dont les portes laissées ouvertes bâillaient complaisamment au soleil. Un grand chien noir, assis sur son derrière, à l'entrée du village, semblait le garder.

Une paresse engourdissait peu à peu l'abbé Mouret. Le soleil montant le baignait d'une telle tiédeur, qu'il se laissait aller contre la porte de l'église, envahi par une paix heureuse. Il songeait à ce village des Artaud, poussé là, dans les pierres, ainsi qu'une des végétations noueuses de la vallée. Tous les habitants étaient parents, tous portaient le même nom, si bien qu'ils prenaient des surnoms dès le berceau, pour se distinguer entre eux. Un ancêtre, un Artaud, était venu, qui s'était fixé dans cette lande, comme un paria; puis, sa famille avait grandi, avec la vitalité farouche des herbes suçant la vie des rochers; sa famille avait fini par être une tribu, une commune, dont les cousinages se perdaient, remontaient à des siècles. Ils se mariaient entre eux, dans une promiscuité éhontée; on ne citait pas un exemple d'un Artaud ayant amené une femme d'un village voisin; les filles seules s'en allaient, parfois. Ils naissaient, ils mouraient, attachés à ce coin de terre, pullulant sur leur fumier, lentement, avec une simplicité d'arbres qui repoussaient de leur semence, sans avoir une idée nette du vaste monde, au-delà de ces roches jaunes entre lesquelles ils végétaient. Et pourtant déjà, parmi eux, se trouvaient des pauvres et des riches. Des poules ayant disparu, les poulaillers, la nuit, étaient fermés par de gros cadenas; un Artaud avait tué un Artaud, un soir, derrière le moulin. C'était, au fond de cette ceinture désolée de collines, un peuple à part, une race née du sol, une humanité de trois cents têtes qui recommençait les temps.

Lui, gardait toute l'ombre morte du séminaire. Pendant des années, il n'avait pas connu le soleil. Il l'ignorait même encore, les yeux fermés, fixés sur l'âme, n'ayant que du mépris pour la nature damnée. Longtemps, aux heures de recueillement, lorsque la méditation le prosternait, il avait rêvé un désert d'ermite, quelque trou dans une montagne, où rien de la vie, ni être, ni plante, ni eau, ne le viendrait distraire de la contemplation de Dieu. C'était un élan d'amour pur, une horreur de la sensation physique. Là, mourant à lui-même, le dos tourné à la lumière, il aurait attendu de n'être plus, de se perdre dans la souveraine blancheur des âmes. Le ciel lui apparaissait tout blanc, d'un blanc de lumière, comme s'il neigeait des lis, comme si toutes les puretés, toutes les innocences, toutes les chastetés flambaient. Mais son confesseur le grondait, quand il lui racontait ses désirs de solitude, ses besoins de candeur divine; il le rappelait aux luttes de l'Église, aux nécessités du sacerdoce. Plus tard, après son ordination, le jeune prêtre était venu aux Artaud, sur sa propre demande, avec l'espoir de réaliser son rêve d'anéantissement humain. Au milieu de cette misère, sur ce sol stérile, il pourrait se boucher les oreilles aux bruits du monde, il vivrait dans le sommeil des saints. Et, depuis plusieurs mois, en effet, il demeurait souriant; à peine un frisson du village le troublait-il de loin en loin; à peine une morsure plus chaude du soleil le prenait-elle à la nuque, lorsqu'il suivait les sentiers, tout au ciel, sans entendre l'enfantement continu au milieu duquel il marchait.

Le grand chien noir qui gardait les Artaud venait de se décider à monter auprès de l'abbé Mouret. Il s'était assis de nouveau sur son derrière, à ses pieds. Mais le prêtre restait perdu dans la douceur du matin. La veille il avait commencé les exercices du rosaire de Marie [18]; il attribuait la grande joie qui descendait en lui à l'intercession de la Vierge auprès de son divin Fils. Et que les biens de la terre lui semblaient méprisables! Avec quelle reconnaissance il se sentait pauvre! En entrant dans les ordres,

---

18. Cette précision permet de situer l'action en mai.

ayant perdu son père et sa mère le même jour, à la suite d'un drame dont il ignorait encore les épouvantes, il avait laissé à un frère aîné [19] toute la fortune. Il ne tenait plus au monde que par sa sœur. Il s'était chargé d'elle, pris d'une sorte de tendresse religieuse pour sa tête faible. La chère innocente était si puérile, si petite fille, qu'elle lui apparaissait avec la pureté de ces pauvres d'esprit [20] auxquels l'évangile accorde le royaume des cieux. Cependant, elle l'inquiétait depuis quelque temps : elle devenait trop forte, trop saine; elle sentait trop la vie. Mais c'était à peine un malaise. Il passait ses journées dans l'existence intérieure qu'il s'était faite, ayant tout quitté pour se donner entier. Il fermait la porte de ses sens, cherchait à s'affranchir des nécessités du corps, n'était plus qu'une âme ravie par la contemplation. La nature ne lui présentait que pièges, qu'ordures; il mettait sa gloire à lui faire violence, à la mépriser, à se dégager de sa boue humaine. Le juste doit être insensé selon le monde. Aussi se regardait-il comme un exilé sur la terre; il n'envisageait que les biens célestes, ne pouvant comprendre qu'on mît en balance une éternité de félicité avec quelques heures d'une joie périssable. Sa raison le trompait, ses désirs mentaient. Et s'il avançait dans la vertu, c'était surtout par son humilité et son obéissance. Il voulait être le dernier de tous, soumis à tous, pour que la rosée divine tombât sur son cœur comme sur un sable aride; il se disait couvert d'opprobre et de confusion, indigne à jamais d'être sauvé du péché. Être humble, c'est croire, c'est aimer. Il ne dépendait même plus de lui-même, aveugle, sourd, chair morte. Il était la chose de Dieu. Alors, de cette abjection où il s'enfonçait, un hosannah l'emportait au-dessus des heureux et des puissants, dans le resplendissement d'un bonheur sans fin.

Aux Artaud, l'abbé Mouret avait ainsi trouvé les ravissements du cloître, si ardemment souhaités jadis, à chacune de ses lectures de l'*Imitation* [21]. Rien en lui n'avait encore combattu. Il était parfait, dès le premier agenouillement, sans lutte, sans secousse, comme foudroyé par la grâce, dans l'oubli absolu de sa chair. Extase de l'approche de Dieu que connaissent quelques jeunes prêtres; heure bienheureuse où tout se tait, où les désirs ne sont

qu'un immense besoin de pureté. Il n'avait mis sa consolation chez aucune créature. Lorsqu'on croit qu'une chose est tout, on ne saurait être ébranlé, et il croyait que Dieu était tout, que son humilité, son obéissance, sa chasteté, étaient tout. Il se souvenait d'avoir entendu parler de la tentation comme d'une torture abominable qui éprouve les plus saints. Lui, souriait. Dieu ne l'avait jamais abandonné. Il marchait dans sa foi, ainsi que dans une cuirasse qui le protégeait contre les moindres souffles mauvais. Il se rappelait qu'à huit ans il pleurait d'amour, dans les coins; il ne savait pas qui il aimait; il pleurait parce qu'il aimait quelqu'un, bien loin. Toujours il était resté attendri. Plus tard, il avait voulu être prêtre, pour satisfaire ce besoin d'affection surhumaine qui faisait son seul tourment. Il ne voyait pas où aimer davantage. Il contentait là son être, ses prédispositions de race, ses rêves d'adolescent, ses premiers désirs d'homme. Si la tentation devait venir, il l'attendait avec sa sérénité de séminariste ignorant. On avait tué l'homme en lui, il le sentait, il était heureux de se savoir à part, créature châtrée, marquée de la tonsure ainsi qu'une brebis du Seigneur.

5

Cependant, le soleil chauffait la grande porte de l'église. Des mouches dorées bourdonnaient autour d'une grande fleur qui poussait entre deux des marches du perron. L'abbé Mouret, un peu étourdi, se décidait à s'éloigner, lorsque le grand chien noir s'élança, en aboyant violemment, vers la grille du petit cimetière, qui se trouvait à gauche de l'église. En même temps, une voix âpre cria :

— Ah! vaurien, tu manques l'école, et c'est dans le cimetière qu'on te trouve!... Ne dis pas non! Il y a un quart d'heure que je te surveille.

Le prêtre s'avança. Il reconnut Vincent, qu'un Frère des écoles chrétiennes tenait rudement par une oreille. L'enfant se trouvait comme suspendu au-dessus d'un gouffre qui longeait le cimetière, et au fond duquel coulait le Mascle, un torrent dont les eaux blanches allaient, à deux lieues de là, se jeter dans la Viorne.

— Frère Archangias! dit doucement l'abbé, pour inviter le terrible homme à l'indulgence.

Mais le Frère ne lâchait pas l'oreille.

— Ah! c'est vous, monsieur le curé, gronda-t-il. Imaginez-vous que ce gredin est toujours fourré

---

19. Octave Mouret, que l'on retrouve dans *Pot-Bouille* et, surtout, dans *le Bonheur des Dames*.

20. Zola commet le contresens classique sur le mot du Christ dans le *Sermon sur la montagne*. Il s'agit, en effet, des « pauvres en esprit », c'est-à-dire de ceux qui ont l'esprit de pauvreté, et non des faibles d'esprit.

21. L'*Imitation de Jésus-Christ*, ouvrage de piété anonyme, rédigé en latin et attribué à Jean Gerson (1363-1429), chancelier de l'université de Paris.

dans le cimetière. Je ne sais pas quel mauvais coup il peut faire ici... Je devrais le lâcher pour qu'il allât se casser la tête, là-bas, au fond. Ce serait bien fait.

L'enfant ne soufflait mot, cramponné aux broussailles, les yeux sournoisement fermés.

— Prenez garde, Frère Archangias, reprit le prêtre; il pourrait glisser.

Et il aida lui-même Vincent à remonter.

— Voyons, mon petit ami, que faisais-tu là ? On ne doit pas jouer dans les cimetières.

Le galopin avait ouvert les yeux, s'écartant peureusement du Frère, se mettant sous la protection de l'abbé Mouret.

— Je vais vous dire, murmura-t-il en levant sa tête futée vers celui-ci. Il y a un nid de fauvettes dans les ronces, dessous cette roche. Voici plus de dix jours que je le guette... Alors, comme les petits sont éclos, je suis venu, ce matin, après avoir servi votre messe...

— Un nid de fauvettes! dit Frère Archangias. Attends, attends!

Il s'écarta, chercha sur une tombe une motte de terre, qu'il revint jeter dans les ronces. Mais il manqua le nid. Une seconde motte lancée plus adroitement bouscula le frêle berceau, jeta les petits au torrent.

— De cette façon, continua-t-il en se tapant les mains pour les essuyer, tu ne viendras peut-être plus rôder ici comme un païen... Les morts iront te tirer les pieds, la nuit, si tu marches encore sur eux.

Vincent, qui avait ri de voir le nid faire le plongeon, regarda autour de lui, avec le haussement d'épaules d'un esprit fort.

— Oh! je n'ai pas peur, dit-il. Les morts, ça ne bouge plus.

Le cimetière, en effet, n'avait rien d'effrayant. C'était un terrain nu, où d'étroites allées se perdaient sous l'envahissement des herbes. Des renflements bossuaient la terre, de place en place. Une seule pierre, debout, toute neuve, la pierre de l'abbé Caffin, mettait sa découpure blanche, au milieu. Rien autre que des bras de croix arrachés, des buis séchés, de vieilles dalles fendues, mangées de mousse. On n'enterrait pas deux fois l'an. La mort ne semblait point habiter ce sol vague, où la Teuse venait, chaque soir, emplir son tablier d'herbe pour les lapins de Désirée. Un cyprès gigantesque, planté à la porte, promenait seul son ombre sur le champ désert. Ce cyprès, qu'on voyait de trois lieues à la ronde, était connu de toute la contrée sous le nom du Solitaire.

— C'est plein de lézards, ajouta Vincent, qui regardait le mur crevassé de l'église. On s'amuserait joliment...

Mais il sortit d'un bond, en voyant le Frère allonger le pied. Celui-ci fit remarquer au curé le mauvais état de la grille. Elle était toute rongée de rouille, un gond descellé, la serrure brisée.

— On devrait réparer cela, dit-il.

L'abbé Mouret sourit, sans répondre. Et, s'adressant à Vincent, qui se battait avec le chien :

— Dis, petit ? demanda-t-il, sais-tu où travaille le père Bambousse, ce matin ?

L'enfant jeta un coup d'œil sur l'horizon.

— Il doit être à son champ des Olivettes, répondit-il, la main tendue vers la gauche... D'ailleurs, Voriau va vous conduire, monsieur le curé. Il sait sûrement où est son maître, lui.

Alors, il tapa dans ses mains, criant :

— Eh! Voriau! eh!

Le grand chien noir hésita un instant, la queue battante, cherchant à lire dans les yeux du gamin. Puis, aboyant de joie, il descendit vers le village. L'abbé Mouret et Frère Archangias le suivirent, en causant. Cent pas plus loin, Vincent les quittait sournoisement, remontant vers l'église, les surveillant, prêt à se jeter derrière un buisson, s'ils tournaient la tête. Avec une souplesse de couleuvre, il se glissa de nouveau dans le cimetière, ce paradis où il y avait des nids, des lézards, des fleurs.

Cependant, tandis que Voriau les devançait sur la route poudreuse, Frère Archangias disait au prêtre, de sa voix irritée :

— Laissez donc! monsieur le curé, de la graine de damnés, ces crapauds-là! On devrait leur casser les reins, pour les rendre agréables à Dieu. Ils poussent dans l'irréligion, comme leurs pères. Il y a quinze ans que je suis ici, et je n'ai pas encore pu faire un chrétien. Dès qu'ils sortent de mes mains, bonsoir! Ils sont tout à la terre, à leurs vignes, à leurs oliviers. Pas un qui mette le pied à l'église. Des brutes qui se battent avec leurs champs de cailloux!... Menez-moi ça à coups de bâton, monsieur le curé, à coups de bâton!

Puis, reprenant haleine, il ajouta, avec un geste terrible :

— Voyez-vous, ces Artaud, c'est comme ces ronces qui mangent les rocs, ici. Il a suffi d'une souche pour que le pays fût empoisonné! Ça cramponne, ça se multiplie, ça vit quand même. Il faudra le feu du ciel, comme à Gomorrhe, pour nettoyer ça.

— On ne doit jamais désespérer des pécheurs, dit l'abbé Mouret, qui marchait à petits pas, dans sa paix intérieure.

— Non, ceux-là sont au diable, reprit plus violemment le Frère. J'ai été paysan comme eux. Jusqu'à dix-huit ans, j'ai pioché la terre. Et plus tard, à l'Institution, j'ai balayé, épluché des légumes, fait les plus gros travaux. Ce n'est pas leur rude besogne que je leur reproche. Au contraire, Dieu préfère ceux qui vivent dans la bassesse... Mais les Artaud se conduisent en bêtes, voyez-vous! Ils sont comme leurs chiens qui n'assistent pas à la messe, qui se moquent des commandements de Dieu et de l'Église. Ils forniqueraient avec leurs pièces de terre, tant ils les aiment [22]!

Voriau, la queue au vent, s'arrêtait, reprenait son trot, après s'être assuré que les deux hommes le suivaient toujours.

— Il y a des abus déplorables, en effet, dit l'abbé Mouret. Mon prédécesseur, l'abbé Caffin...

— Un pauvre homme, interrompit le Frère. Il nous est arrivé de Normandie, à la suite d'une vilaine histoire. Ici, il n'a songé qu'à bien vivre; il a tout laissé aller à la débandade.

— Non, l'abbé Caffin a certainement fait ce qu'il a pu; mais il faut avouer que ses efforts sont restés à peu près stériles. Les miens eux-mêmes demeurent le plus souvent sans résultat.

Frère Archangias haussa les épaules. Il marcha un instant en silence, déhanchant son grand corps maigre taillé à coups de hache, le soleil tapait sur sa nuque, au cuir tanné, mettant dans l'ombre sa dure face de paysan, en lame de sabre.

— Écoutez, monsieur le curé, reprit-il enfin, je suis trop bas pour vous adresser des observations; seulement, j'ai presque le double de votre âge, je connais le pays, ce qui m'autorise à vous dire que vous n'arriverez à rien par la douceur... Entendez-vous, le catéchisme suffit. Dieu n'a pas de miséricorde pour les impies. Il les brûle. Tenez-vous-en à cela.

Et comme l'abbé Mouret, la tête penchée, n'ouvrait point la bouche, il continua :

— La religion s'en va des campagnes, parce qu'on la fait trop bonne femme. Elle a été respectée, tant qu'elle a parlé en maîtresse, sans pardon... Je ne sais ce qu'on vous apprend dans les séminaires. Les nouveaux curés pleurent comme des enfants avec leurs paroissiens. Dieu semble tout changé...

22. Zola prévoyait ainsi Frère Archangias dans sa préparation des personnages : « Le Frère Archangias est un paysan, fils de paysan. Il est des Basses-Alpes, gavot *(montagnard des Alpes)*, gros d'encolure, s'étant jeté dans la religion pour éviter la bêche. Entêté, catholique par étroitesse de cerveau, sale, dégoûtant, mais d'une conscience absolue, se contentant par une tension naturelle de la volonté. C'est un *frère* qui a la raideur d'un dogme. L'encanailler comme figure, pour éviter de lui donner une hauteur symbolique. » En réalité, Archangias sera pire que cela.

Je jurerais, monsieur le curé, que vous ne savez même plus votre catéchisme par cœur ?

Le prêtre, blessé de cette volonté qui cherchait à s'imposer si rudement, leva la tête, disant avec quelque sécheresse :

— C'est bien, votre zèle est louable... Mais n'avez-vous rien à me dire ? Vous êtes venu ce matin à la cure, n'est-ce pas ?

Frère Archangias répondit brutalement :

— J'avais à vous dire ce que je vous ai dit... Les Artaud vivent comme leurs cochons. J'ai encore appris hier que Rosalie, l'aînée du père Bambousse, est grosse. Toutes attendent ça pour se marier. Depuis quinze ans, je n'en ai pas connu une qui ne soit allée dans les blés avant de passer à l'église... Et elles prétendent en riant que c'est la coutume du pays!

— Oui, murmura l'abbé Mouret, c'est un grand scandale... Je cherche justement le père Bambousse pour lui parler de cette affaire. Il serait désirable, maintenant, que le mariage eût lieu au plus tôt... Le père de l'enfant, paraît-il, est Fortuné, le grand fils des Brichet. Malheureusement les Brichet sont pauvres.

— Cette Rosalie! poursuivit le Frère, elle a juste dix-huit ans. Ça se perd sur les bancs de l'école. Il n'y a pas quatre ans, je l'avais encore. Elle était déjà vicieuse... J'ai maintenant sa sœur Catherine, une gamine de onze ans qui promet d'être plus éhontée que son aînée. On la rencontre dans tous les trous avec ce petit misérable de Vincent... Allez, on a beau leur tirer les oreilles jusqu'au sang, la femme pousse toujours en elles. Elles ont la damnation dans leurs jupes. Des créatures bonnes à jeter au fumier, avec leurs saletés qui empoisonnent! Ça serait un fameux débarras, si l'on étranglait toutes les filles à leur naissance.

Le dégoût, la haine de la femme, le firent jurer comme un charretier. L'abbé Mouret, après l'avoir écouté, la face calme, finit par sourire de sa violence. Il appela Voriau, qui s'était écarté dans un champ voisin.

— Et, tenez! cria Frère Archangias, en montrant un groupe d'enfants jouant au fond d'une ravine, voilà mes garnements qui manquent l'école, sous prétexte d'aller aider leurs parents dans les vignes!... Soyez sûr que cette gueuse de Catherine est au milieu. Elle s'amuse à glisser. Vous allez voir ses jupes par-dessus sa tête. Là, qu'est-ce que je vous disais!... A ce soir, monsieur le curé... Attendez, attendez, gredins!

Et il partit en courant, son rabat sale volant sur l'épaule, sa grande soutane graisseuse arrachant les chardons. L'abbé Mouret le regarda tomber au milieu de la bande des enfants, qui se sauvèrent comme un vol de moineaux effarouchés. Mais il avait réussi à saisir par les oreilles Catherine et un autre gamin. Il les ramena du côté du village, les tenant ferme de ses gros doigts velus, les accablant d'injures.

Le prêtre reprit sa marche. Frère Archangias lui causait parfois d'étranges scrupules ; il lui apparaissait dans sa vulgarité, dans sa crudité, comme le véritable homme de Dieu, sans attache terrestre, tout à la volonté du ciel, humble, rude, l'ordure à la bouche contre le péché. Et il se désespérait de ne pouvoir se dépouiller davantage de son corps, de ne pas être laid, immonde, puant la vermine des saints. Lorsque le Frère l'avait révolté par des paroles trop crues, par quelque brutalité trop prompte, il s'accusait ensuite de ses délicatesses, de ses fiertés de nature, comme de véritables fautes. Ne devait-il pas être mort à toutes les faiblesses de ce monde ? Cette fois encore, il sourit tristement, en songeant qu'il avait failli se fâcher de la leçon emportée du Frère. C'était l'orgueil, pensait-il, qui cherchait à le perdre, en lui faisant prendre les simples en mépris. Mais, malgré lui, il se sentait soulagé d'être seul, de s'en aller à petits pas, lisant son bréviaire, délivré de cette voix âpre qui troublait son rêve de tendresse pure.

6

La route tournait entre des écroulements de rocs, au milieu desquels les paysans avaient, de loin en loin, conquis quatre ou cinq mètres de terre crayeuse, plantée de vieux oliviers. Sous les pieds de l'abbé, la poussière des ornières profondes avait de légers craquements de neige. Parfois, en recevant à la face un souffle plus chaud, il levait les yeux de son livre, cherchant d'où lui venait cette caresse ; mais son regard restait vague, perdu, sans le voir sur l'horizon enflammé, sur les lignes tordues de cette campagne de passion, séchée, pâmée au soleil, dans un vautrement de femme ardente et stérile. Il rabattait son chapeau sur son front pour échapper aux haleines tièdes ; il reprenait sa lecture, paisiblement ; tandis que sa soutane, derrière lui, soulevait une petite fumée, qui roulait au ras du chemin.

— Bonjour, monsieur le curé, lui dit un paysan qui passa.

Des bruits de bêche, le long des pièces de terre, le sortaient encore de son recueillement. Il tournait la tête, apercevait au milieu des vignes de grands vieillards noueux, qui le saluaient. Les Artaud, en plein soleil, forniquaient avec la terre, selon le mot de Frère Archangias. C'étaient des fronts suants apparaissant derrière les buissons, des poitrines haletantes se redressant lentement, un effort ardent de fécondation, au milieu duquel il marchait de son pas si calme d'ignorance [23]. Rien de troublant ne venait jusqu'à sa chair du grand labeur d'amour dont la splendide matinée s'emplissait.

— Eh ! Voriau, on ne mange pas le monde ! cria gaiement une voix forte, faisant taire le chien qui aboyait violemment.

L'abbé Mouret leva la tête.

— C'est vous, Fortuné, dit-il, en s'avançant au bord du champ, dans lequel le jeune paysan travaillait. Je voulais justement vous parler.

Fortuné avait le même âge que le prêtre. C'était un grand garçon, l'air hardi, la peau dure déjà. Il défrichait un coin de lande pierreuse.

— Par rapport, monsieur le curé ? demanda-t-il.

— Par rapport à ce qui s'est passé entre Rosalie et vous, répondit le prêtre.

Fortuné se mit à rire. Il devait trouver drôle qu'un curé s'occupât d'une pareille chose.

— Dame, murmura-t-il, c'est qu'elle a bien voulu. Je ne l'ai pas forcée... Tant pis si le père Bambousse refuse de me la donner ! Vous avez bien vu que son chien cherchait à me mordre tout à l'heure. Il le lance contre moi.

L'abbé Mouret allait continuer, lorsque le vieil Artaud, dit Brichet, qu'il n'avait pas vu d'abord, sortit de l'ombre d'un buisson, derrière lequel il mangeait avec sa femme. Il était petit, séché par l'âge, la mine humble.

— On vous aura conté des menteries, monsieur le curé, s'écria-t-il. L'enfant est tout prêt à épouser la Rosalie... Ces jeunesses sont allées ensemble. Ce n'est la faute de personne. Il y en a d'autres qui ont fait comme eux et qui n'en ont pas moins bien vécu pour cela... L'affaire ne dépend pas de nous. Il faut parler à Bambousse. C'est lui qui nous méprise, à cause de son argent.

— Oui, nous sommes trop pauvres, gémit la mère Brichet, une grande femme pleurnicheuse, qui se leva à son tour. Nous n'avons que ce bout de champ, où le diable fait grêler les cailloux, bien sûr. Il ne nous donne pas du pain... Sans vous, monsieur le curé, la vie ne serait pas possible.

---

23. Les frères des écoles chrétiennes, de l'ordre de saint Jean-Baptiste de La Salle, étaient communément appelés frères ignorantins ou, parfois, frères quatre bras, à cause de leur manteau.

La mère Brichet était la seule dévote du village. Quand elle avait communié, elle rôdait autour de la cure, sachant que la Teuse lui gardait toujours une paire de pains de la dernière cuisson. Parfois même, elle emportait un lapin ou une poule, que lui donnait Désirée.

— Ce sont de continuels scandales, reprit le prêtre. Il faut que ce mariage ait lieu au plus tôt.

— Mais tout de suite, quand les autres voudront, dit la vieille femme, très inquiète sur les cadeaux qu'elle recevait. N'est-ce pas ? Brichet, ce n'est pas nous qui serons assez mauvais chrétiens pour contrarier monsieur le curé.

Fortuné ricanait.

— Moi, je suis tout prêt, déclara-t-il, et la Rosalie aussi... Je l'ai vue hier, derrière le moulin. Nous ne sommes pas fâchés, au contraire. Nous sommes restés ensemble, à rire...

L'abbé Mouret l'interrompit :

— C'est bien. Je vais parler à Bambousse. Il est là, aux Olivettes, je crois.

Le prêtre s'éloignait, lorsque la mère Brichet lui demanda ce qu'était devenu son cadet Vincent, parti depuis le matin pour aller servir la messe. C'était un galopin qui avait bien besoin des conseils de M. le curé. Et elle accompagna le prêtre pendant une centaine de pas, se plaignant de sa misère, des pommes de terre qui manquaient, du froid qui avait gelé les oliviers, des chaleurs qui menaçaient de brûler les maigres récoltes. Elle le quitta, en lui affirmant que son fils Fortuné récitait ses prières, matin et soir.

Voriau, maintenant, devançait l'abbé Mouret. Brusquement, à un tournant de la route, il se lança dans les terres. L'abbé dut prendre un petit sentier qui montait sur un coteau. Il était aux Olivettes, le quartier le plus fertile du pays, où le maire de la commune, Artaud, dit Bambousse, possédait plusieurs champs de blé, des oliviers et des vignes.

Cependant, le chien s'était jeté dans les jupes d'une grande fille brune, qui eut un beau rire en apercevant le prêtre.

— Est-ce que votre père est là, Rosalie ? lui demanda ce dernier.

— Là, tout contre, dit-elle, étendant la main, sans cesser de sourire.

Puis, quittant le coin du champ qu'elle sarclait, elle marcha devant lui. Sa grossesse, peu avancée, s'indiquait seulement dans un léger renflement des hanches. Elle avait le dandinement puissant des fortes travailleuses, nu-tête au soleil, la nuque roussie, avec des cheveux noirs plantés comme des crins.

Ses mains, verdies, sentaient les herbes qu'elle arrachait.

— Père, cria-t-elle, voici monsieur le curé qui vous demande.

Et elle ne s'en retourna pas, effrontée, gardant son rire sournois de bête impudique. Bambousse, gras, suant, la face ronde, lâcha sa besogne pour venir gaiement à la rencontre de l'abbé.

— Je jurerais que vous voulez me parler des réparations de l'église, dit-il, en tapant ses mains pleines de terre. Eh bien ! non, monsieur le curé, ce n'est pas possible. La commune n'a pas le sou... Si le bon Dieu fournit le plâtre et les tuiles, nous fournirons les maçons.

Cette plaisanterie de paysan incrédule le fit éclater d'un rire énorme. Il se frappa sur les cuisses, toussa, faillit étrangler.

— Ce n'est pas pour l'église que je suis venu, répondit l'abbé Mouret. Je voulais vous parler de votre fille Rosalie...

— Rosalie ? qu'est-ce qu'elle vous a donc fait ? demanda Bambousse, en clignant les yeux.

La paysanne regardait le jeune prêtre avec hardiesse, allant de ses mains blanches à son cou de fille, jouissant, cherchant à le faire devenir tout rose. Mais lui, crûment, la face paisible, comme parlant d'une chose qu'il ne sentait point :

— Vous savez ce que je veux dire, père Bambousse. Elle est grosse. Il faut la marier.

— Ah ! c'est pour ça, murmura le vieux de son air goguenard. Merci de la commission, monsieur le curé. Ce sont les Brichet qui vous envoient, n'est-ce pas ? La mère Brichet va à la messe, et vous lui donnez un coup de main pour caser son fils ; ça se comprend... Mais moi, je n'entre pas là-dedans. L'affaire ne me va pas. Voilà tout.

Le prêtre, surpris, lui expliqua qu'il fallait couper court au scandale, qu'il devait pardonner à Fortuné, puisque celui-ci voulait bien réparer sa faute, enfin que l'honneur de sa fille exigeait un prompt mariage.

— Ta, ta, ta, reprit Bambousse en branlant la tête, que de paroles ! Je garde ma fille, entendez-vous. Tout ça ne me regarde pas... Un gueux, ce Fortuné. Pas deux liards. Ce serait commode, si, pour épouser une jeune fille, il suffisait d'aller avec elle. Dame ! entre jeunesses, on verrait des noces matin et soir... Dieu merci ! je ne suis pas en peine de Rosalie ; on sait ce qui lui est arrivé ; ça ne la rend ni bancale, ni bossue, et elle se mariera avec qui elle voudra dans le pays.

— Mais son enfant ? interrompit le prêtre.

— L'enfant ? Il n'est pas là, n'est-ce pas ? Il n'y

sera peut-être jamais... Si elle fait le petit, nous verrons.

Rosalie, voyant comment tournait la démarche
du curé, crut devoir s'enfoncer les poings dans les
yeux en geignant. Elle se laissa même tomber par
terre, montrant ses bas bleus qui lui montaient au-
dessus des genoux.

— Tu vas te taire, chienne! cria le père devenu
furieux.

Et il la traita ignoblement, avec des mots crus,
qui la faisaient rire en dessous, sous ses poings
fermés.

— Si je te trouve avec ton mâle, je vous attache
ensemble, je vous amène comme ça devant le
monde... Tu ne veux pas te taire? Attends, coquine!

Il ramassa une motte de terre, qu'il lui jeta violemment, à quatre pas. La motte s'écrasa sur son
chignon, glissant dans son cou, la couvrant de poussière. Étourdie, elle se leva d'un bond, se sauva, la
tête entre les mains pour se garantir. Mais Bambousse eut le temps de l'atteindre encore avec deux
autres mottes : l'une ne fit que lui effleurer l'épaule
gauche; l'autre lui arriva en pleine échine, si rudement, qu'elle tomba sur les genoux.

— Bambousse! s'écria le prêtre, en lui arrachant
une poignée de cailloux qu'il venait de prendre.

— Laissez donc! monsieur le curé, dit le paysan.
C'était de la terre molle. J'aurais dû lui jeter ces
cailloux... On voit bien que vous ne connaissez pas
les filles. Elles sont joliment dures. Je tremperais
celle-là au fond de notre puits, je lui casserais les
os à coups de trique, qu'elle n'en irait pas moins à
ses saletés! Mais je la guette, et si je la surprends!...
Enfin, elles sont toutes comme cela.

Il se consolait. Il but un coup de vin, à une grande
bouteille plate, garnie de sparterie, qui chauffait sur
la terre ardente. Et, retrouvant son gros rire :

— Si j'avais un verre, monsieur le curé, je vous
en offrirais de bon cœur.

— Alors, demanda de nouveau le prêtre, ce
mariage?...

— Non, ça ne peut pas se faire, on rirait de moi...
Rosalie est gaillarde. Elle vaut un homme, voyez-
vous. Je serai obligé de louer un garçon, le jour où
elle s'en ira... On reparlera de la chose, après la
vendange. Et puis, je ne veux pas être volé. Donnant, donnant, n'est-ce pas?

Le prêtre resta encore là une grande demi-heure
à prêcher Bambousse, à lui parler de Dieu, à lui
donner toutes les raisons que la situation compor-
tait. Le vieux s'était remis à la besogne; il haussait
les épaules, plaisantait, s'entêtant davantage. Il finit
par crier :

— Enfin, si vous me demandiez un sac de blé,
vous me donneriez de l'argent... Pourquoi voulez-
vous que je laisse aller ma fille contre rien?

L'abbé Mouret, découragé, s'en alla. Comme il
descendait le sentier, il aperçut Rosalie se roulant
sous un olivier avec Voriau, qui lui léchait la figure,
ce qui la faisait rire. Elle disait au chien, les jupes
volantes, les bras battant la terre :

— Tu me chatouilles, grande bête. Finis donc!

Puis, quand elle vit le prêtre, elle fit mine de rougir, elle ramena ses vêtements, les poings de nouveau dans les yeux. Lui, chercha à la consoler, en
lui promettant de tenter de nouveaux efforts auprès
de son père. Et il ajouta qu'en attendant, elle devait
obéir, cesser tout rapport avec Fortuné, ne pas
aggraver son péché davantage.

— Oh! maintenant, murmura-t-elle en souriant
de son air effronté, il n'y a plus de risque, puisque
ça y est.

Il ne comprit pas, il lui peignit l'enfer, où brûlent
les vilaines femmes. Puis, il la quitta, ayant fait son
devoir, repris par cette sérénité qui lui permettait
de passer sans un trouble au milieu des ordures de
la chair.

7

La matinée devenait brûlante. Dans ce vaste cirque de roches, le soleil allumait, dès les premiers
beaux jours, un flamboiement de fournaise. L'abbé
Mouret, à la hauteur de l'astre, comprit qu'il avait
tout juste le temps de rentrer au presbytère, s'il voulait être là à onze heures, pour ne pas se faire gronder par la Teuse. Son bréviaire lu, sa démarche
auprès de Bambousse faite, il s'en retournait à pas
pressés, regardant au loin la tache grise de son
église, avec la haute barre noire que le grand cyprès,
le Solitaire, mettait sur le bleu de l'horizon. Il songeait, dans l'assoupissement de la chaleur, à la façon
la plus riche possible dont il décorerait, le soir, la
chapelle de la Vierge, pour les exercices du mois de
Marie. Le chemin allongeait devant lui un tapis de
poussière doux aux pieds, une pureté d'une blancheur éclatante.

A la Croix-Verte, comme l'abbé allait traverser
la route qui mène de Plassans à la Palud, un cabriolet, qui descendait la rampe, l'obligea à se garer
derrière un tas de cailloux. Il coupait le carrefour,
lorsqu'une voix l'appela :

— Eh! Serge, eh! mon garçon!

Le cabriolet s'était arrêté, un homme se penchait. Alors, le jeune prêtre reconnut un de ses oncles, le docteur Pascal Rougon, que le peuple de Plassans, où il soignait les pauvres gens pour rien, nommait « Monsieur Pascal » tout court [24]. Bien qu'ayant à peine dépassé la cinquantaine, il était déjà la tête d'un blanc de neige, avec une grande barbe, de grands cheveux, au milieu desquels sa belle figure régulière prenait une finesse pleine de bonté.

— C'est à cette heure-ci que tu patauges dans la poussière, toi! dit-il gaiement, en se penchant davantage pour serrer les deux mains de l'abbé. Tu n'as donc pas peur des coups de soleil ?

— Mais pas plus que vous, mon oncle, répondit le prêtre en riant.

— Oh! moi, j'ai la capote de ma voiture. Puis, les malades n'attendent pas. On meurt par tous les temps, mon garçon.

Et il lui conta qu'il courait chez le vieux Jeanbernat, l'intendant du Paradou, qu'un coup de sang avait frappé dans la nuit. Un voisin, un paysan qui se rendait au marché de Plassans, était venu le chercher.

— Il doit être mort à l'heure qu'il est, continuat-il. Enfin, il faut toujours voir... Ces vieux diables-là ont la vie joliment dure.

Il levait le fouet, lorsque l'abbé Mouret l'arrêta :

— Attendez... Quelle heure avez-vous, mon oncle?

— Onze heures moins un quart.

L'abbé hésitait. Il entendait à ses oreilles la voix terrible de la Teuse, lui criant que le déjeuner allait être froid. Mais il fut brave, il reprit aussitôt :

— Je vais avec vous, mon oncle... Ce malheureux voudra peut-être se réconcilier avec Dieu, à sa dernière heure.

Le docteur Pascal ne put retenir un éclat de rire.

— Lui! Jeanbernat! dit-il. Ah! bien! si tu le convertis jamais, celui-là!... Ça ne fait rien, viens toujours. Ta vue seule est capable de le guérir.

Le prêtre monta. Le docteur, qui parut regretter sa plaisanterie, se montra très affectueux, tout en jetant au cheval de légers claquements de langue. Il regardait son neveu curieusement, du coin de l'œil, de cet air aigu des savants qui prennent des notes. Il l'interrogea, par petites phrases, avec bonhomie, sur sa vie, sur ses habitudes, sur le bonheur tranquille dont il jouissait aux Artaud. Et, à chaque réponse satisfaisante, il murmurait, comme se parlant à lui-même, d'un ton rassuré :

— Allons, tant mieux, c'est parfait.

Il insista surtout sur l'état de santé du jeune curé.

Celui-ci, étonné, lui assurait qu'il se portait à merveille, qu'il n'avait ni vertiges, ni nausées, ni maux de tête.

— Parfait, parfait, répétait l'oncle Pascal. Au printemps, tu sais, le sang travaille. Mais tu es solide, toi... A propos, j'ai vu ton frère Octave, à Marseille, le mois passé. Il va partir pour Paris, il aura là-bas une belle situation dans le haut commerce [25]. Ah! le gaillard, il mène une jolie vie.

— Quelle vie ? demanda naïvement le prêtre.

Le docteur, pour éviter de répondre, claqua de la langue. Puis il reprit :

— Enfin, tout le monde se porte bien, ta tante Félicité, ton oncle Rougon [26] et les autres... Ça n'empêche pas que nous ayons bon besoin de tes prières. Tu es le saint de la famille, mon brave; je compte sur toi pour faire le salut de toute la bande.

Il riait, mais avec tant d'amitié, que Serge luimême arriva à plaisanter.

— C'est qu'il y en a, dans le tas, continua-t-il, qui ne seront pas aisés à mener en paradis. Tu entendrais de belles confessions, s'ils venaient à tour de rôle... Moi, je n'ai pas besoin qu'ils se confessent, je les suis de loin, j'ai leurs dossiers chez moi, avec mes herbiers et mes notes de praticien. Un jour, je pourrai établir un tableau d'un fameux intérêt [27]... On verra, on verra!

Il s'oubliait, pris d'un enthousiasme juvénile pour la science. Un coup d'œil jeté sur la soutane de son neveu, l'arrêta net.

— Toi, tu es curé, murmura-t-il; tu as bien fait, on est très heureux, curé. Ça t'a pris tout entier, n'est-ce pas ? de façon que te voilà tourné au bien... Va, tu ne te serais jamais contenté ailleurs. Tes parents, qui partaient comme toi, ont eu beau faire des vilenies; ils sont encore à se satisfaire... Tout est logique là-dedans, mon garçon. Un prêtre complète la famille. C'était forcé, d'ailleurs. Notre sang devait aboutir là... Tant mieux pour toi, tu as eu le plus de chance.

Mais il se reprit, souriant étrangement :

— Non, c'est ta sœur Désirée qui a eu le plus de chance.

Il siffla, donna un coup de fouet, changea de conversation. Le cabriolet, après avoir monté une côte assez roide, filait entre des gorges désolées; puis, il arriva sur un plateau, dans un chemin creux,

---

24. C'est le nom que prendra Zola lors de son exil à Londres (voir la *Chronologie*).

25. Lointaine préparation au *Bonheur des Dames*.
26. Pierre et Félicité Rougon, frère et belle-sœur de Pascal et de Marthe, mère de Serge. Voir *la Fortune des Rougon* et *la Conquête de Plassans*, tome I.
27. Préparation au *Docteur Pascal*. Zola annexera à ce roman le dernier du cycle, un arbre généalogique de la famille Rougon-Macquart.

longeant une haute muraille interminable. Les Artaud avaient disparu; on était en plein désert.

— Nous approchons, n'est-ce pas ? demanda le prêtre.

— Voici le Paradou [28], répondit le docteur, en montrant la muraille. Tu n'es donc point encore venu par ici ? Nous ne sommes pas à une lieue des Artaud.... Une propriété qui a dû être superbe, ce Paradou. La muraille du parc, de ce côté, a bien deux kilomètres. Mais, depuis plus de cent ans, tout y pousse à l'aventure.

— Il y a de beaux arbres, fit remarquer l'abbé, en levant la tête, surpris des masses de verdure qui débordaient.

— Oui, ce coin-là est très fertile. Aussi le parc est-il une véritable forêt, au milieu des roches pelées qui l'entourent... D'ailleurs, c'est de là que le Mascle sort. On m'a parlé de trois ou quatre sources je crois.

Et, en phrases hachées, coupées d'incidentes étrangères au sujet, il raconta l'histoire du Paradou, une sorte de légende qui courait le pays. Du temps de Louis XV, un seigneur y avait bâti un palais superbe, avec des jardins immenses, des bassins, des eaux ruisselantes, des statues, tout un petit Versailles perdu dans les pierres, sous le grand soleil du Midi. Mais il n'y était venu passer qu'une saison, en compagnie d'une femme adorablement belle, qui mourut là sans doute, car personne ne l'avait vue en sortir. L'année suivante, le château brûla, les portes du parc furent clouées, les meurtrières des murs elles-mêmes s'emplirent de terre; si bien que, depuis cette époque lointaine, pas un regard n'était entré dans ce vaste enclos, qui tenait tout un des hauts plateaux des Garrigues [29].

— Les orties ne doivent pas manquer, dit en riant l'abbé Mouret... Ça sent l'humide tout le long de ce mur, vous ne trouvez pas, mon oncle ?

Puis, après un silence :

— Et à qui appartient le Paradou, maintenant ? demanda-t-il.

— Ma foi, on ne sait pas, répondit le docteur. Le propriétaire est venu dans le pays, il y a une vingtaine d'années. Mais il a été tellement effrayé par ce nid à couleuvres, qu'il n'a plus reparu... Le vrai maître est le gardien de la propriété, ce vieil original de Jeanbernat, qui a trouvé le moyen de se loger dans un pavillon, dont les pierres tiennent encore... Tiens, tu vois, cette masure grise, là-bas, avec ces grandes fenêtres mangées de lierre.

28. Déformation provençale du mot Paradis.
29. Les Garrigues sont en réalité au pied des Cévennes, dans le Gard et l'Hérault.

Le cabriolet passa devant une grille seigneuriale, toute saignante de rouille, garnie à l'intérieur de planches maçonnées. Les sauts-de-loup étaient noirs de ronces. A une centaine de mètres, le pavillon habité par Jeanbernat se trouvait enclavé dans le parc, sur lequel une de ses façades donnait. Mais le gardien semblait avoir barricadé sa demeure, de ce côté; il avait défriché un étroit jardin, sur la route; il vivait là, au midi, tournant le dos au Paradou, sans paraître se douter de l'énormité des verdures débordant derrière lui.

Le jeune prêtre sauta à terre, regardant curieusement, interrogeant le docteur qui se hâtait d'attacher le cheval à un anneau scellé dans le mur.

— Et ce vieillard vit seul, au fond de ce trou perdu ? demanda-t-il.

— Oui, complètement seul, répondit l'oncle Pascal.

Mais il se reprit :

— Il a avec lui une nièce qui lui est tombée sur les bras, une drôle de fille, une sauvage... Dépêchons. Tout a l'air mort, dans la maison.

8

Au soleil de midi, la maison dormait, les persiennes closes, dans le bourdonnement des grosses mouches qui montaient le long du lierre, jusqu'aux tuiles. Une paix heureuse baignait cette ruine ensoleillée. Le docteur poussa la porte de l'étroit jardin, qu'une haie vive, très élevée, entourait. Là, à l'ombre d'un pan de mur, Jeanbernat, redressant sa haute taille, fumait tranquillement sa pipe, dans le grand silence, en regardant pousser ses légumes.

— Comment! vous êtes debout, farceur! cria le docteur stupéfait.

— Vous veniez donc m'enterrer, vous! gronda le vieillard rudement. Je n'ai besoin de personne. Je me suis saigné...

Il s'arrêta net en apercevant le prêtre et eut un geste si terrible, que l'oncle Pascal s'empressa d'intervenir.

— C'est mon neveu, dit-il, le nouveau curé des Artaud, un brave garçon... Que diable! nous n'avons pas couru les routes à pareille heure pour vous manger, père Jeanbernat.

Le vieux se calma un peu.

— Je ne veux pas de calotin chez moi, murmura-t-il. Ça suffit pour faire crever les gens. Entendez-vous, docteur, pas de drogues, et pas de prêtres, quand je m'en irai; autrement, nous nous fâcherions... Qu'il entre tout de même, celui-là, puisqu'il est votre neveu.

L'abbé Mouret, interdit, ne trouva pas une parole. Il restait debout, au milieu d'une allée, à examiner cette étrange figure, ce solitaire couturé de rides, à la face de brique cuite, aux membres séchés et tordus comme des paquets de cordes, qui semblait porter ses quatre-vingts ans avec un dédain ironique de la vie. Le docteur ayant tenté de lui prendre le pouls, il se fâcha de nouveau.

— Laissez-moi donc tranquille! Je vous dis que je me suis saigné avec mon couteau! C'est fini, maintenant... Quelle est la brute de paysan qui est allé vous déranger? Le médecin, le prêtre, pourquoi pas les croque-morts!... Enfin, que voulez-vous, les gens sont bêtes. Ça ne va pas nous empêcher de boire un coup.

Il servit une bouteille et trois verres, sur une vieille table, qu'il sortit, à l'ombre. Les verres remplis jusqu'au bord, il voulut trinquer. Sa colère se fondait dans une gaieté goguenarde.

— Ça ne vous empoisonnera pas, monsieur le curé, dit-il. Un verre de bon vin n'est pas un péché... Par exemple, c'est bien la première fois que je trinque avec une soutane, soit dit sans vous offenser. Ce pauvre abbé Caffin, votre prédécesseur, refusait de discuter avec moi... Il avait peur.

Et il eut un large rire, continuant :

— Imaginez-vous qu'il s'était engagé à me prouver que Dieu existe... Alors, je ne le rencontrais plus sans le défier. Lui, filait l'oreille basse, je vous l'assure.

— Comment, Dieu n'existe pas! s'écria l'abbé Mouret, sortant de son mutisme.

— Oh! comme vous voudrez, reprit railleusement Jeanbernat. Nous recommencerons ensemble, si cela peut vous faire plaisir... Seulement, je vous préviens que je suis très fort. Il y a là-haut, dans une chambre, quelques milliers de volumes sauvés de l'incendie du Paradou, tous les philosophes du dix-huitième siècle, un tas de bouquins sur la religion. J'en ai appris de belles, là-dedans. Depuis vingt ans, je lis ça... Ah! dame, vous trouverez à qui parler, monsieur le curé.

Il s'était levé. D'un long geste, il montra l'horizon entier, la terre, le ciel, en répétant solennellement :

— Il n'y a rien, rien, rien... Quand on soufflera sur le soleil, ça sera fini.

Le docteur Pascal avait donné un léger coup de coude à l'abbé Mouret. Il clignait les yeux, étudiant curieusement le vieillard, approuvant de la tête pour le pousser à parler.

— Alors, père Jeanbernat, vous êtes un matérialiste ? demanda-t-il.

— Eh! Je ne suis qu'un pauvre homme, répondit le vieux en rallumant sa pipe. Quand le comte de Corbière, dont j'étais le frère de lait, est mort d'une chute de cheval, les enfants m'ont envoyé garder le parc de la Belle au bois dormant, pour se débarrasser de moi. J'avais soixante ans, je me croyais fini. Mais la mort m'a oublié. Et j'ai dû m'arranger un trou... Voyez-vous, lorsqu'on vit tout seul, on finit par voir les choses d'une drôle de façon. Les arbres ne sont plus des arbres, la terre prend des airs de personne vivante, les pierres vous racontent des histoires. Des bêtises, enfin. Je sais des secrets qui vous renverseraient. Puis, que voulez-vous qu'on fasse, dans ce diable de désert? J'ai lu les bouquins, ça m'a plus amusé que la chasse... Le comte, qui sacrait comme un païen, m'avait toujours répété : « Jeanbernat, mon garçon, je compte bien te retrouver en enfer, pour que tu me serves là-bas comme tu m'auras servi là-haut. »

Il fit de nouveau son large geste autour de l'horizon, en reprenant :

— Entendez-vous, rien, il n'y a rien... Tout ça, c'est de la farce.

Le docteur Pascal se mit à rire.

— Une belle farce, en tout cas, dit-il. Père Jeanbernat, vous êtes un cachottier. Je vous soupçonne d'être amoureux, avec vos airs blasés. Vous parliez bien tendrement des arbres et des pierres, tout à l'heure.

— Non, je vous assure, murmura le vieillard, ça m'a passé. Autrefois, c'est vrai, quand je vous ai connu et que nous allions herboriser ensemble, j'étais assez bête pour aimer toutes sortes de choses, dans cette grande menteuse de campagne. Heureusement que les bouquins ont tué ça... Je voudrais que mon jardin fût plus petit; je ne sors pas sur la route deux fois par an. Vous voyez ce banc. Je passe là mes journées, à regarder pousser mes salades.

— Et vos tournées dans le parc ? interrompit le docteur.

— Dans le parc! répéta Jeanbernat d'un air de profonde surprise, mais il y a plus de douze ans que je n'y ai mis les pieds! Que voulez-vous que j'aille faire, au milieu de ce cimetière ? C'est trop grand. C'est stupide, ces arbres qui n'en finissent plus, avec de la mousse partout, des statues rompues, des trous dans lesquels on manque de se casser le cou à chaque pas. La dernière fois que j'y suis allé, il faisait si noir sous les feuilles, ça empoisonnait si fort les fleurs sauvages, des souffles si drôles passaient dans les allées, que j'ai eu comme peur. Et je me suis barricadé, pour que le parc n'entrât pas ici... Un coin de soleil, trois pieds de laitue devant moi, une grande haie qui me barre tout l'horizon, c'est déjà trop pour être heureux. Rien, voilà ce que je voudrais, rien du tout, quelque chose de si étroit que le dehors ne pût venir m'y déranger. Deux mètres de terre, si vous voulez, pour crever sur le dos.

Il donna un coup de poing sur la table, haussant brusquement la voix, criant à l'abbé Mouret :

— Allons, encore un coup, monsieur le curé. Le diable n'est pas au fond de la bouteille, allez!

Le prêtre éprouvait un malaise. Il se sentait sans force pour ramener à Dieu cet étrange vieillard, dont la raison lui parut singulièrement détraquée. Maintenant, il se rappelait certains bavardages de la Teuse sur le Philosophe, nom que les paysans des Artaud donnaient à Jeanbernat. Des bouts d'histoires scandaleuses traînaient vaguement dans sa mémoire. Il se leva, faisant un signe au docteur, voulant quitter cette maison, où il croyait respirer une odeur de damnation. Mais, dans sa crainte sourde, une singulière curiosité l'attardait. Il restait là, allant au bout du petit jardin, fouillant le vestibule du regard, comme pour voir au-delà, derrière les murs. Par la porte grande ouverte, il n'apercevait que la cage noire de l'escalier. Et il revenait, cherchant quelque trou, quelque échappée sur cette mer de feuilles, dont il sentait le voisinage, à un large murmure qui semblait battre la maison d'un bruit de vagues.

— Et la petite va bien? demanda le docteur en prenant son chapeau.

— Pas mal, répondit Jeanbernat. Elle n'est jamais là. Elle disparaît pendant des matinées entières... Peut-être tout de même qu'elle est dans les chambres du haut.

Il leva la tête, il appela :

— Albine! Albine!

Puis, haussant les épaules :

— Ah! bien oui, c'est une fameuse gourgandine... Au revoir, monsieur le curé. Tout à votre disposition.

Mais l'abbé Mouret n'eut pas le temps de relever ce défi du Philosophe. Une porte venait de s'ouvrir brusquement, au fond du vestibule; une trouée éclatante s'était faite, dans le noir de la muraille. Ce fut comme une vision de forêt vierge, un enfoncement de futaie immense, sous une pluie de soleil. Dans cet éclair, le prêtre saisit nettement, au loin, des détails précis : une grande fleur jaune au centre d'un pelouse, une nappe d'eau qui tombait d'une haute pierre, un arbre colossal empli d'un vol d'oiseaux; le tout noyé, perdu, flambant, au milieu d'un tel gâchis de verdure, d'une débauche telle de végétation, que l'horizon entier n'était plus qu'un épanouissement [30]. La porte claqua, tout disparut.

— Ah! la gueuse! cria Jeanbernat, elle était encore dans le Paradou!

Albine riait sur le seuil du vestibule. Elle avait une jupe orange, avec un grand fichu rouge attaché derrière la taille, ce qui lui donnait un air de bohémienne endimanchée. Et elle continuait à rire, la tête renversée, la gorge toute gonflée de gaieté, heureuse de ses fleurs, des fleurs sauvages tressées dans ses cheveux blonds, nouées à son cou, à son corsage, à ses bras minces, nus et dorés. Elle était comme un grand bouquet d'une odeur forte.

— Va, tu es belle! grondait le vieux. Tu sens l'herbe, à empester.... Dirait-on qu'elle a seize ans, cette poupée!

Albine, effrontément, riait plus fort. Le docteur Pascal, qui était son grand ami, se laissa embrasser par elle.

— Alors, tu n'as pas peur dans le Paradou, toi? lui demanda-t-il.

— Peur? de quoi donc? dit-elle avec des yeux étonnés. Les murs sont trop hauts, personne ne peut entrer... Il n'y a que moi. C'est mon jardin, à moi toute seule. Il est joliment grand. Je n'en ai pas encore trouvé le bout.

— Et les bêtes? interrompit le docteur.

— Les bêtes? Elles ne sont pas méchantes, elles me connaissent bien.

— Mais il fait noir sous les arbres?

— Pardi! il y a de l'ombre; sans cela, le soleil me mangerait la figure... On est bien à l'ombre, dans les feuilles.

Et elle tournait, emplissant l'étroit jardin du vol de ses jupes, secouant cette âpre senteur de verdure qu'elle portait sur elle. Elle avait souri à l'abbé Mouret, sans honte aucune, sans s'inquiéter des regards surpris dont il la suivait. Le prêtre s'était écarté. Cette enfant blonde, à la face longue, ardente de vie, lui semblait la fille mystérieuse et troublante de cette forêt entrevue dans une nappe de soleil.

— Dites, j'ai un nid de merles, le voulez-vous? demanda Albine au docteur.

— Non, merci, répondit celui-ci en riant. Il faudra le donner à la sœur de monsieur le curé, qui aime bien les bêtes... Au revoir, Jeanbernat.

Mais Albine s'était attaquée au prêtre :

30. Cette description évoque les peintres impressionnistes que Zola a beaucoup fréquentés.

— Vous êtes le curé des Artaud, n'est-ce pas ? Vous avez une sœur ? J'irai la voir... Seulement, vous ne me parlerez pas de Dieu. Mon oncle ne veut pas.

— Tu nous ennuies, va-t'en, dit Jeanbernat, en haussant les épaules.

D'un bond de chèvre, elle disparut, laissant une pluie de fleurs derrière elle. On entendit le claquement d'une porte, puis des rires derrière la maison, des rires sonores qui allèrent en se perdant, comme au galop d'une bête folle lâchée dans l'herbe.

— Vous verrez qu'elle finira par coucher dans le Paradou, murmura le vieux de son air indifférent.

Et, comme il accompagnait les visiteurs :

— Docteur, reprit-il, si vous me trouviez mort, un de ces quatre matins, rendez-moi donc le service de me jeter dans le trou au fumier, là, derrière mes salades... Bonsoir, messieurs.

Il laissa retomber la barrière de bois qui fermait la haie. La maison reprit sa paix heureuse, au soleil de midi, dans le bourdonnement des grosses mouches qui montaient le long du lierre, jusqu'aux tuiles.

9

Cependant, le cabriolet suivait de nouveau le chemin creux, le long de l'interminable mur du Paradou. L'abbé Mouret, silencieux, levait les yeux, regardait les grosses branches qui se tendaient pardessus ce mur, comme des bras de géants cachés. Des bruits venaient du parc, des frôlements d'ailes, des frissons de feuilles, des bonds furtifs cassant les branches, de grands soupirs ployant les jeunes pousses, toute une haleine de vie roulant sur les cimes d'un peuple d'arbres. Et, parfois, à certain cri d'oiseau qui ressemblait à un rire humain, le prêtre tournait la tête avec une sorte d'inquiétude.

— Une drôle de gamine ! disait l'oncle Pascal, en lâchant un peu les guides. Elle avait neuf ans, lorsqu'elle est tombée chez ce païen. Un frère à lui, qui s'est ruiné, je ne sais plus dans quoi. La petite se trouvait en pension quelque part, quand le père s'est tué. C'était même une demoiselle, savante déjà, lisant, brodant, bavardant, tapant sur les pianos. Et coquette donc ! Je l'ai vue arriver, avec des bas à jour, des jupes brodées, des guimpes, des manchettes, un tas de falbalas... Ah ! bien ! les falbalas ont duré longtemps !

Il riait. Une grosse pierre faillit faire verser le cabriolet.

— Si je ne laisse pas une roue de ma voiture dans ce gredin de chemin ! murmura-t-il. Tiens-toi ferme, mon garçon.

La muraille continuait toujours. Le prêtre écoutait.

— Tu comprends, reprit le docteur, que le Paradou, avec son soleil, ses cailloux, ses chardons, mangerait une toilette par jour. Il n'a fait que trois ou quatre bouchées des belles robes de la petite. Elle revenait nue... Maintenant, elle s'habille comme une sauvage. Aujourd'hui, elle était encore possible ; mais il y a des fois où elle n'a guère que ses souliers et sa chemise... Tu as entendu ? Le Paradou est à elle. Dès le lendemain de son arrivée, elle en a pris possession. Elle vit là, sautant par la fenêtre, lorsque Jeanbernat ferme la porte, s'échappant quand même, allant on ne sait où, au fond de trous perdus, connus d'elle seule... Elle doit mener un joli train, dans ce désert.

— Écoutez donc, mon oncle, interrompit l'abbé Mouret. On dirait un trot de bête, derrière cette muraille.

L'oncle Pascal écouta.

— Non, dit-il au bout d'un silence, c'est le bruit de la voiture, contre ces pierres... Va, la petite ne tape plus sur les pianos, à présent. Je crois même qu'elle ne sait plus lire. Imagine-toi une demoiselle retournée à l'état de vaurienne libre, lâchée en récréation dans une île abandonnée. Elle n'a gardé que son fin sourire de coquette, quand elle veut... Ah ! par exemple, si tu sais jamais une fille à élever, je ne te conseille pas de la confier à Jeanbernat. Il a une façon de laisser agir la nature tout à fait primitive. Lorsque je me suis hasardé à lui parler d'Albine, il m'a répondu qu'il ne fallait pas empêcher les arbres de pousser à leur gré. Il est, dit-il, pour le développement normal des tempéraments... N'importe, ils sont bien intéressants tous les deux. Je ne passe pas dans les environs sans leur rendre visite [31].

Le cabriolet sortait enfin du chemin creux. Là, le mur du Paradou faisait un coude, se développant ensuite à perte de vue, sur la crête des coteaux. Au moment où l'abbé Mouret tournait la tête pour donner un dernier regard à cette barre grise, dont la sévérité impénétrable avait fini par lui causer un singulier agacement, des bruits de branches violemment secouées se firent entendre, tandis qu'un bouquet de jeunes bouleaux semblaient saluer les passants, du haut de la muraille.

---

31. Albine serait, en quelque sorte, une fille expérimentale. C'est en ce sens que nous avons pu définir le docteur Pascal comme le *deus ex machina* du roman.

— Je savais bien qu'une bête courait là derrière, dit le prêtre.

Mais, sans qu'on vît personne, sans qu'on aperçût autre chose, en l'air, que les bouleaux balancés de plus en plus furieusement, on entendit une voix claire, coupée de rires, qui criait :

— Au revoir, docteur ! au revoir, monsieur le curé !... J'embrasse l'arbre, l'arbre vous envoie mes baisers.

— Eh ! c'est Albine, dit le docteur Pascal. Elle aura suivi notre voiture au trot. Elle n'est pas embarrassée pour sauter les buissons, cette petite fée !

Et criant, à son tour :

— Au revoir, mignonne !... Tu es joliment grande, pour nous saluer comme ça.

Les rires redoublèrent, les bouleaux saluèrent plus bas, semant les feuilles au loin, jusque sur la capote du cabriolet.

— Je suis grande comme les arbres, toutes les feuilles qui tombent sont des baisers, reprit la voix,

changée par l'éloignement, si musicale, si fondue dans les haleines roulantes du parc, que le jeune prêtre resta frissonnant.

La route devenait meilleure. A la descente, les Artaud reparurent, au fond de la plaine brûlée. Quand le cabriolet coupa le chemin du village, l'abbé Mouret ne voulut jamais que son oncle le reconduisît à la cure. Il sauta à terre, en disant :

— Non, merci, j'aime mieux marcher, cela me fera du bien.

— Comme il te plaira, finit par répondre le docteur.

Puis, lui serrant la main :

— Hein ! si tu n'avais que des paroissiens comme cet animal de Jeanbernat, tu n'aurais pas souvent à te déranger. Enfin, c'est toi qui as voulu venir... Et porte-toi bien. Au moindre bobo, de nuit ou de jour, envoie-moi chercher. Tu sais que je soigne toute la famille pour rien... Adieu, mon garçon.

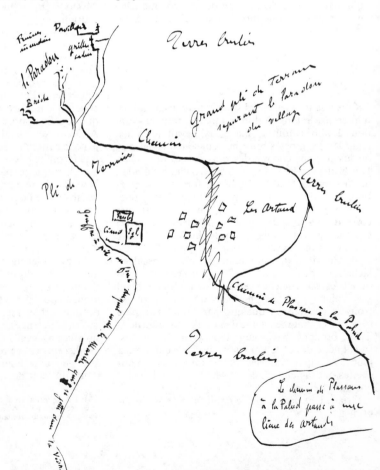

Plan de Zola pour les Terres brûlées.

10

Quand l'abbé Mouret se retrouva seul, dans la poussière du chemin, il se sentit plus à l'aise. Ces champs pierreux le rendaient à son rêve de rudesse, de vie intérieure vécue au désert. Le long du chemin creux, les arbres avaient laissé tomber sur sa nuque des fraîcheurs inquiétantes, que maintenant le soleil ardent séchait. Les maigres amandiers, les blés pauvres, les vignes infirmes, aux deux bords de la route, l'apaisaient, le tiraient du trouble où l'avaient jeté les souffles trop gras du Paradou. Et, au milieu de la clarté aveuglante qui coulait du ciel sur cette terre nue, les blasphèmes de Jeanbernat ne mettaient même plus une ombre. Il eut une joie vive, lorsque, en levant la tête, il aperçut à l'horizon la barre immobile du Solitaire, avec la tache des tuiles roses de l'église.

Mais, à mesure qu'il avançait, l'abbé était pris d'une autre inquiétude. La Teuse allait le recevoir d'une belle façon, avec son déjeuner froid qui devait attendre depuis près de deux heures. Il s'imaginait son terrible visage, le flot de paroles dont elle l'accueillerait, les bruits irrités de vaisselle qu'il entendrait l'après-midi entier. Quand il eut traversé les Artaud, sa peur devint si vive, qu'il hésita, pris de lâcheté, se demandant s'il ne serait pas plus prudent de faire le tour et de rentrer par l'église. Mais, comme il se consultait, la Teuse en personne parut, au seuil du presbytère, le bonnet de travers, les poings aux hanches. Il courba le dos, il dut monter la pente sous ce regard gros d'orage, qu'il sentait peser sur ses épaules.

— Je crois bien que je suis en retard, ma bonne Teuse, balbutia-t-il, dès le dernier coude du sentier.

La Teuse attendit qu'il fût en face d'elle, tout près. Alors, elle le regarda entre les deux yeux, furieusement; puis, sans rien dire, elle se tourna, elle marcha devant lui, jusque dans la salle à manger, en tapant ses gros talons, si roidie par la colère, qu'elle ne boitait presque plus.

— J'ai eu tant d'affaires! commença le prêtre, que cet accueil muet épouvantait. Je cours depuis ce matin...

Mais elle lui coupa la parole d'un nouveau regard, si fixe, si fâché, qu'il eut les jambes comme rompues. Il s'assit, il se mit à manger. Elle le servait avec des sécheresses d'automate, risquant de casser les assiettes, tant elle les posait avec violence. Le silence devenait si formidable, qu'il ne put avaler la troisième bouchée, étranglé par l'émotion.

— Et ma sœur a déjeuné? demanda-t-il. Elle a

bien fait. Il faut toujours déjeuner, lorsque je suis retenu dehors.

Pas de réponse. La Teuse, debout, attendait qu'il eût vidé son assiette pour la lui enlever. Alors, sentant qu'il ne pourrait manger sous cette paire d'yeux implacables qui l'écrasaient, il repoussa son couvert. Ce geste de colère fut comme un coup de fouet qui tira la Teuse de sa roideur entêtée. Elle bondit.

— Ah! c'est comme ça! cria-t-elle. C'est encore vous qui vous fâchez. Eh bien! je m'en vais! Vous allez me payer mon voyage pour que je m'en retourne chez moi. J'en ai assez des Artaud, et de votre église! et de tout!

Elle retirait son tablier de ses mains tremblantes.

— Vous deviez bien voir que je ne voulais pas parler... Est-ce une vie, ça! Il n'y a que les saltimbanques, monsieur le curé, qui font ça! Il est onze heures, n'est-ce pas? Vous n'avez pas honte d'être encore à table à près de deux heures? Ce n'est pas d'un chrétien, non, ce n'est pas d'un chrétien!

Puis, se plantant devant lui:

— Enfin, d'où venez-vous? qui avez-vous vu? quelle affaire a pu vous retenir?... Vous seriez un enfant qu'on vous donnerait le fouet. Un prêtre n'est pas à sa place sur les routes, au grand soleil, comme les gueux qui n'ont pas de toit... Ah! vous êtes dans un bel état, les souliers tout blancs, la soutane perdue de poussière! Qui vous la brossera, votre soutane? Qui vous en achètera une autre?... Mais parlez donc, dites ce que vous avez fait! Ma parole, si l'on ne vous connaissait pas, on finirait par croire de drôles de choses! Et, voulez-vous que je vous le dise? Eh bien! je n'en mettrais pas la main au feu. Quand on déjeune à des heures pareilles, on peut tout faire.

L'abbé Mouret, soulagé, laissait passer l'orage. Il éprouvait comme une détente nerveuse, dans les paroles emportées de la vieille servante.

— Voyons, ma bonne Teuse, dit-il, vous allez d'abord remettre votre tablier.

— Non, non, cria-t-elle, c'est fini, je m'en vais.

Mais lui, se levant, lui noua le tablier à la taille, en riant. Elle se débattait, elle bégayait:

— Je vous dis que non!... Vous êtes un enjôleur. Je lis dans votre jeu, je vois bien que vous voulez m'endormir, avec vos paroles sucrées... Où êtes-vous allé? Nous verrons ensuite.

Il se remit à table gaiement, en homme qui a victoire gagnée.

— D'abord, reprit-il, il faut me permettre de manger... Je meurs de faim.

— Sans doute, murmura-t-elle, apitoyée. Est-ce qu'il y a du bon sens?... Voulez-vous que j'ajoute deux œufs sur le plat ? Ce ne serait pas long. Enfin, si vous avez assez... Et tout est froid! Moi qui avais tant soigné vos aubergines! Elles sont propres, maintenant! On dirait de vieilles semelles... Heureusement que vous n'êtes pas sur votre bouche, comme ce pauvre monsieur Caffin... Oh! ça, vous avez des qualités, je ne le nie pas.

Elle le servait, avec des attentions de mère, tout en bavardant. Puis, quand il eut fini, elle courut à la cuisine voir si le café était encore chaud. Elle s'abandonnait, elle boitait d'une façon extravagante, dans la joie du raccommodement. D'ordinaire, l'abbé Mouret redoutait le café, qui lui occasionnait de grands troubles nerveux; mais, en cette circonstance, voulant sceller la paix, il accepta la tasse qu'elle lui apporta. Et comme il s'oubliait un instant à table, elle s'assit devant lui, elle répéta doucement, en femme que la curiosité torture :

— Où êtes-vous allé, monsieur le curé ?

— Mais, répondit-il en souriant, j'ai vu les Brichet, j'ai parlé à Bambousse...

Alors, il fallut qu'il lui racontât ce que les Brichet avaient dit, ce qu'avait décidé Bambousse, et la mine qu'ils faisaient, et l'endroit où ils travaillaient. Lorsqu'elle connut la réponse du père de Rosalie :

— Pardi! cria-t-elle, si le petit mourait, la grossesse ne compterait pas.

Puis, joignant les mains d'un air d'admiration envieuse :

— Avez-vous dû bavarder, monsieur le curé! Plus d'une demi-journée pour arriver à ce beau résultat!... Et vous êtes revenu tout doucement ? Il devait faire diablement chaud sur la route ?

L'abbé, qui s'était levé, ne répondit pas. Il allait parler du Paradou, demander des renseignements. Mais la crainte d'être questionné trop vivement, une sorte de honte vague qu'il ne s'avouait pas à lui-même, le firent garder le silence sur sa visite à Jeanbernat. Il coupa court à tout nouvel interrogatoire, en demandant :

— Et ma sœur, où est-elle donc ? Je ne l'entends pas.

— Venez, monsieur, dit la Teuse qui se mit à rire, un doigt sur la bouche.

Ils entrèrent dans la pièce voisine, un salon de campagne, tapissé d'un papier à grandes fleurs grises déteintes, meublé de quatre fauteuils et d'un canapé tendus d'une étoffe de crin. Sur le canapé, Désirée dormait, jetée tout de son long, la tête soutenue par ses deux poings fermés. Ses jupes pendaient, lui découvrant les genoux; tandis que ses bras levés, nus jusqu'aux coudes, remontaient les lignes puissantes de la gorge. Elle avait un souffle un peu fort, entre ses lèvres rouges entr'ouvertes, montrant les dents.

— Hein ? dort-elle! murmura la Teuse. Elle ne vous a seulement pas entendu me crier vos sottises, tout à l'heure... Dame! elle doit être joliment fatiguée. Imaginez qu'elle a nettoyé ses bêtes jusqu'à près de midi... Quand elle a eu mangé, elle est venue tomber là comme un plomb. Elle n'a plus bougé.

Le prêtre la regarda un instant, avec une grande tendresse.

— Il faut la laisser reposer tant qu'elle voudra, dit-il.

— Bien sûr... Est-ce malheureux qu'elle soit innocente! Voyez donc, ces gros bras! Quand je l'habille, je pense toujours à la belle femme qu'elle serait devenue. Allez, elle vous aurait donné de fiers neveux, monsieur le curé... Vous ne trouvez pas qu'elle ressemble à cette grande dame de pierre qui est à la halle au blé de Plassans ?

Elle voulait parler d'une Cybèle [32], allongée sur des gerbes, œuvre d'un élève de Puget [33], sculptée au fronton du marché. L'abbé Mouret, sans répondre, la poussa doucement hors du salon, en lui recommandant de faire le moins de bruit possible. Et, jusqu'au soir, le presbytère resta dans un grand silence. La Teuse achevait sa lessive, sous le hangar. Le prêtre, au fond de l'étroit jardin, son bréviaire tombé sur les genoux, était abîmé dans une contemplation pieuse, pendant que des pétales roses pleuvaient des pêchers en fleurs.

11

Vers six heures, ce fut un brusque réveil. Un tapage de portes ouvertes et refermées, au milieu d'éclats de rire, ébranla toute la maison, et Désirée parut, les cheveux tombant, les bras toujours nus jusqu'aux coudes, criant :

— Serge! Serge!

Puis, quand elle eut aperçu son frère dans le jardin, elle accourut, elle s'assit un instant par terre, à ses pieds, le suppliant :

— Viens donc voir les bêtes!... Tu n'as pas encore vu les bêtes, dis! Si tu savais comme elles sont belles, maintenant!

32. Appelée aussi la « grande déesse », Cybèle est femme de Chronos et mère des grands dieux. Elle représente la Terre, la Nature et la Fécondité.
33. Puget (Pierre, 1620-1694), sculpteur français qui a traité des sujets mythologiques avec un réalisme puissant.

Il se fit beaucoup prier. La basse-cour l'effrayait un peu. Mais voyant des larmes dans les yeux de Désirée, il céda. Alors, elle se jeta à son cou, avec une joie soudaine de jeune chien, riant plus fort, sans même s'essuyer les joues.

— Ah! tu es gentil! balbutia-t-elle en l'entraînant. Tu verras les poules, les lapins, les pigeons, et mes canards qui ont de l'eau fraîche, et ma chèvre, dont la chambre est aussi propre que la mienne, à présent... Tu sais, j'ai trois oies et deux dindes. Viens vite. Tu verras tout.

Désirée avait alors vingt-deux ans. Grandie à la campagne, chez sa nourrice, une paysanne de Saint-Eutrope, elle avait poussé en plein fumier. Le cerveau vide, sans pensées graves d'aucune sorte, elle profitait du sol gras, du plein air de la campagne, se développant toute en chair, devenant une belle bête, fraîche, blanche, au sang rose, à la peau ferme. C'était comme une ânesse de race qui aurait eu le don du rire. Bien que pataugeant du matin au soir, elle gardait ses attaches fines, les lignes souples de ses reins, l'affinement bourgeois de son corps de vierge; si bien qu'elle était une créature à part, ni demoiselle, ni paysanne, une fille nourrie de la terre, avec une ampleur d'épaules et un front borné de jeune déesse.

Sans doute, ce fut sa pauvreté d'esprit qui la rapprocha des animaux. Elle n'était à l'aise qu'en leur compagnie, entendait mieux leur langage que celui des hommes, les soignait avec des attendrissements maternels. Elle avait, à défaut de raisonnement suivi, un instinct qui la mettait de plain-pied avec eux. Au premier cri qu'ils poussaient, elle savait où était leur mal. Elle inventait des friandises sur lesquelles ils tombaient gloutonnement. Elle mettait la paix d'un geste dans leurs querelles, semblait connaître d'un regard leur caractère bon ou mauvais, racontait des histoires considérables, donnait des détails si abondants, si précis, sur les façons d'être du moindre poussin, qu'elle stupéfiait profondément les gens pour lesquels un petit poulet ne se distingue en aucune façon d'un autre petit poulet. Sa basse-cour était ainsi devenue tout un pays, où elle régnait en maîtresse absolue; un pays d'une organisation très compliquée, troublé par des révolutions, peuplé des êtres les plus différents, dont elle seule connaissait les annales. Cette certitude de l'instinct allait si loin, qu'elle flairait les œufs vides d'une couvée, et qu'elle annonçait à l'avance le nombre des petits, dans une portée de lapins.

A seize ans, lorsque la puberté était venue, Désirée n'avait point eu les vertiges ni les nausées des autres filles. Elle prit une carrure de femme faite,

se porta mieux, fit éclater ses robes sous l'épanouissement splendide de sa chair. Dès lors, elle eut cette taille ronde qui roulait librement, ces membres largement assis de statue antique, toute cette poussée d'animal vigoureux. On eût dit qu'elle tenait au terreau de sa basse-cour, qu'elle suçait la sève par ses fortes jambes, blanches et solides comme de jeunes arbres. Et, dans cette plénitude, pas un désir charnel ne monta. Elle trouva une satisfaction continue à sentir autour d'elle un pullulement. Des tas de fumier, des bêtes accouplées, se dégageait un flot de génération, au milieu duquel elle goûtait des joies de la fécondité [34]. Quelque chose d'elle se contentait dans la ponte des poules; elle portait ses lapines au mâle, avec des rires de belle fille calmée; elle éprouvait des bonheurs de femme grosse à traire sa chèvre. Rien n'était plus sain. Elle s'emplissait innocemment de l'odeur, de la chaleur de la vie. Aucune curiosité dépravée ne la poussait à ce souci de la reproduction, en face des coqs battant des ailes, des femelles en couches, du bouc empoisonnant l'étroite écurie. Elle gardait sa tranquillité de belle bête, son regard clair, vide de pensées, heureuse de voir son petit monde se multiplier, ressentant un agrandissement de son propre corps, fécondée, identifiée à ce point avec toutes ces mères, qu'elle était comme la mère commune, la mère naturelle, laissant tomber de ses doigts, sans un frisson, une sueur d'engendrement.

Depuis que Désirée était aux Artaud, elle passait ses journées en pleine béatitude. Enfin, elle contentait le rêve de son existence, le seul désir qui l'eût tourmentée, au milieu de sa puérilité de faible d'esprit. Elle possédait une basse-cour, un trou qu'on lui abandonnait, où elle pouvait faire pousser des bêtes à sa guise. Dès lors, elle s'enterra là, bâtissant elle-même des cabanes pour les lapins, creusant la mare aux canards, tapant des clous, apportant de la paille, ne tolérant pas qu'on l'aidât. La Teuse en était quitte pour la débarbouiller. La basse-cour se trouvait située derrière le cimetière; souvent même, Désirée devait rattraper, au milieu des tombes, quelque poule curieuse, sautée par-dessus le mur. Au fond, se trouvait un hangar où étaient la lapinière et le poulailler; à droite, logeait la chèvre, dans une petite écurie. D'ailleurs, tous les animaux vivaient ensemble, les lapins lâchés avec les poules, la chèvre prenant des bains de pieds au milieu des canards, les oies, les dindes, les pintades, les pigeons fraternisant en compagnie de trois chats. Quand elle se

---

34. Il est à noter que cet amour de la fécondité ne s'accompagne pour Désirée d'aucune sensualité. Elle forme, comme le souhaitait Zola, un contraste avec Albine.

montrait à la barrière de bois qui empêchait tout ce monde de pénétrer dans l'église, un vacarme assourdissant la saluait.

— Hein! les entends-tu? dit-elle à son frère, dès la porte de la salle à manger.

Mais, lorsqu'elle l'eut fait entrer, en refermant la barrière derrière eux, elle fut assaillie si violemment, qu'elle disparut presque. Les canards et les oies, claquant du bec, la tiraient par ses jupes; les poules goulues sautaient à ses mains qu'elles piquaient à grands coups; les lapins se blottissaient sur ses pieds, avec des bonds qui lui montaient jusqu'aux genoux; tandis que les trois chats lui sautaient sur les épaules, et que la chèvre bêlait, au fond de l'écurie, de ne pouvoir la rejoindre.

— Laissez-moi donc, bêtes! criait-elle, toute sonore de son beau rire, chatouillée par ces plumes, ces pattes, ces becs qui la frôlaient.

Et elle ne faisait rien pour se débarrasser. Comme elle le disait, elle se serait laissé manger, tant cela lui était doux, de sentir cette vie s'abattre contre elle et la mettre dans une chaleur de duvet. Enfin, un seul chat s'entêta à vouloir rester sur son dos.

— C'est Moumou, dit-elle. Il a des pattes comme du velours.

Puis, orgueilleusement, montrant la basse-cour à son frère, elle ajouta:

— Tu vois comme c'est propre!

La basse-cour, en effet, était balayée, lavée, ratissée. Mais de ces eaux sales remuées, de cette litière retournée à la fourche, s'exhalait une odeur fauve, si pleine de rudesse, que l'abbé Mouret se sentit pris à la gorge. Le fumier s'élevait contre le mur du cimetière en un tas énorme qui fumait.

— Hein! quel tas! reprit Désirée, en menant son frère dans la vapeur âcre. J'ai tout mis là, personne ne m'a aidée... Va, ce n'est pas sale. Ça nettoie. Regarde mes bras.

Elle allongeait ses bras, qu'elle avait simplement trempés au fond d'un seau d'eau, des bras royaux, d'une rondeur superbe, poussés comme des roses blanches et grasses, dans ce fumier.

— Oui, oui, murmura le prêtre, tu as bien travaillé. C'est très joli, maintenant.

Il se dirigeait vers la barrière; mais elle l'arrêta.

— Attends donc! Tu vas tout voir. Tu ne te doutes pas...

Elle l'entraîna sous le hangar, devant la lapinière.

— Il y a des petits dans toutes les cases, dit-elle, en tapant les mains d'enthousiasme.

Alors, longuement, elle lui expliqua les portées. Il fallut qu'il s'accroupît, qu'il mît le nez contre le treillage, pendant qu'elle donnait des détails minutieux.

Les mères, avec leurs grandes oreilles anxieuses, les regardaient de biais, soufflantes, clouées de peur. Puis, c'était, dans une case, un trou de poils, au fond duquel grouillait un tas vivant, une masse noirâtre indistincte, qui avait une grosse haleine, comme un seul corps. A côté, les petits se hasardaient au bord du trou, portant des têtes énormes. Plus loin, ils étaient déjà forts, ils ressemblaient à de jeunes rats, furetant, bondissant, le derrière en l'air, taché du bouton blanc de la queue. Ceux-là avaient des grâces joueuses de bambins, faisant le tour des cases au galop, les blancs aux yeux de rubis pâle, les noirs aux yeux luisants comme des boutons de jais. Et des paniques les emportaient brusquement, découvrant à chaque saut leurs pattes minces, roussies par l'urine. Et ils se remettaient en un tas, si étroitement, qu'on ne voyait plus les têtes.

— C'est toi qui leur fais peur, disait Désirée. Moi, ils me connaissent bien.

Elle les appelait, elle tirait de sa poche quelque croûte de pain. Les petits lapins se rassuraient, venaient un à un, obliquement, le nez frisé, se mettant debout contre le grillage. Et elle les laissait là, un instant, pour montrer à son frère le duvet rose de leur ventre. Puis, elle donnait la croûte au plus hardi. Alors, toute la bande accourait, se coulait, se serrait, sans se battre; trois petits, parfois, mordaient à la même croûte; d'autres se sauvaient, se tournaient contre le mur, pour manger tranquilles; tandis que les mères, au fond, continuaient à souffler, méfiantes, refusant les croûtes.

— Ah! les gourmands! cria Désirée, ils mangeraient comme cela jusqu'à demain matin!... La nuit, on les entend qui croquent les feuilles oubliées.

Le prêtre s'était relevé, mais elle ne se lassait point de sourire aux chers petits [35].

— Tu vois, le gros, là-bas, celui qui est tout blanc, avec les oreilles noires... Eh bien, il adore les coquelicots. Il les choisit très bien, parmi les autres herbes... L'autre jour, il a eu des coliques. Ça le tenait sous les pattes de derrière. Alors, je l'ai pris, je l'ai gardé au chaud, dans ma poche. Depuis ce temps-là, il est joliment gaillard.

Elle allongeait les doigts entre les mailles du treillage, elle leur caressait l'échine.

— On dirait un satin, reprit-elle. Ils sont habillés comme des princes. Et coquets avec cela! Tiens, en voilà un qui est toujours à se débarbouiller. Il use ses pattes... Si tu savais comme ils sont drôles! Moi, je

---

35. Expression familière à Zola, qui l'applique d'ordinaire aux enfants. Dans *Fécondité*, Mathieu et Marianne emploient constamment ces mots attendris.

ne dis rien, mais je m'aperçois bien de leurs malices. Ainsi, par exemple, ce gris qui nous regarde, détestait une petite femelle, que j'ai dû mettre à part. Il y a eu des histoires terribles entre eux. Ça serait trop long à conter. Enfin, la dernière fois qu'il l'a battue, comme j'arrivais furieuse, qu'est-ce que je vois ? ce gredin-là, blotti dans le fond, qui avait l'air de râler. Il voulait me faire croire que c'était lui qui avait à se plaindre d'elle...

Elle s'interrompit ; puis, s'adressant au lapin :

— Tu as beau m'écouter, tu n'es qu'un gueux !

Et se tournant vers son frère :

— Il entend tout ce que je dis, murmura-t-elle, avec un clignement d'yeux.

L'abbé Mouret ne put tenir davantage, dans la chaleur qui montait des portées. La vie, grouillant sous ce poil arraché du ventre des mères, avait un souffle fort, dont il sentait le trouble à ses tempes. Désirée, comme grisée peu à peu, s'égayait davantage, plus rose, plus carrée dans sa chair.

— Mais rien ne t'appelle ! cria-t-elle ; tu as l'air de toujours te sauver... Et mes petits poussins, donc ! Ils sont nés de cette nuit.

Elle prit du riz, elle en jeta une poignée devant elle. La poule, avec des gloussements d'appel, s'avança gravement, suivie de toute la bande des poussins, qui avaient un gazouillis et des courses folles d'oiseaux égarés. Puis, quand ils furent au beau milieu des grains de riz, la mère donna de furieux coups de bec, rejetant les grains qu'elle cassait, tandis que les petits piquaient devant elle, d'un air pressé. Ils étaient adorables d'enfance, demi-nus, la tête ronde, les yeux vifs comme des pointes d'acier, le bec planté si drôlement, le duvet retroussé d'une façon si plaisante, qu'ils ressemblaient à des joujoux de deux sous. Désirée riait d'aise, à les voir.

— Ce sont des amours ! balbutiait-elle.

Elle en prit deux, un dans chaque main, les couvrant d'une rage de baisers. Et le prêtre dut les regarder partout, tandis qu'elle disait tranquillement :

— Ce n'est pas facile de reconnaître les coqs. Moi, je ne me trompe pas... Ça, c'est une poule, et ça, c'est encore une poule.

Elle les remit à terre. Mais les autres poules arrivaient, pour manger le riz. Un grand coq rouge, aux plumes flambantes, les suivait, en levant ses larges pattes avec une majesté circonspecte.

— Alexandre devient superbe, dit l'abbé pour faire plaisir à sa sœur.

Le coq s'appelait Alexandre. Il regardait la jeune fille de son œil de braise, la tête tournée, la queue élargie. Puis, il vint se planter au bord de ses jupes.

— Il m'aime bien, dit-elle. Moi seule peux le toucher... C'est un bon coq. Il a quatorze poules, et je ne trouve jamais un œuf clair dans les couvées... N'est-ce pas, Alexandre ?

Elle s'était baissée. Le coq ne se sauva pas sous sa caresse. Il sembla qu'un flot de sang allumait sa crête. Les ailes battantes, le cou tendu, il lança un cri prolongé, qui sonna comme soufflé par un tube d'airain. A quatre reprises, il chanta, tandis que tous les coqs des Artaud répondaient, au loin. Désirée s'amusa beaucoup de la mine effarée de son frère.

— Hein ! il te casse les oreilles, dit-elle. Il a un fameux gosier... Mais, je t'assure, il n'est pas méchant. Ce sont les poules qui sont méchantes... Tu te rappelles la grosse mouchetée, celle qui faisait des œufs jaunes ? Avant-hier, elle s'était écorché la patte. Quand les autres ont vu le sang, elles sont devenues comme folles. Toutes la suivaient, la piquaient, lui buvaient le sang, si bien que le soir elles lui avaient mangé la patte... Je l'ai trouvée la tête derrière une pierre, comme une imbécile, ne disant rien, se laissant dévorer.

La voracité des poules la laissait riante. Elle raconta d'autres cruautés, paisiblement : de jeunes poulets le derrière déchiqueté, les entrailles vidées, dont elle n'avait retrouvé que le cou et les ailes ; une portée de petits chats mangée dans l'écurie, en quelques heures.

— Tu leur donnerais un chrétien, continua-t-elle, qu'elles en viendraient à bout... Et dures au mal ! Elles vivent très bien avec un membre cassé. Elles ont beau avoir des plaies, des trous dans le corps à y fourrer le poing, elles n'en avalent pas moins leur soupe. C'est pour cela que je les aime ; leur chair repousse en deux jours, leur corps est toujours chaud comme si elles avaient une provision de soleil sous les plumes... Quand je veux les régaler, je leur coupe de la viande crue. Et les vers donc ! Tu vas voir si elles les aiment.

Elle courut au tas de fumier, trouva un ver qu'elle prit sans dégoût. Les poules se jetaient sur ses mains. Mais elle, tenant le ver très haut, s'amusait de leur gloutonnerie. Enfin, elle ouvrit les doigts. Les poules se poussèrent, s'abattirent ; puis, une d'elles se sauva, poursuivie par les autres, le ver au bec. Il fut ainsi pris, perdu, repris, jusqu'à ce qu'une poule, donnant un grand coup de gosier, l'avalât. Alors, toutes s'arrêtèrent net, le cou renversé, l'œil rond, attendant un autre ver. Désirée, heureuse, les appelait par leurs noms, leur disait des mots d'amitié, tandis que l'abbé Mouret reculait de quelques pas, en face de cette intensité de vie vorace.

— Non, je ne suis pas rassuré, dit-il à sa sœur qui voulait lui faire peser une poule qu'elle engraissait. Ça m'inquiète, quand je touche des bêtes vivantes.

Il tâchait de sourire. Mais Désirée le traita de poltron.

— Eh bien! et mes canards, et mes oies, et mes dindes! Qu'est-ce que tu ferais, si tu avais tout cela à soigner ?... C'est ça qui est sale, les canards. Tu les entends claquer du bec, dans l'eau ? Et quand ils plongent, on ne voit plus que leur queue, droite comme une quille. Les oies et les dindes non plus ne sont pas faciles à gouverner. Hein! est-ce amusant, lorsqu'elles marchent, les unes toutes blanches, les autres toutes noires, avec leurs grands cous. On dirait des messieurs et des dames... En voilà encore auxquels je ne te conseillerais pas de confier un doigt. Ils te l'avaleraient proprement, d'un seul coup... Moi, ils me les embrassent, les doigts, tu vois!

Elle eut la parole coupée par un bêlement joyeux de la chèvre, qui venait enfin de forcer la porte mal fermée de l'écurie. En deux sauts, la bête fut près d'elle, pliant sur ses jambes de devant, la caressant de ses cornes. Le prêtre lui trouva un rire de diable, avec sa barbiche pointue et ses yeux troués de biais. Mais Désirée la prit par le cou, l'embrassa sur la tête, jouant à courir, parlant de la téter. Ça lui arrivait souvent, disait-elle. Quand elle avait soif, dans l'écurie, elle se couchait, elle tétait.

— Tiens, c'est plein de lait, ajouta-t-elle en soulevant les pis énormes de la bête.

L'abbé battit des paupières, comme si on lui eût montré une obscénité. Il se souvenait d'avoir vu, dans le cloître de Saint-Saturnin, à Plassans, une chèvre de pierre décorant une gargouille, qui forniquait avec un moine. Les chèvres, puant le bouc, ayant des caprices et des entêtements de filles, offrant leurs mamelles pendantes à tout venant, étaient restées pour lui des créatures de l'enfer, suant la lubricité. Sa sœur n'avait obtenu d'en avoir une qu'après des semaines de supplications. Et lui, quand il venait, évitait le frôlement des longs poils soyeux de la bête, défendait sa soutane de l'approche de ses cornes.

— Va, je vais te rendre la liberté, dit Désirée qui s'aperçut de son malaise croissant. Mais, auparavant, il faut que je te montre encore quelque chose... Tu promets de ne pas me gronder ? Je ne t'en ai pas parlé, parce que tu n'aurais pas voulu... Si tu savais comme je suis contente.

Elle se faisait suppliante, joignant les mains, posant la tête contre l'épaule de son frère.

— Quelque folie encore, murmura celui-ci, qui ne put s'empêcher de sourire.

— Tu veux bien, dis ? reprit-elle, les yeux luisants de joie. Tu ne te fâcheras pas ?... Il est si joli!

Et, courant, elle ouvrit une porte basse, sous le hangar. Un petit cochon sauta d'un bond dans la cour.

— Oh! le chérubin! dit-elle d'un air de profond ravissement, en le regardant s'échapper.

Le petit cochon était charmant, tout rose, le groin

lavé par les eaux grasses, avec le cercle de crasse que son continuel barbotement dans l'auge lui laissait près des yeux. Il trottait, bousculant les poules, accourant pour leur manger ce qu'on leur jetait, emplissant l'étroite cour de ses détours brusques. Ses oreilles battaient sur ses yeux, son groin ronflait à terre; il ressemblait, sur ses pattes minces, à une bête à roulettes. Et, par-derrière, sa queue avait l'air du bout de ficelle qui servait à l'accrocher.

— Je ne veux pas ici de cet animal! s'écria le prêtre très contrarié.

— Serge, mon bon Serge, supplia de nouveau Désirée, ne sois pas méchant... Vois comme il est innocent, le cher petit. Je le débarbouillerai, je le tiendrai bien propre. C'est la Teuse qui se l'est fait donner pour moi. On ne peut pas le renvoyer maintenant... Tiens, il te regarde, il te sent. N'aie pas peur, il ne te mangera pas.

Mais elle s'interrompit, prise d'un rire fou. Le petit cochon, ahuri, venait de se jeter dans les jambes de la chèvre, qu'il avait culbutée. Il reprit sa course, criant, roulant, effarant toute la basse-cour. Désirée, pour le calmer, dut lui donner une terrine d'eau de vaisselle. Alors, il s'enfonça dans la terrine jusqu'aux oreilles; il gargouillait, il grognait, tandis que de courts frissons passaient sur sa peau rose. Sa queue, défrisée, pendait.

L'abbé Mouret eut un dernier dégoût à entendre cette eau sale remuée. Depuis qu'il était là, un étouffement le gagnait, des chaleurs le brûlaient aux mains, à la poitrine, à la face. Peu à peu sa tête avait tourné, il sentait dans un même souffle pestilentiel la tiédeur fétide des lapins et des volailles, l'odeur lubrique de la chèvre, la fadeur grasse du cochon. C'était comme un air chargé de fécondation, qui pesait trop lourdement à ses épaules vierges. Il lui semblait que Désirée avait grandi, s'élargissant des hanches, agitant des bras énormes, balayant de ses jupes, au ras du sol, cette senteur puissante dans laquelle il s'évanouissait. Il n'eut que le temps d'ouvrir la claie de bois. Ses pieds collaient au pavé humide encore de fumier, à ce point qu'il se crut retenu par une étreinte de la terre. Et le souvenir du Paradou lui revint tout d'un coup, avec les grands arbres, les ombres noires, les senteurs puissantes, sans qu'il pût s'en défendre.

— Te voilà tout rouge, à présent, dit Désirée en le rejoignant de l'autre côté de la barrière. Tu n'es pas content d'avoir tout vu?... Les entends-tu crier?

Les bêtes, en la voyant partir, se poussaient contre les treillages, jetaient des cris lamentables. Le petit cochon surtout avait un gémissement prolongé de scie qu'on aiguise. Mais, elle, leur faisait des révérences, leur envoyait des baisers du bout des doigts, riant de les voir tous là, en tas, comme amoureux d'elle. Puis, se serrant contre son frère, l'accompagnant au jardin :

— Je voudrais une vache, lui dit-elle à l'oreille, toute rougissante.

Il la regarda, refusant déjà du geste.

— Non, non, pas maintenant, reprit-elle vivement. Plus tard, je t'en reparlerai... Il y aurait de la place dans l'écurie. Une belle vache blanche, avec des taches rousses. Tu verrais comme nous aurions du bon lait. Une chèvre, ça finit par être trop petit... Et quand la vache ferait un veau!

Elle dansait, elle tapait des mains, tandis que le prêtre retrouvait en elle la basse-cour qu'elle avait emportée dans ses jupes. Aussi la laissa-t-il au fond du jardin, assise par terre, en plein soleil, devant une ruche dont les abeilles ronflaient comme des balles d'or sur son cou, le long de ses bras nus, dans ses cheveux, sans la piquer.

12

Frère Archangias dînait à la cure tous les jeudis. Il venait de bonne heure, d'ordinaire, pour causer de la paroisse. C'était lui qui, depuis trois mois, mettait l'abbé au courant, le renseignait sur toute la vallée. Ce jeudi-là, en attendant que la Teuse les appelât, ils allèrent se promener à petits pas, devant l'église. Le prêtre, lorsqu'il raconta son entrevue avec Bambousse, fut très surpris d'entendre le Frère trouver naturelle la réponse du paysan.

— Il a raison, cet homme, disait l'ignorantin [36]. On ne donne pas son bien comme ça... La Rosalie ne vaut pas grand'chose; mais c'est toujours dur de voir sa fille se jeter à la tête d'un gueux.

— Cependant, reprit l'abbé Mouret, il n'y a que le mariage pour faire cesser le scandale.

Le Frère haussa ses fortes épaules. Il eut un rire inquiétant.

— Si vous croyez, cria-t-il, que vous allez guérir le pays, avec ce mariage!... Avant deux ans, Catherine sera grosse; puis, les autres viendront, toutes y passeront. Du moment qu'on les marie, elles se moquent du monde... Ces Artaud poussent dans la bâtardise, comme dans leur fumier naturel. Il n'y aurait qu'un remède, je vous l'ai dit, tordre le cou

36. Voir note 23, p. 28.

aux femelles, si l'on voulait que le pays ne fût pas empoisonné... Pas de mari; des coups de bâton, monsieur le curé, des coups de bâton!

Il se calma, il ajouta :

— Laissons chacun disposer de son bien comme il l'entend.

Et il parla de régler les heures du catéchisme. Mais l'abbé Mouret répondait d'une façon distraite. Il regardait le village, à ses pieds, sous le soleil couchant. Les paysans rentraient, des hommes muets, marchant lentement, du pas des bœufs harassés qui regagnent l'écurie. Devant les masures, les femmes debout jetaient un appel, causaient violemment d'une porte à une autre, tandis que des bandes d'enfants emplissaient la route du tapage de leurs gros souliers, se poussant, se roulant, se vautrant. Une odeur humaine montait de ce tas de maisons branlantes. Et le prêtre se croyait encore dans la basse-cour de Désirée, en face d'un pullulement de bêtes sans cesse multipliées. Il retrouvait là la même chaleur de génération, les mêmes couches continues, dont la sensation lui avait causé un malaise. Vivant depuis le matin dans cette histoire de la grossesse de Rosalie, il finissait par penser à cela, aux saletés de l'existence, aux poussées de la chair, à la reproduction fatale de l'espèce semant les hommes comme des grains de blé. Les Artaud étaient un troupeau parqué entre les quatre collines de l'horizon, engendrant, s'étalant davantage sur le sol, à chaque portée des femelles.

— Tenez, cria Frère Archangias, qui s'interrompit pour montrer une grande fille se laissant embrasser par son amoureux, derrière un buisson, voilà encore une gueuse, là-bas!

Il agita ses longs bras noirs, jusqu'à ce qu'il eût mis le couple en fuite. Au loin, sur les terres rouges, sur les roches pelées, le soleil se mourait, dans une dernière flambée d'incendie. Peu à peu, la nuit tomba. L'odeur chaude des lavandes devint plus fraîche, apportée par les souffles légers qui se levaient. Il y eut, par moments, un large soupir, comme si cette terre terrible, toute brûlée de passions, se fût enfin calmée, sous la pluie grise du crépuscule. L'abbé Mouret, son chapeau à la main, heureux du froid, sentait la paix de l'ombre redescendre en lui.

— Monsieur le curé! Frère Archangias! appela la Teuse. Vite! la soupe est servie.

C'était une soupe aux choux, dont la vapeur forte emplissait la salle à manger du presbytère. Le Frère s'assit, vidant lentement l'énorme assiette que la Teuse venait de poser devant lui. Il mangeait beaucoup, avec un gloussement du gosier qui laissait entendre la nourriture tomber dans l'estomac. Les yeux sur la cuiller, il ne soufflait mot.

— Ma soupe n'est donc pas bonne, monsieur le curé? demanda la vieille servante. Vous êtes là, à chipoter dans votre assiette.

— Je n'ai guère faim, ma bonne Teuse, répondit le prêtre en souriant.

— Pardi! ce n'est pas étonnant, quand on fait les cent dix-neuf coups!... Vous auriez faim, si vous n'aviez pas déjeuné à deux heures passées.

Frère Archangias, après avoir versé dans sa cuiller les quelques gouttes de bouillon restées au fond de son assiette, dit posément :

— Il faut être régulier dans ses repas, monsieur le curé.

Cependant, Désirée qui avait, elle aussi, mangé sa soupe, sérieusement, sans ouvrir les lèvres, venait de se lever pour suivre la Teuse à la cuisine. Le Frère, resté seul avec l'abbé Mouret, se taillait de longues bouchées de pain, qu'il avalait, tout en attendant le plat.

— Alors, vous avez fait une grande tournée? demanda-t-il.

Le prêtre n'eut pas le temps de répondre. Un bruit de pas, d'exclamations, de rires sonores, s'éleva au bout du corridor, du côté de la cour. Il y eut comme une courte dispute. Une voix de flûte qui troubla l'abbé, se fâchait, parlant vite, se perdant au milieu d'une bouffée de gaieté.

— Qu'est-ce donc? dit-il en quittant sa chaise.

Désirée rentra d'un bond. Elle cachait quelque chose sous sa jupe retroussée. Elle répétait vivement :

— Est-elle drôle! Elle n'a pas voulu venir. Je la tenais par sa robe; mais elle est joliment forte, elle m'a échappé.

— De qui parle-t-elle? interrogea la Teuse, qui accourait de la cuisine, apportant un plat de pommes de terre, sur lequel s'allongeait un morceau de lard.

La jeune fille s'était assise. Avec des précautions infinies, elle tira de dessous sa jupe un nid de merles, où dormaient trois petits. Elle le posa sur son assiette. Dès que les petits aperçurent la lumière, ils allongèrent des cous frêles, ouvrant leurs becs saignants, demandant à manger. Désirée tapa des mains, charmée, prise d'une émotion extraordinaire, en face de ces bêtes qu'elle ne connaissait pas.

— C'est cette fille du Paradou! s'écria l'abbé, se souvenant brusquement.

La Teuse s'était approchée de la fenêtre.

— C'est vrai, dit-elle. J'aurais dû la reconnaître

à sa voix de cigale... Ah! la bohémienne! Tenez, elle est restée là-bas, à nous espionner.

L'abbé Mouret s'avança. Il crut voir, en effet, derrière un genévrier, la jupe orange d'Albine. Mais Frère Archangias se haussa violemment derrière lui, allongeant le poing, branlant sa tête rude, tonnant :

— Que le diable te prenne, fille de bandit! Je te traînerai par les cheveux autour de l'église, si je t'attrape à venir jeter ici tes maléfices!

Un éclat de rire, frais comme une haleine de la nuit, monta du sentier. Puis, il y eut une course légère, un murmure de robe coulant sur l'herbe, pareil à un frôlement de couleuvre. L'abbé Mouret, debout devant la fenêtre, suivait au loin une tache blonde glissant entre les bois de pins, ainsi qu'un reflet de lune. Les souffles qui lui arrivaient de la campagne avaient ce puissant parfum de verdure, cette odeur de fleurs sauvages qu'Albine secouait de ses bras nus, de sa taille libre, de ses cheveux dénoués.

— Une damnée, une fille de perdition! gronda sourdement Frère Archangias, en se remettant à table.

Il mangea gloutonnement son lard, avalant des pommes de terre entières en guise de pain. Jamais la Teuse ne put décider Désirée à finir de dîner. La grande enfant restait en extase devant le nid de merles, questionnant, demandant ce que ça mangeait, si ça faisait des œufs, à quoi on reconnaissait les coqs, chez ces bêtes-là.

Mais la vieille servante eut comme un soupçon. Elle se posa sur sa bonne jambe, regardant le jeune curé dans les yeux :

— Vous connaissez donc les gens du Paradou? dit-elle.

Alors, simplement, il dit la vérité, il raconta la visite qu'il avait faite au vieux Jeanbernat. La Teuse échangeait des regards scandalisés avec Frère Archangias. Elle ne répondit d'abord rien. Elle tournait autour de la table, boitant furieusement, donnant des coups de talon à fendre le plancher.

— Vous auriez bien pu me parler de ces gens, depuis trois mois, finit par dire le prêtre. J'aurais su au moins chez qui je me présentais.

La Teuse s'arrêta net, les jambes comme cassées.

— Ne mentez pas, monsieur le curé, bégayait-elle; ne mentez pas, ça augmenterait encore votre péché... Comment osez-vous dire que je ne vous ai pas parlé du Philosophe, de ce païen qui est le scandale de toute la contrée! La vérité est que vous ne m'écoutez jamais, quand je cause. Ça vous entre

par une oreille, ça sort par l'autre... Ah! si vous m'écoutiez, vous vous éviteriez bien des regrets!

— Je vous ai dit aussi un mot de ces abominations, affirma le Frère.

L'abbé Mouret eut un léger haussement d'épaules.

— Enfin, je ne me suis plus souvenu, reprit-il. C'est au Paradou seulement que j'ai cru me rappeler certaines histoires... D'ailleurs, je me serais rendu quand même auprès de ce malheureux, que je croyais en danger de mort.

Frère Archangias, la bouche pleine, donna un violent coup de couteau sur la table, criant :

— Jeanbernat est un chien. Il doit crever comme un chien.

Puis, voyant le prêtre protester de la tête, lui coupant la parole :

— Non, non, il n'y a pas de Dieu pour lui, pas de pénitence, pas de miséricorde... Il vaudrait mieux jeter l'hostie aux cochons que de la porter à ce gredin.

Il reprit des pommes de terre, les coudes sur la table, le menton dans son assiette, mâchant d'une façon furibonde. La Teuse, les lèvres pincées, toute blanche de colère, se contenta de dire sèchement :

— Laissez, monsieur le curé n'en veut faire qu'à sa tête, monsieur le curé a des secrets pour nous, maintenant.

Un gros silence régna. Pendant un instant, on n'entendit que le bruit des mâchoires du Frère, accompagné de l'étrange ronflement de son gosier. Désirée, entourant de ses bras nus le nid de merles resté sur son assiette, la face penchée, souriant aux petits, leur parlait longuement, tout bas, dans un gazouillis à elle, qu'ils semblaient comprendre.

— On dit ce qu'on fait, quand on n'a rien à cacher! cria brusquement la Teuse.

Et le silence recommença. Ce qui exaspérait la vieille servante, c'était le mystère que le prêtre semblait lui avoir fait de sa visite au Paradou. Elle se regardait comme une femme indignement trompée. Sa curiosité saignait. Elle se promena autour de la table, ne regardant pas l'abbé, ne s'adressant à personne, se soulageant toute seule.

— Pardi, voilà pourquoi on mange si tard!... On s'en va sans rien dire courir la prétentaine, jusqu'à des deux heures de l'après-midi. On entre dans des maisons si mal famées, qu'on n'ose pas même ensuite raconter ce qu'on a fait. Alors, on ment, on trahit tout le monde...

— Mais, interrompit doucement l'abbé Mouret, qui s'efforçait de manger, pour ne pas fâcher la Teuse davantage, personne ne m'a demandé si j'étais allé au Paradou, je n'ai pas eu à mentir.

La Teuse continua, comme si elle n'avait pas entendu :

— On abîme sa soutane dans la poussière, on revient fait comme un voleur. Et, si une bonne personne s'intéressant à vous, vous questionne pour votre bien, on la bouscule, on la traite en femme de rien qui n'a pas votre confiance. On se cache comme un sournois, on préférerait crever que de laisser échapper un mot, on n'a pas même l'attention d'égayer son chez-soi en disant ce qu'on a vu.

Elle se tourna vers le prêtre, le regarda en face.

— Oui, c'est pour vous, tout ça... Vous êtes un cachottier, vous êtes un méchant homme !

Et elle se mit à pleurer. Il fallut que l'abbé la consolât.

— Monsieur Caffin me disait tout, cria-t-elle encore.

Mais elle se calmait. Frère Archangias achevait un gros morceau de fromage, sans paraître le moins du monde dérangé par cette scène. Selon lui, l'abbé Mouret avait besoin d'être mené droit ; la Teuse faisait bien de lui faire sentir la bride. Il vida un dernier verre de piquette, se renversa sur sa chaise, digérant.

— Enfin, demanda la vieille servante, qu'est-ce que vous avez vu, au Paradou ? Racontez-nous, au moins.

L'abbé Mouret, souriant, dit en peu de mots la singulière façon dont Jeanbernat l'avait reçu. La Teuse, qui l'accablait de questions, poussait des exclamations indignées. Frère Archangias serra les poings, les brandit en avant.

— Que le ciel l'écrase ! dit-il ; qu'il les brûle, lui et sa sorcière !

Alors, l'abbé, à son tour, tâcha d'avoir de nouveaux détails sur les gens du Paradou. Il écoutait avec une attention profonde le Frère qui racontait des faits monstrueux.

— Oui, cette diablesse est venue un matin s'asseoir à l'école. Il y a longtemps, elle pouvait avoir dix ans. Moi, je la laissai faire ; je pensai que son oncle l'envoyait pour sa première communion. Pendant deux mois, elle a révolutionné la classe. Elle s'était fait adorer, la coquine ! Elle savait des jeux, elle inventait des falbalas avec des feuilles d'arbre et des bouts de chiffon. Et intelligente, avec cela, comme toutes ces filles de l'enfer ! Elle était la plus forte sur le catéchisme... Voilà qu'un matin, le vieux tombe au beau milieu des leçons. Il parlait de casser tout, il criait que les prêtres lui avaient pris l'enfant. Le garde champêtre a dû venir pour le flanquer à la porte. La petite s'était sauvée. Je la

voyais, par la fenêtre, dans un champ, en face, rire de la fureur de son oncle... Elle venait d'elle-même à l'école, depuis deux mois, sans qu'il s'en doutât. Histoire de faire battre les montagnes.

— Jamais elle n'a fait sa première communion, dit la Teuse à demi-voix, avec un léger frisson.

— Non, jamais, reprit Frère Archangias. Elle doit avoir seize ans. Elle grandit comme une bête. Je l'ai vue courir à quatre pattes, dans un fourré, du côté de la Palud.

— A quatre pattes, murmura la servante, qui se tourna vers la fenêtre, prise d'inquiétude.

L'abbé Mouret voulut émettre un doute ; mais le Frère s'emporta.

— Oui, à quatre pattes ! Et elle sautait comme un chat sauvage, les jupes troussées, montrant ses cuisses. J'aurais eu un fusil que j'aurais pu l'abattre. On tue des bêtes qui sont plus agréables à Dieu... Et, d'ailleurs, on sait bien qu'elle vient miauler toutes les nuits autour des Artaud. Elle a des miaulements de gueuse en chaleur. Si jamais un homme lui tombait dans les griffes, à celle-là, elle ne lui laisserait certainement pas un morceau de peau sur les os.

Et toute sa haine de la femme parut. Il ébranla la table d'un coup de poing, il cria ses injures accoutumées :

— Elles ont le diable dans le corps. Elles puent le diable ; elles le puent aux jambes, aux bras, au ventre, partout... C'est ce qui ensorcelle les imbéciles.

Le prêtre approuva de la tête. La violence de Frère Archangias, la tyrannie bavarde de la Teuse, étaient comme des coups de lanière, dont il goûtait souvent le cinglement sur ses épaules. Il avait une joie pieuse à s'enfoncer dans la bassesse, entre ces mains pleines de grossièretés populacières. La paix du ciel lui semblait au bout de ce mépris du monde, de cet encanaillement de tout son être. C'était une injure qu'il se réjouissait de faire à son corps, un ruisseau dans lequel il se plaisait à traîner sa nature tendre.

— Il n'y a qu'ordure, murmura-t-il, en pliant sa serviette.

La Teuse desservait la table. Elle voulut enlever l'assiette où Désirée avait posé le nid de merles.

— Vous n'allez pas coucher là, mademoiselle, dit-elle. Laissez donc ces vilaines bêtes.

Mais Désirée défendit l'assiette. Elle couvrait le nid de ses bras nus, ne riant plus, s'irritant d'être dérangée.

— J'espère qu'on ne va pas garder ces oiseaux,

s'écria Frère Archangias. Ça porterait malheur... Il faut leur tordre le cou.

Et il avançait déjà ses grosses mains. La jeune fille se leva, recula, frémissante, serrant le nid contre sa poitrine. Elle regardait le Frère fixement, les lèvres gonflées, d'un air de louve prête à mordre.

— Ne touchez pas les petits, bégaya-t-elle. Vous êtes laid !

Elle accentua ce mot avec un si étrange mépris que l'abbé Mouret tressaillit, comme si la laideur du Frère l'eût frappé pour la première fois. Celui-ci s'était contenté de grogner. Il avait une haine sourde contre Désirée, dont la belle poussée animale l'offensait. Lorsqu'elle fut sortie, à reculons, sans le quitter des yeux, il haussa les épaules, en mâchant entre les dents une obscénité que personne n'entendit.

— Il vaut mieux qu'elle aille se coucher, dit la Teuse. Elle nous ennuierait, tout à l'heure, à l'église.

— Est-ce qu'on est venu ? demanda l'abbé Mouret.

— Il y a beau temps que les filles sont là, dehors, avec des brassées de feuillages... Je vais allumer les lampes. On pourra commencer quand vous voudrez.

Quelques secondes après, on l'entendit jurer dans la sacristie, parce que les allumettes étaient mouillées. Frère Archangias, resté seul avec le prêtre, demanda d'une voix maussade :

— C'est pour le mois de Marie ?

— Oui, répondit l'abbé Mouret. Ces jours derniers, les filles du pays, qui avaient de gros travaux, n'ont pu venir, selon l'usage, orner la chapelle de la Vierge. La cérémonie a été remise à ce soir.

— Un joli usage, marmotta le Frère. Quand je les vois déposer chacune leurs rameaux, j'ai envie de les jeter par terre, pour qu'elles confessent au moins leurs vilenies, avant de toucher à l'autel... C'est une honte de souffrir que des femmes promènent leurs robes si près des saintes reliques.

L'abbé s'excusa du geste. Il n'était aux Artaud que depuis peu, il devait obéir aux coutumes.

— Quand vous voudrez, monsieur le curé ? cria la Teuse.

Mais Frère Archangias le retint un instant encore :

— Je m'en vais, reprit-il. La religion n'est pas une fille, pour qu'on la mette dans les fleurs et dans les dentelles.

Il marchait lentement vers la porte. Il s'arrêta de nouveau, levant un de ses doigts velus, ajoutant :

— Méfiez-vous de votre dévotion à la Vierge [37].

13

Dans l'église, l'abbé Mouret trouva une dizaine de grandes filles, tenant des branches d'olivier, de laurier, de romarin. Les fleurs de jardin ne poussant guère sur les roches des Artaud, l'usage était de parer l'autel de la Vierge d'une verdure résistante qui durait tout le mois de mai. La Teuse ajoutait des giroflées de muraille, dont les queues trempaient dans de vieilles carafes.

— Voulez-vous me laisser faire, monsieur le curé ? demanda-t-elle. Vous n'avez pas l'habitude... Tenez mettez-vous là, devant l'autel. Vous me direz si la décoration vous plaît.

Il consentit, et ce fut elle qui dirigea réellement la cérémonie. Elle était montée sur un escabeau ; elle rudoyait les grandes filles qui s'approchaient tour à tour, avec leurs feuillages.

— Pas si vite, donc ! Vous me laisserez bien le temps d'attacher les branches. Il ne faut pas que tous ces fagots tombent sur la tête de monsieur le curé... Eh bien ! Babet, c'est ton tour. Quand tu me regarderas, avec tes gros yeux ! Il est joli, ton romarin ! Il est jaune comme un chardon. Toutes les bourriques du pays ont donc pissé dessus !... A toi, la Rousse. Ah ! voilà du beau laurier, au moins ! Tu as pris ça dans ton champ de la Croix-Verte.

Les grandes filles posaient leurs rameaux sur l'autel, qu'elles baisaient. Elles restaient un instant contre la nappe, passant les branches à la Teuse, oubliant l'air sournoisement recueilli qu'elles avaient pris pour monter le degré ; elles finissaient par rire, elles butaient des genoux, ployaient les hanches au bord de la table, enfonçaient la gorge en plein dans le tabernacle. Et, au-dessus d'elles, la grande Vierge de plâtre doré inclinait sa face peinte, souriait de ses lèvres roses au petit Jésus tout nu qu'elle portait sur son bras gauche.

— C'est ça, Lisa ! cria la Teuse, assieds-toi sur l'autel, pendant que tu y es ! Veux-tu bien baisser

---

37. Frère Archangias voit d'abord dans la Vierge une femme, donc un être pernicieux dont on ne saurait trop se méfier. La proclamation du dogme de l'Immaculée Conception par Pie X le 8 décembre 1854 avait redonné un éclat particulier à la dévotion à la Vierge. La question paraît assez importante aux théologiens pour qu'ils aient établi la distinction entre le culte de dulie, dû aux saints, le culte d'hyperdulie, dû à la Vierge et le culte de latrie, dû à Dieu.

tes jupes! Est-ce qu'on montre ses jambes comme ça ?... Qu'une de vous s'avise de se vautrer! Je lui envoie ses branches à travers la figure... Vous ne pouvez donc pas me passer cela tranquillement!

Et, se tournant :

— Est-ce à votre goût, monsieur le curé ? Trouvez-vous que ça aille ?

Elle établissait, derrière la Vierge, une niche de verdure, avec des bouts de feuillage qui dépassaient, formant berceau, retombant en façon de palmes. Le prêtre approuvait d'un mot, hasardait une observation :

— Je crois, murmura-t-il, qu'il faudrait un bouquet de feuilles plus tendres, en haut.

— Sans doute, gronda la Teuse. Elles ne m'apportent que du laurier et du romarin... Quelle est celle qui a de l'olivier ? Pas une, allez! Elles ont peur de perdre quatre olives, ces païennes-là!

Mais Catherine monta le degré, avec une énorme branche d'olivier sous laquelle elle disparaissait.

— Ah! tu en as, toi, gamine, reprit la vieille servante.

— Pardi, dit une voix, elle l'a volé. J'ai vu Vincent qui cassait la branche, pendant qu'elle faisait le guet.

Catherine, furieuse, jura que ce n'était pas vrai. Elle s'était tournée, sans lâcher sa branche, dégageant sa tête brune du buisson qu'elle portait; elle mentait avec un aplomb extraordinaire, inventant une longue histoire pour prouver que l'olivier était bien à elle.

— Et puis, conclut-elle, tous les arbres appartiennent à la sainte Vierge.

L'abbé Mouret voulut intervenir. Mais la Teuse demanda si on se moquait d'elle, à lui laisser si longtemps les bras en l'air. Et elle attacha solidement la branche d'olivier, pendant que Catherine, grimpée sur l'escabeau, derrière son dos, contrefaisait la façon pénible dont elle tournait sa taille énorme, à l'aide de sa bonne jambe; ce qui fit sourire le prêtre lui-même.

— Là, dit la Teuse, en descendant auprès de celui-ci, pour donner un coup d'œil à son œuvre; voilà le haut terminé... Maintenant, nous allons mettre des touffes entre les chandeliers, à moins que vous ne préfériez une guirlande qui courrait le long des gradins.

Le prêtre se décida pour de grosses touffes.

— Allons, avancez, reprit la servante, montée de nouveau sur l'escabeau. Il ne faut pas coucher ici... Veux-tu bien baiser l'autel, Miette! Est-ce que tu t'imagines être dans ton écurie ?... Monsieur le curé,

voyez donc ce qu'elles font, là-bas ? Je les entends qui rient comme des crevées.

On éleva une des deux lampes, on éclaira le bout noir de l'église. Sous la tribune, trois grandes filles jouaient à se pousser; une d'elles était tombée la tête dans le bénitier, ce qui faisait tant rire les autres qu'elles se laissaient aller par terre pour rire à leur aise. Elles revinrent, regardant le curé en dessous, l'air heureux d'être grondées, avec leurs mains ballantes qui leur tapaient sur les cuisses.

Mais ce qui fâcha surtout la Teuse, ce fut d'apercevoir brusquement la Rosalie montant à l'autel comme les autres, avec son fagot.

— Veux-tu bien descendre! lui cria-t-elle. Ce n'est pas l'aplomb qui te manque, ma fille!... Voyons, plus vite, emporte-moi ton paquet.

— Tiens, pourquoi donc ? dit hardiment Rosalie. On ne m'accusera peut-être pas de l'avoir volé.

Les grandes filles se rapprochaient, faisant les bêtes, échangeant des coups d'œil luisants.

— Va-t'en, répétait la Teuse; ta place n'est pas ici, entends-tu!

Puis, perdant son peu de patience, brutalement, elle lâcha un mot très gros, qui fit courir un rire d'aise parmi les paysannes.

— Après ? dit Rosalie. Est-ce que vous savez ce que font les autres ? Vous n'êtes pas allé y voir, n'est-ce pas ?

Et elle crut devoir éclater en sanglots. Elle jeta ses rameaux, elle se laissa emmener à quelques pas par l'abbé Mouret, qui lui parlait très sévèrement. Il avait tenté de faire taire la Teuse, il commençait à être gêné au milieu de ces grandes filles éhontées, emplissant l'église, avec leurs brassées de verdure. Elles se poussaient jusqu'au degré de l'autel, l'entouraient d'un coin de forêt vivante, lui apportaient le parfum rude des bois odorants, comme un souffle monté de leurs membres de fortes travailleuses.

— Dépêchons, dépêchons, dit-il en tapant légèrement dans ses mains.

— Pardi! j'aimerais mieux être dans mon lit, murmura la Teuse; si vous croyez que c'est commode d'attacher tous ces bouts de bois!

Cependant, elle avait fini par nouer entre les chandeliers de hauts panaches de feuillage. Elle plia l'escabeau, que Catherine alla porter derrière le maître-autel. Elle n'eut plus qu'à planter des massifs, aux deux côtés de la table. Les dernières bottes de verdure suffirent à ce bout de parterre; même il resta des rameaux, dont les filles jonchèrent le sol, jusqu'à la balustrade de bois. L'autel de la Vierge était un bosquet, un enfoncement de taillis, avec une pelouse verte sur le devant.

La Teuse consentit alors à laisser la place à l'abbé Mouret. Celui-ci monta à l'autel, tapa de nouveau légèrement dans ses mains.

— Mesdemoiselles, dit-il, nous continuerons demain les exercices du mois de Marie. Celles qui ne pourront venir, devront tout au moins dire leur chapelet chez elles.

Il s'agenouilla, tandis que les paysannes, avec un grand bruit de jupes, se mettaient par terre, s'asseyant sur leurs talons. Elles suivirent son oraison d'un marmottement confus, où perçaient des rires. Une d'elles, se sentant pincée par-derrière, laissa échapper un cri qu'elle tâcha d'étouffer dans un accès de toux; ce qui égaya tellement les autres, qu'elles restèrent un instant à se tordre, après avoir dit *Amen*, le nez sur les dalles, sans pouvoir se relever.

La Teuse renvoya ces effrontées, pendant que le prêtre, qui s'était signé, demeurait absorbé devant l'autel, comme n'entendant plus ce qui se passait derrière lui.

— Allons, déguerpissez, maintenant, murmurait-elle. Vous êtes un tas de propres à rien, qui ne savez même pas respecter le bon Dieu... C'est une honte, ça ne s'est jamais vu, des filles qui se roulent par terre dans une église, comme des bêtes dans un pré... Qu'est-ce que tu fais là-bas, la Rousse ? Si je t'en vois pincer une, tu auras affaire à moi! Oui, oui, tirez-moi la langue, je dirai tout à monsieur le curé. Dehors, dehors, coquines!

Elle les refoulait lentement vers la porte, galopant autour d'elles, boitant d'une façon furibonde. Elle avait réussi à les faire sortir jusqu'à la dernière, lorsqu'elle aperçut Catherine tranquillement installée dans le confessionnal avec Vincent; ils mangeaient quelque chose, d'un air ravi. Elle les chassa. Et, comme elle allongeait le cou hors de l'église, avant de fermer la porte, elle vit la Rosalie se pendre aux épaules du grand Fortuné qui l'attendait; tous deux se perdirent dans la nuit, du côté du cimetière, avec un bruit affaibli de baisers.

— Et ça se présente à l'autel de la Vierge! bégaya-t-elle, en poussant les verrous. Les autres ne valent pas mieux, je le sais bien. Toutes des gourgandines qui sont venues ce soir, avec leurs fagots, histoire de rire et de se faire embrasser par les garçons, à la sortie! Demain, pas une ne se dérangera; monsieur le curé pourra bien dire ses *Ave* tout seul... On n'apercevra plus que les gueuses qui auront des rendez-vous.

Elle bousculait les chaises, les remettait en place, regardait si rien de suspect ne traînait, avant de monter se coucher. Elle ramassa dans le confession-nal une poignée de pelures de pomme, qu'elle jeta derrière le maître-autel. Elle trouva également un bout de ruban arraché de quelque bonnet, avec une mèche de cheveux noirs, dont elle fit un petit paquet, pour ouvrir une enquête. A cela près, l'église lui parut en bon ordre. La veilleuse avait de l'huile pour la nuit, les dalles du chœur pouvaient aller jusqu'au samedi sans être lavées.

— Il est près de dix heures, monsieur le curé, dit-elle en s'approchant du prêtre toujours agenouillé. Vous feriez bien de monter.

Il ne répondit pas, il se contenta d'incliner doucement la tête.

— Bon, je sais ce que ça veut dire, continua la Teuse. Dans une heure, il sera encore là, sur la pierre, à se donner des coliques... Je m'en vais, parce que je l'ennuie. N'importe, ça n'a guère de bon sens : déjeuner quand les autres dînent, se coucher à l'heure où les poules se lèvent!... Je vous ennuie, n'est-ce pas ? monsieur le curé. Bonsoir. Vous n'êtes guère raisonnable, allez!

Elle se décidait à partir; mais elle revint éteindre une des deux lampes, en murmurant que de prier si tard « c'était la mort à l'huile ». Enfin, elle s'en alla, après avoir essuyé de sa manche la nappe du maître-autel, qui lui parut grise de poussière. L'abbé Mouret, les yeux levés, les bras serrés contre la poitrine, était seul.

14

Éclairée d'une seule lampe, brûlant sur l'autel de la Vierge, au milieu des verdures, l'église s'emplissait, aux deux bouts, de grandes ombres flottantes. La chaire jetait un pan de ténèbres jusqu'aux solives du plafond. Le confessionnal faisait une masse noire, découpant sur la tribune le profil étrange d'une guérite crevée. Toute la lumière, adoucie, comme verdie par les feuillages, dormait sur la grande Vierge dorée, qui semblait descendre d'un air royal, portée par le nuage où se jouaient des têtes d'anges ailées. On eût dit, à voir la lampe ronde luire au milieu des branches, une lune pâle se levant au bord d'un bois, éclairant quelque souveraine apparition, une princesse du ciel couronnée d'or, vêtue d'or, qui aurait promené la nudité de son divin enfant au fond du mystère des allées. Entre les feuilles, le long des hauts panaches, dans le large berceau ogival, et jusque sur les rameaux jetés à terre, des rayons d'astres coulaient, assoupis, pareils à cette pluie laiteuse qui pénètre les buissons, par les nuits claires. Des bruits vagues, des craquements venaient des deux bouts sombres de l'église; la grande horloge, à gauche du chœur, battait lentement, avec une haleine grosse de mécanique endormie. Et la vision radieuse, la Mère aux minces bandeaux de cheveux châtains, comme rassurée par la paix nocturne de la nef, descendait davantage, courbait à peine l'herbe des clairières, sous le vol léger de son nuage.

L'abbé Mouret la regardait. C'était l'heure où il aimait l'église. Il oubliait le Christ lamentable, le supplicié barbouillé d'ocre et de laque, qui agonisait derrière lui, à la chapelle des Morts. Il n'avait plus la distraction de la clarté crue des fenêtres, des gaietés du matin entrant avec le soleil, de la vie du dehors, des moineaux et des branches envahissant la nef par les carreaux cassés. A cette heure de nuit, la nature était morte, l'ombre tendait de crêpe les murs blanchis, la fraîcheur lui mettait aux épaules un cilice salutaire; il pouvait s'anéantir dans l'amour absolu, sans que le jeu d'un rayon, la caresse d'un souffle ou d'un parfum, le battement d'une aile d'insecte, vînt le tirer de sa joie d'aimer. Sa messe du matin ne lui avait jamais donné les délices surhumaines de ses prières du soir.

Les lèvres balbutiantes, l'abbé Mouret regardait la grande Vierge. Il la voyait venir à lui, du fond de sa niche verte, dans une splendeur croissante. Ce n'était plus un clair de lune roulant à la cime des arbres. Elle lui semblait vêtue de soleil, elle s'avançait majestueusement, glorieuse, colossale, si toute-puissante, qu'il était tenté, par moments, de se jeter la face contre terre, pour éviter le flamboiement de cette porte ouverte sur le ciel. Alors, dans cette adoration de tout son être, qui faisait expirer les paroles sur sa bouche, il se souvint du dernier mot de Frère Archangias comme d'un blasphème. Souvent le Frère lui reprochait cette dévotion particulière à la Vierge, qu'il disait être un véritable vol fait à la dévotion de Dieu. Selon lui, cela amollissait les âmes, enjuponnait la religion, créait toute une sensiblerie pieuse indigne des forts. Il gardait rancune à la Vierge d'être femme, d'être belle, d'être mère; il se tenait en garde contre elle, pris de la crainte sourde de se sentir tenté par sa grâce, de succomber à sa douceur de séductrice. « Elle vous mènera loin! » avait-il crié un jour au jeune prêtre, voyant en elle un commencement de passion humaine, une pente aux délices des beaux cheveux châtains, des grands yeux clairs, du mystère des robes tombant du col à la pointe des pieds. C'était la révolte d'un saint, qui séparait violemment la

Mère du Fils, en demandant comme celui-ci : « Femme, qu'y a-t-il de commun entre vous et moi ? » Mais l'abbé Mouret résistait, se prosternait, tâchait d'oublier les rudesses du Frère. Il n'avait plus que ce ravissement dans la pureté immaculée de Marie, qui le sortît de la bassesse où il cherchait à s'anéantir. Lorsque, seul en face de la grande Vierge dorée, il s'hallucinait jusqu'à la voir se pencher pour lui donner ses bandeaux à baiser, il redevenait très jeune, très bon, très fort, très juste, tout envahi d'une vie de tendresse.

La dévotion de l'abbé Mouret pour la Vierge datait de sa jeunesse. Tout enfant, un peu sauvage, se réfugiant dans les coins, il se plaisait à penser qu'une belle dame le protégeait, que deux yeux bleus, très doux, avec un sourire, le suivaient partout. Souvent, la nuit, ayant senti un léger souffle lui passer sur les cheveux, il racontait que la Vierge était venue l'embrasser. Il avait grandi sous cette caresse de femme, dans cet air plein d'un frôlement de jupe divine. Dès sept ans, il contentait ses besoins de tendresse en dépensant tous les sous qu'on lui donnait à acheter des images de sainteté, qu'il cachait jalousement, pour en jouir seul. Et jamais il n'était tenté par les Jésus portant l'agneau, les Christ en croix, les Dieu le Père se penchant avec une grande barbe au bord d'une nuée; il revenait toujours aux tendres images de Marie, à son étroite bouche riante, à ses fines mains tendues [38]. Peu à peu, il les avait toutes collectionnées : Marie entre un lis et une quenouille, Marie portant l'Enfant comme une grande sœur, Marie couronnée de roses, Marie couronnée d'étoiles. C'était pour lui une famille de belles jeunes filles, ayant une ressemblance de grâce, le même air de bonté, le même visage suave, si jeunes sous leurs voiles, que, malgré leur nom de Mère de Dieu, il n'avait point peur d'elles comme des grandes personnes. Elles lui semblaient avoir son âge, être les petites filles qu'il aurait voulu rencontrer, les petites filles du ciel avec lesquelles les petits garçons morts à sept ans doivent jouer éternellement, dans un coin du paradis. Mais il était grave déjà; il garda, en grandissant, le secret de son religieux amour, pris des pudeurs exquises de l'adolescence. Marie vieillissait avec lui, toujours plus âgée d'un ou deux ans, comme il convient à une amie souveraine. Elle avait vingt ans, lorsqu'il avait dix-huit. Elle ne l'embrassait plus, la nuit, sur le front; elle se tenait à quelques pas, les bras croisés, dans son sourire chaste, adorablement douce. Lui,

---

38. Cette forme de dévotion est l'indice de la faiblesse de Serge qui a la nostalgie de la tendresse maternelle. Pendant un certain temps, il y aura la même ambiguïté dans ses rapports avec Albine.

ne la nommait plus que tout bas, éprouvant comme un évanouissement de son cœur, chaque fois que le nom chéri lui passait sur les lèvres, dans ses prières. Il ne rêvait plus des jeux enfantins, au fond du jardin céleste, mais une contemplation continue, en face de cette figure blanche, si pure, à laquelle il n'aurait pas voulu toucher de son souffle. Il cachait à sa mère elle-même qu'il l'aimât si fort.

Puis, à quelques années de là, lorsqu'il fut au séminaire, cette belle tendresse pour Marie, si droite, si naturelle, eut de sourdes inquiétudes. Le culte de Marie était-il nécessaire au salut ? Ne volait-il pas Dieu en accordant à Marie une part de son amour, la plus grande part, ses pensées, son cœur, son tout ? Questions troublantes, combat intérieur qui le passionnait, qui l'attachait davantage. Alors, il s'enfonça dans les subtilités de son affection. Il se donna des délices inouïes à discuter la légitimité de ses sentiments. Les livres de dévotion à la Vierge l'excusèrent, le ravirent, l'emplirent de raisonnements, qu'il répétait avec des recueillements de prière. Ce fut là qu'il apprit à être l'esclave de Jésus en Marie. Il allait à Jésus par Marie. Et il citait toutes sortes de preuves, il distinguait, il tirait des conséquences : Marie, à laquelle Jésus avait obéi sur la terre, devait être obéie par tous les hommes ; Marie gardait sa puissance de mère dans le ciel, où elle était la grande dispensatrice des trésors de Dieu, la seule qui pût l'implorer, la seule qui distribuât les trônes ; Marie, simple créature auprès de Dieu, mais haussée jusqu'à lui, devenait ainsi le lien humain du ciel à la terre, l'intermédiaire de toute grâce, de toute miséricorde ; et la conclusion était toujours qu'il fallait l'aimer par-dessus tout, en Dieu lui-même. Puis, c'étaient des curiosités théologiques plus ardues, le mariage de l'Époux céleste, le Saint-Esprit scellant le vase d'élection, mettant la Vierge Mère dans un miracle éternel, donnant sa pureté inviolable à la dévotion des hommes ; c'était la Vierge victorieuse de toutes les hérésies, l'ennemie irréconciliable de Satan, l'Ève nouvelle annoncée comme devant écraser la tête du serpent, la Porte auguste de la grâce, par laquelle le Sauveur était entré une première fois, par laquelle il entrerait de nouveau, au dernier jour, prophétie vague, annonce d'un rôle plus large de Marie, qui laissait Serge sous le rêve de quelque épanouissement immense d'amour. Cette venue de la femme dans le ciel jaloux et cruel de l'Ancien Testament, cette figure de blancheur mise au pied de la Trinité redoutable, était pour lui la grâce même de la religion, ce qui le consolait de l'épouvante de la foi, son refuge d'homme perdu au milieu des mystères du dogme. Et quand il se fut prouvé, points par points, longuement, qu'elle était le chemin de Jésus, aisé, court, parfait, assuré, il se livra de nouveau à elle, tout entier, sans remords ; il s'étudia à être son vrai dévot, mourant à lui-même, s'abîmant dans la soumission.

Heure de volupté divine. Les livres de dévotion à la Vierge brûlaient entre ses mains. Ils lui parlaient une langue d'amour qui fumait comme un encens. Marie n'était plus l'adolescente voilée de blanc, les bras croisés, debout à quelques pas de son chevet ; elle arrivait au milieu d'une splendeur, telle que Jean la vit, vêtue de soleil, couronnée de douze étoiles, ayant la lune sous les pieds ; elle l'embaumait de sa bonne odeur, l'enflammait du désir du ciel, le ravissait jusque dans la chaleur des astres flambant à son front. Il se jetait devant elle, se criait son esclave ; et rien n'était plus doux que ce mot d'esclave, qu'il répétait, qu'il goûtait davantage, sur sa bouche balbutiante, à mesure qu'il s'écrasait à ses pieds, pour être sa chose, son rien, la poussière effleurée du vol de sa robe bleue. Il disait, avec David : « Marie est faite pour moi. » Il ajoutait, avec l'évangéliste : « Je l'ai prise pour tout mon bien. » Il la nommait : « Ma chère maîtresse », manquant de mots, arrivant à un babillage d'enfant et d'amant, n'ayant plus que le souffle entrecoupé de sa passion. Elle était la Bienheureuse, la Reine du ciel célébrée par les neufs chœurs des anges [39], la Mère de la belle dilection, le Trésor du Seigneur [40]. Les images vives s'étalaient, la comparaient à un paradis terrestre, fait d'une terre vierge, avec des parterres de fleurs vertueuses, des prairies vertes d'espérance, des tours imprenables de force, des maisons charmantes de confiance. Elle était encore une fontaine que le Saint-Esprit avait scellée, un sanctuaire où la très sainte Trinité se reposait, le trône de Dieu, la cité de Dieu, l'autel de Dieu, le temple de Dieu, le monde de Dieu. Et lui, se promenait dans ce jardin [41], à l'ombre, au soleil, sous l'enchantement des verdures ; lui, soupirait après l'eau de cette fontaine ; lui, habitait le bel intérieur de Marie, s'y appuyant, s'y cachant, s'y perdant sans réserve, buvant le lait d'amour infini qui tombait goutte à goutte de ce sein virginal.

Chaque matin, dès son lever, au séminaire, il saluait Marie de cent révérences, le visage tourné vers le pan de ciel qu'il apercevait par sa fenêtre ; le soir, il prenait congé d'elle, en s'inclinant le même

---

39. Dans la hiérarchie céleste, on distinguait les Anges, les Archanges, les Séraphins, les Chérubins, les Trônes, les Dominations, les Vertus, les Puissances et les Œuvres.
40. Invocations des litanies de la Vierge.
41. On comprend mieux ce que sera pour Serge le Paradou, matérialisation de ses aspirations mystiques.

Madone à la grenade, par Botticelli (1487). Si toute la première partie est dominée par la dévotion de Serge pour la Vierge, la seconde l'est par Albine, que Zola veut semblable à une Vierge de la Renaissance : « Je la ferai blonde, pas trop grande, l'air d'une bohémienne endimanchée dans la première partie, sauvage, avec une pointe de mystérieux. Dans la seconde partie, il la faut adorable, svelte, blanche comme du lait, avec une fraîcheur de printemps, le visage un peu long, une de ces Vierges de la Renaissance. »

nombre de fois, les yeux sur les étoiles. Souvent, en face des nuits sereines, lorsque Vénus [42] luisait toute blonde et rêveuse dans l'air tiède, il s'oubliait, il laissait tomber de ses lèvres, ainsi qu'un léger chant, l'*Ave maris stella*, l'hymne attendrie qui lui déroulait, au loin des plages bleues, une mer douce, à peine ridée d'un frisson de caresse, éclairée par une étoile souriante, aussi grande qu'un soleil. Il récitait encore le *Salve Regina*, le *Regina cœli*, l'*O gloriosa Domina*, toutes les prières, tous les cantiques. Il lisait l'office de la Vierge, les livres de sainteté en son honneur, le petit psautier de saint Bonaventure [43], d'une tendresse si dévote que les larmes l'empêchaient de tourner les pages. Il jeûnait, il se mortifiait, pour lui faire l'offrande de sa chair meurtrie. Depuis l'âge de dix ans, il portait sa livrée, le saint scapulaire, la double image de Marie, cousue sur drap, dont il sentait la chaleur à son dos et à sa poitrine, contre sa peau nue, avec des tressaillements de bonheur. Plus tard, il avait pris la chaînette, afin de montrer son esclavage d'amour. Mais son grand acte restait toujours la Salutation angélique, l'*Ave Maria*, la prière parfaite de son cœur. « Je vous salue, Marie », et il la voyait s'avancer vers lui, pleine de grâce, bénie entre toutes les femmes ; il jetait son cœur à ses pieds, pour qu'elle marchât dessus, dans la douceur. Cette salutation, il la multipliait, il la répétait de cent façons, s'ingéniant à la rendre plus efficace. Il disait douze *Ave*, pour rappeler la couronne de douze étoiles, ceignant le front de Marie ; il en disait quatorze, en mémoire de ses quatorze allégresses ; il en disait sept dizaines, en l'honneur des années qu'elle a vécues sur la terre. Il roulait pendant des heures les grains du chapelet. Puis, longuement, à certains jours de rendez-vous mystique, il entreprenait le chuchotement infini du rosaire [44].

Quand, seul dans sa cellule, ayant le temps d'aimer, il s'agenouillait sur le carreau, tout le jardin de Marie poussait autour de lui, avec ses hautes floraisons de chasteté. Le rosaire laissait couler entre ses doigts sa guirlande d'*Ave* coupée de *Pater*, comme une guirlande de roses blanches, mêlées des lis de l'Annonciation, des fleurs saignantes du Calvaire, des étoiles du Couronnement. Il avançait à

pas lents, le long des allées embaumées, s'arrêtant à chacune des quinze dizaines d'*Ave*, se reposant dans le mystère auquel elle correspondait ; il restait éperdu de joie, de douleur, de gloire, à mesure que les mystères se groupaient en trois séries : les joyeux, les douloureux, les glorieux. Légende incomparable, histoire de Marie, vie humaine complète, avec ses sourires, ses larmes, son triomphe, qu'il revivait d'un bout à l'autre, en un instant. Et d'abord il entrait dans la joie, dans les cinq mystères souriants, baignés des sérénités de l'aube : c'étaient la salutation de l'archange, un rayon de fécondité glissé du ciel, apportant la pâmoison adorable de l'union sans tache ; la visite à Élisabeth, par une claire matinée d'espérance, à l'heure où le fruit de ses entrailles donnait pour la première fois à Marie cette secousse qui fait pâlir les mères ; les couches dans une étable de Bethléem, et la longue file des bergers venant saluer la maternité divine ; le nouveau-né porté au Temple, sur les bras de l'accouchée, qui sourit, lasse encore, déjà heureuse d'offrir son enfant à la justice de Dieu, aux embrassements de Siméon [45], aux désirs du monde ; enfin, Jésus grandi, se révélant devant les docteurs, au milieu desquels sa mère inquiète le retrouve, fière de lui et consolée. Puis, après ce matin, d'une lumière si tendre, il semblait à Serge que le ciel se couvrait brusquement. Il ne marchait plus que sur des ronces, s'écorchait les doigts aux grains du rosaire, se courbait sous l'épouvantement des cinq mystères de douleur : Marie agonisant dans son fils au jardin des Oliviers, recevant avec lui les coups de fouet de la flagellation, sentant à son propre front le déchirement de la couronne d'épines, portant l'horrible poids de sa croix, mourant à ses pieds sur le Calvaire. Ces nécessités de la souffrance, ce martyre atroce d'une Reine adorée, pour qui il eût donné son sang comme Jésus, lui causaient une révolte d'horreur, que dix années des mêmes prières et des mêmes exercices n'avaient pu calmer. Mais les grains coulaient toujours, une trouée soudaine se faisait dans les ténèbres du crucifiement, la gloire resplendissante des cinq derniers mystères du crucifiement éclatait avec une allégresse d'astre libre. Marie, transfigurée, chantait l'alléluia de la résurrection, la victoire sur la mort, l'éternité de la vie ; elle assistait, les mains tendues, renversée d'admiration, au triomphe de son fils, qui s'élevait au ciel, parmi des nuées d'or frangées de pourpre ; elle rassemblait autour d'elle les Apôtres, goûtant comme au jour de la concep-

42. La deuxième des planètes qui gravitent autour du soleil. On l'appelle également Vesper ou l'étoile du Berger. Zola, en écrivant « blonde », assimile la planète à la déesse de la beauté à qui elle a emprunté son nom.

43. Saint Bonaventure (1221-1274), nommé le « Docteur séraphique », fut général de l'ordre des Frères mineurs et cardinal. Il écrivit de nombreux ouvrages mystiques.

44. Le rosaire est composé de quinze dizaines (ou trois chapelets). Pendant la récitation du rosaire, la méditation est centrée sur les mystères joyeux, les mystères douloureux et les mystères glorieux.

45. Saint Luc rapporte que Siméon, qui était un vieillard juif, ayant vu Jésus au temple, le reconnut spontanément et entonna le *Nunc dimittis servum tuum*, « maintenant, tu renvoies ton serviteur ».

tion l'embrasement de l'esprit d'amour, descendu en flammes ardentes ; elle était à son tour ravie par un vol d'anges, emportée sur des ailes blanches ainsi qu'une arche immaculée, déposée doucement au milieu de la splendeur des trônes célestes ; et là, comme gloire suprême, dans une clarté si éblouissante qu'elle éteignait le soleil, Dieu la couronnait des étoiles du firmament. La passion n'a qu'un mot. En disant à la file les cent cinquante *Ave*, Serge ne les avait pas répétés une seule fois. Ce murmure monotone, cette parole sans cesse la même qui revenait, pareille au « Je t'aime » des amants, prenait chaque fois une signification plus profonde ; il s'y attardait, causait sans fin à l'aide de l'unique phrase latine, connaissait Marie tout entière, jusqu'à ce que, le dernier grain du rosaire s'échappant de ses mains, il se sentît défaillir à la pensée de la séparation.

Bien des fois le jeune homme avait ainsi passé les nuits, recommençant à vingt reprises les dizaines d'*Ave*, retardant toujours le moment où il devrait prendre congé de sa chère maîtresse. Le jour naissait, qu'il chuchotait encore. C'était la lune, disait-il pour se tromper lui-même, qui faisait pâlir les étoiles. Ses supérieurs devaient le gronder de ces veilles dont il sortait alangui, le teint si blanc, qu'il semblait avoir perdu du sang. Longtemps, il avait gardé au mur de sa cellule une gravure coloriée du Sacré-Cœur de Marie. La Vierge, souriant d'une façon sereine, écartait son corsage, montrait dans sa poitrine un trou rouge, où son cœur brûlait, traversé d'une épée, couronné de roses blanches. Cette épée le désespérait ; elle lui causait cette intolérable horreur de la souffrance chez la femme, dont la seule pensée le jetait hors de toute soumission pieuse. Il l'effaça, il ne garda que le cœur couronné et flambant, arraché à demi de cette chair exquise pour s'offrir à lui. Ce fut alors qu'il se sentit aimé. Marie lui donnait son cœur, son cœur vivant, tel qu'il battait dans son sein, avec l'égouttement rose de son sang. Il n'y avait plus là qu'une image de passion dévote, mais une matérialité, un prodige de tendresse, qui, lorsqu'il priait devant la gravure, lui faisait élargir les mains pour recevoir religieusement le cœur sautant de la gorge sans tache. Il le voyait, il l'entendait battre. Et il était aimé, le cœur battait pour lui ! C'était comme un affolement de tout son être, un besoin de baiser le cœur, de se fondre en lui, de se coucher avec lui au fond de cette poitrine ouverte. Elle l'aimait activement, jusqu'à le vouloir dans l'éternité auprès d'elle, toujours à elle. Elle l'aimait efficacement, sans cesse occupée de lui, le suivant partout, lui évitant les moindres infidélités. Elle l'ai-

mait tendrement, plus que toutes les femmes ensemble, d'un amour bleu, profond, infini comme le ciel. Où aurait-il jamais trouvé une maîtresse si désirable ? Quelle caresse de la terre était comparable à ce souffle de Marie dans lequel il marchait ? Quelle union misérable, quelle jouissance ordurière pouvaient être mises en balance avec cette éternelle fleur du désir montant toujours sans s'épanouir jamais ? Alors, le *Magnificat*, ainsi qu'une bouffée d'encens, s'exhalait de sa bouche. Il chantait le chant d'allégresse de Marie, son tressaillement de joie à l'approche de l'Époux divin. Il glorifiait le Seigneur qui renversait les puissants de leurs trônes [46], et qui lui envoyait Marie, à lui, un pauvre enfant nu, se mourant d'amour sur le carreau glacé de sa cellule.

Et, lorsqu'il avait tout donné à Marie, son corps, son âme, ses biens terrestres, ses biens spirituels, lorsqu'il était nu devant elle, à bout de prières, les litanies de la Vierge jaillissaient de ses lèvres brûlées, avec leurs appels répétés, entêtés, acharnés, dans un besoin suprême de secours céleste. Il lui semblait qu'il gravissait un escalier de désir ; à chaque saut de son cœur, il montait une marche. D'abord, il la disait Sainte. Ensuite, il l'appelait Mère, très pure, très chaste, aimable, admirable. Et il reprenait son élan, lui criant six fois sa virginité, la bouche comme rafraîchie chaque fois par ce mot de vierge, auquel il joignait des idées de puissance, de bonté, de fidélité. À mesure que son cœur l'emportait plus haut, sur les degrés de lumière, une voix étrange, venue de ses veines, parlait en lui, s'épanouissant en fleurs éclatantes. Il aurait voulu se fondre en parfum, s'épandre en clarté, expirer en un soupir musical. Tandis qu'il la nommait Miroir de justice, Temple de la sagesse, Source de sa joie, il se voyait pâle d'extase dans ce miroir, il s'agenouillait sur les dalles tièdes de ce temple, il buvait à longs traits l'ivresse de cette source. Et il la transformait encore, lâchant la bride à sa folie de tendresse pour s'unir à elle d'une façon toujours plus étroite. Elle devenait un Vase d'honneur choisi par Dieu, un Sein d'élection où il souhaitait de verser son être, de dormir à jamais. Elle était la Rose mystique, une grande fleur éclose au paradis, faite des Anges entourant leur Reine, si pure, si odorante, qu'il la respirait du bas de son indignité avec un gonflement de joie dont ses côtes craquaient. Elle se changeait en Maison d'or, en Tour de David, en Tour d'ivoire, d'une richesse inappréciable, d'une pureté jalousée des cygnes,

46. Extrait du psaume *Magnificat* : *Deposuit potentes de sede et exaltavit humiles*, « il a renversé les puissants de leur trône et élevé les humbles ».

Prêtre en prières, par le peintre aixois Granet,
ami d'Ingres qui fit son portrait.

d'une taille haute, forte, ronde, à laquelle il aurait voulu faire de ses bras tendus une ceinture de soumission. Elle se tenait debout à l'horizon, elle était la Porte du ciel, qu'il entrevoyait derrière ses épaules, lorsqu'un souffle de vent écartait les plis de son voile. Elle grandissait derrière la montagne, à l'heure où la nuit pâlit, Étoile du matin, secours des voyageurs égarés, aube d'amour. Puis, à cette hauteur, manquant d'haleine, non rassasié encore, mais les mots trahissant les forces de son cœur, il ne pouvait plus que la glorifier du titre de Reine qu'il lui jetait neuf fois comme neuf coups d'encensoir. Son cantique se mourait d'allégresse dans ces cris du triomphe final : Reine des vierges, Reine de tous les saints, Reine conçue sans péché! Elle, toujours plus haut, resplendissait. Lui, sur la dernière marche, la marche que les familiers de Marie atteignent seuls, restait là un instant, pâmé au milieu de l'air subtil qui l'étourdissait, encore trop loin pour baiser le bord de la robe bleue, se sentant déjà rouler, avec l'éternel désir de remonter, de tenter cette jouissance surhumaine.

Que de fois les litanies de la Vierge, récitées en commun, dans la chapelle, avaient ainsi laissé le jeune homme, les genoux cassés, la tête vide, comme après une grande chute! Depuis sa sortie du séminaire, l'abbé Mouret avait appris à aimer la Vierge davantage encore. Il lui vouait ce culte passionné où Frère Archangias flairait des odeurs d'hérésie. Selon lui, c'était elle qui devait sauver l'Église par quelque prodige grandiose dont l'apparition prochaine charmerait la terre. Elle était le seul miracle de notre époque impie, la dame bleue se montrant aux petits bergers [47], la blancheur nocturne vue entre deux nuages, et dont le bord du voile traînait sur les chaumes des paysans. Quand Frère Archangias lui demandait brutalement s'il l'avait jamais aperçue, il se contentait de sourire, les lèvres serrées, comme pour garder son secret. La vérité était qu'il la voyait toutes les nuits. Elle ne lui apparaissait plus ni sœur joueuse, ni belle jeune fille fervente : elle avait une robe de fiancée, avec des fleurs blanches dans les cheveux, les paupières à demi baissées, laissant couler des regards humides d'espérance qui lui éclairaient les joues. Et il sentait bien qu'elle venait à lui, qu'elle lui promettait de ne plus tarder, qu'elle lui disait : « Me voici, reçois-moi. »

Trois fois chaque jour, lorsque l'angélus sonnait, au réveil de l'aube, dans la maturité de midi, à la tombée attendrie du crépuscule, il se découvrait, il disait un *Ave* en regardant autour de lui, cherchant si la cloche ne lui annonçait pas enfin la venue de Marie. Il avait vingt-cinq ans. Il l'attendait.

Au mois de mai, l'attente du jeune prêtre était pleine d'un heureux espoir. Il ne s'inquiétait même plus des gronderies de la Teuse. S'il restait si tard à prier dans l'église, c'était avec l'idée folle que la grande Vierge dorée finirait par descendre. Et pourtant, il la redoutait, cette Vierge qui ressemblait à une princesse. Il n'aimait pas toutes les Vierges de la même façon. Celle-là le frappait d'un respect souverain. Elle était la Mère de Dieu; elle avait l'ampleur féconde, la face auguste, les bras forts de l'Épouse divine portant Jésus. Il se la figurait ainsi au milieu de la cour céleste, laissant traîner parmi les étoiles la queue de son manteau royal, trop haute pour lui, si puissante, qu'il tomberait en poudre si elle daignait abaisser les yeux sur les siens. Elle était la Vierge de ses jours de défaillance, la Vierge sévère qui lui rendait la paix intérieure par la redoutable vision du paradis.

Ce soir-là, l'abbé Mouret resta plus d'une heure agenouillé dans l'église vide. Les mains jointes, les regards sur la Vierge d'or se levant comme un astre au milieu des verdures, il cherchait l'assoupissement de l'extase, l'apaisement des troubles étranges qu'il avait éprouvés pendant la journée. Mais il ne glissait pas au demi-sommeil de la prière avec l'aisance heureuse qui lui était accoutumée. La maternité de Marie, toute glorieuse et pure qu'elle se révélât, cette taille ronde de femme faite, cet enfant nu qu'elle portait sur un bras, l'inquiétaient, lui semblaient continuer au ciel la poussée débordante de génération au milieu de laquelle il marchait depuis le matin. Comme les vignes des coteaux pierreux, comme les arbres du Paradou, comme le troupeau humain des Artaud, Marie apportait l'éclosion, engendrait la vie. Et la prière s'attardait sur ses lèvres, il s'oubliait à des distractions, voyant des choses qu'il n'avait point encore vues, la courbe molle des cheveux châtains, le léger gonflement du menton, barbouillé de rose. Alors, elle devait se faire plus sévère, l'anéantir sous l'éclat de sa toute-puissance, pour le ramener à la phrase de l'oraison interrompue. Ce fut enfin par sa couronne d'or, par son manteau d'or, par tout l'or qui la changeait en une princesse terrible, qu'elle acheva de l'écraser dans une soumission d'esclave, la prière coulant régulièrement de la bouche, l'esprit perdu au fond d'une adoration unique. Jusqu'à onze heures, il dormit éveillé

---

47. Les apparitions à Lourdes avaient eu lieu du 25 février au 16 juillet 1858. La Vierge se serait adressée à Bernadette Soubirous revêtue d'une robe bleue. Zola consacrera un des volets de sa trilogie « les Trois Villes » à Lourdes. Mais c'est à La Salette qu'apparut la Vierge à des petits bergers, Maximin et Mélanie. Il y a confusion entre les deux apparitions car, à La Salette, la Vierge n'est pas vêtue de la même manière qu'à Lourdes.

de cet engourdissement extatique, ne sentant plus ses genoux, se croyant suspendu, balancé ainsi qu'un enfant qu'on endort, se laissant aller à ce repos, tout en gardant la conscience d'un poids qui lui alourdissait le cœur. Autour de lui, l'église s'emplissait d'ombre, la lampe charbonnait, les hauts feuillages assombrissaient le visage verni de la grande Vierge.

Quand l'horloge, avant de sonner l'heure, grinça d'une voix arrachée, l'abbé Mouret eut un frisson. Il n'avait pas senti la fraîcheur de l'église lui tomber sur les épaules. Maintenant, il grelottait. Comme il se signait, un rapide souvenir traversa la stupeur de son réveil; le claquement de ses dents lui rappelait les nuits passées sur le carreau de sa cellule, en face du Sacré-Cœur de Marie, le corps tout secoué de fièvre. Il se leva péniblement, mécontent de lui. D'ordinaire, il quittait l'autel, la chair sereine, avec la douceur du souffle de Marie sur le front. Cette nuit-là, lorsqu'il prit la lampe pour monter à sa chambre, il lui sembla que ses tempes éclataient : la prière était restée inefficace; il retrouvait, après un court soulagement, la même chaleur grandie depuis le matin de son cœur à son cerveau. Puis, arrivé à la porte de la sacristie, au moment de sortir, il se tourna, il éleva la lampe d'un mouvement machinal, cherchant à voir une dernière fois la grande Vierge. Elle était noyée sous les ténèbres descendues des poutres, enfoncée dans les feuillages, ne laissant passer que la croix d'or de sa couronne.

15

La chambre de l'abbé Mouret, située à un angle du presbytère, était une vaste pièce, trouée sur deux de ses faces de deux immenses fenêtres carrées; l'une de ces fenêtres s'ouvrait au-dessus de la basse-cour de Désirée; l'autre donnait sur le village des Artaud, avec la vallée au loin, les collines, tout l'horizon. Le lit tendu de rideaux jaunes, la commode de noyer, les trois chaises de paille, se perdaient sous le haut plafond à solives blanchies. Une légère âpreté, cette odeur un peu aigre des vieilles bâtisses campagnardes, montait du carreau, passé au rouge, luisant comme une glace. Sur la commode, une grande statuette de l'Immaculée Conception mettait une douceur grise, entre deux pots de faïence que la Teuse avait emplis de lilas blancs.

L'abbé Mouret posa la lampe devant la Vierge, au bord de la commode. Il se sentait si mal à l'aise, qu'il se décida à allumer le feu de souches de vignes qui était tout préparé. Et il resta là, les pincettes à la main, regardant brûler les tisons, la face éclairée par la flamme.

Au-dessous de lui, il entendait le gros sommeil de la maison. Le silence, qui bourdonnait à ses oreilles, finissait par prendre des voix chuchotantes. Lentement, invinciblement, ces voix l'envahissaient, redoublaient l'anxiété dont il avait, dans la journée, senti plusieurs fois le serrement à la gorge. D'où venait donc cette angoisse ? Quel pouvait être ce trouble inconnu, grossi doucement, devenu intolérable ? Il n'avait pas péché cependant. Il lui semblait être sorti la veille du séminaire, avec toute l'ardeur de sa foi, si fort contre le monde, qu'il marchait au milieu des hommes en ne voyant que Dieu.

Alors, il se crut dans sa cellule, un matin, à cinq heures, au moment du lever. Le diacre de service passait en donnant un coup de bâton dans sa porte, avec le cri réglementaire :

— *Benedicamus Domino!*

— *Deo gratias!* répondait-il, mal réveillé, les yeux enflés de sommeil.

Et il sautait sur l'étroit tapis, se débarbouillait, faisait son lit, balayait sa chambre, renouvelait l'eau de son cruchon. Ce petit ménage était une joie, dans le frisson matinal qui lui courait sur la peau. Il entendait les pierrots des platanes de la cour se lever en même temps que lui, au milieu d'un tapage d'ailes et de gosiers assourdissant. Il pensait qu'ils disaient leurs prières, à leur façon. Lui, descendait dans la salle des Méditations, où, après les oraisons, il restait une demi-heure agenouillé, à méditer sur cette pensée d'Ignace [48] : « Que sert à l'homme de conquérir l'univers, s'il perd son âme ? » C'était un sujet fertile en bonnes résolutions, qui le faisaient renoncer à tous les biens de la terre, avec le rêve si souvent caressé d'une vie au désert, sous la seule richesse d'un grand ciel bleu. Au bout de dix minutes, ses genoux, meurtris sur la dalle, devenaient tellement douloureux, qu'il éprouvait peu à peu un évanouissement de tout son être, une extase dans laquelle il se voyait grand conquérant, maître d'un empire immense, jetant sa couronne, brisant son sceptre, foulant aux pieds un luxe inouï, des cassettes d'or, des ruissellements de bijoux, des étoffes cousues de pierreries, pour aller s'ensevelir au fond d'une thébaïde, vêtu d'une bure qui lui écorchait

---

48. Saint Ignace de Loyola (1491-1556), fondateur des Jésuites et auteur des *Exercices spirituels.*

l'échine. Mais la messe le tirait de ces imaginations, dont il sortait comme d'une belle histoire réelle, qui lui serait arrivée en des temps anciens. Il communiait, il chantait le psaume du jour, très ardemment, sans entendre aucune autre voix que sa voix, d'une pureté de cristal, si claire, qu'il la sentait s'envoler jusqu'aux oreilles du Seigneur. Et lorsqu'il remontait à sa chambre, il ne gravissait qu'une marche à la fois, ainsi que le recommandait saint Bonaventure et saint Thomas d'Aquin; il marchait lentement, l'air recueilli, la tête légèrement penchée, trouvant à suivre les moindres prescriptions une jouissance indicible. Ensuite, venait le déjeuner. Au réfectoire, les croûtons de pain, alignés le long des verres de vin blanc, l'enchantaient; car il avait bon appétit, il était d'humeur gaie, il disait, par exemple, que le vin était bon chrétien, allusion très audacieuse à l'eau qu'on accusait l'économe de mettre dans les bouteilles. Cela ne l'empêchait pas de retrouver son air grave pour entrer en classe. Il prenait des notes sur ses genoux, tandis que le professeur, les poignets au bord de la chaire, parlait un latin usuel, coupé parfois d'un mot français, quand il ne trouvait pas mieux [49]. Une discussion s'élevait; les élèves argumentaient en un jargon étrange, sans rire. Puis, c'était, à dix heures, une lecture de l'Écriture sainte, pendant vingt minutes. Il allait chercher le livre sacré, relié richement, doré sur tranche. Il le baisait avec une vénération particulière, le lisait tête nue, en saluant chaque fois qu'il rencontrait les noms de Jésus, de Marie ou de Joseph. La seconde méditation le trouvait alors tout préparé à supporter, pour l'amour de Dieu, un nouvel agenouillement, plus long que le premier. Il évitait de s'asseoir une seule seconde sur ses talons; il goûtait cet examen de conscience de trois quarts d'heure, s'efforçant de découvrir en lui des péchés, arrivant à se croire damné pour avoir oublié la veille au soir de baiser les deux images de son scapulaire, ou pour s'être endormi sur le côté gauche; fautes abominables qu'il aurait voulu racheter en usant jusqu'au soir ses genoux, fautes heureuses qui l'occupaient, sans lesquelles il n'aurait su de quoi entretenir son cœur candide, endormi par la blanche vie qu'il menait. Il entrait au réfectoire tout soulagé, comme s'il s'était débarrassé la poitrine d'un grand crime. Les séminaristes de service, les manches de la soutane retroussées, un tablier de coutil bleu noué à la cein-

ture, apportaient le potage au vermicelle, le bouilli coupé par petits carrés, les portions de gigot aux haricots. Il y avait des bruits terribles de mâchoires, un silence glouton, un acharnement de fourchettes seulement interrompu par des coups d'œil envieux jetés sur la table en fer à cheval, où les directeurs mangeaient des viandes plus tendres, buvaient des vins plus rouges; pendant que la voix empâtée de quelque fils de paysan, aux poumons solides, ânonnait sans points ni virgules, au-dessus de cette rage d'appétit, quelque lecture pieuse, des lettres de missionnaires, des mandements d'évêques, des articles de journaux religieux. Lui, écoutait, entre deux bouchées. Ces bouts de polémiques, ces récits de voyages lointains le surprenaient, l'effrayaient même, en lui révélant, au-delà des murailles du séminaire, une agitation, un immense horizon, auxquels il ne pensait jamais. On mangeait encore, qu'un coup de claquoir annonçait la récréation. La cour était sablée, plantée de huit gros platanes qui, l'été, jetaient une ombre fraîche; au midi, il y avait une muraille, haute de cinq mètres, hérissée de culs de bouteille, au-dessus de laquelle on ne voyait de Plassans que l'extrémité du clocher de Saint-Marc, une courte aiguille de pierre, dans le ciel bleu. D'un bout de la cour à l'autre, lentement, il se promenait avec un groupe de camarades, sur une seule ligne; et chaque fois qu'il revenait, le visage vers la muraille, il regardait le clocher, qui était pour lui toute la ville, toute la terre, sous le vol libre des nuages. Des cercles bruyants, au pied des platanes, discutaient; des amis s'isolaient, deux à deux, dans les coins, épiés par quelque directeur caché derrière les rideaux de sa fenêtre; des parties de paume et de quilles s'organisaient violemment, dérangeant de tranquilles joueurs de loto à demi couchés par terre, devant leurs cartons, qu'une boule ou une balle lancée trop fort couvrait de sable. Quand la cloche sonnait, le bruit tombait, une nuée de moineaux s'envolait des platanes, les élèves encore tout essoufflés se rendaient au cours de plain-chant, les bras croisés, la nuque grave. Et il achevait la journée au milieu de cette paix; il retournait en classe; il goûtait à quatre heures, reprenant l'éternelle promenade en face de la flèche de Saint-Marc; il soupait au milieu des mêmes bruits de mâchoires, sous la grosse voix achevant la lecture du matin; il montait à la chapelle dire les actions de grâce du soir, et se couchait à huit heures un quart, après avoir aspergé son lit d'eau bénite, pour se préserver des mauvais rêves.

Que de belles journées semblables il avait passées, dans cet ancien couvent du vieux Plassans, tout

49. La plupart des précisions sur la vie de séminariste sont dues à une étude inédite d'un des confrères de Zola à *la Tribune*, F. X. Trébois, spécialiste des articles anticléricaux, et qui était vraisemblablement ancien séminariste lui-même.

plein d'une odeur séculaire de dévotion! Pendant cinq ans, les jours s'étaient suivis, coulant avec le même murmure d'eau limpide. A cette heure, il se souvenait de mille détails qui l'attendrissaient. Il se rappelait son premier trousseau, qu'il était allé acheter avec sa mère : ses deux soutanes, ses deux ceintures, ses six rabats, ses huit paires de bas noirs, son surplis, son tricorne. Et comme son cœur avait battu, ce doux soir d'octobre, lorsque la porte du séminaire s'était refermée sur lui! Il venait là, à vingt ans, après ses années de collège, pris d'un besoin de croire et d'aimer. Dès le lendemain, il avait tout oublié, comme endormi au fond de la grande maison silencieuse. Il revoyait la cellule étroite où il avait passé ses deux années de philosophie, une case meublée d'un lit, d'une table et d'une chaise, séparée des cases voisines par des planches mal jointes, dans une immense salle qui contenait une cinquantaine de réduits pareils. Il revoyait sa cellule de théologien, habitée pendant trois autres années, plus grande, avec un fauteuil, une toilette, une bibliothèque, heureuse chambre emplie des rêves de sa foi. Le long des couloirs interminables, le long des escaliers de pierre, à certains angles, il avait eu des révélations soudaines, des secours inespérés. Les hauts plafonds laissaient tomber des voix d'anges gardiens. Pas un carreau des salles, pas une pierre des murs, pas une branche des platanes, qui ne lui parlaient des jouissances de sa vie contemplative, ses bégaiements de tendresse, sa lente initiation, les caresses reçues en retour du don de son être, tout ce bonheur des premières amours divines. Tel jour, en s'éveillant, il avait vu une vive lueur qui l'avait baigné de joie. Tel soir, en fermant la porte de sa cellule, il s'était senti saisir au cou par des mains tièdes, si tendrement, qu'en reprenant connaissance, il s'était trouvé par terre, pleurant à gros sanglots. Puis, parfois, surtout sous la petite voûte qui menait à la chapelle, il avait abandonné sa taille à des bras souples qui l'enlevaient. Tout le ciel s'occupait alors de lui, marchait autour de lui, mettait dans ses moindres actes, dans la satisfaction de ses besoins les plus vulgaires, un sens particulier, un parfum surprenant dont ses vêtements, sa peau elle-même, semblaient garder à jamais la lointaine odeur. Et il se souvenait encore des promenades du jeudi. On partait à deux heures pour quelque coin de verdure, à une lieue de Plassans. C'était le plus souvent au bord de la Viorne, dans le bout d'un pré, avec des saules noueux qui laissaient tremper leurs feuilles au fil de l'eau. Il ne voyait rien, ni les grandes fleurs jaunes du pré, ni les hirondelles buvant au vol, rasant des ailes la nappe de la petite rivière. Jusqu'à six heures, assis par bandes sous les saules, ses camarades et lui récitaient en chœur l'office de la Vierge ou lisaient, deux à deux, les *Petites Heures*, le bréviaire facultatif des jeunes séminaristes.

L'abbé Mouret eut un sourire, en rapprochant les tisons. Il ne trouvait dans ce passé qu'une grande pureté, une obéissance parfaite. Il était un lis, dont la bonne odeur charmait ses maîtres. Il ne se rappelait pas un mauvais acte. Jamais il ne profitait de la liberté absolue des promenades, pendant que les deux directeurs de surveillance allaient causer chez un curé du voisinage, pour fumer derrière une haie ou courir boire de la bière avec quelque ami. Jamais il ne cachait des romans sous sa paillasse, ni n'enfermait des bouteilles d'anisette au fond de sa table de nuit. Longtemps même, il ne s'était pas douté de tous les péchés qui l'entouraient, des ailes de poulet et des gâteaux introduits en contrebande pendant le carême, des lettres coupables apportées par les servants, des conversations abominables tenues à voix basse, dans certains coins de la cour. Il avait pleuré à chaudes larmes, le jour où il s'était aperçu que peu de ses camarades aimaient Dieu pour lui-même. Il y avait là des fils de paysans entrés dans les ordres par terreur de la conscription, des paresseux rêvant un métier de fainéantise, des ambitieux que troublait déjà la vision de la crosse et de la mitre. Et lui, en retrouvant les ordures du monde au pied des autels, s'était replié encore sur lui-même, se donnant davantage à Dieu, pour le consoler de l'abandon où on le laissait.

Pourtant, l'abbé se rappela qu'un jour il avait croisé les jambes, à la classe. Le professeur lui en ayant fait le reproche, il était devenu très rouge, comme s'il avait commis une indécence. Il était un des meilleurs élèves, ne discutant pas, apprenant les textes par cœur. Il prouvait l'existence et l'éternité de Dieu par des preuves tirées de l'Écriture sainte, par l'opinion des Pères de l'Église, et par le consentement universel de tous les peuples. Les raisonnements de cette nature l'emplissaient d'une certitude inébranlable. Pendant sa première année de philosophie, il travaillait son cours de logique avec une telle application, que son professeur l'avait arrêté, en lui répétant que les plus savants ne sont pas les plus saints. Aussi, dès sa seconde année, s'acquittait-il de son étude de la métaphysique, ainsi que d'un devoir réglementé, entrant pour une très faible part dans les exercices de la journée. Le mépris de la science lui venait; il voulait rester ignorant, afin de garder l'humilité de sa foi. Plus tard, en théologie, il ne suivait plus le cours d'*His-*

toire ecclésiastique, de Rorbacher [50], que par soumission; il allait jusqu'aux arguments de Gousset, jusqu'à l'*Instruction théologique*, de Bouvier, sans oser toucher à Bellarmin, à Liguori, à Suarez, à saint Thomas d'Aquin. Seule, l'Écriture sainte le passionnait. Il y trouvait le savoir désirable, une histoire d'amour infini qui devait suffire comme enseignement aux hommes de bonne volonté. Il n'acceptait que les affirmations de ses maîtres, se débarrassait sur eux de tout souci d'examen, n'ayant pas besoin de ce fatras pour aimer, accusant les livres de voler le temps à la prière. Il avait même réussi à oublier ses années de collège. Il ne savait plus, il n'était plus qu'une candeur, qu'une enfance ramenée aux balbutiements du catéchisme.

Et c'était ainsi qu'il était monté pas à pas jusqu'à la prêtrise. Ici, les souvenirs se pressaient, attendris, chauds encore de joies célestes. Chaque année, il avait approché Dieu de plus près. Il passait saintement les vacances, chez un oncle, se confessant tous les jours, communiant deux fois par semaine. Il s'imposait des jeûnes, cachait au fond de sa malle des boîtes de gros sel, sur lesquelles il s'agenouillait des heures entières, les genoux mis à nu. Il restait à la chapelle, pendant les récréations, ou montait dans la chambre d'un directeur, qui lui racontait des anecdotes pieuses extraordinaires [51]. Puis, quand approchait le jour de la Sainte-Trinité, il était récompensé au-delà de toute mesure, envahi par cette émotion dont s'emplissent les séminaires à la veille des ordinations. C'était la grande fête, le ciel s'ouvrant pour laisser les élus gravir un nouveau degré. Lui, quinze jours à l'avance, se mettait au pain et à l'eau. Il fermait les rideaux de sa fenêtre pour ne plus même voir le jour, se prosternant dans les ténèbres, suppliant Jésus d'accepter son sacrifice. Les quatre derniers jours, il était pris d'angoisses, de scrupules terribles qui le jetaient hors de son lit, au milieu de la nuit, pour aller frapper à la porte du prêtre étranger dirigeant la retraite,

quelque carme déchaussé, souvent un protestant converti, sur lequel courait une merveilleuse histoire. Il lui faisait longuement la confession générale de sa vie, la voix coupée de sanglots. L'absolution seule le tranquillisait, le rafraîchissait, comme s'il avait pris un bain de grâce. Il était tout blanc, au matin du grand jour; il avait une si vive conscience de cette blancheur, qu'il lui semblait faire de la lumière autour de lui. Et la cloche du séminaire sonnait de sa voix claire, tandis que les odeurs de juin, les quarantaines en fleurs, les résédas, les héliotropes, venaient par-dessus la haute muraille de la cour. Dans la chapelle, les parents attendaient, en grande toilette, émus à ce point que les femmes sanglotaient sous leurs voilettes. Puis, c'était le défilé : les diacres [52], qui allaient recevoir la prêtrise, en chasuble d'or; les sous-diacres, en dalmatique [53]; les minorés, les tonsurés, le surplis flottant sur les épaules, la barrette noire à la main. L'orgue ronflait, épanouissait les notes de flûte d'un chant d'allégresse. A l'autel, l'évêque, assisté de deux chanoines, officiait, crosse en main. Le chapitre était là, les prêtres de toutes les paroisses se pressaient, au milieu d'un luxe inouï de costumes, d'un flamboiement d'or allumé par le large rayon de soleil qui tombait d'une fenêtre de la nef. Après l'épître, l'ordination commençait.

A cette heure, l'abbé Mouret se rappelait encore le froid des ciseaux, lorsqu'on l'avait marqué de la tonsure, au commencement de sa première année de théologie. Il avait eu un léger frisson. Mais la tonsure était alors bien étroite, à peine ronde comme une pièce de deux sous. Plus tard, à chaque nouvel ordre reçu, elle avait grandi, toujours grandi, jusqu'à le couronner d'une tache blanche, aussi large qu'une grande hostie. Et l'orgue ronflait plus doucement, les encensoirs retombaient avec le bruit argentin de leurs chaînettes, en laissant échapper un flot de fumée blanche, qui se déroulait comme de la dentelle. Lui, se voyait en surplis, jeune tonsuré, amené à l'autel par le maître des cérémonies; il s'agenouillait, baissait profondément la tête, tandis que l'évêque, avec des ciseaux d'or, lui coupait trois mèches de cheveux, une sur le front, les deux autres près des oreilles. A un an de là, il se voyait de nouveau, dans la chapelle pleine d'encens, recevant les quatre ordres mineurs : il allait, conduit par un archidiacre, fermer avec fracas la grande porte, qu'il

50. Rorbacher (René-François, 1789-1856), théologien, auteur du *Catéchisme du sens commun*, de *Vies des saints* et d'une *Histoire universelle de l'Église catholique*. — Gousset (Thomas, 1802-1866), auteur d'une *Théologie morale* et d'une *Théologie dogmatique*. — Bouvier (J.-B.), qui fut évêque du Mans en 1834, est connu pour des traités à l'usage des séminaristes, et, entre autres, les *Institutiones theologicæ*. Saint Robert Bellarmin (1542-1621) est un théologien et cardinal italien réputé comme controversiste. — Saint Alphonse de Liguori (1696-1787), fondateur des Rédemptoristes, auteur de la *Théologie morale*, de l'*Instruction pratique pour les Confesseurs*, des *Réflexions sur la vérité de la divine révélation*. — Suarez (Francisco, 1548-1617), théologien espagnol, auteur de la *Défense de la foi*. — Saint Thomas d'Aquin (1225-1274), auteur de la *Somme contre les Gentils*, et, surtout, de la *Somme théologique*. Sa philosophie, qui a fait longtemps autorité officiellement dans l'Église catholique, a pris son nom, le thomisme.

51. Cette atmosphère surchauffée explique en partie l'exaltation de Serge et ses hallucinations.

52. Il y a quatre ordres mineurs et trois ordres majeurs. Les ordres mineurs sont l'ostiariat (portier), le lectorat, l'exorcistat et l'acolytat, les trois ordres majeurs sont le sous-diaconat, le diaconat et le presbytérat. Seuls les ordres majeurs constituent un engagement définitif et entraînent le vœu de célibat.

53. Chasuble à manches.

rouvrait ensuite, pour montrer qu'il était commis à la garde des églises; il secouait une clochette de la main droite, annonçant par là qu'il avait le devoir d'appeler les fidèles aux offices; il revenait à l'autel, où l'évêque lui conférait de nouveaux privilèges, ceux de chanter les leçons, de bénir le pain, de catéchiser les enfants, d'exorciser le démon, de servir les diacres, d'allumer et d'éteindre les cierges. Puis, le souvenir de l'ordination suivante lui revenait, plus solennel, plus redoutable, au milieu du chant même des orgues, dont le roulement semblait être la foudre même de Dieu; ce jour-là, il avait la dalmatique de sous-diacre aux épaules, il s'engageait à jamais par le vœu de chasteté, il tremblait de toute sa chair, malgré sa foi, au terrible : *Accedite*, de l'évêque, qui mettait en fuite deux de ses camarades, pâlissant à son côté; ses nouveaux devoirs étaient de servir le prêtre à l'autel, de préparer les burettes, de chanter l'épître, d'essuyer le calice, de porter la croix dans les processions. Et, enfin, il défilait une dernière fois dans la chapelle, sous le rayonnement du soleil de juin; mais, cette fois, il marchait en tête du cortège, il avait l'aube nouée à la ceinture, l'étole croisée sur la poitrine, la chasuble tombant du cou; défaillant d'une émotion suprême, il apercevait la figure pâle de l'évêque qui lui donnait la prêtrise, la plénitude du sacerdoce, par une triple imposition des mains. Après son serment d'obéissance ecclésiastique, il se sentait comme soulevé des dalles, lorsque la voix pleine du prélat disait la phrase latine : « *Accipe Spiritum sanctum : quorum remiseris peccata, remittuntur eis, et quorum retinueris, retenta sunt* [54]. »

16

Cette évocation des grands bonheurs de sa jeunesse avait donné une légère fièvre à l'abbé Mouret. Il ne sentait plus le froid. Il lâcha les pincettes, s'approcha du lit comme s'il allait se coucher, puis revint appuyer son front contre une vitre, regardant la nuit, sans voir. Était-il donc malade, qu'il éprouvait ainsi une langueur des membres, tandis que le sang lui brûlait les veines ? Au séminaire, à deux reprises, il avait eu des malaises semblables, une

sorte d'inquiétude physique qui le rendait très malheureux; une fois même, il s'était mis au lit, avec un gros délire. Puis, il songea à une jeune fille possédée, que Frère Archangias racontait avoir guérie d'un simple signe de croix, un jour qu'elle était tombée raide devant lui. Cela le fit penser aux exercices spirituels qu'un de ses maîtres lui avait recommandés autrefois : la prière, la confession générale, la communion fréquente, le choix d'un directeur sage, ayant un grand empire sur l'esprit de son pénitent. Et, sans transition, avec une brusquerie qui l'étonna lui-même, il aperçut au fond de sa mémoire la figure ronde d'un de ses anciens amis, un paysan, enfant de chœur à huit ans, dont la pension au séminaire était payée par une dame qui le protégeait. Il riait toujours, il jouissait naïvement à l'avance des petits bénéfices du métier : les douze cents francs d'appointements, le presbytère au fond d'un jardin, les cadeaux, les invitations à dîner, les menus profits des mariages, des baptêmes, des enterrements. Celui-là devait être heureux, dans sa cure.

Le regret mélancolique que lui apportait ce souvenir surprit le prêtre extrêmement. N'était-il pas heureux, lui aussi ? Jusqu'à ce jour, il n'avait rien regretté, rien désiré, rien envié. Et même, en ce moment, il s'interrogeait, il ne trouvait en lui aucun sujet d'amertume. Il était, croyait-il, tel qu'aux premiers temps de son diaconat, lorsque l'obligation de lire son bréviaire, à des heures déterminées, avait empli ses journées d'une prière continue. Depuis cette époque, les semaines, les mois, les années coulaient, sans qu'il eût le loisir d'une mauvaise pensée. Le doute ne le tourmentait point; il s'anéantissait devant les mystères qu'il ne pouvait comprendre, il faisait aisément le sacrifice de sa raison, qu'il dédaignait. Au sortir du séminaire, il avait eu la joie de se voir étranger parmi les autres hommes, de ne plus marcher comme eux, de porter autrement la tête, d'avoir des gestes, des mots, des sentiments d'être à part. Il se sentait féminisé, rapproché de l'ange, lavé de son sexe, de son odeur d'homme. Cela le rendait presque fier, de ne plus tenir à l'espèce, d'avoir été élevé pour Dieu, soigneusement purgé des ordures humaines par une éducation jalouse. Il lui semblait encore être demeuré pendant des années dans une huile sainte, préparée selon les rites, qui lui avait pénétré les chairs d'un commencement de béatification. Certains de ses organes avaient disparu, dissous peu à peu; ses membres, son cerveau, s'étaient appauvris de matière pour s'emplir d'âme, d'un air subtil qui le grisait parfois d'un vertige, comme si la terre lui eût manqué brusquement. Il montrait des peurs, des ignorances, des candeurs de fille cloîtrée. Il disait parfois en souriant qu'il continuait son enfance, s'imaginant être resté tout petit, avec les mêmes sensations, les mêmes idées, les mêmes jugements ; ainsi, à six ans, il connaissait Dieu autant qu'à vingt-cinq ans, il avait pour le prier des inflexions de voix semblables, des joies enfantines à joindre les mains bien exactement. Le monde lui semblait pareil au monde qu'il voyait jadis, lorsque sa mère le promenait par la main. Il était né prêtre, il avait grandi prêtre. Lorsqu'il faisait preuve, devant la Teuse, de quelque grossière ignorance de la vie, elle le regardait, stupéfaite, entre les deux yeux, en disant avec un singulier sourire « qu'il était bien le frère de mademoiselle Désirée ». Dans son existence, il ne se rappelait qu'une secousse honteuse. C'était pendant ses derniers six mois de séminaire, entre le diaconat et la prêtrise. On lui avait fait lire l'ouvrage de l'abbé Craisson [55], supérieur du grand séminaire de Valence : *De rebus venereis ad usum confessariorum.* Il était sorti épouvanté, sanglotant, de cette lecture. Cette casuistique savante du vice, étalant l'abomination de l'homme, descendant jusqu'aux cas les plus monstrueux des passions hors nature, violait brutalement sa virginité de corps et d'esprit. Il restait à jamais sali, comme une épousée, initiée d'une heure à l'autre aux violences de l'amour. Et il revenait fatalement à ce questionnaire de honte, chaque fois qu'il confessait. Si les obscurités du dogme, les devoirs du sacerdoce, la mort de tout libre arbitre, le laissaient serein, heureux de n'être que l'enfant de Dieu, il gardait malgré lui l'ébranlement charnel de ces saletés qu'il devait remuer, il avait conscience d'une tache ineffaçable, quelque part, au fond de son être, qui pouvait grandir un jour et le couvrir de boue.

La lune se levait, derrière les Garrigues. L'abbé Mouret, que la fièvre brûlait davantage, ouvrit la fenêtre, s'accouda, pour recevoir au visage la fraîcheur de la nuit. Il ne savait plus à quelle heure exacte l'avait pris ce malaise. Il se souvenait pourtant que, le matin, en disant sa messe, il était très calme, très reposé. Ce devait être plus tard, peut-être pendant sa longue marche au soleil, ou sous le frisson des arbres du Paradou, ou dans l'étouffement de la basse-cour de Désirée. Et il revécut la journée.

55. Craisson (D.), *Notiones theologicæ circa sextum decalogi præceptum et usum matrimonii artis medicæ recenter inventis adaptæ seu de rebus venereis ad usum confessariorum,* « Notions de théologie concernant le sixième commandement du décalogue et le bon usage du mariage, adaptées aux découvertes récentes de la médecine, ou de la sexualité, à l'usage des confesseurs » (Paris, 1873). La première édition avait paru en 1870. Cet abbé Craisson avait été vicaire général à Valenciennes, et non supérieur au grand séminaire de Valence.

En face de lui, la vaste plaine s'étendait, plus tragique sous la pâleur oblique de la lune. Les oliviers, les amandiers, les arbres maigres faisaient des taches grises au milieu du chaos des grandes roches, jusqu'à la ligne sombre des collines de l'horizon. C'étaient de larges pans d'ombre, des arêtes bossuées, des mares de terre sanglantes où les étoiles rouges semblaient se regarder, des blancheurs crayeuses pareilles à des vêtements de femme rejetés, découvrant des chairs noyées de ténèbres, assoupies dans les enfoncements des terrains. La nuit, cette campagne ardente prenait un étrange vautrement de passion. Elle dormait, débraillée, déhanchée, tordue, les membres écartés, tandis que de gros soupirs tièdes s'exhalaient d'elle, des arômes puissants de dormeuse en sueur. On eût dit quelque forte Cybèle tombée sur l'échine, la gorge en avant, le ventre sous la lune, soûle des ardeurs du soleil, et rêvant encore de fécondation. Au loin, le long de ce grand corps, l'abbé Mouret suivait des yeux le chemin des Olivettes, un mince ruban pâle qui s'allongeait comme le lacet flottant d'un corset. Il entendait Frère Archangias, relevant les jupes des gamines qu'il fouettait au sang, crachant aux visages des filles, puant lui-même l'odeur d'un bouc qui ne serait jamais satisfait. Il voyait la Rosalie rire en dessous, de son air de bête lubrique, pendant que le père Bambousse lui jetait des mottes de terre dans les reins. Et là encore, croyait-il, il était bien portant, à peine chauffé à la nuque par la belle matinée. Il ne sentait qu'un frémissement derrière son dos, ce murmure confus de vie qu'il avait entendu vaguement dès le matin, au milieu de sa messe, lorsque le soleil était entré par les fenêtres crevées. Jamais, comme à cette heure de nuit, la campagne ne l'avait inquiété, avec sa poitrine géante, ses ombres molles, ses luisants de peau ambrée, toute cette nudité de déesse, à peine cachée sous la mousseline argentée de la lune.

Le jeune prêtre baissa les yeux, regarda le village des Artaud. Le village s'écrasait dans le sommeil lourd de fatigue, dans le néant que dorment les paysans. Pas une lumière. Les masures faisaient des tas noirs que coupaient les raies blanches des ruelles transversales, enfilées par la lune. Les chiens eux-mêmes devaient ronfler, au seuil des portes closes. Peut-être les Artaud avaient-ils empoisonné le presbytère de quelque fléau abominable ? Derrière lui, il écoutait toujours grossir le souffle dont l'approche était si pleine d'angoisse. Maintenant, il surprenait comme un piétinement de troupeau, une volée de poussière qui lui arrivait, grasse des émanations d'une bande de bêtes. Ses pensées du matin lui revenaient sur cette poignée d'hommes recommençant les temps, poussant entre les rocs pelés ainsi qu'une poignée de chardons que les vents ont semés; il se sentait assister à l'éclosion lente d'une race. Lorsqu'il était enfant, rien ne le surprenait, ne l'effrayait davantage, que ces myriades d'insectes qu'il voyait sourdre de quelque fente, quand il soulevait certaines pierres humides. Les Artaud, même endormis, éreintés au fond de l'ombre, le troublaient de leur sommeil, dont il retrouvait l'haleine dans l'air qu'il respirait. Il n'aurait voulu que des roches sous sa fenêtre. Le village n'était pas assez mort; les toits de chaume se gonflaient comme des poitrines; les gerçures des portes laissaient passer des soupirs, des craquements légers, des silences vivants, révélant dans ce trou la présence d'une portée pullulante, sous le bercement noir de la nuit. Sans doute, c'était cette senteur seule qui lui donnait une nausée. Souvent il l'avait pourtant respirée aussi forte, sans éprouver d'autre besoin que de se rafraîchir dans la prière.

Les tempes en sueur, il alla ouvrir l'autre fenêtre, cherchant un air plus vif. En bas, à gauche, s'étendait le cimetière, avec la haute barre du Solitaire, dont pas une brise ne remuait l'ombre. Il montait du champ vide une odeur de pré fauché. Le grand mur gris de l'église, ce mur tout plein de lézards, planté de giroflées, se refroidissait sous la lune, tandis qu'une des larges fenêtres luisait, les vitres pareilles à des plaques d'acier. L'église endormie ne devait vivre à cette heure que de la vie extra-humaine du Dieu de l'hostie, enfermé dans le tabernacle. Il songeait à la tache jaune de la veilleuse, mangée par l'ombre, avec une tentation de redescendre, pour soulager sa tête malade, au milieu de ces ténèbres pures de toute souillure. Mais une terreur étrange le retint : il crut tout d'un coup, les yeux fixés sur les vitres allumées par la lune, voir l'église s'éclairer intérieurement d'un éclat de fournaise, d'une splendeur de fête infernale, où tournaient le mois de mai, les plantes, les bêtes, les filles des Artaud, qui prenaient furieusement des arbres entre leurs bras nus. Puis, en se penchant, au-dessous de lui, il aperçut la basse-cour de Désirée, toute noire, qui fumait. Il ne distinguait pas nettement les cases des lapins, les perchoirs des poules, la cabane des canards. C'était une seule masse tassée dans la puanteur, dormant de la même haleine pestilentielle. Sous la porte de l'étable, la senteur aigre de la chèvre passait; pendant que le petit cochon, vautré sur le dos, soufflait grassement, près d'une écuelle vide. De son gosier de cuivre, le grand coq fauve Alexandre jeta un cri, qui éveilla au loin, un à un, les appels passionnés de tous les coqs du village.

Brusquement, l'abbé Mouret se souvint. La fièvre dont il entendait la poursuite l'avait atteint dans la basse-cour de Désirée, en face des poules chaudes encore de leur ponte et des mères lapines s'arrachant le poil du ventre. Alors, la sensation d'une respiration sur son cou fut si nette, qu'il se tourna, pour voir enfin qui le prenait ainsi à la nuque. Et il se rappela Albine bondissant hors du Paradou, avec la porte qui claquait sur l'apparition d'un jardin enchanté; il se la rappela galopant le long de l'interminable muraille, suivant le cabriolet à la course, jetant des feuilles de bouleau au vent comme autant de baisers; il se la rappela encore, au crépuscule, qui riait des jurons de Frère Archangias, les jupes fuyantes au ras du chemin, pareilles à une petite fumée de poussière roulée par l'air du soir. Elle avait seize ans; elle était étrange, avec sa face un peu longue; elle sentait le grand air, l'herbe, la terre. Et il avait d'elle une mémoire si précise, qu'il revoyait une égratignure, à l'un de ses poignets souples, rose sur la peau blanche. Pourquoi donc riait-elle ainsi, en le regardant de ses yeux bleus ? Il était pris dans son rire, comme dans une onde sonore qui résonnait partout contre sa chair; il la respirait, il l'entendait vibrer en lui. Oui, tout son mal venait de ce rire qu'il avait bu.

Debout au milieu de la chambre, les deux fenêtres ouvertes, il resta grelottant, pris d'une peur qui lui faisait cacher la tête entre les mains. La journée entière aboutissait donc à cette évocation d'une fille blonde, au visage un peu long, aux yeux bleus ? Et la journée entière entrait par les deux fenêtres ouvertes. C'étaient, au loin, la chaleur des terres rouges, la passion des grandes roches, des oliviers poussés dans les pierres, des vignes tordant leurs bras au bord des chemins; c'étaient, plus près, les sueurs humaines que l'air apportait des Artaud, les senteurs fades du cimetière, les odeurs d'encens de l'église, perverties par des odeurs de filles aux chevelures grasses; c'étaient encore des vapeurs de fumier, la buée de la basse-cour, les fermentations suffocantes des germes. Et toutes ces haleines affluaient à la fois, en une même bouffée d'asphyxie, si rude, s'enflant avec une telle violence, qu'elle l'étouffait. Il fermait ses sens, il essayait de les anéantir. Mais, devant lui, Albine reparut comme une grande fleur, poussée et embellie sur ce terreau. Elle était la fleur naturelle de ces ordures, délicate au soleil, ouvrant le jeune bouton de ses épaules blanches, si heureuse de vivre, qu'elle sautait de sa tige et qu'elle s'envolait sur sa bouche, en le parfumant de son long rire.

Le prêtre poussa un cri. Il avait senti une brûlure à ses lèvres. C'était comme un jet ardent qui avait coulé dans ses veines. Alors, cherchant un refuge, il se jeta à genoux devant la statuette de l'Immaculée Conception, en criant, les mains jointes :

— Sainte Vierge des Vierges, priez pour moi!

17

L'Immaculée Conception, sur la commode de noyer, souriait tendrement, du coin de ses lèvres minces, indiquées d'un trait de carmin. Elle était petite, toute blanche. Son grand voile blanc, qui lui tombait de la tête aux pieds, n'avait, sur le bord, qu'un filet d'or, imperceptible. Sa robe, drapée à longs plis droits sur un corps sans sexe, la serrait au cou, ne dégageait que ce cou flexible. Pas une seule mèche de ses cheveux châtains ne passait. Elle avait le visage rose, avec des yeux clairs tournés vers le ciel ; elle joignait des mains roses, des mains d'enfant, montrant l'extrémité des doigts sous les plis du voile, au-dessus de l'écharpe bleue, qui semblait nouer à sa taille deux bouts flottants du firmament. De toutes ses séductions de femme, aucune n'était nue, excepté ses pieds, des pieds adorablement nus, foulant l'églantier mystique. Et, sur la nudité de ses pieds, poussaient des roses d'or, comme la floraison naturelle de sa chair deux fois pure.

— Vierge fidèle, priez pour moi! répétait désespérément le prêtre.

Celle-là ne l'avait jamais troublé. Elle n'était pas mère encore; ses bras ne lui tendaient point Jésus, sa taille ne prenait point les lignes rondes de la fécondité. Elle n'était pas la reine du ciel, qui descendait couronnée d'or, vêtue d'or, ainsi qu'une princesse de la terre, portée triomphalement par un vol de chérubins. Celle-là ne s'était jamais montrée redoutable, ne lui avait jamais parlé avec la sévérité d'une maîtresse toute-puissante, dont la vue seule courbe les fronts dans la poussière. Il osait la regarder, l'aimer, sans craindre d'être ému par la courbe molle de ses cheveux châtains; il n'avait que l'attendrissement de ses pieds nus, ses pieds d'amour, qui fleurissaient comme un jardin de chasteté, trop miraculeusement, pour qu'il contentât son envie de les couvrir de caresses. Elle parfumait la chambre de son odeur de lis. Elle était le lis d'argent planté dans un vase d'or, la pureté précieuse, éternelle, impeccable. Dans son voile blanc, si étroitement serré autour d'elle, il n'y avait plus rien d'humain, rien qu'une flamme vierge brûlant d'un feu toujours égal. Le soir à son coucher, le matin à son réveil, il la trouvait là, avec son même sourire d'extase. Il laissait tomber ses vêtements devant elle, sans une gêne, comme devant sa propre pudeur.

— Mère très pure, Mère très chaste, Mère toujours vierge, priez pour moi! balbutia-t-il peureusement, se serrant aux pieds de la Vierge, comme s'il avait entendu derrière son dos le galop sonore d'Albine. « Vous êtes mon refuge, la source de ma joie, le temple de ma sagesse, la tour d'ivoire où j'ai enfermé ma pureté. Je me remets dans vos mains sans tache, je vous supplie de me prendre, de me recouvrir d'un coin de votre voile, de me cacher sous votre innocence, derrière le rempart sacré de votre vêtement, pour qu'aucun souffle charnel ne m'atteigne là. J'ai besoin de vous, je me meurs sans vous, je me sens à jamais séparé de vous, si vous ne m'emportez entre vos bras secourables, loin d'ici, au milieu de la blancheur ardente que vous habitez. Marie conçue sans péché, anéantissez-moi au fond de la neige immaculée tombant de chacun de vos membres. Vous êtes le prodige d'éternelle chasteté. Votre race a poussé sur un rayon, ainsi qu'un arbre merveilleux qu'aucun germe n'a planté. Votre fils Jésus est né du souffle de Dieu, vous-même êtes née sans que le ventre de votre mère fût souillé, et je veux croire que cette virginité remonte ainsi d'âge en âge dans une ignorance sans fin de la chair. Oh! vivre, grandir, en dehors de la honte des sens! Oh! multiplier, enfanter, sans la nécessité abominable du sexe, sous la seule approche d'un baiser céleste!

Cet appel désespéré, ce cri épuré de désir, avait rassuré le jeune prêtre. La Vierge, toute blanche, les yeux au ciel, semblait sourire plus doucement de ses minces lèvres roses. Il reprit d'une voix attendrie :

— Je voudrais encore être enfant. Je voudrais n'être jamais qu'un enfant marchant à l'ombre de votre robe. J'étais tout petit, je joignais les mains pour dire le nom de Marie. Mon berceau était blanc, mon corps était blanc, toutes mes pensées étaient blanches. Je vous voyais distinctement, je vous entendais m'appeler, j'allais à vous dans un sourire, sur des roses effeuillées. Et rien autre, je ne sentais pas, je ne pensais pas, je vivais juste assez pour être une fleur à vos pieds. On ne devrait point grandir. Vous n'auriez autour de vous que des têtes blondes, un peuple d'enfants qui vous aimeraient, les mains pures, les lèvres saines, les membres tendres, sans une souillure, comme au sortir d'un bain de lait. Sur la joue d'un enfant, on baise son âme. Seul un enfant peut dire votre nom sans le salir. Plus tard, la bouche se gâte, empoisonne les passions. Moi-même, qui vous aime tant, qui me suis donné à vous, je n'ose à toute heure vous appeler, ne voulant pas vous faire rencontrer avec mes impuretés d'homme. J'ai prié, j'ai corrigé ma chair, j'ai dormi sous votre garde, j'ai vécu chaste ; et je pleure, en voyant aujourd'hui que je ne suis pas encore assez mort à ce monde pour être votre fiancé. O Marie, Vierge adorable, que n'ai-je cinq ans, que ne suis-je resté l'enfant qui collait ses lèvres sur vos images ! Je vous prendrais sur mon cœur, je vous coucherais à mon côté, je vous embrasserais comme une amie, comme une fille de mon âge. J'aurais votre robe étroite, votre voile enfantin, votre écharpe bleue, toute cette enfance qui fait de vous une grande sœur. Je ne chercherais pas à baiser vos cheveux, car la chevelure est une nudité qu'on ne doit point voir ; mais je baiserais vos pieds nus, l'un après l'autre, pendant des nuits entières, jusqu'à ce que j'aie effeuillé sous mes lèvres les roses d'or, les roses mystiques de vos veines.

Il s'arrêta, attendant que la Vierge abaissât ses yeux bleus, l'effleurât au front du bord de son voile. La Vierge restait enveloppée dans la mousseline jusqu'au cou, jusqu'aux ongles, jusqu'aux chevilles, tout entière au ciel, avec cet élancement du corps qui la rendait fluette, dégagée déjà de la terre.

— Eh bien, continua-t-il plus follement, faites que je redevienne enfant, Vierge bonne, Vierge puissante. Faites que j'aie cinq ans. Prenez mes sens, prenez ma virilité. Qu'un miracle emporte tout l'homme qui a grandi en moi. Vous régnez au ciel, rien ne vous est plus facile que de me foudroyer, que de sécher mes organes, de me laisser sans sexe, incapable du mal, si dépouillé de toute force, que je ne puisse même plus lever le petit doigt sans votre consentement [56]. Je veux être candide, de cette candeur qui est la vôtre, que pas un frisson humain ne saurait troubler. Je ne veux plus sentir ni mes nerfs, ni mes muscles, ni le battement de mon cœur, ni le travail de mes désirs. Je veux être une chose, une pierre blanche à vos pieds, à laquelle vous ne laisserez qu'un parfum, une pierre qui ne bougera pas de l'endroit où vous l'aurez jetée, sans oreilles, sans yeux, satisfaite d'être sous votre talon, ne pouvant songer à des ordures avec les autres pierres du chemin. Oh ! alors quelle béatitude ! J'atteindrai sans

effort, du premier coup, à la perfection que je rêve. Je me proclamerai enfin votre véritable prêtre. Je serai ce que mes études, mes prières, mes cinq années de lente initiation n'ont pu faire de moi. Oui, je nie la vie, je dis que la mort de l'espèce est préférable à l'abomination continue qui la propage. La faute souille tout. C'est une puanteur universelle gâtant l'amour, empoisonnant la chambre des époux, le berceau des nouveau-nés, et jusqu'aux fleurs pâmées sous le soleil, et jusqu'aux arbres laissant éclater leurs bourgeons. La terre baigne dans cette impureté dont les moindres gouttes jaillissent en végétations honteuses. Mais pour que je sois parfait, ô Reine des anges, Reine des vierges, écoutez mon cri, exaucez-le ! Faites que je sois un de ces anges qui n'ont que deux grandes ailes derrière les joues ; je n'aurai plus de tronc, plus de membres ; je volerai à vous, si vous m'appelez ; je ne serai plus qu'une bouche qui dira vos louanges, qu'une paire d'ailes sans tache qui bercera vos voyages dans les cieux. Oh ! la mort, la mort, Vierge vénérable, donnez-moi la mort de tout ! Je vous aimerai dans la mort de mon corps, dans la mort de ce qui vit et de ce qui se multiplie. Je consommerai avec vous l'unique mariage dont veuille mon cœur. J'irai plus haut, toujours plus haut, jusqu'à ce que j'aie atteint le brasier où vous resplendissez. Là, c'est un grand astre, une immense rose blanche dont chaque feuille brûle comme une lune, un trône d'argent d'où vous rayonnez avec un tel embrasement d'innocence, que le paradis entier reste éclairé de la seule lueur de votre voile. Tout ce qu'il y a de blanc, les aurores, la neige des sommets inaccessibles, les lis à peine éclos, l'eau des sources ignorées, le lait des plantes respectées du soleil, les sourires des vierges, les âmes des enfants morts au berceau, pleuvent sur vos pieds blancs. Alors, je monterai à vos lèvres, ainsi qu'une flamme subtile ; j'entrerai en vous, par votre bouche entr'ouverte, et les noces s'accompliront, pendant que les archanges tressailliront de notre allégresse. Être vierge, s'aimer vierge, garder au milieu des baisers les plus doux sa blancheur vierge ! Avoir tout l'amour, couché sur des ailes de cygne, dans une nuée de pureté, aux bras d'une maîtresse de lumière dont les caresses sont des jouissances d'âme ! Perfection, rêve surhumain, désir dont les os craquent, délices qui me mettent au ciel ! O Marie, Vase d'élection, châtrez en moi l'humanité, faites-moi eunuque parmi les hommes, afin de me livrer sans peur le trésor de votre virginité !

Et l'abbé Mouret, claquant des dents, terrassé par la fièvre, s'évanouit sur le carreau.

56. L'abbé, dans cette méditation exaltée qui n'a plus grand-chose de chrétien, paraphrase simplement des prières en usage à l'époque.

Livre second

Ève et Adam s'éveillant au printemps dans le paradis terrestre. Longue idylle, longue étude d'un homme qui naît à vingt-cinq ans.

Or, j'ai toute la nature, les végétaux, arbres, herbes, fleurs, etc, les oiseaux, les insectes, l'eau, le ciel, etc. Je calque le drame de la Bible

Adam et Ève au Paradis, une des illustrations de Gustave Doré pour la Bible. Dans son article sur celles-ci, Zola, malgré certaines réserves sur « l'idéaliste Gustave Doré », reconnaissait « qu'il est arrivé que son talent se prêtait singulièrement à rendre les clartés pures de l'Éden... » (*Gustave Doré*, 1866).

1

Devant les deux larges fenêtres, des rideaux de calicot, soigneusement tirés, éclairaient la chambre de la blancheur tamisée du petit jour. Elle était haute de plafond, très vaste, meublée d'un ancien meuble Louis XV, à bois peint en blanc, à fleurs rouges sur un semis de feuillage. Dans le trumeau, au-dessus des portes, aux deux côtés de l'alcôve, des peintures laissaient encore voir les ventres et les derrières roses de petits Amours volant par bandes, jouant à des jeux qu'on ne distinguait plus ; tandis que les boiseries des murs, ménageant des panneaux ovales, les portes à double battant, le plafond arrondi, jadis à fond bleu de ciel, avec des encadrements de cartouches, de médaillons, de nœuds de rubans couleur chair, s'effaçaient, d'un gris très doux, un gris qui gardait l'attendrissement de ce paradis fané. En face des fenêtres, la grande alcôve, s'ouvrant sous des enroulements de nuages, que des Amours de plâtre écartaient, penchés, culbutés, comme pour regarder effrontément le lit, était fermée, ainsi que les fenêtres, par des rideaux de calicot, cousus à gros points, d'une innocence singulière au milieu de cette pièce restée toute tiède d'une lointaine odeur de volupté.

Assise près d'une console où une bouilloire chauffait sur une lampe à esprit-de-vin, Albine regardait les rideaux de l'alcôve, attentivement. Elle était vêtue de blanc, les cheveux serrés dans un fichu de vieille dentelle, les mains abandonnées, veillant d'un air sérieux de grande fille. Une respiration faible, un souffle d'enfant assoupi s'entendait, dans le grand silence. Mais elle s'inquiéta, au bout de quelques minutes ; elle ne put s'empêcher de venir, à pas légers, soulever le coin d'un rideau. Serge, au bord du grand lit, semblait dormir, la tête appuyée sur l'un de ses bras repliés. Pendant sa maladie, ses cheveux s'étaient allongés, sa barbe avait poussé. Il était très blanc, les yeux meurtris de bleu, les lèvres pâles ; il avait une grâce de fille convalescente.

Albine, attendrie, allait laisser retomber le coin du rideau.

— Je ne dors pas, dit Serge d'une voix très lasse.

Et il restait la tête appuyée, sans bouger un doigt, comme accablé d'une lassitude heureuse. Ses yeux s'étaient lentement ouverts ; sa bouche soufflait légèrement sur l'une de ses mains nues, soulevant le duvet de sa peau blonde.

— Je t'entendais, murmura-t-il encore. Tu marchais tout doucement.

Elle fut ravie de ce tutoiement. Elle s'approcha, s'accroupit devant le lit, pour mettre son visage à la hauteur du sien.

— Comment vas-tu ? demanda-t-elle.

Et elle goûtait à son tour la douceur de ce « tu », qui lui passait pour la première fois sur les lèvres.

— Oh! tu es guéri, maintenant, reprit-elle. Sais-tu que je pleurais tout le long du chemin, lorsque je revenais de là-bas avec de mauvaises nouvelles. On me disait que tu avais le délire, que cette mauvaise fièvre, si elle te faisait grâce, t'emporterait la raison... Comme j'ai embrassé ton oncle Pascal [57], lorsqu'il t'a amené ici, pour ta convalescence !

Elle bordait le lit, elle était maternelle.

— Vois-tu, ces roches brûlées, là-bas, ne te valaient rien. Il te faut des arbres, de la fraîcheur, de la tranquillité... Le docteur n'a pas même raconté qu'il te cachait ici. C'est un secret entre lui et ceux qui t'aiment. Il te croyait perdu... Va, personne ne nous dérangera. L'oncle Jeanbernat fume sa pipe devant ses salades. Les autres feront prendre de tes nouvelles en cachette. El le docteur lui-même ne reviendra plus, parce que, à cette heure, c'est moi qui suis ton médecin... Il paraît que tu n'as plus besoin de drogues. Tu as besoin d'être aimé, comprends-tu ?

Il semblait ne pas entendre, le crâne encore vide. Comme ses yeux, sans qu'il remuât la tête, fouillaient les coins de la chambre, elle pensa qu'il s'inquiétait du lieu où il se trouvait.

— C'est ma chambre, dit-elle. Je te l'ai donnée. Elle est jolie, n'est-ce pas ? J'ai pris les plus beaux meubles du grenier; puis, j'ai fait ces rideaux de calicot, pour que le jour ne t'aveuglât pas... Et tu ne me gênes nullement. Je coucherai au second étage. Il y a encore trois ou quatre pièces vides.

Mais il restait inquiet.

— Tu es seule ? demanda-t-il.

— Oui. Pourquoi me fais-tu cette question ?

Il ne répondit pas, il murmura d'un air d'ennui :

— J'ai rêvé, je rêve toujours... J'entends des cloches, et c'est cela qui me fatigue.

Au bout d'un silence, il reprit :

— Va fermer la porte, mets les verrous. Je veux que tu sois seule, toute seule.

Quand elle revint, apportant une chaise, s'asseyant à son chevet, il avait une joie d'enfant, il répétait :

— Maintenant, personne n'entrera. Je n'entendrai plus les cloches... Toi, quand tu parles, cela me repose.

57. Pascal Rougon est le frère de Marthe Mouret, mère de Serge.

— Veux-tu boire ? demanda-t-elle.

Il fit signe qu'il n'avait pas soif. Il regardait les mains d'Albine d'un air si surpris, si charmé de les voir, qu'elle en avança une, au bord de l'oreiller, en souriant. Alors, il laissa glisser sa tête, il appuya une joue sur cette petite main fraîche. Il eut un léger rire, il dit :

— Ah! c'est doux comme de la soie. On dirait qu'elle souffle de l'air dans mes cheveux... Ne la retire pas, je t'en prie.

Puis, il y eut un long silence.

Ils se regardaient avec une grande amitié. Albine se voyait paisiblement dans les yeux vides du convalescent. Serge semblait écouter quelque chose de vague que la petite main fraîche lui confiait.

— Elle est très bonne, ta main, reprit-il. Tu ne peux pas t'imaginer comme elle me fait du bien... Elle a l'air d'entrer au fond de moi, pour m'enlever les douleurs que j'ai dans les membres. C'est une caresse partout, un soulagement, une guérison.

Il frottait doucement sa joue, il s'animait comme ressuscité.

— Dis ? tu ne me donneras rien de mauvais à boire, tu ne me tourmenteras pas avec toutes sortes de remèdes ?... Ta main me suffit, vois-tu. Je suis venu pour que tu la mettes là, sous ma tête.

— Mon bon Serge, murmura Albine, tu as bien souffert, n'est-ce pas ?

— Souffert ? oui, oui; mais il y a longtemps... J'ai mal dormi, j'ai eu des rêves épouvantables. Si je pouvais, je te raconterais tout cela.

Il ferma un instant les yeux, il fit un grand effort de mémoire.

— Je ne vois que du noir, balbutia-t-il. C'est singulier, j'arrive d'un long voyage. Je ne sais plus même d'où je suis parti. J'avais la fièvre, une fièvre qui galopait dans mes veines comme une bête... C'est cela, je me souviens. Toujours le même cauchemar me faisait ramper, le long d'un souterrain interminable. A certaines grosses douleurs, le souterrain, brusquement, se murait; un amas de cailloux tombait de la voûte, les parois se resserraient, je restais haletant, pris de la rage de vouloir passer outre; et j'entrais dans l'obstacle, je travaillais des pieds, des poings, du crâne, en désespérant de pouvoir jamais traverser cet éboulement de plus en plus considérable... Puis, souvent, il me suffisait de le toucher du doigt; tout s'évanouissait, je marchais librement, dans la galerie élargie, n'ayant plus que la lassitude de la crise.

Albine voulut lui poser la main sur la bouche.

— Non, cela ne me fatigue pas de parler. Tu vois, je te parle à l'oreille. Il me semble que je pense, et que tu m'entends... Le plus drôle, dans mon souterrain, c'est que je n'avais pas la moindre idée de retourner en arrière ; je m'entêtais, tout en pensant qu'il me faudrait des milliers d'années pour déblayer un seul des éboulements. C'était une tâche fatale, que je devais accomplir sous peine des plus grands malheurs. Les genoux meurtris, le front heurtant le roc, je mettais une conscience pleine d'angoisse à travailler de toutes mes forces, pour arriver le plus vite possible. Arriver où ?... je ne sais pas, je ne sais pas...

Il ferma les yeux, rêvant, cherchant. Puis, il eut une moue d'insouciance, il s'abandonna de nouveau sur la main d'Albine, en disant avec un rire :

— Tiens ! c'est bête, je suis un enfant.

Mais la jeune fille, pour voir s'il était bien à elle, tout entier, l'interrogea, le ramena aux souvenirs confus qu'il tentait d'évoquer. Il ne se rappelait rien, il était réellement dans une heureuse enfance. Il croyait être né la veille.

— Oh ! je ne suis pas encore fort, dit-il. Vois-tu, le plus loin que je me souvienne, c'était dans un lit qui me brûlait partout le corps ; ma tête roulait sur l'oreiller ainsi que sur un brasier ; mes pieds s'usaient l'un contre l'autre, à se frotter, continuellement... Va ! j'étais bien mal ! Il me semblait qu'on me changeait le corps, qu'on m'enlevait tout, qu'on me raccommodait comme une mécanique cassée...

Ce mot le fit rire de nouveau. Il reprit :

— Je vais être tout neuf. Ça m'a joliment nettoyé, d'être malade... Mais qu'est-ce que tu me demandais ? Non, personne n'était là. Je souffrais tout seul, au fond d'un trou noir. Personne, personne. Et, au-delà, il n'y a rien, je ne vois rien... Je suis ton enfant, veux-tu ? Tu m'apprendras à marcher. Moi, je ne vois que toi, maintenant. Ça m'est bien égal, tout ce qui n'est pas toi. Je te dis que je ne me souviens plus. Je suis venu, tu m'as pris, c'est tout.

Et il dit encore, apaisé, caressant :

— Ta main est tiède, à présent ; elle est bonne comme du soleil... Ne parlons plus. Je me chauffe.

Dans la grande chambre, un silence frissonnant tombait du plafond bleu. La lampe à esprit-de-vin venait de s'éteindre, laissant la bouilloire jeter un filet de vapeur de plus en plus mince. Albine et Serge, tous deux la tête sur le même oreiller, regardaient les grands rideaux de calicot tirés devant les fenêtres. Les yeux de Serge surtout allaient là, comme à la source blanche de la lumière. Il s'y baignait, ainsi que dans un jour pâli, mesuré à ses forces de convalescent. Il devinait le soleil derrière un coin plus jaune du calicot, ce qui suffisait pour le

guérir. Au loin, il écoutait un large roulement de feuillages ; tandis que, à la fenêtre de droite, l'ombre verdâtre d'une haute branche, nettement dessinée, lui donnait le rêve inquiétant de cette forêt qu'il sentait si près de lui.

— Veux-tu que j'ouvre les rideaux ? demanda Albine, trompée par la fixité de son regard.

— Non, non, se hâta-t-il de répondre.

— Il fait beau. Tu aurais le soleil. Tu verrais les arbres.

— Non, je t'en supplie... Je ne veux rien du dehors. Cette branche qui est là me fatigue, à remuer, à pousser, comme si elle était vivante... Laisse ta main, je vais dormir. Il fait tout blanc. C'est bon.

Et il s'endormit candidement, veillé par Albine, qui lui soufflait sur la face, pour rafraîchir son sommeil.

2

Le lendemain, le beau temps s'était gâté, il pleuvait. Serge, repris par la fièvre, passa une journée de souffrance, les yeux fixés désespérément sur les rideaux, d'où ne tombait qu'une lueur de cave, louche, d'un gris de cendre. Il ne devinait plus le soleil, il cherchait cette ombre dont il avait eu peur, cette branche haute qui, noyée dans la buée blafarde de l'averse, lui semblait avoir emporté la forêt en s'effaçant. Vers le soir, agité d'un léger délire, il cria en sanglotant à Albine que le soleil était mort, qu'il entendait tout le ciel, toute la campagne pleurer la mort du soleil. Elle dut le consoler comme un enfant, lui promettre le soleil, l'assurer qu'il reviendrait, qu'elle le lui donnerait. Mais il plaignait aussi les plantes. Les semences devaient souffrir sous le sol, à attendre la lumière ; elles avaient ses cauchemars, elles rêvaient qu'elles rampaient le long d'un souterrain, arrêtées par des éboulements, luttant furieusement pour arriver au soleil. Et il se mit à pleurer à voix plus basse, disant que l'hiver était une maladie de la terre, qu'il allait mourir en même temps que la terre, si le printemps ne les guérissait tous deux.

Pendant trois jours encore, le temps resta affreux. Des ondées crevaient sur les arbres, dans une lointaine clameur de fleuve débordé. Des coups de vent roulaient, s'abattaient contre les fenêtres, avec un acharnement de vagues énormes. Serge avait voulu qu'Albine fermât hermétiquement les volets. La lampe allumée, il n'avait plus le deuil des rideaux blafards, il ne sentait plus le gris du ciel entrer par les plus minces fentes, couler jusqu'à lui, ainsi qu'une poussière qui l'enterrait. Il s'abandonnait, les bras amaigris, la tête pâle, d'autant plus faible que la campagne était plus malade. A certaines heures de nuages d'encre, lorsque les arbres tordus craquaient, que la terre laissait traîner ses herbes sous l'averse, comme des cheveux de noyée, il perdait jusqu'au souffle, il trépassait, battu lui-même par l'ouragan. Puis, à la première éclaircie, au moindre coin de bleu, entre deux nuées, il respirait, il goûtait l'apaisement des feuillages essuyés, des sentiers blanchissants, des champs buvant leur dernière gorgée d'eau. Albine, maintenant, implorait à son tour le soleil; elle se mettait vingt fois par jour à la fenêtre du palier, interrogeant l'horizon, heureuse des moindres taches blanches, inquiète des masses d'ombre, cuivrées, chargées de grêle, redoutant quelque nuage trop noir qui lui tuerait son cher malade. Elle parlait d'envoyer chercher le docteur Pascal. Mais Serge ne voulait personne. Il disait :

— Demain, il y aura du soleil sur les rideaux, je serai guéri.

Un soir qu'il était au plus mal, Albine lui donna sa main, pour qu'il y posât la joue. Et, la main ne le soulageant pas, elle pleura de se voir impuissante. Depuis qu'il était retombé dans l'assoupissement de l'hiver, elle ne se sentait plus assez forte pour le tirer du cauchemar où il se débattait. Elle avait besoin de la complicité du printemps. Elle-même dépérissait, les bras glacés, l'haleine courte, ne sachant plus lui souffler la vie. Pendant des heures, elle rôdait dans la grande chambre attristée. Quand elle passait devant la glace, elle se voyait noire, elle se croyait laide.

Puis, un matin, comme elle relevait les oreillers, sans oser tenter encore le charme rompu de ses mains, elle crut retrouver le sourire du premier jour sur les lèvres de Serge, dont elle venait d'effleurer la nuque, du bout des doigts.

— Ouvre les volets, murmura-t-il.

Elle pensa qu'il parlait dans la fièvre; car, une heure auparavant, elle n'avait aperçu, de la fenêtre du palier, qu'un ciel en deuil.

— Dors, répondit-elle tristement; je t'ai promis de t'éveiller, au premier rayon... Dors encore, le soleil n'est pas là.

— Si, je le sens, le soleil est là... Ouvre les volets.

3

Le soleil était là, en effet. Quand Albine eut ouvert les volets, derrière les grands rideaux, la bonne lueur jaune chauffa de nouveau un coin de la blancheur du linge. Mais ce qui fit asseoir Serge sur son séant, ce fut de revoir l'ombre de la branche, le rameau qui lui annonçait le retour à la vie. Toute la campagne ressuscitée, avec ses verdures, ses eaux, son large cercle de collines, était là pour lui, dans cette tache verdâtre frissonnante au moindre souffle. Elle ne l'inquiétait plus. Il en suivait le balancement, d'un air avide, ayant le besoin des forces de la sève qu'elle lui annonçait; tandis que, le soutenant dans ses bras, Albine, heureuse, disait :

— Ah! mon bon Serge, l'hiver est fini... Nous voilà sauvés.

Il se recoucha, les yeux déjà vifs, la voix plus nette.

— Demain, dit-il, je serai très fort... Tu tireras les rideaux. Je veux tout voir.

Mais, le lendemain, il fut pris d'une peur d'enfant. Jamais il ne consentit à ce que les fenêtres fussent grandes ouvertes. Il murmurait : « Tout à l'heure, plus tard. » Il demeurait anxieux, il avait l'inquiétude du premier coup de lumière qu'il recevrait dans les yeux. Le soir arriva qu'il n'avait pu prendre la décision de revoir le soleil en face. Il était resté le visage tourné vers les rideaux, suivant sur la transparence du linge le matin pâle, l'ardent midi, le crépuscule violâtre, toutes les couleurs, toutes les émotions du ciel [58]. Là, se peignait jusqu'au frisson que le battement d'ailes d'un oiseau donne à l'air tiède, jusqu'à la joie des odeurs, palpitant dans un rayon. Derrière ce voile, derrière ce rêve attendri de la vie puissante du dehors, il écoutait monter le printemps. Et même il étouffait un peu, par moments, lorsque l'afflux du sang nouveau de la terre, malgré l'obstacle des rideaux, arrivait à lui trop rudement.

Et, le matin suivant, il dormait encore, lorsque Albine, brusquant la guérison, lui cria :

— Serge! Serge! voici le soleil!

Elle tirait vivement les rideaux, elle ouvrait les fenêtres toutes larges. Lui, se leva, se mit à genoux sur son lit, suffoquant, défaillant, les mains serrées contre sa poitrine, pour empêcher son cœur de se briser. En face de lui, il avait le grand ciel, rien que du bleu, un infini bleu; il s'y lavait de la souffrance, il s'y abandonnait, comme dans un bercement léger, il y buvait de la douceur, de la pureté, de la jeu-

---

58. Notation impressionniste, avec transposition du ciel mystique, familier à Serge, au ciel physique.

nesse. Seule, la branche dont il avait vu l'ombre dépassait la fenêtre, tachait la mer bleue d'une verdure vigoureuse; et c'était déjà là un jet trop fort pour ses délicatesses de malade, qui se blessaient de la salissure des hirondelles volant à l'horizon. Il naissait. Il poussait de petits cris involontaires, noyé de clarté, battu par des vagues d'air chaud, sentant couler en lui tout un engouffrement de vie. Ses mains se tendirent, et il s'abattit, il retomba sur l'oreiller, dans une pâmoison.

Quelle heureuse et tendre journée! Le soleil entrait à droite, loin de l'alcôve. Serge, pendant toute la matinée, le regarda s'avancer à petits pas. Il le voyait venir à lui, jaune comme de l'or, écornant les vieux meubles, s'amusant aux angles, glissant parfois à terre, pareil à un bout d'étoffe déroulé. C'était une marche lente, assurée, une approche d'amoureuse, étirant ses membres blonds, s'allongeant jusqu'à l'alcôve d'un mouvement rythmé, avec une lenteur voluptueuse qui donnait un désir fou de sa possession. Enfin, vers deux heures, la nappe de soleil quitta le dernier fauteuil, monta le long des couvertures, s'étala sur le lit, ainsi qu'une chevelure dénouée. Serge abandonna ses mains amaigries de convalescent à cette caresse ardente; il fermait les yeux à demi, il sentait courir sur chacun de ses doigts des baisers de feu, il était dans un bain de lumière, dans une étreinte d'astre. Et comme Albine était là qui se penchait en souriant :

— Laisse-moi, balbutia-t-il, les yeux complètement fermés; ne me serre plus si fort... Comment fais-tu donc pour me tenir ainsi, tout entier, entre tes bras ?

Puis, le soleil redescendit du lit, s'en alla à gauche, de son pas ralenti. Alors, Serge le regarda de nouveau tourner, s'asseoir de siège en siège, avec le regret de ne l'avoir pas retenu sur sa poitrine. Albine était restée au bord des couvertures. Tous deux, un bras passé au cou, virent le ciel pâlir peu à peu. Par moments, un immense frisson semblait le blanchir d'une émotion soudaine. Les langueurs de Serge s'y promenaient plus à l'aise, y trouvaient des nuances exquises qu'il n'avait jamais soupçonnées. Ce n'était pas tout du bleu, mais du bleu rose, du bleu lilas, du bleu jaune, une chair vivante, une vaste nudité immaculée qu'un souffle faisait battre comme une poitrine de femme. A chaque nouveau regard, au loin, il avait des surprises, des coins inconnus de l'air, des sourires discrets, des rondeurs adorables, des gazes cachant au fond de paradis entrevus de grands corps superbes de déesses. Et il s'envolait, les membres allégés par la souffrance, au milieu de cette soie changeante, dans ce duvet inno-

cent de l'azur; ses sensations flottaient au-dessus de son être défaillant. Le soleil baissait, le bleu se fondait dans de l'or pur, la chair vivante du ciel blondissait encore, se noyait lentement de toutes les teintes de l'ombre. Pas un nuage, un effacement de vierge qui se couche, un déshabillement [59] ne laissant voir qu'une raie de pudeur à l'horizon. Le grand ciel dormait.

— Ah! le cher bambin! dit Albine, en regardant Serge qui s'était endormi à son cou, en même temps que le ciel.

Elle le coucha, elle ferma les fenêtres. Mais le lendemain, dès l'aube, elles étaient ouvertes. Serge ne pouvait plus vivre sans le soleil. Il prenait des forces, il s'habituait aux bouffées de grand air qui faisaient envoler les rideaux de l'alcôve. Même le bleu, l'éternel bleu commençait à lui paraître fade. Cela le lassait d'être un cygne, une blancheur, et de nager sans fin sur le lac limpide du ciel. Il en arrivait à souhaiter un vol de nuages noirs, quelque écroulement de nuées qui rompît la monotonie de cette grande pureté.

A mesure que la santé revenait, il avait des besoins de sensations plus fortes. Maintenant, il passait des heures à regarder la branche verte; il aurait voulu la voir pousser, la voir s'épanouir, lui jeter des rameaux jusque dans son lit. Elle ne lui suffisait plus, elle ne faisait qu'irriter ses désirs, en lui parlant de ces arbres dont il entendait les appels profonds, sans qu'il pût en apercevoir les cimes. C'étaient un chuchotement infini de feuilles, un bavardage d'eaux courantes, des battements d'ailes, toute une voix haute, prolongée, vibrante.

— Quand tu pourras te lever, disait Albine, tu t'assoiras devant la fenêtre... Tu verras le beau jardin!

Il fermait les yeux, il murmurait :

— Oh! je le vois, je l'écoute... Je sais où sont les arbres, où sont les eaux, où poussent les violettes.

Puis, il reprenait :

— Mais je le vois mal, je le vois sans lumière... Il faut que je sois très fort pour aller jusqu'à la fenêtre.

D'autres fois, lorsqu'elle le croyait endormi, Albine disparaissait pendant des heures. Et, lorsqu'elle rentrait, elle le trouvait les yeux luisants de curiosité, dévoré d'impatience. Il lui criait :

— D'où viens-tu ?

Et il la prenait par les bras, lui sentait les jupes, le corsage, les joues [60].

---

59. Le mot ne figure pas au Littré. Ce néologisme fait penser à l'« écriture artiste » des Goncourt.

60. De même Marjolin, dans *le Ventre de Paris*, respire sur Cadine les parfums des fleurs.

— Tu sens toutes sortes de bonnes choses... Hein ? tu as marché sur de l'herbe ?

Elle riait, elle lui montrait ses bottines mouillées de rosée.

— Tu viens du jardin! tu viens du jardin! répétait-il, ravi. Je le savais. Quand tu es entrée, tu avais l'air d'une grande fleur... Tu m'apportes tout le jardin dans ta robe.

Il la gardait auprès de lui, la respirant comme un bouquet. Elle revenait parfois avec des ronces, des feuilles, des bouts de bois accrochés à ses vêtements. Alors, il enlevait ces choses, il les cachait sous son oreiller, ainsi que des reliques. Un jour, elle lui apporta une touffe de roses. Il fut si saisi, qu'il se mit à pleurer. Il baisait les fleurs, il les couchait avec lui, entre ses bras. Mais, lorsqu'elles se fanèrent, cela lui causa un tel chagrin, qu'il défendit à Albine d'en cueillir d'autres. Il la préférait, elle, aussi fraîche, aussi embaumée; et elle ne se fanait pas, elle gardait toujours l'odeur de ses mains, l'odeur de ses cheveux, l'odeur de ses joues. Il finit par l'envoyer lui-même au jardin, en lui recommandant de ne pas remonter avant une heure.

— Vois-tu, comme cela, disait-il, j'ai du soleil, j'ai de l'air, j'ai des roses, jusqu'au lendemain.

Souvent, en la voyant rentrer, essoufflée, il la questionnait. Quelle allée avait-elle prise ? S'était-elle enfoncée sous les arbres, ou avait-elle suivi le bord des prés ? Avait-elle vu des nids ? S'était-elle assise, derrière un églantier, ou sous un chêne, ou à l'ombre d'un bouquet de peupliers ? Puis, lorsqu'elle répondait, lorsqu'elle tâchait de lui expliquer le jardin, il lui mettait la main sur la bouche.

— Non, non, tais-toi, murmurait-il. J'ai tort. Je ne veux pas savoir... J'aime mieux voir moi-même.

Et il retombait dans le rêve caressé de ces verdures qu'il sentait près de lui, à deux pas. Pendant plusieurs jours, il ne vécut que de ce rêve. Les premiers temps, disait-il, il avait vu le jardin plus nettement. A mesure qu'il prenait des forces, son rêve se troublait sous l'afflux du sang qui chauffait ses veines. Il avait des incertitudes croissantes. Il ne pouvait plus dire si les arbres étaient à droite, si les eaux coulaient au fond, si de grandes roches ne s'entassaient pas sous les fenêtres. Il en causait tout seul, très bas. Sur les moindres indices, il établissait des plans merveilleux qu'un chant d'oiseau, un craquement de branche, un parfum de fleur, lui faisaient modifier, pour planter là un massif de lilas, pour remplacer plus loin une pelouse par des plates-bandes. A chaque heure, il dessinait un nouveau jardin, aux grands rires d'Albine, qui répétait, lorsqu'elle le surprenait :

— Ce n'est pas ça, je t'assure. Tu ne peux pas t'imaginer. C'est plus beau que tout ce que tu as vu de beau... Ne te casse donc pas la tête. Le jardin est à moi, je te le donnerai. Va, il ne s'en ira pas.

Serge, qui avait déjà eu peur de la lumière, éprouva une inquiétude, lorsqu'il se trouva assez fort pour aller s'accouder à la fenêtre. Il disait de nouveau : « Demain », chaque soir. Il se tournait vers la ruelle, frissonnant, lorsque Albine rentrait et lui criait qu'elle sentait l'aubépine, qu'elle s'était griffé les mains en se creusant un trou dans une haie pour lui apporter toute l'odeur. Un matin, elle dut le prendre brusquement entre les bras. Elle le porta presque à la fenêtre, le soutint, le força à voir.

— Es-tu poltron! disait-elle avec son beau rire sonore.

Et elle agitait une de ses mains à tous les points de l'horizon, en répétant d'un air de triomphe, plein de promesses tendres :

— Le Paradou! le Paradou!

Serge, sans voix, regardait.

4

Une mer de verdure, en face, à droite, à gauche, partout. Une mer roulant sa houle de feuilles jusqu'à l'horizon, sans l'obstacle d'une maison, d'un pan de muraille, d'une route poudreuse. Une mer déserte, vierge, sacrée, étalant sa douceur sauvage dans l'innocence de la solitude. Le soleil seul entrait là, se vautrait en nappe d'or sur les prés, enfilait les allées de la course échappée de ses rayons, laissait pendre à travers les arbres ses fins cheveux flambants, buvait aux sources d'une lèvre blonde qui trempait l'eau d'un frisson. Sous ce poudroiement de flammes, le grand jardin vivait avec une extravagance de bête heureuse, lâchée au bout du monde, loin de tout, libre de tout. C'était une débauche telle de feuillages, une marée d'herbes si débordante, qu'il semblait comme dérobé d'un bout à l'autre, inondé, noyé. Rien que des pentes vertes, des tiges ayant des jaillissements de fontaine, des masses moutonnantes, des rideaux de forêts hermétiquement tirés, des manteaux de plantes grimpantes traînant à terre, des volées de rameaux gigantesques s'abattant de tous côtés.

A peine pouvait-on, à la longue, reconnaître sous cet envahissement formidable de la sève l'ancien dessin du Paradou. En face, dans une sorte de cirque immense, devait se trouver le parterre, avec ses bassins effondrés, ses rampes rompues, ses escaliers déjetés, ses statues renversées dont on apercevait les blancheurs au fond des gazons noirs. Plus loin, derrière la ligne bleue d'une nappe d'eau, s'étalait un fouillis d'arbres fruitiers; plus loin encore, une haute futaie enfonçait ses dessous violâtres, rayés de lumière, une forêt redevenue vierge, dont les cimes se mamelonnaient sans fin, tachées du vert jaune, du vert pâle, du vert puissant de toutes les essences. A droite, la forêt escaladait des hauteurs, plantait des petits bois de pins, se mourait en broussailles maigres, tandis que des roches nues entassaient une rampe énorme, un écroulement de montagne barrant l'horizon; des végétations ardentes y fendaient le sol, plantes monstrueuses immobiles dans la chaleur comme des reptiles assoupis; un filet d'argent, un éclaboussement qui ressemblait de loin à une poussière de perles, y indiquait une chute d'eau, la source de ces eaux calmes qui longeaient si indolemment le parterre. A gauche enfin, la rivière coulait au milieu d'une vaste prairie, où elle se séparait en quatre ruisseaux, dont on suivait les caprices sous les roseaux, entre les saules, derrière les grands arbres; à perte de vue, des pièces d'herbage élargissaient la fraîcheur des terrains bas, un paysage lavé d'une buée bleuâtre, une éclaircie de jour se fondant peu à peu dans le bleu verdi du couchant. Le Paradou, le parterre, la forêt, les roches, les eaux, les prés, tenaient toute la largeur du ciel.

— Le Paradou! balbutia Serge ouvrant les bras comme pour serrer le jardin tout entier contre sa poitrine.

Il chancelait. Albine dut l'asseoir dans un fauteuil. Là, il resta deux heures sans parler. Le menton sur les mains, il regardait. Par moments, ses paupières battaient, une rougeur montait à ses joues. Il regardait lentement, avec des étonnements profonds. C'était trop vaste, trop complexe, trop fort.

— Je ne vois pas, je ne comprends pas, cria-t-il en tendant ses mains à Albine, avec un geste de suprême fatigue.

La jeune fille alors s'appuya au dossier du fauteuil. Elle lui prit la tête, le força à regarder de nouveau. Elle lui disait à demi-voix :

— C'est à nous. Personne ne viendra. Quand tu seras guéri, nous nous promènerons. Nous aurons de quoi marcher toute notre vie. Nous irons où tu voudras... Où veux-tu aller ?

Il souriait, il murmurait :

— Oh! pas loin. Le premier jour, à deux pas de la porte. Vois-tu, je tomberais... Tiens, j'irai là, sous cet arbre, près de la fenêtre.

Elle reprit doucement :

— Veux-tu aller dans le parterre ? Tu verras les buissons de roses, les grandes fleurs qui ont tout mangé, jusqu'aux anciennes allées qu'elles plantent de leurs bouquets... Aimes-tu mieux le verger où je ne puis entrer qu'à plat ventre, tant les branches craquent sous les fruits... Nous irons plus loin encore, si tu te sens des forces. Nous irons jusqu'à la forêt, dans des trous d'ombre, très loin, si loin que nous coucherons dehors, lorsque la nuit viendra nous surprendre... Ou bien, un matin, nous monterons là-haut, sur ces rochers. Tu verras les plantes qui me font peur. Tu verras les sources, une pluie d'eau, et nous nous amuserons à en recevoir la poussière sur la figure... Mais si tu préfères marcher le long des haies, au bord d'un ruisseau, il faudra prendre par les prairies. On est bien sous les saules, le soir, au coucher du soleil. On s'allonge dans l'herbe, on regarde les petites grenouilles vertes sauter sur les brins de jonc.

— Non, non, dit Serge, tu me lasses, je ne veux pas voir si loin... Je ferai deux pas. Ce sera beaucoup.

— Et moi-même, continua-t-elle, je n'ai encore pu aller partout. Il y a bien des coins que j'ignore. Depuis des années que je me promène, je sens des trous inconnus autour de moi, des endroits où l'ombre doit être plus fraîche, l'herbe plus molle... Écoute, je me suis toujours imaginé qu'il y en avait un surtout où je voudrais vivre à jamais. Il est certainement quelque part; j'ai dû passer à côté, ou peut-être se cache-t-il si loin, que je ne suis pas allée jusqu'à lui, dans mes courses continuelles... N'est-ce pas ? Serge, nous le chercherons ensemble, nous y vivrons.

— Non, non, tais-toi, balbutia le jeune homme. Je ne comprends pas ce que tu me dis. Tu me fais mourir.

Elle le laissa un instant pleurer dans ses bras, inquiète, désolée de ne pas trouver les paroles qui devaient le calmer.

— Le Paradou n'est donc pas aussi beau que tu l'avais rêvé ? demanda-t-elle encore.

Il dégagea sa face, il répondit :

— Je ne sais plus. C'était tout petit, et voilà que ça grandit toujours... Emporte-moi, cache-moi.

Elle le ramena à son lit, le tranquillisant comme un enfant, le berçant d'un mensonge.

— Eh bien! non, ce n'est pas vrai, il n'y a pas de jardin. C'est une histoire que je t'ai contée. Dors tranquille.

Plan de Zola pour le Paradou.

5

Chaque jour, elle le fit ainsi asseoir devant la fenêtre, aux heures fraîches. Il commençait à hasarder quelques pas, en s'appuyant aux meubles. Ses joues avaient des lueurs roses, ses mains perdaient leur transparence de cire. Mais, dans cette convalescence, il fut pris d'une stupeur des sens qui le ramena à la vie végétative d'un pauvre être né de la veille. Il n'était qu'une plante, ayant la seule impression de l'air où il baignait. Il restait replié sur lui-même, encore trop pauvre de sang pour se dépenser au-dehors, tenant au sol, laissant boire toute la sève à son corps. C'était une seconde conception, une lente éclosion, dans l'œuf chaud du printemps. Albine, qui se souvenait de certaines paroles du docteur Pascal, éprouvait un grand effroi à le voir demeurer ainsi, petit garçon, innocent, hébété. Elle avait entendu conter que certaines maladies laissaient derrière elles la folie [61] pour guérison. Et elle s'oubliait des heures à le regarder, s'ingéniant comme les mères à lui sourire, pour le faire sourire. Il ne riait pas encore. Quand elle lui passait la main devant les yeux, il ne voyait pas, il ne suivait pas cette ombre. A peine, lorsqu'elle lui parlait, tournait-il légèrement la tête du côté du bruit. Elle n'avait qu'une consolation : il poussait superbement, il était un bel enfant.

Alors, pendant une semaine, ce furent des soins délicats. Elle patientait, attendant qu'il grandît. A mesure qu'elle constatait certains éveils, elle se rassurait, elle pensait que l'âge en ferait un homme. C'étaient de légers tressaillements, lorsqu'elle le touchait. Puis, un soir, il eut un faible rire. Le lendemain, après l'avoir assis devant la fenêtre, elle descendit dans le jardin, où elle se mit à courir et à l'appeler. Elle disparaissait sous les arbres, traversait des nappes de soleil, revenait, essoufflée, tapant des mains. Lui, les yeux vacillants, ne la vit point d'abord. Mais, comme elle reprenait sa course, jouant de nouveau à cache-cache, surgissant derrière chaque buisson, en lui jetant un cri, il finit par suivre du regard la tache blanche de sa jupe. Et quand elle se planta brusquement sous la fenêtre, la face levée, il tendit les bras, il fit mine de vouloir aller à elle. Elle remonta, l'embrassa, toute fière.

— Ah ! tu m'as vue, tu m'as vue ! criait-elle. Tu veux bien venir dans le jardin avec moi, n'est-ce pas ?... Si tu savais comme tu me désoles, depuis quelques jours, à faire la bête, à ne pas me voir, à ne pas m'entendre !

Il semblait l'écouter, avec une légère souffrance qui lui pliait le cou, d'un mouvement peureux.

— Tu vas mieux, pourtant, continuait-elle. Te voilà assez fort pour descendre, quand tu voudras... Pourquoi ne me dis-tu plus rien ? Tu as donc perdu ta langue ? Ah ! quel marmot ! Vous verrez qu'il me faudra lui apprendre à parler !

Et, en effet, elle s'amusa à lui nommer les objets qu'il touchait. Il n'avait qu'un balbutiement, il redoublait les syllabes, ne prononçant aucun mot avec netteté. Cependant, elle commençait à le promener dans la chambre. Elle le soutenait, le menait du lit à la fenêtre. C'était un grand voyage. Il manquait de tomber deux ou trois fois en route, ce qui la faisait rire. Un jour, il s'assit par terre, et elle eut toutes les peines du monde à le relever. Puis, elle lui fit entreprendre le tour de la pièce, en l'asseyant sur le canapé, les fauteuils, les chaises, tour de ce petit monde, qui demandait une bonne heure. Enfin, il put risquer quelques pas tout seul. Elle se mettait devant lui, les mains ouvertes, reculait en l'appelant, de façon à ce qu'il traversât la chambre pour retrouver l'appui de ses bras. Quand il boudait, qu'il refusait de marcher, elle ôtait son peigne qu'elle lui tendait comme un joujou. Alors, il venait le prendre, et il restait tranquille, dans un coin, à jouer pendant des heures avec le peigne, à l'aide duquel il grattait doucement ses mains.

Un matin, Albine trouva Serge debout. Il avait déjà réussi à ouvrir un volet. Il s'essayait à marcher, sans s'appuyer aux meubles.

— Voyez-vous, le gaillard ! dit-elle gaiement. Demain, il sautera par la fenêtre, si on le laisse faire... Nous sommes donc tout à fait solide, maintenant ?

Serge répondit par un rire de puérilité. Ses membres avaient repris la santé de l'adolescence, sans que des sensations plus conscientes se fussent éveillées en lui. Il restait des après-midi entières en face du Paradou, avec sa moue d'enfant qui ne voit que le blanc, qui n'entend que le frisson des bruits. Il gardait ses ignorances de gamin, son toucher, si innocent encore qu'il ne lui permettait pas de distinguer la robe d'Albine de l'étoffe des vieux fauteuils. Et c'étaient toujours un émerveillement d'yeux grands ouverts qui ne comprennent pas, une hésitation de gestes ne sachant point aller où ils veulent, un commencement d'existence, purement instinctif, en dehors de la connaissance du milieu. L'homme n'était pas né.

— Bien, bien, fais la bête, murmura Albine. Nous allons voir.

---

61. La folie pèse sur la famille et cela devient pour certains de ses membres comme Jacques Lantier *(la Bête humaine)* une véritable obsession.

Elle ôta son peigne, elle le lui présenta.

— Veux-tu mon peigne, dit-elle. Viens le chercher.

Puis, quand elle l'eut fait sortir de la chambre, en reculant, elle lui passa un bras à la taille, elle le soutint à chaque marche. Elle l'amusait, tout en remettant son peigne, lui chatouillait le cou du bout de ses cheveux, ce qui l'empêchait de comprendre qu'il descendait. Mais, en bas, avant qu'elle eût ouvert la porte, il eut peur, dans les ténèbres du corridor.

— Regarde donc! cria-t-elle.

Et elle poussa la porte toute grande.

Ce fut une aurore soudaine, un rideau d'ombre tiré brusquement, laissant voir le jour dans sa gaieté matinale. Le parc s'ouvrait, s'étendait, d'une limpidité verte, frais et profond comme une source. Serge, charmé, restait sur le seuil, avec le désir hésitant de tâter du pied ce lac de lumière.

— On dirait que tu as peur de te mouiller, dit Albine. Va, la terre est solide.

Il avait hasardé un pas, surpris de la résistance douce du sable. Ce premier contact de la terre lui donnait une secousse, un redressement de vie qui le planta un instant debout, grandissant, soupirant.

— Allons, du courage, répéta Albine. Tu sais que tu m'as promis de faire cinq pas. Nous allons jusqu'à ce mûrier qui est sous la fenêtre... Là, tu te reposeras.

Il mit un quart d'heure pour faire les cinq pas. A chaque effort, il s'arrêtait, comme s'il lui avait fallu arracher les racines qui le tenaient au sol. La jeune fille, qui le poussait, lui dit encore en riant :

— Tu as l'air d'un arbre qui marche.

Et elle l'adossa contre le mûrier, dans la pluie de soleil tombant des branches. Puis, elle le laissa, elle s'en alla d'un bond, en lui criant de ne pas bouger. Serge, les mains pendantes, tournait lentement la tête, en face du parc. C'était une enfance. Les verdures pâles se noyaient d'un lait de jeunesse, baignaient dans une clarté blonde. Les arbres restaient puérils, les fleurs avaient des chairs de bambin, les eaux étaient bleues d'un bleu naïf de beaux yeux grands ouverts. Il y avait, jusque sous chaque feuille, un réveil adorable.

Serge s'était arrêté à une trouée jaune qu'une large allée faisait devant lui, au milieu d'une masse épaisse de feuillage; tout au bout, au levant, des prairies trempées d'or semblaient le champ de lumière où descendait le soleil; et il attendait que le matin prît cette allée pour couler jusqu'à lui. Il le sentait venir dans un souffle tiède, très faible d'abord, à peine effleurant sa peau, puis s'enflant

peu à peu, si vif qu'il en tressaillait tout entier. Il le goûtait venir, d'une saveur de plus en plus nette, lui apportant l'amertume saine du grand air, mettant à ses lèvres le régal des aromates sucrés, des fruits acides, des bois laiteux. Il le respirait venir avec les parfums qu'il cueillait dans sa course, l'odeur de la terre, l'odeur des bois ombreux, l'odeur des plantes chaudes, l'odeur des bêtes vivantes, tout un bouquet d'odeurs, dont la violence allait jusqu'au vertige. Il l'entendait venir, du vol léger d'un oiseau, rasant l'herbe, tirant du silence le jardin entier, donnant des voix à ce qu'il touchait, lui faisant sonner aux oreilles la musique des choses et des êtres. Il le voyait venir, du fond de l'allée, des prairies trempées d'or, l'air rose, si gai, qu'il éclairait son chemin d'un sourire, au loin gros comme une tache de jour, devenu en quelques bonds la splendeur même du soleil. Et le matin vint battre le mûrier contre lequel Serge s'adossait. Serge naquit dans l'enfance du matin.

— Serge, Serge! cria la voix d'Albine, perdue derrière les hauts buissons du parterre. N'aie pas peur, je suis là.

Mais Serge n'avait plus peur. Il naissait dans le soleil, dans ce bain pur de lumière qui l'inondait. Il naissait à vingt-cinq ans, les sens brusquement ouverts, ravi du grand ciel, de la terre heureuse, du prodige de l'horizon étalé autour de lui. Ce jardin, qu'il ignorait la veille, était une jouissance extraordinaire. Tout l'emplissait d'extase, jusqu'aux brins d'herbe, jusqu'aux pierres des allées, jusqu'aux haleines qu'il ne voyait pas et qui lui passaient sur les joues. Son corps entier entrait dans la possession de ce bout de nature, l'embrassait de ses membres; ses lèvres le buvaient, ses narines le respiraient; il l'emportait dans ses oreilles, il le cachait au fond de ses yeux. C'était à lui. Les roses du parterre, les branches hautes de la futaie, les rochers sonores de la chute des sources, les prés où le soleil plantait ses épis de lumière, étaient à lui. Puis, il ferma les yeux, il se donna la volupté de les rouvrir lentement, pour avoir l'éblouissement d'un second réveil.

— Les oiseaux ont mangé toutes les fraises, dit Albine, qui accourait, désolée. Tiens, je n'ai pu trouver que ces deux-là.

Mais elle s'arrêta, à quelques pas, regardant Serge avec un étonnement ravi, frappée au cœur.

— Comme tu es beau! cria-t-elle.

Et elle s'approcha davantage; elle resta là, noyée en lui, murmurant :

— Jamais je ne t'avais vu.

Il avait certainement grandi. Vêtu d'un vêtement lâche, il était planté droit, un peu mince encore, les membres fins, la poitrine carrée, les épaules rondes. Son cou blanc, taché de brun à la nuque, tournait librement, renversait légèrement la tête en arrière. La santé, la force, la puissance étaient sur sa face. Il ne souriait pas; il était au repos, avec une bouche grave et douce, des joues fermes, un nez grand, des yeux gris, très clairs, souverains. Ses longs cheveux, qui lui cachaient tout le crâne, retombaient sur ses épaules en boucles noires. tandis que sa barbe, légère, frisait à sa lèvre et à son menton, laissant voir le blanc de la peau.

— Tu es beau, tu es beau! répétait Albine lentement, accroupie devant lui, levant des regards caressants. Mais pourquoi me boudes-tu, maintenant ? Pourquoi ne me dis-tu rien ?

Lui, sans répondre, demeurait debout. Il avait les yeux au loin, il ne voyait pas cette enfant à ses pieds. Il parla seul. Il dit, dans le soleil :

— Que la lumière est bonne !

Et l'on eût dit que cette parole était une vibration même du soleil. Elle tomba, à peine murmurée, comme un souffle musical, un frisson de la chaleur et de la vie. Il y avait quelques jours déjà qu'Albine n'avait plus entendu la voix de Serge. Elle la retrouvait, ainsi que lui, changée. Il lui sembla qu'elle s'élargissait dans le parc avec plus de douceur que la phrase des oiseaux, plus d'autorité que le vent courbant les branches. Elle était reine, elle commandait. Tout le jardin l'entendit, bien qu'elle eût passé comme une haleine, et tout le jardin tressaillit de l'allégresse qu'elle lui apportait.

— Parle-moi, implora Albine. Tu ne m'as jamais parlé ainsi. En haut, dans la chambre, quand tu n'étais pas encore muet, tu causais avec un babillage d'enfant... D'où vient donc que je ne reconnais plus ta voix ? Tout à l'heure, j'ai cru que ta voix descendait des arbres, qu'elle m'arrivait du jardin entier, qu'elle était un de ces soupirs profonds qui me troublaient la nuit, avant ta venue... Écoute, tout se tait pour t'entendre parler encore.

Mais il continuait à ne pas la savoir là. Et elle se faisait plus tendre :

— Non, ne parle pas, si cela te fatigue. Assois-toi à mon côté. Nous resterons sur ce gazon, jusqu'à ce que le soleil tourne... Et, regarde, j'ai trouvé deux fraises. J'ai eu bien de la peine, va! Les oiseaux mangent tout. Il y en a une pour toi, les deux si tu veux ; ou bien nous les partagerons, pour goûter à chacune... Tu me diras merci, et je t'entendrai.

Il ne voulut pas s'asseoir, il refusa les fraises qu'Albine jeta avec dépit. Elle-même n'ouvrit plus les lèvres. Elle l'aurait préféré malade, comme aux premiers jours, lorsqu'elle lui donnait sa main pour oreiller et qu'elle le sentait renaître sous le souffle dont elle lui rafraîchissait le visage. Elle maudissait la santé, qui maintenant le dressait dans la lumière, pareil à un jeune dieu indifférent. Allait-il donc rester ainsi, sans regard pour elle ? Ne guérirait-il pas davantage, jusqu'à la voir et à l'aimer ? Et elle rêvait de redevenir sa guérison, d'achever par la seule puissance de ses petites mains cette cure de seconde jeunesse. Elle voyait bien qu'une flamme manquait au fond de ses yeux gris, qu'il avait une beauté pâle, semblable à celle des statues tombées dans les orties du parterre. Alors, elle se leva, elle vint le reprendre à la taille, lui soufflant sur la nuque pour l'animer. Mais, ce matin-là, Serge n'eut pas même la sensation de cette haleine qui soulevait sa barbe soyeuse. Le soleil avait tourné, il fallut rentrer. Dans la chambre, Albine pleura.

A partir de cette matinée, tous les jours, le convalescent fit une courte promenade dans le jardin. Il dépassa le mûrier, il alla jusqu'au bord de la terrasse, devant le large escalier dont les marches rompues descendaient au parterre. Il s'habituait au grand air, chaque bain de soleil l'épanouissait. Un jeune marronnier, poussé d'une graine tombée, entre deux pierres de la balustrade, crevait la résine de ses bourgeons, déployait ses éventails de feuilles avec moins de vigueur que lui. Même un jour, il avait voulu descendre l'escalier ; mais, trahi par ses forces, il s'était assis sur une marche, parmi des pariétaires grandies dans les fentes des dalles. En bas, à gauche, il apercevait un petit bois de roses. C'était là qu'il rêvait d'aller.

— Attends encore, disait Albine. Le parfum des roses est trop fort pour toi. Je n'ai jamais pu m'asseoir sous les rosiers, sans me sentir toute lasse, la tête perdue, avec une envie très douce de pleurer... Va, je te mènerai sous les rosiers, et je pleurerai, car tu me rends bien triste.

6

Un matin, enfin, elle put le soutenir jusqu'au bas de l'escalier, foulant l'herbe du pied devant lui, lui frayant un chemin au milieu des églantiers qui barraient les dernières marches de leurs bras souples. Puis, lentement, ils s'en allèrent dans le bois de roses. C'était un bois avec des futaies de hauts rosiers à tige, qui élargissaient des bouquets de feuillage grands comme des arbres, avec des rosiers en buissons énormes, pareils à des taillis impénétrables de jeunes chênes. Jadis, il y avait eu là la plus admirable collection de plants qu'on pût voir. Mais, depuis l'abandon du parterre, tout avait poussé à l'aventure, la forêt vierge s'était bâtie, la forêt de roses, envahissant les sentiers, se noyant dans les rejets sauvages, mêlant les variétés à ce point que des roses de toutes les odeurs et de tous les éclats semblaient s'épanouir sur les mêmes pieds. Des rosiers qui rampaient faisaient à terre des tapis de mousse, tandis que des rosiers grimpants s'attachaient à d'autres rosiers, ainsi que des lierres dévorants, montaient en fusées de verdure, laissaient retomber, au moindre souffle, la pluie de leurs fleurs effeuillées. Et des allées naturelles s'étaient tracées au milieu du bois, d'étroits sentiers, de larges avenues, d'adorables chemins couverts, où l'on marchait à l'ombre, dans le parfum. On arrivait ainsi à des carrefours, à des clairières, sous des berceaux de petites roses rouges, entre des murs tapissés de petites roses jaunes. Certains coins de soleil luisaient comme des étoffes de soie verte brochées de taches voyantes; certains coins d'ombre avaient des recueillements d'alcôve, une senteur d'amour, une tiédeur de bouquet pâmé aux seins d'une femme. Les rosiers avaient des voix chuchotantes. Les rosiers étaient pleins de nids qui chantaient.

— Prenons garde de nous perdre, dit Albine en s'engageant dans le bois. Je me suis perdue, une fois. Le soleil était couché quand j'ai pu me débarrasser des rosiers qui me retenaient par les jupes, à chaque pas.

Mais ils marchaient à peine depuis quelques minutes, lorsque Serge, brisé de fatigue, voulut s'asseoir. Il se coucha, il s'endormit d'un sommeil profond. Albine, assise à côté de lui, resta songeuse. C'était au débouché d'un sentier, au bord d'une clairière. Le sentier s'enfonçait très loin, rayé de coups de soleil, s'ouvrant à l'autre bout sur le ciel, par une étroite ouverture ronde et bleue. D'autres petits chemins creusaient des impasses de verdure. La clairière était faite de grands rosiers étagés, montant avec une débauche de branches, un fouillis de lianes épineuses tels, que des nappes épaisses de feuillage s'accrochaient en l'air, restaient suspendues, tendaient d'un arbuste à l'autre les pans d'une tente volante. On ne voyait, entre ces lambeaux découpés comme de la fine guipure, que des trous de jour imperceptibles, un crible d'azur laissant passer la lumière en une impalpable poussière de soleil. Et de la voûte, ainsi que des girandoles, pendaient des échappées de branches, de grosses touffes tenues par le fil vert d'une tige, des brassées de fleurs descendant jusqu'à terre, le long de quelque

déchirure du plafond, qui traînait, pareille à un coin de rideau arraché.

Cependant, Albine regardait Serge dormir. Elle ne l'avait point encore vu dans un tel accablement des membres, les mains ouvertes sur le gazon, la face morte. Il était ainsi mort pour elle, elle pensait qu'elle pouvait le baiser au visage, sans qu'il sentît même son baiser. Et, triste, distraite, elle occupait ses mains oisives à effeuiller les roses qu'elle trouvait à sa portée. Au-dessus de sa tête, une gerbe énorme retombait, effleurant ses cheveux, mettant des roses à son chignon, à ses oreilles, à sa nuque, lui jetant aux épaules un manteau de roses. Plus haut, sous ses doigts, les roses pleuvaient, de larges pétales tendres ayant la rondeur exquise, la pureté à peine rougissante d'un sein de vierge. Les roses, comme une tombée de neige vivante, cachaient déjà ses pieds repliés dans l'herbe. Les roses montaient à ses genoux, couvraient sa jupe, la noyaient jusqu'à la taille; tandis que trois feuilles de rose égarées, envolées sur son corsage, à la naissance de la gorge, semblaient mettre là trois bouts de sa nudité adorable.

— Oh! le paresseux! murmura-t-elle, prise d'ennui, ramassant deux poignées de roses et les jetant sur la face de Serge pour le réveiller.

Il resta appesanti avec des roses qui lui bouchaient les yeux et la bouche. Cela fit rire Albine. Elle se pencha. Elle lui baisa de tout son cœur les deux yeux, elle lui baisa la bouche, soufflant ses baisers pour faire envoler les roses; mais les roses lui restaient aux lèvres, et elle eut un rire plus sonore, tout amusée par cette caresse dans les fleurs.

Serge s'était soulevé lentement. Il la regardait, frappé d'étonnement, comme effrayé de la trouver là. Il lui demanda:

— Qui es-tu, d'où viens-tu, que fais-tu à mon côté?

Elle, souriait toujours, ravie de le voir ainsi s'éveiller. Alors, il parut se souvenir, il reprit, avec un geste de confiance heureuse:

— Je sais, tu es mon amour, tu viens de ma chair, tu attends que je te prenne entre mes bras, pour que nous ne fassions plus qu'un... Je rêvais de toi. Tu étais dans ma poitrine et je te donnais mon sang, mes muscles, mes os. Je ne souffrais pas. Tu me prenais la moitié de mon cœur, si doucement, que c'était en moi une volupté de me partager ainsi. Je cherchais ce que j'avais de meilleur, ce que j'avais de plus beau, pour te l'abandonner. Tu aurais tout emporté, que je t'aurais dit merci... Et je me suis réveillé, quand tu es sortie de moi. Tu es sortie par mes yeux et par ma bouche, je l'ai bien senti. Tu étais toute tiède, toute parfumée, si caressante que c'est le frisson même de ton corps qui m'a mis sur mon séant.

Albine, en extase, l'écoutait parler. Enfin, il la voyait; enfin, il achevait de naître, il guérissait. Elle le supplia de continuer, les mains tendues :

— Comment ai-je fait pour vivre sans toi ? murmura-t-il. Mais je ne vivais pas, j'étais pareil à une bête ensommeillée... Et te voilà à moi, maintenant! et tu n'es autre que moi-même! Écoute, il faut ne jamais me quitter; car tu es mon souffle, tu emporterais ma vie. Nous resterons en nous. Tu seras dans ma chair comme je serai dans la tienne. Si je t'abandonnais un jour, que je sois maudit, que mon corps se sèche ainsi qu'une herbe inutile et mauvaise!

Il lui prit les mains, en répétant d'une voix frémissante d'admiration :

— Comme tu es belle!

Albine, dans la poussière de soleil qui tombait, avait une chair de lait, à peine dorée d'un reflet de jour. La pluie de roses, autour d'elle, sur elle, la noyait dans du rose. Ses cheveux blonds, que son peigne attachait mal, la coiffaient d'un astre à son coucher, lui couvrant la nuque du désordre de ses dernières mèches flambantes. Elle portait une robe blanche, qui la laissait nue, tant elle était vivante sur elle, tant elle découvrait ses bras, sa gorge, ses genoux. Elle montrait sa peau innocente, épanouie sans honte ainsi qu'une fleur, musquée d'une odeur propre. Elle s'allongeait, point trop grande, souple comme un serpent, avec des rondeurs molles, des élargissements de lignes voluptueux, toute une grâce de corps naissant, encore baigné d'enfance, déjà renflé de puberté. Sa face longue, au front étroit, à la bouche un peu forte, riait de toute la vie tendre de ses yeux bleus. Et elle était sérieuse pourtant, les joues simples, le menton gras, aussi naturellement belle que les arbres sont beaux.

— Et que je t'aime! dit Serge, en l'attirant à lui.

Ils restèrent l'un à l'autre, dans leurs bras. Ils ne se baisaient point, ils s'étaient pris par la taille, mettant la joue contre la joue, unis, muets, charmés de n'être plus qu'un. Autour d'eux, les rosiers fleurissaient. C'était une floraison folle, amoureuse, pleine de rires rouges, de rires roses, de rires blancs. Les fleurs vivantes s'ouvraient comme des nudités, comme des corsages laissant voir les trésors des poitrines. Il y avait là des roses jaunes effeuillant des peaux dorées de filles barbares, des roses paille, des roses citron, des roses couleur de soleil, toutes les nuances des nuques ambrées par les cieux ardents. Puis, les chairs s'attendrissaient, les roses thé prenaient des moiteurs adorables, étalaient des pudeurs cachées, des coins de corps qu'on ne montre pas, d'une finesse de soie, légèrement bleuis par le réseau des veines. La vie rieuse du rose s'épanouissait ensuite : le blanc rose, à peine teinté d'une pointe de laque, neige d'un pied de vierge qui tâte l'eau d'une source; le rose pâle, plus discret que la blancheur chaude d'un genou entrevu, que la lueur dont un jeune bras éclaire une large manche; le rose franc, du sang sous du satin, des épaules nues, des hanches nues, tout le nu de la femme, caressé de lumière; le rose vif, fleurs en boutons de la gorge, fleurs à demi ouvertes des lèvres, soufflant le parfum d'une haleine tiède. Et les rosiers grimpants, les grands rosiers à pluie de fleurs blanches, habillaient tous ces roses, toutes ces chairs, de la dentelle de leurs grappes, de l'innocence de leur mousseline légère; tandis que, çà et là, des roses lie-de-vin, presque noires, saignantes, trouaient cette pureté d'épousée d'une blessure de passion. Noces du bois odorant, menant les virginités de mai aux fécondités de juillet et d'août, premier baiser ignorant, cueilli comme un bouquet, au matin du mariage. Jusque dans l'herbe, des roses mousseuses, avec leurs robes montantes de laine verte, attendaient l'amour. Le long du sentier, rayé de coups de soleil, des fleurs rôdaient, des visages s'avançaient, appelant les vents légers au passage. Sous la tente déployée de la clairière, tous les sourires luisaient. Pas un épanouissement ne se ressemblait. Les roses avaient leurs façons d'aimer. Les unes ne consentaient qu'à entrebâiller leur bouton, très timides, le cœur rougissant, pendant que d'autres, le corset délacé, pantelantes, grandes ouvertes, semblaient chiffonnées, folles de leur corps au point d'en mourir. Il y en avait de petites, alertes, gaies, s'en allant à la file, la cocarde au bonnet; d'énormes, crevant d'appas, avec des rondeurs de sultanes engraissées; d'effrontées, l'air fille, d'un débraillé coquet, étalant des pétales blanchis de poudre de riz; d'honnêtes, décolletées en bourgeoises correctes; d'aristocratiques, d'une élégance souple, d'une originalité permise, inventant des déshabillés. Les roses épanouies en coupe offraient leur parfum comme dans un cristal précieux; les roses renversées en forme d'urne le laissaient couler goutte à goutte; les roses rondes, pareilles à des choux, l'exhalaient d'une haleine régulière de fleurs endormies; les roses en boutons serraient leurs feuilles, ne livraient encore que le soupir vague de leur virginité.

— Je t'aime, je t'aime, répétait Serge, à voix basse.

Et Albine était une grande rose, une des roses

pâles, ouvertes du matin. Elle avait les pieds blancs, les genoux et les bras roses, la nuque blonde, la gorge adorablement veinée, pâle, d'une moiteur exquise. Elle sentait bon, elle tendait des lèvres qui offraient dans une coupe de corail leur parfum faible encore. Et Serge la respirait, la mettait à sa poitrine.

— Oh! dit-elle en riant, tu ne me fais pas mal, tu peux me prendre tout entière.

Serge resta ravi de son rire, pareil à la phrase cadencée d'un oiseau.

— C'est toi qui as ce chant, dit-il; jamais je n'en ai entendu d'aussi doux... Tu es ma joie.

Et elle riait, plus sonore, avec des gammes perlées de petites notes de flûte, très aiguës, qui se noyaient dans un ralentissement de sons graves. C'était un rire sans fin, un roucoulement de gorge, une musique sonnante, triomphante, célébrant la volupté du réveil. Tout riait, dans ce rire de femme naissant à la beauté et à l'amour, les roses, le bois odorant, le Paradou entier. Jusque-là, il avait manqué un charme au grand jardin, une voix de grâce qui fût la gaieté vivante des arbres, des eaux, du soleil. Maintenant, le grand jardin était doué de ce charme du rire.

— Quel âge as-tu? demanda Albine, après avoir éteint son chant sur une note filée et mourante.

— Bientôt vingt-six ans, répondit Serge.

Elle s'étonna. Comment! il avait vingt-six ans! Lui-même était tout surpris d'avoir répondu cela, si aisément. Il lui semblait qu'il n'avait pas un jour, pas une heure.

— Et toi, quel âge as-tu? demanda-t-il à son tour.

Étude d'arbres au printemps
par un impressionniste, Sisley.

— Moi, j'ai seize ans.

Et elle repartit, toute vibrante, répétant son âge, chantant son âge. Elle riait d'avoir seize ans, d'un rire très fin, qui coulait comme un filet d'eau, dans un rythme tremblé de la voix. Serge la regardait de tout près, émerveillé de cette vie du rire, dont la face de l'enfant resplendissait. Il la reconnaissait à peine, les joues trouées de fossettes, les lèvres arquées, montrant le rose humide de la bouche, les yeux pareils à des bouts de ciel bleu s'allumant d'un lever d'astre. Quand elle se renversait, elle le chauffait de son menton gonflé de rire, qu'elle lui appuyait sur l'épaule.

Il tendit la main, il chercha derrière sa nuque, d'un geste machinal.

— Que veux-tu ? demanda-t-elle.

Et, se souvenant, elle cria :

— Tu veux mon peigne! tu veux mon peigne!

Alors, elle lui donna le peigne, elle laissa tomber les nattes lourdes de son chignon. Ce fut comme une étoffe d'or dépliée. Ses cheveux la vêtirent jusqu'aux reins. Des mèches qui lui coulèrent sur la poitrine achevèrent de l'habiller royalement. Serge, à ce flamboiement brusque, avait poussé un léger cri. Il baisait chaque mèche, il se brûlait les lèvres à ce rayonnement de soleil couchant.

Mais Albine, à présent, se soulageait de son long silence. Elle causait, questionnait, ne s'arrêtait plus.

— Ah! que tu m'as fait souffrir! Je n'étais plus rien pour toi, je passais mes journées, inutile, impuissante, me désespérant comme une propre à rien... Et pourtant, les premiers jours, je t'avais soulagé. Tu me voyais, tu me parlais... Tu ne te rappelles pas, lorsque tu étais couché et que tu t'endormais contre mon épaule, en murmurant que je te faisais du bien ?

— Non, dit Serge, non, je ne me rappelle pas... Je ne t'avais jamais vue. Je viens de te voir pour la première fois, belle, rayonnante, inoubliable.

Elle tapa dans ses mains, prise d'impatience, se récriant :

— Et mon peigne ? Tu te souviens bien que je te donnais mon peigne, pour avoir la paix, lorsque tu étais redevenu enfant ? Tout à l'heure, tu le cherchais encore.

— Non, je ne me souviens pas... Tes cheveux sont une soie fine. Jamais je n'avais baisé tes cheveux.

Elle se fâcha, précisa certains détails, lui conta sa convalescence dans la chambre au plafond bleu. Mais lui, riant toujours, finit par lui mettre la main sur les lèvres, en disant avec une lassitude inquiète :

— Non, tais-toi, je ne sais plus, je ne veux plus savoir... Je viens de m'éveiller et je t'ai trouvée là, pleine de roses. Cela suffit.

Et il la reprit entre ses bras, longuement, rêvant tout haut, murmurant :

— Peut-être ai-je déjà vécu. Cela doit être bien loin... Je t'aimais, dans un songe douloureux. Tu avais tes yeux bleus, ta face un peu longue, ton air enfant. Mais tu cachais tes cheveux, soigneusement, sous un linge; et moi je n'osais écarter ce linge, parce que tes cheveux étaient redoutables et qu'ils m'auraient fait mourir... Aujourd'hui, tes cheveux sont la douceur même de ta personne. Ce sont eux qui gardent ton parfum, qui me livrent ta beauté assoupie, tout entière entre mes doigts. Quand je les baise, quand j'enfonce ainsi mon visage, je bois ta vie.

Il roulait les longues boucles dans ses mains, les pressant sur ses lèvres, comme pour en faire sortir tout le sang d'Albine. Au bout d'un silence, il continua :

— C'est étrange, avant d'être né, on rêve de naître... J'étais enterré quelque part. J'avais froid. J'entendais s'agiter au-dessus de moi la vie du dehors. Mais je me bouchais les oreilles, désespéré, habitué à mon trou de ténèbres, y goûtant des joies terribles, ne cherchant même plus à me dégager du tas de terre qui pesait sur ma poitrine... Où étais-je donc ? Qui donc m'a mis enfin à la lumière ?

Il faisait des efforts de mémoire, tandis qu'Albine, anxieuse, redoutait maintenant qu'il ne se souvînt. Elle prit en souriant une poignée de ses cheveux, la noua au cou du jeune homme, qu'elle attacha à elle. Ce jeu le fit sortir de sa rêverie.

— Tu as raison, dit-il, je suis à toi, qu'importe le reste!... C'est toi, n'est-ce pas, qui m'as tiré de la terre ? Je devais être sous ce jardin. Ce que j'entendais, c'étaient tes pas roulant les petits cailloux du sentier. Tu me cherchais, tu apportais sur ma tête des chants d'oiseaux, des odeurs d'œillets, des chaleurs de soleil... Et je me doutais bien que tu finirais par me trouver. Je t'attendais, vois-tu, depuis longtemps. Mais je n'espérais pas que tu te donnerais à moi sans ton voile, avec tes cheveux dénoués, tes cheveux redoutables qui sont devenus doux.

Il la prit sur lui, la renversa sur ses genoux, en mettant son visage à côté du sien.

— Ne parlons plus. Nous sommes seuls à jamais. Nous nous aimons.

Ils demeurèrent innocemment aux bras l'un de l'autre. Longtemps encore, ils s'oublièrent là. Le soleil montait, une poussière de jour plus chaude tombait des hautes branches. Les roses jaunes, les roses blanches, les roses rouges, n'étaient plus qu'un rayonnement de leur joie, une de leurs façons de se sourire. Ils avaient certainement fait éclore des boutons autour d'eux. Les roses les couronnaient, leur jetaient des guirlandes aux reins. Et le parfum des roses devenait si pénétrant, si fort d'une tendresse amoureuse, qu'il semblait être le parfum de leur haleine.

Puis, ce fut Serge qui recoiffa Albine. Il prit ses cheveux à poignée, avec une maladresse charmante, et planta le peigne de travers, dans l'énorme chignon tassé sur la tête. Or, il arriva qu'elle était adorablement coiffée. Il se leva ensuite, lui tendit les mains, la soutint à la taille pour qu'elle se mît debout. Tous deux souriaient toujours, sans parler. Doucement, ils s'en allèrent par le sentier.

7

Albine et Serge entrèrent dans le parterre. Elle le regardait avec une sollicitude inquiète, craignant qu'il ne se fatiguât. Mais lui, la rassura d'un léger rire. Il se sentait fort à la porter partout où elle voudrait aller. Quand il se retrouva en plein soleil, il eut un soupir de joie. Enfin, il vivait; il n'était plus cette plante soumise aux agonies de l'hiver. Aussi quelle reconnaissance attendrie! Il aurait voulu éviter aux petits pieds d'Albine la rudesse des allées; il rêvait de la pendre à son cou, comme un enfant que sa mère endort. Déjà, il la protégeait en gardien jaloux, écartait les pierres et les ronces, veillait à ce que le vent ne volât pas sur ses cheveux adorés des caresses qui n'appartenaient qu'à lui. Elle s'était blottie contre son épaule, elle s'abandonnait, pleine de sérénité.

Ce fut ainsi qu'Albine et Serge marchèrent dans le soleil, pour la première fois. Le couple laissait une bonne odeur derrière lui. Il donnait un frisson au sentier, tandis que le soleil déroulait un tapis d'or sous ses pas. Il avançait, pareil à un ravissement, entre les grands buissons fleuris, si désirable, que les allées écartées, au loin, l'appelaient, le saluaient d'un murmure d'admiration, comme les foules saluent les rois longtemps attendus. Ce n'était qu'un être, souverainement beau. La peau blanche d'Albine n'était que la blancheur de la peau brune de Serge. Ils passaient lentement, vêtus de soleil; ils étaient le soleil lui-même. Les fleurs, penchées, les adoraient.

Dans le parterre, ce fut alors une longue émotion. Le vieux parterre leur faisait escorte. Vaste champ poussant à l'abandon depuis un siècle, coin de paradis où le vent semait les fleurs les plus rares. L'heureuse paix du Paradou, dormant au grand soleil, empêchait la dégénérescence des espèces. Il y avait là une température égale, une terre que chaque plante avait longuement engraissée pour y vivre dans le silence de sa force. La végétation y était énorme, superbe, puissamment inculte, pleine de hasards qui étalaient des floraisons monstrueuses, inconnues à la bêche et aux arrosoirs des jardiniers. Laissée à elle-même, libre de grandir sans honte, au fond de cette solitude que des abris naturels protégeaient, la nature s'abandonnait davantage à chaque printemps, prenait des ébats formidables, s'égayait à s'offrir en toutes saisons des bouquets étranges, qu'aucune main ne devait cueillir. Et elle semblait mettre une rage à bouleverser ce que l'effort de l'homme avait fait; elle se révoltait, lançait des débandades de fleurs au milieu des allées, attaquait les rocailles du flot montant de ses mousses, nouait au cou les marbres qu'elle abattait à l'aide de la corde flexible de ses plantes grimpantes; elle cassait les dalles des bassins, des escaliers, des terrasses, en y enfonçant des arbustes; elle rampait jusqu'à ce qu'elle possédât les moindres endroits cultivés, les pétrissait à sa guise, y plantait comme drapeau de rébellion quelque graine ramassée en chemin, une verdure humble dont elle faisait une gigantesque verdure. Autrefois, le parterre, entretenu pour un maître qui avait la passion des fleurs, montrait en plates-bandes, en bordures soignées, un merveilleux choix de plantes. Aujourd'hui, on retrouvait les mêmes plantes, mais perpétuées, élargies en familles si innombrables, courant une telle prétentaine aux quatre coins du jardin, que le jardin n'était plus qu'un tapage, une école buissonnière battant les murs, un lieu suspect où la nature ivre avait des hoquets de verveine et d'œillet.

C'était Albine qui conduisait Serge, bien qu'elle parût se livrer à lui, faible, soutenue à son épaule. Elle le mena d'abord à la grotte. Au fond d'un bouquet de peupliers et de saules, une rocaille se creusait, effondrée, des blocs de rochers tombés dans une vasque, des filets d'eau coulant à travers les pierres. La grotte disparaissait sous l'assaut des feuillages. En bas, des rangées de roses trémières semblaient barrer l'entrée d'une grille de fleurs rouges, jaunes, mauves, blanches, dont les bâtons se noyaient dans des orties colossales, d'un vert de bronze, suant tranquillement les brûlures de leur poison. Puis, c'était un élan prodigieux, grimpant en quelques bonds : les jasmins, étoilés de leurs fleurs suaves; les glycines aux feuilles de dentelle tendre; les lierres épais, découpés comme de la tôle vernie; les chèvrefeuilles souples, criblés de leurs brins de corail pâle; les clématites amoureuses, allongeant les bras, pomponnées d'aigrettes blanches. Et d'autres plantes, plus frêles, s'enlaçaient encore à celles-ci, les liaient davantage, les tissaient d'une trame odorante. Des capucines, aux chairs verdâtres et nues, ouvraient des bouches d'or rouge. Des haricots d'Espagne, forts comme des ficelles minces, allumaient de place en place l'incendie de leurs étincelles vives. Des volubilis élargissaient le cœur découpé de leurs feuilles, sonnaient de leurs milliers de clochettes un silencieux carillon de couleurs exquises. Des pois de senteur, pareils à des vols de papillons posés, repliaient leurs ailes fauves, leurs ailes roses, prêts à se laisser emporter plus loin, par le premier souffle de vent. Chevelure immense de verdure, piquée d'une pluie de fleurs,

dont les mèches débordaient de toutes parts, s'échappaient en un échevèlement fou, faisaient songer à quelque fille géante, pâmée au loin sur les reins, renversant la tête dans un spasme de passion, dans un ruissellement de crins superbes, étalés comme une mare de parfums.

— Jamais je n'ai osé entrer dans tout ce noir, dit Albine à l'oreille de Serge.

Il l'encouragea, il la porta par-dessus les orties; et comme un bloc fermait le seuil de la grotte, il la tint un instant debout, entre ses bras, pour qu'elle pût se pencher sur le trou, béant à quelques pieds du sol.

— Il y a, murmura-t-elle, une femme de marbre tombée tout de son long dans l'eau qui coule. L'eau lui a mangé la figure.

Alors, lui, voulut voir à son tour. Il se haussa à l'aide des poignets. Une haleine fraîche le frappa aux joues. Au milieu des joncs et des lentilles d'eau, dans le rayon de jour glissant du trou, la femme était sur l'échine, nue jusqu'à la ceinture, avec une draperie qui lui cachait les cuisses. C'était quelque noyée de cent ans, le lent suicide d'un marbre que des peines avaient dû laisser choir au fond de cette source. La nappe claire qui coulait sur elle, avait fait de sa face une pierre lisse, une blancheur sans visage, tandis que ses deux seins, comme soulevés hors de l'eau par un effort de la nuque, restaient intacts, vivants encore, gonflés d'une volupté ancienne.

— Elle n'est pas morte, va! dit Serge, en redescendant. Un jour, il faudra venir la tirer de là.

Mais Albine, qui avait eu un frisson, l'emmena. Ils revinrent au soleil, dans le dévergondage des plates-bandes et des corbeilles. Ils marchaient à travers un pré de fleurs, à leur fantaisie, sans chemin tracé. Leurs pieds avaient pour tapis des plantes charmantes, les plantes naines bordant jadis les allées, aujourd'hui étalées en nappes sans fin. Par moments, ils disparaissaient jusqu'aux chevilles dans la soie mouchetée des silènes roses, dans le satin panaché des œillets mignardise, dans le velours bleu des myosotis, criblé de petits yeux mélancoliques. Plus loin, ils traversaient des résédas gigantesques qui leur montaient aux genoux, comme un bain de parfums; ils coupaient par un champ de muguets pour épargner un champ voisin de violettes, si douces qu'ils tremblaient d'en meurtrir la moindre touffe; puis, pressés de toutes parts, n'ayant plus que des violettes autour d'eux, ils étaient forcés de s'en aller à pas discrets sur cette fraîcheur embaumée, au milieu de l'haleine même du printemps. Au-delà des violettes, la laine verte des lobelias se déroulait, un peu rude, piquée de mauve clair; les étoiles nuancées des sélaginoïdes, les coupes bleues des némophilas, les croix jaunes des saponaires, les croix roses et blanches des juliennes de Mahon dessinaient des coins de tapisserie riche, étendaient à l'infini devant le couple un luxe royal de tenture, pour qu'il s'avançât sans fatigue dans la joie de sa première promenade. Et c'étaient les violettes qui revenaient toujours, une mer de violettes coulant partout, leur versant sur les pieds des odeurs précieuses, les accompagnant du souffle de leurs fleurs cachées sous les feuilles.

Albine et Serge se perdaient. Mille plantes, de tailles plus hautes, bâtissaient des haies, ménageaient des sentiers étroits qu'ils se plaisaient à suivre. Les sentiers s'enfonçaient avec de brusques détours, s'embrouillaient, emmêlaient des bouts de taillis inextricables : des agératums à houpettes bleu céleste; des aspérules, d'une délicate odeur de musc; des mimulus, montrant des gorges cuivrées, ponctuées de cinabre; des phlox écarlates, des phlox violets, superbes, dressant des quenouilles de fleurs que le vent filait; des lins rouges aux brins fins comme des cheveux; des chrysanthèmes pareils à des lunes pleines, des lunes d'or, dardant de courts rayons éteints, blanchâtres, violâtres, rosâtres. Le couple enjambait les obstacles, continuait sa marche heureuse entre les deux haies de verdure. A droite, montaient les fraxinelles légères, les centranthus retombant en neige immaculée, les cynoglosses grisâtres ayant une goutte de rosée dans chacune des coupes minuscules de leurs fleurs. A gauche, c'était une longue rue d'ancolies, toutes les variétés de l'ancolie, les blanches, les roses pâles, les violettes sombres, ces dernières presque noires, d'une tristesse de deuil, laissant pendre d'un bouquet de hautes tiges leurs pétales plissés et gaufrés comme un crêpe. Et plus loin, à mesure qu'ils avançaient, les haies changeaient, alignaient les bâtons fleuris de pieds d'alouette énormes, perdus dans la frisure des feuilles, laissaient passer les gueules ouvertes des mufliers fauves, haussaient le feuillage grêle des schizanthus, plein d'un papillonnage de fleurs aux ailes de soufre tachées de laque tendre. Des campanules couraient, lançant leurs cloches bleues à toute volée, jusqu'au haut de grands asphodèles, dont la tige d'or leur servait de clocher. Dans un coin, un fenouil géant ressemblait à une dame de fine guipure renversant son ombrelle de satin vert d'eau. Puis, brusquement, le couple se trouvait au fond d'une impasse; il ne pouvait plus avancer, un tas de fleurs bouchait le sentier, un jaillissement de plantes tel, qu'il mettait là

comme une meule à panache triomphal. En bas, des acanthes bâtissaient un socle d'où s'élançaient des benoîtes écarlates, des rhodantes dont les pétales secs avaient des cassures de papier peint, des clarkias aux grandes croix blanches, ouvragées, semblables aux croix d'un ordre barbare. Plus haut, s'épanouissaient les viscarias roses, les leptosiphons jaunes, les colinsias blancs, les lagurus plantant parmi les couleurs vives leurs pompons de cendre verte. Plus haut encore, des digitales rouges, des lupins bleus s'élevaient en colonnettes minces, suspendaient une rotonde byzantine, peinturlurée violemment de pourpre et d'azur; tandis que, tout en haut, un ricin colossal, aux feuilles sanguines, semblait élargir un dôme de cuivre bruni.

Et comme Serge avançait déjà les mains, voulant passer, Albine le supplia de ne pas faire de mal aux fleurs.

— Tu casserais les branches, tu écraserais les feuilles, dit-elle. Moi, depuis des années que je vis ici, je prends bien garde de ne tuer personne... Viens, je te montrerai les pensées.

Elle l'obligea à revenir sur ses pas, elle l'emmena hors des sentiers étroits, au centre du parterre, où se trouvaient autrefois de grands bassins. Les bassins, comblés, n'étaient plus que de vastes jardinières, à bordure de marbre émiettée et rompue. Dans un des plus larges, un coup de vent avait semé une merveilleuse corbeille de pensées. Les fleurs de velours semblaient vivantes, avec leurs bandeaux de cheveux violets, leurs yeux jaunes, leurs bouches plus pâles, leurs délicats mentons couleur chair.

— Quand j'étais plus jeune, elles me faisaient peur, murmura Albine. Vois-les donc. Ne dirait-on pas des milliers de petits visages qui vous regardent, à ras de terre ?.... Et elles tournent leurs figures, toutes ensemble. On dirait des poupées enterrées qui passent la tête.

Elle l'entraîna de nouveau. Ils firent le tour des autres bassins. Dans le bassin voisin, des amarantes avaient poussé, hérissant des crêtes monstrueuses qu'Albine n'osait toucher, songeant à de gigantesques chenilles saignantes. Des balsamines, jaune paille, fleur de pêcher, gris de lin, blanc lavé de rose, emplissaient une autre vasque, où les ressorts de leurs graines partaient avec de petits bruits secs. Puis, c'était, au milieu des débris d'une fontaine, une collection d'œillets splendides : des œillets blancs débordaient de l'auge moussue; des œillets panachés plantaient dans les fentes des pierres le bariolage de leurs ruches de mousseline découpée; tandis que, au fond de la gueule du lion qui jadis crachait l'eau, un grand œillet rouge fleurissait, en jets si vigoureux, que le vieux lion mutilé semblait, à cette heure, cracher des éclaboussures de sang. Et, à côté, la pièce d'eau principale, un ancien lac où des cygnes avaient nagé, était devenue un bois de lilas à l'ombre duquel des quarantaines, des verveines, des belles-de-jour, protégeaient leur teint délicat, dormant à demi, toutes moites de parfums.

— Et nous n'avons pas traversé la moitié du parterre! dit Albine orgueilleusement. Là-bas sont les grandes fleurs, des champs où je disparais tout entière, comme une perdrix dans un champ de blé.

Ils y allèrent. Ils descendirent un large escalier dont les urnes renversées flambaient encore des hautes flammes violettes des iris. Le long des marches coulait un ruissellement de giroflées pareil à une nappe d'or liquide. Des chardons, aux deux bords, plantaient des candélabres de bronze vert, grêles, hérissés, recourbés en becs d'oiseaux fantastiques, d'un art étrange, d'une élégance de brûle-parfum chinois. Des sédums, entre les balustres brisés, laissaient pendre des tresses blondes, des chevelures verdâtres de fleuve toutes tachées de moisissures. Puis, au bas, un second parterre s'étendait, coupé de buis puissants comme des chênes, d'anciens buis corrects, autrefois taillés en boules, en pyramides, en tours octogonales, aujourd'hui débraillés magnifiquement, avec de grands haillons de verdure sombre dont les trous montraient des bouts de ciel bleu.

Et Albine mena Serge, à droite, dans un champ qui était comme le cimetière du parterre. Des scabieuses y mettaient leur deuil. Des cortèges de pavots s'en allaient à la file, puant la mort, épanouissant leurs lourdes fleurs d'un éclat fiévreux. Des anémones tragiques faisaient des foules désolées, au teint meurtri, tout terreux de quelque souffle épidémique. Des daturas trapus élargissaient leurs cornets violâtres, où des insectes, las de vivre, venaient boire le poison du suicide [62]. Des soucis, sous leurs feuillages engorgés, ensevelissaient leurs fleurs, des corps d'étoiles agonisants, exhalant déjà la peste de leur décomposition. Et c'étaient encore d'autres tristesses : les renoncules charnues, d'une couleur sourde de métal rouillé; les jacinthes et les tubéreuses, exhalant l'asphyxie, se mourant dans leur parfum. Mais les cinéraires surtout dominaient, toute une poussée de cinéraires qui promenaient le demi-deuil de leurs robes violettes et blanches, robes de velours rayé, robes de velours uni, d'une sévérité riche. Au milieu du champ mélancolique,

un Amour de marbre restait debout, mutilé, le bras qui tenait l'arc tombé dans les orties, souriant encore sous les lichens dont sa nudité d'enfant grelottait.

Puis, Albine et Serge entrèrent jusqu'à la taille dans un champ de pivoines. Les fleurs blanches crevaient, avec une pluie de larges pétales qui leur rafraîchissaient les mains, pareilles aux gouttes larges d'une pluie d'orage. Les fleurs rouges avaient des faces apoplectiques, dont le rire énorme les inquiétait. Ils gagnèrent, à gauche, un champ de fuchsias, un taillis d'arbustes souples, déliés, qui les ravirent comme des joujoux du Japon, garnis d'un million de clochettes. Ils traversèrent ensuite des champs de véroniques aux grappes violettes, des champs de géraniums et de pélargoniums [63], sur lesquels semblaient courir des flammèches ardentes, le rouge, le rose, le blanc incandescent d'un brasier, que les moindres souffles du vent ravivaient sans cesse. Ils durent tourner des rideaux de glaïeuls, aussi grands que des roseaux, dressant des hampes de fleurs qui brûlaient dans la clarté, avec des richesses de flamme de torches allumées. Ils s'égarèrent au milieu d'un bois de tournesols, une futaie faite de troncs aussi gros que la taille d'Albine, obscurcie par des feuilles rudes, larges à y coucher un enfant, peuplée de faces géantes, de faces d'astre, resplendissantes comme autant de soleils. Et ils arrivèrent enfin dans un autre bois, un bois de rhododendrons, si touffu de fleurs, que les branches et les feuilles ne se voyaient pas, étalant des bouquets monstrueux, des hottées de calices tendres qui moutonnaient jusqu'à l'horizon.

— Va, nous ne sommes pas au bout! s'écria Albine. Marchons, marchons toujours.

Mais Serge l'arrêta. Ils étaient alors au centre d'une ancienne colonnade en ruines. Des fûts de colonne faisaient des bancs, parmi des touffes de primevères et de pervenches. Au loin, entre les colonnes restées debout, d'autres champs de fleurs s'étendaient : des champs de tulipes, aux vives panachures de faïences peintes; des champs de calcéolaires, légères soufflures de chair, ponctuées de sang et d'or; des champs de zinnias, pareils à de grosses pâquerettes courroucées; des champs de pétunias, aux pétales mous comme une batiste de femme, montrant le rose de la peau; des champs encore, des champs à l'infini, dont on ne reconnaissait plus les fleurs, dont les tapis s'étalaient sous le soleil, avec

---

62. Les daturas sont, de fait, très toxiques.

63. On appelle, en fait, géranium le pélargonium cultivé. Zola avait dressé des listes de fleurs et d'arbres et ses notions de botanique ne sont pas toujours très précises. Il a surtout voulu insister sur le fouillis luxueux de la nature laissée à l'état libre.

la bigarrure confuse des touffes violentes, noyée dans les verts attendris des herbes.

— Jamais nous ne pourrons tout voir, dit Serge, la main tendue, avec un sourire. C'est ici qu'il doit être bon de s'asseoir, dans l'odeur qui monte.

A côté d'eux était un champ d'héliotropes, d'une haleine de vanille, si douce, qu'elle donnait au vent une caresse de velours. Alors, ils s'assirent sur une des colonnes renversées, au milieu d'un bouquet de lis superbes qui avaient poussé là. Depuis plus d'une heure, ils marchaient. Ils étaient venus des roses dans les lis, à travers toutes les fleurs. Les lis leur offraient un refuge de candeur, après leur promenade d'amants, au milieu de la sollicitation ardente des chèvrefeuilles suaves, des violettes musquées, des verveines exhalant l'odeur fraîche d'un baiser, des tubéreuses soufflant la pâmoison d'une volupté mortelle. Les lis, aux tiges élancées, les mettaient dans un pavillon blanc, sous le toit de neige de leurs calices, seulement égayés des gouttes d'or légères des pistils. Et ils restaient, ainsi que des fiancés enfants, souverainement pudiques, comme au centre d'une tour de pureté, d'une tour d'ivoire inattaquable, où ils ne s'aimaient encore que du tout le charme de leur innocence.

Jusqu'au soir, Albine et Serge demeurèrent avec les lis. Ils y étaient bien; ils achevaient d'y naître. Serge y perdait la dernière fièvre de ses mains. Albine y devenait toute blanche, d'un blanc de lait qu'aucune rougeur ne teintait de rose. Ils ne virent plus qu'ils avaient les bras nus, le cou nu, les épaules nues. Leurs chevelures ne les troublèrent plus, comme des nudités déployées. L'un contre l'autre, ils riaient d'un rire clair, trouvant de la fraîcheur à se serrer. Leurs yeux gardaient un calme limpide d'eau de source, sans que rien d'impur montât de leur chair pour en ternir le cristal. Leurs joues étaient des fruits veloutés, à peine mûrs, auxquels ils ne songeaient point à mordre. Quand ils quittèrent les lis, ils n'avaient pas dix ans; il leur semblait qu'ils venaient de se rencontrer, seuls au fond du grand jardin, pour y vivre dans une amitié et dans un jeu éternels. Et, comme ils traversaient de nouveau le parterre, rentrant au crépuscule, les fleurs parurent se faire discrètes, heureuses de les voir si jeunes, ne voulant pas débaucher ces enfants. Les bois de pivoines, les corbeilles d'œillets, les tapis de myosotis, les tentures de clématites, n'agrandissaient plus devant eux une alcôve d'amour, noyés à cette heure de l'air du soir, endormis dans une enfance aussi pure que la leur. Les pensées les regardaient en camarades, de leurs petits visages candides. Les résédas, alanguis, frôlés par la jupe blanche d'Albine, semblaient pris de compassion, évitant de hâter leur fièvre d'un souffle.

8

Le lendemain, dès l'aube, ce fut Serge qui appela Albine. Elle dormait dans une chambre de l'étage supérieur, où il n'eut pas l'idée de monter. Il se pencha à la fenêtre, la vit qui poussait ses persiennes, au saut du lit. Et tous deux rirent beaucoup de se retrouver ainsi.

— Aujourd'hui, tu ne sortiras pas, dit Albine, quand elle fut descendue. Il faut nous reposer... Demain, je veux te mener loin, bien loin, quelque part où nous serons joliment à notre aise.

— Mais nous allons nous ennuyer, murmura Serge.

— Oh! que non!... Je vais te raconter des histoires.

Ils passèrent une journée charmante. Les fenêtres étaient grandes ouvertes, le Paradou entrait, riait avec eux, dans la chambre. Serge prit enfin possession de cette heureuse chambre, où il s'imaginait être né. Il voulut tout voir, tout se faire expliquer. Les Amours de plâtre, culbutés au bord de l'alcôve, l'égayèrent au point qu'il monta sur une chaise pour attacher la ceinture d'Albine au cou du plus petit d'entre eux, un bout d'homme, le derrière en l'air, la tête en bas, qui polissonnait. Albine tapait des mains, criait qu'il ressemblait à un hanneton tenu par un fil. Puis, comme prise de pitié :

— Non, non, détache-le... Ça l'empêche de voler.

Mais ce furent surtout les Amours peints audessus des portes qui occupèrent vivement Serge. Il se fâchait de ne pouvoir comprendre à quels jeux ils jouaient, tant les peintures étaient pâlies. Aidé d'Albine, il roula une table, sur laquelle ils grimpèrent tous les deux. Albine donnait des explications :

— Regarde, ceux-ci jettent des fleurs. Sous les fleurs, on ne voit plus que trois jambes nues. Je crois me souvenir qu'en arrivant ici, j'ai pu distinguer encore une dame couchée. Mais, depuis le temps, elle s'en est allée.

Ils firent le tour des panneaux, sans que rien d'impur leur vînt de ces jolies indécences de boudoir. Les peintures, qui s'émiettaient comme un visage fardé du dix-huitième siècle, étaient assez mortes pour ne laisser que les genoux et les coudes

des corps pâmés dans une luxure aimable. Les détails trop crus, auxquels paraissait s'être complu l'ancien amour dont l'alcôve gardait la lointaine odeur, avaient disparu, mangés par le grand air ; si bien que la chambre, ainsi que le parc, était naturellement redevenue vierge, sous la gloire tranquille du soleil.

— Bah ! ce sont des gamins qui s'amusent, dit Serge, en redescendant de la table... Est-ce que tu sais jouer à la main chaude, toi ?

Albine savait jouer à tous les jeux. Seulement, il fallait être au moins trois pour jouer à la main chaude. Cela les fit rire. Mais Serge s'écria qu'on était trop bien deux, et ils jurèrent de n'être toujours que deux.

— On est tout à fait chez soi, on n'entend rien, reprit le jeune homme, qui s'allongea sur le canapé. Et les meubles ont une odeur de vieux qui sent bon... C'est doux comme dans un nid. Voilà une chambre où il y a du bonheur.

La jeune fille hochait gravement la tête.

— Si j'avais été peureuse, murmura-t-elle, j'aurais eu bien peur, dans les premiers temps... C'est justement cette histoire-là que je veux te raconter. Je l'ai entendue dans le pays. On ment peut-être. Enfin, ça nous amusera.

Et elle s'assit à côté de Serge.

— Il y a des années et des années... Le Paradou appartenait à un riche seigneur qui vint s'y enfermer avec une dame très belle. Les portes du château étaient si bien fermées, les murailles du jardin avaient une telle hauteur, que jamais personne n'apercevait le moindre bout des jupes de la dame.

— Je sais, interrompit Serge, la dame n'a jamais reparu.

Comme Albine le regardait, toute surprise, fâchée de voir son histoire connue, il continua à demi-voix, étonné lui-même :

— Tu me l'as déjà racontée, ton histoire.

Elle protesta. Puis, elle parut se raviser, elle se laissa convaincre. Ce qui ne l'empêcha pas de terminer son récit en ces termes :

— Quand le seigneur s'en alla, il avait les cheveux blancs. Il fit barricader toutes les ouvertures, pour qu'on n'allât pas déranger la dame... La dame était morte dans cette chambre.

— Dans cette chambre ! s'écria Serge. Tu ne m'avais pas dit cela... Es-tu sûre qu'elle soit morte dans cette chambre ?

Albine se fâcha. Elle répétait ce que tout le monde savait. Le seigneur avait fait bâtir le pavillon pour y loger cette inconnue qui ressemblait à une princesse. Les gens du château, plus tard, assuraient qu'il y

passait les jours et les nuits. Souvent aussi, ils l'apercevaient dans une allée, menant les petits pieds de l'inconnue au fond des taillis les plus noirs. Mais, pour rien au monde, ils ne se seraient hasardés à guetter le couple, qui battait le parc pendant des semaines entières.

— Et c'est là qu'elle est morte, répéta Serge, l'esprit frappé. Tu as pris sa chambre, tu te sers de ses meubles, tu couches dans son lit.

Albine souriait.

— Tu sais bien que je ne suis pas peureuse, dit-elle. Puis, toutes ces choses, c'est si vieux... La chambre te semblait pleine de bonheur.

Ils se turent, ils regardèrent un instant l'alcôve, le haut plafond, les coins d'ombre grise. Il y avait comme un attendrissement amoureux dans les couleurs fanées des meubles. C'était un soupir discret du passé, si résigné qu'il ressemblait encore à un remerciement tiède de femme adorée.

— Oui, murmura Serge, on ne peut pas avoir peur. C'est trop tranquille.

Et Albine reprit en se rapprochant de lui :

— Ce que peu de personnes savent, c'est qu'ils avaient découvert dans le jardin un endroit de félicité parfaite, où ils finissaient par vivre toutes leurs heures. Moi, je tiens cela d'une source certaine... Un endroit d'ombre fraîche, caché au fond de broussailles impénétrables, si merveilleusement beau, qu'on y oublie le monde entier. La dame a dû y être enterrée.

— Est-ce dans le parterre ? demanda Serge curieusement.

— Ah ! je ne sais pas, je ne sais pas ! dit la jeune fille, avec un geste découragé. J'ai cherché partout, je n'ai encore pu trouver nulle part cette clairière heureuse... Elle n'est ni dans les roses, ni dans les lis, ni sur le tapis des violettes.

— Peut-être est-ce ce coin de fleurs tristes, où tu m'as montré un enfant debout, le bras cassé ?

— Non, non.

— Peut-être est-ce au fond de la grotte, près de cette eau claire, où s'est noyée cette grande femme de marbre, qui n'a plus de visage ?

— Non, non.

Albine resta un instant songeuse. Puis, elle continua, comme se parlant à elle-même :

— Dès les premiers jours, je me suis mise en quête. Si j'ai passé des journées dans le Paradou, si j'ai fouillé les moindres coins de verdure, c'était uniquement pour m'asseoir une heure au milieu de la clairière. Que de matinées perdues vainement à me glisser sous les ronces, à visiter les coins les plus reculés du parc !... Oh ! je l'aurais vite reconnue, cette retraite enchantée, avec son arbre immense qui doit la couvrir d'un toit de feuilles, avec son herbe fine comme une peluche de soie, avec ses murs de buissons verts que les oiseaux eux-mêmes ne peuvent percer!

Elle jeta l'un de ses bras au cou de Serge, élevant la voix, le suppliant :

— Dis ? Nous sommes deux, maintenant, nous chercherons, nous trouverons... Toi, qui es fort, tu écarteras les grosses branches devant moi, pour que j'aille jusqu'au fond des fourrés. Tu me porteras, lorsque je serai lasse; tu m'aideras à sauter les ruisseaux, tu monteras aux arbres, si nous venons à perdre notre route... Et quelle joie, lorsque nous pourrons nous asseoir côte à côte, sous le toit de feuilles, au centre de la clairière! On m'a raconté qu'on vivait là dans une minute toute une vie... Dis ? mon bon Serge, dès demain, nous partirons, nous battrons le parc broussailles à broussailles, jusqu'à ce que nous ayons contenté notre désir.

Serge haussait les épaules, en souriant.

— A quoi bon! dit-il. N'est-on pas bien dans le parterre ? Il faudra rester avec les fleurs, vois-tu, sans chercher si loin un bonheur plus grand.

— C'est là que la morte est enterrée, murmura Albine, retombant dans sa rêverie. C'est la joie de s'être assise là qui l'a tuée. L'arbre a une ombre dont le charme fait mourir [64]... Moi, je mourrais volontiers ainsi. Nous nous coucherions aux bras l'un de l'autre; nous serions morts, personne ne nous trouverait plus.

— Non, tais-toi, tu me désoles, interrompit Serge inquiet. Je veux que nous vivions au soleil, loin de cette ombre mortelle. Tes paroles me troublent, comme si elles nous poussaient à quelque malheur irréparable. Ça doit être défendu de s'asseoir sous un arbre dont l'ombrage donne un tel frisson.

— Oui, c'est défendu, déclara gravement Albine. Tous les gens du pays m'ont dit que c'était défendu.

Un silence se fit. Serge se leva du canapé où il était resté allongé. Il riait, il prétendait que les histoires ne l'amusaient pas. Le soleil baissait, lorsque Albine consentit enfin à descendre un instant au jardin. Elle le mena, à gauche, le long du mur de clôture, jusqu'à un champ de décombres, tout hérissé de ronces. C'était l'ancien emplacement du château, encore noir de l'incendie qui avait abattu les murs. Sous les ronces, des pierres cuites

se fendaient, des éboulements de charpentes pourrissaient. On eût dit un coin de roches stériles, raviné, bossué, vêtu d'herbe rude, de lianes rampantes qui se coulaient dans chaque fente comme des couleuvres. Et ils s'égayèrent à traverser en tous sens cette fondrière, descendant au fond des trous, flairant les débris, cherchant s'ils ne devineraient rien de ce passé en cendre. Ils n'avouaient pas leur curiosité, ils se poursuivaient au milieu des planchers crevés et des cloisons renversées; mais, à la vérité, ils ne songeaient qu'aux légendes de ces ruines, à cette dame plus belle que le jour, qui avait traîné sa jupe de soie sur ces marches, où les lézards seuls aujourd'hui se promenaient paresseusement.

Serge finit par se planter sur le plus haut tas de décombres, regardant le parc qui déroulait ses immenses nappes vertes, cherchant entre les arbres la tache grise du pavillon. Albine se taisait, debout à son côté, redevenue sérieuse.

— Le pavillon est là, à droite, dit-elle, sans qu'il l'interrogeât. C'est tout ce qui reste des bâtiments... Tu le vois bien, au bout de ce couvert de tilleuls ?

Ils gardèrent de nouveau le silence. Et comme continuant à voix haute les réflexions qu'ils faisaient mentalement tous les deux, elle reprit :

— Quand il allait la voir, il devait descendre par cette allée; puis, il tournait les gros marronniers, et il entrait sous les tilleuls... Il lui fallait à peine un quart d'heure.

Serge n'ouvrit pas les lèvres. Lorsqu'ils revinrent, ils descendirent l'allée, ils tournèrent les gros marronniers, ils entrèrent sous les tilleuls. C'était un chemin d'amour. Sur l'herbe, ils semblaient chercher des pas, un nœud de ruban tombé, une bouffée de parfum ancien, quelque indice qui leur montrât clairement qu'ils étaient bien dans le sentier menant à la joie d'être ensemble. La nuit venait, le parc avait une grande voix mourante qui les appelait du fond des verdures.

— Attends, dit Albine, lorsqu'ils furent revenus devant le pavillon. Toi, tu ne monteras que dans trois minutes.

Elle s'échappa gaiement, s'enferma dans la chambre au plafond bleu. Puis, après avoir laissé Serge frapper deux fois à la porte, elle l'entrebâilla discrètement, le reçut avec une révérence à l'ancienne mode.

— Bonjour, mon cher seigneur, dit-elle en l'embrassant.

Cela les amusa extrêmement. Ils jouèrent aux amoureux, avec une puérilité de gamins. Ils bégayaient la passion qui avait jadis agonisé là. Ils l'apprenaient comme une leçon qu'ils ânonnaient

---

64. Allusion à l'arbre de la science du Bien et du Mal, dont l'approche avait été interdite à Adam et Ève. Mais, dans des traditions populaires, l'ombre de certains arbres, comme le noyer ou le mancenillier, passe pour mortelle.

d'une adorable manière, ne sachant point se baiser aux lèvres, cherchant sur les joues, finissant par danser l'un devant l'autre, en riant aux éclats, par ignorance de se témoigner autrement le plaisir qu'ils goûtaient à s'aimer.

9

Le lendemain matin, Albine voulut partir dès le lever du soleil, pour la grande promenade qu'elle ménageait depuis la veille. Elle tapait des pieds joyeusement, elle disait qu'ils ne rentreraient pas de la journée.

— Où me mènes-tu donc ? demanda Serge.

— Tu verras, tu verras !

Mais il la prit par les poignets, la regarda en face.

— Il faut être sage, n'est-ce pas ? Je ne veux pas que tu cherches ni ta clairière, ni ton arbre, ni ton herbe où l'on meurt. Tu sais que c'est défendu.

Elle rougit légèrement, en protestant, en disant qu'elle ne songeait pas même à ces choses. Puis, elle ajouta :

— Pourtant, si nous trouvions, sans chercher, par hasard, est-ce que tu ne t'assoirais pas ?... Tu m'aimes donc bien peu !

Ils partirent. Ils traversèrent le parterre tout droit, sans s'arrêter au réveil des fleurs, nues dans leur bain de rosée. Le matin avait un teint de rose, un sourire de bel enfant ouvrant les yeux au milieu des blancheurs de son oreiller.

— Où me mènes-tu ? répétait Serge.

Et Albine riait, sans vouloir répondre. Mais, comme ils arrivaient devant la nappe d'eau qui coupait le jardin au bout du parterre, elle resta toute consternée. La rivière était encore gonflée des dernières pluies.

— Nous ne pourrons jamais passer, murmurat-elle. J'ôte mes souliers, je relève mes jupes d'ordinaire. Mais, aujourd'hui, nous aurions de l'eau jusqu'à la taille.

Ils longèrent un instant la rive, cherchant un gué. La jeune fille disait que c'était inutile, qu'elle connaissait tous les trous. Autrefois, un pont se trouvait là, un pont dont l'écroulement avait semé la rivière de grosses pierres, entre lesquelles l'eau passait avec des tourbillons d'écume.

— Monte sur mon dos, dit Serge.

— Non, non, je ne veux pas. Si tu venais à glisser, nous ferions un fameux plongeon tous les deux... Tu ne sais pas comme ces pierres-là sont traîtres.

— Monte donc sur mon dos.

Cela finit par la tenter. Elle prit son élan, sauta comme un garçon, si haut, qu'elle se trouva à califourchon sur le cou de Serge. Et, le sentant chanceler, elle cria qu'il n'était pas encore assez fort, qu'elle voulait descendre. Puis, elle sauta de nouveau, à deux reprises. Ce jeu les ravissait.

— Quand tu auras fini ! dit le jeune homme, qui riait. Maintenant, tiens-toi ferme. C'est le grand coup.

Et, en trois bonds légers, il traversa la rivière, la pointe des pieds à peine mouillée. Au milieu, pourtant, Albine crut qu'il glissait. Elle eut un cri, en le rattrapant des deux mains à son menton. Lui, l'emportait déjà, dans un galop de cheval, sur le sable fin de l'autre rive.

— Hue ! Hue ! criait-elle, rassurée, amusée par ce jeu nouveau.

Il courut ainsi tant qu'elle voulut, tapant des pieds, imitant le bruit des sabots. Elle claquait de la langue, elle avait pris deux mèches de ses cheveux, qu'elle tirait comme des guides, pour le lancer à droite ou à gauche [65].

— Là, là, nous y sommes, dit-elle, en lui donnant de petites claques sur les joues.

Elle sauta à terre, tandis que lui, en sueur, s'adossait contre un arbre pour reprendre haleine. Alors, elle le gronda, elle menaça de ne pas le soigner, s'il retombait malade.

— Laisse donc ! ça m'a fait du bien, répondit-il. Quand j'aurai retrouvé toutes mes forces, je te porterai des matinées entières... Où me mènes-tu ?

— Ici, dit-elle, en s'asseyant avec lui sous un gigantesque poirier.

Ils étaient dans l'ancien verger du parc. Une haie vive d'aubépine, une muraille de verdure, trouée de brèches, mettait là un bout de jardin à part. C'était une forêt d'arbres fruitiers, que la serpe n'avait pas taillés depuis un siècle. Certains troncs se déjetaient puissamment, poussaient de travers, sous les coups d'orage qui les avaient pliés; tandis que d'autres, bossués de nœuds énormes, crevassés de cavités profondes, ne semblaient plus tenir au sol que par les ruines géantes de leur écorce. Les hautes branches, que le poids des fruits courbait à chaque saison, étendaient au loin des raquettes démesurées; même, les plus chargées, qui avaient cassé, touchaient la terre, sans qu'elles eussent cessé de produire, raccommodées par d'épais bourrelets de sève. Entre eux, les arbres se prêtaient des étais naturels, n'étaient plus que des piliers tordus, soutenant une voûte de feuilles qui se creusait en longues galeries,

65. Jeu symbolique qui souligne la mise en servitude de l'homme par la femme. Nana fera ainsi courir le comte Muffat à quatre pattes.

s'élançait brusquement en halles légères, s'aplatissait presque au ras du sol en soupentes effondrées. Autour de chaque colosse, des rejets sauvages faisaient des taillis, ajoutaient l'emmêlement de leurs jeunes tiges, dont les petites baies avaient une aigreur exquise. Dans le jour verdâtre, qui coulait comme une eau claire, dans le grand silence de la mousse, retentissait seule la chute sourde des fruits que le vent cueillait.

Et il y avait des abricotiers patriarches, qui portaient gaillardement leur grand âge, paralysés déjà d'un côté, avec une forêt de bois mort, pareil à un échafaudage de cathédrale, mais si vivants de leur autre moitié, si jeunes, que des pousses tendres faisaient éclater l'écorce rude de toutes parts. Des pruniers vénérables, tout chenus de mousse, grandissaient encore pour aller boire l'ardent soleil, sans qu'une seule de leurs feuilles pâlît. Des cerisiers bâtissaient des villes entières, des maisons à plusieurs étages, jetant des escaliers, établissant des planchers de branches, larges à y loger dix familles. Puis, c'étaient des pommiers, les reins cassés, les membres contournés, comme de grands infirmes, la peau racheuse [66], maculée de rouille verte; des poiriers lisses, dressant une mâture de hautes tiges minces, immense, semblable à l'échappée d'un port, rayant l'horizon de barres brunes; des pêchers rosâtres, se faisant faire place dans l'écrasement de leurs voisins, par un rire aimable et une poussée lente de belles filles égarées au milieu d'une foule. Certains pieds, anciennement en espaliers, avaient enfoncé les murailles basses qui les soutenaient; maintenant, ils se débauchaient, libres des treillages dont des lambeaux arrachés pendaient encore à leurs bras; ils poussaient à leur guise, n'ayant conservé de leur taille particulière que des apparences d'arbres comme il faut, traînant dans le vagabondage les loques de leur habit de gala. Et, à chaque tronc, à chaque branche, d'un arbre à l'autre, couraient des débandades de vigne. Les ceps montaient comme des rires fous, s'accrochaient un instant à quelque nœud élevé, puis repartaient en un rejaillissement de rires plus sonores, éclaboussant tous les feuillages de l'ivresse heureuse des pampres. C'était un vert tendre doré de soleil qui allumait d'une pointe d'ivrognerie les têtes ravagées des grands vieillards du verger.

Puis, vers la gauche, des arbres plus espacés, des amandiers au feuillage grêle, laissaient le soleil mûrir à terre des citrouilles pareilles à des lunes tombées. Il y avait aussi, au bord d'un ruisseau qui traversait le verger, des melons couturés de verrues, perdus dans des nappes de feuilles rampantes, ainsi que des pastèques vernies, d'un ovale parfait d'œufs d'autruche. A chaque pas, des buissons de groseilliers barraient les anciennes allées, montrant les grappes timides de leurs fruits, des rubis dont chaque grain s'éclairait d'une goutte de jour. Des haies de framboisiers s'étalaient comme des ronces sauvages; tandis que le sol n'était plus qu'un tapis de fraisiers, une herbe toute semée de fraises mûres, dont l'odeur avait une légère fumée de vanille.

Mais le coin enchanté du verger était plus à gauche encore, contre la rampe de rochers qui commençait là à escalader l'horizon. On entrait en pleine terre ardente, dans une serre naturelle, où le soleil tombait d'aplomb. D'abord, il fallait traverser des figuiers gigantesques, dégingandés, étirant leurs branches comme des bras grisâtres las de sommeil, si obstrués du cuir velu de leurs feuilles, qu'on devait, pour passer, casser les jeunes tiges repoussant des pieds séchés par l'âge. Ensuite, on marchait entre des bouquets d'arbousiers, d'une verdure de buis géants, que leurs baies rouges faisaient ressembler à des mais [67] ornés de pompons de soie écarlate. Puis, venait une futaie d'aliziers, d'azeroliers, de jujubiers, au bord de laquelle des grenadiers mettaient une lisière de touffes éternellement vertes; les grenades se nouaient à peine, grosses comme un poing d'enfant; les fleurs de pourpre, posées sur le bout des branches, paraissaient avoir le battement d'ailes des oiseaux des îles, qui ne courbent pas les herbes sur lesquelles ils vivent. Et l'on arrivait enfin à un bois d'orangers et de citronniers, poussant vigoureusement en pleine terre. Les troncs droits enfonçaient des enfilades de colonnes brunes; les feuilles luisantes mettaient la gaieté de leur claire peinture sur le bleu du ciel, découpaient l'ombre nettement en minces lames pointues, qui dessinaient à terre les millions de palmes d'une étoffe indienne. C'était un ombrage au charme tout autre, auprès duquel les ombrages du verger d'Europe devenaient fades : une joie tiède de la lumière tamisée en une poussière d'or volante, une certitude de verdure perpétuelle, une force de parfum continu, le parfum pénétrant de la fleur, le parfum plus grave du fruit, donnant aux membres la souplesse pâmée des pays chauds.

— Et nous allons déjeuner! cria Albine, en tapant dans ses mains. Il est au moins neuf heures. J'ai une belle faim!

Elle s'était levée. Serge confessait qu'il mangerait volontiers, lui aussi.

---

66. « Se dit d'un bois noueux, filandreux, difficile à polir » (Littré).
67. Le mai est un arbre vert et orné de rubans que l'on plantait en l'honneur de quelqu'un.

— Grand bêta! reprit-elle, tu n'as donc pas compris que je te menais déjeuner? Hein! nous ne mourrons pas de faim, ici? Tout est pour nous.

Ils entrèrent sous les arbres, écartant les branches, se coulant au plus épais des fruits. Albine qui marchait la première, les jupes entre les jambes, se retournait, demandait à son compagnon, de sa voix flûtée :

— Qu'est-ce que tu aimes, toi? les poires, les abricots, les cerises, les groseilles?... Je te préviens que les poires sont encore vertes; mais elles sont joliment bonnes tout de même.

Serge se décida pour les cerises. Albine dit qu'en effet on pouvait commencer par ça. Mais, comme il allait sottement grimper sur le premier cerisier venu, elle lui fit faire encore dix bonnes minutes de chemin, au milieu d'un gâchis épouvantable de branches. Ce cerisier-là avait de méchantes cerises de rien du tout; les cerises de celui-ci étaient trop aigres; les cerises de cet autre ne seraient mûres que dans huit jours. Elle connaissait tous les arbres.

— Tiens, monte là-dedans, dit-elle enfin, en s'arrêtant devant un cerisier si chargé de fruits, que des grappes pendaient jusqu'à terre comme des colliers de corail accrochés.

Serge s'établit commodément entre deux branches, et se mit à déjeuner. Il n'entendait plus Albine; il la croyait dans un autre arbre, à quelques pas, lorsque, baissant les yeux, il l'aperçut tranquillement couchée sur le dos, au-dessous de lui. Elle s'était glissée là, mangeant sans même se servir des mains, happant des lèvres les cerises que l'arbre tendait jusqu'à sa bouche.

Quand elle se vit découverte, elle eut des rires prolongés, sautant sur l'herbe comme un poisson blanc sorti de l'eau, se mettant sur le ventre, rampant sur les coudes, faisant le tour du cerisier, tout en continuant à happer les cerises les plus grosses.

— Figure-toi, elles me chatouillent! criait-elle. Tiens, en voilà encore une qui vient de me tomber dans le cou. C'est qu'elles sont joliment fraîches!... Moi, j'en ai dans les oreilles, dans les yeux, sur le nez, partout! Si je voulais, j'en écraserais une pour me faire des moustaches... Elles sont bien plus douces en bas qu'en haut.

— Allons donc! dit Serge en riant. C'est que tu n'oses pas monter.

Elle resta muette d'indignation.

— Moi! moi! balbutia-t-elle.

Et, serrant sa jupe, la rattachant par-devant à sa ceinture, sans voir qu'elle montrait ses cuisses, elle prit l'arbre nerveusement, se hissa sur le tronc, d'un seul effort des poignets. Là, elle courut le long des branches, en évitant même de se servir des mains; elle avait des allongements souples d'écureuil, tournait autour des nœuds, lâchait les pieds, tenue seulement en équilibre par le pli de la taille. Quand elle fut tout en haut, au bout d'une branche grêle, que le poids de son corps secouait furieusement :

— Eh bien! cria-t-elle, est-ce que j'ose monter?

— Veux-tu vite descendre! implorait Serge, pris de peur. Je t'en prie. Tu vas te faire du mal.

Mais, triomphante, elle alla encore plus haut. Elle se tenait à l'extrémité même de la branche, à califourchon, s'avançant petit à petit au-dessus du vide, empoignant des deux mains des touffes de feuilles.

— La branche va casser, dit Serge, éperdu.

— Qu'elle casse, pardi! répondit-elle avec un grand rire. Ça m'évitera la peine de descendre.

Et la branche cassa, en effet; mais lentement, avec une si longue déchirure, qu'elle s'abattit peu à peu, comme pour déposer Albine à terre, d'une façon très douce. Elle n'eut pas le moindre effroi; elle se renversait, elle agitait ses cuisses demi-nues, en répétant :

— C'est joliment gentil. On dirait une voiture.

Serge avait sauté de l'arbre pour la recevoir dans ses bras. Comme il restait tout pâle de l'émotion qu'il venait d'avoir, elle le plaisanta :

— Mais ça arrive tous les jours de tomber des arbres. Jamais on ne se fait de mal... Ris donc, gros bêta! Tiens, mets-moi un peu de salive sur le cou. Je me suis égratignée.

Il lui mit un peu de salive, du bout du doigt.

— Là, c'est guéri, cria-t-elle, en s'échappant, avec une gambade de gamine. Nous allons jouer à cache-cache, veux-tu?

Elle se fit chercher. Elle disparaissait, jetait le cri : Coucou! coucou! du fond de verdures connues d'elle seule, où Serge ne pouvait la trouver. Mais ce jeu de cache-cache n'allait pas sans une maraude terrible de fruits. Le déjeuner continuait dans les coins où les deux grands enfants se poursuivaient. Albine, tout en filant sous les arbres, allongeait la main, croquait une poire verte, s'emplissait la jupe d'abricots. Puis, dans certaines cachettes, elle avait des trouvailles qui l'asseyaient par terre, oubliant le jeu, occupée à manger gravement. Un moment, elle n'entendit plus Serge, elle dut le chercher à son tour. Et ce fut pour elle une surprise, presque une fâcherie, de le découvrir sous un prunier, un prunier qu'elle-même ne savait pas là, et dont les prunes mûres avaient une délicate odeur de musc. Elle le querella de la belle façon. Voulait-il donc tout avaler, qu'il n'avait soufflé mot? Il faisait la bête, mais il avait le nez fin, il sentait de loin les bonnes choses.

Elle était surtout furieuse contre le prunier, un arbre sournois qu'on ne connaissait seulement pas, qui devait avoir poussé dans la nuit, pour ennuyer les gens. Serge, comme elle boudait, refusant de cueillir une seule prune, imagina de secouer l'arbre violemment. Une pluie, une grêle de prunes tomba. Albine, sous l'averse, reçut des prunes sur les bras, des prunes dans le cou, des prunes au beau milieu du nez. Alors, elle ne put retenir ses rires; elle resta dans ce déluge, criant : Encore! encore! amusée par les balles rondes qui rebondissaient sur elle, tendant la bouche et les mains, les yeux fermés, se pelotonnant à terre pour se faire toute petite.

Matinée d'enfance, polissonnerie de galopins lâchés dans le Paradou. Albine et Serge passèrent là des heures puériles d'école buissonnière, à courir, à crier, à se taper, sans que leurs chairs innocentes eussent un frisson. Ce n'était encore que la camaraderie de deux garnements, qui songeront peut-être plus tard à se baiser sur les joues, lorsque les arbres n'auront plus de dessert à leur donner. Et quel joyeux coin de nature pour cette première escapade! Un trou de feuillage, avec des cachettes excellentes. Des sentiers le long desquels il n'était pas possible d'être sérieux, tant les haies laissaient tomber de rires gourmands. Le parc avait, dans cet heureux verger, une gaminerie de buissons s'en allant à la débandade, une fraîcheur d'ombre invitant à la faim, une vieillesse de bons arbres pareils à des grands-pères pleins de gâteries. Même, au fond des retraites vertes de mousse, sous les troncs cassés qui les forçaient à ramper l'un derrière l'autre, dans des corridors de feuilles, si étroits, que Serge s'attelait en riant aux jambes nues d'Albine, ils ne rencontraient point la rêverie dangereuse du silence. Rien de troublant ne leur venait du bois en récréation.

Et quand ils furent las des abricotiers, des pruniers, des cerisiers, ils coururent sous les amandiers grêles, mangeant les amandes vertes, à peine grosses comme des pois, cherchant les fraises parmi le tapis d'herbe, se fâchant de ce que les pastèques et les melons n'étaient pas mûrs. Albine finit par courir de toutes ses forces, suivie de Serge, qui ne pouvait l'attraper. Elle s'engagea dans les figuiers, sautant les grosses branches, arrachant les feuilles qu'elle jetait par-derrière, à la figure de son compagnon. En quelques bonds, elle traversa les bouquets d'arbousiers, dont elle goûta en passant les baies rouges; et ce fut dans la futaie des aliziers, des azeroliers et des jujubiers que Serge la perdit. Il la crut d'abord cachée derrière un grenadier; mais c'étaient deux fleurs en bouton qu'il avait pris pour les deux nœuds roses de ses poignets. Alors,

il battit le bois d'orangers, ravi du beau temps qu'il faisait là, s'imaginant entrer chez les fées du soleil. Au milieu du bois, il aperçut Albine qui, ne le croyant pas si près d'elle, furetait vivement, fouillait du regard les profondeurs vertes.

— Qu'est-ce que tu cherches donc là ? s'écriat-il. Tu sais bien que c'est défendu.

Elle eut un sursaut, elle rougit légèrement, pour la première fois de la journée. Et, s'asseyant à côté de Serge, elle lui parla des jours heureux où les oranges mûrissaient. Le bois alors était tout doré, tout éclairé de ces étoiles rondes qui criblaient de leurs yeux jaunes la voûte verte.

Puis, quand ils s'en allèrent enfin, elle s'arrêta à chaque rejet sauvage, s'emplissant les poches de petites poires âpres, de petites prunes aigres, disant que ce serait pour manger en route. C'était cent fois meilleur que tout ce qu'ils avaient goûté jusque-là. Il fallut que Serge en avalât, malgré les grimaces qu'il faisait à chaque coup de dent. Ils rentrèrent éreintés, heureux, ayant tant ri qu'ils avaient mal aux côtes. Même, ce soir-là, Albine n'eut pas le courage de remonter chez elle; elle s'endormit aux pieds de Serge, en travers sur le lit, rêvant qu'elle montait aux arbres, achevant de croquer en dormant les fruits des sauvageons qu'elle avait cachés sous la couverture, à côté d'elle.

10

Huit jours plus tard, il y eut de nouveau un grand voyage dans le parc. Il s'agissait d'aller plus loin que le verger, à gauche, du côté des larges prairies que quatre ruisseaux traversaient. On ferait plusieurs lieues en pleine herbe; on vivrait de sa pêche, si l'on venait à s'égarer.

— J'emporte mon couteau, dit Albine, en montrant un couteau de paysan, à lame épaisse.

Elle mit de tout dans ses poches, de la ficelle, du pain, des allumettes, une petite bouteille de vin, des chiffons, un peigne, des aiguilles. Serge dut prendre une couverture ; mais, au bout des tilleuls, lorsqu'ils arrivèrent devant les décombres du château, la couverture l'embarrassait déjà à un tel point, qu'il la cacha sous un pan de mur écroulé.

Le soleil était plus fort. Albine s'était attardée à ses préparatifs. Dans la matinée chaude, ils s'en allèrent côte à côte, presque raisonnables. Ils faisaient jusqu'à des vingtaines de pas, sans se pousser, pour rire. Ils causaient.

La prairie.

ajonc — Agrostis — Vulpin genouillé — la Houque laineuse — Fétuque du pré — Trèfle — Flouve odorante — Canche élevée — Paturin des bois — Lotier velu — Plantain — Houque laineuse — Sainfoin — Brome des prés — Ortelle du pré — Luzerne — Minette — Marguerite — Mélique bleue — ~~Ort~~ Ortie

Bluette

Liste de plantes relevée par Zola pour la description de la prairie. Ci-contre, détail d'herbes (1859), par le graveur Rodolphe Bresdin, surnommé *Chien-Caillou* par ses contemporains.

— Moi, je ne m'éveille jamais, dit Albine. J'ai bien dormi, cette nuit. Et toi ?

— Moi aussi, répondit Serge.

Elle reprit :

— Qu'est-ce que ça signifie, quand on rêve un oiseau qui vous parle ?

— Je ne sais pas... Et que disait-il, ton oiseau ?

— Ah ! j'ai oublié... Il disait des choses très bien, beaucoup de choses qui me semblaient drôles... Tiens, vois donc ce gros coquelicot, là-bas. Tu l'auras pas ! tu ne l'auras pas !

Elle prit son élan ; mais Serge, grâce à ses longues jambes, la devança, cueillit le coquelicot qu'il agita victorieusement. Alors, elle resta les lèvres pincées, sans rien dire, avec une grosse envie de pleurer. Lui, ne sut que jeter la fleur. Puis, pour faire la paix :

— Veux-tu monter sur mon dos ? Je te porterai, comme l'autre jour.

— Non, non.

Elle boudait. Mais elle n'avait pas fait trente pas, qu'elle se retournait, toute rieuse. Une ronce la retenait par la jupe.

— Tiens ! je croyais que c'était toi qui marchais exprès sur ma robe... C'est qu'elle ne veut pas me lâcher ! Décroche-moi, dis !

Et, quand elle fut décrochée, ils marchèrent de nouveau à côté l'un de l'autre, très sagement. Albine prétendait que c'était plus amusant, de se promener ainsi, comme des gens sérieux. Ils venaient d'entrer dans les prairies. A l'infini, devant eux, se déroulaient de larges pans d'herbes, à peine coupés de loin en loin par le feuillage tendre d'un rideau de saules. Les pans d'herbes se duvetaient, pareils à des pièces

94

de velours; ils étaient d'un gros vert peu à peu pâli dans les lointains, se noyant de jaune vif, au bord de l'horizon, sous l'incendie du soleil. Les bouquets de saules, tout là-bas, semblaient d'or pur, au milieu du grand frisson de la lumière. Des poussières dansantes mettaient aux pointes des gazons un flux de clartés, tandis qu'à certains souffles de vent, passant librement sur cette solitude nue, les herbes se moiraient d'un tressaillement de plantes caressées. Et, le long des prés les plus voisins, des foules de petites pâquerettes blanches, en tas, à la débandade, par groupes, ainsi qu'une population grouillant sur le pavé pour quelque fête publique, peuplaient de leur joie répandue le noir des pelouses. Des boutons-d'or avaient une gaieté de grelots de cuivre poli, que l'effleurement d'une aile de mouche allait faire tinter; de grands coquelicots isolés éclataient avec des pétards rouges, s'en allaient plus loin, en bandes, étaler des mares réjouissantes comme des fonds de cuvier encore pourprés de vin; de grands bleuets balançaient leurs légers bonnets de paysanne ruchés de bleu, menaçant de s'envoler par-dessus les moulins à chaque souffle. Puis c'étaient des tapis de houques laineuses, de flouves odorantes, de lotiers velus, des nappes de fétuques, de cretelles, d'agrostis, de pâturins [68]. Le sainfoin dressait ses longs cheveux grêles, le trèfle découpait ses feuilles nettes, le plantain brandissait des forêts de lances, la luzerne faisait des couches molles, des édredons de satin vert d'eau broché de fleurs vio-

68. Zola donne le nom savant de graminées communes dans les prés. Ces pages, comme il le lui a été reproché, se ressentent trop visiblement de la méthode de la fiche.

lâtres. Cela, à droite, à gauche, en face, partout, roulant sur le sol plat, arrondissant la surface moussue d'une mer stagnante, dormant sous le ciel qui paraissait plus vaste. Dans l'immensité des herbes, par endroits, les herbes étaient limpidement bleues, comme si elles avaient réfléchi le bleu du ciel.

Cependant, Albine et Serge marchaient au milieu des prairies, ayant de la verdure jusqu'aux genoux. Il leur semblait avancer dans une eau fraîche qui leur battait les mollets. Ils se trouvaient par instants au travers de véritables courants, avec des ruissellements de hautes tiges penchées dont ils entendaient la fuite rapide entre leurs jambes. Puis, des lacs calmes sommeillaient, des bassins de gazons courts, où ils trempaient à peine plus haut que les chevilles. Ils jouaient en marchant ainsi, non plus à tout casser, comme dans le verger, mais à s'attarder, au contraire, les pieds liés par les doigts souples des plantes, goûtant là une pureté, une caresse de ruisseau, qui calmait en eux la brutalité du premier âge. Albine s'écarta, alla se mettre au fond d'une herbe géante qui lui arrivait au menton. Elle ne passait que la tête. Elle se tint un instant bien tranquille, appelant Serge :

— Viens donc! On est comme dans un bain. On a de l'eau verte partout.

Puis, elle s'échappa d'un saut, sans même l'attendre, et ils suivirent la première rivière qui leur barra la route. C'était une eau plate, peu profonde, coulant entre deux rives de cresson sauvage. Elle s'en allait ainsi mollement, avec des détours ralentis, si-propre, si nette, qu'elle reflétait comme une glace le moindre jonc de ses bords. Albine et Serge durent, pendant longtemps, en descendre le courant, qui marchait moins vite qu'eux, avant de trouver un arbre dont l'ombre se baignât dans ce flot de paresse. Aussi loin que portaient leurs regards, ils voyaient l'eau nue, sur le lit des herbes, étirer ses membres purs, s'endormir en plein soleil du sommeil souple, à demi dénoué, d'une couleuvre bleuâtre. Enfin, ils arrivèrent à un bouquet de trois saules; deux avaient les pieds dans l'eau, l'autre était planté un peu en arrière; troncs foudroyés, émiettés par l'âge, que couronnaient des chevelures blondes d'enfant. L'ombre était si claire, qu'elle rayait à peine de légères hachures la rive ensoleillée. Cependant, l'eau, si unie en amont et en aval, avait là un court frisson, un trouble de sa peau limpide, qui témoignait de sa surprise à sentir ce bout de voile traîner sur elle. Entre les trois saules, un coin de pré descendait par une pente insensible, mettant des coquelicots jusque dans les fentes des vieux troncs crevés. On eût dit une tente de verdure, plantée sur trois piquets, au bord de l'eau, dans le désert roulant des herbes.

— C'est ici, c'est ici! cria Albine, en se glissant sous les saules.

Serge s'assit à côté d'elle, les pieds presque dans l'eau. Il regardait autour de lui, il murmurait :

— Tu connais tout, tu sais les meilleurs endroits... On dirait une île de dix pieds carrés, rencontrée en pleine mer.

— Oui, nous sommes chez nous, reprit-elle, si joyeuse qu'elle tapa les herbes de son poing. C'est une maison à nous... Nous allons tout faire.

Puis, comme prise d'une idée triomphante, elle se jeta contre lui, lui dit dans la figure, avec une explosion de joie :

— Veux-tu être mon mari? Je serai ta femme.

Il fut enchanté de l'invention; il répondit qu'il voulait bien être le mari, riant plus haut qu'elle. Alors, elle, tout d'un coup, devint sérieuse; elle affecta un air pressé de ménagère.

— Tu sais, dit-elle, c'est moi qui commande... Nous déjeunerons quand tu auras mis la table.

Et elle lui donna des ordres impérieux. Il dut serrer tout ce qu'elle tira de ses poches dans le creux d'un saule, qu'elle appelait « l'armoire ». Les chiffons étaient le linge; le peigne représentait le nécessaire de toilette; les aiguilles et la ficelle devaient servir à raccommoder les vêtements des explorateurs. Quant aux provisions de bouche, elles consistaient dans la petite bouteille de vin et les quelques croûtes de la veille. A la vérité, il y avait encore les allumettes pour faire cuire le poisson qu'on devait prendre.

Comme il achevait de mettre la table, la bouteille au milieu, les trois croûtes alentour, il hasarda l'observation que le régal serait mince. Mais elle haussait les épaules, en femme supérieure. Elle se mit les pieds à l'eau, disant sévèrement :

— C'est moi qui pêche. Toi, tu me regarderas.

Pendant une demi-heure, elle se donna une peine infinie pour attraper des petits poissons avec les mains. Elle avait relevé ses jupes, nouées d'un bout de ficelle. Elle s'avançait prudemment, prenant des précautions infinies afin de ne pas remuer l'eau; puis, lorsqu'elle était tout près du petit poisson, tapi entre deux pierres, elle allongeait son bras nu, faisait un barbotage terrible, ne tenait qu'une poignée de graviers. Serge riait aux éclats, ce qui la ramenait à la rive, courroucée, lui criant qu'il n'avait pas le droit de rire.

— Mais, finit-il par dire, avec quoi le feras-tu cuire, ton poisson? Il n'y a pas de bois.

Cela acheva de la décourager. D'ailleurs, ce poisson-là ne lui paraissait pas fameux. Elle sortit de l'eau, sans songer à remettre ses bas. Elle courait dans l'herbe, les jambes nues, pour se sécher. Et elle retrouvait son rire, parce qu'il y avait des herbes qui la chatouillaient sous la plante des pieds.

— Oh! de la pimprenelle! dit-elle brusquement, en se jetant à genoux. C'est ça qui est bon! Nous allons nous régaler.

Serge dut mettre sur la table un tas de pimprenelles. Ils mangèrent de la pimprenelle avec leur pain. Albine affirmait que c'était meilleur que de la noisette. Elle servait en maîtresse de maison, coupait le pain à Serge, auquel elle ne voulut jamais confier son couteau.

— Je suis la femme, répondait-elle sérieusement à toutes les révoltes qu'il tentait.

Puis elle lui fit reporter dans « l'armoire » les quelques gouttes de vin qui restaient au fond de la bouteille. Il fallut même qu'il balayât l'herbe, pour qu'on pût passer de la salle à manger dans la chambre à coucher. Albine se coucha la première, tout de son long, en disant :

— Tu comprends, maintenant, nous allons dormir... Tu dois te coucher à côté de moi, tout contre moi.

Il s'allongea, ainsi qu'elle le lui ordonnait. Tous deux se tenaient très raides, se touchant des épaules aux pieds, les mains vides, rejetées en arrière, par dessus leurs têtes. C'étaient surtout leurs mains qui les embarrassaient. Ils conservaient une gravité convaincue. Ils regardaient en l'air, de leurs yeux grands ouverts, disant qu'ils dormaient et qu'ils étaient bien.

— Vois-tu, murmurait Albine, quand on est marié, on a chaud... Tu ne me sens pas ?

— Si, tu es comme un édredon... Mais il ne faut pas parler, puisque nous dormons. C'est meilleur de ne pas parler.

Ils restèrent longtemps silencieux, toujours très graves. Ils avaient roulé leurs têtes, les éloignant insensiblement, comme si la chaleur de leurs haleines les eût gênés. Puis, au milieu du grand silence, Serge ajouta cette seule parole :

— Moi, je t'aime bien.

C'était l'amour avant le sexe, l'instinct d'aimer qui plante les petits hommes de dix ans sur le passage des bambines en robes blanches. Autour d'eux, les prairies largement ouvertes les rassuraient de la légère peur qu'ils avaient l'un de l'autre. Ils se savaient vus de toutes les herbes, vus du ciel dont le bleu les regardait à travers le feuillage grêle ; et cela ne les dérangeait pas. La tente des saules, sur leurs têtes, était un simple pan d'étoffe transparente, comme si Albine avait pendu là un coin de sa robe. L'ombre restait si claire, qu'elle ne leur soufflait pas les langueurs des taillis profonds, les sollicitations des trous perdus, des alcôves vertes. Du bout de l'horizon, leur venait un air libre, un vent de santé, apportant la fraîcheur de cette mer de verdure, où il soulevait une houle de fleurs ; tandis que, à leurs pieds, la rivière était une enfance de plus, une candeur dont le filet de voix fraîche leur semblait la voix lointaine de quelque camarade qui riait. Heureuse solitude, toute pleine de sérénité, dont la nudité s'étalait avec une effronterie adorable d'ignorance ! Immense champ, au milieu duquel le gazon étroit qui leur servait de première couche prenait une naïveté de berceau.

— Voilà, c'est fini, dit Albine en se levant. Nous avons dormi.

Lui, resta un peu surpris que cela fût fini si vite. Il allongea le bras, la tira par la jupe, comme pour la ramener contre lui. Et elle tomba sur les genoux, riant, répétant :

— Quoi donc ? quoi donc ?

Il ne savait pas. Il la regardait, lui prenait les coudes. Un instant, il la saisit par les cheveux, ce qui la fit crier. Puis, lorsqu'elle fut de nouveau debout, il s'enfonça la face dans l'herbe qui avait gardé la tiédeur de son corps.

— Voilà, c'est fini, dit-il en se levant à son tour.

Jusqu'au soir, ils coururent les prairies. Ils allaient devant eux, pour voir. Ils visitaient leur jardin. Albine marchait en avant, avec le flair d'un jeune chien, ne disant rien, toujours en quête de la clairière heureuse, bien qu'il n'y eût pas là les grands arbres qu'elle rêvait. Serge avait toutes sortes de galanteries maladroites ; il se précipitait si rudement pour écarter les hautes herbes, qu'il manquait la faire tomber ; il la soulevait à bras-le-corps, d'une étreinte qui la meurtrissait, lorsqu'il voulait l'aider à sauter les ruisseaux. Leur grande joie fut de rencontrer les trois autres rivières. La première coulait sur un lit de cailloux, entre deux files continues de saules, si bien qu'ils durent se laisser glisser à tâtons au beau milieu des branches, avec le risque de tomber dans quelque gros trou d'eau ; mais Serge, roulé le premier, ayant de l'eau jusqu'aux genoux seulement, reçut Albine dans ses bras, la porta à la rive opposée pour qu'elle ne se mouillât point. L'autre rivière était toute noire d'ombre, sous une allée de hauts feuillages, où elle passait, languissante, avec le froissement léger, les cassures blanches d'une jupe de satin, traînée par quelque dame rêveuse, au fond d'un bois ; nappe profonde, glacée, inquiétante, qu'ils eurent la chance de pouvoir traverser à l'aide d'un tronc abattu d'un bord à l'autre, s'en allant à califourchon, s'amusant à troubler du pied le miroir d'acier bruni, puis se hâtant, effrayés des yeux étranges que les moindres gouttes qui jaillissaient ouvraient dans le sommeil du courant. Et ce fut surtout la dernière rivière qui les retint. Celle-là était joyeuse comme eux ; elle se ralentissait à certains coudes, partait de là en rires perlés, au milieu de grosses pierres, se calmait à l'abri d'un bouquet d'arbustes, essoufflée, vibrante encore ; elle montrait toutes les humeurs du monde, ayant tour à tour pour lit des sables fins, des plaques de rochers, des graviers limpides, des terres grasses, que les sauts des grenouilles soulevaient en petites fumées jaunes. Albine et Serge y pataugèrent adorablement. Les pieds nus, ils remontèrent la rivière pour rentrer, préférant le chemin de l'eau au chemin des herbes, s'attardant à chaque île qui leur barrait le passage. Ils y débarquaient, ils y conquéraient des pays sauvages, ils s'y reposaient au milieu de grands joncs, de grands roseaux, qui semblaient bâtir exprès pour eux des huttes de naufragés. Retour charmant, amusé par les rives qui déroulaient leur spectacle, égayé de la belle humeur des eaux vivantes.

Mais, comme ils quittaient la rivière, Serge comprit qu'Albine cherchait toujours quelque chose, le long des bords, dans les îles, jusque parmi les plantes dormant au fil du courant. Il dut l'aller enlever du milieu d'une nappe de nénuphars dont les larges feuilles mettaient à ses jambes des collerettes de marquise. Il ne lui dit rien, il la menaça du doigt, et ils rentrèrent enfin, tout animés du plaisir de la journée, bras dessus, bras dessous, en jeune ménage qui revient d'une escapade. Ils se regardaient, se trouvaient plus beaux et plus forts; ils riaient pour sûr d'une autre façon que le matin.

11

— Nous ne sortons donc plus ? demanda Serge, à quelques jours de là.

Et, la voyant hausser les épaules d'un air las, il ajouta comme pour se moquer d'elle :

— Tu as donc renoncé à chercher ton arbre ?

Ils tournèrent cela en plaisanterie pendant toute la journée. L'arbre n'existait pas. C'était un conte de nourrice. Ils en parlaient pourtant avec un léger frisson. Et, le lendemain, ils décidèrent qu'ils iraient faire une promenade au fond du parc, sous les hautes futaies, que Serge ne connaissait pas encore. Le matin du départ, Albine ne voulut rien emporter; elle était songeuse, même un peu triste, avec un sourire très doux. Ils déjeunèrent, ils ne descendirent que tard. Le soleil, déjà chaud, leur donnait une langueur, les faisait marcher lentement l'un près de l'autre, cherchant les filets d'ombre. Ni le parterre, ni le verger, qu'ils durent traverser, ne les retinrent. Quand ils arrivèrent sous la fraîcheur des grands ombrages, ils ralentirent encore leurs pas, ils s'enfoncèrent dans le recueillement attendri de la forêt, sans une parole, avec un gros soupir, comme s'ils eussent éprouvé un soulagement à échapper au plein jour. Puis, lorsqu'il n'y eut que des feuilles autour d'eux, lorsque aucune trouée ne leur montra les lointains ensoleillés du parc, ils se regardèrent, souriants, vaguement inquiets.

— Comme on est bien! murmura Serge.

Albine hocha la tête, ne pouvant répondre, tant elle était serrée à la gorge. Ils ne se tenaient point à la taille, ainsi qu'ils en avaient l'habitude. Les bras ballants, les mains ouvertes, ils marchaient sans se toucher, la tête un peu basse.

Mais Serge s'arrêta, en voyant des larmes tomber des joues d'Albine, et se noyer dans son sourire.

— Qu'as-tu ? cria-t-il. Souffres-tu ? T'es-tu blessée ?

— Non, je ris, je t'assure, dit-elle. Je ne sais pas, c'est l'odeur de tous ces arbres qui me fait pleurer.

Elle le regarda, elle reprit :

— Tu pleures aussi, toi. Tu vois bien que c'est bon.

— Oui, murmura-t-il, toute cette ombre, ça vous surprend. On dirait, n'est-ce pas ? qu'on entre dans quelque chose de si extraordinairement doux, que cela vous fait mal... Mais il faudrait me le dire, si tu avais quelque sujet de tristesse. Je ne t'ai pas contrariée, tu n'es pas fâchée contre moi ?

Elle jura que non. Elle était bien heureuse.

— Alors pourquoi ne t'amuses-tu pas ?... Veux-tu que nous jouions à courir ?

— Oh! non, pas à courir, répondit-elle en faisant une moue de grande fille.

Et, comme il lui parlait d'autres jeux, de monter aux arbres pour dénicher des nids, de chercher des fraises ou des violettes, elle finit par dire avec quelque impatience :

— Nous sommes trop grands. C'est bête de toujours jouer. Est-ce que ça ne te plaît pas davantage, de marcher ainsi, à côté de moi, bien tranquille ?

Elle marchait, en effet, d'une si agréable façon qu'il prenait le plus beau plaisir du monde à entendre le petit claquement de ses bottines, sur la terre dure de l'allée. Jamais il n'avait fait attention au balancement de sa taille, à la traînée vivante de sa jupe, qui la suivait d'un frôlement de couleuvre. C'était une joie qu'il n'épuiserait pas, de la voir ainsi s'en aller posément à côté de lui, tant il découvrait de nouveaux charmes dans la moindre souplesse de ses membres.

— Tu as raison, cria-t-il. C'est plus amusant que tout. Je t'accompagnerais au bout de la terre, si tu voulais.

Cependant, à quelques pas de là, il la questionna pour savoir si elle n'était pas lasse. Puis, il laissa entendre qu'il se reposerait lui-même volontiers.

— Nous pourrions nous asseoir, balbutia-t-il.

— Non, répondit-elle, je ne veux pas!

— Tu sais, nous nous coucherions comme l'autre jour, au milieu des prés. Nous aurions chaud, nous serions à notre aise.

— Je ne veux pas! je ne veux pas!

Elle s'était écartée d'un bond, avec l'épouvante de ces bras d'homme qui se tendaient vers elle. Lui, l'appela grande bête, voulut la rattraper. Mais comme il la touchait à peine du bout des doigts, elle poussa un cri, si désespéré, qu'il s'arrêta, tout tremblant.

— Je t'ai fait du mal ?

Elle ne répondit pas tout de suite, étonnée elle-même de son cri, souriant déjà de sa peur.

— Non, laisse-moi, ne me tourmente pas... Qu'est-ce que nous ferions, quand nous serions assis ? J'aime mieux marcher.

Et elle ajouta d'un air grave qui feignait de plaisanter :

— Tu sais bien que je cherche mon arbre.

Alors il se mit à rire, offrant de chercher avec elle.

Forêt, illustration de Français pour une édition de Bernardin de Saint-Pierre (1838).

Il se faisait très doux, pour ne pas l'effrayer davantage ; car il voyait qu'elle était encore frissonnante, bien qu'elle eût repris sa marche lente, à son côté. C'était défendu, ce qu'ils allaient faire là, ça ne leur porterait pas chance ; et il se sentait ému, comme elle, d'une terreur délicieuse, qui le secouait d'un tressaillement, à chaque soupir lointain de la forêt. L'odeur des arbres, le jour verdâtre qui tombait des hautes branches, le silence chuchotant des broussailles, les emplissaient d'une angoisse, comme s'ils allaient, au détour du premier sentier, entrer dans un bonheur redoutable.

Et, pendant des heures, ils marchèrent à travers les arbres. Ils gardaient leur allure de promenade ; ils échangeaient à peine quelques mots, ne se séparant pas une minute, se suivant au fond des trous de verdure les plus noirs. D'abord, ils s'engagèrent dans des taillis dont les jeunes troncs n'avaient pas la grosseur d'un bras d'enfant. Ils devaient les écarter, s'ouvrir une route parmi les pousses tendres qui leur bouchaient les yeux de la dentelle volante de leurs feuilles. Derrière eux, leur sillage s'effaçait, le sentier, ouvert, se refermait ; et ils avançaient au hasard, perdus, roulés, ne laissant de leur passage que le balancement des hautes branches. Albine, lasse de ne pas voir à trois pas, fut heureuse lorsqu'elle put sauter hors de ce buisson énorme dont ils cherchaient depuis longtemps le bout. Ils étaient au milieu d'une éclaircie de petits chemins ; de tous côtés, entre des haies vives, se distribuaient des allées étroites, tournant sur elles-mêmes, se coupant, se tordant, s'allongeant d'une façon capricieuse. Ils se haussaient pour regarder par-dessus les haies ; mais ils n'avaient aucune hâte pénible, ils seraient restés volontiers là, s'oubliant en détours continuels, goûtant la joie de marcher toujours sans arriver jamais, s'ils n'avaient eu devant eux la ligne fière des hautes futaies. Ils entrèrent enfin sous les futaies, religieusement, avec une pointe de terreur sacrée, comme on entre sous la voûte d'une église. Les troncs, droits, blanchis de lichens d'un gris blafard de vieille pierre, montaient démesurément, alignaient à l'infini des enfoncements de colonnes. Au loin, des nefs se creusaient, avec leurs bas-côtés plus étouffés ; des nefs étrangement hardies, portées par des piliers très minces, dentelées, ouvragées, si finement fouillées, qu'elles laissaient passer de toutes parts le bleu du ciel. Un silence religieux tombait des ogives géantes ; une nudité austère donnait au sol l'usure des dalles, le durcissait, sans une herbe, semé seulement de la poudre roussie des feuilles mortes. Et ils écoutaient la sonorité de leurs pas, pénétrés de la grandiose solitude de ce temple.

C'était là certainement que devait se trouver l'arbre tant cherché, dont l'ombre procurait la félicité parfaite. Ils le sentaient proche, au charme qui coulait en eux, avec le demi-jour des hautes voûtes. Les arbres leur semblaient des êtres de bonté, pleins de force, pleins de silence, pleins d'immobilité heureuse. Ils les regardaient un à un, ils les aimaient tous, ils attendaient de leur souveraine tranquillité quelque aveu qui les ferait grandir comme eux, dans la joie d'une vie puissante. Les érables, les frênes, les charmes, les cornouillers, étaient un peuple de colosses, une foule d'une douceur fière, des bonshommes héroïques qui vivaient de paix, lorsque la chute d'un d'entre eux aurait suffi pour blesser et tuer tout un coin du bois. Les ormes avaient des corps énormes, des membres gonflés, engorgés de sève, à peine cachés par les bouquets légers de leurs petites feuilles. Les bouleaux, les aunes, avec leurs blancheurs de fille, cambraient des tailles minces, abandonnaient au vent des chevelures de grandes déesses, déjà à moitié métamorphosées en arbres. Les platanes dressaient des torses réguliers, dont la peau lisse, tatouée de rouge, semblait laisser tomber des plaques de peinture écaillée. Les mélèzes, ainsi qu'une bande barbare, descendaient une pente, drapés dans leurs sayons de verdure tissée, parfumés d'un baume fait de résine et d'encens. Et les chênes étaient rois, les chênes immenses, ramassés carrément sur leur ventre trapu, élargissant des bras dominateurs qui prenaient toute la place au soleil ; arbres titans, foudroyés, renversés dans des poses de lutteurs invaincus, dont les membres épars plantaient à eux seuls une forêt entière.

N'était-ce pas un de ces chênes gigantesques ? ou bien un de ces beaux platanes, un de ces bouleaux blancs comme les femmes, un de ces ormes dont les muscles craquaient ? Albine et Serge s'enfonçaient toujours, ne sachant plus, noyés au milieu de cette foule. Un instant, ils crurent avoir trouvé : ils étaient au milieu d'un carré de noyers, dans une ombre si froide, qu'ils en grelottaient [69]. Plus loin, ils eurent une autre émotion, en entrant sous un petit bois de châtaigniers, tout vert de mousse, avec des élargissements de branches bizarres, assez vastes pour y bâtir des villages suspendus. Plus loin encore, Albine découvrit une clairière, où ils coururent tous deux, haletants. Au centre d'un tapis d'herbe fine, un caroubier mettait comme un écroulement de verdure, une Babel de feuillages, dont les ruines se couvraient d'une végétation extraordinaire. Des pierres restaient prises dans le bois, arrachées du

69. Voir la note 64, p. 89.

sol par le flot montant de la sève. Les branches hautes se recourbaient, allaient se planter au loin, entouraient le tronc d'arches profondes, d'une population de nouveaux troncs, sans cesse multipliés. Et sur l'écorce, toute crevée de déchirures saignantes, des gousses mûrissaient. Le fruit même du monstre était un effort qui lui trouait la peau. Ils firent lentement le tour, entrèrent sous les branches étalées où se croisaient les rues d'une ville, fouillèrent du regard les fentes béantes des racines dénudées. Puis, ils s'en allèrent, n'ayant pas senti là le bonheur surhumain qu'ils cherchaient.

— Où sommes-nous donc ? demanda Serge.

Albine l'ignorait. Jamais elle n'était venue de ce côté du parc. Ils se trouvaient alors dans un bouquet de cytises et d'acacias, dont les grappes laissaient couler une odeur très douce, presque sucrée.

— Nous voilà perdus, murmura-t-elle avec un rire. Bien sûr, je ne connais pas ces arbres.

— Mais, reprit-il, le jardin a un bout, pourtant. Tu connais bien le bout du jardin ?

Elle eut un geste large.

— Non, dit-elle.

Ils restèrent muets, n'ayant pas encore eu jusquelà une sensation aussi heureuse de l'immensité du parc. Cela les ravissait d'être seuls, au milieu d'un domaine si grand, qu'eux-mêmes devaient renoncer à en connaître les bords.

— Eh bien! nous sommes perdus, répéta Serge gaiement. C'est meilleur, lorsqu'on ne sait pas où l'on va.

Il se rapprocha, humblement.

— Tu n'as pas peur ?

— Oh! non. Il n'y a que toi et moi, dans le jardin... De qui veux-tu que j'aie peur ? Les murailles sont trop hautes. Nous ne les voyons pas, mais elles nous gardent, comprends-tu ?

Il était tout près d'elle. Il murmura :

— Tout à l'heure, tu as eu peur de moi.

Mais elle le regardait en face, sereine, sans un battement de paupière.

— Tu me faisais du mal, répondit-elle. Maintenant, tu as l'air très bon. Pourquoi aurais-je peur de toi ?

— Alors, tu me permets de te prendre comme cela ? Nous retournerons sous les arbres.

— Oui. Tu peux me serrer, tu me fais plaisir. Et marchons lentement, n'est-ce pas ? pour ne pas retrouver notre chemin trop vite.

Il lui avait passé un bras à la taille. Ce fut ainsi qu'ils revinrent sous les hautes futaies, où la majesté des voûtes ralentit encore leur promenade de grands enfants qui s'éveillaient à l'amour. Elle

dit un peu lasse, elle appuya la tête contre l'épaule de Serge. Ni l'un ni l'autre pourtant ne parla de s'asseoir. Ils n'y songeaient pas, cela les aurait dérangés. Quelle joie pouvait leur procurer un repos sur l'herbe, comparée à la joie qu'ils goûtaient en marchant toujours côte à côte ? L'arbre légendaire était oublié. Ils ne cherchaient plus qu'à rapprocher leur visage, pour se sourire de plus près. Et c'étaient les arbres, les érables, les ormes, les chênes, qui leur soufflaient leurs premiers mots de tendresse, dans leur ombre claire.

— Je t'aime! disait Serge d'une voix légère qui soulevait les petits cheveux dorés des tempes d'Albine.

Il voulait trouver une autre parole, il répétait :

— Je t'aime! je t'aime!

Albine écoutait avec un beau sourire. Elle apprenait cette musique.

— Je t'aime! je t'aime! soupirait-elle plus délicieusement, de sa voix perlée de jeune fille.

Puis, levant ses yeux bleus, où une aube de lumière grandissait, elle demanda :

— Comment m'aimes-tu ?

Alors, Serge se recueillit. Les futaies avaient une douceur solennelle, les nefs profondes gardaient le frisson des pas assourdis du couple.

— Je t'aime plus que tout, répondit-il. Tu es plus belle que tout ce que je vois, le matin, en ouvrant ma fenêtre. Quand je te regarde, tu me suffis. Je voudrais n'avoir que toi, et je serais bien heureux.

Elle baissait les paupières, elle roulait la tête comme bercée.

— Je t'aime, continua-t-il. Je ne te connais pas, je ne sais qui tu es, je ne sais d'où tu viens; tu n'es ni ma mère, ni ma sœur; et je t'aime, à te donner tout mon cœur, à n'en rien garder pour le reste du monde... Écoute, j'aime tes joues soyeuses comme un satin, j'aime ta bouche qui a une odeur de rose, j'aime tes yeux dans lesquels je me vois avec mon amour, j'aime jusqu'à tes cils, jusqu'à ces petites veines qui bleuissent la pâleur de tes tempes... C'est pour te dire que je t'aime, que je t'aime, Albine.

— Oui, je t'aime, reprit-elle. Tu as une barbe très fine qui ne me fait pas mal, lorsque j'appuie mon front sur ton cou. Tu es fort, tu es grand, tu es beau. Je t'aime, Serge.

Un moment, ils se turent, ravis. Il leur semblait qu'un chant de flûte les précédait, que leurs paroles leur venaient d'un orchestre suave qu'ils ne voyaient point. Ils ne s'en allaient plus qu'à tout petits pas, penchés l'un vers l'autre, tournant sans fin entre les troncs gigantesques. Au loin, le long des colonnades, il y avait des coups de soleil couchant, pareils à un défilé de filles en robes blanches, entrant dans l'église, pour des fiançailles, au sourd ronflement des orgues.

— Et pourquoi m'aimes-tu ? demanda de nouveau Albine. Il sourit, il ne répondit pas d'abord. Puis il dit :

— Je t'aime parce que tu es venue. Cela dit tout... maintenant, nous sommes ensemble, nous nous aimons. Il me semble que je ne vivrais plus, si je ne t'aimais pas. Tu es mon souffle.

Il baissa la voix, parlant dans le rêve.

— On ne sait pas cela tout de suite. Ça pousse en vous avec votre cœur. Il faut grandir, il faut être fort... Tu te souviens comme nous aimions! mais nous ne le disions pas. On est enfant, on est bête. Puis, un beau jour, cela devient trop clair, cela vous échappe... Va, nous n'avons pas d'autre affaire; nous nous aimons parce que c'est notre vie de nous aimer.

Albine, la tête renversée, les paupières complètement fermées, retenait son haleine. Elle goûtait le silence encore chaud de cette caresse de paroles.

— M'aimes-tu ? m'aimes-tu ? balbutia-t-elle, sans ouvrir les yeux.

Lui, resta muet, très malheureux, ne trouvant plus rien à dire, pour lui montrer qu'il l'aimait. Il promenait lentement le regard sur son visage rose, qui s'abandonnait comme endormi; les paupières avaient une délicatesse de soie vivante; la bouche faisait un pli adorable, humide d'un sourire; le front était une pureté, noyée d'une ligne dorée à la racine des cheveux. Et lui, aurait voulu donner tout son être dans le mot qu'il sentait sur ses lèvres, sans pouvoir le prononcer. Alors, il se pencha encore, il parut chercher à quelle place exquise de ce visage il poserait le mot suprême. Puis, il ne dit rien, il n'eut qu'un petit souffle. Il baisa les lèvres d'Albine.

— Albine, je t'aime!

— Je t'aime, Serge!

Et ils s'arrêtèrent, frémissants de ce premier baiser. Elle avait ouvert les yeux très grands. Il restait la bouche légèrement avancée. Tous deux, sans rougir, se regardaient. Quelque chose de puissant, de souverain les envahissait; c'était comme une rencontre longtemps attendue, dans laquelle ils se revoyaient grandis, faits l'un pour l'autre, à jamais liés. Ils s'étonnèrent un instant, levèrent les regards vers la voûte religieuse des feuillages, parurent interroger le peuple paisible des arbres, pour retrouver l'écho de leur baiser. Mais, en face de la complaisance sereine de la futaie, ils eurent une gaieté d'amoureux impunis, une gaieté prolongée,

sonnante, toute pleine de l'éclosion bavarde de leur tendresse.

— Ah! conte-moi les jours où tu m'as aimée. Dis-moi tout... M'aimais-tu, lorsque tu dormais sur ma main ? M'aimais-tu, la fois que je suis tombée du cerisier, et que tu étais en bas, si pâle, les bras tendus ? M'aimais-tu, au milieu des prairies, quand tu me prenais à la taille pour me faire sauter les ruisseaux ?

— Tais-toi, laisse-moi dire. Je t'ai toujours aimée... Et toi, m'aimais-tu ? m'aimais-tu ?

Jusqu'à la nuit, ils vécurent de ce mot aimer, qui, sans cesse, revenait avec une douceur nouvelle. Ils le cherchaient, le ramenaient dans leurs phrases, le prononçaient hors de propos, pour la seule joie de le prononcer. Serge ne songea pas à mettre un second baiser sur les lèvres d'Albine. Cela suffisait à leur ignorance, de garder l'odeur du premier. Ils avaient retrouvé leur chemin, sans s'être souciés des sentiers le moins du monde. Comme ils sortaient de la forêt, le crépuscule était tombé, la lune se levait, jaune, entre les verdures noires. Et ce fut un retour adorable, au milieu du parc, avec cet astre discret qui les regardait par tous les trous des grands arbres. Albine disait que la lune les suivait. La nuit était très douce, chaude d'étoiles. Au loin, les futaies avaient un grand murmure, que Serge écoutait, en songeant : « Elles causent de nous. »

Lorsqu'ils traversèrent le parterre, ils marchèrent dans un parfum extraordinairement doux, ce parfum que les fleurs ont la nuit, plus alangui, plus caressant, qui est comme la respiration même de leur sommeil.

— Bonne nuit, Serge.

— Bonne nuit, Albine.

Ils s'étaient pris les mains, sur le palier du premier étage, sans entrer dans la chambre, où ils avaient l'habitude de se souhaiter le bonsoir. Ils ne s'embrassèrent pas. Quand il fut seul, assis au bord de son lit, Serge écouta longuement Albine qui se couchait, en haut, au-dessus de sa tête. Il était las d'un bonheur qui lui endormait les membres.

12

Mais, les jours suivants, Albine et Serge restèrent embarrassés l'un devant l'autre. Ils évitèrent de faire aucune allusion à leur promenade sous les arbres. Ils n'avaient pas échangé un baiser, ils ne s'étaient pas dit qu'ils s'aimaient. Ce n'était point une honte qui les empêchait de parler, mais une crainte, une peur de gâter leur joie. Et, lorsqu'ils n'étaient plus ensemble, ils ne vivaient que du bon souvenir ; ils s'y enfonçaient, ils revivaient les heures qu'ils avaient passées, les bras à la taille, à se caresser le visage de leur haleine. Cela avait fini par leur donner une grosse fièvre. Ils se regardaient, les yeux meurtris, très tristes, causant de choses qui ne les intéressaient pas. Puis, après de longs silences, Serge demandait à Albine d'une voix inquiète :

— Tu es souffrante ?

Mais elle hochait la tête ; elle répondait :

— Non, non. C'est toi qui ne te portes pas bien. Tes mains brûlent.

Le parc leur causait une sourde inquiétude qu'ils ne s'expliquaient pas. Il y avait un danger au détour de quelque sentier, qui les guettait, qui les prendrait à la nuque pour les renverser par terre et leur faire du mal. Jamais ils n'ouvraient la bouche de ces choses ; mais, à certains regards poltrons, ils se confessaient cette angoisse, qui les rendait singuliers, comme ennemis. Cependant, un matin, Albine hasarda, après une longue hésitation :

— Tu as tort de rester toujours enfermé. Tu retomberas malade.

Serge eut un rire gêné.

— Bah ! murmura-t-il, nous sommes allés partout, nous connaissons tout le jardin.

Elle dit non de la tête ; puis, elle répéta très bas :

— Non, non... Nous ne connaissons pas les rochers, nous ne sommes pas allés aux sources. C'est là que je me chauffais, l'hiver. Il y a des coins où les pierres elles-mêmes semblent vivre.

Le lendemain, sans avoir ajouté un mot, ils sortirent. Ils montèrent à gauche, derrière la grotte où dormait la femme de marbre. Comme ils posaient le pied sur les premières pierres, Serge dit :

— Ça nous avait laissé un souci. Il faut voir partout. Peut-être serons-nous tranquilles après.

La journée était étouffante, d'une chaleur lourde d'orage. Ils n'avaient pas osé se prendre à la taille. Ils marchaient l'un derrière l'autre, tout brûlants de soleil. Elle profita d'un élargissement du sentier pour le laisser passer devant elle ; car elle était inquiétée par son haleine ; elle souffrait de le sentir derrière son dos, si près de ses jupes. Autour d'eux, les rochers s'élevaient par larges assises ; des rampes douces étageaient des champs d'immenses dalles, hérissés d'une rude végétation. Ils rencontrèrent d'abord des genêts d'or, des nappes de thym, des nappes de sauge, des nappes de lavande, toutes les plantes balsamiques, et les genévriers âpres, et les romarins amers, d'une odeur si forte qu'elle les

grisait. Aux deux côtés du chemin, des houx, par moments, faisaient des haies, qui ressemblaient à des ouvrages délicats de serrurerie, à des grilles de bronze noir, de fer forgé, de cuivre poli, très compliquées d'ornements, très fleuries de rosaces épineuses. Puis, il leur fallut traverser un bois de pins, pour arriver aux sources ; l'ombre maigre pesait à leurs épaules comme du plomb ; les aiguilles sèches craquaient à terre, sous leurs pieds, avec une légère poussière de résine, qui achevait de leur brûler les lèvres.

— Ton jardin ne plaisante pas, par ici, dit Serge en se tournant vers Albine.

Ils sourirent. Ils étaient au bord des sources. Ces eaux claires furent un soulagement pour eux. Elles ne se cachaient pourtant pas sous des verdures, comme les sources des plaines, qui plantent autour d'elles d'épais feuillages, afin de dormir paresseusement à l'ombre. Elles naissaient en plein soleil, dans un trou du roc, sans un brin d'herbe qui verdît leur eau bleue. Elles paraissaient d'argent, toutes trempées de la grande lumière. Au fond d'elles, le soleil était sur le sable, en une poussière de clarté vivante qui respirait. Et, du premier bassin, elles s'en allaient, elles allongeaient des bras d'une blancheur pure ; elles rebondissaient, pareilles à des nudités joueuses d'enfant ; elles tombaient brusquement en une chute, dont la courbe molle semblait renverser un torse de femme, d'une chair blonde.

— Trempe tes mains, cria Albine. Au fond, l'eau est glacée.

En effet, ils purent se rafraîchir les mains. Ils se jetèrent de l'eau au visage ; ils restèrent là, dans la buée de pluie qui montait des nappes ruisselantes. Le soleil était comme mouillé.

— Tiens, regarde ! cria de nouveau Albine : voilà le parterre, voilà les prairies, voilà la forêt.

Un moment, ils regardèrent le Paradou étalé à leurs pieds.

— Et tu vois, continua-t-elle, on n'aperçoit pas le moindre bout de muraille. Tout le pays est à nous, jusqu'au bord du ciel.

Ils s'étaient, enfin, pris à la taille, sans le savoir, d'un geste rassuré et confiant. Les sources calmaient leur fièvre. Mais, comme ils s'éloignaient, Albine parut céder à un souvenir ; elle ramena Serge, en disant :

— Là, au bas des rochers, j'ai vu la muraille, une fois. Il y a longtemps.

— Mais on ne voit rien, murmura Serge, légèrement pâle.

— Si, si... Elle doit être derrière l'avenue des marronniers, après ces broussailles.

Puis, sentant le bras de Serge qui la serrait plus nerveusement, elle ajouta :

— Je me trompe peut-être... Pourtant, je me rappelle que je l'ai trouvée tout d'un coup devant moi, en sortant de l'allée. Elle me barrait le chemin, si haute, que j'en ai eu peur... Et, à quelques pas de là, j'ai été bien surprise. Elle était crevée, elle avait un trou énorme, par lequel on apercevait tout le pays d'à côté.

Serge la regarda, avec une supplication inquiète dans les yeux. Elle eut un haussement d'épaules pour le rassurer.

— Oh! mais j'ai bouché le trou! Va, je te l'ai dit, nous sommes bien seuls... Je l'ai bouché tout de suite. J'avais mon couteau. J'ai coupé des ronces, j'ai roulé de grosses pierres. Je défie bien à un moineau de passer... Si tu veux, nous irons voir, un de ces jours. Ça te tranquillisera.

Il dit non de la tête. Puis, ils s'en allèrent, se tenant à la taille; mais ils étaient redevenus anxieux. Serge abaissait des regards de côté sur le visage d'Albine, qui souffrait, les paupières battantes, à être ainsi regardée. Tous deux auraient voulu redescendre, s'éviter le malaise d'une promenade plus longue. Et, malgré eux, comme cédant à une force qui les poussait, ils tournèrent un rocher, ils arrivèrent sur un plateau, où les attendait de nouveau l'ivresse du grand soleil. Ce n'était plus l'heureuse langueur des plantes aromatiques, le musc du thym, l'encens de la lavande. Ils écrasaient des herbes puantes : l'absinthe, d'une griserie amère; la rue, d'une odeur de chair fétide; la valériane, brûlante, toute trempée de sa sueur aphrodisiaque. Des mandragores, des ciguës, des hellébores, des belladones, montait un vertige à leurs tempes, un assoupissement, qui les faisait chanceler aux bras l'un de l'autre, le cœur sur les lèvres.

— Veux-tu que je te prenne ? demanda Serge à Albine, en la sentant s'abandonner contre lui.

Il la serrait déjà entre ses deux bras. Mais elle se dégagea, respirant fortement.

— Non, tu m'étouffes, dit-elle. Laisse. Je ne sais ce que j'ai. La terre remue sous mes pieds... Vois-tu, c'est là que j'ai mal.

Elle lui prit une main qu'elle posa sur sa poitrine. Alors, lui, devint tout blanc. Il était plus défaillant qu'elle. Et tous deux avaient des larmes au bord des yeux, de se voir ainsi, sans trouver de remède à leur grand malheur. Allaient-ils donc mourir là, de ce mal inconnu ?

— Viens à l'ombre, viens t'asseoir, dit Serge. Ce sont ces plantes qui nous tuent, avec leurs odeurs.

Il la conduisit par le bout des doigts, car elle tressaillait, lorsqu'il lui touchait seulement le poignet. Le bois d'arbres verts où elle s'assit était fait d'un beau cèdre, qui élargissait à plus de dix mètres les toits plats de ses branches. Puis, en arrière, poussaient les essences bizarres des conifères; les cupressus au feuillage mou et plat comme une épaisse guipure; les abiès, droits et graves, pareils à d'anciennes pierres sacrées, noires encore du sang des victimes; les taxus, dont les robes sombres se frangeaient d'argent; toutes les plantes à feuillage persistant, d'une végétation trapue, à la verdure foncée de cuir verni, éclaboussée de jaune et de rouge, si puissante, que le soleil glissait sur elle sans l'assouplir. Un araucaria surtout était étrange, avec ses grands bras réguliers, qui ressemblaient à une architecture de reptiles, entés les uns sur les autres, hérissant leurs feuilles imbriquées comme des écailles de serpents en colère. Là, sous ces ombrages lourds, la chaleur avait un sommeil voluptueux. L'air dormait, sans un souffle, dans une moiteur d'alcôve. Un parfum d'amour oriental, le parfum des lèvres peintes de la Sulamite [70], s'exhalait des bois odorants.

— Tu ne t'assois pas ? dit Albine.

Et elle s'écartait un peu, pour lui faire place. Mais lui, recula, se tint debout. Puis, comme elle l'invitait de nouveau, il se laissa glisser sur les genoux, à quelques pas. Il murmurait :

— Non, j'ai plus de fièvre que toi, je te brûlerais... Écoute, si je n'avais pas peur de te faire du mal, je te prendrais dans mes bras, si fort, si fort, que nous ne sentirions plus nos souffrances.

Il se traîna sur les genoux, il s'approcha un peu.

— Oh! t'avoir dans mes bras, t'avoir dans ma chair... Je ne pense qu'à cela. La nuit, je m'éveille, serrant le vide, serrant ton rêve. Je voudrais ne te prendre d'abord que par le bout du petit doigt; puis, je t'aurais tout entière, lentement, jusqu'à ce qu'il ne reste rien de toi, jusqu'à ce que tu sois devenue mienne, de tes pieds au dernier de tes cils. Je te garderais toujours. Ce doit être un bien délicieux, de posséder ainsi ce qu'on aime. Mon cœur fondrait dans ton cœur.

Il s'approcha encore. Il aurait touché le bord de ses jupes s'il avait allongé les mains.

— Mais, je ne sais pas, je me sens loin de toi... Il y a quelque mur entre nous mes que mes poings fermés ne sauraient abattre. Je suis fort pourtant, aujourd'hui; je pourrais te lier de mes bras, te jeter sur mon épaule, t'emporter comme une chose à moi

---

70. Personnage biblique. C'est la jeune fille en l'honneur de laquelle aurait été composé le *Cantique des Cantiques*, qui est un poème sacré et un poème d'amour à la fois.

Et ce n'est pas cela. Je ne t'aurais pas assez. Quand mes mains te prennent, elles ne tiennent qu'un rien de ton être... Où es-tu donc tout entière, pour que j'aille t'y chercher ?

Il était tombé sur les coudes, prosterné, dans une attitude écrasée d'adoration. Il posa un baiser au bord de la jupe d'Albine. Alors, comme si elle avait reçu ce baiser sur la peau, elle se leva toute droite. Elle portait les mains à ses tempes, affolée, balbutiante.

— Non, je t'en supplie, marchons encore.

Elle ne fuyait pas. Elle se laissait suivre par Serge, lentement, éperdument, les pieds butant contre les racines, la tête toujours entre les mains, pour étouffer la clameur qui montait en elle. Et quand ils sortirent du petit bois, ils firent quelques pas sur des gradins de rocher, où s'accroupissait tout un peuple ardent de plantes grasses. C'était un rampement, un jaillissement de bêtes sans nom entrevues dans un cauchemar, de monstres tenant de l'araignée, de la chenille, du cloporte, extraordinairement grandis, à peau nue et glauque, à peau hérissée de duvets immondes, traînant des membres infirmes, des jambes avortées, des bras cassés, les uns ballonnés comme des ventres obscènes, les autres avec des échines grossies d'un pullulement de gibbosités, d'autres dégingandés, en loques, ainsi que des squelettes aux charnières rompues. Les mamillarias entassaient des pustules vivantes, un grouillement de tortues verdâtres, terriblement barbues de longs crins plus durs que des pointes d'acier. Les échinocactus, montrant davantage de peau, ressemblaient à des nids de jeunes vipères nouées. Les échinopsis n'étaient qu'une brosse, une excroissance au poil roux, qui faisait songer à quelque insecte géant roulé en boule. Les opuntias dressaient en arbres leurs feuilles charnues, poudrées d'aiguilles rougies, pareilles à des essaims d'abeilles microscopiques, à des bourses pleines de vermine et dont les mailles crevaient. Les gasterias élargissaient des pattes de grands faucheux renversés, aux membres noirâtres, pointillés, striés, damassés. Les cereus plantaient des végétations honteuses, des polypiers énormes, maladies de cette terre trop chaude, débauches d'une sève empoisonnée. Mais les aloès surtout épanouissaient en foule leurs cœurs de plantes pâmées ; il y en avait de tous les verts, de tendres, de puissants, de jaunâtres, de grisâtres, de bruns éclaboussés de rouille, de verts foncés bordés d'or pâle ; il y en avait de toutes les formes, aux feuilles larges découpées comme des cœurs, aux feuilles minces semblables à des lames de glaive, les uns dentelés d'épines, les autres finement ourlés ; d'énormes portant à l'écart le haut

bâton de leurs fleurs, d'où pendaient des colliers de corail rose ; de petits poussés en tas sur une tige, ainsi que des floraisons charnues, dardant de toutes parts des langues agiles de couleuvre.

— Retournons à l'ombre, implora Serge. Tu t'assoiras comme tout à l'heure, et je me mettrai à genoux, et je te parlerai.

Il pleuvait là de larges gouttes de soleil. L'astre y triomphait, y prenait la terre nue, la serrait contre l'embrasement de sa poitrine. Dans l'étourdissement de la chaleur, Albine chancela, se tourna vers Serge.

— Prends-moi, dit-elle d'une voix mourante.

Dès qu'ils se touchèrent, ils s'abattirent, les lèvres sur les lèvres, sans un cri. Il leur semblait tomber toujours, comme si le roc se fût enfoncé sous eux, indéfiniment. Leurs mains errantes cherchaient sur leur visage, sur leur nuque, descendaient le long de leurs vêtements. Mais c'était une approche si pleine d'angoisse, qu'ils se relevèrent presque aussitôt, exaspérés, ne pouvant aller plus loin dans le contentement de leurs désirs. Et ils s'enfuirent, chacun par un sentier différent. Serge courut jusqu'au pavillon, se jeta sur son lit, la tête en feu, le cœur au désespoir. Albine ne rentra qu'à la nuit, après avoir pleuré toutes ses larmes, dans un coin du jardin. Pour la première fois, ils ne revenaient pas ensemble, las de la joie des longues promenades. Pendant trois jours, ils se boudèrent. Ils étaient horriblement malheureux.

13

Cependant, à cette heure, le parc entier était à eux. Ils en avaient pris possession, souverainement. Pas un coin de terre qui ne leur appartînt. C'était pour eux que le bois de roses fleurissait, que le parterre avait des odeurs douces, alanguies, dont les bouffées les endormaient, la nuit, par leurs fenêtres ouvertes. Le verger les nourrissait, emplissait de fruits les jupes d'Albine, les rafraîchissait de l'ombre musquée de ses branches, sous lesquelles il faisait si bon déjeuner, après le lever du soleil. Dans les prairies, ils avaient les herbes et les eaux : les herbes qui élargissaient leur royaume, en déroulant sans cesse devant eux des tapis de soie ; les eaux qui étaient la meilleure de leurs joies, leur grande pureté, leur grande innocence, le ruissellement de fraîcheur où ils aimaient à tremper leur jeunesse. Ils possédaient la forêt, depuis les chênes énormes que dix hommes n'auraient pu embrasser, jusqu'aux bouleaux minces qu'un enfant aurait cassés d'un effort; la forêt avec tous ses arbres, toute son ombre, ses avenues, ses clairières, ses trous de verdure, inconnus aux oiseaux eux-mêmes; la forêt dont ils disposaient à leur guise, comme d'une tente géante, pour y abriter, à l'heure de midi, leur tendresse née du matin. Ils régnaient partout, même sur les rochers, sur les sources, sur ce sol terrible, aux plantes monstrueuses, qui avait tressailli sous le poids de leurs corps, et qu'ils aimaient, plus que les autres couches molles du jardin, pour l'étrange frisson qu'ils y avaient goûté. Ainsi, maintenant, en face, à gauche, à droite, ils étaient les maîtres, ils avaient conquis leur domaine, ils marchaient au milieu d'une nature amie, qui les connaissait, les saluant d'un rire au passage, s'offrant à leurs plaisirs, en servante soumise. Et ils jouissaient encore du ciel, du large pan bleu étalé au-dessus de leurs têtes; les murailles ne l'enfermaient pas, mais il appartenait à leurs yeux, il entrait dans leur bonheur de vivre, le jour avec son soleil triomphant, la nuit avec sa pluie chaude d'étoiles. Il les ravissait à toutes les minutes de la journée, changeant comme une chair vivante, plus blanc au matin qu'une fille à son lever, doré à midi d'un désir de fécondité, pâmé le soir dans la lassitude heureuse de ses tendresses. Jamais il n'avait le même visage. Chaque soir, surtout, il les émerveillait, à l'heure des adieux. Le soleil glissant à l'horizon trouvait toujours un nouveau sourire. Parfois, il s'en allait, au milieu d'une paix sereine, sans un nuage, noyé peu à peu dans un bain d'or. D'autres fois, il éclatait en rayons de pourpre, il crevait sa robe de vapeur, s'échappait en ondées de flammes qui barraient le ciel de queues de comètes gigantesques, dont les chevelures incendiaient les cimes des hautes futaies. Puis, c'étaient, sur des plages de sable rouge, sur des bancs allongés de corail rose, un coucher d'astre attendri, soufflant un à un ses rayons; ou encore un coucher discret, derrière quelque gros nuage, drapé comme un rideau d'alcôve de soie grise, ne montrant qu'une rougeur de veilleuse, au fond de l'ombre croissante; ou encore un coucher passionné, des blancheurs renversées, peu à peu saignantes sous le disque embrasé qui les mordait, finissant par rouler avec lui derrière l'horizon, au milieu d'un chaos de membres tordus qui s'écroulait dans de la lumière.

Les plantes seules n'avaient pas fait leur soumission. Albine et Serge marchaient royalement dans la foule des animaux qui leur rendaient obéissance. Lorsqu'ils traversaient le parterre, des vols de papillons se levaient pour le plaisir de leurs yeux, les éventaient de leurs ailes battantes, les suivaient comme le frisson vivant du soleil, comme des fleurs envolées secouant leur parfum. Au verger, ils se rencontraient, en haut des arbres, avec les oiseaux gourmands; les pierrots, les pinsons, les loriots, les bouvreuils, leur indiquaient les fruits les plus mûrs, tout cicatrisés des coups de leur bec; et il y avait là un vacarme d'écoliers en récréation, une gaieté turbulente de maraude, des bandes effrontées qui venaient voler des cerises à leurs pieds, pendant qu'ils déjeunaient, à califourchon sur les branches. Albine s'amusait plus encore dans les prairies, à prendre les petites grenouilles vertes accroupies le long des brins de jonc, avec leurs yeux d'or, leur douceur de bêtes contemplatives; tandis que, à l'aide d'une paille sèche, Serge faisait sortir les grillons de leurs trous, chatouillait le ventre des cigales pour les engager à chanter, ramassait des insectes bleus, des insectes roses, des insectes jaunes, qu'il promenait ensuite sur ses manches, pareils à des boutons de saphir, de rubis et de topaze; puis, là était la vie mystérieuse des rivières, les poissons à dos sombre filant dans la vague de l'eau, les anguilles devinées au trouble léger des herbes, le frai s'éparpillant au moindre bruit comme une fumée de sable noirâtre, les mouches montées sur de grands patins ridant la nappe morte de larges ronds argentés, tout ce pullulement silencieux qui les retenait le long des rives, leur donnait l'envie souvent de se planter, les jambes nues, au beau milieu du courant, pour sentir le glissement sans fin de ces millions d'existences. D'autres jours, les jours de langueur tendre, c'était sous les arbres de la forêt, dans l'ombre sonore, qu'ils allaient écouter les sérénades de leurs musiciens, la flûte de cristal des rossignols, la petite trompette argentine des mésanges, l'accompagnement lointain des coucous; ils s'émerveillaient du vol brusque des faisans, dont la queue mettait comme un rai de soleil au milieu des branches; ils s'arrêtaient, souriants, laissant passer à quelques pas une bande joueuse de jeunes chevreuils, ou des couples de cerfs sérieux qui ralentissaient leur trot pour les regarder. D'autres jours encore, lorsque le ciel brûlait, ils montaient sur les roches, ils prenaient plaisir aux nuées de sauterelles que leurs pieds faisaient lever des landes de thym, avec le crépitement d'un brasier qui s'effare; les couleuvres déroulées au bord des buissons roussis, les lézards allongés sur les pierres chauffées à blanc, les suivaient d'un œil amical; les flamants roses, qui trempaient leurs pattes dans l'eau des sources, ne s'envolaient pas à leur approche, rassurant par leur gravité confiante les poules d'eau assoupies au milieu du bassin.

Cette vie du parc, Albine et Serge ne la sentaient grandir autour d'eux que depuis le jour où ils s'étaient senti vivre eux-mêmes, dans un baiser. Maintenant, elle les assourdissait par instants, elle leur parlait une langue qu'ils n'entendaient pas, elle leur adressait des sollicitations, auxquelles ils ne savaient comment céder. C'étaient cette vie, toutes ces voix et ces chaleurs d'animaux, toutes ces odeurs et ces ombres de plantes, qui les troublaient, au point de les fâcher l'un contre l'autre. Et, cependant, ils ne trouvaient dans le parc qu'une familiarité affectueuse. Chaque herbe, chaque bestiole, leur devenaient des amies. Le Paradou était une grande caresse. Avant leur venue, pendant plus de cent ans, le soleil seul avait régné là, en maître libre, accrochant sa splendeur à chaque branche. Le jardin, alors, ne connaissait que lui. Il le voyait, tous les matins, sauter le mur de clôture de ses rayons obliques, s'asseoir d'aplomb à midi sur la terre pâmée, s'en aller le soir, à l'autre bout, en un baiser d'adieu rasant les feuillages. Aussi le jardin n'avait-il plus honte ; il accueillait Albine et Serge, comme il avait si longtemps accueilli le soleil, en bons enfants avec lesquels on ne se gêne pas. Les bêtes, les arbres, les eaux, les pierres restaient d'une extravagance adorable, parlant tout haut, vivant tout nus, sans un secret, étalant l'effronterie innocente, la belle tendresse des premiers jours du monde. Ce coin de nature riait discrètement des peurs d'Albine et de Serge, il se faisait plus attendri, déroulait sous leurs pieds ses couches de gazon les plus molles, rapprochait les arbustes pour leur ménager des sentiers étroits. S'il ne les avait pas encore jetés aux bras l'un de l'autre, c'était qu'il se plaisait à promener leurs désirs, à s'égayer de leurs baisers maladroits, sonnant sous les ombrages comme des cris d'oiseaux courroucés. Mais eux, souffrant de la grande volupté qui les entourait, maudissaient le jardin. L'après-midi où Albine avait tant pleuré, à la suite de leur promenade dans les rochers, elle avait crié au Paradou, en le sentant si vivant et si brûlant autour d'elle :

— Si tu es notre ami, pourquoi nous désoles-tu ?

14

Dès le lendemain, Serge se barricada dans sa chambre. L'odeur du parterre l'exaspérait. Il tira les rideaux de calicot, pour ne plus voir le parc, pour l'empêcher d'entrer chez lui. Peut-être retrouverait-il la paix de l'enfance, loin de ces verdures, dont l'ombre était comme un frôlement sur sa peau. Puis, dans leurs longues heures de tête-à-tête, Albine et lui ne parlèrent plus ni des roches, ni des eaux, ni des arbres, ni du ciel. Le Paradou n'existait plus. Ils tâchaient de l'oublier. Et il les sentait quand même là, tout-puissant, énorme, derrière les rideaux minces ; des odeurs d'herbe pénétraient par les fentes des boiseries ; des voix prolongées faisaient sonner les vitres ; toute la vie du dehors riait, chuchotait, embusquée sous les fenêtres, Alors, pâlissants, ils haussaient la voix, ils cherchaient quelque distraction qui leur permît de ne pas entendre.

— Tu n'as pas vu ? dit Serge un matin, dans une de ces heures de trouble ; il y a là, au-dessus de la porte, une femme peinte qui te ressemble.

Il riait bruyamment. Et ils revinrent aux peinturés ; ils traînèrent de nouveau la table le long des murs, cherchant à s'occuper.

— Oh ! non, murmura Albine, elle est bien plus grosse que moi. Puis, on ne peut pas savoir : elle est si drôlement couchée, la tête en bas !

Ils se turent. De là peinture déteinte, mangée par le temps, se levait une scène qu'ils n'avaient point encore aperçue. C'était une résurrection de chairs tendres sortant du gris de la muraille, une image ravivée, dont les détails semblaient reparaître un à un, dans la chaleur de l'été. La femme couchée se renversait sous l'étreinte d'un faune aux pieds de bouc. On distinguait nettement les bras rejetés, le torse abandonné, la taille roulante de cette grande fille nue, surprise sur des gerbes de fleurs, fauchées par de petits Amours, qui, la faucille en main, ajoutaient sans cesse à la couche de nouvelles poignées de roses. On distinguait aussi l'effort du faune, sa poitrine soufflante qui s'abattait, Puis, à l'autre bout, il n'y avait plus que les deux pieds de la femme, lancés en l'air, s'envolant comme deux colombes roses.

— Non, répéta Albine, elle ne me ressemble pas... Elle est laide.

Serge ne dit rien. Il regardait la femme, il regardait Albine, ayant l'air de comparer. Celle-ci retroussa une de ses manches jusqu'à l'épaule, pour montrer qu'elle avait le bras plus blanc. Et ils se turent une seconde fois, revenant à la peinture, ayant sur les lèvres des questions qu'ils ne voulaient pas se faire. Les larges yeux bleus d'Albine se posèrent un instant sur les yeux gris de Serge, où luisait une flamme.

— Tu as donc repeint toute la chambre ? s'écriat-elle, en sautant de la table. On dirait que ce monde-là se réveille.

Ils se mirent à rire, mais d'un rire inquiet, avec des coups d'œil jetés aux Amours qui polissonnaient et aux grandes nudités étalant des corps presque entiers. Ils voulurent tout revoir, par bravade, s'étonnant à chaque panneau, s'appelant pour se montrer des membres de personnages qui n'étaient certainement pas là le mois passé. C'étaient des reins souples pliés sur des bras nerveux, des jambes se dessinant jusqu'aux hanches, des femmes reparues dans des embrassades d'hommes, dont les mains élargies ne serraient auparavant que le vide. Les Amours de plâtre de l'alcôve semblaient eux-même se culbuter avec une effronterie plus libre. Et Albine ne parlait plus d'enfants qui jouaient, Serge ne hasardait plus des hypothèses à voix haute. Ils devenaient graves, ils s'attardaient devant les scènes, souhaitant que la peinture retrouvât d'un coup tout son éclat, alanguis et troublés davantage par les derniers voiles qui cachaient les crudités des tableaux. Ces revenants de la volupté achevaient de leur apprendre la science d'aimer.

Mais Albine s'effraya. Elle échappa à Serge dont elle sentait le souffle plus chaud sur son cou. Elle vint s'asseoir à un bout du canapé, en murmurant :

— Ils me font peur, à la fin. Les hommes ressemblent à des bandits, les femmes ont des yeux mourants de personnes qu'on tue.

Serge se mit à quelques pas d'elle, dans un fauteuil, parlant d'autre chose. Ils étaient très las tous les deux, comme s'ils avaient fait une longue course. Et ils éprouvaient un malaise, à croire que les peintures les regardaient. Les grappes d'Amours roulaient hors des lambris, avec un tapage de chairs amoureuses, une débandade de gamins éhontés leur jetant leurs fleurs, les menaçant de les lier ensemble, à l'aide des faveurs bleues dont ils enchaînaient étroitement deux amants, dans un coin du plafond. Les couples s'animaient, déroulaient l'histoire de cette grande fille nue aimée d'un faune, qu'ils pouvaient reconstruire depuis le guet du faune derrière un buisson de roses, jusqu'à l'abandon de la grande fille au milieu des roses effeuillées. Est-ce qu'ils allaient tous descendre ? N'était-ce pas eux qui soupiraient déjà, et dont l'haleine emplissait la chambre de l'odeur d'une volupté ancienne ?

— On étouffe, n'est-ce pas ? dit Albine. J'ai eu beau donner de l'air, la chambre a toujours senti le vieux.

— L'autre nuit, raconta Serge, j'ai été éveillé par un parfum si pénétrant, que je t'ai appelée, croyant que tu venais d'entrer dans la chambre. On aurait dit la tiédeur de tes cheveux, lorsque tu piques

dedans des brins d'héliotrope... Les premiers jours, cela arrivait de loin, comme un souvenir d'odeur. Mais à présent, je ne puis plus dormir, l'odeur grandit jusqu'à me suffoquer. Le soir surtout, l'alcôve est si chaude, que je finirai par coucher sur le canapé.

Albine mit un doigt à ses lèvres, murmurant :

— C'est la morte, tu sais, celle qui a vécu ici.

Ils allèrent flairer l'alcôve, plaisantant, très sérieux au fond. Assurément, jamais l'alcôve n'avait exhalé une senteur si troublante. Les murs semblaient encore frissonnants d'un frôlement de jupe musquée. Le parquet avait gardé la douceur embaumée de deux pantoufles de satin tombées devant le lit. Et, sur le lit lui-même, contre le bois du chevet, Serge prétendait retrouver l'empreinte d'une petite main, qui avait laissé là son parfum persistant de violette. De tous les meubles, à cette heure, se levait le fantôme odorant de la morte.

— Tiens ! voilà le fauteuil où elle devait s'asseoir, cria Albine. On sent ses épaules, dans le dossier.

Et elle s'assit elle-même, elle dit à Serge de se mettre à genoux pour lui baiser la main.

— Tu te souviens, le jour où je t'ai reçu, en te disant : « Bonjour, mon cher seigneur... » Mais ce n'était pas tout, n'est-ce pas ? Il lui baisait les mains, quand ils avaient refermé la porte... Les voilà, mes mains. Elles sont à toi.

Alors, ils tentèrent de recommencer leurs anciens jeux, pour oublier le Paradou dont ils entendaient le grand rire croissant, pour ne plus voir les peintures, pour ne plus céder aux langueurs de l'alcôve. Albine faisait des mines, se renversait, riait de la figure sotte que Serge avait à ses pieds.

— Gros bêta, prends-moi la taille, dis-moi des choses aimables, puisque tu es censé mon amoureux... Tu ne sais donc pas m'aimer ?

Mais dès qu'il la tenait, qu'il la soulevait brutalement, elle se débattait, elle s'échappait, toute fâchée.

— Non, laisse-moi, je ne veux pas !... On meurt dans cette chambre.

A partir de ce jour, ils eurent peur de la chambre, de même qu'ils avaient peur du jardin. Leur dernier asile devenait un lieu redoutable, où ils ne pouvaient se trouver ensemble, sans se surveiller d'un regard furtif. Albine n'y entrait presque plus ; elle restait sur le seuil, la porte grande ouverte derrière elle, comme pour se ménager une fuite prompte. Serge y vivait seul, dans une anxiété douloureuse, étouffant davantage, couchant sur le canapé, tâchant d'échapper aux soupirs du parc, aux odeurs des vieux meubles. La nuit, les nudités des peintures lui donnaient des rêves fous, dont il ne gardait au réveil qu'une inquiétude nerveuse. Il se crut malade de nouveau; sa santé avait un dernier besoin pour se rétablir complètement, le besoin d'une plénitude suprême, d'une satisfaction entière qu'il ne savait où aller chercher. Alors, il passa ses journées, silencieux, les yeux meurtris, ne s'éveillant d'un léger tressaillement qu'aux heures où Albine venait le voir. Ils demeuraient en face l'un de l'autre, à se regarder gravement, avec de rares paroles très douces, qui les navraient. Les yeux d'Albine étaient encore plus meurtris que ceux de Serge, et ils l'imploraient.

Puis, au bout d'une semaine, Albine ne resta plus que quelques minutes. Elle paraissait l'éviter. Elle arrivait, toute soucieuse, se tenait debout, avait hâte de sortir. Quand il l'interrogeait, lui reprochant de n'être plus son amie, elle détournait la tête, pour ne pas avoir à répondre. Jamais elle ne voulait lui conter l'emploi des matinées qu'elle vivait loin de lui. Elle secouait la tête d'un air gêné, parlait de sa paresse. S'il la pressait davantage, elle se retirait d'un bond, lui jetant le soir un simple adieu au travers de la porte. Cependant, lui, voyait bien qu'elle devait pleurer souvent. Il suivait sur son visage les phases d'un espoir toujours déçu, la continuelle révolte d'un désir acharné à se satisfaire. Certains jours, elle était mortellement triste, la face découragée, avec une marche lente qui hésitait à tenter plus longtemps la joie de vivre. D'autres jours, elle avait des rires contenus, la figure rayonnante d'une pensée de triomphe, dont elle ne voulait pas parler encore, les pieds inquiets, ne pouvant tenir en place, ayant hâte de courir à une dernière certitude. Et, le lendemain, elle retombait à ses désolations, pour se remettre à espérer le jour suivant. Mais ce qu'il lui devint bientôt impossible de cacher, ce fut une immense fatigue, une lassitude qui lui brisait les membres. Même aux instants de confiance, elle fléchissait, elle glissait au sommeil, les yeux ouverts.

Serge avait cessé de la questionner, comprenant qu'elle ne voulait pas répondre. Maintenant, dès qu'elle entrait, il la regardait avec anxiété, craignant qu'elle n'eût plus la force un soir de revenir jusqu'à lui. Où pouvait-elle se lasser ainsi? Quelle lutte de chaque heure la rendait si désolée et si heureuse? Un matin, un léger pas qu'il entendit sous ses fenêtres le fit tressaillir. Ce ne pouvait être un chevreuil qui se hasardait de la sorte. Il connaissait trop bien ce pas rythmé dont les herbes n'avaient pas à souffrir. Albine courait sans lui le Paradou. C'était du Paradou qu'elle lui rapportait des découragements, qu'elle lui rapportait des espérances, tout ce combat, toute cette lassitude dont elle se

mourait. Et il se doutait bien de ce qu'elle cherchait, seule, au fond des feuillages, sans une parole, avec un entêtement muet de femme qui s'est juré de trouver. Dès lors, il écouta son pas. Il n'osait soulever le rideau, la suivre de loin à travers les branches; mais il goûtait une singulière émotion, presque douloureuse, à savoir si elle allait à gauche ou à droite, si elle s'enfonçait dans le parterre, et jusqu'où elle poussait ses courses. Au milieu de la vie bruyante du parc, de la voix roulante des arbres, du ruissellement des eaux, de la chanson continue des bêtes, il distinguait le petit bruit de ses bottines, si nettement, qu'il aurait pu dire si elle marchait sur le gravier des rivières, ou sur la terre émiettée de la forêt, ou sur les dalles des roches nues. Même, il en arriva à reconnaître, au retour, les joies ou les tristesses d'Albine au choc nerveux de ses talons. Dès qu'elle montait l'escalier, il quittait la fenêtre, il ne lui avouait pas qu'il l'avait ainsi accompagnée partout. Mais elle avait dû deviner sa complicité, car elle lui contait ses recherches, désormais, d'un regard.

— Reste, ne sors plus, lui dit-il à mains jointes, un matin qu'il la voyait essoufflée encore de la veille. Tu me désespères.

Elle s'échappa, irritée. Lui, commençait à souffrir davantage de ce jardin tout sonore des pas d'Albine. Le petit bruit des bottines était une voix de plus qui l'appelait, une voix dominante dont le retentissement grandissait en lui. Il se ferma les oreilles, il ne voulut plus entendre, et le pas, au loin, gardait un écho, dans le battement de son cœur. Puis, le soir, lorsqu'elle revenait, c'était tout le parc qui rentrait derrière elle, avec les souvenirs de leurs promenades, le lent éveil de leurs tendresses, au milieu de la nature complice. Elle semblait plus grande, plus grave, comme mûrie par ses courses solitaires. Il ne restait rien en elle de l'enfant joueuse, tellement qu'il claquait des dents parfois, en la regardant, à la voir si désirable.

Ce fut un jour, vers midi, que Serge entendit Albine revenir au galop. Il s'était défendu de l'écouter, lorsqu'elle était partie. D'ordinaire, elle ne rentrait que tard. Et il demeura surpris des sauts qu'elle devait faire, allant droit devant elle, brisant les branches qui barraient les sentiers.

En bas, sous les fenêtres, elle riait. Lorsqu'elle fut dans l'escalier, elle soufflait si fortement, qu'il crut sentir la chaleur de son haleine sur son visage. Et elle ouvrit la porte toute grande, elle cria:

— J'ai trouvé!

Elle s'était assise, elle répétait doucement, d'une voix suffoquée:

— J'ai trouvé! j'ai trouvé!

Mais Serge lui mit la main sur les lèvres, éperdu, balbutiant :

— Je t'en prie, ne me dis rien. Je ne veux rien savoir. Cela me tuerait, si tu parlais.

Alors, elle se tut, les yeux ardents, serrant les lèvres pour que les paroles n'en jaillissent pas malgré elle. Et elle resta dans la chambre jusqu'au soir, cherchant le regard de Serge, lui confiant un peu de ce qu'elle savait, dès qu'elle parvenait à le rencontrer. Elle avait comme de la lumière sur la face. Elle sentait si bon, elle était si sonore de vie, qu'il la respirait, qu'elle entrait en lui autant par l'ouïe que par la vue. Tous ses sens la buvaient. Et il se défendait désespérément contre cette lente possession de son être.

Le lendemain, lorsqu'elle fut descendue, elle s'installa de même dans la chambre.

— Tu ne sors pas ? demanda-t-il, se sentant vaincu, si elle demeurait là.

Elle répondit que non, qu'elle ne sortirait plus. A mesure qu'elle se délassait, il la sentait plus forte, plus triomphante. Bientôt elle pourrait le prendre par le petit doigt, le mener à cette couche d'herbe, dont son silence contait si haut la douceur. Ce jour-là, elle ne parla pas encore, elle se contenta de l'attirer à ses pieds, assis sur un coussin. Le jour suivant seulement, elle se hasarda à dire :

— Pourquoi t'emprisonnes-tu ici ? Il fait si bon sous les arbres !

Il se souleva, les bras tendus, suppliant. Mais elle riait.

— Non, non, nous n'irons pas, puisque tu ne veux pas... C'est cette chambre qui a une si singulière odeur ! Nous serions mieux dans le jardin, plus à l'aise, plus à l'abri. Tu as tort d'en vouloir au jardin.

Il s'était remis à ses pieds, muet, les paupières baissées, avec des frémissements qui lui couraient sur la face.

— Nous n'irons pas, reprit-elle, ne te fâche pas. Mais est-ce que tu ne préfères pas les herbes du parc à ces peintures ? Tu te rappelles tout ce que nous avons vu ensemble... Ce sont ces peintures qui nous attristent. Elles sont gênantes, à nous regarder toujours.

Et comme il s'abandonnait peu à peu contre elle, elle lui passa un bras au cou, elle lui renversa la tête sur ses genoux, murmurant encore, à voix basse :

— C'est comme cela qu'on serait bien, dans un coin que je connais. Là, rien ne nous troublerait. Le grand air guérirait ta fièvre.

Elle se tut, sentant qu'il frissonnait. Elle craignait qu'un mot trop vif ne le rendît à ses terreurs. Lentement, elle le conquérait, rien qu'à promener sur son visage la caresse bleue de son regard. Il avait relevé les paupières, il reposait sans tressaillements nerveux, tout à elle.

— Ah! si tu savais! souffla-t-elle doucement à son oreille.

Elle s'enhardit, en voyant qu'il ne cessait pas de sourire.

— C'est un mensonge, ce n'est pas défendu, murmura-t-elle. Tu es un homme, tu ne dois pas avoir peur... Si nous allions là, et que quelque danger me menaçât, tu me défendrais, n'est-ce pas ? Tu saurais bien m'emporter à ton cou ? Moi, je suis tranquille, quand je suis avec toi... Vois donc comme tu as des bras forts. Est-ce qu'on redoute quelque chose, lorsqu'on a des bras aussi forts que les tiens [71] !

D'une main, elle le flattait, longuement, sur les cheveux, sur la nuque, sur les épaules.

— Non, ce n'est pas défendu, reprit-elle. Cette histoire-là est bonne pour les bêtes. Ceux qui l'ont répandue, autrefois, avaient intérêt à ce qu'on n'allât pas les déranger dans l'endroit le plus délicieux du jardin... Dis-toi que, dès que tu seras assis sur ce tapis d'herbe, tu seras parfaitement heureux. Alors seulement nous connaîtrons tout, nous serons les vrais maîtres... Écoute-moi, viens avec moi.

Il refusa de la tête, mais sans colère, en homme que ce jeu amusait. Puis, au bout d'un silence, désolé de la voir bouder, voulant qu'elle le caressât encore, il ouvrit enfin les lèvres, il demanda :

— Où est-ce ?

Elle ne répondit pas d'abord. Elle semblait regarder au loin.

— C'est là-bas, murmura-t-elle. Je ne puis pas t'indiquer. Il faut suivre la longue allée, puis on tourne à gauche, et encore à gauche. Nous avons dû passer à côté vingt fois... Va, tu aurais beau chercher, tu ne trouverais pas, si je ne t'y menais par la main. Moi, j'irais tout droit, bien qu'il me soit impossible de t'enseigner le chemin.

— Et qui t'a conduite ?

— Je ne sais pas... Les plantes, ce matin-là, avaient toutes l'air de me pousser de ce côté. Les branches longues me fouettaient par-derrière, les herbes ménageaient des pentes, les sentiers s'offraient d'eux-mêmes. Et je crois que les bêtes s'en mêlaient aussi, car j'ai vu un cerf qui galopait devant moi comme pour m'inviter à le suivre, tandis qu'un vol de bouvreuils allait d'arbre en arbre, m'avertissant

71. Albine rejoue pour Serge le jeu d'Ève vis-à-vis d'Adam dans le Paradis terrestre.

par de petits cris, lorsque j'étais tentée de prendre une mauvaise route.

— Et c'est très beau ?

De nouveau, elle ne répondit pas. Une profonde extase noyait ses yeux. Et quand elle put parler :

— Beau comme je ne saurais le dire... J'ai été pénétrée d'un tel charme, que j'ai eu simplement conscience d'une joie sans nom, tombant des feuillages, dormant sur les herbes. Et je suis revenue en courant, pour te ramener avec moi, pour ne pas goûter sans toi le bonheur de m'asseoir dans cette ombre.

Elle lui reprit le cou entre ses bras, le suppliant ardemment de tout près, les lèvres presque sur ses lèvres.

— Oh! tu viendras, balbutia-t-elle. Songe que je vivrais désolée, si tu ne venais pas... C'est une envie que j'ai, un besoin lointain, qui a grandi chaque jour, qui maintenant me fait souffrir. Tu ne peux pas vouloir que je souffre ?... Et quand même tu devrais en mourir, quand même cette ombre nous tuerait tous les deux, est-ce que tu hésiterais, est-ce que tu aurais le moindre regret ? Nous resterions couchés ensemble, au pied de l'arbre; nous dormirions toujours, l'un contre l'autre. Cela serait très bon, n'est-ce pas ?

— Oui, oui, bégaya-t-il, gagné par l'affolement de cette passion toute vibrante de désir.

— Mais nous ne mourrons pas, continua-t-elle, haussant la voix, avec un rire de femme victorieuse; nous vivrons pour nous aimer... C'est un arbre de vie, un arbre sous lequel nous serons plus forts, plus sains, plus parfaits. Tu verras, tout nous deviendra aisé. Tu pourras me prendre ainsi que tu rêvais de le faire, si étroitement, que pas un bout de mon corps ne sera hors de toi. Alors, j'imagine quelque chose de céleste qui descendra en nous... Veux-tu ?

Il pâlissait, il battait des paupières, comme si une grande clarté l'eût gêné.

— Veux-tu ? veux-tu ? répéta-t-elle, plus brûlante, déjà soulevée à demi.

Il se mit debout, il la suivit, chancelant d'abord, puis attaché à sa taille, ne pouvant se séparer d'elle. Il allait où elle allait, entraîné dans l'air chaud coulant de sa chevelure. Et comme il venait un peu en arrière, elle se tournait à demi; elle avait un visage tout luisant d'amour, une bouche et des yeux de tentation, qui l'appelaient, avec un tel empire, qu'il l'aurait ainsi accompagnée partout, en chien fidèle.

15

Ils descendirent, ils marchèrent au milieu du jardin, sans que Serge cessât de sourire. Il n'aperçut les verdures que dans les miroirs clairs des yeux d'Albine. Le jardin, en les voyant, avait eu comme un rire prolongé, un murmure satisfait volant de feuille en feuille, jusqu'au bout des avenues les plus profondes. Depuis des journées, il devait les attendre, ainsi liés à la taille, réconciliés avec les arbres, cherchant sur les couches d'herbe leur amour perdu. Un chut solennel courut sous les branches. Le ciel de deux heures avait un assoupissement de brasier. Des plantes se haussaient pour les regarder passer.

— Les entends-tu ? demandait Albine à demi-voix. Elles se taisent quand nous approchons. Mais, au loin, elles nous attendent, elles se confient de l'une à l'autre le chemin qu'elles doivent nous indiquer... Je t'avais bien dit que nous n'aurions pas à nous inquiéter des sentiers. Ce sont les arbres qui me montrent la route, de leurs bras tendus.

En effet, le parc entier les poussait doucement. Derrière eux, il semblait qu'une barrière de buissons se hérissât, pour les empêcher de revenir sur leurs pas; tandis que, devant eux, le tapis des gazons se déroulait, si aisément, qu'ils ne regardaient même plus à leurs pieds, s'abandonnant aux pentes douces des terrains.

— Et les oiseaux nous accompagnent, reprenait Albine. Ce sont des mésanges, cette fois. Les vois-tu ?... Elles filent le long des haies, elles s'arrêtent à chaque détour, pour veiller à ce que nous ne nous égarions pas. Ah! si nous comprenions leur chant, nous saurions qu'elles nous invitent à nous hâter.

Puis, elle ajoutait :

— Toutes les bêtes du parc sont avec nous. Ne les sens-tu pas ? Il y a un grand frôlement qui nous suit : ce sont les oiseaux dans les arbres, les insectes dans les herbes, les chevreuils et les cerfs dans les taillis, et jusqu'aux poissons, dont les nageoires battent les eaux muettes... Ne te retourne pas, cela les effrayerait; mais je suis sûre que nous avons un beau cortège.

Cependant, ils marchaient toujours, d'un pas sans fatigue. Albine ne parlait que pour charmer Serge de la musique de sa voix. Serge obéissait à la moindre pression de la main d'Albine. Ils ignoraient l'un et l'autre où ils passaient, certains d'aller droit où ils voulaient aller. Et, à mesure qu'ils avançaient, le jardin se faisait plus discret, retenait le soupir de ses ombrages, le bavardage de ses eaux, la vie

ardente de ses bêtes. Il n'y avait plus qu'un grand silence frissonnant, une attente religieuse.

Alors, instinctivement, Albine et Serge levèrent la tête. En face d'eux était un feuillage colossal. Et, comme ils hésitaient, un chevreuil, qui les regardait de ses beaux yeux doux, sauta d'un bond dans le taillis.

— C'est là, dit Albine.

Elle s'approcha la première, la tête de nouveau tournée, tirant à elle Serge; puis, ils disparurent derrière le frisson des feuilles remuées, et tout se calma. Ils entraient dans une paix délicieuse.

C'était, au centre, un arbre noyé d'une ombre si épaisse, qu'on ne pouvait en distinguer l'essence. Il avait une taille géante, un tronc qui respirait comme une poitrine, des branches qu'il étendait au loin, pareilles à des membres protecteurs. Il semblait bon, robuste, puissant, fécond; il était le doyen du jardin, le père de la forêt, l'orgueil des herbes, l'ami du soleil qui se levait et se couchait chaque jour sur sa cime. De sa voûte verte, tombait toute la joie de la création : des odeurs de fleurs, des chants d'oiseaux, des gouttes de lumière, des réveils frais d'aurore, des tiédeurs endormies de crépuscule. Sa sève avait une telle force, qu'elle coulait de son écorce; elle le baignait d'une buée de fécondation; elle faisait de lui la virilité même de la terre. Et il suffisait à l'enchantement de la clairière. Les autres arbres, autour de lui, bâtissaient le mur impénétrable qui l'isolait au fond d'un tabernacle de silence et de demi-jour; il n'y avait là qu'une verdure, sans un coin de ciel, sans une échappée d'horizon, qu'une rotonde, drapée partout de la soie attendrie des feuilles, tendue à terre du velours satiné des mousses. On y entrait comme dans le cristal d'une source, au milieu d'une limpidité verdâtre, nappe d'argent assoupie sous un reflet de roseaux. Couleurs, parfums, sonorités, frissons, tout restait vague, transparent, innommé, pâmé d'un bonheur allant jusqu'à l'évanouissement des choses. Une langueur d'alcôve, une lueur de nuit d'été mourant sur l'épaule nue d'une amoureuse, un balbutiement d'amour à peine distinct, tombant brusquement à un grand spasme muet, traînaient dans l'immobilité des branches, que pas un souffle n'agitait. Solitude nuptiale, toute peuplée d'êtres embrassés, chambre vide, où l'on sentait quelque part, derrière des rideaux tirés, dans un accouplement ardent, la nature assouvie aux bras du soleil. Par moments, les reins de l'arbre craquaient; ses membres se roidissaient comme ceux d'une femme en couches; la sueur de vie qui coulait de son écorce pleuvait plus largement sur les gazons d'alentour,

exhalant la mollesse d'un désir, noyant l'air d'abandon, pâlissant la clairière d'une jouissance. L'arbre alors défaillait avec son ombre, ses tapis d'herbe, sa ceinture d'épais taillis. Il n'était plus qu'une volupté.

Albine et Serge restaient ravis. Dès que l'arbre les eut pris sous la douceur de ses branches, ils se sentirent guéris de l'anxiété intolérable dont ils avaient souffert. Ils n'éprouvaient plus cette peur qui les faisait se fuir, ces luttes chaudes, désespérées, dans lesquelles ils se meurtrissaient, sans savoir contre quel ennemi ils résistaient si furieusement. Au contraire, une confiance absolue, une sérénité suprême les emplissaient; ils s'abandonnaient l'un à l'autre, glissant lentement au plaisir d'être ensemble, très loin, au fond d'une retraite miraculeusement cachée. Sans se douter encore de ce que le jardin exigeait d'eux, ils se laissaient libre de disposer de leur tendresse; ils attendaient, sans trouble, que l'arbre leur parlât. L'arbre les mettait dans un aveuglement d'amour tel, que la clairière disparaissait, immense, royale, n'ayant plus qu'un bercement d'odeur.

Ils s'étaient arrêtés, avec un léger soupir, saisis par la fraîcheur musquée.

— L'air a le goût d'un fruit, murmura Albine.

Serge, à son tour, dit très bas :

— L'herbe est si vivante, que je crois marcher sur un coin de ta robe.

Ils baissaient la voix par un sentiment religieux. Ils n'eurent pas même la curiosité de regarder en l'air, pour voir l'arbre. Ils en sentaient trop la majesté sur leurs épaules. Albine, d'un regard, demandait si elle avait exagéré l'enchantement des verdures. Serge répondait par deux larmes claires, qui coulaient sur ses joues. Leur joie d'être enfin là restait indicible.

— Viens, dit-elle à son oreille, d'une voix plus légère qu'un souffle.

Et elle alla, la première, se coucher au pied même de l'arbre. Elle lui tendit les mains avec un sourire, tandis que lui, debout, souriait aussi, en lui donnant les siennes. Lorsqu'elle les tint, elle l'attira à elle, lentement. Il tomba à son côté. Il la prit tout de suite contre sa poitrine. Cette étreinte les laissa pleins d'aise.

— Ah! tu te rappelles, dit-il, ce mur qui semblait nous séparer... Maintenant, je te sens, il n'y a plus rien entre nous... Tu ne souffres pas ?

— Non, non, répondit-elle. Il fait bon.

Ils gardèrent le silence, sans se lâcher. Une émotion délicieuse, sans secousse, douce comme une nappe de lait répandue, les envahissait. Puis, Serge

L'arbre, par Bresdin (1861). L'inspiration étrange et poétique du graveur rejoint ici celle du romancier naturaliste.

promena les mains le long du corps d'Albine. Il répétait :

— Ton visage est à moi, tes yeux, ta bouche, tes joues... Tes bras sont à moi, depuis tes ongles jusqu'à tes épaules... Tes pieds sont à moi, tes genoux sont à moi, toute ta personne est à moi.

Et il lui baisait le visage, sur les yeux, sur la bouche, sur les joues. Il lui baisait les bras, à petits baisers rapides, remontant des doigts jusqu'aux épaules. Il lui baisait les pieds, il lui baisait les genoux. Il la baignait d'une pluie de baisers, tombant à larges gouttes, tièdes comme les gouttes d'une averse d'été, partout, lui battant le cou, les seins, les hanches, les flancs. C'était une prise de possession sans emportement, continue, conquérant les plus petites veines bleues sous la peau rose.

— C'est pour me donner que je te prends, reprit-il. Je veux me donner à toi tout entier, à jamais ; car, je le sais bien à cette heure, tu es ma maîtresse, ma souveraine, celle que je dois adorer à genoux. Je ne suis ici que pour t'obéir, pour rester à tes pieds, guettant tes volontés, te protégeant de mes bras étendus, écartant du souffle les feuilles volantes qui troubleraient ta paix... Oh ! daigne permettre que je disparaisse, que je m'absorbe dans ton être, que je sois l'eau que tu bois, le pain que tu manges. Tu es ma fin. Depuis que je me suis éveillé au milieu de ce jardin, j'ai marché à toi, j'ai grandi pour toi. Toujours, comme but, comme récompense, j'ai vu ta grâce. Tu passais dans le soleil, avec ta chevelure d'or ; tu étais une promesse m'annonçant que tu me ferais connaître, un jour, la nécessité de cette création, de cette terre, de ces arbres, de ces eaux, de ce ciel, dont le mot suprême m'échappe encore... Je t'appartiens, je suis esclave, je t'écouterai, les lèvres sur tes pieds [72].

Il disait ces choses, courbé à terre, adorant la femme. Albine, orgueilleuse, se laissait adorer. Elle tendait les doigts, les seins, les lèvres, aux baisers dévots de Serge. Elle se sentait reine, à le regarder si fort et si humble devant elle. Elle l'avait vaincu, elle le tenait à sa merci, elle pouvait d'un seul mot disposer de lui. Et ce qui la rendait toute-puissante, c'était qu'elle entendait autour d'eux le jardin se réjouir de son triomphe, l'aider d'une clameur lentement grossie.

Serge n'avait plus que des balbutiements. Ses baisers s'égaraient. Il murmura encore :

— Ah ! je voudrais savoir... Je voudrais te prendre, te garder, mourir peut-être, ou nous envoler, je ne puis pas dire...

Tous deux, renversés, restèrent muets, perdant

haleine, la tête roulante. Albine eut la force de lever un doigt, comme pour inviter Serge à écouter.

C'était le jardin qui avait voulu la faute [73]. Pendant des semaines, il s'était prêté au lent apprentissage de leur tendresse. Puis, au dernier jour, il venait de les conduire dans l'alcôve verte. Maintenant, il était le tentateur, dont toutes les voix enseignaient l'amour. Du parterre, arrivaient des odeurs de fleurs pâmées, un long chuchotement, qui contait les noces des roses, les voluptés des violettes ; et jamais les sollicitations des héliotropes n'avaient eu une ardeur plus sensuelle. Du verger, c'étaient des bouffées de fruits mûrs que le vent apportait, une senteur grasse de fécondité, la vanille des abricots, le musc des oranges. Les prairies élevaient une voix plus profonde, faite des soupirs des millions d'herbes que le soleil baisait, large plainte d'une foule innombrable en rut, qu'attendrissaient les caresses fraîches des rivières, les nudités des eaux courantes, au bord desquelles les saules rêvaient tout haut de désir. La forêt soufflait la passion géante des chênes, les chants d'orgue des hautes futaies, une musique solennelle, menant le mariage des frênes, des bouleaux, des charmes, des platanes, au fond des sanctuaires de feuillage ; tandis que les buissons, les jeunes taillis étaient pleins d'une polissonnerie adorable, d'un vacarme d'amants se poursuivant, se jetant au bord des fossés, se volant le plaisir, au milieu d'un grand froissement de branches. Et, dans cet accouplement du parc entier, les étreintes les plus rudes s'entendaient au loin, sur les roches, là où la chaleur faisait éclater les pierres gonflées de passion, où les plantes épineuses aimaient d'une façon tragique, sans que les sources voisines pussent les soulager, tout allumées elles-mêmes par l'astre qui descendait dans leur lit.

— Que disent-ils ? murmura Serge, éperdu. Que veulent-ils de nous, à nous supplier ainsi ?

Albine, sans parler, le serra contre elle.

Les voix étaient devenues plus distinctes. Les bêtes du jardin, à leur tour, leur criaient de s'aimer. Les cigales chantaient de tendresse à en mourir. Les papillons éparpillaient des baisers, aux battements de leurs ailes. Les moineaux avaient des caprices d'une seconde, des caresses de sultans vivement promenées au milieu d'un sérail. Dans les eaux claires, c'étaient des pâmoisons de poissons déposant leur frai au soleil, des appels ardents et mélancoliques de grenouilles, toute une passion mysté-

---

72. Cette adoration de la femme est presque mystique : Serge s'adressait naguère de la même façon à la Vierge. C'est pourquoi il ne pourra plus, après son retour, prier la Vierge.

73. Comme dans la Bible encore, mais, ici, Zola veut souligner la victoire de la nature.

rieuse, monstrueusement assouvie dans la fadeur glauque des roseaux. Au fond des bois, les rossignols jetaient des rires perlés de volupté, les cerfs bramaient, ivres d'une telle concupiscence, qu'ils expiraient de lassitude à côté des femelles presque éventrées. Et, sur les dalles des rochers, au bord des buissons maigres, des couleuvres, nouées deux à deux, sifflaient avec douceur ; tandis que de grands lézards couvaient leurs œufs, l'échine vibrante, d'un léger ronflement d'extase. Des coins les plus reculés, des nappes de soleil, des trous d'ombre, une odeur animale montait, chaude du rut universel. Toute cette vie pullulante avait un frisson d'enfantement. Sous chaque feuille, un insecte concevait ; dans chaque touffe d'herbe, une famille poussait ; des mouches volantes, collées l'une à l'autre, n'attendaient pas de s'être posées pour se féconder. Les parcelles de vie invisibles qui peuplent la matière, les atomes de la matière eux-mêmes, aimaient, s'accouplaient, donnaient au sol un branle vo-luptueux, faisaient du parc une grande fornication.

Alors, Albine et Serge entendirent. Il ne dit rien, il la lia de ses bras, toujours plus étroitement. La fatalité de la génération les entourait. Ils cédèrent aux exigences du jardin. Ce fut l'arbre qui confia à l'oreille d'Albine ce que les mères murmurent aux épousées, le soir des noces.

Albine se livra. Serge la posséda.

Et le jardin entier s'abîma avec le couple, dans un dernier cri de passion. Les troncs se ployèrent comme sous un grand vent ; les herbes laissèrent échapper un sanglot d'ivresse ; les fleurs, évanouies, les lèvres ouvertes, exhalèrent leur âme ; le ciel lui-même, tout embrasé d'un coucher d'astre, eut des nuages immobiles, des nuages pâmés, d'où tombait un ravissement surhumain. Et c'était une victoire pour les bêtes, les plantes, les choses, qui avaient voulu l'entrée de ces deux enfants dans l'éternité de la vie. Le parc applaudissait formidablement [74].

74. Notation dans le ton du Hugo de *la Légende des Siècles.*

Cézanne peignit *l'Enlèvement* lors d'un séjour à Paris, rue La Condamine, en 1866, et donna le tableau à Zola qui l'avait sous les yeux lorsqu'il écrivait *la Faute de l'abbé Mouret.*

16

Lorsque Albine et Serge s'éveillèrent de la stupeur de leur félicité, ils se sourirent. Ils revenaient d'un pays de lumière. Ils redescendaient de très haut. Alors, ils se serrèrent la main, pour se remercier. Ils se reconnurent et se dirent :

— Je t'aime, Albine.

— Serge, je t'aime.

Et jamais ce mot : « Je t'aime » n'avait eu pour eux un sens si souverain. Il signifiait tout, il expliquait tout. Pendant un temps qu'ils ne purent mesurer, ils restèrent là, dans un repos délicieux, s'étreignant encore. Ils éprouvaient une perfection absolue de leur être. La joie de la création les baignait, les égalait aux puissances mères du monde, faisait d'eux les forces mêmes de la terre. Et il y avait encore, dans leur bonheur, la certitude d'une loi accomplie, la sérénité du but logiquement trouvé, pas à pas.

Serge disait, la reprenant dans ses bras forts :

— Vois, je suis guéri; tu m'as donné toute ta santé. Albine répondait, s'abandonnant :

— Prends-moi toute, prends ma vie.

Une plénitude leur mettait de la vie jusqu'aux lèvres. Serge venait, dans la possession d'Albine, de trouver enfin son sexe d'homme, l'énergie de ses muscles, le courage de son cœur, la santé dernière qui avait jusque-là manqué à sa longue adolescence. Maintenant, il se sentait complet [75]. Il avait des sens plus nets, une intelligence plus large. C'était comme si, tout d'un coup, il se fût réveillé lion, avec la royauté de la plaine, la vue du ciel libre. Quand il se leva, ses pieds se posèrent carrément sur le sol, son corps se développa, orgueilleux de ses membres. Il prit les mains d'Albine, qu'il mit debout à son tour. Elle chancelait un peu, et il dut la soutenir.

— N'aie pas peur, dit-il. Tu es celle que j'aime.

Maintenant, elle était la servante. Elle renversait la tête sur son épaule, le regardant d'un air de reconnaissance inquiète. Ne lui en voudrait-il jamais de ce qu'elle l'avait amené là ? Ne lui reprocherait-il pas un jour cette heure d'adoration dans laquelle il s'était dit son esclave ?

— Tu n'es point fâché ? demanda-t-elle humblement.

Il sourit, renouant ses cheveux, la flattant du bout des doigts comme une enfant. Elle continua :

— Oh! tu verras, je me ferai toute petite. Tu ne sauras même pas que je suis là. Mais tu me laisseras ainsi, n'est-ce pas ? dans tes bras, car j'ai besoin que tu m'apprennes à marcher... Il me semble que je ne sais plus marcher, à cette heure.

Puis elle devint très grave.

— Il faut m'aimer toujours, et je serai obéissante, je travaillerai à tes joies, je t'abandonnerai tout, jusqu'à mes secrètes volontés.

Serge avait comme un redoublement de puissance, à la voir si soumise et si caressante. Il lui demanda :

— Pourquoi trembles-tu ? Qu'ai-je donc à te reprocher ?

Elle ne répondit pas. Elle regarda presque tristement l'arbre, les verdures, l'herbe qu'ils avaient foulée.

— Grande enfant! reprit-il avec un rire. As-tu donc peur que je ne te garde rancune du don que tu m'as fait ? Va, ce ne peut être une faute. Nous nous sommes aimés comme nous devions nous aimer... Je voudrais baiser les empreintes que tes pas ont laissées, lorsque tu m'as amené ici, de même que je baise tes lèvres qui m'ont tenté, de même que je baise tes seins qui viennent d'achever la cure, commencée, tu te souviens ? par tes petites mains fraîches.

Elle hocha la tête. Et, détournant les yeux, évitant de voir l'arbre davantage :

— Emmène-moi, dit-elle à voix basse.

Serge l'emmena à pas lents. Lui, largement, regarda l'arbre une dernière fois. Il le remerciait. L'ombre devenait plus noire dans la clairière; un frisson de femme surprise à son coucher tombait des verdures. Quand ils revirent, au sortir des feuillages, le soleil, dont la splendeur emplissait encore un coin de l'horizon, ils se rassurèrent, Serge surtout, qui trouvait à chaque être, à chaque plante, un sens nouveau. Autour de lui, tout s'inclinait, tout apportait un hommage à son amour. Le jardin n'était plus qu'une dépendance de la beauté d'Albine, et il semblait avoir grandi, s'être embelli, dans le baiser de ses maîtres. Mais la joie d'Albine restait inquiète. Elle interrompait ses rires, pour prêter l'oreille, avec des tressaillements brusques.

— Qu'as-tu donc ? demandait Serge.

— Rien, répondait-elle, avec des coups d'œil jetés furtivement derrière elle.

Ils ne savaient dans quel coin perdu du parc ils étaient. D'ordinaire, cela les égayait, d'ignorer où leur caprice les poussait. Cette fois, ils éprouvaient un trouble, un embarras singulier. Peu à peu, ils hâtèrent le pas. Ils s'enfonçaient de plus en plus, au milieu d'un labyrinthe de buissons.

---

75. C'est la conclusion d'une démonstration : pour Zola, en effet, le prêtre est un être émasculé, donc incomplet.

— N'as-tu pas entendu ? dit peureusement Albine, qui s'arrêta, essoufflée.

Et comme il écoutait, pris à son tour de l'anxiété qu'elle ne pouvait plus cacher :

— Les taillis sont pleins de voix, continua-t-elle. On dirait des gens qui se moquent... Tiens, n'est-ce pas un rire qui vient de cet arbre ? Et, là-bas, ces herbes n'ont-elles pas eu un murmure quand je les ai effleurées de ma robe ?

— Non, non, dit-il, voulant la rassurer ; le jardin nous aime. S'il parlait, ce ne serait pas pour t'effrayer. Ne te rappelles-tu pas toutes les bonnes paroles chuchotées dans les feuilles ?... Tu es nerveuse, tu as des imaginations.

Mais elle hocha la tête, murmurant :

— Je sais bien que le jardin est notre ami... Alors, c'est que quelqu'un est entré. Je t'assure que j'entends quelqu'un. Je tremble trop. Ah ! je t'en prie, emmène-moi, cache-moi.

Ils se remirent à marcher, surveillant les taillis, croyant voir des visages apparaître derrière chaque tronc. Albine jurait qu'un pas, au loin, les cherchait.

— Cachons-nous, cachons-nous, répétait-elle d'un ton suppliant.

Et elle devenait toute rose. C'était une pudeur naissante [76], une honte qui la prenait comme un mal, qui tachait la candeur de sa peau, où jusque-là pas un trouble du sang n'était monté. Serge eut peur, à la voir ainsi toute rose, les joues confuses, les yeux gros de larmes. Il voulait la reprendre, la calmer d'une caresse ; mais elle s'écarta, elle lui fit signe, d'un geste désespéré, qu'ils n'étaient plus seuls. Elle regardait, rougissant davantage, sa robe dénouée qui montrait sa nudité, ses bras, son cou, sa gorge. Sur ses épaules, les mèches folles de ses cheveux mettaient un frisson. Elle essaya de rattacher son chignon ; puis elle craignit de découvrir sa nuque. Maintenant, le frôlement d'une branche, le heurt léger d'une aile d'insecte, la moindre haleine du vent, la faisaient tressaillir, comme sous l'attouchement déshonnête d'une main invisible.

— Tranquillise-toi, implorait Serge. Il n'y a personne... Te voilà rouge de fièvre. Reposons-nous un instant, je t'en supplie.

Elle n'avait point la fièvre, elle voulait rentrer tout de suite, pour que personne ne pût rire, en la regardant. Et, hâtant le pas de plus en plus, elle cueillait, le long des haies, des verdures dont elle cachait sa nudité. Elle noua sur ses cheveux un rameau de mûrier ; elle s'enroula aux bras des liserons, qu'elle attacha à ses poignets ; elle se mit au cou un collier, fait de brins de viorne, si longs qu'ils couvraient sa poitrine d'un voile de feuilles.

— Tu vas au bal ? demanda Serge, qui cherchait à la faire rire.

Mais elle lui jeta les feuillages qu'elle continuait de cueillir. Elle lui dit à voix basse, d'un air d'alarme :

— Ne vois-tu pas que nous sommes nus [77] ?

Et il eut honte à son tour, il ceignit les feuillages sur ses vêtements défaits.

Cependant, ils ne pouvaient sortir des buissons. Tout d'un coup, au bout d'un sentier, ils se retrouvèrent en face d'un obstacle, d'une masse grise, haute, grave. C'était la muraille.

— Viens, viens ! cria Albine.

Elle voulait l'entraîner. Mais ils n'avaient pas fait vingt pas, qu'ils retrouvèrent la muraille [78]. Alors, ils la suivirent en courant, pris de panique. Elle restait sombre, sans une fente sur le dehors. Puis, au bord d'un pré, elle parut subitement s'écrouler. Une brèche ouvrait sur la vallée voisine une fenêtre de lumière. Ce devait être le trou dont Albine avait parlé, un jour, ce trou qu'elle disait avoir bouché avec des ronces et des pierres ; les ronces traînaient par bouts épars comme des cordes coupées, les pierres étaient rejetées au loin, le trou semblait avoir été agrandi par quelque main furieuse.

17

— Ah ! je le sentais ! dit Albine, avec un cri de suprême désespoir. Je te suppliais de m'emmener... Serge, par grâce, ne regarde pas !

Serge regardait, malgré lui, cloué au seuil de la brèche. En bas, au fond de la plaine, le soleil couchant éclairait d'une nappe d'or le village des Artaud, pareil à une vision surgissant du crépuscule dont les champs voisins étaient déjà noyés. On distinguait nettement les masures bâties à la débandade le long de la route, les petites cours pleines de fumier, les jardins étroits plantés de légumes. Plus haut, le grand cyprès du cimetière dressait son profil sombre. Et les tuiles rouges de l'église semblaient un brasier, au-dessus duquel la cloche, toute noire,

---

76. Souvenir de la *Genèse* : Ève, avant la faute ignorait la pudeur.

77. Ce sont les termes de la *Genèse* : « Et Adam et Ève s'aperçurent qu'ils étaient nus. » Ils se couvrirent alors de feuillage.

78. Cette muraille symbolique rappelle *la Conscience* de Hugo, dans *la Légende des Siècles*, première série.

mettait comme un visage d'un dessin délié; tandis que le vieux presbytère, à côté, ouvrait ses portes et ses fenêtres à l'air du soir.

— Par pitié, répétait Albine, en sanglotant, ne regarde pas, Serge!... Souviens-toi que tu m'as promis de m'aimer toujours. Ah! m'aimeras-tu jamais assez, maintenant!... Tiens, laisse-moi te fermer les yeux de mes mains. Tu sais bien que ce sont mes mains qui t'ont guéri... Tu ne peux me repousser.

Il l'écartait lentement. Puis, pendant qu'elle lui embrassait les genoux, il se passa les mains sur la face comme pour chasser de ses yeux et de son front un reste de sommeil. C'était donc là le monde inconnu, le pays étranger auquel il n'avait jamais songé sans une peur sourde. Où avait-il donc vu ce pays? de quel rêve s'éveillait-il, pour sentir monter de ses reins une angoisse si poignante, qui grossissait peu à peu dans sa poitrine, jusqu'à l'étouffer? Le village s'animait du retour des champs. Les hommes rentraient, la veste jetée sur l'épaule, d'un pas de bêtes harassées; les femmes, au seuil des maisons, avaient des gestes d'appel; tandis que les enfants, par bandes, poursuivaient les poules à coups de pierres. Dans le cimetière, deux galopins se glissaient, un garçon et une fille, qui marchaient à quatre pattes, le long du petit mur, pour ne pas être vus. Des vols de moineaux se couchaient sous les tuiles de l'église. Une jupe de cotonnade bleue venait d'apparaître sur le perron du presbytère, si large, qu'elle bouchait la porte.

— Ah! misère! balbutiait Albine, il regarde, il regarde!... Écoute-moi. Tu jurais de m'obéir tout à l'heure. Je t'en supplie, tourne-toi, regarde le jardin... N'as-tu pas été heureux, dans le jardin? C'est lui qui m'a donnée à toi. Et que d'heureuses journées il nous réserve, quelle longue félicité, maintenant que nous connaissons tout le bonheur de l'ombre!... Au lieu que la mort entrera par ce trou, si tu ne te sauves pas, si tu ne m'emportes pas. Vois, ce sont les autres, c'est tout le monde qui va se mettre entre nous. Nous étions si seuls, si perdus, si gardés par les arbres!... Le jardin, c'est notre amour. Regarde le jardin, je t'en prie à genoux.

Mais Serge était secoué d'un tressaillement. Il se souvenait. Le passé ressuscitait. Au loin, il entendait nettement vivre le village. Ces paysans, ces femmes, ces enfants, c'étaient le maire Bambousse, revenant de son champ des Olivettes, en chiffrant la prochaine vendange; c'étaient les Brichet, l'homme traînant les pieds, la femme geignant de misère; c'était la Rosalie, derrière un mur, se faisant embrasser par le grand Fortuné. Il reconnaissait

aussi les deux galopins, dans le cimetière, ce vaurien de Vincent et cette effrontée de Catherine, en train de guetter les grosses sauterelles volantes, au milieu des tombes; même ils avaient avec eux Voriau, le chien noir, qui les aidait, quêtant parmi les herbes sèches, soufflant à chaque fente des vieilles dalles. Sous les tuiles de l'église, les moineaux se battaient, avant de se coucher; les plus hardis redescendaient, entraient d'un coup d'aile par les carreaux cassés, si bien qu'en les suivant des yeux il se rappelait leur beau tapage, au bas de la chaire, sur la marche de l'estrade, où il y avait toujours du pain pour eux. Et, au seuil du presbytère, la Teuse, en robe de cotonnade bleue, semblait avoir encore grossi; elle tournait la tête, souriant à Désirée, qui revenait de la basse-cour, avec de grands rires, accompagnée de tout un troupeau. Puis, elles disparurent toutes deux. Alors, Serge, éperdu, tendit les bras.

— Il est trop tard, va! murmura Albine, en s'affaissant au milieu des bouts de ronces coupés. Tu ne m'aimeras jamais assez.

Elle sanglotait. Lui, ardemment, écoutait, cherchant à saisir les moindres bruits lointains, attendant qu'une voix l'éveillât tout à fait. La cloche avait eu un léger saut. Et, lentement, dans l'air endormi du soir, les trois coups de l'angélus arrivèrent jusqu'au Paradou. C'étaient des souffles argentins, des appels très doux, réguliers. Maintenant, la cloche semblait vivante.

— Mon Dieu! cria Serge, à genoux, renversé par les petits souffles de la cloche.

Il se prosternait, il sentait les trois coups de l'angélus lui passer sur la nuque, lui retentir jusqu'au cœur. La cloche prenait une voix plus haute. Elle revint, implacable, pendant quelques minutes qui lui parurent durer des années. Elle évoquait toute sa vie passée, son enfance pieuse, ses joies du séminaire, ses premières messes, dans la vallée brûlée des Artaud, où il rêvait la solitude des saints. Toujours elle lui avait parlé ainsi. Il retrouvait jusqu'aux moindres inflexions de cette voix de l'église, qui sans cesse s'était élevée à ses oreilles, pareille à une voix de mère grave et douce. Pourquoi ne l'avait-il plus entendue? Autrefois, elle lui promettait la venue de Marie. Était-ce Marie qui l'avait emmené, au fond des verdures heureuses, où la voix de la cloche n'arrivait pas? Jamais il n'aurait oublié, si la cloche n'avait pas cessé de sonner. Et, comme il se courbait davantage, la caresse de sa barbe sur ses mains jointes lui fit peur. Il ne se connaissait pas ce poil long, ce poil soyeux qui lui donnait une beauté de bête. Il tordit sa barbe, il prit ses cheveux à deux mains, cherchant la nudité de la tonsure ; mais ses cheveux avaient poussé puissamment, la tonsure était noyée sous un flot viril de grandes boucles rejetées du front jusqu'à la nuque. Toute sa chair, jadis rasée, avait un hérissement fauve.

— Ah ! tu avais raison, dit-il, en jetant un regard désespéré à Albine ; nous avons péché, nous méritons quelque châtiment terrible... Moi, je te rassurais, je n'entendais pas les menaces qui te venaient à travers les branches.

Albine tenta de le reprendre dans ses bras, en murmurant :

— Relève-toi, fuyons ensemble... Il est peut-être temps encore de nous aimer.

— Non, je n'ai plus la force, le moindre gravier me ferait tomber... Écoute, je m'épouvante moi-même. Je ne sais quel homme est en moi. Je me suis tué, et j'ai de mon sang plein les mains. Si tu m'emmenais, tu n'aurais plus jamais de mes yeux que des larmes.

Elle baisa ses yeux qui pleuraient. Elle reprit avec emportement :

— N'importe ! m'aimes-tu ?

Lui, terrifié, ne put répondre. Un pas lourd, derrière la muraille, faisait rouler les cailloux. C'était comme l'approche lente d'un grognement de colère. Albine ne s'était pas trompée, quelqu'un était là, troublant la paix des taillis d'une haleine jalouse. Alors, tous deux voulurent se cacher derrière une broussaille, pris d'un redoublement de honte. Mais déjà, debout au seuil de la brèche, Frère Archangias les voyait.

Le Frère resta un instant, les poings fermés, sans parler. Il regardait le couple, Albine réfugiée au cou de Serge, avec un dégoût d'homme rencontrant une ordure au bord d'un fossé.

— Je m'en doutais, mâcha-t-il entre ses dents. On avait dû le cacher là.

Il fit quelques pas, il cria :

— Je vous vois, je sais que vous êtes nus... C'est une abomination. Êtes-vous une bête, pour courir les bois avec cette femelle ? Elle vous a mené loin, dites ! elle vous a traîné dans la pourriture, et vous voilà tout couvert de poils comme un bouc... Arrachez donc une branche pour la lui casser sur les reins !

Albine, d'une voix ardente, disait tout bas :

— M'aimes-tu ? m'aimes-tu ?

Serge, la tête basse, se taisait, sans la repousser encore.

— Heureusement que je vous ai trouvé, continua Frère Archangias. J'avais découvert ce trou... Vous avez désobéi à Dieu, vous avez tué votre paix.

Toujours la tentation vous mordra de sa dent de flamme, et désormais vous n'aurez plus votre ignorance pour la combattre... C'est cette gueuse qui vous a tenté, n'est-ce pas ? Ne voyez-vous pas la queue du serpent se tordre parmi les mèches de ses cheveux ? Elle a des épaules dont la vue seule donne un vomissement... Lâchez-la, ne la touchez plus, car elle est le commencement de l'enfer... Au nom de Dieu, sortez de ce jardin !

— M'aimes-tu ? m'aimes-tu ? répétait Albine.

Mais Serge s'était écarté d'elle, comme véritablement brûlé par ses bras nus, par ses épaules nues.

— Au nom de Dieu ! au nom de Dieu ! criait le Frère d'une voix tonnante.

Serge, invinciblement, marchait vers la brèche. Quand Frère Archangias, d'un geste brutal, l'eut tiré hors du Paradou, Albine, glissée à terre, les mains follement tendues vers son amour qui s'en allait, se releva, la gorge brisée de sanglots. Elle s'enfuit, elle disparut au milieu des arbres, dont elle battait les troncs de ses cheveux dénoués.

Livre troisième

1

Après le *Pater*, l'abbé Mouret s'étant incliné devant l'autel, alla du côté de l'épître. Puis, il descendit, il vint faire un signe de croix sur le grand Fortuné et sur la Rosalie, agenouillés côte à côte, au bord de l'estrade.

— *Ego conjungo vos in matrimonium, in nomine Patris, et Filii, et Spiritus sancti.*

— *Amen*, répondit Vincent, qui servait la messe, en regardant la mine de son grand frère, curieusement, du coin de l'œil.

Fortuné et Rosalie baissaient le menton, un peu émus, bien qu'ils se fussent poussés du coude en s'agenouillant, pour se faire rire. Cependant, Vincent était allé chercher le bassin et l'aspersoir. Fortuné mit l'anneau dans le bassin, une grosse bague d'argent tout unie. Quand le prêtre l'eut béni, en l'aspergeant en forme de croix, il le rendit à Fortuné qui le passa à l'annulaire de Rosalie, dont la main restait verdie de taches d'herbe que le savon n'avait pu enlever.

— *In nomine Patris, et Filii, et Spiritus sancti*, murmura de nouveau l'abbé Mouret, en leur donnant une dernière bénédiction.

— *Amen*, répondit Vincent.

Il était de grand matin. Le soleil n'entrait pas encore par les larges fenêtres de l'église. Au-dehors, sur les branches du sorbier, dont la verdure semblait avoir enfoncé les vitres, on entendait le réveil bruyant des moineaux. La Teuse, qui n'avait pas eu le temps de faire le ménage du bon Dieu, époussetait les autels, se haussait sur sa bonne jambe pour essuyer les pieds du Christ barbouillé d'ocre et de laque, rangeait les chaises le plus discrètement possible, s'inclinant, se signant, se frappant la poitrine, suivant la messe, tout en ne perdant pas un seul coup de plumeau. Seule, au pied de la chaire, à quelques pas des époux, la mère Brichet assistait au mariage; elle priait d'une façon outrée; elle restait à genoux, avec un balbutiement si fort que la nef était comme pleine d'un vol de mouches. Et, à l'autre bout, à côté du confessionnal, Catherine tenait sur ses bras un enfant au maillot; l'enfant s'étant mis à pleurer, elle avait dû tourner le dos à l'autel, le faisant sauter, l'amusant avec la corde de la cloche qui lui pendait juste sur le nez.

— *Dominus vobiscum*, dit le prêtre, se tournant, les mains élargies.

— *Et cum spiritu tuo*, répondit Vincent.

A ce moment, trois grandes filles entrèrent. Elles se poussaient, pour voir, sans oser pourtant trop avancer. C'étaient trois amies de la Rosalie, qui, en allant aux champs, venaient de s'échapper, curieuses d'entendre ce que M. le curé dirait aux mariés. Elles avaient de gros ciseaux pendus à la ceinture. Elles finirent par se cacher derrière le baptistère, se pinçant, se tordant avec des déhanchements de grandes vauriennes, étouffant des rires dans leurs poings fermés.

— Ah! bien! dit à demi-voix la Rousse, une fille superbe, qui avait des cheveux et une peau de cuivre, on ne se battra pas à la sortie!

— Tiens! le père Bambousse a raison, murmura Lisa, toute petite, toute noire, avec des yeux de flamme; quand on a des vignes, on les soigne... Puisque monsieur le curé a absolument voulu marier Rosalie, il peut bien la marier tout seul.

L'autre, Babet, bossue, les os trop gros, ricanait.

— Il y a toujours la mère Brichet, dit-elle. Celle-là est dévote pour toute la famille... Hein! entendez-vous comme elle ronfle! Ça va lui gagner sa journée. Elle sait ce qu'elle fait, allez!

— Elle joue de l'orgue, reprit la Rousse.

Et elles partirent de rire toutes les trois. La Teuse, de loin, les menaça de son plumeau. A l'autel, l'abbé Mouret communiait. Quand il alla du côté de l'épître se faire verser par Vincent, sur le pouce et sur l'index, le vin et l'eau de l'ablution, Lisa dit plus doucement :

— C'est bientôt fini. Il leur parlera tout à l'heure.

— Comme ça, fit remarquer la Rousse, le grand Fortuné pourra encore aller à son champ, et la Rosalie n'aura pas perdu sa journée de vendange. C'est commode de se marier matin... Il a l'air bête, le grand Fortuné.

— Pardi! murmura Babet, ça l'ennuie, ce garçon, de se tenir si longtemps sur les genoux. Bien sûr que ça ne lui était pas arrivé depuis sa première communion.

Mais elles furent tout d'un coup distraites par le marmot que Catherine amusait. Il voulait la corde de la cloche, il tendait les mains, bleu de colère, s'étranglant à crier.

— Eh! le petit est là, dit la Rousse.

L'enfant pleurait plus haut, se débattait comme un diable.

— Mets-le sur le ventre, fais-le téter, souffla Babet à Catherine.

Celle-ci, avec son effronterie de gueuse de dix ans, leva la tête et se prit à rire.

— Ça ne m'amuse pas, dit-elle, en secouant l'enfant. Veux-tu te taire, petit cochon!... Ma sœur me l'a lâché sur les genoux.

— Je crois bien, reprit méchamment Babet. Elle

ne pouvait pas le donner à garder à monsieur le curé, peut-être!

Cette fois, la Rousse faillit tomber à la renverse, tant elle éclata. Elle se laissa aller contre le mur, les poings aux côtes, riant à se crever. Lisa s'était jetée contre elle, se soulageant mieux, en lui prenant aux épaules et aux reins des pincées de chair. Babet avait un rire de bossue, qui passait entre ses lèvres serrées avec un bruit de scie.

— Sans le petit, continua-t-elle, monsieur le curé perdait son eau bénite... Le père Bambousse était décidé à marier Rosalie au fils Laurent, du quartier des Figuières.

— Oui, dit la Rousse, entre deux rires, savez-vous ce qu'il faisait, le père Bambousse? Il jetait des mottes de terre dans le dos de Rosalie, pour empêcher le petit de venir.

— Il est joliment gros, tout de même, murmura Lisa. Les mottes lui ont profité.

Du coup, elles se mordaient toutes trois, dans un accès d'hilarité folle, lorsque la Teuse s'avança en boitant furieusement. Elle était allée prendre son balai derrière l'autel. Les trois grandes filles eurent peur, reculèrent, se tinrent sages.

— Coquines! bégaya la Teuse. Vous venez encore dire vos saletés, ici!... Tu n'as pas honte, toi, la Rousse! Ta place serait là-bas, à genoux devant l'autel, comme la Rosalie... Je vous jette dehors, entendez-vous! si vous bougez.

Les joues cuivrées de la Rousse eurent une légère rougeur, pendant que Babet lui regardait la taille, avec un ricanement.

— Et toi, continua la Teuse en se tournant vers Catherine, veux-tu laisser cet enfant tranquille! Tu le pinces pour le faire crier. Ne dis pas non!... Donne-le-moi.

Elle le prit, le berça un instant, le posa sur une chaise, où il dormit, dans une paix de chérubin. L'église retomba au calme triste, que coupaient seuls les cris des moineaux sur le sorbier. A l'autel, Vincent avait reporté le missel à droite, l'abbé Mouret venait de replier le corporal et de le glisser dans la bourse. Maintenant, il disait les dernières oraisons, avec un recueillement sévère, que n'avaient pu troubler ni les pleurs de l'enfant ni les rires des grandes filles. Il paraissait ne rien entendre, être tout aux vœux qu'il adressait au ciel pour le bonheur du couple dont il avait béni l'union. Ce matin-là, le ciel restait gris d'une poussière de chaleur, qui noyait le soleil. Par les carreaux cassés, il n'entrait qu'une buée rousse, annonçant un jour d'orage. Le long des murs, les gravures violemment enluminées du chemin de la croix étalaient la brutalité assombrie de leurs taches jaunes, bleues et rouges [79]. Au fond de la nef, les boiseries séchées de la tribune craquaient ; tandis que les herbes du perron, devenues géantes, laissaient passer sous la grand-porte de longues pailles mûres, peuplées de petites sauterelles brunes. L'horloge, dans sa caisse de bois, eut un arrachement de mécanique poitrinaire, comme pour s'éclaircir la voix, et sonna sourdement le coup de six heures et demie.

— *Ite, missa est*, dit le prêtre, se tournant vers l'église.

— *Deo gratias*, répondit Vincent.

Puis, après avoir baisé l'autel, l'abbé Mouret se tourna de nouveau, murmurant, au-dessus de la nuque inclinée des époux, la prière finale :

— *Deus Abraham, Deus Isaac, et Deus Jacob vobiscum sit...*

Sa voix se perdait dans une douceur monotone.

— Voilà, il va leur parler, souffla Babet à ses deux amies.

— Il est tout pâle, fit remarquer Lisa. Ce n'est pas comme monsieur Caffin dont la grosse figure semblait toujours rire... Ma petite sœur Rose m'a conté qu'elle n'ose rien lui dire, à confesse.

— N'importe, murmura la Rousse, il n'est pas vilain homme. La maladie l'a un peu vieilli ; mais ça lui va bien. Il a des yeux plus grands, avec deux plis aux coins de la bouche qui lui donnent l'air d'un homme... Avant sa fièvre, il était trop fille.

— Moi, je crois qu'il a un chagrin, reprit Babet. On dirait qu'il se mine. Son visage semble mort, mais ses yeux luisent, allez ! Vous ne le voyez pas, lorsqu'il baisse lentement les paupières, comme pour éteindre ses yeux.

La Teuse agita son balai.

— Chut ! siffla-t-elle, si énergiquement, qu'un coup de vent parut s'être engouffré dans l'église.

L'abbé Mouret s'était recueilli. Il commença à voix presque basse :

— Mon cher frère, ma chère sœur, vous êtes unis en Jésus. L'institution du mariage est la figure de l'union sacrée de Jésus et de son Église. C'est un lien que rien ne peut rompre, que Dieu veut éternel, pour que l'homme ne sépare pas ce que le ciel a joint. En vous faisant l'os de vos os, Dieu vous a enseigné que vous avez le devoir de marcher côte à côte, comme un couple fidèle, selon les voies préparées par sa toute-puissance. Et vous devez vous aimer dans l'amour même de Dieu. La moindre amertume entre vous serait une désobéissance au Créateur qui vous a tirés d'un seul corps. Restez

donc à jamais unis, à l'image de l'Église que Jésus a épousée, en nous donnant à tous sa chair et son sang.

Le grand Fortuné et la Rosalie, le nez curieusement levé, écoutaient.

— Que dit-il ? demanda Lisa qui entendait mal.

— Pardi ! il dit ce qu'on dit toujours, répondit la Rousse. Il a la langue bien pendue, comme tous les curés.

Cependant, l'abbé Mouret continuait à réciter, les yeux vagues, regardant, par-dessus la tête des époux, un coin perdu de l'église. Et peu à peu sa voix mollissait, il mettait un attendrissement dans ces paroles, qu'il avait autrefois apprises, à l'aide d'un manuel destiné aux jeunes desservants. Il s'était légèrement tourné vers la Rosalie ; il disait, ajoutant des phrases émues, lorsque la mémoire lui manquait :

— Ma chère sœur, soyez soumise à votre mari, comme l'Église est soumise à Jésus. Rappelez-vous que vous devez tout quitter pour le suivre, en servante fidèle. Vous abandonnerez votre père et votre mère, vous vous attacherez à votre époux, vous lui obéirez, afin d'obéir à Dieu lui-même. Et votre joug sera un joug d'amour et de paix. Soyez son repos, sa félicité, le parfum de ses bonnes œuvres, le salut de ses heures de défaillance. Qu'il vous trouve sans cesse à son côté, ainsi qu'une grâce. Qu'il n'ait qu'à étendre la main pour rencontrer la vôtre. C'est ainsi que vous marcherez tous les deux, sans jamais vous égarer, et que vous rencontrerez le bonheur dans l'accomplissement des lois divines. Oh ! ma chère sœur, ma chère fille, votre humilité est toute pleine de fruits suaves ; elle fera pousser chez vous les vertus domestiques, les joies du foyer, les prospérités des familles pieuses. Ayez pour votre mari les tendresses de Rachel, ayez la sagesse de Rébecca, la longue fidélité de Sara [80]. Dites-vous qu'une vie pure mène à tous les biens. Demandez à Dieu chaque matin la force de vivre en femme qui respecte ses devoirs ; car la punition serait terrible, vous perdriez votre amour. Oh ! vivre sans amour, arracher la chair de sa chair, n'être plus à celui qui est la moitié de vous-même, agoniser loin de ce qu'on a aimé ! Vous tendriez les bras, et il se détournerait de vous. Vous chercheriez vos joies, et vous ne trouveriez que de la honte au fond de votre cœur. Entendez-moi, ma fille, c'est en vous, dans la soumission, dans la pureté, dans l'amour, que Dieu a mis la force de votre union.

---

79. Les couleurs fondamentales des images d'Épinal, auxquelles Zola pense peut-être, étaient le rouge, le bleu et l'or.

80. Rachel est la fille de Laban et l'épouse favorite de Jacob. Rebecca est femme d'Isaac et mère d'Ésaü et de Jacob, Sara la femme d'Abraham et la mère d'Isaac.

A ce moment, il y eut un rire, à l'autre bout de l'église. L'enfant venait de se réveiller sur la chaise où l'avait couché la Teuse. Mais il n'était plus méchant ; il riait tout seul, ayant enfoncé son maillot, laissant passer des petits pieds roses qu'il agitait en l'air. Et c'étaient ses petits pieds qui le faisaient rire.

Rosalie, que l'allocution du prêtre ennuyait, tourna vivement la tête, souriant à l'enfant. Mais quand elle le vit gigotant sur la chaise, elle eut peur ; elle jeta un regard terrible à Catherine.

— Va, tu peux me regarder, murmura celle-ci. Je ne le reprends pas... Pour qu'il crie encore !

Et elle alla, sous la tribune, guetter un trou de fourmis, dans l'encoignure cassée d'une dalle.

— Monsieur Caffin n'en racontait pas tant, dit la Rousse. Lorsqu'il a marié la belle Miette, il ne lui a donné que deux tapes sur la joue, en lui disant d'être sage.

— Mon cher frère, reprit l'abbé Mouret, à demi tourné vers le grand Fortuné, c'est Dieu qui vous accorde aujourd'hui une compagne ; car il n'a pas voulu que l'homme vécût solitaire. Mais, s'il a décidé qu'elle serait votre servante, il exige de vous que vous soyez un maître plein de douceur et d'affection. Vous l'aimerez, parce qu'elle est votre chair elle-même, votre sang et vos os. Vous la protégerez, parce que Dieu ne vous a donné vos bras forts que pour les étendre au-dessus de sa tête, aux heures de danger. Rappelez-vous qu'elle vous est confiée ; elle est la soumission et la faiblesse dont vous ne sauriez abuser sans crime. Oh ! mon cher frère, quelle fierté heureuse doit être la vôtre ! désormais, vous ne vivrez plus dans l'égoïsme de la solitude. A toute heure, vous aurez un devoir adorable. Rien n'est meilleur que d'aimer, si ce n'est de protéger ceux qu'on aime. Votre cœur s'y élargira, vos forces d'homme s'y centupleront. Oh ! être un soutien, recevoir une tendresse en garde, voir une enfant s'anéantir en vous, en disant : « Prends-moi, fais de moi ce qu'il te plaira ; j'ai confiance dans ta loyauté ! » Et que vous soyez damné, si vous la délaissiez jamais ! Ce serait le plus lâche abandon que Dieu eût à punir. Dès qu'elle s'est donnée, elle est vôtre, pour toujours. Emportez-la plutôt entre vos bras, ne la posez à terre que lorsqu'elle devra y être en sûreté. Quittez-vous, mon cher frère...

L'abbé Mouret, la voix profondément altérée, ne fit plus entendre qu'un murmure indistinct. Il avait baissé complètement les paupières, la figure toute blanche, parlant avec une émotion si douloureuse, que le grand Fortuné lui-même pleurait, sans comprendre.

— Il n'est pas encore remis, dit Lisa. Il a tort de se fatiguer... Tiens ! Fortuné qui pleure !

— Les hommes, c'est plus tendre que les femmes, murmura Babet...

— Il a bien parlé tout de même, conclut la Rousse. Ces curés, ça va chercher un tas de choses auxquelles personne ne songe.

— Chut ! cria la Teuse, qui s'apprêtait déjà à éteindre les cierges.

Mais l'abbé Mouret balbutiait, tâchait de trouver les phrases finales.

— C'est pourquoi, mon cher frère, ma chère sœur, vous devez vivre dans la foi catholique, qui seule peut assurer la paix de votre foyer. Vos familles vous ont certainement appris à aimer Dieu, à le prier matin et soir, à ne compter que sur les dons de sa miséricorde...

Il n'acheva pas. Il se tourna pour prendre le calice sur l'autel, et rentra à la sacristie, la tête penchée, précédé de Vincent, qui faillit laisser tomber les burettes et le manuterge, en cherchant à voir ce que Catherine faisait, au fond de l'église.

— Oh ! la sans-cœur ! dit Rosalie, qui planta là son mari pour venir prendre son enfant entre les bras.

L'enfant riait. Elle le baisa, elle rattacha son maillot, tout en menaçant du poing Catherine.

— S'il était tombé, je t'aurais allongé une belle paire de soufflets.

Le grand Fortuné arrivait en se dandinant. Les trois filles s'étaient avancées, avec des pincements de lèvres.

— Le voilà fier, maintenant, murmura Babet à l'oreille des deux autres. Ce gueux-là, il a gagné les écus du père Bambousse dans le foin, derrière le moulin... Je le voyais tous les soirs s'en aller avec Rosalie, à quatre pattes, le long du petit mur.

Elles ricanèrent. Le grand Fortuné, debout devant elles, ricana plus haut. Il pinça la Rousse, se laissa traiter de bête par Lisa.

C'était un garçon solide et qui se moquait du monde. Le curé l'avait ennuyé.

— Hé ! la mère ! appela-t-il de sa grosse voix.

Mais la vieille Brichet mendiait à la porte de la sacristie. Elle se tenait là, toute pleurarde, toute maigre, devant la Teuse, qui lui glissait des œufs dans les poches de son tablier. Fortuné n'eut pas la moindre honte. Il cligna les yeux, en disant :

— Elle est futée, la mère !... Dame ! puisque le curé veut du monde dans son église !

Cependant, Rosalie s'était calmée. Avant de s'en aller, elle demanda à Fortuné s'il avait prié M. le curé de venir le soir bénir leur chambre, selon l'usage du pays. Alors, Fortuné courut à la sacristie, traversant la nef à gros coups de talon, comme il aurait traversé un champ. Et il reparut en criant que le curé viendrait. La Teuse, scandalisée du tapage de ces gens, qui semblaient se croire sur une grande route, tapait légèrement dans ses mains, les poussait vers la porte.

— C'est fini, disait-elle, retirez-vous, allez au travail.

Et elle les croyait tous dehors, lorsqu'elle aperçut Catherine, que Vincent était venu rejoindre. Tous les deux se penchaient anxieusement au-dessus du trou de fourmis. Catherine, avec une longue paille, fouillait dans le trou si violemment qu'un flot de fourmis effarées coulait sur la dalle. Et Vincent disait qu'il fallait aller jusqu'au fond, pour trouver la reine.

— Ah! les brigands! cria la Teuse. Qu'est-ce que vous faites là? Voulez-vous bien laisser ces bêtes tranquilles!... C'est le trou de fourmis à mademoiselle Désirée. Elle serait contente, si elle vous voyait.

Les enfants se sauvèrent.

2

L'abbé Mouret, en soutane, la tête nue, était revenu s'agenouiller au pied de l'autel. Dans la clarté grise tombant des fenêtres, sa tonsure trouait ses cheveux d'une tache pâle, très large, et le léger frisson qui lui pliait la nuque, semblait venir du froid qu'il devait éprouver là. Il priait ardemment, les mains jointes, si perdu au fond de ses supplications qu'il n'entendait point les pas lourds de la Teuse, tournant autour de lui sans oser l'interrompre. Celle-ci paraissait souffrir, à le voir écrasé ainsi, les genoux cassés. Un moment, elle crut qu'il pleurait. Alors, elle passa derrière l'autel, pour le guetter. Depuis son retour, elle ne voulait plus le laisser seul dans l'église, l'ayant un soir trouvé évanoui par terre, les dents serrées, les joues glacées, comme mort.

— Venez donc, mademoiselle, dit-elle à Désirée, qui allongeait la tête par la porte de la sacristie. Il est encore là, à se faire du mal... Vous savez bien qu'il n'écoute que vous.

Désirée souriait.

— Pardi! il faut déjeuner, murmura-t-elle. J'ai très faim.

Et elle s'approcha du prêtre à pas de loup. Quand elle fut tout près, elle lui prit le cou, elle l'embrassa.

— Bonjour, frère, dit-elle. Tu veux donc me faire mourir de faim, aujourd'hui?

Il leva un visage si douloureux, qu'elle l'embrassa de nouveau, sur les deux joues; il sortait d'une agonie. Puis, il la reconnut; il chercha à l'écarter doucement; mais elle tenait une de ses mains, elle ne la lâchait pas. Ce fut à peine si elle lui permit de se signer. Elle l'emmenait.

— Puisque j'ai faim, viens donc. Tu as faim aussi, toi.

La Teuse avait préparé le déjeuner, au fond du petit jardin, sous deux grands mûriers, dont les branches étalées mettaient là une toiture de feuillage. Le soleil, vainqueur enfin des buées orageuses du matin, chauffait les carrés de légumes, tandis que le mûrier jetait un large pan d'ombre sur la table boiteuse, où étaient servies deux tasses de lait, accompagnées d'épaisses tartines.

— Tu vois, c'est gentil, dit Désirée, ravie de manger en plein air.

Elle coupait déjà d'énormes mouillettes, qu'elle mordait avec un appétit superbe. Comme la Teuse restait debout devant eux:

— Alors, tu ne manges pas, toi? demanda-t-elle.

— Tout à l'heure, répondit la vieille servante. Ma soupe chauffe.

Et, au bout d'un silence, émerveillée des coups de dents de cette grande enfant, elle reprit, s'adressant au prêtre:

— C'est un plaisir, au moins... Ça ne vous donne pas faim, monsieur le curé? Il faut vous forcer.

L'abbé Mouret souriait, en regardant sa sœur.

— Oh! elle se porte bien, murmura-t-il. Elle grossit tous les jours.

— Tiens! c'est parce que je mange! s'écria-t-elle. Toi, si tu mangeais, tu deviendrais très gros... Tu es donc encore malade? Tu as l'air tout triste... Je ne veux pas que ça recommence, entends-tu? Je me suis trop ennuyée, pendant qu'on t'avait emmené pour te guérir.

— Elle a raison, dit la Teuse. Vous n'avez pas de bon sens, monsieur le curé; ce n'est point une existence de vivre de deux ou trois miettes par jour, comme un oiseau. Vous ne vous faites plus de sang, parbleu! C'est ça qui vous rend tout pâle... Est-ce que vous n'avez pas honte de rester plus maigre qu'un clou, lorsque nous sommes si grasses, nous autres, qui ne sommes que des femmes? On doit croire que nous ne vous laissons rien dans les plats.

Et toutes deux, crevant de santé, le grondaient amicalement. Il avait des yeux très grands, très clairs, derrière lesquels on voyait comme un vide. Il souriait toujours.

— Je ne suis pas malade, répondit-il. J'ai presque fini mon lait.

Il avait bu deux petites gorgées, sans toucher aux tartines.

— Les bêtes, dit Désirée, songeuse, ça se porte mieux que les gens.

— Eh bien ! c'est joli pour nous, ce que vous avez trouvé là ! s'écria la Teuse en riant.

Mais cette chère innocente de vingt ans n'avait aucune malice.

— Bien sûr, continua-t-elle. Les poules n'ont pas mal à la tête, n'est-ce pas ? Les lapins, on les engraisse tant qu'on veut. Et mon cochon, tu ne peux pas dire qu'il ait jamais l'air triste.

Puis, se tournant vers son frère, d'un air ravi :

— Je l'ai appelé Mathieu, parce qu'il ressemble à ce gros homme qui apporte les lettres ; il est devenu joliment fort... Tu n'es pas aimable de refuser toujours de le voir. Un de ces jours, tu voudras bien que je te le montre, dis ?

Tout en se faisant caressante, elle avait pris les tartines de son frère, qu'elle mordait à belles dents. Elle en avait achevé une ; elle entamait la seconde, lorsque la Teuse s'en aperçut :

— Mais ce n'est pas à vous, ce pain-là ! Voilà que vous lui retirez les morceaux de la bouche, maintenant !

— Laissez, dit l'abbé Mouret doucement, je n'y aurais pas touché... Mange, mange tout, ma chérie.

Désirée était demeurée un instant confuse, regardant le pain, se contenant pour ne pas pleurer. Puis elle se mit à rire, achevant la tartine. Et elle continuait :

— Ma vache non plus n'est pas triste comme toi... Tu n'étais pas là, lorsque l'oncle Pascal me l'a donnée, en me faisant promettre d'être sage. Autrement, tu aurais vu comme elle était contente, quand je l'ai embrassée, la première fois.

Elle tendit l'oreille. Un chant de coq venait de la basse-cour, un vacarme grandissait, des battements d'ailes, des grognements, des cris rauques, toute une panique de bêtes effarouchées.

— Ah ! tu ne sais pas, reprit-elle brusquement, en tapant dans ses mains, elle doit être pleine... Je l'ai menée au taureau, à trois lieues d'ici, au Béage. Dame ! c'est qu'il n'y a pas des taureaux partout !... Alors, pendant qu'elle était avec lui, j'ai voulu rester, pour voir.

La Teuse haussait les épaules, en regardant le prêtre, d'un air contrarié.

— Vous feriez mieux, mademoiselle, d'aller mettre la paix parmi vos poules... Tout votre monde s'assassine là-bas.

Quelques notes de Zola sur Désirée : « Opposée à Blanche (devenue Albine)... C'est la terre. »

Mais Désirée tenait à son histoire.

— Il est monté sur elle, il l'a prise entre ses pattes... On riait. Il n'y a pourtant pas de quoi rire; c'est naturel. Il faut bien que les mères fassent des petits, n'est-ce pas ?... Dis, crois-tu qu'elle aura un petit ?

L'abbé Mouret eut un geste vague. Ses paupières s'étaient baissées devant les regards clairs de la jeune fille.

— Eh! courez donc! cria la Teuse. Ils se mangent.

La querelle devenait si violente, dans sa basse-cour, qu'elle partait avec un grand bruit de jupes, lorsque le prêtre la rappela :

— Et le lait, chérie, tu n'as pas fini le lait ?

Il lui tendait sa tasse, à laquelle il avait à peine touché.

Elle revint, but le lait sans le moindre scrupule, malgré les yeux irrités de la Teuse. Puis, elle reprit son élan, courut à la basse-cour, où on l'entendit mettre la paix. Elle devait s'être assise au milieu de ses bêtes; elle chantonnait doucement comme pour les bercer.

3

— Maintenant ma soupe est trop chaude, gronda la Teuse, qui revenait de la cuisine avec une écuelle, dans laquelle une cuiller de bois était plantée debout.

Elle se tint devant l'abbé Mouret, en commençant à manger sur le bout de la cuiller, avec précaution. Elle espérait l'égayer, le tirer du silence accablé où elle le voyait. Depuis qu'il était revenu du Paradou, il se disait guéri, il ne se plaignait jamais; souvent même, il souriait d'une si tendre façon que la maladie, selon les gens des Artaud, semblait avoir redoublé sa sainteté. Mais, par moments, des crises de silence le prenaient; il semblait rouler dans une torture qu'il mettait toutes ses forces à ne point avouer; et c'était une agonie muette qui le brisait, qui le rendait, pendant des heures, stupide, en proie à quelque abominable lutte intérieure, dont la violence ne se devinait qu'à la sueur d'angoisse de sa face. La Teuse alors ne le quittait plus, l'étourdissant d'un flot de paroles, jusqu'à ce qu'il eût repris peu à peu son air doux, comme vainqueur de la révolte de son sang. Ce matin-là, la vieille servante pressentait une attaque plus rude encore que les autres. Elle se mit à parler abondamment, tout en continuant à se méfier de la cuiller qui lui brûlait la langue :

— Vraiment, il faut vivre au fond d'un pays de loups pour voir des choses pareilles. Est-ce que, dans les villages honnêtes, on se marie jamais aux chandelles ? Ça montre assez que tous ces Artaud sont des pas grand-chose... Moi, en Normandie, j'ai vu des noces qui mettaient les gens en l'air, à deux lieues à la ronde. On mangeait pendant trois jours. Le curé en était, le maire aussi; même, à la noce d'une de mes cousines, les pompiers sont venus. Et l'on s'amusait donc!... Mais faire lever un prêtre avant le soleil pour s'épouser à une heure où les poules elles-mêmes sont encore couchées, il n'y a pas de bon sens! A votre place, monsieur le curé, j'aurais refusé... Pardi! vous n'avez pas assez dormi, vous avez peut-être pris froid dans l'église. C'est ça qui vous a tout retourné. Ajoutez qu'on aimerait mieux marier des bêtes que cette Rosalie et son gueux, avec leur mioche qui a pissé sur une chaise... Vous avez tort de ne pas me dire où vous vous sentez mal. Je vous ferais quelque chose de chaud... Hein ? monsieur le curé, répondez-moi!

Il répondit faiblement qu'il était bien, qu'il n'avait besoin que d'un peu d'air. Il venait de s'adosser à un des mûriers, la respiration courte, s'abandonnant.

— Bien, bien! n'en faites qu'à votre tête, reprit la Teuse. Mariez les gens lorsque vous n'en avez pas la force, et lorsque cela doit vous rendre malade. Je m'en doutais, je l'avais dit hier... C'est comme si vous m'écoutiez, vous ne resteriez pas là, puisque l'odeur de la basse-cour vous incommode. Ça pue joliment, dans ce moment-ci. Je ne sais pas ce que mademoiselle Désirée peut encore remuer. Elle chante, elle; elle s'en moque, ça lui donne des couleurs... Ah! je voulais vous dire. Vous savez que j'ai tout fait pour l'empêcher de rester là quand le taureau a pris la vache. Mais elle vous ressemble, elle est d'un entêtement! Heureusement que, pour elle, ça ne tire pas à conséquence. C'est sa joie, les bêtes avec les petits... Voyons, monsieur le curé, soyez raisonnable. Laissez-moi vous conduire dans votre chambre. Vous vous coucherez, vous vous reposerez un peu... Non, vous ne voulez pas ? Eh bien! c'est tant pis, si vous souffrez! On ne garde pas ainsi son mal sur la conscience, jusqu'à en étouffer.

Et, de colère, elle avala une grande cuillerée de soupe, au risque de s'emporter la gorge. Elle tapait le manche de bois contre son écuelle, grognant, se parlant à elle-même :

— On n'a jamais vu un homme comme ça. Il crèverait plutôt que de lâcher un mot... Ah! il peut bien se taire. J'en sais assez long. Ce n'est pas malin de deviner le reste... Oui, oui, qu'il se taise. Ça vaut mieux.

La Teuse était jalouse. Le docteur Pascal lui avait livré un véritable combat pour lui enlever son malade, lorsqu'il avait jugé le jeune prêtre perdu, s'il le laissait au presbytère. Il dut lui expliquer que la cloche redoublait sa fièvre, que les images de sainteté, dont sa chambre était pleine, hantaient son cerveau d'hallucinations, qu'il lui fallait, enfin, un oubli complet, un milieu autre, où il pût renaître, dans la paix d'une existence nouvelle. Et elle hochait la tête, elle disait que nulle part « le cher enfant » ne trouverait une garde-malade meilleure qu'elle. Pourtant, elle avait fini par consentir; elle s'était même résignée à le voir aller au Paradou, tout en protestant contre ce choix du docteur, qui la confondait. Mais elle gardait contre le Paradou une haine solide. Elle se trouvait surtout blessée du silence de l'abbé Mouret sur le temps qu'il y avait vécu. Souvent, elle s'était vainement ingéniée à le faire causer. Ce matin-là, exaspérée de le voir tout pâle, s'entêtant à souffrir sans une plainte, elle finit par agiter sa cuiller comme un bâton, elle cria :

— Il faut retourner là-bas, monsieur le curé, si vous y étiez si bien... Il y a là-bas une personne qui vous soignera sans doute mieux que moi.

C'était la première fois qu'elle hasardait une allusion directe. Le coup fut si cruel, que le prêtre laissa échapper un léger cri, en levant sa face douloureuse. La bonne âme de la Teuse eut regret.

— Aussi, murmura-t-elle, c'est la faute de votre oncle Pascal. Allez, je lui en ai dit assez. Mais ces savants, ça tient à leurs idées. Il y en a qui vous font mourir, pour vous regarder dans le corps après... Moi, ça m'avait mis dans une telle colère, que je l'ai voulu en parler à personne. Oui, monsieur, c'est grâce à moi, si personne n'a su où vous étiez, tant je trouvais ça abominable. Quand l'abbé Guyot, de Saint-Eutrope, qui vous a remplacé pendant votre absence, venait dire la messe ici, le dimanche, je lui racontais des histoires, je lui jurais que vous étiez en Suisse. Je ne sais seulement pas où ça est, la Suisse... Certes, je ne veux point vous faire de la peine, mais c'est sûrement là-bas que vous avez pris votre mal. Vous voilà drôlement guéri. On aurait bien mieux fait de vous laisser avec moi, qui ne me serais pas avisée de vous tourner la tête.

L'abbé Mouret, le front de nouveau penché, ne l'interrompait pas. Elle s'était assise par terre, à quelques pas de lui, pour tâcher de rencontrer ses yeux. Elle reprit maternellement, ravie de la complaisance qu'il semblait mettre à l'écouter :

— Vous n'avez jamais voulu connaître l'histoire de l'abbé Caffin. Dès que je parle, vous me faites taire... Eh bien, l'abbé Caffin, dans notre pays, à

Canteleu, avait eu des ennuis. C'était pourtant un bien saint homme, et qui possédait un caractère d'or. Mais, voyez-vous, il était très douillet, il aimait les choses délicates. Si bien qu'une demoiselle rôdait autour de lui, la fille d'un meunier, que ses parents avaient mise en pension. Bref, il arriva ce qui devait arriver, vous me comprenez, n'est-ce pas ?... Alors, quand on a su la chose, tout le pays s'est fâché contre l'abbé. On le cherchait pour le tuer à coups de pierres. Il s'est sauvé à Rouen, il est allé pleurer chez l'archevêque. Et on l'a envoyé ici. Le pauvre homme était assez puni de vivre dans ce trou... Plus tard, j'ai eu des nouvelles de la fille. Elle a épousé un marchand de bœufs. Elle est très heureuse.

La Teuse, enchantée d'avoir placé son histoire, vit un encouragement dans l'immobilité du prêtre. Elle se rapprocha, elle continua :

— Ce bon monsieur Caffin! Il n'était pas fier avec moi, il me parlait souvent de son péché. Ça ne l'empêche pas d'être dans le ciel, je vous en réponds! Il peut dormir tranquille, là, à côté, sous l'herbe, car il n'a jamais fait de tort à personne... Moi, je ne comprends pas qu'on en veuille tant à un prêtre, quand il se dérange. C'est si naturel! Ce n'est pas beau, sans doute, c'est une saleté qui doit mettre Dieu en colère. Mais il vaut encore mieux faire ça que d'aller voler. On se confesse donc, et on est quitte!... N'est-ce pas, monsieur le curé, lorsqu'on a un vrai repentir, on fait son salut tout de même [81] ?

L'abbé Mouret s'était lentement redressé. Par un effort suprême, il venait de dompter son angoisse. Pâle encore, il dit d'une voix ferme :

— Il ne faut jamais pécher, jamais, jamais!

— Ah! tenez, s'écria la vieille servante, vous êtes trop fier, monsieur! Ce n'est pas beau, non plus, l'orgueil!... A votre place, moi, je ne me raidirais pas comme cela. On cause de son mal, on ne se coupe pas le cœur en quatre tout d'un coup, on s'habitue à la séparation, enfin! Ça se passe petit à petit... Au lieu que vous, voilà que vous évitez même de prononcer le nom des gens. Vous défendez qu'on parle d'eux, ils sont comme s'ils étaient morts. Depuis votre retour, je n'ai pas osé vous donner la moindre nouvelle. Eh bien! je causerai maintenant, je dirai ce que je saurai, parce que je vois bien que c'est tout ce silence qui vous tourne sur le cœur.

Il la regardait sévèrement, levant un doigt pour la faire taire.

— Oui, oui, continua-t-elle, j'ai des nouvelles de

---

81. La Teuse semble ignorer que l'absolution n'est valable que si le pénitent a le ferme propos de ne pas retomber dans son péché. C'est ce qu'aurait dû lui répondre l'abbé Mouret qui, dans sa réplique, se parle, en réalité, à lui-même.

129

là-bas, très souvent même, et je vous les donnerai... D'abord, la personne n'est pas plus heureuse que vous.

— Taisez-vous! dit l'abbé Mouret, qui trouva la force de se mettre debout pour s'éloigner.

La Teuse se leva aussi, lui barrant le passage de sa masse énorme. Elle se fâchait, elle criait :

— Là, vous voilà déjà parti!... Mais vous m'écouterez. Vous savez que je n'aime guère les gens de là-bas, n'est-ce pas? Si je vous parle d'eux, c'est pour votre bien... On prétend que je suis jalouse. Eh bien, je rêve de vous mener un jour là-bas. Vous seriez avec moi, vous ne craindriez pas de mal faire... Voulez-vous?

Il l'écarta du geste, la face calmée, en disant :

— Je ne veux rien, je ne sais rien... Nous avons une grand-messe demain. Il faudra préparer l'autel.

Puis, s'étant mis à marcher, il ajouta avec un sourire :

— Ne vous inquiétez pas, ma bonne Teuse. Je suis plus fort que vous ne croyez. Je me guérirai tout seul.

Et il s'éloigna, l'air solide, la tête droite, ayant vaincu. Sa soutane, le long des bordures de thym, avait un frôlement très doux. La Teuse, qui était restée plantée à la même place, ramassa son écuelle et sa cuiller de bois, en bougonnant. Elle mâchait entre ses dents des paroles qu'elle accompagnait de grands haussements d'épaules.

— Ça fait le brave, ça se croit bâti autrement que les autres hommes, parce que c'est curé... La vérité est que celui-là est joliment dur. J'en ai connu qu'on n'avait pas besoin de chatouiller si longtemps. Et il est capable de s'écraser le cœur comme on écrase une puce. C'est son bon Dieu qui lui donne cette force.

Elle rentrait à la cuisine, lorsqu'elle aperçut l'abbé Mouret debout, devant la porte à claire-voie de la basse-cour. Désirée l'avait arrêté pour lui faire peser un chapon qu'elle engraissait depuis quelques semaines. Il disait complaisamment qu'il était très lourd, ce qui donnait un rire d'aise à la grande enfant.

— Les chapons, eux aussi, s'écrasent le cœur comme une puce, bégaya la Teuse, tout à fait furieuse. Ils ont des raisons pour cela... Alors, il n'y a pas de gloire à bien vivre.

4

L'abbé Mouret passait les journées au presbytère. Il évitait les longues promenades qu'il faisait avant sa maladie. Les terres brûlées des Artaud, les ardeurs de cette vallée où ne poussaient que des vignes tordues, l'inquiétaient. A deux reprises, il avait essayé de sortir, le matin, pour lire son bréviaire le long des routes; mais il n'avait pas dépassé le village, il était rentré, troublé par les odeurs, le plein soleil, la largeur de l'horizon. Le soir seulement, dans la fraîcheur de la nuit tombante, il hasardait quelques pas devant l'église, sur l'esplanade qui s'étendait jusqu'au cimetière. L'après-midi, pour s'occuper, pris d'un besoin d'activité qu'il ne savait comment satisfaire, il s'était donné la tâche de coller des vitres de papier aux carreaux cassés de la nef. Cela, pendant huit jours, l'avait tenu sur une échelle, très attentif à poser les vitres proprement, découpant le papier avec des délicatesses de broderie, étalant la colle de façon à ce qu'il n'y eût pas de bavure. La Teuse veillait au pied de l'échelle. Désirée criait qu'il fallait ne pas boucher tous les carreaux, afin que les moineaux pussent entrer; et pour ne pas la faire pleurer, le prêtre en oubliait deux ou trois, à chaque fenêtre. Puis, cette réparation finie, l'ambition lui avait poussé d'embellir l'église, sans appeler ni maçon, ni menuisier, ni peintre. Il ferait tout lui-même. Ces travaux manuels, disait-il, l'amusaient, lui rendaient des forces. L'oncle Pascal, chaque fois qu'il passait à la cure, l'encourageait, en assurant que cette fatigue-là valait mieux que toutes les drogues du monde. Dès lors, l'abbé Mouret boucha les trous des murs avec des poignées de plâtre, recloua les autels à grands coups de marteau, broya des couleurs pour donner une couche à la chaire et au confessionnal. Ce fut un événement dans le pays. On en causait à deux lieues. Des paysans venaient, les mains derrière le dos, voir travailler M. le curé. Lui, un tablier bleu serré à la taille, les poignets meurtris, s'absorbait dans cette rude besogne, avait un prétexte pour ne plus sortir. Il vivait ses journées au milieu des plâtras, plus tranquille, presque souriant, oubliant le dehors, les arbres, le soleil, les vents tièdes, qui le troublaient.

— Monsieur le curé est bien libre, du moment que ça ne coûte rien à la commune, disait le père Bambousse avec un ricanement, en entrant chaque soir pour constater où en étaient les travaux.

L'abbé Mouret dépensa là ses économies du séminaire. C'étaient, d'ailleurs, des embellissements dont la naïveté maladroite eût fait sourire. La maçonnerie le rebuta vite. Il se contenta de recrépir le tour de l'église, à hauteur d'homme. La Teuse gâchait le plâtre. Quand elle parla de réparer aussi le presbytère, qu'elle craignait toujours, disait-elle, de voir tomber sur leurs têtes, il lui expliqua qu'il ne saurait pas, qu'il faudrait un ouvrier ; ce qui amena une querelle terrible entre eux. Elle criait qu'il n'était pas raisonnable de faire une si belle église où personne ne couchait, lorsqu'il y avait à côté des chambres dans lesquelles on les trouverait sûrement morts, un de ces matins, écrasés par les plafonds.

— Moi, d'abord, grondait-elle, je finirai par venir faire mon lit ici, derrière l'autel. J'ai trop peur, la nuit.

Le plâtre manquant, elle ne parla plus du presbytère. Puis, la vue des peintures qu'exécutait M. le curé la ravissait. Ce fut le grand charme de toute cette besogne. L'abbé, qui avait remis des bouts de planche partout, se plaisait à étaler sur les boiseries une belle couleur jaune, avec un gros pinceau. Il y avait, dans le pinceau, un va-et-vient très doux, dont le bercement l'endormait un peu, le laissait sans pensée pendant des heures, à suivre les traînées grasses de la peinture. Lorsque tout fut jaune, le confessionnal, la chaire, l'estrade, jusqu'à la caisse de l'horloge, il se risqua à faire des raccords de faux marbre pour rafraîchir le maître-autel. Et, s'enhardissant, il le repeignit tout entier. Le maître-autel, blanc, jaune et bleu, était superbe. Des gens qui n'avaient pas assisté à une messe depuis cinquante ans, vinrent en procession pour le voir.

Les peintures, maintenant, étaient sèches. L'abbé Mouret n'avait plus qu'à encadrer les panneaux d'un filet brun. Aussi, dès l'après-midi, se mit-il à l'œuvre, voulant que tout fût terminé le soir même, le lendemain étant un jour de grand-messe, ainsi qu'il l'avait rappelé de la Teuse. Celle-ci attendait pour faire la toilette de l'autel ; elle avait déjà posé sur la crédence les chandeliers et la croix d'argent, les vases de porcelaine plantés de roses artificielles, la nappe garnie de dentelle des grandes fêtes. Mais les filets furent si délicats à faire proprement, qu'il s'attarda jusqu'à la nuit. Le jour tombait, au moment où il achevait le dernier panneau.

— Ce sera trop beau, dit une voix rude, sortie de la poussière grise du crépuscule, dont l'église s'emplissait.

La Teuse, qui s'était agenouillée pour mieux suivre le pinceau le long de la règle, eut un tressaillement de peur.

— Ah ! c'est Frère Archangias, dit-elle, en tournant la tête ; vous êtes donc entré par la sacristie ?...

Mon sang n'a fait qu'un tour. J'ai cru que la voix venait de dessous les dalles.

L'abbé Mouret s'était remis au travail, après avoir salué le Frère d'un léger signe de tête. Celui-ci se tint debout, silencieux, ses grosses mains nouées devant sa soutane. Puis, après avoir haussé les épaules, en voyant le soin que mettait le prêtre à ce que les filets fussent bien droits, il répéta :

— Ce sera trop beau.

La Teuse, en extase, tressaillit une seconde fois.

— Bon ! cria-t-elle, j'avais déjà oublié que vous étiez là, vous ! Vous pourriez bien tousser, avant de parler. Vous avez une voix qui part brusquement comme celle d'un mort.

Elle s'était relevée, elle se reculait pour admirer.

— Pourquoi, trop beau ? reprit-elle. Il n'y a rien de trop beau, quand il s'agit du bon Dieu... Si monsieur le curé avait eu de l'or, il y aurait mis de l'or, allez !

Le prêtre ayant fini, elle se hâta de changer la nappe, en ayant bien soin de ne pas effacer les filets. Puis, elle disposa symétriquement la croix, les chandeliers et les vases. L'abbé Mouret était allé s'adosser à côté de Frère Archangias, contre la barrière de bois qui séparait le chœur de la nef. Ils n'échangèrent pas une parole. Ils regardaient la croix d'argent qui, dans l'ombre croissante, gardait des gouttes de lumière, sur les pieds, le long du flanc gauche et à la tempe droite du crucifié. Quand la Teuse eut fini, elle s'avança, triomphante :

— Hein ! dit-elle, c'est gentil. Vous verrez le monde, demain, à la messe ! Ces païens ne viennent chez Dieu que lorsqu'ils le croient riche... Maintenant, monsieur le curé, il faudra en faire autant à l'autel de la Vierge.

— De l'argent perdu, gronda Frère Archangias.

Mais la Teuse se fâcha. Et, comme l'abbé Mouret continuait à se taire, elle les emmena tous deux devant l'autel de la Vierge, les poussant, les tirant par leur soutane.

— Mais regardez donc ! Ça jure trop, maintenant que le maître-autel est propre. On ne sait plus même s'il y a eu des peintures. J'ai beau essuyer, le matin, le bois garde toute la poussière. C'est noir, c'est laid... Vous ne savez pas ce qu'on dira, monsieur le curé ? On dira que vous n'aimez pas la sainte Vierge, voilà tout.

— Et après ? demanda Frère Archangias.

La Teuse resta toute suffoquée.

— Après, murmura-t-elle, ça serait un péché, pardi !... L'autel est comme une de ces tombes qu'on abandonne dans les cimetières. Sans moi, les araignées y feraient leurs toiles, la mousse y pousserait. De temps en temps, quand je peux mettre un bouquet de côté, je le donne à la Vierge. Toutes les fleurs de notre jardin étaient pour elle, autrefois.

Elle était montée devant l'autel, elle avait pris deux bouquets séchés, oubliés sur les gradins.

— Vous voyez bien que c'est comme dans les cimetières, ajouta-t-elle, en les jetant aux pieds de l'abbé Mouret.

Celui-ci les ramassa, sans répondre. La nuit était complètement venue. Frère Archangias s'embarrassa au milieu des chaises, manqua tomber. Il jurait, il mâchait des phrases sourdes où revenaient les noms de Jésus et de Marie. Quand la Teuse, qui était allée chercher une lampe, rentra dans l'église, elle demanda simplement au prêtre :

— Alors, je puis mettre les pots et les pinceaux au grenier ?

— Oui, répondit-il, c'est fini. Nous verrons plus tard pour le reste.

Elle marcha devant eux, emportant tout, se taisant, de peur d'en trop dire. Et, comme l'abbé Mouret avait gardé les deux bouquets séchés à la main, Frère Archangias lui cria, en passant devant la basse-cour :

— Jetez donc ça !

L'abbé fit encore quelques pas, la tête penchée; puis il jeta les fleurs dans le trou au fumier, pardessus la claire-voie.

5

Le Frère, qui avait mangé, resta là, à califourchon sur une chaise retournée, pendant le dîner du prêtre. Depuis que ce dernier était de retour aux Artaud, il venait ainsi presque tous les soirs s'installer au presbytère. Jamais il ne s'y était imposé plus rudement. Ses gros souliers écrasaient le carreau, sa voix tonnait, ses poings s'abattaient sur les meubles, tandis qu'il racontait les fessées données le matin aux petites filles, ou qu'il résumait sa morale en formules dures comme des coups de bâton. Puis, s'ennuyant, il avait imaginé de jouer aux cartes avec la Teuse. Ils jouaient « à la bataille », interminablement, la Teuse n'ayant jamais pu apprendre un autre jeu. L'abbé Mouret, qui souriait aux premières cartes abattues rageusement sur la table, tombait peu à peu dans une rêverie profonde; et, pendant des heures, il s'oubliait, il s'échappait, sous les coups d'œil défiants de Frère Archangias.

Ce soir-là, la Teuse était d'une telle humeur, qu'elle parla d'aller se coucher, dès que la nappe fut ôtée. Mais le Frère voulait jouer. Il lui donna des tapes sur les épaules, finit par l'asseoir, et si violemment, que la chaise craqua. Il battait déjà les cartes. Désirée, qui le détestait, avait disparu avec son dessert, qu'elle montait presque tous les soirs manger dans son lit.

— Je veux les rouges, dit la Teuse.

Et la lutte s'engagea. La Teuse enleva d'abord quelques belles cartes au Frère. Puis, deux as tombèrent en même temps sur la table.

— Bataille ! cria-t-elle avec une émotion extraordinaire.

Elle jeta un neuf, ce qui la consterna; mais le Frère n'ayant jeté qu'un sept, elle ramassa les cartes, triomphante. Au bout d'une demi-heure, elle n'avait plus de nouveau que deux as, les chances se trouvaient rétablies. Et, vers le troisième quart d'heure, c'était elle qui perdait un as. Le va-et-vient des valets, des dames et des rois, avait toute la furie d'un massacre.

— Hein ! elle est fameuse, cette partie ! dit Frère Archangias, en se tournant vers l'abbé Mouret.

Mais il le vit si perdu, si loin, ayant aux lèvres un sourire si inconscient, qu'il haussa brutalement la voix.

— Eh bien ! monsieur le curé, vous ne nous regardez donc pas ? Ce n'est guère poli... Nous ne jouons que pour vous. Nous cherchons à vous égayer... Allons, regardez le jeu. Ça vous vaudra mieux que de rêvasser. Où étiez-vous encore ?

Le prêtre avait eu un tressaillement. Il ne répondit pas, il s'efforça de suivre le jeu, les paupières battantes. La partie continuait avec acharnement. La Teuse regagna son as, puis le reperdit. Certains soirs, ils se disputaient ainsi pendant quatre heures; et souvent même ils allaient se coucher, furibonds, n'ayant pu se battre.

— Mais j'y songe ! cria tout d'un coup la Teuse, qui avait une grosse peur de perdre, monsieur le curé devait sortir, ce soir. Il a promis au grand Fortuné et à la Rosalie d'aller bénir leur chambre, comme il est d'usage... Vite, monsieur le curé ! Le Frère vous accompagnera.

L'abbé Mouret était déjà debout, cherchant son chapeau. Mais Frère Archangias, sans lâcher ses cartes, se fâchait :

— Laissez donc ! Est-ce que ça a besoin d'être béni, ce trou à cochons ? Pour ce qu'ils vont y faire de propre, dans leur chambre !... Encore un usage que vous devriez abolir. Un prêtre n'a pas à mettre

son nez dans les draps des nouveaux mariés...
Restez. Finissons la partie. Ça vaudra mieux.

— Non, dit le prêtre, j'ai promis. Ces braves
gens pourraient se blesser... Restez, vous, finissez la
partie, en m'attendant.

La Teuse, très inquiète, regardait Frère Archangias.

— Eh bien! oui, je reste, cria celui-ci. C'est trop
bête!

Mais l'abbé Mouret n'avait pas ouvert la porte,
qu'il se levait pour le suivre, jetant violemment ses
cartes. Il revint, il dit à la Teuse :

— J'allais gagner... Laissez les paquets tels qu'ils
sont. Nous continuerons la partie demain.

— Ah! bien, tout est brouillé, maintenant, répondit la vieille servante qui s'était empressée de mêler
les cartes. Si vous croyez que je vais le mettre sous
verre, votre paquet! Et puis, je pouvais gagner,
j'avais encore un as.

Frère Archangias, en quelques enjambées, rejoignit l'abbé Mouret qui descendait l'étroit sentier
conduisant aux Artaud. Il s'était donné la tâche de
veiller sur lui. Il l'entourait d'un espionnage de
toutes les heures, l'accompagnant partout, le faisant suivre par un gamin de son école, lorsqu'il ne
pouvait s'acquitter lui-même de ce soin. Il disait,
avec son rire terrible, qu'il était « le gendarme de
Dieu ». Et, à la vérité, le prêtre semblait un coupable emprisonné dans l'ombre noire de la soutane
du Frère, un coupable dont on se méfie, que l'on
juge assez faible pour retourner à sa faute, si on
le perdait des yeux une minute. C'était une âpreté
de vieille fille jalouse, un souci minutieux de geôlier
qui pousse son devoir jusqu'à cacher les coins de
ciel entrevus par les lucarnes. Frère Archangias se
tenait toujours là, à boucher le soleil, à empêcher
une odeur d'entrer, à murer si complètement le
cachot, que rien du dehors n'y venait plus. Il guettait les moindres faiblesses de l'abbé, reconnaissait,
à la clarté de son regard, les pensées tendres, les
écrasait d'une parole, sans pitié, comme des bêtes
mauvaises. Les silences, les sourires, les pâleurs
du front, les frissons des membres, tout lui appartenait. D'ailleurs, il évitait de parler nettement de la
faute. Sa présence seule était un reproche. La façon
dont il prononçait certaines phrases leur donnait
le cinglement d'un coup de fouet. Il mettait dans
un geste toute l'ordure qu'il crachait sur le péché.
Comme ces maris trompés qui plient leurs femmes
sous des allusions sanglantes, dont ils goûtent
seuls la cruauté, il ne reparlait pas de la scène du
Paradou, il se contentait de l'évoquer d'un mot,
pour anéantir, aux heures de crise, cette chair

rebelle. Lui aussi avait été trompé par ce prêtre,
tout souillé de son adultère divin, ayant trahi ses
serments, rapportant sur lui des caresses défendues,
dont la senteur lointaine suffisait à exaspérer sa
continence de bouc qui ne s'était jamais satisfait.

Il était près de dix heures. Le village dormait;
mais, à l'autre bout, du côté du moulin, un tapage
montait d'une des masures, vivement éclairée. Le
père Bambousse avait abandonné à sa fille et à son
gendre un coin de la maison, se réservant pour lui
les plus belles pièces. On buvait là un dernier coup,
en attendant le curé.

— Ils sont soûls, gronda Frère Archangias. Les
entendez-vous se vautrer ?

L'abbé Mouret ne répondit pas. La nuit était
superbe, toute bleue d'un clair de lune qui changeait au loin la vallée en un lac dormant. Et il ralentissait sa marche, comme baigné d'un bien-être
par ces clartés douces; il s'arrêtait même devant
certaines nappes de lumière, avec le frisson délicieux que donne l'approche d'une eau fraîche. Le
Frère continuait ses grandes enjambées, le gourmandant, l'appelant :

— Venez donc... Ce n'est pas sain, de courir la
campagne à cette heure. Vous seriez mieux dans
votre lit.

Mais, brusquement, à l'entrée du village, il se
planta au milieu de la route. Il regardait vers les
hauteurs, où les lignes blanches des ornières se
perdaient dans les taches noires des petits bois de
pins. Il avait un grognement de chien qui flaire un
danger.

— Qui descend de là-haut, si tard ? murmurat-il.

Le prêtre, n'entendant rien, ne voyant rien,
voulut à son tour lui faire presser le pas.

— Laissez donc, le voici, reprit vivement Frère
Archangias. Il vient de tourner le coude. Tenez, la
lune l'éclaire. Vous le voyez bien, à présent... C'est
un grand, avec un bâton.

Puis, au bout d'un silence, il reprit, la voix
rauque, étouffée par la fureur :

— C'est lui, c'est ce gueux!... Je le sentais.

Alors, le nouveau venu arrivant au bas de la côte,
l'abbé Mouret reconnut Jeanbernat. Malgré ses
quatre-vingts ans, le vieux tapait si dur des talons,
que ses gros souliers ferrés tiraient des étincelles
du silex de la route. Il marchait droit comme un
chêne, sans même se servir de son bâton, qu'il portait sur son épaule, en manière de fusil.

— Ah! le damné! bégaya le Frère, cloué sur
place, en arrêt. Le diable lui jette toute la braise de
l'enfer sous les pieds.

Le prêtre, très troublé, désespérant de faire lâcher prise à son compagnon, tourna le dos pour continuer sa route, espérant encore éviter Jeanbernat, en se hâtant de gagner la maison des Bambousse. Mais il n'avait pas fait cinq pas, que la voix railleuse du vieux s'éleva, presque derrière son dos :

— Eh! curé, attendez-moi. Je vous fais donc peur ?

Et l'abbé Mouret s'étant arrêté, il s'approcha. Il continua :

— Dame! vos soutanes, ça n'est pas commode, ça empêche de courir. Puis, il a beau faire nuit, on vous reconnaît de loin... Du haut de la côte, je me suis dit : « Tiens! c'est le petit curé qui est là-bas. » Oh! j'ai encore de bons yeux... Alors, vous ne venez plus nous voir ?

— J'ai eu tant d'occupations, murmura le prêtre, très pâle.

— Bien, bien, tout le monde est libre. Ce que je vous en dis, c'est pour vous montrer que je ne vous garde pas rancune d'être curé. Nous ne parlerions même pas de votre bon Dieu, ça m'est égal... La petite croit que c'est moi qui vous empêche de revenir. Je lui ai répondu : « Le curé est une bête. » Et ça, je le pense. Est-ce que je vous ai mangé, pendant votre maladie ? Je ne suis même pas monté vous voir... Tout le monde est libre.

Il parlait avec sa belle indifférence, en affectant de ne pas s'apercevoir de la présence de Frère Archangias. Mais celui-ci ayant poussé un grognement plus menaçant, il reprit :

— Eh! curé, vous promenez donc votre cochon avec vous ?

— Attends, brigand! hurla le Frère, les poings fermés.

Jeanbernat, le bâton levé, feignit de le reconnaître.

— Bas les pattes! cria-t-il. Ah! c'est toi, calotin! J'aurais dû te flairer à l'odeur de ton cuir... Nous avons un compte à régler ensemble. J'ai juré d'aller te couper les oreilles au milieu de ta classe. Ça amusera les gamins que tu empoisonnes.

Le Frère, devant le bâton, recula, la gorge pleine d'injures. Il balbutiait, il ne trouvait plus les mots.

— Je t'enverrai les gendarmes, assassin! Tu as craché sur l'église, je t'ai vu! Tu donnes le mal de la mort au pauvre monde, rien qu'en passant devant les portes. A Saint-Eutrope, tu as fait avorter une fille en la forçant à mâcher une hostie consacrée que tu avais volée. Au Béage, tu es allé déterrer des enfants que tu as emportés sur ton dos pour tes abominations... Tout le monde sait cela, misé-rable! Tu es le scandale du pays. Celui qui t'étranglerait gagnerait du coup le paradis.

Le vieux écoutait, ricanant, faisant le moulinet avec son bâton. Entre deux injures de l'autre, il répétait à demi-voix :

— Va, va, soulage-toi, serpent! Tout à l'heure, je te casserai les reins.

L'abbé Mouret voulut intervenir. Mais Frère Archangias le repoussa, en criant :

— Vous êtes avec lui, vous! Est-ce qu'il ne vous a pas fait marcher sur la croix, dites le contraire [82].

Et, se tournant de nouveau vers Jeanbernat :

— Ah! Satan, tu as dû bien rire, quand tu as tenu un prêtre! Le ciel écrase ceux qui t'ont aidé à ce sacrilège! Que faisais-tu, la nuit, pendant qu'il dormait ? Tu venais avec ta salive, n'est-ce pas, lui mouiller la tonsure, afin que ses cheveux grandissent plus vite ? Tu lui soufflais sur le menton et sur les joues, pour que la barbe y poussât d'un doigt en une nuit. Tu lui frottais tout le corps de tes maléfices, tu lui soufflais dans la bouche la rage d'un chien, tu le mettais en rut... Et c'est ainsi que tu l'avais changé en bête, Satan!

— Il est stupide, dit Jeanbernat, en reposant son bâton sur l'épaule. Il m'ennuie.

Le Frère, enhardi, vint lui allonger ses deux poings sous le nez.

— Et ta gueule! cria-t-il. C'est toi qui l'as fourrée toute nue dans le lit du prêtre!

Mais il poussa un hurlement, en faisant un bond en arrière. Le bâton du vieux, lancé à toute volée, venait de se casser sur son échine. Il recula encore, ramassa dans un tas de cailloux, au bord de la route, un silex gros comme les deux poings, qu'il lança à la tête de Jeanbernat. Celui-ci avait le front fendu, s'il ne s'était courbé. Il courut au tas de cailloux voisin, s'abrita, prit des pierres. Et, d'un tas à l'autre, un terrible combat s'engagea. Les silex grê-laient. La lune, très claire, découpait nettement les ombres.

— Oui, tu l'as fourrée dans son lit, répétait le Frère affolé! Et tu avais mis un christ sous le mate-las pour que l'ordure tombât sur lui... Ha! ha! tu es étonné que je sache tout. Tu attends quelque monstre de cet accouplement-là. Tu fais chaque matin les treize signes de l'enfer sur le ventre de ta gueuse, pour qu'elle accouche de l'Antéchrist. Tu veux l'Antéchrist, bandit!... Tiens, que ce caillou t'éborgne!

---

82. Allusion à des croyances populaires selon lesquelles certaines sociétés secrètes, au cours de l'initiation, contraignaient les néophytes à marcher sur la croix. On affirmait même que certains se faisaient tatouer une croix sous les pieds pour parfaire le sacrilège.

— Et que celui-ci te ferme le bec, calotin! répondit Jeanbernat, redevenu très calme. Est-il bête, cet animal, avec ses histoires!... Va-t-il falloir que je te casse la tête pour continuer ma route? Est-ce ton catéchisme qui t'a tourné sur la cervelle?

— Le catéchisme! Veux-tu connaître le catéchisme qu'on enseigne aux damnés de ton espèce? Oui, je t'apprendrai à faire le signe de la croix... Ceci est pour le Père, et ceci pour le Fils, et ceci pour le Saint-Esprit... Ah! tu es encore debout. Attends, attends!... Ainsi soit-il!

Il lui jeta une volée de petites pierres en façon de mitraille. Jeanbernat, atteint à l'épaule, lâcha les cailloux qu'il tenait et s'avança tranquillement, pendant que Frère Archangias prenait dans le tas deux nouvelles poignées, en bégayant:

— Je t'extermine. C'est Dieu qui le veut. Dieu est dans mon bras.

— Te tairas-tu! dit le vieux en l'empoignant à la nuque.

Alors, il y eut une courte lutte dans la poussière de la route, bleuie par la lune. Le Frère, se voyant le plus faible, cherchait à mordre. Les membres séchés de Jeanbernat étaient comme des paquets de cordes qui le liaient, si étroitement, qu'il en sentait les nœuds lui entrer dans la chair. Il se taisait, étouffant, rêvant quelque traîtrise. Quand il l'eut mis sous lui, le vieux reprit en raillant:

— J'ai envie de te casser un bras pour casser ton bon Dieu... Tu vois bien qu'il n'est pas le plus fort, ton bon Dieu. C'est moi qui t'extermine... Maintenant, je vais te couper les oreilles. Tu m'as trop ennuyé.

Et il tirait paisiblement un couteau de sa poche. L'abbé Mouret, qui, à plusieurs reprises, s'était en vain jeté entre les combattants, s'interposa si vivement, qu'il finit par consentir à remettre cette opération à plus tard.

— Vous avez tort, curé, murmura-t-il. Ce gaillard a besoin d'une saignée. Enfin, puisque ça vous contrarie, j'attendrai. Je le rencontrerai bien encore dans un petit coin.

Le Frère ayant poussé un grognement, il s'interrompit pour lui crier:

— Ne bouge pas ou je te les coupe tout de suite!

— Mais, dit le prêtre, vous êtes assis sur sa poitrine. Otez-vous de là pour qu'il puisse respirer.

— Non, non, il recommencerait ses farces. Je le lâcherai lorsque je m'en irai... Je vous disais donc, curé, quand ce gredin s'est jeté entre nous, que vous seriez le bienvenu là-bas. La petite est maîtresse, vous savez. Je ne la contrarie pas plus que mes salades. Tout ça pousse... Il n'y a que des imbéciles

comme ce calotin-là pour voir le mal... Où as-tu vu le mal, coquin! c'est toi qui as inventé le mal, brute!

Il secouait le Frère de nouveau.

— Laissez-le se relever, supplia l'abbé Mouret.

— Tout à l'heure... La petite n'est pas à son aise depuis quelque temps. Je ne m'apercevais de rien. Mais elle me l'a dit. Alors je vais prévenir votre oncle Pascal, à Plassans. La nuit, on est tranquille, on ne rencontre personne... Oui, oui, la petite ne se porte pas bien.

Le prêtre ne trouva pas une parole. Il chancelait, la tête basse.

— Elle était si contente de vous soigner! continua le vieux. En fumant ma pipe, je l'entendais rire. Ça me suffisait. Les filles, c'est comme les aubépines: quand elles font des fleurs, elles font tout ce qu'elles peuvent... Enfin, vous viendrez, si le cœur vous en dit. Peut-être que ça amuserait la petite... Bonsoir, curé.

Il s'était relevé avec lenteur, serrant les poings du Frère, se méfiant d'un mauvais coup. Et il s'éloigna, sans tourner la tête, en reprenant son pas dur et allongé. Le Frère, en silence, rampa jusqu'au tas de cailloux. Il attendit que le vieux fût à quelque distance. Puis, à deux mains, il recommença, furieusement. Mais les pierres roulaient dans la poussière de la route. Jeanbernat, ne daignant plus se fâcher, s'en allait, droit comme un arbre, au fond de la nuit sereine.

— Le maudit! Satan le pousse! balbutia Frère Archangias, en faisant ronfler une dernière pierre. Un vieux qu'une chiquenaude devrait casser! Il est cuit au feu de l'enfer. J'ai senti ses griffes.

Sa rage impuissante piétinait sur les cailloux épars. Brusquement, il se tourna contre l'abbé Mouret.

— C'est votre faute! cria-t-il. Vous auriez dû m'aider, et à nous deux nous l'aurions étranglé.

A l'autre bout du village, le tapage avait grandi dans la maison de Bambousse. On entendait distinctement les culs des verres tapés en mesure sur la table. Le prêtre s'était remis à marcher, sans lever la tête, se dirigeant vers la grande clarté claire que jetait la fenêtre, pareille à la flambée d'un feu de sarments. Le Frère le suivit, sombre, la soutane souillée de poussière, une joue saignant de l'effleurement d'un caillou. Puis, de sa voix dure, après un silence:

— Irez-vous? demanda-t-il.

Et, l'abbé Mouret ne répondant pas, il continua:

— Prenez garde! vous retournez au péché... Il a suffi que cet homme passât, pour que toute votre chair eût un tressaillement. Je vous ai vu sous la lune, pâle comme une fille... Prenez garde, entendez-vous! Cette fois Dieu ne pardonnerait pas. Vous tomberiez dans la pourriture dernière... Ah! misérable boue, c'est la saleté qui vous emporte!

Alors, le prêtre leva enfin la face. Il pleurait à grosses larmes, silencieusement. Il dit avec une douceur navrée :

— Pourquoi me parlez-vous ainsi ?... Vous êtes toujours là, vous connaissez mes luttes de chaque heure. Ne doutez pas de moi, laissez-moi la force de me vaincre.

Ces paroles si simples, baignées de larmes muettes, prenaient dans la nuit un tel caractère de douleur sublime, que Frère Archangias lui-même, malgré sa rudesse, se sentit troublé. Il n'ajouta pas un mot, secouant sa soutane, essuyant sa joue saignante. Lorsqu'ils furent devant la maison des Bambousse, il refusa d'entrer. Il s'assit, à quelques pas, sur la caisse renversée d'une vieille charrette, où il attendit avec une patience de dogue.

— Voilà monsieur le curé! crièrent tous les Bambousse et tous les Brichet attablés.

Et l'on remplit de nouveau les verres. L'abbé Mouret dut en prendre un. Il n'y avait pas eu de noce. Seulement, le soir, après le dîner, on avait posé sur la table une dame-jeanne d'une cinquantaine de litres, qu'il s'agissait de vider, avant d'aller se mettre au lit. Ils étaient dix, et déjà le père Bambousse renversait d'une seule main la dame-jeanne, d'où ne coulait plus qu'un mince filet rouge. La Rosalie, très gaie, trempait le menton du petit dans son verre, tandis que le grand Fortuné faisait des tours, soulevait des chaises, avec les dents. Tout le monde passa dans la chambre. L'usage voulait que le curé y bût le vin qu'on lui avait versé : c'est là ce qu'on appelait bénir la chambre. Ça portait bonheur, ça empêchait le ménage de se battre. Du temps de M. Caffin, les choses se passaient joyeusement, le vieux prêtre aimant à rire; il était même réputé pour la façon dont il vidait le verre, sans laisser une goutte au fond; d'autant plus que les femmes, aux Artaud, prétendaient que chaque goutte laissée était une année d'amour en moins pour les époux. Avec l'abbé Mouret, on plaisantait moins haut. Il but pourtant d'un trait, ce qui parut flatter beaucoup le père Bambousse. La vieille Brichet regarda avec une moue le fond du verre, où il y avait un peu de vin restait. Devant le lit, un oncle, qui était garde champêtre, risquait des gaudrioles très raides, dont riait la Rosalie, que le grand Fortuné avait déjà poussée à plat ventre au bord des matelas, par manière de caresse. Et quand tous eurent trouvé un mot gail-

lard, on retourna dans la salle. Vincent et Catherine y étaient demeurés seuls. Vincent, monté sur une chaise, penchant l'énorme dame-jeanne entre ses bras, achevait de la vider dans la bouche ouverte de Catherine.

— Merci, monsieur le curé, cria Bambousse en reconduisant le prêtre. Eh bien! les voilà mariés. Vous êtes content. Ah! les gueux! si vous croyez qu'ils vont dire des *Pater* et des *Ave*, tout à l'heure... Bonne nuit, dormez bien, monsieur le curé.

Frère Archangias avait lentement quitté le cul de la charrette, où il s'était assis.

— Que le diable, murmura-t-il, jette des pelletées de charbons entre leurs peaux, et qu'ils en crèvent!

Il n'ouvrit plus les lèvres. Il accompagna l'abbé Mouret jusqu'au presbytère. Là, il attendit qu'il eût refermé la porte, avant de se retirer; même il se retourna, à deux reprises, pour s'assurer qu'il ne ressortait pas. Quand le prêtre fut dans sa chambre, il se jeta tout habillé sur son lit, les mains aux oreilles, la face contre l'oreiller, pour ne plus entendre, pour ne plus voir. Il s'anéantit, il s'endormit d'un sommeil de mort.

6

Le lendemain était un dimanche. L'exaltation de la sainte Croix [83] tombant un jour de grand-messe, l'abbé Mouret avait voulu célébrer cette fête religieuse avec un éclat particulier. Il s'était pris d'une dévotion extraordinaire pour la Croix, il avait remplacé dans sa chambre la statuette de l'Immaculée Conception par un grand crucifix de bois noir, devant lequel il passait de longues heures d'adoration. Exalter la Croix, la planter devant lui, au-dessus de toutes choses, dans une gloire, comme le but unique de sa vie, lui donnait la force de souffrir et de lutter. Il rêvait de s'y attacher à la place de Jésus, d'y être couronné d'épines, d'y avoir les membres troués, le flanc ouvert. Quel lâche était-il donc pour oser se plaindre d'une blessure menteuse, lorsque son Dieu saignait là de tout son corps, avec le sourire de la Rédemption aux lèvres ? Et, si misérable qu'elle fût, il offrait sa blessure en holocauste, il finissait par glisser à l'extase, par croire que le sang lui ruisselait réellement du front, des membres, de la poitrine. C'étaient des heures de soulagement, toutes ses impuretés coulaient par ses

83. Le 14 septembre.

plaies. Il se redressait avec des héroïsmes de martyr, il souhaitait des tortures effroyables pour les endurer sans un seul frisson de sa chair.

Dès le petit jour, il s'agenouilla devant le crucifix. Et la grâce vint, abondante comme une rosée. Il ne fit pas d'effort, il n'eut qu'à plier les genoux pour la recevoir sur le cœur, pour en être trempé jusqu'aux os, d'une façon délicieusement douce. La veille, il avait agonisé, sans qu'elle descendît. Elle restait longtemps sourde à ses lamentations de damné ; elle le secourait souvent, lorsque, d'un geste d'enfant, il ne savait plus que joindre les mains. Ce fut, ce matin-là, une bénédiction, un repos absolu, une foi entière. Il oublia ses angoisses des jours précédents. Il se donna tout à la joie triomphale de la Croix. Une armure lui montait aux épaules, si impénétrable, que le monde s'émoussait sur elle. Quand il descendit, il marchait dans un air de victoire et de sérénité. La Teuse émerveillée alla chercher Désirée pour qu'il l'embrassât. Toutes deux tapaient des mains, en criant qu'il n'avait pas eu si bonne mine depuis six mois.

Dans l'église, pendant la grand-messe, le prêtre acheva de retrouver Dieu. Il y avait longtemps qu'il ne s'était approché de l'autel avec un tel attendrissement. Il dut se contenir pour ne pas éclater en larmes, la bouche collée sur la nappe. C'était une grand-messe solennelle. L'oncle de la Rosalie, le garde champêtre, chantait au lutrin, d'une voix de basse dont le ronflement emplissait d'un chant d'orgue la voûte écrasée. Vincent, habillé d'un surplis trop large, qui avait appartenu à l'abbé Caffin, balançait un vieil encensoir d'argent, prodigieusement amusé par le bruit des chaînettes, encensant très haut pour obtenir beaucoup de fumée, regardant derrière lui si ça ne faisait tousser personne. L'église était presque pleine. On avait voulu voir les peintures de M. le curé. Des paysannes riaient parce que ça sentait bon ; tandis que les hommes, au fond, debout sous la tribune, hochaient la tête, à chaque note plus creuse du chantre. Par les fenêtres, le grand soleil de dix heures, que tamisaient les vitres de papier, entrait, étalant sur les murs recrépis de grandes moires très gaies, où l'ombre des bonnets de femme mettait des vols de gros papillons. Et les bouquets artificiels, posés sur les gradins de l'autel, avaient eux-mêmes une joie humide de fleurs naturelles, fraîchement cueillies. Lorsque le prêtre se tourna pour bénir les assistants, il éprouva un attendrissement plus vif encore, à voir l'église si propre, si pleine, si trempée de musique, d'encens et de lumière.

Après l'offertoire, un murmure court parmi les paysannes. Vincent, qui avait levé curieusement la tête, faillit envoyer toute la braise de son encensoir sur la chasuble du prêtre. Et comme celui-ci le regardait sévèrement, il voulut s'excuser, il murmura :

— C'est l'oncle de monsieur le curé qui vient d'entrer.

Au fond de l'église, contre une des minces colonnettes de bois qui soutenaient la tribune, l'abbé Mouret aperçut le docteur Pascal. Celui-ci n'avait pas sa bonne face souriante, légèrement railleuse. Il s'était découvert, grave, fâché, suivant la messe avec une visible impatience. Le spectacle du prêtre à l'autel, son recueillement, ses gestes ralentis, la sérénité parfaite de son visage, parurent peu à peu l'irriter davantage. Il ne put attendre la fin de la messe. Il sortit, alla tourner autour de son cabriolet et de son cheval, qu'il avait attaché à un des volets du presbytère.

— Eh bien ! ce gaillard-là n'en finira donc plus de se faire encenser ? demanda-t-il à la Teuse, qui revenait de la sacristie.

— C'est fini, répondit-elle. Entrez au salon... Monsieur le curé se déshabille. Il sait que vous êtes là.

— Pardi ! à moins qu'il ne soit aveugle, murmura le docteur, en la suivant dans la pièce froide, aux meubles durs, qu'elle appelait pompeusement le salon.

Il se promena quelques minutes, de long en large. La pièce, d'une tristesse grise, redoublait sa mauvaise humeur. Tout en marchant, il donnait du bout de sa canne de petits coups sur le crin mangé des sièges, qui avaient le son cassant de la pierre. Puis, fatigué, il s'arrêta devant la cheminée, où un grand saint Joseph, abominablement peinturluré, tenait lieu de pendule.

— Ah ! ce n'est pas malheureux ! dit-il, lorsqu'il entendit le bruit de la porte.

Et, s'avançant vers l'abbé :

— Sais-tu que tu m'as fait avaler la moitié d'une messe ? Il y a longtemps que ça ne m'était arrivé... Enfin, je tenais absolument à te voir aujourd'hui. Je voulais causer avec toi.

Il n'acheva pas. Il regardait le prêtre avec surprise. Il y eut un silence.

— Tu te portes bien, toi ? reprit-il enfin, d'une voix changée.

— Oui, je vais beaucoup mieux, dit l'abbé Mouret en souriant. Je ne vous attendais que jeudi. Ce n'est pas votre jour, le dimanche... Vous avez quelque chose à me communiquer ?

Mais l'oncle Pascal ne répondit pas sur-le-champ.

Il continuait d'examiner l'abbé. Celui-ci était encore tout trempé des tiédeurs de l'église; il apportait dans ses cheveux l'odeur de l'encens; il gardait au fond de ses yeux la joie de la Croix. L'oncle hocha la tête, en face de cette paix triomphante.

— Je sors du Paradou, dit-il brusquement. Jeanbernat est venu me chercher cette nuit... J'ai vu Albine. Elle m'inquiète. Elle a besoin de beaucoup de ménagements

Il étudiait toujours le prêtre en parlant. Il ne vit pas même ses paupières battre.

— Enfin, elle t'a soigné, ajouta-t-il plus rudement. Sans elle, mon garçon, tu serais peut-être, à cette heure, dans un cabanon des Tulettes, avec la camisole de force aux épaules [84]... Eh bien! j'ai promis que tu irais la voir. Je t'emmène avec moi. C'est un adieu. Elle veut partir.

— Je ne puis que prier pour la personne dont vous parlez, dit l'abbé Mouret avec douceur.

Et comme le docteur s'emportait, allongeant un grand coup de canne sur le canapé:

— Je suis prêtre, je n'ai que des prières, acheva-t-il simplement, d'une voix très ferme.

— Ah! tiens, tu as raison! cria l'oncle Pascal, se laissant tomber dans un fauteuil, les jambes cassées. C'est moi qui suis un vieux fou. Oui, j'ai pleuré dans mon cabriolet, en venant ici, tout seul, ainsi qu'un enfant... Voilà ce que c'est que de vivre au milieu des bouquins. On fait de belles expériences, mais on se conduit en malhonnête homme... Est-ce que j'allais me douter que tout cela tournerait si mal?

Il se leva, se remit à marcher, désespéré:

— Oui, oui, j'aurais dû m'en douter. C'était logique. Et avec toi ça devenait abominable. Tu n'es pas un homme comme les autres... Mais, écoute, je t'assure que tu étais perdu. L'air qu'elle a mis autour de toi pouvait seul te sauver de la folie. Enfin, tu m'entends, je n'ai pas besoin de te dire où tu en étais. C'est une de mes plus belles cures. Et je n'en suis pas fier, va! car, maintenant, voilà que la pauvre fille en meurt!

L'abbé Mouret était resté debout, très calme, avec son rayonnement tranquille de martyr, que rien d'humain ne peut plus abattre.

— Dieu lui fera miséricorde, dit-il.

— Dieu! Dieu! murmura le docteur sourdement, il ferait mieux de ne pas se jeter dans nos jambes. On arrangerait l'affaire.

Puis, haussant la voix, il reprit:

— J'avais tout calculé. C'est là le plus fort! Oh!

l'imbécile!... Tu restais un mois en convalescence. L'ombre des arbres, le souffle frais de l'enfant, toute cette jeunesse te remettait sur pied. D'un autre côté, l'enfant perdait sa sauvagerie, tu l'humanisais, nous en faisions à nous deux une demoiselle que nous aurions mariée quelque part. C'était parfait... Aussi pouvais-je m'imaginer que ce vieux philosophe de Jeanbernat ne quitterait pas ses salades d'un pouce! Il est vrai que moi non plus je n'ai pas bougé de mon laboratoire. J'avais des études en train... Et c'est ma faute! Je suis un malhonnête homme!

Il étouffait, il voulait sortir. Il chercha partout son chapeau qu'il avait sur la tête.

— Adieu, balbutia-t-il, je m'en vais... Alors, tu refuses de venir? Voyons, fais-le pour moi; tu vois combien je souffre. Je te jure qu'elle partira ensuite. C'est convenu... J'ai mon cabriolet. Dans une heure, tu seras de retour... Viens, je t'en prie.

Le prêtre eut un geste large, un de ces gestes que le docteur lui avait vu faire à l'autel.

— Non, dit-il, je ne puis.

En accompagnant son oncle, il ajouta:

— Dites-lui qu'elle s'agenouille et qu'elle implore Dieu... Dieu l'entendra comme il m'a entendu; il la soulagera comme il m'a soulagé. Il n'y a pas d'autre salut.

Le docteur le regarda en face, haussa terriblement les épaules.

— Adieu, répéta-t-il. Tu te portes bien. Tu n'as plus besoin de moi.

Mais, comme il détachait son cheval, Désirée, qui venait d'entendre sa voix, arriva en courant. Elle adorait l'oncle. Quand elle était plus jeune, il écoutait son bavardage de gamine pendant des heures, sans se lasser. Maintenant encore, il la gâtait, s'intéressait à sa basse-cour, restait très bien un après-midi avec elle, au milieu des poules et des canards, à lui sourire de ses yeux aigus de savant. Il l'appelait « la grande bête », d'un ton d'admiration caressante. Il paraissait la mettre bien au-dessus des autres filles. Aussi se jeta-t-elle à son cou, d'un élan de tendresse. Elle cria:

— Tu restes? Tu déjeunes?

Mais il l'embrassa, refusant, se débarrassant de son étreinte d'un air bourru. Elle avait un rire clair; elle se pendit de nouveau à ses épaules.

— Tu as bien tort, reprit-elle. J'ai des œufs tout chauds. Je guettais les poules. Elles en ont fait quatorze, ce matin... Et nous aurions mangé un poulet, le blanc, celui qui bat les autres. Tu étais là, jeudi, quand il a crevé un œil au grand moucheté?

L'oncle restait fâché. Il s'irritait contre le nœud de la bride, qu'il ne parvenait pas à défaire. Alors,

---

84. Dans *la Conquête de Plassans*, on a vu le père de Serge revêtu, lui aussi, de la camisole de force aux Tulettes.

elle se mit à sauter autour de lui, tapant des mains, chantonnant, sur un air de flûte :

— Si, si, tu restes... Nous le mangerons, nous le mangerons!

Et la colère de l'oncle ne put tenir davantage. Il leva la tête, il sourit. Elle était trop saine, trop vivante, trop vraie. Elle avait une gaieté trop large, naturelle et franche comme la nappe de soleil qui dorait sa chair nue.

— La grande bête! murmura-t-il, charmé.

Puis, la prenant par les poignets, pendant qu'elle continuait à sauter :

— Écoute, pas aujourd'hui. J'ai une pauvre fille qui est malade. Mais je reviendrai un autre matin... Je te le promets.

— Quand ? jeudi ? insista-t-elle. Tu sais, la vache est grosse. Elle n'a pas l'air à son aise, depuis deux jours... Tu es médecin, tu pourrais peut-être lui donner un remède.

L'abbé Mouret, qui était demeuré là, paisible, ne put retenir un léger rire. Le docteur monta gaiement dans son cabriolet, en disant :

— C'est ça, je soignerai la vache... Approche, que je t'embrasse, la grande bête! Tu sens bon, tu sens la santé. Et tu vaux mieux que tout le monde. Si tout le monde était comme ma grande bête, la terre serait trop belle.

Il jeta à son cheval un léger claquement de langue, et continua à parler tout seul, pendant que le cabriolet descendait la pente :

— Oui, des brutes, il ne faudrait que des brutes. On serait beau, on serait gai, on serait fort. Ah! c'est le rêve!... Ça a bien tourné pour la fille, qui est aussi heureuse que sa vache. Ça a mal tourné pour le garçon, qui agonise dans sa soutane. Un peu plus de sang, un peu plus de nerfs, va te promener! On manque sa vie... De vrais Rougon et de vrais Macquart, ces enfants-là. La queue de la bande, la dégénérescence finale [85].

Et poussant son cheval, il monta au trot le coteau qui conduisait au Paradou.

7

Le dimanche était un jour de grande occupation pour l'abbé Mouret. Il avait les vêpres, qu'il disait généralement devant les chaises vides, la Brichet

elle-même ne poussant pas la dévotion au point de revenir à l'église l'après-midi. Puis, à quatre heures, Frère Archangias amenait les galopins de son école pour que M. le curé leur fît réciter leur leçon de catéchisme. Cette récitation se prolongeait parfois fort tard. Lorsque les enfants se montraient par trop indomptables, on appelait la Teuse, qui leur faisait peur avec son balai.

Ce dimanche-là, vers quatre heures, Désirée se trouva seule au presbytère. Comme elle s'ennuyait, elle alla arracher de l'herbe pour ses lapins, dans le cimetière, où poussaient des coquelicots superbes, que les lapins adoraient. Elle se traînait à genoux entre les tombes, elle rapportait de pleins tabliers de verdures grasses, sur lesquelles ses bêtes tombaient goulûment.

— Oh! les beaux plantains! murmura-t-elle, en s'accroupissant devant la pierre de l'abbé Caffin, ravie de sa trouvaille.

Là, en effet, dans la fissure même de la pierre, des plantains magnifiques étalaient leurs larges feuilles. Elle avait achevé d'emplir son tablier, lorsqu'elle crut entendre un bruit singulier. Un froissement de branches, un glissement de petits cailloux, montaient du gouffre qui longeait un des côtés du cimetière et au fond duquel coulait le Mascle, un torrent descendu des hauteurs du Paradou. La pente était si rude, si impraticable, que Désirée songea à quelque chien perdu, à quelque chèvre échappée. Elle s'avança vivement. Et, comme elle se penchait, elle resta stupéfaite, en apercevant au milieu des ronces une fille qui s'aidait des moindres creux du roc avec une agilité extraordinaire.

— Je vais vous donner la main, lui cria-t-elle. Il y a de quoi se rompre le cou.

La fille, se voyant découverte, eut un saut de peur, comme si elle allait redescendre. Mais elle leva la tête, elle s'enhardit jusqu'à accepter la main qu'on lui tendait.

— Oh! je vous reconnais, reprit Désirée, heureuse, lâchant son tablier pour la prendre à la taille, avec sa câlinerie de grande enfant. Vous m'avez donné des merles. Ils sont morts, les chers petits. J'ai eu bien du chagrin... Attendez, je sais votre nom, je l'ai entendu. La Teuse le dit souvent, quand Serge n'est pas là. Elle m'a bien défendu de le répéter... Attendez, je vais me souvenir.

Elle faisait des efforts de mémoire, qui la rendaient toute sérieuse. Puis, ayant trouvé, elle redevint très gaie, elle goûta à plusieurs reprises la musique du nom.

— Albine! Albine!... C'est très doux. J'avais cru d'abord que vous étiez une mésange, parce que j'ai

85. Le docteur Pascal, comme Zola, est le théoricien de l'hérédité dans le cycle. Ainsi s'explique l'importance capitale du personnage.

une mésange que j'appelais à peu près comme cela, je ne sais plus bien.

Albine ne sourit pas. Elle était toute blanche, avec une flamme de fièvre dans les yeux. Quelques gouttes de sang roulaient sur ses mains. Quand elle eut repris haleine, elle lui dit rapidement :

— Non, laissez. Vous allez tacher votre mouchoir à m'essuyer. Ce n'est rien, quelques piqûres... Je n'ai pas voulu venir par la route, on m'aurait vue. J'ai préféré suivre le torrent... Serge est là ?

Ce nom prononcé familièrement, avec une ardeur sourde, ne choqua point Désirée. Elle répondit qu'il était là, dans l'église, à faire le catéchisme.

— Il ne faut pas parler haut, ajouta-t-elle, en mettant un doigt sur ses lèvres. Serge me défend de parler haut, quand il fait le catéchisme. Autrement on viendrait nous gronder... Nous allons nous mettre dans l'écurie, voulez-vous ? Nous serons bien ; nous causerons.

— Je veux voir Serge, dit simplement Albine.

La grande enfant baissa encore la voix. Elle jetait des coups d'œil furtifs sur l'église, murmurant :

— Oui, oui... Serge sera bien attrapé. Venez avec moi. Nous nous cacherons, nous ne ferons pas de bruit. Oh ! que c'est amusant !

Elle avait ramassé le tas d'herbes glissé de son tablier. Elle sortit du cimetière, rentra à la cure, avec des précautions infinies, en recommandant bien à Albine de se cacher derrière elle, de se faire toute petite. Comme elles se réfugiaient toutes deux en courant dans la basse-cour, elles aperçurent la Teuse, qui traversait la sacristie et qui ne parut pas les voir.

— Chut ! chut ! répétait Désirée, enchantée, quand elles se furent blotties au fond de l'écurie. Maintenant, personne ne nous trouvera plus... Il y a de la paille. Allongez-vous donc.

Albine dut s'asseoir sur une botte de paille.

— Et Serge ? demanda-t-elle, avec l'entêtement de l'idée fixe.

— Tenez, on entend sa voix... Quand il tapera dans ses mains, ça sera fini, les petits s'en iront... Écoutez, il leur raconte une histoire.

La voix de l'abbé Mouret arrivait, en effet, très adoucie, par la porte de la sacristie, que la Teuse, sans doute, venait d'ouvrir. Ce fut comme une bouffée religieuse, un murmure où passa à trois fois le nom de Jésus. Albine frissonna. Elle se levait pour courir à cette voix aimée, dont elle reconnaissait la caresse, lorsque le son parut s'envoler, étouffé par la porte, qui était retombée. Alors, elle se rassit, elle sembla attendre, les mains serrées l'une contre l'autre, toute à la pensée brûlant au fond de ses yeux clairs. Désirée, couchée à ses pieds, la regardait avec une admiration naïve.

— Oh ! vous êtes belle, murmura-t-elle. Vous ressemblez à une image que Serge avait dans sa chambre. Elle était toute blanche comme vous ; elle avait de grandes boucles qui lui flottaient sur le cou ; et elle montrait son cœur rouge, là, à la place où je sens battre le vôtre....Vous ne m'écoutez pas, vous êtes triste. Jouons, voulez-vous ?

Mais elle s'interrompit, criant entre ses dents, contenant sa voix :

— Les gueuses ! Elles vont nous faire surprendre.

Elle n'avait pas lâché son tablier d'herbes, et ses bêtes la prenaient d'assaut. Une bande de poules était accourue, gloussant, s'appelant, piquant les brins verts qui pendaient. La chèvre passait sournoisement la tête sous son bras, mordait aux larges feuilles. La vache elle-même, attachée au mur, tirait sur sa corde, allongeait son mufle, soufflait son haleine chaude.

— Ah ! les voleuses ! répétait Désirée. C'est pour les lapins !... Voulez-vous bien me laisser tranquille ! Toi, tu vas recevoir une calotte. Et toi, si je t'y prends encore, je te retrousse la queue... Les poisons ! elles me mangeraient plutôt les mains !

Elle souffletait la chèvre, elle dispersait les poules à coups de pied, elle tapait de toute la force de ses poings sur le mufle de la vache. Mais les bêtes se secouaient, revenaient plus goulues, sautaient sur elle, l'envahissaient, arrachaient son tablier. Et clignant les yeux, elle murmurait à l'oreille d'Albine, comme si les bêtes avaient pu l'entendre :

— Sont-elles drôles, ces amours ! Attendez, vous allez les voir manger.

Albine regardait de son air grave.

— Allons, soyez sages, reprit Désirée. Vous en aurez toutes. Mais chacune son tour... La grande Lise, d'abord. Hein ! tu aimes joliment le plantain, toi !

La grande Lise, c'était la vache. Elle broya lentement une poignée des feuilles grasses poussées sur la tombe de l'abbé Caffin. Un léger filet de bave pendait de son mufle. Ses gros yeux bruns avaient une douceur gourmande.

— A toi, maintenant, continua Désirée, en se tournant vers la chèvre. Oh ! je sais que tu veux des coquelicots. Et tu les préfères fleuris, n'est-ce pas ? avec des boutons qui éclatent sous tes dents comme des papillotes de braise rouge... Tiens, en voilà de joliment beaux. Ils viennent du coin à gauche, où l'on enterrait l'année dernière.

Et, tout en parlant, elle présentait à la chèvre un bouquet de fleurs saignantes, que la bête broutait.

Quand elle n'eut plus dans les mains que les tiges, elle les lui mit entre les dents. Par-derrière, les poules furieuses lui déchiquetaient les jupes. Elle leur jeta des chicorées sauvages et des pissenlits, qu'elle avait cueillis autour des vieilles dalles rangées le long du mur de l'église. Les poules se disputèrent surtout les pissenlits, avec une telle voracité, une telle rage d'ailes et d'ergots, que les autres bêtes de la basse-cour entendirent. Alors, ce fut un envahissement. Le grand coq fauve, Alexandre, parut le premier. Il piqua un pissenlit, le coupa en deux, sans l'entamer. Il cacardait, appelant les poules restées dehors, se reculant pour les inviter à manger. Et une poule blanche entra, puis une poule noire, puis toute une file de poules, qui se bousculaient, se montaient sur la queue, finissaient par couler comme une mare de plumes folles. Derrière les poules, vinrent les pigeons, et les canards, et les oies, enfin les dindes. Désirée riait au milieu de ce flot vivant, noyée, perdue, répétant :

— Toutes les fois que j'apporte de l'herbe du cimetière, c'est comme ça. Elles se tueraient pour en manger... L'herbe doit avoir un goût.

Et elle se débattait, levant les dernières poignées de verdure, afin de les sauver de ces becs gloutons qui se levaient vers elle, répétant qu'il fallait en garder pour les lapins, qu'elle allait se fâcher, qu'elle les mettrait tous au pain sec. Mais elle faiblissait. Les oies tiraient les coins de son tablier, si rudement, qu'elle manquait tomber sur les genoux. Les canards lui dévoraient les chevilles. Deux pigeons avaient volé sur sa tête. Des poules montaient jusqu'à ses épaules. C'était une férocité de bêtes sentant la chair, les plantains gras, les coquelicots sanguins, les pissenlits engorgés de sève, où il y avait un peu de la vie des morts. Elle riait trop, elle se sentait sur le point de glisser, de lâcher les deux dernières poignées, lorsqu'un grognement terrible vint mettre la panique autour d'elle.

— C'est toi, mon gros, dit-elle, ravie. Mange-les, délivre-moi.

Le cochon entrait. Ce n'était plus le petit cochon, rose comme un joujou fraîchement peint, le derrière planté d'une queue pareille à un bout de ficelle ; mais un fort cochon, bon à tuer, rond comme une bedaine de chantre, l'échine couverte de soies rudes qui pissaient la graisse. Il avait le ventre couleur d'ambre, pour avoir dormi dans le fumier. Le groin en avant, roulant sur ses pattes, il se jeta au milieu des bêtes, ce qui permit à Désirée de s'échapper et de courir donner aux lapins les quelques herbes qu'elle avait si vaillamment défendues. Quand elle revint, la paix était faite. Les oies balançaient le cou

mollement, stupides, béates ; les canards et les dindes s'en allaient le long des murs, avec des déhanchements prudents d'animaux infirmes ; les poules caquetaient à voix basse, piquant un grain invisible dans le sol dur de l'écurie ; tandis que le cochon, la chèvre, la grande vache, comme peu à peu ensommeillés, clignaient les paupières. Au-dehors, une pluie d'orage commençait à tomber.

— Ah ! bien ! voilà une averse, dit Désirée, qui se rassit sur la paille avec un frisson. Vous ferez bien de rester là, mes amours, si vous ne voulez pas être trempées.

Elle se tourna vers Albine, en ajoutant :

— Hein ! ont-elles l'air godiche ! Elles ne se réveillent que pour tomber sur la nourriture, ces bêtes-là !

Albine était restée silencieuse. Les rires de cette belle fille se débattant au milieu de ces cous voraces, de ces becs goulus qui la chatouillaient, qui la baisaient, qui semblaient vouloir lui manger la chair, l'avaient rendue plus blanche. Tant de gaieté, tant de santé, tant de vie, la désespérait. Elle serrait ses bras fiévreux, elle pressait le vide sur sa poitrine, séchée par l'abandon.

— Et Serge ? demanda-t-elle de sa même voix, nette et entêtée.

— Chut ! dit Désirée, je viens de l'entendre, il n'a pas fini... Nous avons fait joliment du bruit tout à l'heure. Il faut que la Teuse soit sourde, ce soir... Tenons-nous tranquilles, maintenant. C'est bon d'entendre tomber la pluie.

L'averse entrait par la porte laissée ouverte, battait le seuil à larges gouttes. Des poules, inquiètes, après s'être hasardées, avaient reculé jusqu'au fond de l'écurie. Toutes les bêtes se réfugiaient là, autour des jupes des deux filles, sauf trois canards qui s'en étaient allés sous la pluie se promener tranquillement. La fraîcheur de l'eau, ruisselant au dehors, semblait refouler à l'intérieur les buées ardentes de la basse-cour. Il faisait très chaud dans la paille. Désirée attira deux grosses bottes, s'y étala comme sur des oreillers, s'y abandonna. Elle était à l'aise, elle jouissait par tout son corps.

— C'est bon, c'est bon, murmura-t-elle. Couchez-vous donc comme moi. J'enfonce, je suis appuyée de tous les côtés, la paille me fait des minettes dans le cou... Et quand on se frotte, ça vous court le long des membres, on dirait que des souris se sauvent sous votre robe.

Elle se frottait, elle riait seule, donnant des tapes à droite et à gauche, comme pour se défendre contre les souris. Puis, elle restait la tête en bas, les genoux en l'air, reprenant :

— Est-ce que vous vous roulez dans la paille, chez vous ? Moi, je ne connais rien de meilleur... Des fois, je me chatouille sous les pieds. C'est bien drôle aussi... Dites, est-ce que vous vous chatouillez ?

Mais le grand coq fauve, qui s'était approché gravement, en la voyant vautrée, venait de lui sauter sur la gorge.

— Veux-tu t'en aller, Alexandre ! cria-t-elle. Est-il bête, cet animal ! Je ne puis pas me coucher sans qu'il se plante là... Tu me serres trop, tu me fais mal avec tes ongles, entends-tu !... Je veux bien que tu restes, mais tu seras sage, tu ne me piqueras pas les cheveux, hein ?

Et elle ne s'en inquiéta plus. Le coq se tenait ferme à son corsage, ayant l'air par instants de la regarder sous le menton, d'un œil de braise. Les autres bêtes se rapprochaient de ses jupes. Après s'être encore roulée, elle avait fini par se pâmer, dans une position heureuse, les membres écartés, la tête renversée. Elle continua :

— Ah ! c'est trop bon, ça me fatigue tout de suite. La paille, ça donne sommeil, n'est-ce pas ?... Serge n'aime pas ça. Vous non plus, peut-être. Alors, qu'est-ce que vous pouvez aimer ?... Racontez un peu, pour que je sache.

Elle s'assoupissait lentement. Un instant, elle tint ses yeux grands ouverts, ayant l'air de chercher quel plaisir elle ignorait. Puis, elle baissa les paupières, avec un sourire tranquille, comme pleinement contentée. Elle paraissait dormir, lorsque, au bout de quelques minutes, elle rouvrit les yeux, disant :

— La vache va faire un petit... Voilà qui est bon aussi. Ça m'amusera plus que tout.

Et elle glissa à un sommeil profond. Les bêtes avaient fini par monter sur elle. C'était un flot de plumes vivantes qui la couvrait. Des poules semblaient couver à ses pieds. Les oies mettaient le duvet de leur cou le long de ses cuisses. A gauche, le cochon lui chauffait le flanc, pendant que la chèvre, à droite, allongeait sa tête barbue jusque sous son aisselle. Un peu partout, des pigeons nichaient, dans ses mains ouvertes, au creux de sa taille, derrière ses épaules tombantes. Et elle était toute rose, en dormant, caressée par le souffle plus fort de la vache, étouffée sous le poids du grand coq accroupi, qui était descendu plus bas de la gorge, les ailes battantes, la crête allumée, et dont le ventre fauve la brûlait d'une caresse de flamme à travers ses jupes.

La pluie, au dehors, tombait plus fine. Une nappe de soleil, échappée du coin d'un nuage, trempait d'or la poussière d'eau volante. Albine, restée immobile, regardait dormir Désirée, cette belle fille qui contentait sa chair en se roulant sur la paille. Elle souhaitait d'être ainsi lasse et pâmée, endormie de jouissance, pour quelques fétus qui lui auraient chatouillé la nuque. Elle jalousait ces bras forts, cette poitrine dure, cette vie toute charnelle dans la chaleur fécondante d'un troupeau de bêtes, cet épanouissement purement animal, qui faisait de l'enfant grasse la tranquille sœur de la grande vache blanche et rousse. Elle rêvait d'être aimée du coq fauve et d'aimer elle-même comme les arbres poussent, naturellement, sans honte, en ouvrant chacune de ses veines aux jets de la sève. C'était la terre qui assouvissait Désirée, lorsqu'elle se vautrait sur le dos. Cependant, la pluie avait complètement cessé. Les trois chats de la maison, l'un derrière l'autre, filaient dans la cour, le long du mur, en prenant des précautions infinies pour ne pas se mouiller. Ils allongèrent le cou dans l'écurie, ils vinrent droit à la dormeuse, ronronnant, se couchant contre elle, les pattes sur un peu de sa peau. Moumou, le gros chat noir, blotti près d'une de ses joues, se mit à lui lécher le menton avec douceur.

— Et Serge ? murmura machinalement Albine.

Où était donc l'obstacle ? Qui l'empêchait de se contenter ainsi, heureuse, en pleine nature ? Pourquoi n'aimait-elle pas, pourquoi n'était-elle pas aimée, au grand soleil, librement, comme les arbres poussent ? Elle ne savait pas, elle se sentait à jamais abandonnée, à jamais meurtrie. Et elle avait un entêtement farouche, un besoin de reprendre son bien dans ses bras, de le cacher, d'en jouir encore. Alors, elle se leva. La porte de la sacristie venait d'être rouverte ; un léger claquement de mains se fit entendre, suivi du vacarme d'une bande d'enfants tapant leurs sabots sur les dalles : le catéchisme était fini. Elle quitta doucement l'écurie, où elle attendait, depuis une heure, dans la buée chaude de la basse-cour. Comme elle se glissait le long du couloir de la sacristie, elle aperçut le dos de la Teuse, qui rentra dans sa cuisine, sans tourner la tête. Et, certaine de n'être pas vue, elle poussa la porte, l'accompagnant de la main pour qu'elle retombât sans bruit. Elle était dans l'église.

8

D'abord, elle ne vit personne. Au dehors, la pluie tombait de nouveau, une pluie fine, persistante. L'église lui parut toute grise. Elle passa derrière le maître-autel, s'avança jusqu'à la chaire. Il n'y avait, au milieu de la nef, que des bancs laissés en déroute par les galopins du catéchisme. Le balancier de l'horloge battait sourdement, dans tout ce vide. Alors, elle descendit pour aller frapper à la boiserie du confessionnal, qu'elle apercevait à l'autre bout. Mais, comme elle passait devant la chapelle des morts, elle trouva l'abbé Mouret prosterné au pied du grand Christ saignant. Il ne bougeait pas. Il devait croire que la Teuse rangeait les bancs derrière lui. Albine lui posa la main sur l'épaule.

— Serge, dit-elle, je viens te chercher.

Le prêtre leva la tête, très pâle, avec un tressaillement. Il resta à genoux, il se signa, les lèvres balbutiantes encore de sa prière.

— J'ai attendu, continua-t-elle. Chaque matin, chaque soir, je regardais si tu n'arrivais pas. J'ai compté les jours, puis je n'ai plus compté. Voilà des semaines... Alors, quand j'ai su que tu ne viendrais pas, je suis venue, moi. Je me suis dit : « Je l'emmènerai... » Donne-moi tes mains, allons-nous-en.

Et elle lui tendait les mains, comme pour l'aider à se relever. Lui, se signa de nouveau. Il priait toujours, en la regardant. Il avait calmé le premier frisson de sa chair. Dans la grâce qui l'inondait depuis le matin, ainsi qu'un bain céleste, il puisait des forces surhumaines.

— Ce n'est pas ici votre place, dit-il gravement. Retirez-vous... Vous aggravez vos souffrances.

— Je ne souffre plus, reprit-elle avec un sourire. Je me porte mieux, je suis guérie, puisque je te vois... Écoute, je me faisais plus malade que je n'étais, pour qu'on vînt te chercher. Je veux bien l'avouer, maintenant. C'est comme cette promesse de partir, de quitter le pays, après t'avoir retrouvé, tu ne t'es pas imaginé peut-être que je l'aurais tenue. Ah! bien! je t'aurais plutôt emporté sur mes épaules... Les autres ne savent pas; mais toi tu sais bien qu'à présent je ne puis vivre ailleurs qu'à ton cou.

Elle redevenait heureuse, elle se rapprochait avec des caresses d'enfant libre, sans voir la rigidité froide du prêtre. Elle s'impatienta, tapa joyeusement dans ses mains, en criant :

— Voyons, décide-toi, Serge! Tu nous fais perdre un temps, là! Il n'y a pas besoin de tant de réflexion. Je t'emmène, pardi! c'est simple... Si tu désires ne pas être vu, nous nous en irons par le Mascle. Le

chemin n'est pas commode; mais je l'ai bien pris toute seule; nous nous aiderons, quand nous serons deux... Tu connais le chemin, n'est-ce pas ? Nous traversons le cimetière, nous descendons au bord du torrent, puis nous n'avons plus qu'à le suivre, jusqu'au jardin. Et comme l'on est chez soi, là-bas, au fond! Il n'y a personne, va! rien que des broussailles et de belles pierres rondes. Le lit est presque à sec. En venant, je pensais : « Lorsqu'il sera avec moi, tout à l'heure, nous marcherons doucement, en nous embrassant... » Allons, dépêche-toi. Je t'attends, Serge.

Le prêtre semblait ne plus entendre. Il s'était remis en prières, demandant au ciel le courage des saints. Avant d'engager la lutte suprême, il s'armait des épées flamboyantes de la foi. Un instant, il craignit de faiblir. Il lui avait fallu un héroïsme de martyr pour laisser ses genoux collés à la dalle, pendant que chaque mot d'Albine l'appelait : son cœur allait vers elle, tout son sang se soulevait, le jetait dans ses bras, avec l'irrésistible désir de baiser ses cheveux. Elle avait, de l'odeur seule de son haleine, éveillé et fait passer en une seconde les souvenirs de leur tendresse, le grand jardin, les promenades sous les arbres, la joie de leur union. Mais la grâce le trempa de sa rosée plus abondante; ce ne fut que la torture d'un moment, qui vida le sang de ses veines; et rien d'humain ne demeura en lui. Il n'était plus que la chose de Dieu.

Albine dut le toucher de nouveau à l'épaule. Elle s'inquiétait, elle s'irritait peu à peu.

— Pourquoi ne réponds-tu pas ? Tu ne peux refuser, tu vas me suivre... Songe que j'en mourrais, si tu refusais. Mais non, cela n'est pas possible. Rappelle-toi. Nous étions ensemble, nous ne devions jamais nous quitter. Et vingt fois tu t'es donné. Tu me disais de te prendre tout entier, de prendre tes membres, de prendre ton souffle, de prendre ta vie... Je n'ai point rêvé, peut-être. Il n'y a pas une place de ton corps que tu ne m'aies livrée, pas un de tes cheveux dont je ne sois la maîtresse. Tu as un signe à l'épaule gauche, je l'ai baisé, il est à moi. Tes mains sont à moi, je les ai serrées pendant des jours dans les miennes. Et ton visage, tes lèvres, tes yeux, ton front, tout cela est à moi, j'en ai disposé pour mes tendresses... Entends-tu, Serge ?

Elle se dressait devant lui, souveraine, allongeant les bras. Elle répéta d'une voix plus haute :

— Entends-tu, Serge ? tu es à moi!

Alors, lentement, l'abbé Mouret se leva. Il s'adossa à l'autel en disant :

— Non, vous vous trompez, je suis à Dieu.

Il était plein de sérénité. Sa face nue ressemblait

à celle d'un saint de pierre, que ne trouble aucune chaleur venue des entrailles. Sa soutane tombait à plis droits, pareille à un suaire noir, sans rien laisser deviner de son corps. Albine recula à la vue du fantôme sombre de son amour. Elle ne retrouvait point sa barbe libre, sa chevelure libre. Maintenant, au milieu de ses cheveux coupés, elle apercevait une tache blême, la tonsure, qui l'inquiétait comme un mal inconnu, quelque plaie mauvaise, grandie là pour manger la mémoire des jours heureux. Elle ne reconnaissait ni ses mains autrefois tièdes de caresses, ni son cou souple tout sonore de rires, ni ses pieds nerveux dont le galop l'emportait au fond des verdures. Était-ce donc là le garçon aux muscles forts, le col dénoué montrant le duvet de la poitrine, la peau épanouie par le soleil, les reins vibrants de vie, dans l'étreinte duquel elle avait vécu une saison ? A cette heure, il ne semblait plus avoir de chair, le poil lui était honteusement tombé, toute sa virilité se séchait sous cette robe de femme qui le laissait sans sexe.

— Oh! murmura-t-elle, tu me fais peur... M'as-tu cru morte, que tu as pris le deuil ? Enlève ce noir, mets une blouse. Tu retrousseras les manches, nous pêcherons encore des écrevisses... Tes bras étaient aussi blonds que les miens.

Elle avait porté la main sur la soutane, comme pour en arracher l'étoffe. Lui, la repoussa du geste, sans la toucher. Il la regardait, il s'affermissait contre la tentation, en ne la quittant pas des yeux. Elle lui paraissait grandie. Elle n'était plus la gamine aux bouquets sauvages, jetant au vent ses rires de bohémienne, ni l'amoureuse vêtue de jupes blanches, pliant sa taille mince, ralentissant sa marche attendrie derrière les haies. Maintenant, un duvet de fruit blondissait sa lèvre, ses hanches roulaient librement, sa poitrine avait un épanouissement de fleur grasse. Elle était femme, avec sa face longue, qui lui donnait un grand air de fécondité. Dans ses flancs élargis, la vie dormait. Sur ses joues, à fleur de peau, venait l'adorable maturité de sa chair. Et le prêtre, tout enveloppé de son odeur passionnée de femme faite, prenait une joie amère à braver la caresse de sa bouche rouge, le rire de ses yeux, l'appel de sa gorge, l'ivresse qui coulait d'elle au moindre mouvement. Il poussait la témérité jusqu'à chercher sur elle les places qu'il avait baisées follement, autrefois, les coins des yeux, les coins des lèvres, les tempes étroites, douces comme du satin, la nuque d'ambre, soyeuse comme du velours.

Jamais, même au cou d'Albine, il n'avait goûté les félicités qu'il éprouvait à se martyriser, en regardant en face cette passion qu'il refusait. Puis, il craignit de céder là à quelque nouveau piège de la chair. Il baissa les yeux, il dit avec douceur :

— Je ne puis vous entendre ici. Sortons, si vous tenez à accroître nos regrets à tous deux... Notre présence en cet endroit est un scandale. Nous sommes chez Dieu.

— Qui ça, Dieu ? cria Albine, affolée, redevenue la grande fille lâchée en pleine nature. Je ne connais pas, ton Dieu, je ne veux pas le connaître, s'il te vole à moi, qui ne lui ai jamais rien fait. Mon oncle Jeanbernat a donc raison de dire que ton Dieu est une invention de méchanceté, une manière d'épouvanter les gens et de les faire pleurer... Tu mens, tu ne m'aimes plus, ton Dieu n'existe pas.

— Vous êtes chez lui, répéta l'abbé Mouret avec force. Vous basphémez. D'un souffle, il pourrait vous réduire en poussière.

Elle eut un rire superbe. Elle levait les bras, elle défiait le ciel.

— Alors, dit-elle, tu préfères ton Dieu à moi. Tu le crois plus fort que moi. Tu t'imagines qu'il t'aimera mieux que moi... Tiens! tu es un enfant. Laisse donc ces bêtises. Nous allons retourner au jardin ensemble, et nous aimer, et être heureux, et être libres. C'est la vie.

Cette fois, elle avait réussi à le prendre à la taille. Elle l'entraînait.

Mais il se dégagea, tout frissonnant, de son étreinte ; il revint s'adosser à l'autel, s'oubliant, la tutoyant comme autrefois.

— Va-t'en, balbutia-t-il. Si tu m'aimes encore, va-t'en... Oh! Seigneur, pardonnez-lui, pardonnez-moi de salir votre maison. Si je passais la porte derrière elle, je la suivrais peut-être. Ici, chez vous, je suis fort. Permettez que je reste là, à vous défendre.

Albine demeura un instant silencieuse. Puis, d'une voix calmée :

— C'est bien, restons ici... Je veux te parler. Tu ne peux être méchant. Tu me comprendras. Tu ne me laisseras pas partir seule... Non, ne te défends pas. Je ne te prendrai plus, puisque cela te fait mal. Tu vois, je suis très calme. Nous allons causer doucement, comme lorsque nous nous perdions, et que nous ne cherchions pas notre chemin, pour causer plus longtemps.

Elle souriait, elle continua :

— Moi, je ne sais pas. L'oncle Jeanbernat me défendait de venir à l'église. Il me disait : « Bête, puisque tu as un jardin, qu'est-ce que tu irais faire dans une masure où l'on étouffe ?... » J'ai grandi bien contente. Je regardais dans les nids, sans toucher aux œufs. Je ne cueillais pas même les fleurs, de peur de faire saigner les plantes. Tu sais que jamais je n'ai pris un insecte pour le tourmenter... Alors, pourquoi Dieu serait-il en colère contre moi ?

— Il faut le connaître, le prier, lui rendre à chaque heure les hommages qui lui sont dus, répondit le prêtre.

— Cela te contenterait, n'est-ce pas ? reprit-elle. Tu me pardonnerais, tu m'aimerais encore ?... Eh bien! je veux tout ce que tu veux. Parle-moi de Dieu, je croirai en lui, je l'adorerai. Chacune de tes paroles sera une vérité que j'écouterai à genoux. Est-ce que jamais j'ai eu une pensée autre que la tienne ?... Nous reprendrons nos longues promenades, tu m'instruiras, tu feras de moi ce qu'il te plaira. Oh! consens, je t'en prie!

L'abbé Mouret montra sa soutane.

— Je ne puis, dit-il simplement; je suis prêtre.

— Prêtre! répéta-t-elle, en cessant de sourire. Oui, l'oncle prétend que les prêtres n'ont ni femme, ni sœur, ni mère. Alors, cela est vrai... Mais pourquoi es-tu venu ? C'est toi qui m'as prise pour ta sœur, pour ta femme. Tu mentais donc ?

Il leva sa face pâle, où perlait une sueur d'angoisse.

— J'ai péché, murmura-t-il.

— Moi, continua-t-elle, lorsque je t'ai vu si libre, j'ai cru que tu n'étais plus prêtre. J'ai pensé que c'était fini, que tu resterais sans cesse là, pour moi, avec moi... Et maintenant, que veux-tu que je fasse, si tu emportes toute ma vie ?

— Ce que je fais, répondit-il : vous agenouiller, mourir à genoux, ne pas vous relever avant que Dieu pardonne.

— Tu es donc lâche ? dit-elle encore, reprise par la colère, les lèvres méprisantes.

Il chancela, il garda le silence. Une souffrance abominable le serrait à la gorge; mais il demeurait plus fort que la douleur. Il tenait la tête droite, il souriait presque des coins de sa bouche tremblante. Albine, de son regard fixe, le défia un instant. Puis, avec un nouvel emportement :

— Eh! réponds, accuse-moi, dis que c'est moi qui suis allée te tenter. Ce sera le comble... Va, je te permets de t'excuser. Tu peux me battre, je préférerais tes coups à ta raideur de cadavre. N'as-tu plus de sang ? N'entends-tu pas que je t'appelle lâche ? Oui, tu es lâche, tu ne devais pas m'aimer, puisque tu ne peux être un homme... Est-ce ta robe noire qui te gêne ? Arrache-la. Quand tu seras nu, tu te souviendras peut-être.

Le prêtre, lentement, répéta les mêmes paroles :

— J'ai péché, je n'ai pas d'excuse. Je fais pénitence de ma faute, sans espérer de pardon. Si j'arrachais mon vêtement, j'arracherais ma chair, car je me suis donné à Dieu tout entier, avec mon âme, avec mes os. Je suis prêtre.

— Et moi! et moi! cria une dernière fois Albine.

Il ne baissa pas la tête.

— Que vos souffrances me soient comptées comme autant de crimes! Que je sois éternellement puni de l'abandon où je dois vous laisser! Ce sera juste... Tout indigne que je suis, je prie pour vous chaque soir.

Elle haussa les épaules, avec un immense découragement. Sa colère tombait. Elle était presque prise de pitié.

— Tu es fou, murmura-t-elle. Garde tes prières. C'est toi que je veux... Jamais tu ne comprendras. J'avais tant de choses à te dire! Et tu es là, à me mettre toujours en colère, avec tes histoires de l'autre monde... Voyons, soyons raisonnables tous les deux. Attendons d'être plus calmes. Nous causerons encore... Il n'est pas possible que je m'en aille comme ça. Je ne peux te laisser ici. C'est parce que tu es ici que tu es comme mort, la peau si froide, que je n'ose te toucher... Ne parlons plus. Attendons.

Elle se tut, elle fit quelques pas. Elle examinait la petite église. La pluie continuait à mettre aux vitres son ruissellement de cendre fine. Une lumière froide, trempée d'humidité, semblait mouiller les murs. Du dehors, pas un bruit ne venait, que le roulement monotone de l'averse. Les moineaux devaient s'être blottis sous les tuiles, le sorbier dressait des branches vagues, noyées dans la poussière d'eau. Cinq heures sonnèrent, arrachées coup à coup de la poitrine fêlée de l'horloge; puis, le silence grandit encore, plus sourd, plus aveugle, plus désespéré. Les peintures, à peine sèches, donnaient au maître-autel et aux boiseries une propreté triste, l'air d'une chapelle de couvent où le soleil n'entre pas. Une agonie lamentable emplissait la nef, éclaboussée du sang qui coulait des membres du grand Christ; tandis que, le long des murs, les quatorze images de la Passion étalaient leur drame atroce, barbouillé de jaune et de rouge, suant l'horreur. C'était la vie qui agonisait là, dans ce frisson de mort, sur ces autels pareils à des tombeaux, au milieu de cette nudité de caveau funèbre. Tout parlait de massacre, de nuit, de terreur, d'écrasement, de néant. Une dernière haleine d'encens traînait, pareille au dernier souffle attendri de quelque trépassée, étouffée jalousement sous les dalles.

— Ah! dit enfin Albine, comme il faisait bon au soleil, tu te rappelles ?... Un matin, c'était à gauche du parterre, nous marchions le long d'une haie de grands rosiers. Je me souviens de la couleur de l'herbe : elle était presque bleue, avec des moires vertes. Quand nous arrivâmes au bout de la haie, nous revînmes sur nos pas, tant le soleil avait là une odeur douce. Et ce fut toute notre promenade, cette matinée-là, vingt pas en avant, vingt pas en arrière, un coin de bonheur dont tu ne voulais plus sortir. Les mouches à miel ronflaient ; une mésange ne nous quitta pas, sautant de branche en branche ; des processions de bêtes, autour de nous, s'en allaient à leurs affaires. Tu murmurais : « Que la vie est bonne! » La vie, c'étaient les herbes, les arbres, les eaux, le ciel, le soleil dans lequel nous étions tout blonds, avec des cheveux d'or.

Elle rêva un instant encore, elle reprit :

— La vie, c'était le Paradou. Comme il nous paraissait grand! Jamais nous ne savions en trouver le bout. Les feuillages y roulaient jusqu'à l'horizon, librement, avec un bruit de vagues. Et que de bleu sur nos têtes! Nous pouvions grandir, nous envoler, courir comme les nuages, sans rencontrer plus d'obstacles qu'eux. L'air était à nous.

Elle s'arrêta, elle montra d'un geste les murs écrasés de l'église.

— Et, ici, tu es dans une fosse. Tu ne pourrais élargir les bras sans t'écorcher les mains à la pierre. La voûte te cache le ciel, te prend ta part de soleil. C'est si petit, que tes membres s'y raidissent, comme si tu étais couché vivant dans la terre.

— Non, dit le prêtre, l'église est grande comme le monde. Dieu y tient tout entier.

D'un nouveau geste, elle désigna les croix, les christs mourants, les supplices de la Passion.

— Et tu vis au milieu de la mort. Les herbes, les arbres, les eaux, le soleil, le ciel, tout agonise autour de toi.

— Non, tout revit, tout s'épure, tout remonte à la source de lumière.

Il s'était redressé, avec une flamme dans les yeux. Il quitta l'autel, invincible désormais, embrasé d'une telle foi, qu'il méprisait les dangers de la tentation. Et il prit la main d'Albine, il la tutoya comme une sœur, il l'emmena devant les images douloureuses du chemin de la Croix.

— Tiens, dit-il, voici ce que mon Dieu a souffert... Jésus est battu de verges. Tu vois, ses épaules sont nues, sa chair est déchirée, son sang coule jusque sur ses reins... Jésus est couronné d'épines. Des larmes rouges ruissellent de son front troué. Une grande déchirure lui a fendu la tempe... Jésus

est insulté par les soldats. Ses bourreaux lui ont jeté par dérision un lambeau de pourpre au cou, et ils couvrent sa face de crachats, ils le soufflettent, ils lui enfoncent à coups de roseau sa couronne dans le front...

Albine détournait la tête, pour ne pas voir les images, rudement coloriées, où des balafres de laque coupaient les chairs d'ocre de Jésus. Le manteau de pourpre semblait, à son cou, un lambeau de sa peau écorchée.

— A quoi bon souffrir, à quoi bon mourir! répondit-elle. O Serge! si tu te souvenais! Tu me disais, ce jour-là, que tu étais fatigué. Et je savais bien que tu mentais, parce que le temps était frais et que nous n'avions pas marché plus d'un quart d'heure. Mais tu voulais t'asseoir pour me prendre dans tes bras. Il y avait, tu sais bien, au fond du verger, un cerisier planté sur le bord d'un ruisseau, devant lequel tu ne pouvais passer sans éprouver le besoin de me baiser les mains, à petits baisers qui montaient le long de mes épaules jusqu'à mes lèvres. La saison des cerises était passée, tu mangeais mes lèvres... Les fleurs qui se fanaient nous faisaient pleurer. Un jour que tu trouvas une fauvette morte dans l'herbe, tu devins tout pâle, tu me serras contre ta poitrine, comme pour défendre à la terre de me prendre.

Le prêtre l'entraînait devant les autres stations.

— Tais-toi! cria-t-il, regarde encore, écoute encore. Il faut que tu te prosternes de douleur et de pitié... Jésus succombe sous le poids de sa croix. La montée du Calvaire est rude. Il est tombé sur les genoux. Il n'essuie pas même la sueur de son visage, et il se relève, il continue sa marche... Jésus, de nouveau, succombe sous le poids de sa croix. A chaque pas, il chancelle. Cette fois, il est tombé sur le flanc, si violemment, qu'il reste un moment sans haleine. Ses mains déchirées ont lâché la croix. Ses pieds endoloris laissent derrière lui des empreintes sanglantes. Une lassitude abominable l'écrase, car il porte sur ses épaules les péchés du monde...

Albine avait regardé Jésus, en jupe bleue, étendu sous la croix démesurée, dont la couleur noire coulait et salissait l'or de son auréole. Puis, les regards perdus, elle murmura :

— Oh! les sentiers des prairies!... Tu n'as donc plus de mémoire, Serge ? Tu ne connais plus les chemins d'herbe fine, qui s'en vont à travers les prés, parmi de grandes mares de verdure ?... L'après-midi dont je te parle, nous n'étions sortis que pour une heure. Puis, nous allâmes toujours devant nous, si bien que les étoiles se levaient, lorsque nous marchions encore. Cela était si doux, ce tapis sans fin, souple comme de la soie! Nos pieds ne rencontraient pas un gravier. On eût dit une mer verte, dont l'eau mousse nous berçait. Et nous savions bien où nous conduisaient ces sentiers si tendres qui ne menaient nulle part. Ils nous conduisaient à notre amour, à la joie de vivre les mains à nos tailles, à la certitude d'une journée de bonheur... Nous rentrâmes sans fatigue. Tu étais plus léger qu'au départ, parce que tu m'avais donné tes caresses et que je n'avais pu te les rendre toutes.

De ses mains tremblantes d'angoisse, l'abbé Mouret indiquait les dernières images. Il balbutiait :

— Et Jésus est attaché sur la croix. A coups de marteau, les clous entrent dans ses mains ouvertes. Un seul clou suffit pour ses pieds, dont les os craquent. Lui, tandis que sa chair tressaille, sourit, les yeux au ciel... Jésus est entre les deux larrons. Le poids de son corps agrandit horriblement ses blessures. De son front, de ses membres ruisselle une sueur de sang. Les deux larrons l'injurient, les passants le raillent, les soldats se partagent ses vêtements. Et les ténèbres se répandent, et le soleil se cache... Jésus meurt sur la croix. Il jette un grand cri, il rend l'esprit. O mort terrible! Le voile du temple fut déchiré en deux, du haut en bas; la terre trembla, les pierres se fendirent, les sépulcres s'ouvrirent [86]...

Il était tombé à genoux, la voix coupée par des sanglots, les yeux sur les trois croix du Calvaire, où se tordaient des corps blafards de suppliciés, que le dessin grossier décharnait affreusement. Albine se mit devant les images pour qu'il ne les vît plus.

— Un soir, dit-elle, par un long crépuscule, j'avais posé ma tête sur tes genoux... C'était dans la forêt, au bout de cette grande allée de châtaigniers, que le soleil couchant enfilait d'un dernier rayon. Ah! quel adieu caressant! Le soleil s'attardait à nos pieds, avec un bon sourire ami nous disant au revoir. Le ciel pâlissait lentement. Je te racontais en riant qu'il ôtait sa robe bleue, qu'il mettait sa robe noire à fleurs d'or, pour aller en soirée. Toi, tu guettais l'ombre, impatient d'être seul, sans le soleil qui nous gênait. Et ce n'était pas de la nuit qui venait, c'était une douceur discrète, une tendresse voilée, un coin de mystère pareil à un de ces sentiers très sombres, sous les feuilles, dans lesquels on s'engage pour se cacher un moment, avec la certitude de retrouver, à l'autre bout, la joie du plein jour. Ce soir-là, le crépuscule apportait, dans sa pâleur sereine, la promesse d'une splendide matinée... Alors, moi, je feignis de m'endormir, voyant que le jour ne s'en allait pas assez vite à ton gré. Je puis bien le dire maintenant, je ne dormais pas, pendant que tu m'embrassais sur les yeux. Je goûtais tes baisers. Je me retenais pour ne pas rire. J'avais une haleine régulière que tu buvais. Puis, lorsqu'il fit noir, ce fut comme un long bercement. Les arbres, vois-tu, ne dormaient pas plus que moi... La nuit, tu te souviens, les fleurs avaient une odeur plus forte.

Et comme il restait à genoux, la face inondée de larmes, elle lui saisit les poignets, elle le releva, reprenant avec passion :

— Oh! si tu savais, tu me dirais de t'emporter, tu lierais tes bras à mon cou pour que je ne pusse m'en aller sans toi... Hier, j'ai voulu revoir le jardin. Il est plus grand, plus profond, plus insondable. J'y ai trouvé des odeurs nouvelles, si suaves qu'elles m'ont fait pleurer. J'ai rencontré, dans les allées, des pluies de soleil qui me trempaient d'un frisson de désir. Les roses m'ont parlé de toi. Les bouvreuils s'étonnaient de me voir seule. Tout le jardin soupirait... Oh! viens, jamais les herbes n'ont déroulé des couches plus douces. J'ai marqué d'une fleur le coin perdu où je veux te conduire. C'est, au fond d'un buisson, un trou de verdure large comme un grand lit. De là, on entend le jardin vivre, avec ses arbres, ses eaux, son ciel. La respiration même de la terre nous bercera... Oh! viens, nous nous aimerons dans l'amour de tout.

Mais il la repoussa. Il était revenu devant la chapelle des morts, en face du grand Christ de carton peint, de la grandeur d'un enfant de dix ans, qui agonisait avec une vérité si effroyable. Les clous imitaient le fer, les blessures restaient béantes, atrocement déchirées.

— Jésus qui êtes mort pour nous, cria-t-il, dites-lui donc notre néant! Dites-lui que nous sommes poussière, ordure, damnation! Ah! tenez! permettez que je couvre ma tête d'un cilice, que je pose mon front à vos pieds, que je reste là, immobile, jusqu'à ce que la mort me pourrisse. La terre n'existera plus. Le soleil sera éteint. Je ne verrai plus, je ne sentirai plus, je n'entendrai plus. Rien de ce monde misérable ne viendra déranger mon âme de votre adoration.

Il s'exaltait de plus en plus. Il marcha vers Albine les mains levées.

86. Extrait de l'Évangile de la Passion selon saint Matthieu : « Et voilà que le rideau du Temple se déchira en deux, du haut en bas; la terre trembla, les rochers se fendirent, les tombeaux s'ouvrirent » (XXVII, 51).

— Tu avais raison, c'est la mort qui est ici, c'est la mort que je veux, la mort qui délivre, qui sauve de toutes les pourritures... Entends-tu ! je nie la vie, je la refuse, je crache sur elle. Tes fleurs puent, ton soleil aveugle, ton herbe donne la lèpre à qui s'y couche, ton jardin est un charnier où se décomposent les cadavres des choses. La terre sue l'abomination. Tu mens quand tu parles d'amour, de lumière, de vie bienheureuse, au fond de ton palais de verdure. Il n'y a chez toi que des ténèbres. Tes arbres distillent un poison qui change les hommes en bêtes ; tes taillis sont noirs du venin des vipères ; tes rivières roulent la peste sous leurs eaux bleues. Si j'arrachais à ta nature sa jupe de soleil, sa ceinture de feuillage, tu la verrais hideuse comme une mégère, avec des côtes de squelette, toute mangée de vices... Et même quand tu dirais vrai, quand tu aurais les mains pleines de jouissances, quand tu m'emporterais sur un lit de roses pour m'y donner le rêve du paradis, je me défendrais plus désespérément encore contre ton étreinte. C'est la guerre entre nous, séculaire, implacable [87]. Tu vois, l'église est bien petite ; elle est laide, elle a un confessionnal et une chaire de sapin, un baptistère de plâtre, des autels faits de quatre planches, que j'ai repeints moi-même. Qu'importe ! Elle est plus grande que ton jardin, que la vallée, que toute la terre. C'est une forteresse redoutable que rien ne renversera. Les vents, et le soleil, et les forêts, et les mers, tout ce qui vit, aura beau lui livrer assaut, elle restera debout, sans même être ébranlée. Oui, que les broussailles grandissent, qu'elles secouent les murs de leurs bras épineux, et que des pullulements d'insectes sortent des fentes du sol pour venir ronger les murs, l'église, si ruinée qu'elle soit, ne sera jamais emportée dans ce débordement de la vie ! Elle est la mort inexpugnable... Et veux-tu savoir ce qui arrivera, un jour ? La petite église deviendra si colossale, elle jettera une telle ombre, que toute ta nature crèvera. Ah ! la mort, la mort de tout, avec le ciel béant pour recevoir nos âmes, au-dessus des débris abominables du monde !

Il criait, il poussait Albine violemment vers la porte. Celle-ci, très pâle, reculait pas à pas. Quand il se tut, la voix étranglée, elle dit gravement :

— Alors, c'est fini, tu me chasses ?... Je suis ta femme, pourtant. C'est toi qui m'as faite. Dieu, après avoir permis cela, ne peut nous punir à ce point.

87. Nous avons peut-être ici un souvenir de *la Colère de Samson* de Vigny :

« Une lutte éternelle en tout temps, en tout lieu,
Se livre sur la terre, en présence de Dieu... » (35-36.)

Elle était sur le seuil. Elle ajouta :

— Écoute, tous les jours, quand le soleil se couche, je vais au bout du jardin, à l'endroit où la muraille est écroulée... Je t'attends.

Et elle s'en alla. La porte de la sacristie retomba avec un soupir étouffé.

9

L'église était silencieuse. Seule, la pluie qui redoublait, mettait sous la nef un frisson d'orgue. Dans ce calme brusque, la colère du prêtre tomba ; il se sentit pris d'un attendrissement. Et ce fut le visage baigné de larmes, les épaules secouées par des sanglots, qu'il revint se jeter à genoux devant le grand Christ. Un acte d'ardent remerciement s'échappait de ses lèvres.

— Oh ! merci mon Dieu, du secours que vous avez bien voulu m'envoyer. Sans votre grâce, j'écoutais la voix de ma chair, je retournais misérablement à mon péché. Votre grâce me ceignait les reins comme une ceinture de combat ; votre grâce était mon armure, mon courage, le soutien intérieur qui me tenait debout, sans une faiblesse. O mon Dieu, vous étiez en moi ; c'était vous qui parliez en moi, car je ne reconnaissais plus ma lâcheté de créature, je me sentais fort à couper tous les liens de mon cœur. Et voici mon cœur tout saignant ; il n'est plus à personne, il est à vous. Pour vous, je l'ai arraché au monde. Mais, ne croyez pas, ô mon Dieu, que je tire quelque vanité de cette victoire. Je sais que je ne suis rien sans vous. Je m'abîme à vos pieds, dans mon humilité.

Il s'était affaissé, à demi assis sur la marche de l'autel, ne trouvant plus de paroles, laissant son haleine fumer comme un encens, entre ses lèvres entrouvertes. L'abondance de la grâce le baignait d'une extase ineffable. Il se repliait sur lui-même, il cherchait Jésus au fond de son être, dans le sanctuaire d'amour qu'il préparait à chaque minute pour le recevoir dignement. Et Jésus était présent, il le sentait là, à la douceur extraordinaire qui l'inondait. Alors, il entama avec Jésus une de ces conversations intérieures, pendant lesquelles il était ravi à la terre, causant bouche à bouche avec son Dieu. Il balbutiait le verset du cantique : « Mon bien-aimé est à moi, et je suis à lui ; il repose entre les lis, jusqu'à ce que l'aurore se lève et que les ombres déclinent. » Il méditait les mots de l'*Imitation* : « C'est un grand art que de savoir causer avec

Gravure de Tirpenne (1840).

Jésus, et une grande prudence que de savoir le retenir près de soi. » Puis, c'était une familiarité adorable. Jésus se baissait jusqu'à lui, l'entretenait pendant des heures de ses besoins, de ses bonheurs, de ses espoirs. Et deux amis qui, après une séparation, se retrouvent, s'en vont à l'écart, au bord de quelque rivière solitaire, ont des confidences moins attendries; car Jésus, à ces heures d'abandon divin, daignait être son ami, le meilleur, le plus fidèle, celui qui ne le trahissait jamais, qui lui rendait pour un peu d'affection tous les trésors de la vie éternelle. Cette fois surtout, le prêtre voulut le posséder longtemps. Six heures sonnaient dans l'église muette, qu'il l'écoutait encore, au milieu du silence des créatures.

Confession de l'être entier, entretien libre, sans l'embarras de la langue, effusion naturelle du cœur, s'envolant avant la pensée elle-même. L'abbé Mouret disait tout à Jésus, comme à un Dieu venu dans l'intimité de sa tendresse et qui peut tout entendre. Il avouait qu'il aimait toujours Albine; il s'étonnait d'avoir pu la maltraiter, la chasser, sans que ses entrailles se fussent révoltées; cela l'émerveillait, il souriait d'une façon sereine, comme mis en présence d'un acte miraculeusement fort, accompli par un autre. Et Jésus répondait que cela ne devait pas l'étonner, que les plus grands saints étaient souvent des armes inconscientes aux mains de Dieu. Alors, l'abbé exprimait un doute : n'avait-il pas eu moins de mérite à se réfugier au pied de l'autel et jusque dans la Passion de son Seigneur ? N'était-il pas encore d'un faible courage, puisqu'il n'osait pas combattre seul ? Mais Jésus se montrait tolérant; il expliquait que la faiblesse de l'homme est la continuelle occupation de Dieu, il disait préférer les âmes souffrantes, dans lesquelles il venait s'asseoir comme un ami au chevet d'un ami. Était-ce une damnation d'aimer Albine ? Non, si cet amour allait au-delà de la chair, s'il ajoutait une espérance au désir de l'autre vie. Puis, comment fallait-il l'aimer ? Sans une parole, sans un pas vers elle, en laissant cette tendresse toute pure s'exhaler ainsi qu'une bonne odeur agréable au ciel ? Là, Jésus avait un léger rire de bienveillance, se rapprochant, encourageant les aveux, si bien que le prêtre, peu à peu, s'enhardissait à lui détailler la beauté d'Albine. Elle avait les cheveux blonds des anges. Elle était toute blanche avec de grands yeux doux, pareille aux saintes qui ont des auréoles. Jésus se taisait, mais riait toujours. Et qu'elle avait grandi ! Elle ressemblait à une reine, maintenant, avec sa taille ronde, ses épaules superbes. Oh! la prendre à la taille, ne fût-ce qu'une seconde, et sentir ses épaules se ren-

verser sous cette étreinte! Le rire de Jésus pâlissait, mourait comme un rayon d'astre au bord de l'horizon. L'abbé Mouret parlait seul, à présent. Vraiment, il s'était montré trop dur. Pourquoi avoir chassé Albine sans un mot de tendresse, puisque le ciel permettait d'aimer ?

— Je l'aime, je l'aime! cria-t-il tout haut, d'une voix éperdue, qui emplit l'église.

Il la voyait encore là. Elle lui tendait les bras, elle était désirable, à lui faire rompre tous ses serments. Et il se jetait sur sa gorge, sans respect pour l'église, il lui prenait les membres, il la possédait sous une pluie de baisers. C'était devant elle qu'il se mettait à genoux, implorant sa miséricorde, lui demandant pardon de ses brutalités. Il expliquait qu'à certaines heures, il y avait en lui une voix qui n'était pas la sienne. Est-ce que jamais il l'aurait maltraitée! La voix étrangère seule avait parlé. Ce ne pouvait être lui, qui n'aurait pas, sans un frisson, touché à l'un de ses cheveux. Et il l'avait chassée, l'église était bien vide! Où devait-il courir pour la rejoindre, pour la ramener, en essuyant ses larmes sous des caresses ? La pluie tombait plus fort. Les chemins étaient des lacs de boue. Il se l'imaginait battue par l'averse, chancelant le long des fossés, avec des jupes trempées, collées à sa peau. Non, non, ce n'était pas lui, c'était l'autre, la voix jalouse, qui avait eu cette cruauté de vouloir la mort de son amour.

— O Jésus! cria-t-il plus désespérément, soyez bon, rendez-la-moi.

Mais Jésus n'était plus là... Alors l'abbé Mouret, s'éveillant comme en sursaut, devint horriblement pâle. Il comprenait. Il n'avait pas su garder Jésus. Il perdait son ami, il restait sans défense contre le mal. Au lieu de cette clarté intérieure, dont il était tout éclairé, et dans laquelle il avait reçu son Dieu, il ne trouvait plus en lui que des ténèbres, une fumée mauvaise, qui exaspérait sa chair. Jésus, en se retirant, avait emporté la grâce. Lui, si fort depuis le matin du secours du ciel, il se sentait tout d'un coup misérable, abandonné, d'une faiblesse d'enfant. Et quelle atroce chute, quelle immense amertume! Avoir lutté héroïquement, être resté debout, invincible, implacable, pendant que la tentation était là vivante, avec sa taille ronde, ses épaules superbes, son odeur de femme passionnée; puis, succomber honteusement, haleter d'un désir abominable, lorsque la tentation s'éloignait, ne laissant derrière elle qu'un frisson de jupe, un parfum envolé de nuque blonde! Maintenant, avec les seuls souvenirs, elle rentrait toute-puissante, elle envahissait l'église.

— Jésus! Jésus! cria une dernière fois le prêtre, evenez, rentrez en moi, parlez-moi encore! Jésus restait sourd. Un instant, l'abbé Mouret mplora le ciel de ses bras éperdument levés. Ses paules craquaient de l'élan extraordinaire de ses upplications. Et bientôt ses mains retombèrent, lécouragées. Il y avait au ciel un de ces silences ans espoir que les dévots connaissent. Alors, il 'assit de nouveau sur la marche de l'autel, écrasé, e visage terreux, se serrant les flancs de ses coudes, :omme pour diminuer sa chair. Il se rapetissait sous a dent de la tentation.

— Mon Dieu! vous m'abandonnez, murmura--il. Que votre volonté soit faite[88]!

Et il ne prononça plus une parole, soufflant forte-ment, pareil à une bête traquée, immobile dans la peur des morsures. Depuis sa faute, il était ainsi e jouet des caprices de la grâce. Elle se refusait aux .ppels les plus ardents; elle arrivait, imprévue, char-nante, lorsqu'il n'espérait plus la posséder avant les années. Les premières fois, il s'était révolté, parlant en amant trahi, exigeant le retour immédiat le cette consolatrice, dont le baiser le rendait si ort. Puis, après des crises stériles de colère, il .vait compris que l'humilité le meurtrissait moins et pouvait seule l'aider à supporter son abandon. Alors pendant des heures, pendant des journées, il 'humiliait, dans l'attente d'un soulagement qui ne 'enait pas. Il avait beau se remettre entre les mains le Dieu, s'anéantir devant lui, répéter jusqu'à sa-iété les prières les plus efficaces : il ne sentait plus Dieu; sa chair, échappée, se soulevait de désir; les prières, s'embarrassant sur ses lèvres, s'achevaient en un balbutiement ordurier. Agonie lente de la entation, où les armes de la foi tombaient, une à une, de ses mains défaillantes, où il n'était plus qu'une chose inerte aux griffes des passions, où il assistait, épouvanté, à sa propre ignominie, sans avoir le courage de lever le petit doigt pour chasser e péché. Telle était sa vie maintenant. Il connais-sait toutes les attaques du péché. Pas un jour ne se passait sans qu'il fût éprouvé. Le péché prenait mille formes, entrait par ses yeux, par ses oreilles, e saisissait de face à la gorge, lui sautait traîtreuse-ment sur les épaules, le torturait jusque dans ses os. Toujours la faute était là, la nudité d'Albine, écla-tante comme un soleil, éclairant les verdures du Paradou. Il ne cessait de la voir qu'aux rares ins-tants où la grâce voulait bien lui fermer les pau-

pières de ses caresses fraîches. Et il cachait son mal ainsi qu'un mal honteux. Il s'enfermait dans ces silences blêmes, qu'on ne savait comment lui faire rompre, emplissant le presbytère de son martyre et de sa résignation, exaspérant la Teuse, qui, derrière lui, montrait le poing au ciel.

Cette fois, il était seul, il pouvait agoniser sans honte. Le péché venait de l'abattre d'un tel coup, qu'il n'avait pas la force de quitter la marche de l'autel, où il était tombé. Il continuait à y haleter d'un souffle fort, brûlé par l'angoisse, ne trouvant pas une larme. Et il pensait à sa vie sereine d'autre-fois. Ah! quelle paix, quelle confiance, lors de son arrivée aux Artaud! Le salut lui semblait une belle route. Il riait, à cette époque, quand on parlait de la tentation. Il vivait au milieu du mal, sans le connaître, sans le craindre, avec la certitude de le décourager. Il était un prêtre parfait, si chaste, si ignorant de-vant Dieu, que Dieu le menait par la main, ainsi qu'un petit enfant. Maintenant, toute cette puérilité était morte. Dieu le visitait le matin et aussitôt l'éprouvait. La tentation devenait sa vie sur la terre. Avec l'âge, avec la faute, il entrait dans le combat éternel. Était-ce donc que Dieu l'aimait davantage, à cette heure? Les grands saints ont tous laissé des lambeaux de leur corps aux épines de la voie dou-loureuse. Il tâchait de se faire une consolation de cette croyance. A chaque déchirement de sa chair, à chaque craquement de ses os, il se promettait des récompenses extraordinaires. Jamais le ciel ne le frapperait assez. Il allait jusqu'à mépriser son ancienne sérénité, sa facile ferveur, qui l'agenouil-lait dans un ravissement de fille, sans qu'il sentît même la meurtrissure du sol à ses genoux. Il s'ingé-niait à trouver une volupté au fond de la souffrance, à s'y coucher, à s'y endormir. Mais, pendant qu'il bénissait Dieu, ses dents claquaient avec plus d'épou-vante, la voix de son sang révolté lui criait que tout cela était un mensonge, que la seule joie désirable était de s'allonger aux bras d'Albine, derrière une haie en fleurs du Paradou.

Cependant, il avait quitté Marie pour Jésus, sacri-fiant son cœur, afin de vaincre sa chair, rêvant de mettre de la virilité dans sa foi. Marie le troublait trop, avec ses minces bandeaux, ses mains tendues, son sourire de femme. Il ne pouvait s'agenouiller devant elle, sans baisser les yeux, de peur d'aperce-voir le bord de ses jupes. Puis, il l'accusait de s'être faite trop douce pour lui, autrefois; elle l'avait si longtemps gardé entre les plis de sa robe, qu'il s'était laissé glisser de ses bras dans ceux de la créature, en ne s'apercevant même pas qu'il changeait de ten-dresse. Et il se rappelait les brutalités de Frère Ar-

88. Rappel des paroles du Christ au jardin des Oliviers : « Mon Père, mon Père, pourquoi m'avez-vous abandonné ? » et, quelques heures plus tard, dans son agonie sur la croix : « Que votre volonté soit faite et non la mienne. »

changias, son refus d'adorer Marie, le regard méfiant dont il semblait la surveiller. Lui, désespérait de se hausser jamais à cette rudesse; il la délaissait simplement, cachait ses images, désertait son autel. Mais elle restait au fond de son cœur, comme un amour inavoué, toujours présente. Le péché, par un sacrilège dont l'horreur l'anéantissait, se servait d'elle pour le tenter. Lorsqu'il l'invoquait encore, à certaines heures d'attendrissement invincible, c'était Albine qui se présentait, dans le voile blanc, l'écharpe bleue nouée à la ceinture, avec des roses d'or sur ses pieds nus. Toutes les Vierges, la Vierge au royal manteau d'or, la Vierge couronnée d'étoiles, la Vierge visitée par l'ange de l'Annonciation, la Vierge paisible entre un lis et une quenouille, lui apportaient un ressouvenir d'Albine, les yeux souriants, ou la bouche délicate, ou la courbe molle des joues. Sa faute avait tué la virginité de Marie. Alors, d'un effort suprême, il chassait la femme de la religion, il se réfugiait dans Jésus, dont la douceur l'inquiétait même parfois. Il lui fallait un Dieu jaloux, un Dieu implacable, le Dieu de la Bible, environné de tonnerres, ne se montrant que pour châtier le monde épouvanté. Il n'y avait plus de saints, plus d'anges, plus de mère de Dieu; il n'y avait que Dieu, un maître omnipotent, qui exigeait pour lui toutes les haleines. Il sentait la main de ce Dieu lui écraser les reins, le tenir à sa merci, dans l'espace et dans le temps, comme un atome coupable. N'être rien, être damné, rêver l'enfer, se débattre stérilement contre les monstres de la tentation, cela était bon [89]. De Jésus, il ne prenait que la croix. Il avait cette folie de la croix, qui a usé tant de lèvres sur le crucifix. Il prenait la croix et il suivait Jésus. Il l'alourdissait, la rendait accablante, n'avait pas de plus grande joie que de succomber sous elle, de la porter à genoux, l'échine cassée. Il voyait en elle la force de l'âme, la joie de l'esprit, la consommation de la vertu, la perfection de la sainteté. Tout se trouvait en elle, tout aboutissait à mourir sur elle. Souffrir, mourir, ces mots sonnaient sans cesse à ses oreilles, comme la fin de la sagesse humaine. Et, lorsqu'il s'était attaché sur la croix, il avait la consolation sans bornes de l'amour de Dieu. Ce n'était plus Marie qu'il aimait d'une tendresse de fils, d'une passion d'amant. Il aimait pour aimer, dans l'absolu de l'amour. Il aimait Dieu au-dessus de lui-même, au-dessus de tout, au fond d'un épanouissement de lumière. Il était ainsi qu'un flambeau qui se consume en clarté. La mort, quand il la

souhaitait, n'était à ses yeux qu'un grand élan d'amour.

Que négligeait-il donc, pour être soumis à de épreuves si rudes? Il essuya de la main la sueur qu coulait de ses tempes, il songea que, le matin encore il avait fait son examen de conscience, sans trouve en lui aucune offense grave. Ne menait-il pas un vie d'austérités et de macérations? N'aimait-il pas Dieu seul, aveuglément? Ah! qu'il l'aurait béni s'il lui avait enfin rendu la paix, en le jugeant asse puni de sa faute. Mais jamais peut-être cette faut ne pourrait être expiée. Et, malgré lui, il revint Albine, au Paradou, aux souvenirs cuisants. D'abor il chercha des excuses. Un soir, il tombait sur le carreau de sa chambre, foudroyé par une fièvr cérébrale. Pendant trois semaines, il appartenait à cette crise de sa chair. Son sang, furieusement lavait ses veines, jusqu'au bout de ses membres grondait au travers de lui avec un vacarme de tor rent lâché; son corps, du crâne à la plante des pieds était nettoyé, renouvelé, battu par un tel travail d la maladie, que souvent, son délire, il avait cr entendre les marteaux des ouvriers reclouant ses os Puis, il s'éveillait, un matin, comme neuf. Il nais sait une seconde fois, débarrassé de ce que vingt cinq ans de vie avaient déposé successivement en lui Ses dévotions d'enfant, son éducation du séminaire sa foi de jeune prêtre, tout s'en était allé, submergé emporté, laissant la place nette. Certes, l'enfer seu l'avait préparé ainsi pour le péché, le désarmant faisant de ses entrailles un lit de mollesse, où le ma pouvait entrer et dormir. Et lui, restait inconscient s'abandonnait à ce lent acheminement vers la faute Au Paradou, lorsqu'il rouvrait les yeux, il se sentai baigné d'enfance, sans mémoire du passé, n'ayan plus rien du sacerdoce. Ses organes avaient un jeu doux, un ravissement de surprise, à recommen cer la vie, comme s'ils ne la connaissaient pas e qu'ils eussent une joie extrême à l'apprendre. Oh l'apprentissage délicieux, les rencontres charmantes les adorables trouvailles! Ce Paradou était un grande félicité. En le mettant là, l'enfer savait bie qu'il y serait sans défense. Jamais, dans sa premièr jeunesse, il n'avait goûté à grandir une pareill volupté. Cette première jeunesse, s'il l'évoquait main tenant, lui apparaissait toute noire, passée loin du so leil, ignorante, blême, infirme. Aussi comme il avai salué le soleil, comme il s'était émerveillé du pre mier arbre, de la première fleur, du moindre insect aperçu, du plus petit caillou ramassé! Les pierre elles-mêmes le charmaient. L'horizon était un pro dige extraordinaire. Ses sens, une matinée claire dont ses yeux s'emplissaient, une odeur de jasmi

89. Serge est donc un être essentiellement passif.

espirée, un chant d'alouette écouté, lui causaient
les émotions si fortes, que ses membres défaillaient.
Il avait pris un long plaisir à s'enseigner jusqu'aux
plus légers tressaillements de la vie. Et le matin où
Albine était née, à son côté, au milieu des roses! Il
iait encore d'extase à ce souvenir. Elle se levait ainsi
qu'un astre nécessaire au soleil lui-même. Elle
clairait tout, expliquait tout. Elle l'achevait. Alors,
il recommençait avec elle leurs promenades, aux
quatre coins du Paradou. Il se rappelait les petits
cheveux qui s'envolaient sur sa nuque, lorsqu'elle
courait devant lui. Elle sentait bon, elle balançait
les jupes tièdes dont les frôlements ressemblaient à
des caresses. Lorsqu'elle le prenait entre ses bras
nus, souples comme des couleuvres, il s'attendait à
la voir, tant elle était mince, s'enrouler à son corps,
s'endormir là, collée à sa peau. C'était elle qui marchait en avant. Elle le conduisait par un sentier
détourné, où ils s'attardaient, pour ne pas arriver
trop vite. Elle lui donnait la passion de la terre. Il
apprenait à l'aimer, en regardant comment s'aiment
les herbes; tendresse longtemps tâtonnante, et dont
un soir enfin ils avaient surpris la grande joie, sous
l'arbre géant, dans l'ombre suant la sève. Là, ils
étaient au bout de leur chemin. Albine, renversée, la
tête roulée au milieu de ses cheveux, lui tendait les
bras. Lui, la prenait d'une étreinte. Oh! la prendre,
la posséder encore, sentir son flanc tressaillir de
fécondité, faire de la vie, être Dieu!

Le prêtre, brusquement, poussa une plainte
ourde. Il se dressa, comme sous un coup de dent
invisible; puis, il s'abattit de nouveau. La tentation
venait de le mordre. Dans quelle ordure s'égaraient
donc ses souvenirs? Ne savait-il pas que Satan a
toutes les ruses, qu'il profite même des heures d'examen intérieur pour glisser jusqu'à l'âme sa tête de
serpent? Non, non, pas d'excuse! La maladie n'autorisait point le péché. C'était à lui de se garder, de
retrouver Dieu, au sortir de la fièvre. Au contraire,
il avait pris plaisir à s'accroupir dans sa chair. Et
quelle preuve de ses appétits abominables! Il ne
pouvait confesser sa faute sans glisser malgré lui
au besoin de la commettre encore en pensée. N'im-
poserait-il pas silence à sa fange! Il rêvait de se vider
le crâne, pour ne plus penser; de s'ouvrir les veines,
pour que son sang coupable ne le tourmentât plus.
Un instant, il resta la face entre les mains, grelottant, cachant les moindres bouts de sa peau, comme
si les bêtes qui rôdaient autour de lui lui eussent
hérissé le poil de leur haleine chaude.

Mais il pensait quand même, et le sang battait
quand même dans son cœur. Ses yeux, qu'il fermait
de ses poings, voyaient, sur le noir des ténèbres, les
lignes souples du corps d'Albine, tracées d'un trait
de flamme. Elle avait une poitrine nue aveuglante
comme un soleil. A chaque effort qu'il faisait pour
enfoncer ses yeux, pour chasser cette vision, elle
devenait plus lumineuse, elle s'accusait avec des
renversements de reins, des appels de bras tendus,
qui arrachaient au prêtre un râle d'angoisse. Dieu
l'abandonnait donc tout à fait, qu'il n'y avait plus
pour lui de refuge? Et, malgré la tension de sa
volonté, la faute recommençait toujours, se précisait avec une effrayante netteté. Il revoyait les
moindres brins d'herbe, au bord des jupes d'Albine;
il retrouvait, accrochée à ses cheveux, une petite
fleur de chardon à laquelle il se souvenait d'avoir
piqué ses lèvres. Jusqu'aux odeurs, les sucres un
peu âcres des tiges écrasées, qui lui revenaient;
jusqu'aux sons lointains qu'il entendait encore, le
cri régulier d'un oiseau, un grand silence, puis un
soupir passant sur les arbres. Pourquoi le ciel ne le
foudroyait-il pas tout de suite? Il aurait moins souffert. Il jouissait de son abomination avec une volupté de damné. Une rage le secouait, en écoutant les
paroles scélérates qu'il avait prononcées aux pieds
d'Albine. Elles retentissaient, à cette heure, pour
l'accuser devant Dieu. Il avait reconnu la femme
comme sa souveraine. Il s'était donné à elle en esclave, lui baisant les pieds, rêvant d'être l'eau qu'elle
buvait, le pain qu'elle mangeait. Maintenant, il comprenait pourquoi il ne pouvait plus se reprendre.
Dieu le laissait à la femme. Mais il la battrait, il lui
casserait les membres, pour qu'elle le lâchât. C'était
elle l'esclave, la chair impure, à laquelle l'Église
aurait dû refuser une âme. Alors, il se roidit, il leva
les poings sur Albine. Et les poings s'ouvraient,
les mains coulaient le long des épaules nues, avec
une caresse molle, tandis que la bouche, pleine
d'injures, se collait sur les cheveux dénoués, en
balbutiant des paroles d'adoration.

L'abbé Mouret ouvrit les yeux. La vision ardente
d'Albine disparut. Ce fut un soulagement brusque,
inespéré. Il put pleurer. Des larmes lentes rafraî-
chirent ses joues, pendant qu'il respirait longuement,
n'osant encore remuer, de crainte d'être repris à la
nuque. Il entendait toujours un grondement fauve
derrière lui. Puis, cela était si doux de ne plus tant
souffrir, qu'il s'oublia à goûter ce bien-être. Au
dehors, la pluie avait cessé. Le soleil se couchait
dans une grande lueur rouge, qui semblait pendre
aux fenêtres des rideaux de satin rose. L'Église,
maintenant, était tiède, toute vivante de cette
dernière haleine du soleil. Le prêtre remerciait vaguement Dieu du répit qu'il voulait bien lui donner.
Un large rayon, une poussière d'or qui traversait

la nef, allumait le fond de l'église, l'horloge, la chaire, le maître-autel. Peut-être était-ce la grâce qui lui revenait sur ce sentier de lumière, descendant du ciel ? Il s'intéressait aux atomes allant et venant le long du rayon avec une vitesse prodigieuse, pareils à une foule de messagers affairés portant sans cesse des nouvelles du soleil à la terre. Mille cierges allumés n'auraient pas rempli l'église d'une telle splendeur. Derrière le maître-autel, des draps d'or étaient tendus; sur les gradins, des ruissellements d'orfèvrerie coulaient, des chandeliers s'épanouissant en gerbes de clartés, des encensoirs où brûlait une braise de pierreries, des vases sacrés peu à peu élargis, avec des rayonnements de comètes; et, partout, c'était une pluie de fleurs lumineuses au milieu de dentelles volantes, des nappes, des bouquets, des guirlandes de roses, dont les cœurs en s'ouvrant laissaient tomber des étoiles. Jamais il n'avait souhaité une pareille richesse pour sa pauvre église. Il souriait, il faisait le rêve de fixer là ces magnificences, il les arrangeait à son gré, Lui, aurait préféré voir les rideaux de drap d'or attachés plus haut; les vases lui paraissaient aussi trop négligemment jetés; il ramassait encore les fleurs perdues, renouant les bouquets, donnant aux guirlandes une courbe molle. Mais quel émerveillement, lorsque toute cette pompe était ainsi étalée! Il devenait le pontife d'une église d'or. Les évêques, les princes, des femmes traînant des manteaux royaux, des foules dévotes, le front dans la poussière, la visitaient, campaient dans la vallée, attendaient des semaines à la porte, avant de pouvoir entrer. On lui baisait les pieds, parce que ses pieds, eux aussi, étaient en or et qu'ils accomplissaient des miracles. L'or montait jusqu'à ses genoux. Un cœur d'or battait dans sa poitrine d'or, avec un son musical si clair, que les foules, du dehors, l'entendaient. Alors, un orgueil immense le ravissait. Il était idole. Le rayon de soleil montait toujours, le maître-autel flambait, le prêtre se persuadait que c'était bien la grâce qui lui revenait, pour qu'il éprouvât une telle jouissance intérieure. Le grondement fauve, derrière lui, se faisait câlin. Il ne sentait plus sur sa nuque que la douceur d'une patte de velours, comme si quelque chat géant l'eût caressé.

Et il continua sa rêverie. Jamais il n'avait vu les choses sous un jour aussi éclatant. Tout lui semblait aisé, à présent, tant il se jugeait fort. Puisque Albine l'attendait, il irait la rejoindre. Cela était naturel. Le matin, il avait bien marié le grand Fortuné à la Rosalie. L'Église ne défendait pas le mariage. Il les voyait encore se souriant, se poussant du coude sous ses mains qui les bénissaient. Puis, le soir, on lui avait montré leur lit. Chacune des paroles qu'i leur avait adressées éclatait plus haute à ses oreilles. Il disait au grand Fortuné que Dieu lui envoyait un compagne, parce qu'il n'a pas voulu que l'homm vécût solitaire. Il disait à la Rosalie qu'elle devai s'attacher à son mari, ne le quitter jamais, être s servante soumise. Mais il disait aussi ces choses pou lui et pour Albine. N'était-elle pas sa compagne sa servante soumise, celle que Dieu lui envoyait afin que sa virilité ne se séchât pas dans la solitude D'ailleurs, ils étaient liés. Il restait très surpris d ne pas avoir compris cela tout de suite, de ne pa s'en être allé avec elle, comme le devoir l'exigeait Mais c'était chose décidée, il la rejoindrait dès l lendemain. En une demi-heure, il serait auprè d'elle. Il traverserait le village, il prendrait le che min du coteau; c'était de beaucoup le plus court Il pouvait tout, il était le maître, personne ne lu dirait rien. Si on le regardait, il ferait, d'un gest baisser toutes les têtes. Puis, il vivrait avec Albine Il l'appellerait sa femme. Ils seraient très heureux L'or montait de nouveau, ruisselait entre ses doigts Il rentrait dans un bain d'or. Il emportait les vase sacrés pour les besoins de son ménage, menan grand train, payant ses gens avec des fragments d calice qu'il tordait entre ses doigts, d'un léger effort Il mettait à son lit de noces les rideaux de drap d'o de l'autel. Comme bijoux, il donnait à sa femme le cœurs d'or, les chapelets d'or, les croix d'or, pendu au cou de la Vierge et des saintes. L'église même, s' l'élevait d'un étage, pourrait leur servir de palais Dieu n'aurait rien à dire, puisqu'il permettai d'aimer. Du reste, que lui importait Dieu! N'était ce pas lui, à cette heure, qui était Dieu, avec se pieds d'or que la foule baisait, et qui accomplissaien des miracles.

L'abbé Mouret se leva. Il fit ce geste large d Jeanbernat, ce geste de négation embrassant tou l'horizon.

— Il n'y a rien, rien, rien, dit-il. Dieu n'exist pas.

Un grand frisson parut passer dans l'église. L prêtre, effaré, redevenu d'une pâleur mortelle écoutait. Qui donc avait parlé ? Qui avait blas phémé ? Brusquement, la caresse de velours dont i sentait la douceur sur sa nuque était devenue féroce des griffes lui arrachaient la chair, son sang coulai une fois encore. Il resta debout pourtant, luttan contre la crise. Il injuriait le péché triomphant, qu ricanait autour de ses tempes, où tous les marteau du mal recommençaient à battre. Ne connaissait-i pas ses traîtrises ? Ne savait-il pas qu'il se fait un je souvent d'approcher avec des pattes douces, pou es enfoncer ensuite comme des couteaux jusqu'aux os de ses victimes ? Et sa rage redoublait, à la pensée d'avoir été pris à ce piège, ainsi qu'un enfant. Il serait donc toujours par terre, avec le péché accroupi victorieusement sur sa poitrine! Maintenant, voilà qu'il niait Dieu. C'était la pente fatale. La fornication tuait la foi. Puis, le dogme croulait. Un doute de la chair, plaidant son ordure, suffisait à balayer tout le ciel. La règle divine irritait, les mystères faisaient sourire; dans un coin de la religion abattue, on se couchait en discutant son sacrilège, jusqu'à ce qu'on se fût creusé un trou de bête cuvant sa boue. Alors venaient les autres tentations : l'or, la puissance, la vie libre, une nécessité irrésistible de jouir, qui ramenait tout à la grande luxure, vautrée sur un lit de richesse et d'orgueil. Et l'on volait Dieu. On cassait les ostensoirs pour les pendre à l'impureté d'une femme. Eh bien! il était damné. Rien ne le tenait plus, le péché pouvait parler haut en lui. Cela était bon de ne plus lutter. Les monstres qui avaient rôdé derrière sa nuque, se battaient dans ses entrailles, à cette heure. Il gonflait les flancs pour sentir leurs dents davantage. Il s'abandonnait à eux avec une joie affreuse. Une révolte lui faisait montrer ses poings à l'église. Non, il ne croyait plus à la divinité de Jésus, il ne croyait plus à la sainte Trinité, ne croyait qu'à lui, qu'à ses muscles, qu'aux appétits de ses organes. Il voulait vivre. Il avait le besoin d'être un homme. Ah! courir au grand air, être fort, n'avoir pas de maître jaloux, tuer ses ennemis à coups de pierre, emporter à son cou les filles qui passent! Il ressusciterait du tombeau où des mains rudes l'avaient couché. Il éveillerait sa virilité, qui ne devait être qu'endormie. Et qu'il expirât de honte, s'il trouvait sa virilité morte! Et que Dieu fût maudit, s'il l'avait retiré d'entre les créatures, en le touchant de son doigt, afin de le garder pour son service seul!

Le prêtre était debout, halluciné. Il crut qu'à ce nouveau blasphème l'église croulait. La nappe de soleil, qui inondait le maître-autel, avait grandi lentement, allumant les murs d'une rougeur d'incendie. Des flammèches montèrent encore, léchèrent le plafond, s'éteignirent dans une lueur saignante de braise. L'église, brusquement, devint toute noire. Il sembla que le feu de ce coucher d'astre venait de crever la toiture, de fendre les murailles, d'ouvrir de toutes parts des brèches béantes aux attaques du dehors. La carcasse sombre branlait, dans l'attente de quelque assaut formidable. La nuit, rapidement, grandissait.

Alors, de très loin, le prêtre entendit un murmure monter de la vallée des Artaud. Autrefois, il ne comprenait pas l'ardent langage de ces terres brûlées, où ne se tordaient que des pieds de vignes noueux, des amandiers décharnés, de vieux oliviers se déhanchant sur leurs membres infirmes. Il passait au milieu de cette passion avec les sérénités de son ignorance. Mais, aujourd'hui, instruit dans la chair, il saisissait jusqu'aux moindres soupirs des feuilles pâmées sous le soleil. Ce furent d'abord, au fond de l'horizon, les collines, chaudes encore de l'adieu du couchant, qui tressaillirent et qui parurent s'ébranler avec le piétinement sourd d'une armée en marche. Puis, les roches éparses, les pierres des chemins, tous les cailloux de la vallée, se levèrent, eux aussi, roulant, ronflant, comme jetés en avant par le besoin de se mouvoir. A leur suite, les mares de terre rouges, les rares champs conquis à coups de pioche, se mirent à couler et à gronder, ainsi que des rivières échappées, charriant dans le flot de leur sang des conceptions de semences, des éclosions de racines, des copulations de plantes. Et bientôt tout fut en mouvement : les souches des vignes rampaient comme de grands insectes; les blés maigres, les herbes séchées, faisaient des bataillons armés de hautes lances; les arbres s'échevelaient à courir, étiraient leurs membres, pareils à des lutteurs qui s'apprêtent au combat; les feuilles tombées marchaient, la poussière des routes marchait. Multitude recrutant à chaque pas des forces nouvelles, peuple en rut dont le souffle approchait, tempête de vie à l'haleine de fournaise, emportant tout devant elle, dans le tourbillon d'un accouchement colossal. Brusquement, l'attaque eut lieu. Du bout de l'horizon, la campagne entière se rua sur l'église : les collines, les cailloux, les terres, les arbres. L'église, sous ce premier choc, craqua. Les murs se fendirent, des tuiles s'envolèrent. Mais le grand Christ, secoué, ne tomba pas.

Il y eut un court répit. Au dehors, les voix s'élevaient, plus furieuses. Maintenant, le prêtre distinguait des voix humaines. C'était le village, les Artaud, cette poignée de bâtards poussés sur le roc, avec l'entêtement des ronces, qui soufflaient à leur tour un vent chargé d'un pullulement d'êtres. Les Artaud forniquaient par terre, plantaient de proche en proche une forêt d'hommes, dont les troncs mangeaient autour d'eux toute la place. Ils montaient jusqu'à l'église, ils en crevaient la porte d'une poussée, ils menaçaient d'obstruer la nef des branches envahissantes de leur race. Derrière eux, dans le fouillis des broussailles, accouraient les bêtes, des bœufs cherchant à enfoncer les murs de leurs cornes, des troupeaux d'ânes, de chèvres, de brebis, battant l'église en ruine, comme des vagues vivantes, des fourmilières de cloportes et de grillons attaquant les fondations, les émiettant de leurs dents de scie. Et il y avait encore, de l'autre côté, la basse-cour de Désirée, dont le fumier exhalait des buées d'asphyxie; le grand coq Alexandre y sonnait l'assaut de son clairon, les poules descellaient les pierres à coups de bec, les lapins creusaient des terriers jusque sous les autels, afin de les miner et de les abîmer, le cochon, gras à ne pas bouger, grognait, attendait que les ornements sacrés ne fussent plus qu'une poignée de cendre chaude, pour y vautrer son ventre. Une rumeur formidable roula, un second assaut fut donné. Le village, les bêtes, toute cette marée de vie qui débordait, engloutit un instant l'église sous une rage de corps faisant ployer les poutres. Les femelles, dans la mêlée, lâchaient de leurs entrailles un enfantement continu de nouveaux combattants. Cette fois, l'église eut un pan de muraille abattu; le plafond fléchissait, les boiseries des fenêtres étaient emportées, la fumée du crépuscule, de plus en plus noire, entrait par les brèches bâillant affreusement. Sur la croix, le grand Christ ne tenait plus que par le clou de sa main gauche.

L'écroulement du pan de muraille fut salué d'une clameur. Mais l'église restait encore solide, malgré ses blessures. Elle s'entêtait d'une façon farouche, muette, sombre, se cramponnant aux moindres pierres de ses fondations. Il semblait que cette ruine, pour demeurer debout, n'eût besoin que du pilier le plus mince, portant, par un prodige d'équilibre, la toiture crevée. Alors, l'abbé Mouret vit les plantes rudes du plateau se mettre à l'œuvre, ces terribles plantes durcies dans la sécheresse des rocs, noueuses comme des serpents, d'un bois dur, bossué de muscles. Les lichens, couleur de rouille, pareils à une lèpre enflammée, mangèrent d'abord les crépis de plâtre. Ensuite, les thyms enfoncèrent leurs racines entre les briques, ainsi que des coins de fer. Les lavandes glissaient leurs longs doigts crochus sous chaque maçonnerie ébranlée, les tiraient à elles, les arrachaient d'un effort lent et continu. Les genévriers, les romarins, les houx épineux, montaient plus haut, donnaient des poussées invincibles. Et jusqu'aux herbes elles-mêmes, ces herbes dont les brins séchés passaient sous la grand-porte, qui se roidissaient comme des piques d'acier, éventrant la grand-porte, s'avançant dans la nef, où elles soulevaient les dalles de leurs pinces puissantes. C'était l'émeute victorieuse, la nature révolutionnaire dressant des barricades avec des autels renversés, démolissant l'église qui lui jetait trop d'ombre depuis des siècles. Les autres combattants laissaient faire les herbes, les thyms, les lavandes, les lichens, ce rongement des petits, plus destructeur que les coups d[e] massue des forts, cet émiettement de la base dont l[e] travail sourd devait achever d'abattre tout l'édifice Puis, brusquement, ce fut la fin. Le sorbier, dont le[s] hautes branches pénétraient déjà sous la voûte, pa[r] les carreaux cassés, entra violemment, d'un jet d[e] verdure formidable. Il se planta au milieu de la ne[f] Là, il grandit démesurément; son tronc devint colossal, au point de faire éclater l'église, ainsi qu'un[e] ceinture trop étroite. Les branches allongèrent d[e] toutes parts des nœuds énormes, dont chacun em[]portait un morceau de muraille, un lambeau de toi[]ture; et elles se multipliaient toujours, chaqu[e] branche se ramifiant à l'infini, un arbre nouvea[u] poussant de chaque nœud, avec une telle fureur d[e] croissance, que les débris de l'église, troués comm[e] un crible, volèrent en éclats, en semant aux quatr[e] coins du ciel une cendre fine. Maintenant, l'arbr[e] géant touchait aux étoiles. Sa forêt de branche[s] était une forêt de membres, de jambes, de bras, d[e] torses, de ventres, qui suaient la sève; des cheve[]lures de femmes pendaient; des têtes d'hommes fai[]saient éclater l'écorce, avec des rires de bourgeon[s] naissants; tout en haut, les couples d'amants, pâ[]més au bord de leurs nids, emplissaient l'air de la musique de leur jouissance et de l'odeur de leur fé[]condité. Un dernier souffle de l'ouragan, qui s'étai[t] rué sur l'église, en balaya la poussière, la chaire et l[e] confessionnal en poudre, les images saintes lacérée[s] les vases sacrés fondus, tous ces décombres que p[i]quait avidement la bande des moineaux, autrefoi[s] logée sous les tuiles. Le grand Christ, arraché de l[a] croix, resta pendu un moment à une des chevelure[s] de femmes flottantes, fut emporté, roulé, perd[u] dans la nuit noire, au fond de laquelle il tomba ave[c] un retentissement. L'arbre de vie venait de creve[r] le ciel. Et il dépassait les étoiles.

L'abbé Mouret applaudit furieusement, comm[e] un damné, à cette vision. L'église était vaincue. Die[u] n'avait plus de maison. A présent, Dieu ne le gênerait plus. Il pouvait rejoindre Albine, puisqu'ell[e] triomphait. Et comme il riait de lui, qui, une heur[e] auparavant, affirmait que l'église mangerait la terr[e] de son ombre! La terre s'était vengée en mangean[t] l'église. Le rire fou qu'il poussa le tira en sursaut d[e] son hallucination. Stupide, il regarda la nef lentement noyée de crépuscule; par les fenêtres, des coins de ciel se montraient, piqués d'étoiles. Et i[l] allongeait les bras, avec l'idée de tâter les murs[,] lorsque la voix de Désirée l'appela, du couloir d[e] la sacristie:

— Serge! es-tu là?... Parle donc! Il y a une dem[i] heure que je te cherche.

Elle entra. Elle tenait une lampe. Alors, le prêtre vit que l'église était toujours debout. Il ne comprit plus, il resta dans un doute affreux, entre l'église invincible, repoussant de ses cendres, et Albine toute-puissante, qui ébranlait Dieu d'une seule de ses haleines.

10

Désirée approchait, avec sa gaieté sonore.

— Tu es là! tu es là! cria-t-elle. Ah! bien! tu joues donc à cache-cache? Je t'ai appelé plus de dix fois de toutes mes forces... Je croyais que tu étais sorti.

Elle fouillait les coins d'ombre du regard, d'un air curieux. Elle alla même jusqu'au confessionnal, sournoisement, comme si elle s'apprêtait à surprendre quelqu'un, caché en cet endroit. Elle revint, désappointée, reprenant :

— Alors, tu es seul? Tu dormais peut-être? A quoi peux-tu t'amuser tout seul, quand il fait noir?... Allons, viens, nous nous mettons à table.

Lui, passait ses mains fiévreuses sur son front, pour effacer des pensées que tout le monde sûrement allait lire. Il cherchait machinalement à reboutonner sa soutane, qui lui semblait défaite, arrachée, dans un désordre honteux. Puis il suivit sa sœur, la face sévère, sans un frisson, roidi dans cette volonté de prêtre cachant les agonies de sa chair sous la dignité du sacerdoce. Désirée ne s'aperçut pas même de son trouble. Elle dit simplement, en entrant dans la salle à manger :

— Moi, j'ai bien dormi. Toi, tu as trop bavardé, tu es tout pâle.

Le soir, après le dîner, Frère Archangias vint faire sa partie de bataille avec la Teuse. Il avait, ce soir-là, une gaieté énorme. Quand le Frère était gai, il allongeait des coups de poing dans les côtes de la Teuse, qui lui rendait des soufflets, à toute volée. Cela les faisait rire, d'un rire dont les plafonds tremblaient. Puis, il inventait des farces extraordinaires : il cassait avec son nez des assiettes posées à plat, il pariait de fendre à coups de derrière la porte de la salle à manger, il jetait tout le tabac de sa tabatière dans le café de la vieille servante, ou bien apportait une poignée de cailloux qu'il lui glissait dans la gorge, en les enfonçant avec la main jusqu'à la ceinture. Ces débordements de joie sanguine éclataient pour un rien, au milieu de ses colères accoutumées; souvent, un fait dont personne ne

riait lui donnait une véritable attaque de folie bruyante, tapant des pieds, tournant comme une toupie, se tenant le ventre.

— Alors, vous ne voulez pas me dire pourquoi vous êtes gai? demanda la Teuse.

Il ne répondit pas. Il s'était assis à califourchon sur une chaise, il faisait le tour de la table en galopant.

— Oui, oui, faites la bête, reprit-elle. Mon Dieu! que vous êtes bête! Si le bon Dieu vous voit, il doit être content de vous!

Le Frère venait de se laisser aller à la renverse, l'échine sur le carreau, les jambes en l'air. Sans se relever, il dit gravement :

— Il me voit, il est content de me voir. C'est lui qui veut que je sois gai... Quand il consent à m'envoyer une récréation, il sonne la cloche dans ma carcasse. Alors, je me roule. Ça fait rire tout le paradis.

Il marcha sur l'échine jusqu'au mur; puis, se dressant sur la nuque, il tambourina des talons, le plus haut qu'il put. Sa soutane, qui retombait, découvrait son pantalon noir raccommodé aux genoux avec des carrés de drap vert. Il reprenait :

— Monsieur le curé, voyez donc où j'arrive. Je parie que vous ne faites pas ça... Allons, riez un peu. Il vaut mieux se traîner sur le dos, que de souhaiter pour matelas la peau d'une coquine. Vous m'entendez, hein! On est une bête pour un moment, on se frotte, on laisse sa vermine. Ça repose. Moi, lorsque je me frotte, je m'imagine être le chien de Dieu, et c'est ça qui me fait dire que tout le paradis se met aux fenêtres, riant de me voir... Vous pouvez rire aussi, monsieur le curé. C'est pour les saints et pour vous. Tenez, voici une culbute pour saint Joseph, en voici une autre pour saint Jean, une autre pour saint Michel, une pour saint Marc, une pour saint Matthieu...

Et il continua, défilant tout un chapelet de saints, culbutant autour de la pièce. L'abbé Mouret, resté silencieux, les poignets au bord de la table, avait fini par sourire. D'ordinaire, les joies du Frère l'inquiétaient. Puis, comme celui-ci passait à la portée de la Teuse, elle lui allongea un coup de pied.

— Voyons, dit-elle, jouons-nous, à la fin?

Frère Archangias répondit par des grognements. Il s'était mis à quatre pattes. Il marchait droit à la Teuse, faisant le loup. Lorsqu'il l'eut atteinte, il enfonça la tête sous ses jupons, il lui mordit le genou droit.

— Voulez-vous bien me lâcher! criait-elle. Est-ce que vous rêvez des saletés, maintenant!

— Moi! balbutia le Frère, si égayé par cette idée qu'il resta sur la place, sans pouvoir se relever. Eh!

regarde, j'étrangle, rien que d'avoir goûté à ton genou. Il est trop salé, ton genou... Je mords les femmes, puis je les crache, tu vois.

Il la tutoyait, il crachait sur ses jupons. Quand il eut réussi à se mettre debout, il souffla un instant, en se frottant les côtes. Des bouffées de gaieté secouaient encore son ventre, comme une outre qu'on achève de vider. Il dit enfin, d'une grosse voix sérieuse :

— Jouons... Si je ris, c'est mon affaire. Vous n'avez pas besoin de savoir pourquoi, la Teuse.

Et la partie s'engagea. Elle fut terrible. Le Frère abattait les cartes avec des coups de poing. Quand il criait : « Bataille! » les vitres sonnaient. C'était la Teuse qui gagnait. Elle avait trois as depuis longtemps, elle guettait le quatrième d'un regard luisant. Cependant, Frère Archangias se livrait à d'autres plaisanteries. Il soulevait la table, au risque de casser la lampe; il trichait effrontément, se défendant à l'aide de mensonges énormes, pour la farce, disait-il ensuite. Brusquement, il entonna les Vêpres, qu'il chanta d'une voix pleine de chantre au lutrin. Et il ne cessa plus, ronflant lugubrement, accentuant la chute de chaque verset en tapant ses cartes, sur la paume de sa main gauche. Quand sa gaieté était au comble, quand il ne trouvait plus rien pour l'exprimer, il chantait ainsi les Vêpres, pendant des heures. La Teuse, qui le connaissait bien, se pencha pour lui crier, au milieu du mugissement dont il emplissait la salle à manger :

— Taisez-vous, c'est insupportable!... Vous êtes trop gai, ce soir.

Alors, il entama les complies. L'abbé Mouret était allé s'asseoir près de la fenêtre. Il semblait ne pas voir, ne pas entendre ce qui se passait autour de lui. Pendant le dîner, il avait mangé comme à son ordinaire, il était même parvenu à répondre aux éternelles questions de Désirée. Maintenant, il s'abandonnait, à bout de force; il roulait, brisé, anéanti, dans la querelle furieuse qui continuait en lui, sans trêve. Le courage même lui manquait pour se lever et monter à sa chambre. Puis, il craignait que, s'il tournait la face du côté de la lampe, on ne vît ses larmes, qu'il ne pouvait plus retenir. Il appuya le front contre une vitre, il regarda les ténèbres du dehors, s'endormant peu à peu, glissant à une stupeur de cauchemar.

Frère Archangias, psalmodiant toujours, cligna les yeux, en montrant le prêtre endormi, d'un mouvement de tête.

— Quoi? demanda la Teuse.

Le Frère répéta son jeu de paupière, en l'accentuant.

— Eh! quand vous vous démancherez le cou! dit la servante. Parlez, je vous comprendrai... Tenez, un roi. Bon! je prends votre dame.

Il posa un instant ses cartes, se courba sur la table, lui souffla dans la figure :

— La gueuse est venue.

— Je le sais bien, répondit-elle. Je l'ai vue avec mademoiselle entrer dans la basse-cour.

Il la regarda terriblement, il avança les poings.

— Vous l'avez vue, vous l'avez laissée entrer! Il fallait m'appeler, nous l'aurions pendue par les pieds à un clou de votre cuisine.

Mais elle se fâcha, tout en contenant sa voix, pour ne pas réveiller l'abbé Mouret.

— Ah! bien! bégaya-t-elle, vous êtes encore bon, vous! Venez donc pendre quelqu'un dans ma cuisine!... Sans doute, je l'ai vue. Et même, j'ai tourné le dos, quand elle est allée rejoindre monsieur le curé dans l'église, après le catéchisme. Ils ont bien pu y faire ce qu'ils ont voulu. Est-ce que ça me regarde? Est-ce que je n'avais pas à mettre mes haricots sur le feu?... Moi, je l'abomine, cette fille. Mais du moment qu'elle est la santé de monsieur le curé... elle peut bien venir à toutes les heures du jour et de la nuit. Je les enfermerai ensemble, s'ils veulent.

— Si vous faisiez cela, la Teuse, dit le Frère avec une rage froide, je vous étranglerais.

Elle se mit à rire, en le tutoyant à son tour.

— Ne dis donc pas des bêtises, petit! Les femmes, tu sais bien que ça t'est défendu comme le Pater aux ânes. Essaye de m'étrangler un jour, tu verras ce que je te ferai... Sois sage, finissons la partie. Tiens, voilà encore un roi.

Lui, tenant sa carte levée, continuait à gronder :

— Il faut qu'elle soit venue par quelque chemin connu du diable seul, pour m'avoir échappé aujourd'hui. Je vais pourtant toutes les après-midi me poster là-haut, au Paradou. Si je les surprends encore ensemble, je ferai faire connaissance à la gueuse d'un bâton de cornouiller, que j'ai taillé exprès pour elle... Maintenant, je surveillerai aussi l'église.

Il joua, se laissa enlever un valet par la Teuse, puis se renversa sur sa chaise, repris par son rire énorme. Il ne pouvait se fâcher sérieusement, ce soir-là. Il murmurait :

— N'importe, si elle l'a vu, elle n'en est pas moins tombée sur le nez... Je veux tout de même vous conter ça, la Teuse. Vous savez, il pleuvait. Moi, j'étais sur la porte de l'école quand je l'ai aperçue qui descendait de l'église. Elle marchait toute droite, avec son air orgueilleux, malgré l'averse. Et voilà qu'en arrivant à la route, elle s'est étalée tout de son long, à cause de la terre qui devait être glissante. Oh! j'ai ri, j'ai ri! Je tapais dans mes mains... Lorsqu'elle s'est relevée, elle avait du sang à un poignet. Ça m'a donné de la joie pour huit jours. Je ne puis pas me l'imaginer par terre, sans avoir à la gorge et au ventre des chatouillements qui me font éclater d'aise.

Et, enflant les joues, tout à son jeu désormais, il chanta le *De profundis*. Puis il le recommença. La partie s'acheva au milieu de cette lamentation, qu'il grossissait par moments, comme pour la goûter mieux. Ce fut lui qui perdit, mais il n'en éprouva pas la moindre contrariété. Quand la Teuse l'eut mis dehors, après avoir réveillé l'abbé Mouret, on l'entendit se perdre, au milieu du noir de la nuit, en répétant le dernier verset du psaume : *Et ipse redimet Israël ex omnibus iniquitatibus ejus*, d'un air d'extraordinaire jubilation.

11

L'abbé Mouret dormit d'un sommeil de plomb. Lorsqu'il ouvrit les yeux, plus tard que de coutume, il se trouva la face et les mains baignées de larmes; il avait pleuré toute la nuit, en dormant. Il ne dit point sa messe, ce matin-là. Malgré son long repos, sa lassitude de la veille au soir était devenue telle, qu'il demeura jusqu'à midi dans sa chambre, assis sur une chaise, au pied de son lit. La stupeur, qui l'envahissait de plus en plus, lui ôtait jusqu'à la sensation de la souffrance. Il n'éprouvait plus qu'un grand vide; il restait soulagé, amputé, anéanti. La lecture de son bréviaire lui coûta un suprême effort; le latin des versets lui paraissait une langue barbare, dont il ne parvenait même plus à épeler les mots. Puis, le livre jeté sur le lit, il passa des heures à regarder la campagne par la fenêtre ouverte, sans avoir la force de venir s'accouder à la barre d'appui. Au loin, il apercevait le mur blanc du Paradou, un mince trait pâle courant à la crête des hauteurs, parmi les taches sombres des petits bois de pins. A gauche, derrière un de ces bois, se trouvait la brèche; il ne la voyait pas, mais il la savait là; il se souvenait des moindres bouts de ronce épars au milieu des pierres. La veille encore, il n'aurait point osé lever ainsi les regards sur cet horizon redoutable. Mais, à cette heure, il s'oubliait impunément à reprendre, après chaque bouquet de verdure, le fil interrompu de la muraille, pareille au liséré d'une jupe accroché à tous les buissons. Cela n'activait

même pas le battement de ses veines. La tentation, comme dédaigneuse de la pauvreté de son sang, avait abandonné sa chair lâche. Elle le laissait incapable d'une lutte, dans la privation de la grâce, n'ayant même plus la passion du péché, prêt à accepter par hébétement tout ce qu'il repoussait furieusement la veille.

Il se surprit un moment à parler haut. Puisque la brèche était toujours là, il rejoindrait Albine, au coucher du soleil. Il ressentait un léger ennui de cette décision. Mais il ne croyait pouvoir faire autrement. Elle l'attendait, elle était sa femme. Quand il voulait évoquer son visage, il ne le voyait plus que très pâle, très lointain. Puis, il était inquiet sur la façon dont ils vivraient ensemble. Il leur serait difficile de rester dans le pays; il leur faudrait fuir, sans que personne s'en doutât; ensuite, une fois cachés quelque part, ils auraient besoin de beaucoup d'argent pour être heureux. A vingt reprises, il tenta d'arrêter un plan d'enlèvement, d'arranger leur existence d'amants heureux. Il ne trouva rien. Maintenant que le désir ne l'affolait plus, le côté pratique de la situation l'épouvantait, le mettait avec ses mains débiles en face d'une besogne compliquée, dont il ne savait pas le premier mot. Où prendraient-ils des chevaux pour se sauver ? S'ils s'en allaient à pied, ne les arrêterait-on pas ainsi que des vagabonds ? D'ailleurs, serait-il capable d'être employé, de découvrir une occupation quelconque qui pût assurer du pain à sa femme ? Jamais on ne lui avait appris ces choses. Il ignorait la vie; il ne rencontrait, en fouillant sa mémoire, que des lambeaux de prière, les détails de cérémonial, des pages de l'*Instruction théologique*, de Bouvier, apprises autrefois par cœur au séminaire. Même des choses sans importance l'embarrassaient beaucoup. Il se demanda s'il oserait donner le bras à sa femme, dans la rue. Certainement, il ne saurait pas marcher, avec une femme au bras. Il paraîtrait si gauche, que le monde se retournerait. On devinerait un prêtre, on insulterait Albine. Vainement il tâcherait de se laver du sacerdoce, toujours il en emporterait avec lui la pâleur triste, l'odeur d'encens. Et s'il avait des enfants, un jour ? Cette pensée inattendue le fit tressaillir. Il éprouva une répugnance étrange. Il croyait qu'il ne les aimerait pas. Cependant ils étaient deux, un petit garçon et une petite fille. Lui, les écartait de ses genoux, souffrant de sentir leurs mains se poser sur ses vêtements, ne prenant point à les faire sauter la joie des autres pères. Il ne s'habituait pas à cette chair de sa chair, qui lui semblait toujours suer son impureté d'homme. La petite fille surtout le troublait, avec ses grands yeux, au fond desquels s'allumaient déjà des tendresses de femme. Mais non, il n'aurait point d'enfant, il s'éviterait cette horreur qu'il éprouvait, à l'idée de voir ses membres repousser et revivre éternellement. Alors, l'espoir d'être impuissant lui fut très doux. Sans doute, toute sa virilité s'en était allée pendant sa longue adolescence. Cela le détermina. Dès le soir, il fuirait avec Albine.

Le soir, pourtant, l'abbé Mouret se sentit trop las. Il remit son départ au lendemain. Le lendemain, il se donna un nouveau prétexte : il ne pouvait abandonner sa sœur ainsi seule avec la Teuse; il laisserait une lettre pour qu'on la conduisît chez l'oncle Pascal. Pendant trois jours, il se promit d'écrire cette lettre; la feuille de papier, la plume et l'encre étaient prêtes, sur la table, dans sa chambre. Et, le troisième jour, il s'en alla, sans écrire la lettre. Tout d'un coup, il avait pris son chapeau, il était parti pour le Paradou, par bêtise, obsédé, se résignant, allant là comme à une corvée qu'il ne savait de quelle façon éviter. L'image d'Albine s'était encore effacée; il ne la voyait plus, il obéissait à d'anciennes volontés, mortes en lui à cette heure, mais dont la poussée persistait dans le grand silence de son être.

Dehors il ne prit aucune précaution pour se cacher. Il s'arrêta, au bout du village, à causer un instant avec la Rosalie; elle lui annonçait que son enfant avait des convulsions, et elle riait pourtant de ce rire du coin des lèvres qui lui était habituel. Puis il s'enfonça au milieu des roches, il marcha droit vers la brèche. Par habitude, il avait emporté son bréviaire. Comme le chemin était long, s'ennuyant, il ouvrit le livre, il lut les prières réglementaires. Quand il le remit sous son bras, il avait oublié le Paradou. Il allait toujours devant lui, songeant à une chasuble neuve qu'il voulait acheter pour remplacer la chasuble d'étoffe d'or, qui, décidément, tombait en poussière; depuis quelque temps, il cachait des pièces de vingt sous, et il calculait qu'au bout de sept mois il aurait assez d'argent. Il arrivait sur les hauteurs, lorsqu'un chant de paysan, au loin, lui rappela un cantique qu'il avait su autrefois, au séminaire. Il chercha les premiers vers de ce cantique, sans pouvoir les trouver. Cela l'ennuyait d'avoir si peu de mémoire. Aussi, ayant fini par se souvenir, éprouva-t-il une joie très douce à chanter à demi-voix les paroles qui lui revenaient une à une. C'était un hommage à Marie. Il souriait, comme s'il eût reçu au visage un souffle frais de sa jeunesse. Qu'il était heureux, dans ce temps-là! Certes, il pouvait être heureux encore; il n'avait pas grandi, il ne demandait toujours que les mêmes bonheurs, une paix sereine, un coin de chapelle où la place de ses genoux fût marquée, une vie de solitude égayée par des puérilités adorables d'enfance. Il élevait peu à peu la voix, il chantait le cantique avec des sons filés de flûte, quand il aperçut la brèche, en face de lui.

Un instant, il parut surpris. Puis, cessant de sourire, il murmura simplement :

— Albine doit m'attendre. Le soleil baisse déjà.

Mais, comme il montait écarter les pierres pour passer, un souffle terrible l'inquiéta. Il dut redescendre, ayant failli mettre le pied en plein sur la figure de Frère Archangias, vautré par terre, dormant profondément. Le sommeil l'avait surpris sans doute, pendant qu'il gardait l'entrée du Paradou. Il en barrait le seuil, tombé de tout son long, les membres écartés, dans une posture honteuse. Sa main droite, rejetée derrière sa tête, n'avait pas lâché le bâton de cornouiller, qu'il semblait encore brandir, ainsi qu'une épée flamboyante. Et il ronflait au milieu des ronces, la face au soleil, sans que son cuir tanné eût un frisson. Un essaim de grosses mouches volaient au-dessus de sa bouche ouverte.

L'abbé Mouret le regarda un moment. Il enviait ce sommeil de saint roulé dans la poussière. Il voulut chasser les mouches; mais les mouches, entêtées, revenaient, se collaient aux lèvres violettes du Frère, qui ne les sentait seulement pas. Alors, l'abbé enjamba ce grand corps. Il entra dans le Paradou.

12

Derrière la muraille, à quelques pas, Albine était assise sur un tapis d'herbe. Elle se leva, en apercevant Serge.

— Te voilà! cria-t-elle toute tremblante.

— Oui, dit-il paisiblement, je suis venu.

Elle se jeta à son cou. Mais elle ne l'embrassa pas. Elle avait senti le froid des perles du rabat sur son bras nu. Elle l'examinait, inquiète déjà, reprenant :

— Qu'as-tu ? Tu ne m'as pas baisée sur les joues comme autrefois, tu sais, lorsque tes lèvres chantaient... Va, si tu es souffrant, je te guérirai encore. Maintenant que tu es là, nous allons recommencer notre bonheur. Il n'y a plus de tristesse... Tu vois, je souris. Il faut sourire, Serge.

Et comme il restait grave :

— Sans doute, j'ai eu aussi bien du chagrin. Je suis encore toute pâle, n'est-ce pas ? Depuis huit jours, je vivais là, sur l'herbe où tu m'as trouvée. Je ne voulais qu'une chose, te voir entrer par

:e trou de la muraille. A chaque bruit, je me levais, e courais à ta rencontre. Et ce n'était pas toi, :'étaient des feuilles que le vent emportait... Mais e savais bien que tu viendrais. J'aurais attendu des années.

Puis, elle lui demanda :

— Tu m'aimes encore ?

— Oui, répondit-il, je t'aime encore.

Ils restèrent en face l'un de l'autre, un peu gênés. Un gros silence tomba entre eux. Serge, tranquille, ne cherchait pas à le rompre. Albine, à deux reprises, ouvrit la bouche, mais la referma aussitôt, surprise des choses qui lui montaient aux lèvres. Elle ne trouvait plus que des paroles amères. Elle sentait des larmes lui mouiller les yeux. Qu'éprouvait-elle donc, pour ne pas être heureuse, lorsque son amour était de retour ?

— Écoute, dit-elle enfin, il ne faut pas rester là. C'est ce trou qui nous glace... Rentrons chez nous. Donne-moi ta main.

Et ils s'enfoncèrent dans le Paradou. L'automne venait, les arbres étaient soucieux, avec leurs têtes jaunies qui se dépouillaient feuille à feuille. Dans les sentiers, il y avait déjà un lit de verdure morte, trempé d'humidité, où les pas semblaient étouffer des soupirs. Au fond des pelouses, une fumée flottait, noyant de deuil les lointains bleuâtres. Et le jardin entier se taisait, ne soufflant plus que des haleines mélancoliques, qui passaient pareilles à des frissons.

Serge grelottait sous l'avenue de grands arbres qu'ils avaient prise. Il dit à demi-voix :

— Comme il fait froid, ici !

— Tu as froid, murmura tristement Albine. Ma main ne te chauffe plus. Veux-tu que je te couvre d'un pan de ma robe ?... Viens, nous allons revivre toutes nos tendresses.

Elle le mena au parterre. Le bois de roses restait odorant, les dernières fleurs avaient des parfums amers; tandis que les feuillages, grandis démesurément, couvraient la terre d'une mare dormante. Mais Serge témoigna une telle répugnance à entrer dans ces broussailles, qu'ils restèrent sur le bord, cherchant de loin les allées où ils avaient passé au printemps. Elle se rappelait les moindres coins; elle lui montrait du doigt la grotte où dormait la femme de marbre, les chevelures pendantes des chèvrefeuilles et des clématites, les champs de violettes, la fontaine qui crachait des œillets rouges, le grand escalier empli d'un ruissellement de girofées fauves, la colonnade en ruine au centre de laquelle les lis bâtissaient un pavillon blanc. C'était là qu'ils étaient nés tous les deux, dans le soleil. Et elle

racontait les plus petits détails de cette première journée, la façon dont ils marchaient, l'odeur que l'air avait à l'ombre. Lui, semblait écouter; puis, d'une question, il prouvait qu'il n'avait pas compris. Le léger frisson qui le pâlissait, ne le quittait point.

Elle le mena au verger, dont ils ne purent même approcher. La rivière avait grossi, Serge ne songeait plus à prendre Albine sur son dos, pour la porter en trois sauts à l'autre bord. Et pourtant, là-bas, les pommiers et les poiriers étaient encore chargés de fruits; la vigne, aux feuilles plus rares, pliait sous des grappes blondes, dont chaque grain gardait la tache rousse du soleil. Comme ils avaient gaminé à l'ombre gourmande de ces arbres vénérables! Ils étaient des galopins alors. Albine souriait encore de la manière effrontée dont elle montrait ses jambes, lorsque les branches cassaient. Se souvenait-il au moins des prunes qu'ils avaient mangées ? Serge répondait par des hochements de tête. Il paraissait les déjà. Le verger, avec son enfoncement verdâtre, son pêle-mêle de tiges moussues, pareil à quelque échafaudage éventré et ruiné, l'inquiétait, lui donnait le rêve d'un lieu humide, peuplé d'orties et de serpents.

Elle le mena aux prairies. Là, il dut faire quelques pas dans les herbes. Elles montaient à ses épaules, maintenant. Elles lui semblaient autant de bras minces qui cherchaient à le lier aux membres, pour le rouler et le noyer au fond de cette mer verte, interminable. Et il supplia Albine de ne pas aller plus loin. Elle marchait en avant, elle ne s'arrêta pas; puis, voyant qu'il souffrait, elle se tint debout à son côté, peu à peu assombrie, finissant par être prise de frissons comme lui. Pourtant, elle parla encore. D'un geste large, elle indiqua les ruisseaux, les rangées de saules, les nappes d'herbes étalées jusqu'au bout de l'horizon. Tout cela était à eux, autrefois. Ils y vivaient des journées entières. Là-bas, entre trois saules, au bord de cette eau, ils avaient joué aux amoureux. Alors, ils auraient voulu que les herbes fussent plus grandes qu'eux, afin de se perdre dans leur flot mouvant, d'être plus seuls, d'être loin de tout, comme des alouettes voyageant au fond d'un champ de blé. Pourquoi donc tremblait-il aujourd'hui, rien qu'à sentir le bout de son pied tremper et disparaître dans le gazon ?

Elle le mena à la forêt. Les arbres effrayèrent Serge davantage. Il ne les connaissait pas, avec cette gravité de leur tronc noir. Plus qu'ailleurs, le passé lui semblait mort, au milieu de ces futaies sévères, où le jour descendait librement. Les premières pluies avaient effacé leurs pas sur le sable des allées; les vents emportaient tout ce qui restait d'eux aux branches basses des buissons. Mais Albine, la gorge serrée de tristesse, protestait du regard. Elle retrouvait sur le sable les moindres traces de leurs promenades. A chaque broussaille, l'ancienne tiédeur du frôlement qu'ils avaient laissé là lui remontait au visage. Et, les yeux suppliants, elle cherchait encore à évoquer les souvenirs de Serge. Le long de ce sentier, ils avaient marché en silence, très émus, sans oser se dire qu'ils s'aimaient. Dans cette clairière, ils s'étaient oubliés un soir, fort tard, à regarder les étoiles, qui pleuvaient sur eux comme des gouttes de chaleur. Plus loin, sous ce chêne, ils avaient échangé leur premier baiser. Le chêne conservait l'odeur de ce baiser; les mousses elles-mêmes en causaient toujours. C'était un mensonge de dire que la forêt devenait muette et vide. Et Serge tournait la tête, pour éviter les yeux d'Albine, qui le fatiguaient.

Elle le mena aux grandes roches. Peut-être là ne frissonnerait-il plus de cet air débile qui la désespérait. Seules, les grandes roches, à cette heure, étaient encore chaudes de la braise rouge du soleil couchant. Elles avaient toujours leur passion tragique, leurs lits ardents de cailloux, où se roulaient des plantes grasses, monstrueusement accouplées. Et, sans parler, sans même tourner la tête, Albine entraînait Serge le long de la rude montée, voulant le mener plus haut, encore plus haut, au-delà des sources, jusqu'à ce qu'ils fussent de nouveau tous les deux dans le soleil. Ils retrouveraient le cèdre sous lequel ils avaient éprouvé l'angoisse du premier désir. Ils se coucheraient par terre, sur les dalles ardentes, en attendant que le rut de la terre les gagnât. Mais, bientôt, les pieds de Serge se heurtèrent cruellement. Il ne pouvait plus marcher. Une première fois, il tomba sur les genoux. Albine, d'un effort suprême, le releva, l'emporta un instant. Et il retomba, il resta abattu, au milieu du chemin. En face, au-dessous de lui, le Paradou immense s'étendait.

— Tu as menti! cria Albine, tu ne m'aimes plus!

Et elle pleurait, debout à son côté, se sentant impuissante à l'emporter plus haut. Elle n'avait pas de colère encore, elle pleurait leurs amours agonisantes. Lui, restait écrasé.

— Le jardin est mort, j'ai toujours froid, murmura-t-il.

Mais elle lui prit la tête, elle lui montra le Paradou, d'un geste.

— Regarde donc!... Ah! ce sont tes yeux qui sont morts, ce sont tes oreilles, tes membres, ton corps entier. Tu as traversé toutes nos joies, sans les voir sans les entendre, sans les sentir. Et tu n'as fait que trébucher, tu es venu tomber ici de lassitude et d'ennui... Tu ne m'aimes plus.

Il protestait doucement, tranquillement. Alors elle eut une première violence.

— Tais-toi! Est-ce que le jardin mourra jamais Il dormira cet hiver; il se réveillera en mai, il nous rapportera tout ce que nous lui avons confié de nos tendresses; nos baisers refleuriront dans le parterre, nos serments repousseront avec les herbes et les arbres... Si tu le voyais, si tu l'entendais, il plus profondément ému, il aime d'une façon plus doucement poignante, à cette saison d'automne lorsqu'il s'endort dans sa fécondité... Tu ne m'aime plus, tu ne peux plus savoir.

Lui, levait les yeux sur elle, la suppliant de ne pas se fâcher. Il avait un visage aminci, que pâlissait une peur d'enfant. Un éclat de voix le faisait tressaillir. Il finit par obtenir d'elle qu'elle se reposât un instant, près de lui, au milieu du chemin. Ils causeraient paisiblement, ils s'expliqueraient. Et tous deux, en face du Paradou, sans même se prendre le bout des doigts, s'entretinrent de leur amour

— Je t'aime, je t'aime, dit-il de sa voix égale. Si je ne t'aimais pas, je ne serais pas venu... C'est vrai je suis las. J'ignore pourquoi. J'aurais cru retrouver ici cette bonne chaleur dont le souvenir seul étai une caresse. Et j'ai froid, le jardin me semble noir je n'y vois rien de ce que j'y ai laissé. Mais ce n'est point ma faute. Je m'efforce d'être comme toi, je voudrais te contenter.

— Tu ne m'aimes plus, répéta encore Albine.

— Si, je t'aime. J'ai beaucoup souffert, l'autre jour, après t'avoir renvoyée... Oh! je t'aimais avec un tel emportement, sais-tu, que je t'aurais brisée d'une étreinte, si tu étais revenue te jeter dans mes bras. Jamais je ne t'ai désirée si furieusement. Pendant des heures, tu es restée vivante devant moi, me tenaillant de tes doigts souples. Quand je fermais les yeux, tu t'allumais comme un soleil, tu m'enveloppais de ta flamme... Alors, j'ai marché sur tout je suis venu.

Il garda un court silence, songeur; puis, il continua :

— Et maintenant mes bras sont comme brisés Si je voulais te prendre contre ma poitrine, je ne saurais point te tenir, je te laisserais tomber.. Attends que ce frisson m'ait quitté. Tu me donneras tes mains, je les baiserai encore. Sois bonne, ne me regarde pas de tes yeux irrités. Aide-moi à retourner mon cœur.

Et il avait une tristesse si vraie, une envie si évi-

lente de recommencer leur vie tendre, qu'Albine
ut touchée. Un instant, elle redevint très douce.
Elle le questionna avec sollicitude.

— Où souffres-tu ? quel est ton mal ?

— Je ne sais. Il me semble que tout le sang de
mes veines s'en va... Tout à l'heure, en venant, j'ai
cru qu'on me jetait sur les épaules une robe glacée,
qui se collait à ma peau, et qui, de la tête aux pieds,
me faisait un corps de pierre... J'ai déjà senti cette
robe sur mes épaules... Je ne me souviens plus.

Mais elle l'interrompit d'un rire amical.

— Tu es un enfant, tu auras pris froid, voilà
tout... Écoute, ce n'est pas moi qui te fais peur, au
moins ? L'hiver, nous ne resterons pas au fond de
ce jardin, comme deux sauvages. Nous irons où tu
voudras, dans quelque grande ville. Nous nous
aimerons, au milieu du monde, aussi tranquillement
qu'au milieu des arbres. Et tu verras que je ne suis
pas qu'une vaurienne, sachant dénicher des nids,
marchant des heures sans être lasse... Quand j'étais
petite, je portais des jupes brodées, avec des bas à
jour, des guimpes, des falbalas. Personne ne t'a
conté cela peut-être ?

Il ne l'écoutait pas, il dit brusquement, en poussant un léger cri :

— Ah! je me souviens!

Et, quand elle l'interrogea, il ne voulut pas
répondre. Il venait de se rappeler la sensation de la
chapelle du séminaire sur ses épaules. C'était là
cette robe glacée qui lui faisait un corps de pierre.
Alors, il fut repris invinciblement par son passé
de prêtre. Les vagues souvenirs qui s'étaient éveillés en lui, le long de la route, des Artaud au Paradou, s'accentuèrent, s'imposèrent avec une souveraine autorité. Pendant qu'Albine continuait à lui
parler de la vie heureuse qu'ils mèneraient ensemble, il entendait des coups de clochette sonnant
l'élévation, il voyait des ostensoirs traçant des croix
de feu au-dessus de grandes foules agenouillées.

— Eh bien! dit-elle, pour toi, je remettrai mes
jupes brodées... Je veux que tu sois gai. Nous chercherons ce qui pourra te distraire. Tu m'aimeras davantage peut-être, lorsque tu me verras belle, mise
comme les dames. Je n'aurai plus mon peigne enfoncé de travers, avec des cheveux dans le cou. Je ne
retrousserai plus mes manches jusqu'aux coudes.
J'agraferai ma robe pour ne plus montrer mes
épaules. Et je sais encore saluer, je sais marcher
posément, avec de petits balancements de menton.
Va, je serai une jolie femme à ton bras, dans les
rues.

— Es-tu entrée dans les églises, parfois, quand tu
étais petite ? lui demanda-t-il, à demi-voix, comme

s'il eût continué tout haut, malgré lui, la rêverie qui
l'empêchait de l'entendre. Moi, je ne pouvais passer
devant une église sans y entrer. Dès que la porte
retombait silencieusement derrière moi, il me semblait que j'étais dans le paradis lui-même, avec des
voix d'anges qui me contaient à l'oreille des histoires de douceur, avec l'haleine des saints et des
saintes dont je sentais la caresse par tout mon
corps... Oui, j'aurais voulu vivre là, toujours, perdu
au fond de cette béatitude.

Elle le regarda, les yeux fixes, tandis qu'une
courte flamme s'allumait dans la tendresse de son
regard. Elle reprit, soumise encore :

— Je serai comme il plaira à tes caprices. Je faisais
de la musique, autrefois; j'étais une demoiselle
savante, qu'on élevait pour tous les charmes... Je
retournerai à l'école, je me remettrai à la musique.
Si tu désires m'entendre jouer un air que tu aimes,
tu n'auras qu'à me l'indiquer, je l'apprendrai pendant des mois, pour te le faire entendre, un soir,
chez nous, dans une chambre bien close, dont nous
aurons tiré toutes les draperies. Et tu me récompen-
seras d'un seul baiser... Veux-tu ? un baiser sur les
lèvres qui te rendra ton amour. Tu me prendras et
tu pourras me briser entre tes bras.

— Oui, oui, murmura-t-il, ne répondant toujours
qu'à ses propres pensées, mes grands plaisirs ont
d'abord été d'allumer les cierges, de préparer les
burettes, de porter le missel, les mains jointes. Plus
tard, j'ai goûté l'approche lente de Dieu, et j'ai cru
mourir d'amour... Je n'ai pas d'autres souvenirs.
Je ne sais rien. Quand je lève la main, c'est pour
une bénédiction. Quand j'avance les lèvres, c'est
pour un baiser donné à l'autel. Si je cherche mon
cœur, je ne le trouve plus : je l'ai offert à Dieu,
qui l'a pris.

Elle devint très pâle, les yeux ardents. Elle continua, avec un tremblement dans la voix :

— Et je veux que ma fille ne me quitte pas. Tu
pourras, si tu le juges bon, envoyer le garçon au
collège. Je garderai la chère blondine dans mes
jupes. C'est moi qui lui apprendrai à lire. Oh! je me
souviendrai, je prendrai des maîtres, si j'ai oublié
mes lettres... Nous vivrons avec tout ce petit monde
dans les jambes. Tu seras heureux, n'est-ce pas ?
Réponds, dis-moi que tu auras chaud, que tu sou-
riras, que tu ne regretteras rien ?

— J'ai pensé souvent aux saints de pierre qu'on
encense depuis des siècles, au fond de leur niche,
dit-il à voix très basse. A la longue, ils doivent être
baignés d'encens jusqu'aux entrailles... Et moi je
suis comme un de ces saints. J'ai de l'encens jusque
dans le dernier pli de mes organes. C'est cet embau-

mement qui fait ma sérénité, la mort tranquille de ma chair, la paix que je goûte à ne pas vivre... Ah! que rien ne me dérange de mon immobilité! Je resterai froid, rigide, avec le sourire sans fin de mes lèvres de granit, impuissant à descendre parmi les hommes. Tel est mon seul désir.

Elle se leva, irritée, menaçante. Elle le secoua, en criant :

— Que dis-tu ? que rêves-tu là, tout haut ?... Ne suis-je pas ta femme ? n'es-tu pas venu pour être mon mari ?

Lui, tremblait plus fort, se reculait.

— Non, laisse-moi, j'ai peur, balbutia-t-il.

— Et notre vie commune, et notre bonheur, et nos enfants ?

— Non, non, j'ai peur.

Puis, il jeta ce cri suprême :

— Je ne peux pas! je ne peux pas!

Alors, pendant un instant, elle resta muette, en face du malheureux, qui grelottait à ses pieds. Une flamme sortait de son visage. Elle avait ouvert les bras, comme pour le prendre, le serrer contre elle, dans un élan courroucé de désir. Mais elle parut réfléchir; elle ne lui saisit que la main, elle le mit debout.

— Viens! dit-elle.

Et elle le mena sous l'arbre géant, à la place même où elle s'était livrée, et où il l'avait possédée. C'était la même ombre de félicité, le même tronc qui respirait ainsi qu'une poitrine, les mêmes branches qui s'étendaient au loin, pareilles à des membres protecteurs. L'arbre restait bon, robuste, puissant, fécond. Comme au jour de leurs noces, une langueur d'alcôve, une lueur de nuit d'été mourant sur l'épaule nue d'une amoureuse, un balbutiement d'amour à peine distinct, tombant brusquement à un grand spasme muet, traînaient dans la clairière, baignée d'une limpidité verdâtre. Et, au loin, le Paradou, malgré le premier frisson de l'automne, retrouvait, lui aussi, ses chuchotements ardents. Il redevenait complice. Du parterre, du verger, des prairies, de la forêt, des grandes roches, du vaste ciel, arrivaient de nouveau un rire de volupté, un vent qui semait sur son passage une poussière de fécondation. Jamais le jardin, aux plus tièdes soirées de printemps, n'avait des tendresses si profondes qu'aux derniers beaux jours, lorsque les plantes s'endormaient en se disant adieu. L'odeur des germes mûrs charriait une ivresse de désir, à travers les feuilles plus rares.

— Entends-tu, entends-tu ? balbutiait Albine à l'oreille de Serge, qu'elle avait laissé tomber sur l'herbe, au pied de l'arbre.

Serge pleurait.

— Tu vois bien que le Paradou n'est pas mort Il nous crie de nous aimer. Il veut toujours notre mariage... Oh! souviens-toi! Prends-moi à ton cou Soyons l'un à l'autre.

Serge pleurait.

Elle ne dit plus rien. Elle le prit elle-même, d'une étreinte farouche. Ses lèvres se collèrent sur ce cadavre pour le ressusciter. Et Serge n'eut encore que des larmes.

Au bout d'un grand silence, Albine parla. Elle était debout, méprisante, résolue.

— Va-t'en! dit-elle à voix basse.

Serge se leva d'un effort. Il ramassa son bréviaire qui avait roulé dans l'herbe. Il s'en alla.

— Va-t'en! répétait Albine qui le suivait, le chassant devant elle, haussant la voix.

Et elle le poussa ainsi de buisson en buisson, elle le reconduisit à la brèche, au milieu des arbres graves. Et là, comme Serge hésitait, le front bas, elle lui cria violemment :

— Va-t'en! va-t'en!

Puis, lentement, elle rentra dans le Paradou, sans tourner la tête. La nuit tombait, le jardin n'était plus qu'un grand cercueil d'ombre.

13

Frère Archangias, réveillé, debout sur la brèche donnait des coups de bâton contre les pierres, en jurant abominablement.

— Que le diable leur casse les cuisses ! qu'il les cloue au derrière l'un de l'autre comme des chiens qu'il les traîne par les pieds, le nez dans leur ordure

Mais quand il vit Albine chassant le prêtre, il resta un moment surpris. Puis, il tapa plus fort, il fut pris d'un rire terrible.

— Adieu, la gueuse! Bon voyage! Retourne forniquer avec tes loups... Ah! tu n'as pas assez d'un saint. Il te faut des reins autrement solides. Il te faut des chênes. Veux-tu mon bâton ? Tiens! couche avec! Voilà le gaillard qui te contentera.

Et, à toute volée, il jeta son bâton derrière Albine dans le crépuscule. Puis, regardant l'abbé Mouret il gronda :

— Je vous savais là-dedans. Les pierres étaient dérangées.... Écoutez, monsieur le curé, votre faute a fait de moi votre supérieur, Dieu vous dit par ma bouche que l'enfer n'a pas de tourments assez effroyables pour les prêtres enfoncés dans la chair

S'il daigne vous pardonner, il sera trop bon, il gâtera sa justice.

A pas lents, tous deux redescendaient vers les Artaud. Le prêtre n'avait pas ouvert les lèvres. Peu à peu, il relevait la tête, il ne tremblait plus. Quand il aperçut au loin, sur le ciel violâtre, la barre noire du Solitaire, avec la tache rouge des tuiles de l'église, il eut un faible sourire. Dans ses yeux clairs, se levait une grande sérénité.

Cependant, le Frère, de temps à autre, donnait un coup de pied à un caillou. Puis, il se tournait, il apostrophait son compagnon.

— Est-ce fini, cette fois ?... Moi, quand j'avais votre âge, j'étais possédé; un démon me mangeait les reins. Et puis, il s'est ennuyé, il s'en est allé. Je n'ai plus de reins. Je vis tranquille... Oh! je savais bien que vous viendriez. Voilà trois semaines que je vous guette. Je regardais dans le jardin, par le trou du mur. J'aurais voulu couper les arbres. Souvent, j'ai jeté des pierres. Quand je cassais une branche, j'étais content... Dites, c'est donc extraordinaire, ce qu'on goûte là-dedans ?

Il avait arrêté l'abbé Mouret au milieu de la route, en le regardant avec les yeux luisants d'une terrible jalousie. Les délices entrevues du Paradou le torturaient. Depuis des semaines, il était resté sur le seuil, flairant de loin les jouissances damnables. Mais l'abbé restant muet, il se remit à marcher, ricanant, grognant des paroles équivoques. Et, haussant le ton :

— Voyez-vous, quand un prêtre fait ce que vous avez fait, il scandalise tous les autres prêtres... Moi-même, je ne me sentais plus chaste, à marcher à côté de vous. Vous empoisonniez le sexe... A cette heure, vous voilà raisonnable. Allez, vous n'avez pas besoin de vous confesser. Je connais ce coup de bâton-là. Le ciel vous a cassé les reins comme aux autres. Tant mieux! tant mieux!

Il triomphait, il tapait des mains. L'abbé ne l'écoutait pas, perdu dans une rêverie. Son sourire avait grandi. Et quand le Frère l'eut quitté devant la porte du presbytère, il fit le tour, il entra dans l'église. Elle était toute grise, comme par ce terrible soir de pluie, où la tentation l'avait si durement secoué. Mais elle restait pauvre et recueillie, sans ruissellement d'or, sans souffles d'angoisse, venus de la campagne. Elle gardait un silence solennel. Seule, une haleine de miséricorde semblait l'emplir.

Agenouillé devant le grand Christ de carton peint, pleurant des larmes qu'il laissait couler sur ses joues comme autant de joies, le prêtre murmurait :

— O mon Dieu! il n'est pas vrai que vous soyez sans pitié! Je le sens, vous m'avez déjà pardonné. Je le sens à votre grâce, qui, depuis des heures, redescend en moi, goutte à goutte, en m'apportant le salut d'une façon lente et certaine... O mon Dieu! c'est au moment où je vous abandonnais, que vous me protégiez avec le plus d'efficacité! Vous vous cachiez de moi pour mieux me retirer du mal. Vous laissiez ma chair aller en avant, afin de me heurter contre son impuissance... Et, maintenant, ô mon Dieu! je vois que vous m'aviez à jamais marqué de votre sceau, ce sceau redoutable, plein de délices, qui met un homme hors des hommes, et dont l'empreinte est si ineffaçable, qu'elle reparaît tôt ou tard, même sur les membres coupables! Vous m'avez brisé dans le péché et dans la tentation. Vous m'avez dévasté de votre flamme. Vous avez voulu qu'il n'y eût plus que des ruines en moi, pour y descendre en sécurité. Je suis une maison vide où vous pouvez habiter... Soyez béni, ô mon Dieu!

Il se prosternait, il balbutiait dans la poussière. L'église était victorieuse; elle restait debout, au-dessus de la tête du prêtre, avec ses autels, son confessionnal, sa chaire, ses croix, ses images saintes. Le monde n'existait plus. La tentation s'était éteinte, ainsi qu'un incendie désormais inutile à la purification de cette chair. Il entrait dans la paix surhumaine. Il jetait ce cri suprême.

— En dehors de la vie, en dehors des créatures, en dehors de tout, je suis à vous, ô mon Dieu! à vous seul, éternellement!

14

A cette heure, Albine, dans le Paradou, rôdait encore, traînant l'agonie muette d'une bête blessée. Elle ne pleurait plus. Elle avait un visage blanc, traversé au front d'un grand pli. Pourquoi donc souffrait-elle toute cette mort? De quelle faute était-elle coupable, pour que, brusquement, le jardin ne lui tînt plus les promesses qu'il lui faisait depuis l'enfance. Et elle s'interrogeait, allant devant elle, sans voir les allées où l'ombre coulait peu à peu. Pourtant, elle avait toujours obéi aux arbres. Elle ne se souvenait pas d'avoir cassé une fleur. Elle était restée la fille aimée des verdures, les écoutant avec soumission, s'abandonnant à elles, pleine de foi dans les bonheurs qu'elles lui réservaient. Lorsque, au dernier jour, le Paradou lui avait crié de se coucher sous l'arbre géant, elle s'était couchée, elle avait ouvert les bras, répétant la leçon soufflée par les herbes. Alors, si elle ne trouvait rien à se reprocher, c'était donc le jardin qui la trahissait, qui la torturait, pour la seule joie de la voir souffrir.

Elle s'arrêta, elle regarda autour d'elle. Les grandes masses sombres de feuillages gardaient un silence recueilli; les sentiers, où des murs noirs se bâtissaient, devenaient des impasses de ténèbres; les nappes de gazon, au loin, endormaient les vents qui les effleuraient. Et elle tendit les mains désespérément, elle eut un cri de protestation. Cela ne pouvait finir ainsi. Mais sa voix s'étouffa sous les arbres silencieux. Trois fois, elle conjura le Paradou de répondre, sans qu'une explication lui vînt des hautes branches, sans qu'une seule feuille la prît en pitié. Puis, quand elle se fut remise à rôder, elle se sentit marcher dans la fatalité de l'hiver. Maintenant qu'elle ne questionnait plus la terre en créature révoltée, elle entendait une voix basse courant au ras du sol, la voix d'adieu des plantes, qui se souhaitaient une mort heureuse. Avoir bu le soleil de toute une saison, avoir vécu toujours en fleurs, s'être exhalé en un parfum continu, puis s'en aller au premier tourment, avec l'espoir de repousser quelque part, n'était-ce pas une vie assez longue, une vie bien remplie, que gâterait un entêtement à vivre davantage? Ah! comme on devait être bien, morte, ayant une nuit sans fin devant soi, pour songer à la courte journée vécue, pour en fixer éternellement les joies fugitives!

Elle s'arrêta de nouveau, mais elle ne protesta plus, au milieu du grand recueillement du Paradou. Elle croyait comprendre, à cette heure. Sans doute, le jardin lui ménageait la mort comme une jouissance suprême. C'était à la mort qu'il l'avait conduite d'une si tendre façon. Après l'amour, il n'y avait plus que la mort. Et jamais le jardin ne l'avait tant aimée; elle s'était montrée ingrate en l'accusant, elle restait sa fille la plus chère. Les feuillages silencieux, les sentiers barrés de ténèbres, les pelouses où le vent s'assoupissait, ne se taisaient que pour l'inviter à la joie d'un long silence. Ils la voulaient avec eux, dans le repos du froid; ils rêvaient de l'emporter, roulée parmi leurs feuilles sèches, ses yeux glacés comme l'eau des sources, les membres raidis comme les branches nues, le sang dormant le sommeil de la sève. Elle vivrait leur existence jusqu'au bout, jusqu'à leur mort. Peut-être avaient-ils déjà résolu qu'à la saison prochaine elle serait un rosier du parterre, un saule blond des prairies, ou un jeune bouleau de la forêt. C'était la grande loi de la vie : elle allait mourir.

Alors, une dernière fois, elle reprit sa course à travers le jardin, en quête de la mort. Quelle plante odorante avait besoin de ses cheveux pour accroître le parfum de ses feuilles? Quelle fleur lui demandait le don de sa peau de satin, la blancheur pure de ses bras, la laque tendre de sa gorge? A quel arbuste malade devait-elle offrir son jeune sang? Elle aurait voulu être utile aux herbes qui végétaient sur le bord des allées, se tuer là, pour qu'une verdure poussât d'elle, superbe, grasse, pleine d'oiseaux en mai et ardemment caressée du soleil. Mais le Paradou resta muet longtemps encore, ne se décidant pas à lui confier dans quel dernier baiser il l'emporterait. Elle dut retourner partout, refaire le pèlerinage de ses promenades. La nuit était presque entièrement tombée, et il lui semblait qu'elle entrait peu à peu dans la terre. Elle monta aux grandes roches, les interrogeant, leur demandant si c'était sur leurs lits de cailloux qu'il lui fallait expirer. Elle traversa la forêt, attendant, avec un désir qui ralentissait sa marche, que quelque chêne s'écroulât et l'ensevelît dans la majesté de sa chute. Elle longea les rivières des prairies, se penchant presque à chaque pas, regardant au fond des eaux si une couche ne lui était pas préparée, parmi les nénuphars. Nulle part, la mort ne l'appelait, lui tendait ses mains fraîches. Cependant, elle ne se trompait point. C'était bien le Paradou qui allait lui apprendre à mourir, comme il lui avait appris à aimer. Elle recommença à battre les buissons, plus affamée qu'aux matinées tièdes où elle cherchait l'amour. Et, tout d'un coup, au moment où elle arrivait au parterre, elle surprit la mort, dans les parfums du soir. Elle courut, elle eut un rire de volupté. Elle devait mourir avec les fleurs.

D'abord, elle courut au bois de roses. Là, dans la dernière lueur du crépuscule, elle fouilla les massifs, elle cueillit toutes les roses qui s'alanguissaient aux approches de l'hiver. Elle les cueillait à terre, sans se soucier des épines; elle les cueillait devant elle, des deux mains; elle les cueillait audessus d'elle, se haussant sur les pieds, ployant les arbustes. Une telle hâte la poussait, qu'elle cassait les branches, elle qui avait le respect des moindres brins d'herbe. Bientôt, elle eut des roses plein les bras, un fardeau de roses sous lequel elle chancelait. Puis, elle rentra au pavillon, ayant dépouillé le bois, emportant jusqu'aux pétales tombés; et quand elle eut laissé glisser sa charge de roses sur le carreau de la chambre au plafond bleu, elle redescendit dans le parterre.

Alors, elle chercha les violettes. Elle en faisait des bouquets énormes qu'elle serrait un à un contre sa poitrine. Ensuite, elle chercha les œillets, coupant tout jusqu'aux boutons, liant des gerbes géantes d'œillets blancs, pareilles à des jattes de lait, des gerbes géantes d'œillets rouges, pareilles à des jattes de sang. Et elle chercha encore les quarantaines, les belles-de-nuit, les héliotropes, les lis; elle prenait à poignée les dernières tiges épanouies des quarantaines, dont elle froissait sans pitié les ruches de satin; elle dévastait les corbeilles de belles-de-nuit, ouvertes à peine à l'air du soir; elle fauchait le champ des héliotropes, ramassant en tas sa moisson de fleurs; elle mettait sous ses bras des paquets de lis, comme des paquets de roseaux. Lorsqu'elle fut de nouveau chargée, elle remonta au pavillon jeter, à côté des roses, les violettes, les œillets, les quarantaines, les belles-de-nuit, les héliotropes, les lis. Et, sans reprendre haleine, elle redescendit.

Cette fois, elle se rendit à ce coin mélancolique qui était comme le cimetière du parterre. Un automne brûlant y avait mis une seconde poussée des fleurs du printemps. Elle s'acharna surtout sur des plates-bandes de tubéreuses et de jacinthes, à genoux au milieu des herbes, menant sa récolte avec des précautions d'avare. Les tubéreuses semblaient pour elle des fleurs précieuses, qui devaient distiller goutte à goutte de l'or, des richesses, des biens extraordinaires. Les jacinthes, toutes perlées de leurs grains fleuris, étaient comme des colliers dont chaque perle allait lui verser des joies ignorées aux hommes. Et, bien qu'elle disparût dans la brassée de jacinthes et de tubéreuses qu'elle avait coupée, elle ravagea plus loin un champ de pavots, elle trouva moyen de raser encore un champ de soucis. Par-dessus les tubéreuses, par-dessus les jacinthes, les soucis et les pavots s'entassèrent. Elle revint en courant se décharger dans la chambre au plafond bleu, veillant à ce que le vent ne lui volât pas un pistil. Elle redescendit.

Qu'allait-elle cueillir maintenant ? Elle avait moissonné le parterre entier. Quand elle se haussait sur les pieds, elle ne voyait plus, sous l'ombre encore grise, que le parterre mort, n'ayant plus les yeux tendres de ses roses, le rire rouge de ses œillets, les cheveux parfumés de ses héliotropes. Pourtant, elle ne pouvait remonter les bras vides. Et elle s'attaqua aux herbes, aux verdures; elle rampa, la poitrine contre le sol, cherchant dans une suprême étreinte de passion à emporter la terre elle-même. Ce fut la moisson des plantes odorantes, les citronnelles, les menthes, les verveines, dont elle emplissait sa jupe. Elle rencontra une bordure de baume et n'en laissa pas une feuille. Elle prit même deux grand fenouils, qu'elle jeta sur ses épaules, ainsi que deux arbres. Si elle avait pu, entre ses dents serrées, elle aurait emmené derrière elle toute la nappe verte du parterre. Puis, au seuil du pavillon, elle se tourna, elle jeta un dernier regard sur le Paradou. Il était noir; la nuit, tombée complètement, lui avait jeté un drap noir sur la face. Et elle monta, pour ne plus redescendre.

La grande chambre, bientôt, fut parée. Elle avait posé une lampe allumée sur la console. Elle triait les fleurs amoncelées au milieu du carreau, elle en faisait de grosses touffes qu'elle distribuait à tous les coins. D'abord, derrière la lampe, sur la console, elle mit les lis, une haute dentelle qui attendrissait la lumière de sa pureté blanche. Puis elle porta des poignées d'œillets et de quarantaines sur le vieux canapé, dont l'étoffe peinte était déjà semée de bouquets rouges, fanés depuis cent ans; et l'étoffe disparut, le canapé allongea contre le mur un massif de quarantaines hérissé d'œillets. Elle rangea alors les quatre fauteuils devant l'alcôve; elle emplit le premier de soucis, le second de pavots, le troisième de belles-de-nuit, le quatrième d'héliotropes; les fauteuils, noyés, ne montrant que des bouts de leurs bras, semblaient des bornes de fleurs. Enfin, elle songea au lit. Elle roula près du chevet une petite table, sur laquelle elle dressa un tas énorme de violettes. Et, à larges brassées, elle couvrit entièrement le lit de toutes les jacinthes et de toutes les tubéreuses qu'elle avait apportées; la couche était si épaisse, qu'elle débordait sur le devant, aux pieds, à la tête, dans la ruelle, laissant couler des traînées de grappes. Le lit n'était plus qu'une grande floraison. Cependant, les roses restaient. Elle les jeta au hasard, un peu partout; elle ne regardait même pas où elles tombaient; la console, le canapé, les fauteuils, en reçurent; un coin du lit en fut inondé. Pendant quelques minutes, il plut des roses, à grosses touffes, une averse de fleurs lourdes comme des gouttes d'orage, qui faisaient des mares dans les trous du carreau. Mais le tas ne diminuant guère, elle finit par en tresser des guirlandes qu'elle pendit aux murs. Les Amours de plâtre qui polissonnaient au-dessus de l'alcôve, eurent des guirlandes de roses au cou, aux bras, autour des reins; leurs ventres nus, leurs culs nus furent tout habillés de roses. Le plafond bleu, les panneaux ovales encadrés de nœuds de ruban couleur chair, les peintures érotiques mangées par le temps, se trouvèrent tendus d'un manteau de roses, d'une draperie de roses. La grande chambre était parée. Maintenant, elle pouvait y mourir.

Un instant, elle resta debout, regardant autour d'elle. Elle songeait, elle cherchait si la mort était là. Et elle ramassa les verdures odorantes, les citronnelles, les menthes, les verveines, les baumes, les fenouils; elle les tordit, les plia, en fabriqua des tampons, à l'aide desquels elle alla boucher les moindres fentes, les moindres trous de la porte et des fenêtres. Puis, elle tira les rideaux de calicot blanc, cousus à gros points. Et, muette, sans un soupir, elle se coucha sur le lit, sur la floraison des jacinthes et des tubéreuses.

Là, ce fut une volupté dernière. Les yeux grands ouverts, elle souriait à la chambre. Comme elle avait aimé, dans cette chambre! Comme elle y mourait heureuse! A cette heure, rien d'impur ne lui venait plus des Amours de plâtre, rien de troublant ne descendait plus des peintures, où des membres de femme se vautraient. Il n'y avait, sous le plafond bleu, que le parfum étouffant des fleurs. Et il semblait que ce parfum ne fût autre que l'odeur d'amour ancien dont l'alcôve était toujours restée tiède, une odeur grandie, centuplée, devenue si forte, qu'elle soufflait l'asphyxie. Peut-être était-ce l'haleine de la dame morte là, il y avait un siècle. Elle se trouvait ravie à son tour, dans cette haleine. Ne bougeant point, les mains jointes sur son cœur, elle continuait à sourire, elle écoutait les parfums qui chuchotaient dans sa tête bourdonnante. Ils lui jouaient une musique étrange de senteurs qui l'endormit lentement, très doucement. D'abord, c'était un prélude gai, enfantin : ses mains, qui avaient tordu les verdures odorantes, exhalaient l'âpreté des herbes foulées, lui contaient ses courses de gamine au milieu des sauvageries du Paradou. Ensuite, un chant de flûte se faisait entendre, de petites notes musquées qui s'égrenaient du tas de violettes posé sur la table, près du chevet; et cette flûte, brodant sa mélodie sur l'haleine calme, l'accompagnement régulier des lis de la console, chantait les premiers charmes de son amour, le premier aveu, le premier baiser sous la futaie. Mais elle suffoquait davantage, la passion arrivait avec l'éclat brusque des œillets, à l'odeur poivrée, dont la voix de cuivre dominait un moment toutes les autres. Elle croyait qu'elle allait agoniser dans la phrase maladive des soucis et des pavots, qui lui rappelait les tourments de ses désirs. Et, brusquement, tout s'apaisait, elle respirait plus librement, elle glissait à une douceur plus grande, bercée par une gamme descendante des quarantaines, se ralentissant, se noyant, jusqu'à un cantique adorable des héliotropes, dont les haleines de vanille disaient l'approche des noces. Les belles-de-nuit piquaient çà et là un trille discret. Puis, il y eut un silence. Les roses, languissamment, firent leur entrée. Du plafond coulèrent des voix, un chœur lointain. C'était un ensemble large, qu'elle écouta au début avec un

léger frisson. Le chœur s'enfla, elle fut bientôt toute vibrante des sonorités prodigieuses qui éclataient autour d'elle. Les noces étaient venues, les fanfares des roses [90] annonçaient l'instant redoutable. Elle, les mains de plus en plus serrées contre son cœur, pâmée, mourante, haletait. Elle ouvrait la bouche, cherchant le baiser qui devait l'étouffer, quand les jacinthes et les tubéreuses fumèrent, l'enveloppèrent d'un dernier soupir, si profond, qu'il couvrit le chœur des roses. Albine était morte dans le hoquet suprême des fleurs.

15

Le lendemain, vers trois heures, la Teuse et Frère Archangias, qui causaient sur le perron du presbytère, virent le cabriolet du docteur Pascal traverser le village, au grand galop du cheval. De violents coups de fouet sortaient de la capote baissée.

— Où court-il donc comme ça, murmura la vieille servante. Il va se casser le cou.

Le cabriolet était arrivé au bas du tertre, sur lequel l'église était bâtie. Brusquement, le cheval se cabra, s'arrêta; et la tête du docteur, toute blanche, toute ébouriffée, s'allongea sous la capote.

— Serge est-il là ? cria-t-il d'une voix furieuse.

La Teuse s'était avancée au bord du tertre.

— Monsieur le curé est dans sa chambre, répondit-elle. Il doit lire son bréviaire... Vous avez quelque chose à lui dire ? Voulez-vous que je l'appelle ?

L'oncle Pascal, dont le visage paraissait bouleversé, eut un geste terrible de sa main droite, qui tenait le fouet. Il reprit, se penchant davantage, au risque de tomber :

— Ah! il lit son bréviaire!... Non, ne l'appelez pas. Je l'étranglerais, et c'est inutile... J'ai à lui dire qu'Albine est morte, entendez-vous! Dites-lui qu'elle est morte, de ma part!

Et il disparut, il lança à son cheval un si rude coup de fouet, que la bête s'emporta. Mais, vingt pas plus loin, il l'arrêta de nouveau, allongeant encore la tête, criant plus fort :

— Dites-lui aussi de ma part qu'elle était enceinte! Ça lui fera plaisir.

Le cabriolet reprit sa course folle. Il montait avec des cahots inquiétants la route pierreuse des coteaux, qui menait au Paradou. La Teuse était

90. Notation baudelairienne.

restée toute suffoquée. Frère Archangias ricanait, en fixant sur elle des yeux où flambait une joie farouche. Et elle le poussa, elle faillit le faire tomber, le long des marches du perron.

— Allez-vous-en, bégayait-elle, se fâchant à son tour, se soulageant sur lui. Je finirai par vous détester, vous!... Est-il possible de se réjouir de la mort du monde! Moi, je ne l'aimais pas cette fille. Mais quand on meurt à son âge, ce n'est pas gai... Allez-vous-en, tenez! ne riez plus comme ça, ou je vous jette mes ciseaux par la figure!

C'était vers une heure seulement qu'un paysan, venu à Plassans pour vendre ses légumes, avait appris au docteur Pascal la mort d'Albine, en ajoutant que Jeanbernat le demandait. Maintenant, le docteur se sentait un peu soulagé par le cri qu'il venait de jeter, en passant devant l'église. Il s'était détourné de son chemin, afin de se donner cette satisfaction. Il se reprochait cette mort comme un crime dans lequel il aurait trempé. Tout le long de la route, il n'avait cessé de s'accabler d'injures, s'essuyant les yeux pour voir clair à conduire son cheval, poussant le cabriolet sur les tas de pierres, avec la sourde envie de culbuter et de se casser quelque membre. Lorsqu'il se fut engagé dans le chemin creux longeant la muraille interminable du parc, une espérance lui vint. Peut-être qu'Albine n'était qu'en syncope. Le paysan lui avait conté qu'elle s'était asphyxiée avec des fleurs. Ah! s'il arrivait à temps, s'il pouvait la sauver! Et il tapait férocement sur son cheval, comme s'il eût tapé sur lui.

La journée était fort belle. Ainsi qu'aux beaux jours de mai, le pavillon lui apparut tout baigné de soleil. Mais le lierre, qui montait jusqu'au toit, avait des feuilles tachées de rouille, et les mouches à miel ne ronflaient plus autour des giroflées, grandies entre les fentes. Il attacha vivement son cheval, il poussa la barrière du petit jardin. C'était toujours ce grand silence, dans lequel Jeanbernat fumait sa pipe. Seulement, le vieux n'était plus là, sur son banc, devant ses salades.

— Jeanbernat! appela le docteur.

Personne ne répondit. Alors, en entrant dans le vestibule, il vit une chose qu'il n'avait jamais vue. Au fond du couloir, au bas de la cage de l'escalier, une porte était ouverte sur le Paradou; l'immense jardin, sous le soleil pâle, roulait ses feuilles jaunies, étendait sa mélancolie d'automne. Il franchit le seuil de cette porte, il fit quelques pas sur l'herbe humide.

— Ah! c'est vous, docteur! dit la voix calme de Jeanbernat.

Le vieux, à grands coups de bêche, creusait un trou, au pied d'un mûrier. Il avait redressé sa haute taille, en entendant des pas. Puis, il s'était remis à la besogne, enlevant d'un seul effort une motte énorme de terre grasse.

— Que faites-vous donc là? demanda le docteur Pascal.

Jeanbernat se redressa de nouveau. Il essuyait la sueur de son front sur la manche de sa veste.

— Je fais un trou, répondit-il simplement. Elle a toujours aimé le jardin. Elle sera bien là pour dormir.

Le docteur sentit l'émotion l'étrangler. Il resta un instant au bord de la fosse, sans pouvoir parler. Il regardait Jeanbernat donner ses rudes coups de bêche.

— Où est-elle? dit-il enfin.

— Là-haut, dans sa chambre. Je l'ai laissée sur le lit. Je veux que vous lui écoutiez le cœur, avant de la mettre là-dedans... Moi, j'ai écouté, je n'ai rien entendu.

Le docteur monta. La chambre n'avait pas été touchée. Seule, une fenêtre était ouverte. Les fleurs, fanées, étouffées dans leur propre parfum, ne mettaient plus là que la senteur fade de leur chair morte. Au fond de l'alcôve, pourtant, restait une chaleur d'asphyxie, qui semblait couler dans la chambre et s'échapper encore par minces filets de fumée. Albine, très blanche, les mains sur son cœur, dormait avec un sourire, au milieu de sa couche de jacinthes et de tubéreuses. Et elle était bien heureuse, elle était bien morte. Debout devant le lit, le docteur la regarda longuement, avec cette fixité des savants qui tentent des résurrections. Puis il ne voulut pas même déranger ses mains jointes; il la baisa au front, à cette place que sa maternité avait déjà tachée d'une ombre légère. En bas, dans le jardin, la bêche de Jeanbernat enfonçait toujours ses coups sourds et réguliers.

Cependant, au bout d'un quart d'heure, le vieux monta. Il avait fini sa besogne. Il trouva le docteur assis devant le lit, plongé dans une telle songerie qu'il paraissait ne pas sentir les grosses larmes coulant une à une sur ses joues. Les deux hommes n'échangèrent qu'un regard. Puis, après un silence:

— Allez, j'avais raison, dit lentement Jeanbernat, répétant son geste large, il n'y a rien, rien, rien... Tout ça, c'est de la farce.

Il restait debout, il ramassait les roses tombées du lit, qu'il jetait une à une sur les jupes d'Albine.

— Les fleurs, ça ne vit qu'un jour, dit-il encore; tandis que les mauvaises orties comme moi, ça use les pierres où ça pousse... Maintenant, bonsoir, je puis crever. On m'a soufflé mon dernier coin de soleil. C'est de la farce.

Et il s'assit à son tour. Il ne pleurait pas, il avait le désespoir raide d'un automate dont la mécanique se casse. Machinalement, il allongea la main, il prit un livre sur la petite table couverte de violettes.

C'était un des bouquins du grenier, un volume dépareillé d'Holbach [91], qu'il lisait depuis le matin, en veillant le corps d'Albine. Comme le docteur se taisait toujours, accablé, il se remit à tourner les pages. Mais une idée lui vint tout d'un coup.

— Si vous m'aidiez, dit-il au docteur, nous la descendrions à nous deux, nous l'enterrerions avec toutes ces fleurs.

L'oncle Pascal eut un frisson. Il expliqua qu'il n'était pas permis de garder ainsi les morts.

— Comment, ce n'est pas permis! cria le vieux. Eh bien! je me le permettrai!... Est-ce qu'elle n'est pas à moi? Est-ce que vous croyez que je vais me la laisser prendre par les curés? Qu'ils essayent, s'ils veulent être reçus à coups de fusil.

Il s'était levé, il brandissait terriblement son livre. Le docteur lui saisit les mains, les serra contre les siennes, en le conjurant de se calmer. Pendant longtemps, il parla, disant tout ce qui lui venait aux lèvres; il s'accusait, il laissait échapper des lambeaux d'aveux, il revenait vaguement à ceux qui avaient tué Albine.

— Écoutez, dit-il enfin, elle n'est plus à vous, il faut la leur rendre.

Mais Jeanbernat hochait la tête, refusant du geste. Il était ébranlé, cependant. Il finit par dire :

— C'est bien. Qu'ils la prennent et qu'elle leur casse les bras! Je voudrais qu'elle sortît de leur terre pour les tuer tous de peur... D'ailleurs, j'ai une affaire à régler là-bas. J'irai demain... Adieu, docteur. Le trou sera pour moi.

Et, quand le docteur fut parti, il se rassit au chevet de la morte, et reprit gravement la lecture de son livre.

16

Ce matin-là, il y avait un grand remue-ménage dans la basse-cour du presbytère. Le boucher des Artaud venait de tuer Mathieu, le cochon, sous le hangar. Désirée, enthousiasmée, avait tenu les pieds

91. Le baron d'Holbach (1723-1789), auteur de nombreux ouvrages philosophiques, dont le plus connu, *le Système de la nature* expose la philosophie matérialiste et mécaniste.

de Mathieu, pendant qu'on le saignait, le baisant sur l'échine pour qu'il sentît moins le couteau, lui disant qu'il fallait bien qu'on le tuât, maintenant qu'il était si gras. Personne comme elle ne tranchait la tête d'une oie d'un seul coup de hachette ou n'ouvrait le gosier d'une poule avec une paire de ciseaux. Son amour des bêtes acceptait très gaillardement ce massacre. C'était nécessaire, disait-elle; ça faisait de la place aux petits qui poussaient. Et elle était très gaie.

— Mademoiselle, grondait la Teuse à chaque minute, vous allez vous faire mal. Ça n'a pas de bon sens, de se mettre dans un état pareil, parce qu'on tue un cochon. Vous êtes rouge comme si vous aviez dansé tout un soir.

Mais Désirée tapait des mains, tournait, s'occupait. La Teuse, elle, avait les jambes qui lui rentraient dans le corps, ainsi qu'elle le disait. Depuis le matin six heures, elle roulait sa masse énorme de la cuisine à la basse-cour. Elle devait faire le boudin. C'était elle qui avait battu le sang, deux larges terrines toutes roses au grand soleil. Et jamais elle n'aurait fini, parce que mademoiselle l'appelait toujours, pour des riens. Il faut dire qu'à l'heure même où le boucher saignait Mathieu, Désirée avait eu une grosse émotion en entrant dans l'écurie. Lise, la vache, était en train d'y accoucher. Alors, saisie d'une joie extraordinaire, elle avait achevé de perdre la tête.

— Un s'en va, un autre arrive! criait-elle, sautant, pirouettant sur elle-même. Mais viens donc voir, la Teuse!

Il était onze heures. Par moments, un chant sortait de l'église. On saisissait un murmure confus de voix désolées, un balbutiement de prière, d'où montaient brusquement des lambeaux de phrases latines, jetés à pleine voix.

— Viens donc! répéta Désirée pour la vingtième fois.

— Il faut que j'aille sonner, murmura la vieille servante; jamais je n'aurai fini... Qu'est-ce que vous voulez encore, mademoiselle?

Mais elle n'attendit pas la réponse. Elle se jeta au milieu d'une bande de poules, qui buvaient goulûment le sang, dans les terrines. Elle les dispersa à coups de pied, furieuse. Puis elle couvrit les terrines, en disant :

— Ah! bien! au lieu de me tourmenter, vous feriez mieux de veiller sur ces gueuses... Si vous les laissez faire, vous n'aurez pas de boudin, comprenez-vous!

Désirée riait. Quand les poules auraient bu un peu de sang, le grand mal! Ça les engraissait. Puis, elle voulut emmener la Teuse auprès de la vache. Celle-ci se débattait.

— Il faut que j'aille sonner... L'enterrement va sortir. Vous entendez bien.

A ce moment, dans l'église, les voix grandirent, traînèrent sur un ton mourant. Un bruit de pas arriva, très distinct.

— Non, regarde, insistait Désirée en la poussant vers l'écurie. Dis-moi ce qu'il faut que je fasse.

La vache, étendue sur la litière, tourna la tête, les suivit de ses gros yeux. Et Désirée prétendait qu'elle avait pour sûr besoin de quelque chose. Peut-être qu'on aurait pu l'aider pour qu'elle souffrît moins. La Teuse haussait les épaules. Est-ce que les bêtes ne savaient pas faire leurs affaires elles-mêmes ? Il ne fallait pas la tourmenter, voilà tout. Elle se dirigeait enfin vers la sacristie, lorsqu'en repassant devant le hangar, elle jeta un nouveau cri.

— Tenez, tenez! dit-elle, le poing tendu. Ah! la gredine!

Sous le hangar, Mathieu, en attendant qu'on le grillât, s'allongeait, tombé sur le dos, les pattes en l'air. Le trou du couteau, à son cou, était tout frais, avec des gouttes de sang qui perlaient. Et une petite poule blanche, l'air très délicat, piquait une à une les gouttes de sang.

— Pardi! elle se régale, dit simplement Désirée.

Elle s'était penchée, elle donnait des tapes sur le ventre ballonné du cochon, en ajoutant :

— Hein! mon gros, tu leur as assez de fois volé leur soupe pour qu'elles te mangent un peu le cou maintenant.

La Teuse ôta rapidement son tablier, dont elle enveloppa le cou de Mathieu. Ensuite, elle se hâta, elle disparut dans l'église. La grande porte venait de crier sur ses gonds rouillés, une bouffée de chant s'élargissait en plein air, au milieu du soleil calme. Et, tout d'un coup, la cloche se mit à sonner à coups réguliers. Désirée, qui était restée agenouillée devant le cochon, lui tapant toujours sur le ventre, avait levé la tête, écoutait, sans cesser de sourire. Puis, se voyant seule, ayant regardé sournoisement autour d'elle, elle se glissa dans l'écurie, dont elle referma la porte sur elle. Elle allait aider la vache.

La petite grille du cimetière, qu'on avait voulu ouvrir toute grande, pour laisser passer le corps, pendait contre le mur, à demi arrachée. Dans le champ vide, le soleil dormait, sur les herbes sèches. Le convoi entra, en psalmodiant le dernier verset du *Miserere*. Et il y eut un silence.

— *Requiem aeternam dona ei, Domine*, reprit d'une voix grave l'abbé Mouret.

— *Et lux perpetua luceat ei*, ajouta Frère Archangias, avec un mugissement de chantre.

D'abord, Vincent s'avançait, en surplis, portant la croix, une grande croix de cuivre à moitié désargentée, qu'il levait à deux mains, très haut. Puis, marchait l'abbé Mouret, pâle dans sa chasuble noire, la tête droite, chantant sans un tremblement des lèvres, les yeux fixés au loin, devant lui. Le cierge allumé qu'il tenait tachait à peine le plein jour d'une goutte chaude. Et, à deux pas, le touchant presque, venait le cercueil d'Albine, que quatre paysans portaient sur une sorte de brancard peint en noir. Le cercueil, mal recouvert par un drap trop court, montrait, aux pieds, le sapin neuf de ses planches, dans lequel les têtes des clous mettaient des étincelles d'acier. Au milieu du drap, des fleurs étaient semées, des poignées de roses blanches, de jacinthes et de tubéreuses, prises au lit même de la morte.

— Faites donc attention! cria Frère Archangias aux paysans, lorsque ceux-ci penchèrent un peu le brancard, pour qu'il pût passer, sans s'accrocher à la grille. Vous allez tout flanquer par terre!

Et il retint le cercueil de sa grosse main. Il portait le bénitier, faute d'un second clerc; et il remplaçait également le chantre, le garde champêtre, qui n'avait pu venir.

— Entrez aussi, vous autres, dit-il en se tournant.

C'était un autre convoi, le petit de la Rosalie, mort la veille, dans une crise de convulsions. Il y avait là la mère, le père, la vieille Brichet, Catherine, et deux grandes filles, la Rousse et Lisa. Ces dernières tenaient le cercueil du petit, chacune par un bout.

Brusquement, les voix tombèrent. Il y eut un nouveau silence. La cloche sonnait toujours, sans se presser, d'une façon navrée. Le convoi traversa tout le cimetière, se dirigeant vers l'angle que formaient l'église et le mur de la basse-cour. Des vols de sauterelles s'envolaient, des lézards rentraient vivement dans leurs trous. Une chaleur, lourde encore, pesait sur ce coin de terre grasse. Les petits bruits des herbes cassées sous le piétinement du cortège, prenaient un murmure de sanglots étouffés.

— Là, arrêtez-vous, dit le Frère en barrant le chemin aux deux grandes filles qui tenaient le petit. Attendez votre tour. Vous n'avez pas besoin d'être dans nos jambes.

Et les grandes filles posèrent le petit à terre. La Rosalie, Fortuné et la vieille Brichet s'arrêtèrent au milieu du cimetière, tandis que Catherine suivait sournoisement Frère Archangias. La fosse d'Albine était creusée à gauche de la tombe de l'abbé Caffin,

dont la pierre blanche semblait, au soleil, toute semée de paillettes d'argent. Le trou béant, frais du
matin, s'ouvrait parmi de grosses touffes d'herbe;
sur le bord, de hautes plantes, à demi arrachées,
penchaient leurs tiges; au fond, une fleur était tombée, tachant le noir de la terre de ses pétales rouges.
Lorsque l'abbé Mouret s'avança, la terre molle céda
sous ses pieds; il dut reculer pour ne pas rouler dans
la fosse.

— *Ego sum...*, entonna-t-il d'une voix pleine, qui
dominait les lamentations de la cloche.

Et, pendant l'antienne, les assistants, instinctivement, jetaient des coups d'œil furtifs au fond du
trou, vide encore. Vincent, qui avait planté la croix
au pied de la fosse, en face du prêtre, poussait du
soulier de petits filets de terre, qu'il s'amusait à
regarder tomber; et cela faisait rire Catherine, penchée derrière lui, pour mieux voir. Les paysans
avaient posé la bière sur l'herbe. Ils s'étiraient les
bras, pendant que Frère Archangias préparait l'aspersoir.

— Ici, Voriau! appela Fortuné.

Le grand chien noir, qui était allé flairer la bière,
revint en rechignant.

— Pourquoi a-t-on amené ce chien? s'écria Rosalie.

— Pardi! il nous a suivis, dit Lisa, en s'égayant
discrètement.

Tout le monde causait à demi-voix, autour du
cercueil du petit. Le père et la mère l'oubliaient par
moments; puis, ils se taisaient quand ils le retrouvaient là, entre eux, à leurs pieds.

— Et le père Bambousse n'a pas voulu venir?
demanda la Rousse.

La vieille Brichet leva les yeux au ciel.

— Il parlait de tout casser, hier, quand le petit
est mort, murmura-t-elle. Non, c'est pas un bon
homme, je le dis, devant vous, Rosalie... Est-ce qu'il
n'a pas failli m'étrangler, en criant qu'on l'avait
volé, qu'il aurait donné un de ses champs de blé,
pour que le petit mourût trois jours avant la noce.

— On ne pouvait pas savoir, dit d'un air malin
le grand Fortuné.

— Qu'est-ce que ça fait que le vieux se fâche?
ajouta Rosalie. Nous sommes mariés tout de même,
maintenant.

Ils se souriaient par-dessus la petite bière, les
yeux luisants. Lisa et la Rousse se poussèrent du
coude. Tous redevinrent très sérieux. Fortuné avait
pris une motte de terre pour chasser Voriau, qui
rôdait à présent parmi les vieilles dalles.

— Ah! voilà que ça va être fini, souffla très bas la
Rousse.

Devant la fosse, l'abbé Mouret achevait le *De
Profundis*. Puis, il s'approcha du cercueil à pas lents,
se redressa, le regarda un instant, sans un battement
de paupières. Il semblait plus grand, il avait une
sérénité de visage qui le transfigurait. Et il se baissa,
il ramassa une poignée de terre qu'il sema sur la
bière en forme de croix. Il récitait d'une voix si
claire que pas une syllabe ne fut perdue:

— *Revertitur in terram suam unde erat, et spiritus
redit ad Deum qui dedit illum.*

Un frisson avait couru parmi les assistants. Lisa
réfléchissait, disant d'un air ennuyé:

— Ça n'est pas gai, tout de même, quand on
pense qu'on y passera à son tour.

Frère Archangias avait tendu l'aspersoir au
prêtre. Celui-ci le secoua au-dessus du corps, à plusieurs reprises. Il murmura:

— *Requiescat in pace.*

— *Amen*, répondirent à la fois Vincent et le
Frère, d'un ton si aigu et d'un ton si grave, que
Catherine dut se mettre le poing sur la bouche pour
ne pas éclater.

— Non, non, ce n'est pas gai, continuait Lisa...
Il n'y a seulement personne, à cet enterrement. Sans
nous, le cimetière serait vide.

— On raconte qu'elle s'est tuée, dit la vieille
Brichet.

— Oui, je sais, interrompit la Rousse. Le Frère
ne voulait pas qu'on l'enterrât avec les chrétiens...
Mais monsieur le curé a répondu que l'éternité était
pour tout le monde. J'étais là... N'importe, le Philosophe aurait pu venir.

Mais la Rosalie les fit taire en murmurant:

— Eh! regardez, le voilà, le Philosophe!

En effet, Jeanbernat entrait dans le cimetière. Il
marcha droit au groupe qui se tenait autour de la
fosse. Il avait son pas gaillard, si souple encore qu'il
ne faisait aucun bruit. Quand il se fut avancé, il
demeura debout derrière Frère Archangias, dont il
sembla couver un instant la nuque des yeux. Puis,
comme l'abbé Mouret achevait les oraisons, il tira
tranquillement un couteau de sa poche, l'ouvrit, et
abattit, d'un seul coup, l'oreille du Frère.

Personne n'avait eu le temps d'intervenir. Le
Frère poussa un hurlement.

— La gauche sera pour une autre fois, dit paisiblement Jeanbernat en jetant l'oreille par terre.

Et il repartit. La stupeur fut telle, qu'on ne le
poursuivit même pas. Frère Archangias s'était laissé
tomber sur le tas de terre fraîche retirée du trou. Il
avait mis son mouchoir en tampon sur sa blessure.
Un des quatre porteurs voulut l'emmener, le reconduire chez lui. Mais il refusa du geste. Il resta là,

farouche, attendant, voulant voir descendre Albine dans le trou.

— Enfin, c'est notre tour, dit la Rosalie avec un léger soupir.

Cependant, l'abbé Mouret s'attardait près de la fosse, à regarder les porteurs qui attachaient le cercueil d'Albine avec des cordes, pour le faire glisser sans secousse. La cloche sonnait toujours; mais la Teuse devait se fatiguer, car les coups s'égaraient, comme irrités de la longueur de la cérémonie. Le soleil devenait plus chaud, l'ombre du Solitaire se promenait lentement au milieu des herbes toutes bossuées de tombes. Lorsque l'abbé Mouret dut se reculer, afin de ne point gêner, ses yeux rencontrèrent le marbre de l'abbé Caffin, ce prêtre qui avait aimé et qui dormait là, si paisible, sous les fleurs sauvages.

Puis, tout d'un coup, pendant que le cercueil descendait, soutenu par les cordes, dont les nœuds lui arrachaient des craquements, un tapage effroyable monta de la basse-cour, derrière le mur. La chèvre bêlait. Les canards, les oies, les dindes, claquaient du bec, battaient des ailes. Les poules chantaient l'œuf, toutes ensemble. Le coq fauve Alexandre jetait son cri de clairon. On entendait jusqu'aux bonds des lapins, ébranlant les planches de leurs cabanes. Et, par-dessus toute cette vie bruyante du petit peuple des bêtes, un grand rire sonnait. Il y eut un froissement de jupes, Désirée, décoiffée, les bras nus jusqu'aux coudes, la face rouge de triomphe, parut, les mains appuyées au chaperon du mur. Elle devait être montée sur le tas de fumier.

— Serge! Serge! appela-t-elle.

A ce moment, le cercueil d'Albine était au fond du trou. On venait de retirer les cordes. Un des paysans jetait une première pelletée de terre.

— Serge! Serge! cria-t-elle plus fort, en tapant des mains, la vache a fait un veau!

Étudier l'ambition dans un homme. L'amour du pouvoir pour le pouvoir lui-même, pour la domination. Eugène Rougon idolâtre son intelligence, aime son effort. Ce qu'il cherche, dans le pouvoir, c'est la joie d'être supérieur, le bonheur de se sentir plus fort, plus intelligent que les autres. L'intelligence a tout mangé chez lui, tous les autres appétits : il n'est ni voluptueux, ni gourmand, ni intéressé. Une masse de chair un peu inerte, dans laquelle s'est logé un esprit adroit, souple, fort persévérant, supérieur. J'ai alors un type très beau, j'étudie le drame pur d'une intelligence. Quant au côté moral, il est subordonné au côté intellectuel. Un esprit ne croyant qu'à lui-même ; aucune croyance au-delà aucun souci de ce qui n'est pas lui ; au fond, l'idée que tous les hommes sont des imbéciles ou des coquins ; en pratique la conduite des hommes assimilée à celle d'un troupeau. Il se sert des autres.

Montrer cet esprit aux prises avec toutes sortes

Son Excellence
Eugène Rougon

Caricature d'André Gill dans l'*Éclipse*, 1876.

Le 8 septembre 1875, de Saint-Aubin où il passait ses vacances et pensait à l'Assommoir, *Zola écrivait à Stassulevitch, directeur de la revue* le Messager de l'Europe, *à Saint-Petersbourg :*

« *Mon cher Directeur,*

« *J'ai une proposition à vous faire, et vous seriez bien aimable de me répondre un oui ou un non le plus tôt possible. Voici l'affaire.*

« *Je viens de terminer un roman,* Son Excellence Eugène Rougon, *le sixième de ma série des Rougon-Macquart. Les personnages sont pris dans le haut monde politique du Second Empire, des députés, des sénateurs, des ministres, des grands fonctionnaires; et les principales scènes ont pour cadre des séances au corps législatif, le baptême du prince impérial, les fêtes d'automne à Compiègne, des conseils de ministres à Saint-Cloud, etc. Je crois que ce livre est un des plus curieux que j'ai écrits, par le côté essentiellement moderne et naturaliste des peintures, par le monde nouveau qu'il ouvre au roman. Je m'attends à un bruit autour de sa publication.*

« *Or, ma proposition est celle-ci : voulez-vous le publier dans votre Revue, comme vous avez publié* la Faute de l'abbé Mouret *? (...)* »

La proposition agréa à Stassulevitch, mais il n'y eut à peu près aucun bruit autour de la publication et, fort injustement, Son Excellence Eugène Rougon *reste le moins lu des romans de la série. Par les amateurs de romans, du moins, car les historiens ont, dès la parution, reconnu l'incontestable valeur documentaire, ce qui est beaucoup et trop peu. A juger de l'extérieur, il s'agit d'un travail rapide, puisque, commencé en novembre 1874, le livre était terminé à la fin de juillet 1875, mais le critère est absurde, si l'on veut bien admettre qu'un écrivain porte une œuvre en soi bien des années avant d'en avoir écrit la première ligne.*

En fait, Zola avait imaginé la carrière prestigieuse d'Eugène Rougon avant même qu'il s'appelât Eugène Rougon. Le caractère du personnage ne devait se dessiner que peu à peu. Dans le premier plan général remis à Lacroix en 1869, les grandes lignes se dessi-

naient déjà avec une certaine fermeté : « Un roman qui aura pour cadre le monde officiel et pour héros Alfred Goiraud, l'homme qui a aidé au coup d'État. Je puis en faire soit un ministre, soit un grand fonctionnaire. L'ambition d'Alfred est plus haute que celle des autres membres de sa famille. Il a moins soif d'argent que de puissance. Mais le sens de la justice lui manque, il est un digne soutien de l'Empire. D'ailleurs c'est un homme de talent. Un Morny au petit pied. Il épousera la fille d'un comte quelconque, rallié à l'Empire, ce qui introduira dans l'œuvre des types affaiblis de notre noblesse agonisante. » Dans le premier arbre généalogique, Eugène (qui s'appelle Alfred Richaud) est un fonctionnaire officiel. Ambition de la mère avec un peu de la lourdeur du père. Qualités remarquables. Soif d'honneurs. Mélange-fusion avec prépondérance morale de la mère. Ressemblance physique du père.

Il n'est encore qu'un rouage de la grande machinerie de l'hérédité. Dans le deuxième état de ce tableau généalogique de 1869, il se marie avec la fille du comte de Noilly, ce qui introduit la classe noble dans l'œuvre. Il appartient dès lors — et, avec lui, la famille — à la Société.

L'intrigue, parallèlement, ira se précisant, entre ce projet primitif et la publication du roman dans le Siècle du 25 janvier au 11 mars 1876, sous le titre Son Excellence Eugène Rougon, scènes de la vie politique sous le Second Empire, titre qui sera conservé dans l'édition préoriginale, donnée en 1877 aux Bureaux du Siècle et qui suit, paradoxalement, l'édition originale, chez Charpentier, en 1876.

Ébauche et plans ont été conservés à la Bibliothèque Nationale et ils ont ici une grande importance.

Dans l'Ébauche, Zola voyait ainsi « son » Eugène Rougon :

« J'ai un type très beau, j'étudie le drame pur d'une intelligence. Quant au côté moral, il est subordonné au côté intellectuel. Un esprit ne croyant qu'à lui-même, aucune croyance au-delà, aucun souci de ce qui n'est pas lui; au fond, l'idée que tous les hommes sont des imbéciles ou des coquins; en pratique, la conduite des hommes assimilée à celle d'un troupeau. Il se sert des autres. »

Le romancier était dur pour son héros à qui il ne restait que l'intelligence. Eugène, finalement, ne sera pas aussi opaquement noir et Zola lui accordera quelques aspects sympathiques qu'il ne sera pas très difficile de justifier, si l'on veut bien admettre avec la plupart des critiques, à la suite de l'ami Paul Alexis, que le créateur aurait mis un peu de lui-même dans sa créature... Pour les événements, Zola avait scrupuleusement suivi les meilleures sources et les historiens du Second Empire n'ont pu le trouver en défaut; pour les personnages, il a usé de son droit de créateur, ce qui rend l'enquête plus excitante.

Les auteurs consultés, ainsi qu'en font foi les notes de lecture, avaient été en particulier Ernest Hamel, Histoire illustrée du Second Empire et Taxile Delord, Histoire du Second Empire, mais, sur des points particuliers, il avait eu recours aux dictionnaires, comme le Vapereau, Dictionnaire des contemporains et Grand Dictionnaire universel du XIXe siècle, de Larousse, ou à des monographies comme Paul Dhormoys, la Cour à Compiègne, confidences d'un valet de chambre, sans parler des coupures de journaux qu'il avait pu conserver. Goncourt raconte même, avec son habituelle malveillance, de quelle manière il eut en Flaubert un informateur occasionnel :

Dimanche 7 mars (1875)

« Zola, en entrant chez Flaubert, se laisse tomber dans un fauteuil et murmure d'une voix désespérée :
— Que ça me donne de mal, ce Compiègne, que ça me donne de mal !

« Alors, Zola demande à Flaubert combien il y avait de lustres éclairant la table du dîner, si la causerie faisait beaucoup de bruit, et de quoi on causait, et qu'est-ce que disait l'empereur ? Oui, le voilà cherchant à attraper d'un tiers, dans une conversation à bâtons rompus, la physionomie d'un milieu, que seuls peuvent raconter des yeux qui l'auraient vu. Et le romancier, qui a la prétention de faire de l'histoire dans un roman, va nous peindre une grande figure historique d'après ce que voudra bien lui dire, en dix minutes, un confrère, qui garde le meilleur de ce qu'il sait pour un roman futur...

177

Gustave Flaubert, par Mme Auguste Sabatier.

Edmond et Jules de Goncourt, par Nadar.

« *Cependant, Flaubert, moitié pitié de son igno-rance, moitié satisfaction d'apprendre à deux ou trois visiteurs qui sont là, qu'il a passé quinze jours à Compiègne, joue à Zola, dans sa robe de chambre, un empereur classique, au pas traînant, une main der-rière son dos ployé, tortillant sa moustache avec des phrases idiotes de son cru.*

« *Oui, fait-il, après qu'il a vu que Zola a pris son croquis dans sa tête, cet homme était la bêtise, la bêtise toute pure! — Certainement, lui dis-je, je suis de votre avis; mais la bêtise est, en général, bavarde, et la sienne était muette : ç'a été sa force, elle a per-mis de tout supposer... »*

Il est dommage que le diariste n'ait pas cru bon de dire, à la parution du livre, le parti admirable que le naïf Zola avait tiré des pochades du roublard Flaubert et des fines remarques psychologiques de l'élégant Goncourt...

Ce qui demeure, c'est que nous nous trouvons, avec Son Excellence Eugène Rougon, *en terrain sûr et nous connaissons, par les plans, les jalons que Zola avait posés au préalable : mai 56, juillet 56, septembre 56, décembre 56 à septembre 57, septembre 57, jan-vier 58, l'année 58, mars 61.*

Cette chronologie nous intéresse d'autant plus qu'elle permet de cerner de façon plus nette les per-sonnages et en particulier Rougon. Eugène Rougon-Eugène Rouher, le rapprochement s'imposait, certes, ne fût-ce que phonétiquement. On n'a pas manqué de le faire, et c'était à bon droit. Henri Guillemin s'inscrit presque en faux et préfère une démons-tration brillante :

« *Tout ce qui sépare Eugène Rouher du composite Eugène Rougon, les mots suivants l'indiquent assez : Rouher,* « *médiocre, voulant jouir* »; « *ambition vul-gaire* ». *Zola, journaliste de gauche à Paris, dans les années ultimes de l'Empire, a bien dû approcher Olli-vier; le paragraphe qu'il lui consacre dans ses notes atteste son discernement : un bouffi, Émile Ollivier, un bouffi honnête :* « *rigueur puritaine en face des forfanteries et des audaces d'autorité de M. Rouher* »; *une* « *imitation de Benjamin Constant* », *mais* « *Gui-*

zot était derrière »; un « fort en thème », un « quaker », un « pion ».

Beaucoup plus précisément, Henri Mitterand propose en Rougon un composé de Rouher, du général Espinasse, de Guizot, de Persigny, de Baroche, de Billault et de Jules Favre, avec prédominance Rouher. Pour Hubert Juin, « Eugène Rougon, c'est Zola et c'est aussi ce que Zola méprise ».

Le rapprochement avec Rouher est évident, mais celui avec le général Espinasse et Billault n'est pas moins éclatant. Rougon, au conseil des ministres à Saint-Cloud, rappelle à l'empereur qu'il s'est vu confier l'Intérieur pour manifester la fermeté d'une main de fer que le velours n'aurait pas à ganter. Or, c'est au général Espinasse que Napoléon III écrivait : « (...) ne cherchez pas, par une modération hors de saison, à rassurer ceux qui vous ont vu venir au ministère avec effroi. Il faut qu'on vous craigne; sans cela, votre nomination n'aurait pas de raison d'être. »

Espinasse, comme Rougon, tombe, quelques mois après l'attentat d'Orsini, sur les pressions du clergé... et son remplaçant est Delangle, dont le nom rappelle de si près celui de Delestang.

Mais l'attitude de Rougon à l'égard de la presse fait penser à celle de Billault qui, dans un rapport sur le roman-feuilleton, déclarait : « Cette littérature facile, ne cherchant le succès que dans le cynisme de ses tableaux, l'immoralité de ses intrigues, les étranges perversités de ses héros, a pris de nos jours un triste et dangereux développement. Envahissant presque toutes les publications périodiques, profitant de cette périodicité même pour tenir en suspens et pour aiguillonner sans relâche l'ardente curiosité du public, c'est à profusion qu'elle ne cesse de répandre les inépuisables fantaisies de l'imagination la plus déréglée. Les journaux sérieux se sont laissés aller à lui donner asile; elle pénètre avec eux dans l'intimité du foyer domestique, et, une fois admise ainsi dans la famille, ni la jeunesse ni l'innocence n'y sont à l'abri de la contagion... L'intelligence du peuple a droit à des éléments meilleurs, et il ne faut pas plus corrompre les cœurs que pervertir les esprits. Pour les journaux qui ont le sentiment de leur dignité, de leurs obligations envers l'honnêteté publique, l'avis que vous leur donnerez suffira, j'en suis certain. »

Rougon, comme Billault, est nommé ministre sans portefeuille, à la fin du roman. Or, ces ministres étaient chargés de défendre devant les deux Chambres la politique du gouvernement, ce que font avec autant de fougue Rougon et Billault.

Rougon est donc bien l'avatar de trois ou quatre ministres du Second Empire : Zola aurait pu se contenter d'un seul et il faut voir là un symbole. Il fallait, pour l'unité de son dessein, qu'un Rougon représentât à lui seul divers aspects du régime et, à travers lui, cette famille dont il narre bien de la sorte l'histoire naturelle et sociale. Mais, nous l'avons dit, il y a beaucoup de Zola dans son Excellence et Paul Alexis n'a fait qu'entrevoir la vérité quand il note : « Eugène Rougon, c'est pour moi Émile Zola ministre, c'est-à-dire le rêve de ce qu'il eût été s'il eût appliqué son ambition à la politique. » Là où Alexis voit une projection d'ambitions inexprimées, nous verrons plutôt la nostalgie d'un passé qui est inséparable de la province de sa jeunesse. Épisodiques, si l'on ne considère que l'action et presque inexistants par rapport à Clorinde, à Delestang ou à Du Poizat, par exemple, les Charbonnel et les d'Escorailles ont un rôle psychologique de tout premier plan. Quand, après sa première disgrâce, Rougon est disposé à se laisser enliser dans l'inaction, les sollicitations presque désespérées des Charbonnel l'incitent au combat, parce qu'ils sont de Plassans, du « pays » et qu'il ne s'estime pas le droit de décevoir ceux qui lui ont fait confiance et à qui il doit, en partie, sa fortune. De même, la visite des d'Escorailles, de Plassans également, le flatte et le pousse à agir : méprisé par eux quand, petit avocat sans cause et aux souliers éculés, il s'employait à percer, il entend leur montrer ce que peut faire un tout petit bourgeois de Plassans pour la vieille noblesse conservatrice et désuètement hautaine de Plassans. C'est sa revanche, mais une revanche qui ne manque pas de grandeur. Quelques mois plus tard, à l'heure de la seconde disgrâce, il ne prendra vraiment conscience de sa chute qu'en voyant les Charbonnel et les d'Escorailles se détourner de lui.

Il y a en lui une fidélité au passé — forme noble de l'égoïsme — qui rappelle bien davantage Zola que la volonté de puissance de son personnage.

En Rougon attire ce qui attire en Zola, ce qui fait qu'il est difficile de refuser son estime à ce parvenu, qui a, comme son compatriote Numa Roumestan, conservé dans les éclats de la gloire une rassurante naïveté et, peut-être, une timidité que cherchent à masquer des barrissements d'éléphant en colère. Zola lui concède même — malgré son plan primitif — une certaine honnêteté : Eugène est trop provincial pour faire jamais un roué et il n'est pas « né », comme un Rastignac !

Les autres personnages sont moins complexes, parce qu'ils sont plus conformes à leur modèle : de Marsy est bien le duc de Morny, tel qu'il est décrit dans l'Histoire illustrée du Second Empire de Magen, qui suit de si près les autres : « M. de Morny commercialisait son influence toute-puissante. Pas une affaire n'était lancée avant que M. de Morny en eût sa part. Il mettait la main sur toutes les entreprises pour les aider de ses conseils, de l'autorité de son nom et de son crédit » (Mémoires d'un bourgeois de Paris). Chemins de fer, crédit mobilier, fermes-modèles ; haute industrie étaient les tributaires de ce minotaure financier » (p. 195).

Ces lignes semblent extraites de Son Excellence Eugène Rougon.

En dehors de comparses comme les familiers de « la bande », exaspérants à force de présence, comme Béjuin, le colonel Jobelin et son fils ou la peu vraisemblable Mme Correur, la plupart des personnages ont été identifiés avec certitude. Clorinde Balbi a pour modèle la comtesse de Castiglione, Delestang Émile Ollivier, Beulin d'Orchères Troplong et Delangle, Rusconi Nigra, Kahn Fould, etc. Le prince Napoléon aurait inspiré également Delestang et le couple impérial apparaît tel que l'ont immortalisé historiens, journalistes et caricaturistes, sans aller chercher les imitations de Flaubert.

Les parlementaires, désignés ou anonymes, dans leur docilité servile — à l'exception des cinq opposants qui donnent un peu d'air frais aux débats à la fin du roman — et leur béate médiocrité d'officiels

nantis, sont sans doute moins les députés de 1856 à 1861 que ceux de 1871 dont Zola, chroniqueur parlementaire, avait à apprécier les joutes oratoires. Il importe peu, et en dépit d'erreurs mineures (ainsi, Rougon parle d'une tribune qui n'existait pas à l'époque !) la vérité historique est respectée, et, plus encore que la vérité, la vraisemblance. Les scènes mêmes qui sembleraient outrées correspondent à la plus exacte réalité, quand elles ne l'atténuent pas. Nous ne prendrons pour exemple que l'inique brutalité avec laquelle Rougon mande les préfets pour les prier de procéder à des arrestations, fussent-elles arbitraires. Espinasse fut pire, si l'on se fie à Magen, qui suit, comme Zola, Ernest Hamel de très près : « Ministre de l'Intérieur et de la Sûreté générale, Espinasse met sa brutale inintelligence au service des haines qui l'ont choisi pour qu'il les satisfasse ; il mande tous les préfets ; à chacun d'eux il fixe un nombre d'arrestations à opérer. — « Qui arrêterons-nous ? lui demandent plusieurs de ces fonctionnaires. — Eh ! que m'importe ! répond-il ; ne vous ai-je pas donné le nombre ? Le reste vous regarde » (pages 273-274).

Où est l'historien ? Où est le romancier ?

Par son sens très sûr des structures, en tout cas, Zola, dans Son Excellence Eugène Rougon, est romancier. Une fois de plus, il adapte son découpage à son objet. Il avait pour la Faute de l'abbé Mouret, adopté un plan tripartite correspondant à l'évolution d'un drame : avant — pendant — après. Avec Son Excellence Eugène Rougon il revient à l'organisation des premiers Rougon-Macquart par chapitres, ce qui correspond aux fluctuations de la vie politique. Un lutteur comme Rougon ne peut se réduire à aucune forme de fractionnement : il avait été ministre avant que commence le roman, il est ministre quand s'achève le roman, il a connu la chute pendant le roman mais il la connaîtra vraisemblablement après le roman. Rougon est en mouvement, alors que Serge Mouret était clos sur lui-même, il ne peut donc pas se laisser enfermer dans une organisation qui laisserait supposer qu'il est fini avec le livre.

Romancier, historien et artiste, tel est le Zola de ce sixième ouvrage du cycle, le dernier avant le

triomphe de l'Assommoir *et c'est ainsi que l'a com-*
pris Mallarmé qui lui écrivait le 18 mars 1876 :

« *Dans l'attrayante évolution que subit le roman,*
ce fils du siècle, Son Excellence... marque encore un
point formidable : là où ce genre avoisine l'histoire,
se superpose complètement à elle et en garde pour lui
tout le côté anecdotique et momentané, hasardeux;
tandis que l'historien de l'avenir n'aura plus qu'à
résumer quelques luttes d'idées, etc., les bonshommes
fatals qui se sont crus mieux que des porte-principes
devenant tout à coup la proie du romancier. Quelle
acquisition subite et inattendue pour la littérature,
que les Anglais appellent la fiction ? »

Première séance du Corps législatif, le 28 janvier 1854, gravure
d'après Thorigny et Lix. Zola prit toute une documentation sur
le Corps législatif à la bibliothèque du Palais-Bourbon, et dressa
même un plan de la salle des séances, où le roman trouve à la
fois son commencement et sa fin.

1

Le président était encore debout, au milieu du léger tumulte que son entrée venait de produire. Il s'assit, en disant à demi-voix, négligemment :

— La séance est ouverte.

Et il classa les projets de loi, placés devant lui, sur le bureau. A sa gauche, un secrétaire, myope, le nez sur le papier, lisait le procès-verbal de la dernière séance, d'un balbutiement rapide que pas un député n'écoutait. Dans le brouhaha de la salle, cette lecture n'arrivait qu'aux oreilles des huissiers, très dignes, très corrects, en face des poses abandonnées des membres de la Chambre.

Il n'y avait pas cent députés présents. Les uns se renversaient à demi sur les banquettes de velours rouge, les yeux vagues, sommeillant déjà. D'autres, pliés au bord de leurs pupitres comme sous l'ennui de cette corvée d'une séance publique, battaient doucement l'acajou du bout de leurs doigts. Par la baie vitrée qui taillait dans le ciel une demi-lune grise, toute la pluvieuse après-midi de mai entrait, tombant d'aplomb, éclairant régulièrement la sévérité pompeuse de la salle. La lumière descendait les gradins en une large nappe rougie, d'un éclat sombre, allumée çà et là d'un reflet rose, aux encoignures des bancs vides ; tandis que, derrière le président, la nudité des statues et des sculptures arrêtait des pans de clarté blanche.

Un député, au troisième banc, à droite, était resté debout, dans l'étroit passage. Il frottait de la main son rude collier de barbe grisonnante, l'air préoccupé. Et, comme un huissier montait, il l'arrêta et lui adressa une question à demi-voix.

— Non, monsieur Kahn, répondit l'huissier, monsieur le président du Conseil d'État n'est pas encore arrivé.

Alors, M. Kahn s'assit. Puis, se tournant brusquement vers son voisin de gauche :

— Dites donc, Béjuin, demanda-t-il, est-ce que vous avez vu Rougon, ce matin ?

M. Béjuin, un petit homme maigre, noir, de mine silencieuse, leva la tête, les regards inquiets, la tête ailleurs. Il avait tiré la planchette de son pupitre. Il faisait sa correspondance, sur du papier bleu à en-tête commercial, portant ces mots : *Béjuin et Cie, cristallerie de Saint-Florent.*

— Rougon ? répéta-t-il. Non, je ne l'ai pas vu. Je n'ai pas eu le temps de passer au Conseil d'État [1].

---

1. Le Conseil d'État avait été créé par la Constitution du 15 janvier 1852. Son rôle est de discuter les projets de loi présentés par les ministres. En tant qu'instance juridique suprême, il a acquis, depuis 1872, et conservé une importance considérable.

Et il se remit posément à sa besogne. Il consultait un carnet, il écrivait sa deuxième lettre, sous le bourdonnement confus du secrétaire, qui achevait la lecture du procès-verbal.

M. Kahn se renversa, les bras croisés. Sa figure aux traits forts, dont le grand nez bien fait trahissait une origine juive[2], restait maussade. Il regarda les rosaces d'or du plafond, s'arrêta au ruissellement d'une averse qui crevait en ce moment sur les vitres de la baie; puis, les yeux perdus, il parut examiner attentivement l'ornementation compliquée du grand mur qu'il avait en face de lui. Aux deux bouts, il fut retenu un instant par les panneaux tendus de velours vert, chargés d'attributs et d'encadrements dorés. Puis, après avoir mesuré d'un regard les paires de colonnes, entre lesquelles les statues allégoriques de *la Liberté* et de *l'Ordre public* mettaient leur face de marbre aux prunelles vides, il finit par s'absorber dans le spectacle du rideau de soie verte, qui cachait la fresque représentant Louis-Philippe prêtant serment à la Charte[3].

Cependant, le secrétaire s'était assis. Le brouhaha continuait dans la salle. Le président, sans se presser, feuilletait toujours des papiers. Il appuya machinalement la main sur la pédale de la sonnette, dont la grosse sonnerie ne dérangea pas une seule des conversations particulières. Et, debout au milieu du bruit, il resta là un moment, à attendre.

— Messieurs, commença-t-il, j'ai reçu une lettre...

Il s'interrompit pour donner un nouveau coup de sonnette, attendant encore, dominant de sa figure grave et ennuyée le bureau monumental, qui étageait au-dessous de lui ses panneaux de marbre rouge encadrés de marbre blanc. Sa redingote boutonnée se détachait sur le bas-relief placé derrière le bureau, où elle coupait d'une ligne noire les peplums de l'Agriculture et de l'Industrie, aux profils antiques.

— Messieurs, reprit-il, lorsqu'il eut obtenu un peu de silence, j'ai reçu une lettre de monsieur de Lamberthon, dans laquelle il s'excuse de ne pouvoir assister à la séance d'aujourd'hui.

Il y eut un léger rire sur un banc, le sixième en face du bureau. C'était un député tout jeune, vingt-huit ans au plus, blond et adorable, qui étouffait dans ses mains blanches une gaieté perlée de jolie femme. Un de ses collègues, énorme, se rapprocha de trois places, pour lui demander à l'oreille:

— Est-ce que Lamberthon a vraiment trouvé sa femme...? Contez-moi donc ça, La Rouquette.

Le président avait pris une poignée de papiers. Il parlait d'une voix monotone; des lambeaux de phrase arrivaient jusqu'au fond de la salle.

— Il y a des demandes de congé... Monsieur Blanchet, monsieur Buquin-Lecomte, monsieur de la Villardière...

Et, cependant que la Chambre consultée accordait les congés, M. Kahn, las sans doute de considérer la soie verte tendue devant l'image séditieuse de Louis-Philippe, s'était tourné à demi pour regarder les tribunes. Au-dessus du soubassement de marbre jaune veiné de laque, un seul rang de tribunes mettait, d'une colonne à l'autre, des bouts de rampe de velours amarante; tandis que, tout en haut, un lambrequin de cuir gaufré n'arrivait pas à dissimuler le vide laissé par la suppression du second rang, réservé aux journalistes et au public, avant l'Empire[4]. Entre les grosses colonnes, jaunies, développant leur pompe un peu lourde autour de l'hémicycle, les étroites loges s'enfonçaient, pleines d'ombre, presque vides, égayées par trois ou quatre toilettes claires de femme.

— Tiens! le colonel Jobelin est venu, murmura M. Kahn.

Il sourit au colonel, qui l'avait aperçu. Le colonel Jobelin portait la redingote bleu foncé qu'il avait adoptée comme uniforme civil, depuis sa retraite. Il était tout seul dans la tribune des questeurs[5], avec sa rosette d'officier, si grande, qu'elle semblait le nœud d'un foulard.

Plus loin, à gauche, les yeux de M. Kahn venaient de se fixer sur un jeune homme et une jeune femme, serrés tendrement l'un contre l'autre, dans un coin de la tribune du Conseil d'État. Le jeune homme se penchait à tous moments, parlait dans le cou de la jeune femme, qui souriait d'un air doux, sans le regarder, les yeux fixés sur la figure allégorique de *l'Ordre public*.

— Dites donc, Béjuin? murmura le député en poussant son collègue du genou.

M. Béjuin était à sa cinquième lettre. Il leva la tête, effaré.

— Là-haut, tenez, vous ne voyez pas le petit d'Escorailles et la jolie madame Bouchard? Je parie qu'il lui pince les hanches. Elle a des yeux mourants...

2. Avant que l'affaire Dreyfus lui révélât les méfaits du racisme, Zola manifestait peu de sympathie pour les sémites et *l'Argent* put être longtemps considéré comme un ouvrage antisémite.

3. Zola avait pris des notes très précises sur la Chambre des députés, son aménagement, ses décorations, etc. Certaines fresques, inspirées par l'actualité, présentent un intérêt artistique restreint.

4. La tribune des journalistes avait été supprimée et seul *le Moniteur universel*, que dirigeait le ministre d'État, avait le droit de publier les comptes rendus des séances de l'Assemblée qu'il avait ainsi toute liberté de censurer sans contrôle.

5. La fonction de questeur fut créée en 1799. Le questeur est le « membre du bureau d'une assemblée parlementaire, chargé d'ordonner les dépenses, de veiller au maintien de la sécurité » (Abrégé du Robert).

Tous les amis de Rougon se sont donc donné rendez-vous. Il y a encore là, dans la tribune du public, madame Correur et le ménage Charbonnel.

Un coup de sonnette plus prolongé retentit. Un huissier lança d'une belle voix de basse : « Silence, messieurs! » On écouta. Et le président dit cette phrase, dont pas un mot ne fut perdu :

— Monsieur Kahn demande l'autorisation de faire imprimer le discours qu'il a prononcé dans la discussion du projet de loi relatif à l'établissement d'une taxe municipale sur les voitures et les chevaux circulant dans Paris.

Un murmure courut sur les bancs, et les conversations reprirent. M. La Rouquette était venu s'asseoir près de M. Kahn.

— Vous travaillez donc pour les populations, vous ? lui dit-il en plaisantant.

Puis, sans le laisser répondre, il ajouta :

— Vous n'avez pas vu Rougon ? vous n'avez rien appris ?... Tout le monde parle de la chose. Il paraît qu'il n'y a encore rien de certain.

Il se tourna, il regarda l'horloge.

— Déjà deux heures vingt! C'est moi qui filerais, s'il n'y avait pas la lecture de ce diable de rapport!... Est-ce vraiment pour aujourd'hui ?

— On nous a tous prévenus, répondit M. Kahn. Je n'ai pas entendu dire qu'il y eût contre-ordre. Vous ferez bien de rester. On votera les quatre cent mille francs du baptême tout de suite.

— Sans doute, reprit M. La Rouquette. Le vieux général Legrain, qui se trouve en ce moment perclus des deux jambes, s'est fait apporter par son domestique; il est dans la salle des Conférences, à attendre le vote... L'empereur a raison de compter sur le dévouement du Corps législatif tout entier. Pas une de nos voix ne doit lui manquer, dans cette occasion solennelle.

Le jeune député avait fait un grand effort pour se donner la mine sérieuse d'un homme politique. Sa figure poupine, égayée de quelques poils blonds, se rengorgeait sur sa cravate, avec un léger balancement. Il parut goûter un instant les deux dernières phrases d'orateur qu'il avait trouvées. Puis, brusquement, il partit d'un éclat de rire.

— Mon Dieu! dit-il, que ces Charbonnel ont une bonne tête!

Alors, M. Kahn et lui plaisantèrent aux dépens des Charbonnel. La femme avait un châle jaune extravagant; le mari portait une de ces redingotes de province, qui semblent taillées à coups de hache; et tous deux, larges, rouges, écrasés, appuyaient presque le menton sur le velours de la rampe, pour mieux suivre la séance, à laquelle leurs yeux écarquillés ne paraissaient rien comprendre.

— Si Rougon saute, murmura M. La Rouquette, je ne donne pas deux sous du procès des Charbonnel... C'est comme madame Correur...

Il se pencha à l'oreille de M. Kahn, et continua très bas :

— En somme, vous qui connaissez Rougon, dites-moi au juste ce que c'est que madame Correur. Elle a tenu un hôtel, n'est-ce pas ? Autrefois, elle logeait Rougon. On raconte même qu'elle lui prêtait de l'argent... Et maintenant, quel métier fait-elle ?

M. Kahn était devenu très grave. Il frottait son collier de barbe, d'une main lente.

— Madame Correur est une dame fort respectable, dit-il nettement.

Ce mot coupa court à la curiosité de M. La Rouquette. Il pinça les lèvres, de l'air d'un écolier qui vient de recevoir une leçon. Tous deux regardèrent un instant en silence Mme Correur, assise près des Charbonnel. Elle avait une robe de soie mauve, très voyante, avec beaucoup de dentelles et de bijoux; la face trop rose, le front couvert de petits frisons de poupée blonde, elle montrait son cou gras, encore très beau, malgré ses quarante-huit ans.

Mais, au fond de la salle, il y eut tout d'un coup un bruit de porte, un tapage de jupes, qui fit tourner les têtes. Une grande fille, d'une admirable beauté, mise très étrangement, avec une robe de satin vert d'eau mal faite, venait d'entrer dans la loge du Corps diplomatique, suivie d'une dame âgée, vêtue de noir.

— Tiens! la belle Clorinde [6]! murmura M. La Rouquette, qui se leva pour saluer à tout hasard.

M. Kahn s'était levé également. Il se pencha vers M. Béjuin, occupé à mettre ses lettres sous enveloppe.

— Dites donc, Béjuin, murmura-t-il, la comtesse Balbi et sa fille sont là... Je monte leur demander si elles n'ont pas vu Rougon.

Au bureau, le président avait pris une nouvelle poignée de papiers. Il donna, sans cesser de lire, un regard à la belle Clorinde Balbi, dont l'arrivée soulevait un chuchotement dans la salle. Et, tout en passant les feuilles une à une à un secrétaire, il disait sans points ni virgules, d'une façon interminable :

— Présentation d'un projet de loi tendant à

---

6. Le modèle principal de « la belle Clorinde », Virginia Oldoini, comtesse Verasis di Castiglione (Florence 1837-Paris 1899), occupa un rang de premier plan à la cour de Turin. Cavour l'envoya à Paris pour gagner le cœur de Napoléon III et le convertir à sa politique dont elle fut un très utile artisan. Elle était aussi célèbre par ses excentricités que par sa beauté.

proroger la perception d'une surtaxe à l'octroi de
a ville de Lille... Présentation d'un projet de loi
relatif à la réunion en une seule commune des communes de Doulevant-le-Petit et de Ville-en-Blaisais
(Haute-Marne).

Quand M. Kahn redescendit, il était désolé.

— Décidément, personne ne l'a vu, dit-il à ses
collègues Béjuin et La Rouquette, qu'il rencontra
au bas de l'hémicycle. On m'a assuré que l'empereur l'avait fait demander hier soir, mais j'ignore
ce qu'il est résulté de l'entretien... Rien n'est ennuyeux comme de ne pas savoir à quoi s'en tenir.

M. La Rouquette, pendant qu'il tournait le dos,
murmura à l'oreille de M. Béjuin :

— Ce pauvre Kahn a joliment peur que Rougon
ne se fâche avec les Tuileries. Il pourrait courir
après son chemin de fer.

Alors, M. Béjuin, qui parlait peu, lâcha gravement cette phrase :

— Le jour où Rougon quittera le Conseil d'État,
ce sera une perte pour tout le monde.

Et il appela du geste un huissier, pour le prier
d'aller jeter à la boîte les lettres qu'il venait d'écrire.

Les trois députés restèrent au pied du bureau, à
gauche. Ils causèrent prudemment de la disgrâce qui
menaçait Rougon. C'était une histoire compliquée.
Un parent éloigné de l'impératrice, un sieur Rodriguez, réclamait au gouvernement français une
somme de deux millions, depuis 1808. Pendant la
guerre d'Espagne [7], ce Rodriguez, qui était arma-
teur, eut un navire chargé de sucre et de café cap-
turé dans le golfe de Gascogne et mené à Brest par
une de nos frégates, *la Vigilante*. A la suite de l'instruction que fit la commission locale, l'officier
d'administration conclut à la validité de la capture,
sans en référer au Conseil des prises. Cependant, le
sieur Rodriguez s'était empressé de se pourvoir au
Conseil d'État. Puis, il était mort, et son fils, sous
tous les gouvernements, avait tenté vainement
d'évoquer l'affaire, jusqu'au jour où un mot de son
arrière-petite-cousine, devenue toute-puissante, finit
par faire mettre le procès au rôle.

Au-dessus de leurs têtes, les trois députés entendaient la voix monotone du président, qui continuait :

— Présentation d'un projet de loi autorisant
le département du Calvados à ouvrir un emprunt
de trois cent mille francs... Présentation d'un projet de loi autorisant la ville d'Amiens à ouvrir un
emprunt de deux cent mille francs pour la création

de nouvelles promenades... Présentation d'un projet de loi autorisant le département des Côtes-du-
Nord à ouvrir un emprunt de trois cent quarante-
cinq mille francs, destiné à couvrir les déficits des
cinq dernières années....

— La vérité est, dit M. Kahn en baissant encore
la voix, que le Rodriguez en question avait eu une
invention fort ingénieuse. Il possédait avec un de
ses gendres, fixé à New York, des navires jumeaux
voyageant à volonté sous le pavillon américain ou
sous le pavillon espagnol, selon les dangers de la
traversée... Rougon m'a affirmé que le navire cap-
turé était bien à lui, et qu'il n'y avait aucunement
lieu de faire droit à ses réclamations.

— D'autant plus, ajouta M. Béjuin, que la pro-
cédure est inattaquable. L'officier d'administration de Brest avait parfaitement le droit de conclure
à la validation, selon la coutume du port, sans en
référer au Conseil des prises.

Il y eut un silence. M. La Rouquette, adossé contre
le soubassement de marbre, levait le nez, tâchait de
fixer l'attention de la belle Clorinde.

— Mais, demanda-t-il naïvement, pourquoi
Rougon ne veut-il pas qu'on rende les deux millions
au Rodriguez ? Qu'est-ce que ça lui fait ?

— Il y a là une question de conscience, dit gravement M. Kahn.

M. La Rouquette regarda ses deux collègues
l'un après l'autre ; mais, les voyant solennels, il ne
sourit même pas.

— Puis, continua M. Kahn comme répondant aux
choses qu'il ne disait pas tout haut, Rougon a des
ennuis, depuis que Marsy est ministre de l'Intérieur.
Ils n'ont jamais pu se souffrir... Rougon me disait
que, sans son attachement à l'empereur, auquel il a
déjà rendu tant de services, il serait depuis longtemps
rentré dans la vie privée... Enfin, il n'est plus bien
aux Tuileries, il sent la nécessité de faire peau neuve.

— Il agit en honnête homme, répéta M. Béjuin.

— Oui, dit M. La Rouquette d'un air fin, s'il
veut se retirer, l'occasion est bonne... N'importe,
ses amis seront désolés. Voyez donc le colonel là-
haut, avec sa mine inquiète ; lui qui comptait si bien
s'attacher son ruban rouge au cou, le 15 août prochain [8]!... Et la jolie madame Bouchard qui avait
juré que le digne monsieur Bouchard serait chef de
division à l'Intérieur avant six mois! Le petit d'Escorailles, l'enfant gâté de Rougon, devait mettre la
nomination sous la serviette de monsieur Bouchard,
le jour de la fête de madame. Tiens!... où sont-ils

---

7. La guerre d'Espagne dura de 1808 à 1813. Un Bonaparte étant
sur le trône d'Espagne pendant cette période, Rodriguez était particulièrement bien placé.

8. Le 15 août, anniversaire de Napoléon Ier, était fête nationale
depuis le décret du 16 février 1852. A cette occasion il y avait distribution de récompenses.

donc, le petit d'Escorailles et la jolie madame Bouchard ?

Ces messieurs les cherchèrent. Enfin ils les découvrirent au fond de la tribune, dont ils occupaient le premier banc, à l'ouverture de la séance. Ils s'étaient réfugiés là, dans l'ombre, derrière un vieux monsieur chauve; et ils restaient bien tranquilles tous les deux, très rouges.

A ce moment, le président achevait sa lecture. Il jeta ces derniers mots d'une voix un peu tombée, qui s'embarrassait dans la rudesse barbare de la phrase :

— Présentation d'un projet de loi ayant pour objet d'autoriser l'élévation du taux d'intérêt d'un emprunt autorisé par la loi du 9 juin 1853, et une imposition extraordinaire par le département de la Manche.

M. Kahn venait de courir à la rencontre d'un député qui entrait dans la salle. Il l'amena, en disant :

— Voici monsieur de Combelot... Il va nous donner des nouvelles.

M, de Combelot, un chambellan que le département des Landes avait nommé député sur un désir formel exprimé par l'empereur, s'inclina d'un air discret, en attendant qu'on le questionnât. C'était un grand bel homme, très blanc de peau, avec une barbe d'un noir d'encre qui lui valait de vifs succès parmi les femmes.

— Eh bien! interrogea M. Kahn, qu'est-ce qu'on dit au château ? Qu'est-ce que l'empereur a décidé ?

— Mon Dieu, répondit M. de Combelot en grasseyant, on dit bien des choses... L'empereur a la plus grande amitié pour monsieur le président du Conseil d'État. Il est certain que l'entrevue a été très amicale... Oui, elle a été très amicale.

Et il s'arrêta, après avoir pesé le mot, pour savoir s'il ne s'était pas trop avancé.

— Alors, la démission est retirée? reprit M. Kahn, dont les yeux brillèrent.

— Je n'ai pas dit cela, reprit le chambellan très inquiet. Je ne sais rien. Vous comprenez, ma situation est particulière...

Il n'acheva pas, il se contenta de sourire, et se hâta de monter à son banc. M. Kahn haussa les épaules, et s'adressant à M. La Rouquette :

— Mais j'y songe, vous devriez être au courant, vous! Madame de Llorentz, votre sœur, ne vous raconte donc rien ?

— Oh! ma sœur est plus muette encore que monsieur de Combelot, dit le jeune député en riant. Depuis qu'elle est dame du palais, elle a une gravité de ministre... Pourtant hier, elle m'assurait que la

démission serait acceptée... A ce propos, une bonne histoire. On a envoyé, paraît-il, une dame pour fléchir Rougon. Vous ne savez pas ce qu'il a fait, Rougon ? Il a mis la dame à la porte; notez qu'elle était délicieuse.

— Rougon est chaste, déclara solennellement M. Béjuin.

M. La Rouquette fut pris d'un fou rire. Il protestait; il aurait cité des faits, s'il avait voulu.

— Ainsi, murmura-t-il, madame Correur...

— Jamais! dit M. Kahn, vous ne connaissez pas cette histoire.

— Eh bien, la belle Clorinde alors!

— Allons donc! Rougon est trop fort pour s'oublier avec cette grande diablesse de fille.

Et ces messieurs se rapprochèrent, s'enfonçant dans une conversation risquée, à mots très crus. Ils dirent les anecdotes qui circulaient sur ces deux Italiennes, la mère et la fille, moitié aventurières et moitié grandes dames, qu'on rencontrait partout, au milieu de toutes les cohues : chez les ministres, dans les avant-scènes des petits théâtres, sur les plages à la mode, au fond des auberges perdues. La mère, assurait-on, sortait d'un lit royal; la fille, avec une ignorance de nos conventions françaises qui faisait d'elle « une grande diablesse » originale et fort mal élevée, crevait des chevaux à la course, montrait ses bas sales et ses bottines éculées sur les trottoirs les jours de pluie, cherchait un mari avec des sourires hardis de femme faite. M. La Rouquette raconta que, chez le chevalier Rusconi, le légat d'Italie, elle était arrivée, un soir de bal, en Diane [9] chasseresse, si nue, qu'elle avait failli être demandée en mariage, le lendemain, par le vieux M. de Nougarède, un sénateur très friand. Et, pendant cette histoire, les trois députés jetaient des regards sur la belle Clorinde, qui, malgré le règlement, regardait les membres de la Chambre les uns après les autres, à l'aide d'une grosse jumelle de théâtre.

— Non, non, répéta M. Kahn, jamais Rougon ne serait assez fou!... Il la dit très intelligente, et il la nomme en riant « mademoiselle Machiavel [10] ». Elle l'amuse, voilà tout.

— N'importe, conclut M. Béjuin, Rougon a tort de ne pas se marier... Ça assoit un homme.

Alors, tous trois tombèrent d'accord sur la femme qu'il faudrait à Rougon : une femme d'un

---

9. Déesse de la chasse, Diane était réputée pour sa froideur cruelle à l'égard de ses soupirants.
10. Machiavel (1469-1527) est un historien et homme d'État italien, auteur du *Prince* et célèbre par sa théorie qu'en politique la fin compte et non les moyens.

certain âge, trente-cinq ans au moins, riche, et qui tînt sa maison sur un pied de haute honnêteté.

Cependant une clameur montait. Ils s'oubliaient à ce point dans leurs anecdotes scabreuses, qu'ils ne s'apercevaient plus de ce qui se passait autour d'eux. Au loin, au fond des couloirs, on entendait la voix perdue des huissiers qui criaient : « En séance, messieurs, en séance! » Et des députés arrivaient de tous les côtés, par les portes d'acajou massif, ouvertes à deux battants, montrant les étoiles d'or de leurs panneaux. La salle, jusque-là à moitié vide, s'emplissait peu à peu. Les petits groupes, causant d'un air d'ennui d'un banc à l'autre, les dormeurs, étouffant leurs bâillements, étaient noyés dans le flot montant, au milieu d'une distribution considérable de poignées de mains. En s'asseyant à leurs places, à droite comme à gauche, les membres se souriaient; ils avaient un air de famille, des visages également pénétrés du pouvoir qu'ils venaient remplir là. Un gros homme, sur le dernier banc, à gauche, qui s'était assoupi trop profondément, fut réveillé par son voisin; et, quand celui-ci lui eut dit quelques mots à l'oreille, il se hâta de se frotter les yeux, il prit une pose convenable. La séance, après s'être traînée dans des questions d'affaires fort ennuyeuses pour ces messieurs, allait prendre un intérêt capital.

Poussés par la foule, M. Kahn et ses deux collègues montèrent jusqu'à leurs bancs, sans en avoir conscience. Ils continuaient à causer, en étouffant des rires. M. La Rouquette racontait une nouvelle histoire sur la belle Clorinde. Elle avait eu, un jour, l'étonnante fantaisie de faire tendre sa chambre de draperies noires semées de larmes d'argent, et de recevoir là ses intimes, couchée sur son lit, ensevelie dans des couvertures également noires, qui ne laissaient passer que le bout de son nez [11].

M. Kahn s'asseyait, lorsqu'il revint brusquement à lui.

— Ce La Rouquette est idiot avec ses commérages! murmura-t-il. Voilà que j'ai manqué Rougon, maintenant!

Et, se tournant vers son voisin, d'un air furieux :

— Dites donc, Béjuin, vous auriez bien pu m'avertir!

Rougon, qui venait d'être introduit avec le cérémonial d'usage, était déjà assis entre deux conseillers d'État, au banc des commissaires du gouvernement, une sorte de caisse d'acajou énorme, installée

11. De même, dans l'*A rebours* de Huysmans, postérieur à *Son Excellence Eugène Rougon*, le héros, des Esseintes, recevra un jour ses amis dans un décor de ce genre : le repas, servi sur une table noire avec des larmes d'argent par des négresses nues.

au bas du bureau, à la place même de la tribune supprimée. Il crevait de ses larges épaules son uniforme de drap vert, chargé d'or au collet et aux manches. La face tournée vers la salle, avec sa grosse chevelure grisonnante plantée sur son front carré, il éteignait ses yeux sous d'épaisses paupières toujours à demi baissées; et son grand nez, ses lèvres taillées en pleine chair, ses joues longues où ses quarante-six ans ne mettaient pas une ride, avaient une vulgarité rude, que transfigurait par éclairs la beauté de la force. Il resta adossé, tranquillement, le menton dans le collet de son habit, sans paraître voir personne, l'air indifférent et un peu las.

— Il a son air de tous les jours, murmura M. Béjuin.

Sur les bancs, les députés se penchaient, pour voir la mine qu'il faisait. Un chuchotement de remarques discrètes courait d'oreille à oreille. Mais l'entrée de Rougon produisait surtout une vive impression dans les tribunes. Les Charbonnel, pour montrer qu'ils étaient là, allongeaient leur paire de faces ravies, au risque de tomber. Mme Correur avait eu une légère toux, sortant un mouchoir qu'elle agita légèrement, sous le prétexte de le porter à ses lèvres. Le colonel Jobelin s'était redressé, et la jolie Mme Bouchard, redescendue vivement au premier banc, soufflait un peu, en refaisant le nœud de son chapeau, pendant que M. d'Escorailles, derrière elle, restait muet, très contrarié. Quant à la belle Clorinde, elle ne se gêna point. Voyant que Rougon ne levait pas les yeux, elle tapa à petits coups très distincts sa jumelle sur le marbre de la colonne contre laquelle elle s'appuyait; et, comme il ne la regardait toujours pas, elle dit à sa mère, d'une voix si claire, que toute la salle l'entendit :

— Il boude donc, le gros sournois!

Des députés se tournèrent, avec des sourires. Rougon se décida à donner un regard à la belle Clorinde. Alors, pendant qu'il lui adressait un imperceptible signe de tête, elle, toute triomphante, battit des mains, se renversa en riant, en parlant haut à sa mère, sans se soucier le moins du monde de tous ces hommes, en bas, qui la dévisageaient.

Rougon, lentement, avant de laisser retomber ses paupières, avait fait le tour des tribunes, où son large regard enveloppa à la fois Mme Bouchard, le colonel Jobelin, Mme Correur et les Charbonnel. Son visage demeura muet. Il remit son menton dans le collet de son habit, les yeux à demi refermés, en étouffant un léger bâillement.

— Je vais toujours lui dire un mot, souffla M. Kahn à l'oreille de M. Béjuin.

Mais, comme il se levait, le président qui, depuis

un instant, s'assurait que tous les députés étaient bien à leur poste, donna un coup de sonnette magistral. Et, brusquement, un silence profond régna.

Un monsieur blond était debout au premier banc, un banc de marbre jaune, à tablette de marbre blanc. Il tenait à la main un grand papier, qu'il couvait des yeux, tout en parlant.

— J'ai l'honneur, dit-il d'une voix chantante, de déposer un rapport sur le projet de loi portant ouverture au ministère d'État, sur l'exercice 1856, d'un crédit de quatre cent mille francs, pour les dépenses de la cérémonie et des fêtes du baptême du prince impérial [12].

Et il faisait mine d'aller déposer le rapport, d'un pas ralenti, lorsque tous les députés, avec un ensemble parfait, crièrent :

— La lecture! la lecture!

Le rapporteur attendit que le président eût décidé que la lecture aurait lieu. Et il commença, d'un ton presque attendri :

— Messieurs, le projet de loi qui nous est présenté est de ceux qui font paraître trop lentes les formes ordinaires du vote, en ce qu'elles retardent l'élan spontané du Corps législatif.

— Très bien! lancèrent plusieurs membres.

— Dans les familles les plus humbles, continua le rapporteur en modulant chaque mot, la naissance d'un fils, d'un héritier, avec toutes les idées de transmission qui se rattachent à ce titre, est un sujet de si douce allégresse, que les épreuves du passé s'oublient et que l'espoir seul plane sur le berceau du nouveau-né. Mais que dire de cette fête du foyer, quand elle est en même temps celle d'une grande nation, et qu'elle est aussi un événement européen!

Alors, ce fut un ravissement. Ce morceau de rhétorique fit pâmer la Chambre. Rougon, qui semblait dormir, ne voyait, devant lui, sur les gradins, que des visages épanouis. Certains députés exagéraient leur attention, les mains aux oreilles, pour ne rien perdre de cette prose soignée. Le rapporteur, après une courte pause, haussait la voix.

— Ici, messieurs, c'est, en effet, la grande famille française qui convie tous ses membres à exprimer leur joie; et quelle pompe ne faudrait-il pas, s'il était possible que les manifestations extérieures pussent répondre à la grandeur de ses légitimes espérances!

12. D'après les papiers et correspondances de la famille impériale, la naissance et le baptême du prince impérial entraînèrent des dépenses de 898 000 francs or en médaillons commémoratifs, en diamants, allocations, gratifications, spectacles gratuits, secours aux parents des enfants nés le 16, comme lui, médailles aux auteurs et compositeurs, brevets adressés aux parents des filleuls de Leurs Majestés, etc.

Et il ménagea une nouvelle pause.

— Très bien! crièrent les mêmes voix.

— C'est délicatement dit, fit remarquer M. Kahn, n'est-ce pas, Béjuin?

M. Béjuin dodelinait de la tête, les yeux sur le lustre qui pendait de la baie vitrée, devant le bureau. Il jouissait.

Dans les tribunes, la belle Clorinde, la jumelle braquée, ne perdait pas un jeu de physionomie du rapporteur; les Charbonnel avaient les yeux humides; Mme Correur prenait une pose attentive de femme comme il faut; tandis que le colonel approuvait de la tête, et que la jolie Mme Bouchard s'abandonnait sur les genoux de M. d'Escorailles. Cependant, au bureau, le président, les secrétaires, jusqu'aux huissiers, écoutaient, sans un geste, solennellement.

— Le berceau du prince impérial, reprit le rapporteur, est désormais la sécurité pour l'avenir; car, en perpétuant la dynastie que nous avons tous acclamée, il assure la prospérité du pays, son repos dans la stabilité, et, par là même, celui du reste de l'Europe.

Quelques chut! durent empêcher l'enthousiasme d'éclater, à cette image touchante du berceau.

— A une autre époque, un rejeton de ce sang illustre semblait aussi promis à de grandes destinées, mais les temps n'ont aucune similitude. La paix est le résultat du règne sage et profond dont nous recueillons les fruits, de même que le génie de la guerre dicta ce poème épique qui constitue le Premier Empire.

« Salué à sa naissance par le canon, qui, du Nord au Midi, proclamait le succès de nos armes, le roi de Rome n'eut pas même la fortune de servir sa patrie : tels furent alors les enseignements de la Providence.

— Qu'est-ce qu'il dit donc? il s'enfonce, murmura le sceptique M. La Rouquette. C'est maladroit, tout ce passage. Il va gâter son morceau.

A la vérité, les députés devenaient inquiets. Pourquoi ce souvenir historique qui gênait leur zèle? Certains se mouchèrent. Mais le rapporteur, sentant le froid jeté par sa dernière phrase, eut un sourire. Il haussa la voix. Il poursuivit son antithèse, en balançant les mots, certain de son effet.

— Mais venu dans un de ces jours solennels où la naissance d'un seul doit être regardée comme le salut de tous, l'Enfant de France semble aujourd'hui nous donner, à nous, comme aux générations futures, le droit de vivre et de mourir au foyer paternel. Tel est désormais le gage de la clémence divine.

Ce fut une chute de phrase exquise. Tous les députés comprirent, et un murmure d'aise passa dans la salle. L'assurance d'une paix éternelle était vraiment douce. Ces messieurs, rassurés, reprirent leurs poses charmées d'hommes politiques faisant une débauche de littérature. Ils avaient des loisirs. L'Europe était à leur maître.

— L'Empereur, devenu l'arbitre de l'Europe, continuait le rapporteur avec une ampleur nouvelle, allait signer cette paix généreuse, qui, réunissant les forces productives des nations, est l'alliance des peuples autant que celle des rois, lorsqu'il plut à Dieu de mettre le comble à son bonheur en même temps qu'à sa gloire. N'est-il pas permis de penser que, dès cet instant, il entrevit de nombreuses années prospères, en regardant ce berceau où repose, encore si petit, le continuateur de sa grande politique ?

Très jolie encore, cette image. Et cela était certainement permis : des députés l'affirmaient, en hochant doucement la tête. Mais le rapport commençait à paraître un peu long. Beaucoup de membres redevenaient graves; plusieurs même regardaient les tribunes du coin de l'œil, en gens pratiques qui éprouvaient quelque ennui à se montrer ainsi, dans le déshabillé de leur politique. D'autres s'oubliaient, la face terreuse, songeant à leurs affaires, battant de nouveau du bout des doigts l'acajou de leurs pupitres; et, vaguement, dans leur mémoire, passaient d'anciennes séances, d'anciens dévouements, qui acclamaient des pouvoirs au berceau. M. La Rouquette se tournait fréquemment pour voir l'heure; quand l'aiguille marqua trois heures moins un quart, il eut un geste désespéré; il manquait un rendez-vous. Côte à côte, M. Kahn et M. Béjuin restaient immobiles, les bras croisés, les paupières clignotantes, passant des grands panneaux de velours vert au bas-relief de marbre blanc, que la redingote du président tachait de noir. Et, dans la tribune diplomatique, la belle Clorinde, la jumelle toujours braquée, s'était remise à examiner longuement Rougon, qui gardait à son banc une attitude superbe de taureau assoupi.

Le rapporteur, pourtant, ne se pressait pas, lisait pour lui, avec un mouvement rythmé et béat des épaules.

— Ayons donc pleine et entière confiance, et que le Corps législatif, dans cette grande et sérieuse occasion, se souvienne de sa parité d'origine avec l'Empereur, laquelle lui donne presque un droit de famille de plus qu'aux autres corps de l'État de s'associer aux joies du souverain.

« Fils, comme lui, du libre vœu du peuple, le Corps législatif devient donc à cette heure la voix même de la nation pour offrir à l'auguste enfant l'hommage d'un respect inaltérable, d'un dévouement à toute épreuve, et de cet amour sans bornes qui fait de la foi politique une religion dont on bénit les devoirs.

Cela devait approcher de la fin, du moment où il était question d'hommage, de religion et de devoirs. Les Charbonnel se risquèrent à échanger leurs impressions à voix basse, tandis que Mme Correur étouffait une légère toux dans son mouchoir. Mme Bouchard remonta discrètement au fond de la tribune du Conseil d'État, auprès de M. Jules d'Escorailles.

En effet, le rapporteur changeant brusquement de voix, descendant du ton solennel au ton familier, bredouilla rapidement :

— Nous vous proposons, messieurs, l'adoption pure et simple du projet de loi tel qu'il a été présenté par le Conseil d'État.

Et il s'assit, au milieu d'une grande rumeur.

— Très bien! très bien! criait toute la salle.

Des bravos éclatèrent. M. de Combelot, dont l'attention souriante ne s'était pas démentie une minute, lança même un : *Vive l'Empereur!* qui se perdit dans le bruit. Et l'on fit presque une ovation au colonel Jobelin, debout au bord de la tribune où il était seul, s'oubliant à applaudir de ses mains sèches, malgré le règlement. Toute l'extase des premières phrases reparaissait avec un débordement nouveau de congratulations. C'était la fin de la corvée. D'un banc à l'autre, on échangeait des mots aimables, pendant qu'un flot d'amis se précipitaient vers le rapporteur, pour lui serrer énergiquement les deux mains.

Puis, dans le tumulte, un mot domina bientôt.

— La délibération! la délibération!

Le président, debout au bureau, semblait attendre ce cri. Il donna un coup de sonnette, et dans la salle subitement respectueuse, il dit :

— Messieurs, un grand nombre de membres demandent qu'on passe immédiatement à la délibération.

— Oui, oui, appuya d'une seule clameur la Chambre entière.

Et il n'y eut pas de délibération. On vota tout de suite. Les deux articles du projet de loi, successivement mis aux voix, furent adoptés par assis et levé. A peine le président achevait-il la lecture de l'article, que, du haut en bas des gradins, tous les députés se levaient d'un bloc, avec un grand remuement de pieds, comme soulevés par un élan d'enthousiasme. Puis, les urnes circulèrent, des huissiers passèrent entre les bancs, recueillant les votes dans les boîtes de zinc. Le crédit de quatre cent mille francs était accordé à l'unanimité de deux cent trente-neuf voix.

— Voilà de la bonne besogne, dit naïvement M. Béjuin, qui se mit à rire ensuite, croyant avoir lâché un mot spirituel...

— Il est trois heures passées, moi je file, murmura M. La Rouquette, en passant devant M. Kahn.

La salle se vidait. Des députés, doucement, gagnaient les portes, semblaient disparaître dans les murs. L'ordre du jour appelait des lois d'intérêt local. Bientôt, il n'y eut plus, sur les bancs, que les membres de bonne volonté, ceux qui n'avaient sans doute ce jour-là aucune affaire au-dehors; ils continuèrent leur somme interrompu, ils reprirent leur causerie au point où ils l'avaient laissée; et la séance s'acheva, ainsi qu'elle avait commencé, au milieu d'une tranquille indifférence. Même le brouhaha tombait peu à peu, comme si le Corps législatif se fût complètement endormi, dans un coin de Paris muet.

— Dites donc, Béjuin, demanda M. Kahn, tâchez à la sortie de faire causer Delestang. Il est venu avec Rougon, il doit savoir quelque chose.

— Tiens! vous avez raison, c'est Delestang, murmura M. Béjuin, en regardant le conseiller d'État assis à la gauche de Rougon. Je ne les reconnais jamais, avec ces diables d'uniformes.

— Moi, je ne m'en vais pas, pour pincer notre grand homme, ajouta M. Kahn. Il faut que nous sachions.

Le président mettait aux voix un défilé interminable de projets de loi, que l'on votait par assis et levé. Les députés, machinalement, se levaient, se rasseyaient, sans cesser de causer, sans même cesser de dormir. L'ennui devenait tel, que les quelques curieux des tribunes s'en allèrent. Seuls, les amis de Rougon restaient. Ils espéraient encore qu'il parlerait.

Tout d'un coup, un député, avec des favoris corrects d'avoué de province, se leva. Cela arrêta net le fonctionnement monotone de la machine à voter. Une vive surprise fit tourner les têtes.

— Messieurs, dit le député, debout à son banc, je demande à m'expliquer sur les motifs qui m'ont forcé à me séparer, bien malgré moi, de la majorité de la commission.

La voix était si aigre, si drôle, que la belle Clorinde étouffa un rire dans ses mains. Mais, en bas, parmi ces messieurs, l'étonnement grandissait. Qu'était-ce donc? pourquoi parlait-il? Alors, en interrogeant, on finit par savoir que le président

venait de mettre en discussion un projet de loi autorisant le département des Pyrénées-Orientales à emprunter deux cent cinquante mille francs, pour la construction d'un palais de Justice, à Perpignan. L'orateur, un conseiller général du département, parlait contre le projet de loi. Cela parut intéressant. On écouta.

Cependant, le député aux favoris corrects procédait avec une prudence extrême. Il avait des phrases pleines de réticences, le long desquelles il envoyait des coups de chapeau à toutes les autorités imaginables. Mais les charges du département étaient lourdes; et il fit un tableau complet de la situation financière des Pyrénées-Orientales. Puis, la nécessité d'un nouveau palais de Justice ne lui semblait pas bien démontrée. Il parla ainsi près d'un quart d'heure. Quand il s'assit, il était très ému. Rougon, qui avait haussé les paupières, les laissa retomber lentement.

Alors, ce fut le tour du rapporteur, un petit vieux très vif, qui parla d'une voix nette, en homme sûr de son terrain. D'abord, il eut un mot de politesse pour son honorable collègue, avec lequel il avait le regret de n'être pas d'accord. Seulement, le département des Pyrénées-Orientales était loin d'être aussi obéré qu'on le voulait bien le dire; et il refit, avec d'autres chiffres, le tableau complet de la situation financière du département. D'ailleurs, la nécessité d'un nouveau palais de Justice ne pouvait être niée. Il donna des détails. L'ancien palais se trouvait situé dans un quartier si populeux, que le bruit des rues empêchait les juges d'entendre les avocats. En outre, il était trop petit : ainsi, lorsque les témoins, dans les procès de cour d'assises, étaient très nombreux, ils devaient se tenir sur un palier de l'escalier, ce qui les laissait en butte à des obsessions dangereuses. Le rapporteur termina, en lançant comme argument irrésistible que c'était le garde des Sceaux lui-même qui avait provoqué la présentation du projet de loi.

Rougon ne bougeait pas, les mains nouées sur les cuisses, la nuque appuyée contre le banc d'acajou. Depuis que la discussion était ouverte, sa carrure semblait s'alourdir encore. Et, lentement, comme le premier orateur faisait mine de vouloir répliquer, il souleva son grand corps, sans se mettre debout tout à fait, disant d'une voix pâteuse cette seule phrase :

— Monsieur le rapporteur a oublié d'ajouter que le ministre de l'Intérieur et le ministre des Finances ont approuvé le projet de loi [13].

13. Cet argument n'est avancé que pour entraîner le vote de l'Assemblée dont les membres tiennent avant tout à rester bien en cour.

Il se laissa retomber, il s'abandonna de nouveau, dans son attitude de taureau assoupi. Parmi les députés, il y avait eu un petit frémissement. L'orateur se rassit, en saluant du buste. Et la loi fut votée. Les quelques membres qui suivaient curieusement le débat, prirent des mines indifférentes.

Rougon avait parlé. D'une tribune à l'autre, le colonel Jobelin échangea un clignement d'yeux avec le ménage Charbonnel; pendant que Mme Correur s'apprêtait à quitter la tribune, comme on quitte une loge de théâtre avant la tombée du rideau, lorsque le héros de la pièce a lancé sa dernière tirade. Déjà M. d'Escorailles et Mme Bouchard s'en étaient allés. Clorinde, debout contre la rampe de velours, dominant la salle de sa taille superbe, se drapait lentement dans un châle de dentelle, en promenant un regard autour de l'hémicycle. La pluie ne battait plus les vitres de la baie, mais le ciel restait sombre de quelque gros nuage. Sous la lumière salie, l'acajou des pupitres semblait noir; une buée d'ombre montait le long des gradins, où des crânes chauves de députés gardaient seuls une tache blanche; et, sur les marbres des soubassements, au-dessous de la pâleur vague des figures allégoriques, le président, les secrétaires et les huissiers, rangés en ligne, mettaient des silhouettes raidies d'ombres chinoises. La séance, dans ce jour brusquement tombé, se noyait.

— Bon Dieu! on meurt là-dedans, dit Clorinde, en poussant sa mère hors de la tribune.

Et elle effaroucha les huissiers endormis sur le palier, par la façon étrange dont elle avait roulé son châle autour de ses reins.

En bas, dans le vestibule, ces dames rencontrèrent le colonel Jobelin et Mme Correur.

— Nous l'attendons, dit le colonel; peut-être sortira-t-il par ici... En tout cas, j'ai fait signe à Kahn et à Béjuin, pour qu'ils viennent me donner des nouvelles.

Mme Correur s'était approchée de la comtesse Balbi. Puis, d'une voix désolée:

— Ah! ce serait un grand malheur! dit-elle, sans s'expliquer davantage.

Le colonel leva les yeux au ciel.

— Des hommes comme Rougon sont nécessaires au pays, reprit-il, après un silence. L'empereur commettrait une faute.

Et le silence recommença. Clorinde voulut allonger la tête dans la salle des pas perdus; mais un huissier referma brusquement la porte. Alors, elle revint auprès de sa mère, muette sous sa voilette noire. Elle murmura:

— C'est crevant d'attendre.

Des soldats arrivaient. Le colonel annonça que la séance était finie. En effet, les Charbonnel parurent, en haut de l'escalier. Ils descendaient prudemment, le long de la rampe, l'un derrière l'autre. Quand M. Charbonnel aperçut le colonel, il lui cria:

— Il n'en a pas dit long, mais il leur a joliment cloué le bec!

— Les occasions lui manquent, répondit le colonel à l'oreille du bonhomme, lorsque celui-ci fut près de lui; autrement vous l'entendriez! Il faut qu'il s'échauffe.

Cependant, les soldats avaient formé une double haie, de la salle des séances à la galerie de la présidence, ouverte sur le vestibule. Et un cortège parut, pendant que les tambours battaient aux champs. En tête marchaient deux huissiers, vêtus de noir, portant le chapeau à claque sous le bras, la chaîne au cou, l'épée à pommeau d'acier au côté. Puis, venait le président, qu'escortaient deux officiers. Les secrétaires du bureau et le secrétaire général de la présidence suivaient. Quand le président passa devant la belle Clorinde, il lui sourit en homme du monde, malgré la pompe du cortège.

— Ah! vous êtes là, dit M. Kahn qui accourait, effaré.

Et bien que la salle des pas perdus fût alors interdite au public, il les fit tous entrer, il les mena dans l'embrasure d'une des grandes portes-fenêtres qui ouvrent sur le jardin. Il paraissait furibond.

— Je l'ai encore manqué! reprit-il. Il a filé par la rue de Bourgogne, pendant que je le guettais dans la salle du général Foy... Mais ça ne fait rien, nous allons tout de même savoir. J'ai lancé Béjuin aux trousses de Delestang.

Et il y eut là une nouvelle attente, pendant dix bonnes minutes. Les députés sortaient d'un air nonchalant, par les deux grands tambours de drap vert qui masquaient les portes. Certains s'attardaient à allumer un cigare. D'autres, en petits groupes, stationnaient, riant, échangeant des poignées de main. Cependant, Mme Correur était allée contempler le groupe du Laocoon [14]. Et, tandis que les Charbonnel pliaient le cou en arrière pour voir une mouette que la fantaisie bourgeoise du peintre avait peinte sur le cadre d'une fresque, comme envolée du tableau, la belle Clorinde, debout devant la grande Minerve [15] de bronze, s'intéressait à ses bras et à sa gorge de déesse géante. Dans l'embrasure

---

14. Fils de Priam et d'Hécube, prêtre d'Apollon à Troie, Laocoon fut étouffé avec ses fils par deux serpents monstrueux. Le groupe de Laocoon est vraisemblablement une copie de celui du Vatican.
15. Minerve est la déesse de la Sagesse et des artisans.

de la porte-fenêtre, le colonel Jobelin et M. Kahn causaient vivement, à voix basse.

— Ah! voici Béjuin! s'écria ce dernier.

Tous se rapprochèrent, la face tendue. M. Béjuin respirait fortement.

— Eh bien ? lui demanda-t-on.

— Eh bien! la démission est acceptée, Rougon se retire.

Ce fut un coup de massue. Un gros silence régna. Clorinde, qui nouait nerveusement un coin de son châle pour occuper ses doigts irrités, vit alors au fond du jardin la jolie Mme Bouchard qui marchait doucement au bras de M. d'Escorailles, la tête un peu penchée sur son épaule. Ils étaient descendus avant les autres, ils avaient profité d'une porte ouverte; et, dans ces allées réservées aux méditations graves, sous la dentelle des feuilles nouvelles, ils promenaient leur tendresse. Clorinde les appela de la main.

— Le grand homme se retire, dit-elle à la jeune femme qui souriait.

Mme Bouchard lâcha brusquement le bras de son cavalier, toute pâle et sérieuse; pendant que M. Kahn, au milieu du groupe consterné des amis de Rougon, protestait, en levant désespérément les bras au ciel, sans trouver un mot.

2

Le matin, au *Moniteur*, avait paru la démission de Rougon, qui se retirait pour « des raisons de santé ». Il était venu après son déjeuner au Conseil d'État, voulant dès le soir laisser la place nette à son successeur. Et, dans le grand cabinet rouge et or réservé au président, assis devant l'immense bureau de palissandre, il vidait les tiroirs, il classait des papiers, qu'il nouait en paquets, avec des bouts de ficelle rose.

Il sonna. Un huissier entra, un homme superbe, qui avait servi dans la cavalerie.

— Donnez-moi une bougie allumée, demanda Rougon.

Et, comme l'huissier se retirait, après avoir posé sur le bureau un des petits flambeaux de la cheminée, il le rappela.

— Merle, écoutez!... Ne laissez entrer personne. Entendez-vous, personne.

— Oui, monsieur le président, répondit l'huissier qui referma la porte sans bruit.

Rougon eut un faible sourire. Il se tourna vers Delestang, debout à l'autre extrémité de la pièce devant un cartonnier, dont il visitait soigneusement les cartons.

— Ce brave Merle n'a pas lu *le Moniteur*, ce matin, murmura-t-il.

Delestang hocha la tête, ne trouvant rien à dire. Il avait une tête magnifique, très chauve, mais d'une de ces calvities précoces qui plaisent aux femmes. Son crâne nu qui agrandissait démesurément son front, lui donnait un air de vaste intelligence. Sa face rosée, un peu carrée, sans un poil de barbe, rappelait ces faces correctes et pensives que les peintres d'imagination aiment à prêter aux grands hommes politiques.

— Merle vous est très dévoué, finit-il par dire.

Et il replongea la tête dans le carton qu'il fouillait. Rougon, qui avait tordu une poignée de papiers, les alluma à la bougie, puis les jeta dans une large coupe de bronze, posée sur un coin du bureau. Il les regarda brûler.

— Delestang, vous ne toucherez pas aux cartons du bas, reprit-il. Il y a là des dossiers dans lesquels je puis seul me reconnaître.

Tous deux, alors, continuèrent leur besogne en silence, pendant un gros quart d'heure. Il faisait très beau, le soleil entrait par les trois grandes fenêtres donnant sur le quai. Une de ces fenêtres, entrouverte, laissait passer les petits souffles frais de la Seine, qui soulevaient par moments la frange de soie des rideaux. Des papiers froissés, jetés sur le tapis, s'envolaient avec un léger bruit.

— Tenez, voyez donc ça, dit Delestang, en remettant à Rougon une lettre qu'il venait de trouver.

Rougon lut la lettre et l'alluma tranquillement à la bougie. C'était une lettre délicate. Et ils causèrent par phrases coupées, s'interrompant à toutes les minutes, le nez dans des paperasses. Rougon remerciait Delestang d'être venu l'aider. Ce « bon ami » était le seul avec lequel il pût à l'aise laver le linge sale de ses cinq années de présidence. Il l'avait connu à l'Assemblée législative [16], où ils siégeaient tous les deux sur le même banc, côte à côte. C'était là qu'il avait éprouvé un véritable penchant pour ce bel homme, en le trouvant adorablement sot, creux, et superbe. Il disait d'ordinaire, d'un air convaincu, « que ce diable de Delestang irait loin ». Et il le poussait, se l'attachait par la reconnaissance, l'utilisait comme un meuble dans lequel il enfermait tout ce qu'il ne pouvait garder sur lui.

— Est-on bête, garde-t-on des papiers! murmura

16. Cette assemblée siégera du 28 mai 1849 au 2 décembre 1851. Elle avait succédé à la Constituante de 1848.

Rougon, en ouvrant un nouveau tiroir qui débordait.

— Voilà une lettre de femme, dit Delestang, avec un clignement d'yeux.

Rougon eut un bon rire. Toute sa vaste poitrine était secouée. Il prit la lettre, en protestant. Dès qu'il eut parcouru les premières lignes, il cria :

— C'est le petit d'Escorailles qui a égaré ça ici!... De jolis chiffons encore, ces billets-là! On va loin, avec trois lignes de femme.

Et, pendant qu'il brûlait la lettre, il ajouta :

— Vous savez, Delestang, méfiez-vous des femmes!

Delestang baissa le nez. Toujours il se trouvait embarqué dans quelque passion scabreuse. En 1851, il avait même failli compromettre son avenir politique; il adorait alors la femme d'un député socialiste, et le plus souvent, pour plaire au mari, il votait avec l'opposition contre l'Élysée. Aussi au 2 Décembre reçut-il un véritable coup de massue. Il s'enferma pendant deux jours, perdu, fini, anéanti, tremblant qu'on ne vînt l'arrêter d'une minute à l'autre. Rougon avait dû le tirer de ce mauvais pas, en le décidant à ne point se présenter aux élections, et en le menant à l'Élysée, où il pêcha pour lui une place de conseiller d'État. Delestang, fils d'un marchand de vin de Bercy, ancien avoué, propriétaire d'une ferme-modèle près de Sainte-Menehould, était riche à plusieurs millions et habitait rue du Colisée un hôtel fort élégant.

— Oui, méfiez-vous des femmes, répétait Rougon, qui faisait une pause à chaque mot pour jeter des coups d'œil dans les dossiers. Quand les femmes ne vous mettent pas une couronne sur la tête, elles vous passent une corde au cou... A notre âge, voyez-vous, il faut soigner son cœur autant que son estomac.

A ce moment, un grand bruit s'éleva dans l'antichambre. On entendait la voix de Merle qui défendait la porte. Et brusquement, un petit homme entra, en disant :

— Il faut que je lui serre la main, que diable! à ce cher ami.

— Tiens! Du Poizat! s'écria Rougon sans se lever.

Et, comme Merle faisait de grands gestes pour s'excuser, il lui ordonna de fermer la porte. Puis, tranquillement :

— Je vous croyais à Bressuire, vous... On lâche donc sa sous-préfecture comme une vieille maîtresse.

Du Poizat, mince, la mine chafouine, avec des dents très blanches, mal rangées, haussa légèrement les épaules.

— Je suis à Paris de ce matin, pour des affaires, et je ne comptais aller que ce soir vous serrer la main, rue Marbeuf. Je vous aurais demandé à dîner... Mais quand j'ai lu *le Moniteur*...

Il traîna un fauteuil devant le bureau, s'installa carrément en face de Rougon.

— Ah çà! que se passe-t-il, voyons! Moi, j'arrive du fond des Deux-Sèvres... J'ai bien eu vent de quelque chose, là-bas. Mais j'étais loin de me douter... Pourquoi ne m'avez-vous pas écrit ?

Rougon, à son tour, haussa les épaules. Il était clair que Du Poizat avait appris là-bas sa disgrâce, et qu'il accourait, pour voir s'il n'y aurait pas moyen de se raccrocher aux branches. Il le regarda jusqu'à l'âme, en disant :

— Je vous aurais écrit ce soir... Donnez votre démission, mon brave.

— C'est tout ce que je voulais savoir, on donnera sa démission, répondit simplement Du Poizat.

Et il se leva, sifflotant. Comme il se promenait à petits pas, il aperçut Delestang, à genoux sur le tapis, au milieu d'une débâcle de cartons. Il alla en silence lui donner une poignée de main. Puis il tira de sa poche un cigare qu'il alluma à la bougie.

— On peut fumer, puisqu'on déménage, dit-il en s'installant de nouveau dans le fauteuil. C'est gai, de déménager!

Rougon s'absorbait dans une liasse de papiers, qu'il lisait avec une attention profonde. Il les triait soigneusement, brûlant les uns, conservant les autres. Du Poizat, la tête renversée, soufflant du coin des lèvres de légers filets de fumée, le regardait faire. Ils s'étaient connus quelques mois avant la révolution de Février [17]. Ils logeaient alors tous les deux chez Mme Mélanie Correur, hôtel Vaneau, rue Vaneau. Du Poizat se trouvait là en compatriote; il était né, ainsi que Mme Correur, à Coulonges, une petite ville de l'arrondissement de Niort. Son père, un huissier, l'avait envoyé faire son droit à Paris, où il lui servait une pension de cent francs par mois, bien qu'il eût gagné des sommes fort rondes en prêtant à la petite semaine; la fortune du bonhomme restait même si inexplicable dans le pays, qu'on l'accusait d'avoir trouvé un trésor, au fond d'une vieille armoire, dont il avait opéré la saisie. Dès les premiers temps de la propagande bonapartiste, Rougon utilisa ce garçon maigre qui mangeait rageusement ses cent francs par mois, avec des sourires inquiétants; et ils trempèrent ensemble dans les besognes les plus délicates. Plus tard, lorsque Rougon voulut entrer à l'Assemblée législ-

17. Cette révolution aboutit à l'abdication de Louis-Philippe, le 24 février 1848, et à la proclamation de la IIᵉ République.

lative, ce fut Du Poizat qui alla emporter son élection de haute lutte dans les Deux-Sèvres. Puis, après le coup d'État, Rougon à son tour travailla pour Du Poizat, en le faisant nommer sous-préfet à Bressuire. Le jeune homme, âgé à peine de trente ans, avait voulu triompher dans son pays, à quelques lieues de son père, dont l'avarice le torturait depuis sa sortie du collège.

— Et le papa Du Poizat, comment va-t-il? demanda Rougon, sans lever les yeux.

— Trop bien, répondit l'autre carrément. Il a chassé sa dernière domestique, parce qu'elle mangeait trois livres de pain. Maintenant, il a deux fusils chargés derrière sa porte, et quand je vais le voir, il faut que je parlemente par-dessus le mur de la cour.

Tout en causant, Du Poizat s'était penché, et il fouillait du bout des doigts dans la coupe de bronze, où traînaient des fragments de papier à demi consumés. Rougon s'étant aperçu de ce jeu, leva vivement la tête. Il avait toujours eu une légère peur de son ancien lieutenant, dont les dents blanches mal rangées ressemblaient à celles d'un jeune loup. Sa grande préoccupation, autrefois, lorsqu'ils travaillaient ensemble, était de ne pas lui laisser entre les mains la moindre pièce compromettante. Aussi, en voyant qu'il cherchait à lire les mots restés intacts, jeta-t-il dans la coupe une poignée de lettres enflammées. Du Poizat comprit parfaitement. Mais il eut un sourire, il plaisanta.

— C'est le grand nettoyage, murmura-t-il.

Et, prenant une paire de longs ciseaux, il s'en servit comme d'une paire de pincettes. Il rallumait à la bougie les lettres qui s'éteignaient; il faisait brûler en l'air les boules de papier trop serrées; il remuait les débris embrasés, comme s'il avait agité l'alcool flambant d'un bol de punch. Dans la coupe, des étincelles vives couraient; tandis qu'une fumée bleuâtre montait, roulait doucement jusqu'à la fenêtre ouverte. La bougie s'effarait par instants, puis brûlait avec une flamme toute droite, très haute.

— Votre bougie a l'air d'un cierge, dit encore Du Poizat en ricanant. Hein! quel enterrement, mon pauvre ami! comme on a des morts à coucher dans la cendre!

Rougon allait répondre, lorsqu'un nouveau bruit vint de l'antichambre. Merle, une seconde fois, défendait la porte. Et, comme les voix grandissaient :

— Delestang, ayez donc l'obligeance de voir ce qui se passe, dit Rougon. Si je me montre, nous allons être envahis.

Delestang ouvrit prudemment la porte, qu'il referma derrière lui. Mais il passa presque aussitôt la tête, en murmurant :

— C'est Kahn qui est là.

— Eh bien! qu'il entre, dit Rougon. Mais lui seulement, entendez-vous!

Et il appela Merle pour lui renouveler ses ordres.

— Je vous demande pardon, mon cher ami, reprit-il en se tournant vers M. Kahn, quand l'huissier fut sorti. Mais je suis si occupé... Asseyez-vous à côté de Du Poizat, et ne bougez plus; autrement, je vous flanque à la porte tous les deux.

Le député ne parut pas ému le moins du monde de cet accueil brutal. Il était fait au caractère de Rougon. Il prit un fauteuil, s'assit à côté de Du Poizat, qui allumait un second cigare. Puis, après avoir soufflé :

— Il fait déjà chaud... Je viens de la rue Marbeuf, je croyais vous trouver encore chez vous.

Rougon ne répondit rien, il y eut un silence. Il froissait des papiers, les jetait dans une corbeille, qu'il avait attirée près de lui.

— J'ai à causer avec vous, reprit M. Kahn.

— Causez, causez, dit Rougon. Je vous écoute.

Mais le député sembla tout d'un coup s'apercevoir du désordre qui régnait dans la pièce.

— Que faites-vous donc? demanda-t-il, avec une surprise parfaitement jouée. Vous changez de cabinet?

La voix était si juste, que Delestang eut la complaisance de se déranger pour mettre un *Moniteur* sous les yeux de M. Kahn.

— Ah! mon Dieu! cria ce dernier, dès qu'il eut jeté un regard sur le journal. Je croyais la chose arrangée d'hier soir. C'est un vrai coup de foudre... Mon cher ami...

Il s'était levé, il serrait les mains de Rougon. Celui-ci se taisait, en le regardant; sur sa grosse face, deux grands plis moqueurs coupaient les coins des lèvres. Et, comme Du Poizat prenait des airs indifférents, il les soupçonna de s'être vus le matin, d'autant plus que M. Kahn avait négligé de paraître étonné en apercevant le sous-préfet. L'un devait être venu au Conseil d'État, tandis que l'autre courait rue Marbeuf. De cette façon, ils étaient certains de ne pas le manquer.

— Alors, vous aviez quelque chose à me dire? reprit Rougon, de son air paisible.

— Ne parlons plus de ça, mon cher ami! s'écria le député. Vous avez assez de tracas. Je n'irai bien sûr pas, dans un jour pareil, vous tourmenter encore avec mes misères.

— Non, ne vous gênez pas, dites toujours.

— Eh bien! c'est pour mon affaire, vous savez

pour cette maudite concession... Je suis même content que Du Poizat soit là. Il pourra nous fournir certains renseignements.

Et longuement, il exposa le point où en était son affaire. Il s'agissait d'un chemin de fer de Niort à Angers, dont il caressait le projet depuis trois ans. La vérité était que cette voie ferrée passait à Bressuire, où il possédait des hauts fourneaux dont elle devait décupler la valeur; jusque-là, les transports restaient difficiles, l'entreprise végétait. Puis, il y avait dans la mise en actions du projet tout un espoir de pêche en eau trouble des plus productives. Aussi M. Kahn déployait-il une activité prodigieuse pour obtenir la concession; Rougon l'appuyait énergiquement, et la concession allait être accordée lorsque M. de Marsy, ministre de l'Intérieur, fâché de n'être pas dans l'affaire où il flairait des tripotages superbes, très désireux d'autre part d'être désagréable à Rougon, avait employé toute sa haute influence à combattre le projet. Il venait même, avec l'audace qui le rendait si redoutable, de faire offrir la concession par le ministre des Travaux publics au directeur de la Compagnie de l'Ouest; et il répandait le bruit que la Compagnie seule pouvait mener à bien un embranchement dont les travaux demandaient des garanties sérieuses. M. Kahn allait être dépouillé. La chute de Rougon consommait sa ruine [18].

— J'ai appris hier, dit-il, qu'un ingénieur de la Compagnie était chargé d'étudier un nouveau tracé... Avez-vous eu vent de la chose, Du Poizat ?

— Parfaitement, répondit le sous-préfet. Les études sont même commencées... On cherche à éviter le coude que vous faisiez, pour venir passer à Bressuire. La ligne filerait droit par Parthenay et par Thouars.

Le député eut un geste de découragement.

— C'est de la persécution, murmura-t-il. Qu'est-ce que ça leur ferait de passer devant mon usine ?... Mais je protesterai; j'écrirai un mémoire contre leur tracé... Je retourne à Bressuire avec vous.

— Non, ne m'attendez pas, dit Du Poizat en souriant. Il paraît que je vais donner ma démission.

M. Kahn se laissa aller dans son fauteuil comme sous le coup d'une dernière catastrophe. Il frottait son collier de barbe à deux mains, il regardait Rougon d'un air suppliant. Celui-ci avait lâché ses dossiers. Les coudes sur le bureau, il écoutait.

— Vous voulez un conseil, n'est-ce pas ? dit-il

enfin d'une voix rude. Eh bien! faites les morts, mes bons amis; tâchez que les choses restent en l'état, et attendez que nous soyons les maîtres... Du Poizat va donner sa démission, parce que, s'il ne la donnait pas, il la recevrait avant quinze jours. Quant à vous, Kahn, écrivez à l'empereur, empêchez par tous les moyens que la concession ne soit accordée à la Compagnie de l'Ouest. Vous ne l'obtiendrez certes pas, mais tant qu'elle ne sera à personne, elle pourra être à vous, plus tard.

Et, comme les deux hommes hochaient la tête :

— C'est tout ce que je puis pour vous, reprit-il plus brutalement. Je suis par terre, laissez-moi le temps de me relever... Est-ce que j'ai la mine triste ? Non, n'est-ce pas ? Eh bien! faites-moi le plaisir de ne plus avoir l'air de suivre mon convoi... Moi, je suis ravi de rentrer dans la vie privée. Enfin, je vais donc pouvoir me reposer un peu !

Il respira fortement, croisant les bras, berçant son grand corps. Et M. Kahn ne parla plus de son affaire. Il affecta l'air dégagé de Du Poizat, tenant à montrer une liberté d'esprit complète. Delestang avait attaqué un autre cartonnier; il faisait, derrière les fauteuils, un si petit bruit, qu'on eût dit, par instants, le bruit discret d'une bande de souris lâchées au milieu des dossiers. Le soleil, qui marchait sur le tapis rouge, écornait le bureau d'un angle de lumière blonde, dans lequel la bougie continuait à brûler, toute pâle.

Cependant, une causerie intime s'était engagée. Rougon, qui ficelait de nouveau ses paquets, assurait que la politique n'était pas son affaire. Il souriait, d'un air bonhomme, tandis que ses paupières, comme lasses, retombaient sur la flamme de ses yeux. Lui, aurait voulu avoir d'immenses terres à cultiver, avec des champs qu'il creuserait à sa guise, avec des troupeaux de bêtes, des chevaux, des bœufs, des moutons, des chiens, dont il serait le roi absolu. Et il racontait qu'autrefois, à Plassans, lorsqu'il n'était encore qu'un petit avocat de province, sa grande joie consistait à partir en blouse, à chasser pendant des journées dans les gorges de la Seille, où il abattait des aigles. Il se disait paysan, son grand-père avait pioché la terre. Puis, il en vint à faire l'homme dégoûté du monde. Le pouvoir l'ennuyait. Il allait passer l'été à la campagne. Jamais il ne s'était senti plus léger que depuis le matin; et il imprimait à ses fortes épaules un haussement formidable, comme s'il avait jeté bas un fardeau.

— Qu'aviez-vous ici comme président ? quatre-vingt mille francs ? demanda M. Kahn.

Il dit oui, d'un signe de tête.

— Et il ne va vous rester que votre trente mille francs de sénateur.

Que lui importait! Il vivait de rien, il ne se connaissait pas de vice, ce qui était vrai. Ni joueur, ni coureur, ni gourmand. Il rêvait d'être le maître chez lui, voilà tout. Et, fatalement, il revint à son idée d'une ferme, dans laquelle toutes les bêtes lui obéiraient. C'était son idéal, avoir un fouet et commander, être supérieur, plus intelligent et plus fort. Peu à peu, il s'anima, il parla des bêtes comme il aurait parlé des hommes, disant que les foules aiment le bâton, que les bergers ne conduisent leurs troupeaux qu'à coups de pierre. Il se transfigurait, ses grosses lèvres gonflées de mépris, sa face entière suant la force. Dans son poing fermé, il agitait un dossier, qu'il semblait près de jeter à la tête de M. Kahn et de Du Poizat, inquiets et gênés devant ce brusque accès de fureur.

— L'empereur a bien mal agi, murmura Du Poizat.

Alors, tout d'un coup, Rougon se calma. Sa face devint grise, son corps s'avachit dans une lourdeur d'homme obèse. Il se mit à faire l'éloge de l'empereur, d'une façon outrée : c'était une puissante intelligence, un esprit d'une profondeur incroyable. Du Poizat et M. Kahn échangèrent un coup d'œil. Mais Rougon renchérissait encore, en parlant de son dévouement, en disant avec une grande humilité qu'il avait toujours été fier d'être un simple instrument aux mains de Napoléon III. Il finit même par impatienter Du Poizat, garçon d'une vivacité fâcheuse. Et une querelle s'engagea. Du Poizat parlait amèrement de tout ce que Rougon et lui avaient fait pour l'Empire, de 1848 à 1851, lorsqu'ils crevaient de faim, chez Mme Mélanie Correur. Il racontait des journées terribles, pendant la première année surtout, des journées passées à patauger dans la boue de Paris, pour racoler des partisans. Plus tard, ils avaient risqué leur peau vingt fois. N'était-ce pas Rougon qui, le matin du 2 Décembre, s'était emparé du Palais-Bourbon, à la tête d'un régiment de ligne [19] ? A ce jeu, on jouait sa tête. Et, aujourd'hui, on le sacrifiait, victime d'une intrigue de cour. Mais Rougon protestait; il n'était pas sacrifié; il se retirait pour des raisons personnelles. Puis, comme Du Poizat, tout à fait lancé, traitait les gens des Tuileries de « cochons », il finit par le faire taire, en assenant un coup de poing sur le bureau de palissandre, qui craqua.

— C'est bête, tout ça! dit-il simplement.

— Vous allez un peu loin, murmura M. Kahn.

19. Zola prête à Rougon un « fait d'armes » de Persigny, ministre de l'Intérieur de 1852 à 1854.

Delestang, très pâle, s'était mis debout, derrière les fauteuils. Il ouvrit doucement la porte pour voir si personne n'écoutait. Mais il n'aperçut, dans l'antichambre, que la haute silhouette de Merle, dont le dos tourné avait un grand air de discrétion. Le mot de Rougon avait fait rougir Du Poizat, qui se tut, dégrisé, mâchant son cigare d'un air mécontent.

— Sans doute, l'empereur est mal entouré, reprit Rougon après un silence. Je me suis permis de lui dire, et il a souri. Il a même daigné plaisanter, en ajoutant que mon entourage ne valait pas mieux que le sien.

Du Poizat et M. Kahn eurent un rire contraint. Ils trouvèrent le mot très joli.

— Mais, je le répète, continua Rougon d'une voix particulière, je me retire de mon plein gré. Si l'on vous interroge, vous qui êtes de mes amis, affirmez qu'hier soir encore j'étais libre de reprendre ma démission... Démentez aussi les commérages qui circulent à propos de cette affaire Rodriguez, dont on fait, paraît-il, tout un roman. J'ai pu me trouver, sur cette affaire, en désaccord avec la majorité du Conseil d'État, et il y a eu certainement là des froissements qui ont hâté ma retraite. Mais j'avais des raisons plus anciennes et plus sérieuses. J'étais résolu depuis longtemps à abandonner la haute situation que je devais à la bienveillance de l'empereur.

Il dit toute cette tirade en l'accompagnant d'un geste de la main droite, dont il abusait, lorsqu'il parlait à la Chambre. Ces explications étaient évidemment destinées au public. M. Kahn et Du Poizat, qui connaissaient leur Rougon, tâchèrent par des phrases habiles de savoir la vérité vraie. Le grand homme, comme ils le nommaient familièrement entre eux, devait jouer quelque jeu formidable. Ils mirent la conversation sur la politique en général. Rougon plaisantait le régime parlementaire, qu'il appelait « le fumier des médiocrités ». La Chambre, selon lui, jouissait encore d'une liberté absurde. On y parlait beaucoup trop. La France devait être gouvernée par une machine bien montée, l'empereur au sommet, les grands corps et les fonctionnaires au-dessous, réduits à l'état de rouages. Il riait, sa poitrine sautait, pendant qu'il outrait son système, avec une rage de mépris contre les imbéciles qui demandent des gouvernements forts.

— Mais, interrompit M. Kahn, l'empereur en haut, tous les autres en bas, ce n'est gai que pour l'empereur, cela!

— Quand on s'ennuie, on s'en va, dit tranquillement Rougon.

Il sourit, puis il ajouta :

— On attend que cela soit amusant, et l'on revient.

Il y eut un long silence. M. Kahn se mit à frotter son collier de barbe, satisfait, sachant ce qu'il voulait savoir. La veille, à la Chambre, il avait deviné juste, quand il insinuait que Rougon, voyant son crédit ébranlé aux Tuileries, était allé de lui-même au-devant d'une disgrâce, pour faire peau neuve; l'affaire Rodriguez lui offrait une superbe occasion de tomber en honnête homme.

— Et que dit-on ? demanda Rougon pour rompre le silence.

— Moi, j'arrive, répondit Du Poizat. Cependant, tout à l'heure, dans un café, j'ai entendu un monsieur décoré qui approuvait vivement votre retraite.

— Hier, Béjuin était très affecté, déclara à son tour M. Kahn; Béjuin vous aime beaucoup. C'est un garçon un peu éteint, mais d'une grande solidité... Le petit La Rouquette lui-même m'a paru très convenable. Il parle de vous en excellents termes.

Et la conversation continua sur les uns et sur les autres. Rougon, sans le moindre embarras, posait des questions, se faisait faire un rapport exact par le député, qui lui donna complaisamment les notes les plus précises sur l'attitude du Corps législatif à son égard.

— Cette après-midi, interrompit Du Poizat, qui souffrait de n'avoir aucun renseignement à fournir, je me promènerai dans Paris, et demain matin, au saut du lit, j'en aurai long à vous conter.

— A propos, s'écria M. Kahn en riant, j'oubliais de vous parler de Combelot!... Non, jamais je n'ai vu un homme plus gêné...

Mais il s'arrêta devant un clignement d'yeux de Rougon, qui lui montrait le dos de Delestang, en ce moment monté sur une chaise et occupé à débarrasser le dessus d'une bibliothèque où des journaux s'entassaient. M. de Combelot avait épousé une sœur de Delestang. Ce dernier, depuis la disgrâce de Rougon, souffrait un peu de sa parenté avec un chambellan; aussi voulut-il montrer quelque crânerie. Il se tourna, il dit avec un sourire :

— Pourquoi ne continuez-vous pas ?... Combelot est un sot. Hein ? voilà le mot lâché!

Cette exécution aisée d'un beau-frère égaya beaucoup ces messieurs. Delestang, voyant son succès, poussa les choses jusqu'à se moquer de la barbe de Combelot, cette fameuse barbe noire, si célèbre parmi les dames. Puis, sans transition, il prononça gravement ces paroles, en jetant un paquet de journaux sur le tapis :

— Ce qui fait la tristesse des uns fait la joie des autres.

Cette vérité ramena dans la conversation le nom de M. de Marsy. Rougon, le nez baissé, comme perdu au fond d'un portefeuille dont il examinait chaque poche, laissa ses amis se soulager. Ils parlaient de Marsy avec un emportement d'hommes politiques se ruant sur un adversaire. Les mots grossiers, les accusations abominables, les histoires vraies exagérées jusqu'au mensonge, pleuvaient dru. Du Poizat, qui avait connu Marsy autrefois, avant l'Empire, affirmait qu'il était alors entretenu par sa maîtresse, une baronne dont il avait mangé les diamants en trois mois. M. Kahn prétendait que pas une affaire véreuse ne traînait sur la place de Paris, sans qu'on trouvât dedans la main de Marsy. Et ils s'échauffaient l'un l'autre, ils se renvoyaient des faits de plus en plus forts : dans une entreprise de mine, Marsy avait touché un pot-de-vin de quinze cent mille francs; il venait d'offrir, le mois dernier, un hôtel à la petite Florence, des Bouffes [20], une bagatelle de six cent mille francs, sa part d'un trafic sur les actions des chemins de fer du Maroc; il n'y avait pas huit jours enfin, la grande affaire des canaux égyptiens, lancée par des créatures à lui, s'était écroulée avec un immense scandale, les actionnaires ayant su que pas un coup de pioche n'avait été donné, depuis deux ans qu'ils opéraient des versements. Puis, ils se jetèrent sur sa personne elle-même, s'efforçant de rapetisser sa haute mine d'aventurier élégant, parlant de maladies anciennes qui lui joueraient plus tard un mauvais tour, allant jusqu'à attaquer la galerie de tableaux qu'il réunissait alors [21].

— C'est un bandit tombé dans la peau d'un vaudevilliste, finit par dire Du Poizat.

Rougon releva lentement la tête. Il regarda les deux hommes de ses gros yeux.

— Vous voilà bien avancés, dit-il. Marsy fait ses affaires, parbleu! comme vous voulez faire les vôtres... Nous ne nous entendons guère. Si je puis même lui casser les reins quelque jour, je les lui casserai volontiers. Mais tout ce que vous racontez là n'empêche pas que Marsy soit d'une jolie force. Si la fantaisie l'en prenait, il ne ferait qu'un bouchée de vous deux, je vous en préviens.

Et il quitta son fauteuil, las d'être assis, étirant ses membres. Puis, il ajouta, dans un gros bâillement :

— D'autant plus, mes bons amis, que maintenant je ne pourrais plus me mettre en travers.

— Oh! si vous vouliez, murmura Du Poizat avec

---

20. Les *Bouffes-Parisiens*, théâtre d'opérettes, fut créé en 1855 par Offenbach.
21. La collection de tableaux du duc de Morny était célèbre.

un sourire mince, vous mèneriez Marsy fort loin. Vous avez bien ici quelques papiers qu'il achèterait cher... Tenez, là-bas, le dossier Lardenois, cette aventure dans laquelle il a joué un singulier rôle. Je reconnais une lettre de lui, très curieuse, que je vous ai apportée moi-même, dans le temps.

Rougon était allé jeter dans la cheminée les papiers dont il avait peu à peu empli la corbeille. La coupe de bronze ne suffisait plus.

— On s'assomme, on ne s'égratigne pas, dit-il en haussant dédaigneusement les épaules. Tout le monde a de ces lettres bêtes qui traînent chez les autres.

Et il prit la lettre, l'enflamma à la bougie, s'en servit comme d'une allumette pour mettre le feu au tas de papiers, dans la cheminée. Il resta là un instant, accroupi, énorme, à surveiller les feuilles embrasées qui roulaient jusque sur le tapis. Certains gros papiers administratifs noircissaient, se tordaient comme des lames de plomb; des billets, des chiffons salis de vilaines écritures, brûlaient avec des petites langues bleues; tandis que, dans le brasier ardent, au milieu d'un pullulement d'étincelles, des fragments consumés restaient intacts, lisibles encore.

A ce moment, la porte s'ouvrit toute grande. Une voix disait en riant :

— Bien, bien, je vous excuserai, Merle... Je suis de la maison. Si vous m'empêchiez d'entrer par ici, je ferais le tour par la salle des séances, parbleu!

C'était M. d'Escorailles, que Rougon, depuis six mois, avait fait nommer auditeur au Conseil d'État. Il amenait à son bras la jolie Mme Bouchard, toute fraîche dans une toilette claire de printemps.

— Allons, bon! des femmes, maintenant! murmura Rougon.

Il ne quitta pas la cheminée tout de suite. Il demeura par terre, tenant la pelle, sous laquelle il étouffait la flamme, de peur d'incendie. Et il levait sa large face, l'air maussade. M. d'Escorailles ne se déconcerta pas. Lui et la jeune femme, dès le seuil, avaient cessé de se sourire, pour prendre une figure de circonstance.

— Cher maître, dit-il, je vous amène une de vos amies qui tenait absolument à vous apporter ses regrets... Nous avons lu le Moniteur ce matin...

— Vous avez lu le Moniteur, vous autres, gronda Rougon qui se décida enfin à se mettre debout.

Mais il aperçut une personne qu'il n'avait pas encore vue. Il murmura, après avoir cligné les yeux :

— Ah! monsieur Bouchard.

C'était le mari, en effet. Il venait d'entrer, derrière les jupes de sa femme, silencieux et digne. M. Bouchard avait soixante ans, la tête toute blanche, l'œil éteint, la face comme usée par ses vingt-cinq années de service administratif. Lui, ne prononça pas une parole. Il prit d'un air pénétré la main de Rougon, qu'il secoua trois fois, de haut en bas, énergiquement.

— Eh bien! dit ce dernier, vous êtes très gentils d'être tous venus me voir; seulement, vous allez diablement me gêner... Enfin, mettez-vous de ce côté-là... Du Poizat, donnez votre fauteuil à madame.

Il se tournait, lorsqu'il se trouva en face du colonel Jobelin.

— Vous aussi, colonel! cria-t-il.

La porte était restée ouverte, Merle n'avait pu s'opposer à l'entrée du colonel, qui montait l'escalier derrière les talons des Bouchard. Il tenait son fils par la main, un grand galopin de quinze ans, alors élève de troisième au lycée Louis-le-Grand.

— J'ai voulu vous amener Auguste, dit-il. C'est dans le malheur que se révèlent les vrais amis... Auguste, donne une poignée de main.

Mais Rougon s'élançait vers l'antichambre, en criant :

— Fermez donc la porte, Merle! A quoi pensez-vous! Tout Paris va entrer.

L'huissier montra sa face calme, en disant :

— C'est qu'ils vous ont vu, monsieur le président.

Et il dut s'effacer pour laisser passer les Charbonnel. Ils arrivaient sur une même ligne, sans se donner le bras, soufflant, désolés, ahuris. Ils parlèrent en même temps.

— Nous venons de voir le Moniteur... Ah! quelle nouvelle! comme votre pauvre mère va être désolée! Et nous, dans quelle triste position cela nous met!

Ceux-là, plus naïfs que les autres, allaient tout de suite exposer leurs petites affaires. Rougon les fit taire. Il poussa un verrou caché sous la serrure de la porte, en murmurant qu'on pouvait l'enfoncer, maintenant. Puis, voyant que pas un de ses amis ne semblait décidé à quitter la place, il se résigna, il tâcha d'achever sa besogne, au milieu des neuf personnes qui emplissaient le cabinet. Le déménagement des papiers avait fini par bouleverser la pièce. Sur le tapis, une débandade de dossiers traînait, si bien que le colonel et M. Bouchard, qui voulurent gagner l'embrasure d'une fenêtre, durent prendre les plus grandes précautions pour ne pas écraser en chemin quelque affaire importante. Tous les sièges étaient encombrés de paquets ficelés; Mme Bouchard seule avait pu s'asseoir sur un fauteuil resté libre; et elle souriait aux galanteries de Du Poizat et de M. Kahn, pendant que M. d'Escorailles, ne trouvant plus de tabouret, lui glissait sous les pieds une épaisse chemise bleue bourrée de lettres. Les tiroirs du bureau, culbutés dans un coin, permirent aux Charbonnel de s'accroupir un instant, pour reprendre haleine ; tandis que le jeune Auguste, ravi de tomber dans ce remue-ménage, furetait, disparaissait derrière la montagne de cartons, au milieu de laquelle Delestang semblait se retrancher. Ce dernier faisait beaucoup de poussière, en jetant de haut les journaux de la bibliothèque. Mme Bouchard eut une légère toux.

— Vous avez tort de rester dans cette saleté, dit Rougon, occupé à vider les cartons qu'il avait prié Delestang de ne point toucher.

Mais la jeune femme, toute rose d'avoir toussé, lui assura qu'elle était très bien, que son chapeau ne craignait pas la poussière. Et la bande se lança dans les condoléances. L'empereur, vraiment, ne se souciait guère des intérêts du pays, pour se laisser circonvenir par des personnages si peu dignes de sa confiance. La France faisait une perte. D'ailleurs, c'était toujours ainsi : une grande intelligence devait liguer contre elle toutes les médiocrités.

— Les gouvernements sont ingrats, déclara M. Kahn.

— Tant pis pour eux ! dit le colonel. Ils se frappent en frappant leurs serviteurs.

Mais M. Kahn voulut avoir le dernier mot. Il se tourna vers Rougon.

— Quand un homme comme vous tombe, c'est un deuil public.

La bande approuva :

— Oui, oui, un deuil public !

Sous la brutalité de ces éloges, Rougon leva la tête. Ses joues grises s'allumaient d'une lueur, sa face entière avait un sourire contenu de jouissance. Il était coquet de sa force, comme une femme l'est de sa grâce ; et il aimait à recevoir les flatteries à bout portant, dans sa large poitrine, assez solide pour n'être écrasée par aucun pavé. Cependant, il devenait évident que ses amis se gênaient les uns les autres ; ils se guettaient du regard, cherchant à s'évincer, ne voulant pas parler haut. A présent que le grand homme paraissait dompté, l'heure pressait d'en arracher une bonne parole. Et ce fut le colonel qui prit un parti le premier. Il emmena dans une embrasure Rougon, qui le suivit docilement, un carton entre les bras.

— Avez-vous songé à moi ? lui demanda-t-il tout bas, avec un sourire aimable.

— Parfaitement. Votre nomination de commandeur m'a encore été promise il y a quatre jours. Seulement, vous sentez qu'aujourd'hui, il m'est

impossible de rien affirmer... Je crains, je vous l'avoue, que mes amis ne reçoivent le contrecoup de ma disgrâce.

Les lèvres du colonel tremblèrent d'émotion. Il balbutia qu'il fallait lutter, qu'il lutterait lui-même. Puis, brusquement, il se tourna, il appela :

— Auguste !

Le galopin était à quatre pattes sous le bureau, en train de lire les titres des dossiers, ce qui lui permettait de jeter des coups d'œil luisants sur les petites bottines de Mme Bouchard. Il accourut.

— Voilà mon gaillard ! reprit le colonel à demi-voix. Vous savez qu'il faudra me caser cette vermine-là, un de ces jours. Je compte sur vous. J'hésite encore entre la magistrature et l'administration... Donne une poignée de main, Auguste, pour que ton bon ami se souvienne de toi.

Pendant ce temps, Mme Bouchard, qui mordillait son gant d'impatience, s'était levée et avait gagné la fenêtre de gauche, en ordonnant d'un regard à M. d'Escorailles de la suivre. Le mari se trouvait déjà là, les coudes sur la barre d'appui, à regarder le paysage. En face, les grands marronniers des Tuileries avaient un frisson de feuilles, dans le soleil chaud ; tandis que la Seine, du pont Royal au pont de la Concorde, roulait des eaux bleues, toutes pailletées de lumière.

Mme Bouchard se tourna tout d'un coup, en criant :

— Oh ! monsieur Rougon, venez donc voir !

Et, comme Rougon se hâtait de quitter le colonel pour obéir, Du Poizat, qui avait suivi la jeune femme, se retira discrètement, alla rejoindre M. Kahn à la fenêtre du milieu.

— Tenez, ce bateau chargé de briques, qui a failli sombrer, racontait Mme Bouchard.

Rougon resta là complaisamment, au soleil, jusqu'à ce que M. d'Escorailles, sur un nouveau regard de la jeune femme, lui dît :

— Monsieur Bouchard veut donner sa démission. Nous vous l'avons amené pour que vous le raisonniez.

Alors, M. Bouchard expliqua que les injustices le révoltaient.

— Oui, monsieur Rougon, j'ai commencé par être expéditionnaire à l'Intérieur, et je suis arrivé au poste de chef de bureau, sans rien devoir à la faveur ni à l'intrigue... Je suis chef de bureau depuis 47. Eh bien ! le poste de chef de division a déjà été cinq fois vacant, quatre fois sous la République, et une fois sous l'Empire, sans que le ministre ait songé à moi, qui avais des droits hiérarchiques... Maintenant vous n'allez plus être là pour tenir la promesse que vous m'aviez faite, et j'aime mieux me retirer.

Rougon dut le calmer. La place n'était toujours pas donnée à un autre; si elle lui échappait cette fois encore, ce ne serait qu'une occasion perdue, une occasion qui se retrouverait certainement. Puis, il prit les mains de Mme Bouchard, en la complimentant d'un air paternel. La maison du chef de bureau était la première qui l'eût accueilli, lors de son arrivée à Paris. C'était là qu'il avait rencontré le colonel, cousin germain du chef de bureau. Plus tard, lorsque M. Bouchard hérita de son père, à cinquante-quatre ans, et se trouva tout d'un coup mordu du désir de se marier, Rougon servit de témoin à Mme Bouchard, née Adèle Desvignes, une demoiselle très bien élevée, d'une honorable famille de Rambouillet. Le chef de bureau avait voulu une jeune fille de province, parce qu'il tenait à l'honnêteté. Adèle, blonde, petite, adorable, avec la naïveté un peu fade de ses yeux bleus, en était à son troisième amant, au bout de quatre ans de mariage.

— Là, ne vous tourmentez pas, dit Rougon qui lui serrait toujours les poignets dans ses grosses mains. Vous savez bien qu'on fait tout ce que vous voulez... Jules vous dira ces jours-ci où nous en sommes.

Et il prit à part M. d'Escorailles, pour lui annoncer qu'il avait écrit le matin à son père, afin de le tranquilliser. Le jeune auditeur devait conserver tranquillement sa situation. La famille d'Escorailles était une des plus anciennes familles de Plassans, où elle jouissait de la vénération publique. Aussi Rougon, qui autrefois avait traîné des souliers éculés devant l'hôtel du vieux marquis, père de Jules, mettait-il son orgueil à protéger le jeune homme. La famille gardait un culte dévot pour Henri V [22], tout en permettant que l'enfant se ralliât à l'Empire. C'était un résultat de l'abomination des temps.

A la fenêtre du milieu, qu'ils avaient ouverte pour mieux s'isoler, M. Kahn et Du Poizat causaient, en regardant au loin les toits des Tuileries, qui bleuissaient dans une poussière de soleil. Ils se tâtaient, ils lâchaient des mots coupés par de grands silences. Rougon était trop vif. Il n'aurait pas dû se fâcher, à propos de cette affaire Rodriguez, si facile à arranger. Puis, les yeux perdus, M. Kahn murmura, comme se parlant à lui-même :

— On sait que l'on tombe, on ne sait jamais si l'on se relèvera.

Du Poizat feignit de n'avoir pas entendu. Et, longtemps après, il dit :

— Oh! c'est un garçon très fort.

Alors, le député se tourna brusquement, lui parla très vite, dans la figure.

— Là, entre nous, j'ai peur pour lui. Il joue avec le feu... Certes, nous sommes ses amis, et il n'est pas question de l'abandonner. Je tiens à constater seulement qu'il n'a guère songé à nous, dans tout ceci... Ainsi moi, par exemple, j'ai entre les mains des intérêts énormes qu'il vient de compromettre par un coup de tête. Il n'aurait pas le droit de m'en vouloir, n'est-ce pas ? si j'allais maintenant frapper à une autre porte; car, enfin, ce n'est pas seulement moi qui souffre, ce sont aussi les populations.

— Il faut frapper à une autre porte, répéta Du Poizat avec un sourire.

Mais l'autre, pris d'une colère subite, lâcha la vérité.

— Est-ce que c'est possible !... Ce diable d'homme vous fâche avec tout le monde. Quand on est de sa bande, on a une affiche dans le dos.

Il se calma, soupirant, regardant du côté de l'Arc de triomphe, dont le bloc de pierre grisâtre émergeait de la nappe verte des Champs-Élysées. Il reprit doucement :

— Que voulez-vous ? moi, je suis d'une fidélité bête.

Le colonel, depuis un instant, se tenait debout derrière ces messieurs.

— La fidélité est le chemin de l'honneur, dit-il de sa voix militaire.

Du Poizat et M. Kahn s'écartèrent pour faire place au colonel, qui continua :

— Rougon contracte aujourd'hui une dette envers nous. Rougon ne s'appartient plus.

Ce mot eut un succès énorme. Non, certes, Rougon ne s'appartenait plus. Et il fallait le lui dire nettement, pour qu'il comprît ses devoirs. Tous trois baissèrent la voix, complotant, se distribuant des espérances. Parfois, ils se retournaient, ils jetaient un coup d'œil dans la vaste pièce, pour voir si quelque ami n'accaparait pas trop longtemps le grand homme.

Maintenant, le grand homme ramassait les dossiers, tout en continuant de causer avec Mme Bouchard. Cependant, dans le coin où ils étaient restés silencieux et gênés jusque-là, les Charbonnel se disputaient. A deux reprises, ils avaient tenté de s'emparer de Rougon, qui s'était laissé enlever par le colonel et la jeune femme. M. Charbonnel finit par pousser Mme Charbonnel vers lui.

22. Henri, comte de Chambord, petit-fils de Charles X, représentait la légitimité. Il est question de ses partisans à Plassans dans *la Fortune des Rougon*.

— Ce matin, balbutia-t-elle, nous avons reçu une lettre de votre mère...

Il ne la laissa pas achever. Il emmena lui-même les Charbonnel dans l'embrasure de droite, lâchant une fois encore les dossiers, sans trop d'impatience.

— Nous avons reçu une lettre de votre mère, répéta Mme Charbonnel.

Et elle allait lire la lettre, lorsqu'il la lui prit pour la parcourir d'un regard.

Les Charbonnel, anciens marchands d'huile de Plassans, étaient les protégés de Mme Félicité, comme on nommait dans sa petite ville la mère de Rougon. Elle les lui avait adressés à l'occasion d'une requête qu'ils présentaient au Conseil d'État. Un de leurs petits-cousins, un sieur Chevassu, avoué à Faverolles, le chef-lieu d'un département voisin, était mort en laissant une fortune de cinq cent mille francs aux sœurs de la Sainte-Famille. Les Charbonnel, qui n'avaient jamais compté sur l'héritage, devenus brusquement héritiers par la mort d'un frère du défunt, crièrent alors à la captation; et comme la communauté demandait au Conseil d'État d'être autorisée à accepter le legs, ils accoururent à Paris se loger rue Jacob, hôtel du Périgord, pour suivre leur affaire de près. Et l'affaire traînait depuis six mois.

— Nous sommes bien tristes, soupirait Mme Charbonnel, pendant que Rougon lisait la lettre. Moi, je ne voulais pas entendre parler de ce procès. Mais monsieur Charbonnel répétait qu'avec vous c'était tout argent gagné, que vous n'aviez qu'un mot à dire pour nous mettre les cinq cent mille francs dans la poche... N'est-ce pas, monsieur Charbonnel?

L'ancien marchand d'huile branla désespérément la tête.

— C'était un chiffre, continua la femme, ça valait la peine de bouleverser son existence... Ah! oui, elle est bouleversée, notre existence! Savez-vous, monsieur Rougon, qu'hier encore la bonne de l'hôtel a refusé de changer nos serviettes sales! Moi qui, à Plassans, ai cinq armoires de linge!

Et elle continua à se plaindre amèrement de Paris qu'elle abominait. Ils y étaient venus pour huit jours. Puis, espérant partir toutes les semaines, ils ne s'étaient rien fait envoyer. Maintenant que cela n'en finissait plus, ils s'entêtaient dans leur chambre garnie, mangeant ce que la bonne voulait bien leur servir, sans linge, presque sans vêtements. Ils n'avaient pas même une brosse, et Mme Charbonnel faisait sa toilette avec un peigne cassé. Parfois, ils s'asseyaient sur leur petite malle, ils y pleuraient de lassitude et de rage.

— Et cet hôtel est si mal fréquenté! murmura M. Charbonnel avec de gros yeux pudibonds. Il y a un jeune homme, à côté de nous. On entend des choses...

Rougon repliait la lettre.

— Ma mère, dit-il, vous donne l'excellent conseil de patienter. Je ne puis que vous engager à faire une nouvelle provision de courage... Votre affaire me paraît bonne; mais me voilà parti et je n'ose plus rien vous promettre.

— Nous quittons Paris demain! cria Mme Charbonnel, dans un élan de désespoir.

Mais, ce cri à peine lâché, elle devint toute pâle. M. Charbonnel dut la soutenir. Et ils restèrent un moment sans voix, les lèvres tremblantes, à se regarder, avec une grosse envie de pleurer. Ils faiblissaient, ils avaient une douleur, comme si, brusquement, les cinq cent mille francs se fussent écroulés devant eux.

Rougon continuait affectueusement:

— Vous avez affaire à forte partie. Monseigneur Rochart, l'évêque de Faverolles, est venu en personne à Paris pour appuyer la demande des sœurs de la Sainte-Famille. Sans son intervention, il y a longtemps que vous auriez gain de cause. Le clergé est malheureusement très puissant aujourd'hui... Mais je laisse ici des amis, j'espère pouvoir agir sans me mettre en avant. Vous avez attendu si longtemps que, si vous partez demain...

— Nous resterons, nous resterons, se hâta de balbutier Mme Charbonnel. Ah! monsieur Rougon, voilà un héritage qui nous aura coûté bien cher!

Rougon revint vivement à ses papiers. Il promena un regard de satisfaction autour de la pièce, soulagé, ne voyant plus personne qui pût l'emmener encore dans une embrasure de fenêtre; toute la bande était repue. En quelques minutes, il avança fort sa besogne. Il avait une gaieté à lui, brutale, se moquant des gens, se vengeant des ennuis qu'on lui imposait. Pendant un quart d'heure, il fut terrible pour ses amis, dont il venait d'écouter les histoires avec tant de complaisance. Il alla si loin, il se montra si dur pour la jolie Mme Bouchard, que les yeux de la jeune femme s'emplirent de larmes, sans qu'elle cessât de sourire. Les amis riaient, accoutumés à ces coups de massue. Jamais leurs affaires n'allaient mieux qu'aux heures où Rougon s'exerçait les poings sur leur nuque.

A ce moment, on frappa un coup discret à la porte.

— Non, non, n'ouvrez pas, cria-t-il à Delestang qui se dérangeait. Est-ce qu'on se moque de moi! J'ai déjà la tête cassée.

Le duc de Morny, modèle avoué de Marsy, l'adversaire
d'Eugène Rougon : photographie de Nadar.

« Morny, pédant, fui, faisant des mercuriales.
« Morny écumeur d'affaires, roué sans scrupule, cynique,
jouisseur insatiable, aventurier » (notes préparatoires).

Baroche à la Chambre, 14 mars 1861.

Et, comme on ébranlait la porte plus violemment :

— Ah! si je restais, dit-il entre ses dents, comme
je flanquerais ce Merle dehors!

On ne frappa plus. Mais, tout d'un coup, dans un
angle du cabinet, une petite porte s'ouvrit, donnant
passage à une énorme jupe de soie bleue, qui entra
à reculons. Et cette jupe, très claire, très ornée de
nœuds de ruban, demeura là un instant, à moitié
dans la pièce, sans qu'on vît autre chose. Une voix
de femme, toute fluette, parlait vivement au dehors.

— Monsieur Rougon! appela la dame, en montrant enfin son visage.

C'était Mme Correur, avec un chapeau garni
d'une botte de roses. Rougon, qui s'avançait, les
poings fermés, furieux, plia les épaules et vint serrer
la main de la nouvelle venue, en faisant le gros dos.

— Je demandais à Merle comment il se trouvait
ici, dit Mme Correur, en couvant d'un regard
tendre le grand diable d'huissier, debout et souriant devant elle. Et vous, monsieur Rougon, êtes-vous content de lui ?

— Mais oui, certainement, répondit Rougon
d'une façon aimable.

Merle gardait son sourire béat, les yeux fixés sur
le cou gras de Mme Correur. Elle se rengorgeait,
elle ramenait de la main les frisures de ses tempes.

— Voilà qui va bien, mon garçon, reprit-elle.
Quand je place quelqu'un, j'aime que tout le monde
soit satisfait... Et si vous aviez besoin de quelque
conseil, venez me voir, le matin, vous savez, de huit
à neuf. Allons, soyez sage.

Et elle entra dans le cabinet, en disant à Rougon :

— Il n'y a rien qui vaille les anciens militaires.

Guizot, Persigny, Baroche, Billault, surtout Rouher, et sans oublier Espinasse (« Espinasse est nommé après l'attentat du 14 janvier (1858). Ce serait Rougon quand il remonte au pouvoir »), plusieurs ministres du Second Empire servirent sans doute à Zola pour bâtir son Eugène Rougon.

Le comte Fialin de Persigny.

Puis, elle ne le lâcha pas, elle lui fit traverser toute la pièce, le menant à petits pas devant la fenêtre, à l'autre bout. Elle le grondait de n'avoir point ouvert. Si Merle n'avait pas consenti à l'introduire par la petite porte, elle serait donc restée dehors ? Dieu savait pourtant si elle avait besoin de le voir ! car, enfin, il ne pouvait pas s'en aller ainsi, sans lui dire où en étaient ses pétitions. Elle sortit de sa poche un petit carnet, très riche, recouvert de moire rose.

— Je n'ai vu *le Moniteur* qu'après mon déjeuner, dit-elle. J'ai pris tout de suite un fiacre... Voyons, où en est l'affaire de madame Leturc, la veuve du capitaine, qui demande un bureau de tabac. Je lui ai promis un résultat pour la semaine prochaine... Et l'affaire de cette demoiselle, vous savez, Herminie Billecoq, une ancienne élève de Saint-Denis, que son séducteur, un officier, consent à épouser, si quelque âme honnête veut bien avancer la dot réglementaire. Nous avions pensé à l'impératrice... Et toutes ces dames, madame Chardon, madame Testanière, madame Jalaguier, qui attendent depuis des mois ?

Rougon, paisiblement, donnait des réponses, expliquait les retards, descendait dans les détails les plus minutieux. Il fit pourtant comprendre à Mme Correur qu'elle devait à présent compter beaucoup moins sur lui. Alors, elle se désola. Elle était si heureuse de rendre service ! Qu'allait-elle devenir, avec toutes ces dames ? Et elle en arriva à parler de ses affaires personnelles, que Rougon connaissait bien. Elle répétait qu'elle était une Martineau, des Martineau de Coulonges, une bonne famille de Vendée, où l'on pouvait citer jusqu'à sept notaires de père en fils. Jamais elle ne s'expliquait

nettement sur son nom de Correur. A l'âge de vingt-quatre ans, elle s'était enfuie avec un garçon boucher, à la suite de tout un été de rendez-vous, sous un hangar. Son père avait agonisé pendant six mois sous le coup de ce scandale, une monstruosité dont le pays s'entretenait toujours. Depuis ce temps, elle vivait à Paris, comme morte pour sa famille. Dix fois, elle avait écrit à son frère, maintenant à la tête de l'étude, sans pouvoir obtenir de lui une réponse ; et elle accusait de ce silence sa belle-sœur, « une femme à curés, qui menait par le bout du nez cet imbécile de Martineau », disait-elle. Une de ses idées fixes était de retourner là-bas, comme Du Poizat, pour s'y montrer en femme cossue et respectée.

— J'ai encore écrit, il y a huit jours, murmura-t-elle ; je parie qu'il jette mes lettres au feu... Pourtant, si Martineau mourait, il faudrait bien qu'elle m'ouvrît la maison toute grande. Ils n'ont pas d'enfant, j'aurais des affaires d'intérêt à régler... Martineau a quinze ans de plus que moi, et il est goutteux, m'a-t-on dit.

Puis, elle changea brusquement de voix, elle reprit :

— Enfin, ne pensons pas à tout cela... C'est pour vous qu'il s'agit de travailler à cette heure, n'est-ce pas, Eugène ? On travaillera, vous verrez. Il faut bien que vous soyez tout, pour que nous soyons quelque chose... Vous vous souvenez, en 51 ?

Rougon sourit. Et, comme elle lui serrait maternellement les deux mains, il se pencha à son oreille et murmura :

— Si vous voyez Gilquin, dites-lui donc d'être raisonnable. Est-ce qu'il ne s'est pas avisé, l'autre semaine, après s'être fait mettre au poste, de donner mon nom, pour que j'aille le réclamer!

Mme Correur promit de parler à Gilquin, un de ses anciens locataires, du temps où Rougon logeait à l'hôtel Vaneau, garçon précieux à l'occasion, mais d'un débraillé très compromettant.

— J'ai un fiacre en bas, je me sauve, dit-elle avec un sourire, tout haut, en gagnant le milieu du cabinet.

Et elle resta pourtant quelques minutes encore, désireuse de voir la bande s'en aller en même temps qu'elle. Pour décider le mouvement de retraite, elle offrit même de prendre quelqu'un avec elle, dans son fiacre. Ce fut le colonel qui accepta, et il fut convenu que le petit Auguste monterait à côté du cocher. Alors, commença une grande distribution de poignées de main. Rougon s'était mis près de la porte, ouverte toute grande. En passant devant lui, chacun avait une dernière phrase de condoléance. M. Kahn, Du Poizat et le colonel allongèrent le cou, lui lâchèrent tout bas un mot dans l'oreille, pour qu'il ne les oubliât pas. Les Charbonnel étaient déjà sur la première marche de l'escalier, et Mme Correur causait avec Merle, au fond de l'antichambre, pendant que Mme Bouchard, attendue à quelques pas par son mari et par M. d'Escorailles, s'attardait encore devant Rougon, très gracieuse, très douce, lui demandant à quelle heure elle pourrait le voir, rue Marbeuf, tout seul, parce qu'elle était trop bête quand il y avait du monde. Mais le colonel, en l'entendant demander cela, revint brusquement; les autres le suivirent, il y eut une rentrée générale.

— Nous irons tous vous voir, criait le colonel.

— Il ne faut pas que vous vous enterriez, disaient plusieurs voix.

M. Kahn réclama du geste le silence. Puis, il lança la fameuse phrase :

— Vous ne vous appartenez pas, vous appartenez à vos amis et à la France.

Et ils partirent enfin. Rougon put refermer la porte. Il eut un gros soupir de soulagement. Delestang, qu'il avait oublié, sortit alors de derrière le tas de cartons, à l'abri duquel il venait d'achever le classement des papiers, en ami consciencieux. Il était un peu fier de sa besogne. Lui, agissait, pendant que les autres parlaient. Aussi reçut-il avec une véritable jouissance les remerciements très vifs du grand homme. Il n'y avait que lui pour rendre service; il possédait un esprit d'ordre, une méthode de travail qui le mèneraient loin; et Rougon trouva encore plusieurs autres choses flatteuses, sans qu'on pût savoir s'il ne se moquait pas. Puis, se tour-

nant, jetant un coup d'œil dans tous les coins :

— Mais voilà qui est fini, je crois, grâce à vous... Il n'y a plus qu'à donner l'ordre à Merle de me faire porter ces paquets-là chez moi.

Il appela l'huissier, lui indiqua ses papiers personnels. A toutes les recommandations, l'huissier répondait :

— Oui, monsieur le président.

— Eh! animal, finit par crier Rougon agacé, ne m'appelez donc plus président, puisque je ne le suis plus.

Merle s'inclina, fit un pas vers la porte, et resta là, à hésiter. Il revint, disant :

— Il y a en bas une dame à cheval qui demande monsieur... Elle a dit en riant qu'elle monterait bien avec le cheval, si l'escalier était assez large... C'est seulement pour serrer la main à monsieur.

Rougon fermait déjà les poings, croyant à une plaisanterie. Mais Delestang, qui était allé regarder par une fenêtre du palier, accourut en murmurant, l'air très ému :

— Mademoiselle Clorinde!

Alors, Rougon fit répondre qu'il descendait. Puis, comme Delestang et lui prenaient leurs chapeaux, il le regarda, les sourcils froncés, d'un air soupçonneux, frappé de son émotion.

— Méfiez-vous des femmes, répéta-t-il.

Et, sur le seuil, il donna un dernier regard au cabinet. Par les trois fenêtres, laissées ouvertes, le plein jour entrait, éclairant crûment les cartonniers éventrés, les tiroirs épars, les paquets ficelés et entassés au milieu du tapis. Le cabinet semblait tout grand, tout triste. Au fond de la cheminée, les tas de papiers, brûlés poignées à poignées, ne laissaient qu'une petite pelletée de cendre noire. Comme il fermait la porte, la bougie, oubliée sur un coin du bureau, s'éteignit en faisant éclater la bobèche de cristal, dans le silence de la pièce vide.

3

C'était l'après-midi, vers quatre heures, que Rougon allait parfois passer un instant chez la comtesse Balbi. Il s'y rendait en voisin, à pied. La comtesse habitait un petit hôtel, à quelques pas de la rue Marbeuf, sur l'avenue des Champs-Élysées. D'ailleurs, elle était rarement chez elle; et, quand elle s'y trouvait par hasard, elle était couchée, elle se faisait excuser. Cela n'empêchait pas l'escalier du petit hôtel d'être plein d'un vacarme de visiteurs bruyants, ni les portes des salons de battre à toute volée. Sa fille Clorinde recevait dans une galerie, une sorte d'atelier de peintre, donnant sur l'avenue par de larges baies vitrées.

Pendant près de trois mois, Rougon, avec sa brutalité d'homme chaste, avait fort mal répondu aux avances de ces dames, qui s'étaient fait présenter à lui, dans un bal, au ministère des Affaires étrangères. Il les rencontrait partout, souriant l'une et l'autre du même sourire engageant, la mère toujours muette, la fille parlant haut, lui plantant son regard droit dans les yeux. Et il tenait bon, il les évitait, battait des paupières pour ne pas les voir, refusait les invitations qu'elles lui adressaient. Puis, obsédé, poursuivi jusque dans sa maison, devant laquelle Clorinde affectait de passer à cheval, il prit des renseignements, avant de se risquer chez elles.

A la légation d'Italie, on lui parla de ces dames en termes très favorables : le comte Balbi avait réellement existé; la comtesse conservait de grandes relations à Turin; la fille, enfin, était encore sur le point, l'année précédente, d'épouser un petit prince allemand. Mais, chez la duchesse Sanquirino, à laquelle il s'adressa ensuite, les histoires changèrent. Là, on lui affirma que Clorinde était née deux ans après la mort du comte; d'ailleurs, il courait une légende très compliquée sur le ménage Balbi, le mari et la femme ayant passé par une foule d'aventures, des débordements mutuels, un divorce prononcé en France, un raccommodement survenu en Italie, qui les avait fait vivre dans une sorte de concubinage. Un jeune attaché d'ambassade, très au courant de ce qui se passait à la cour du roi Victor-Emmanuel, fut plus net encore : selon lui, si la comtesse gardait là-bas de l'influence, elle la devait à une ancienne liaison avec un très haut personnage; et il laissait entendre qu'elle serait restée à Turin, sans certain scandale énorme, sur lequel il ne put s'expliquer. Rougon, gagné peu à peu par l'intérêt de cette enquête, alla jusqu'à la préfecture de police, où il ne trouva rien de précis; les dossiers des deux étrangères les donnaient simplement comme des femmes menant un grand train, sans qu'on leur connût une fortune solide. Elles disaient posséder des biens en Piémont. La vérité était qu'il se produisait parfois des trous brusques dans leur luxe; alors, elles disparaissaient tout d'un coup, pour reparaître bientôt avec une splendeur nouvelle. En somme, on ne savait rien sur leur compte, on préférait ne rien savoir. Elles fréquentaient le meilleur monde, leur maison était acceptée comme un terrain neutre, où l'on tolérait l'excentricité de Clorinde, à titre de fleur étrangère. Rougon se décida à voir ces dames.

A la troisième visite, la curiosité du grand homme avait grandi. Il était de sens épais, très longs à s'éveiller. Ce qui l'attira d'abord dans Clorinde, ce fut cette pointe d'inconnu, toute une vie passée, toute une idée fixe d'avenir, qu'il croyait lire au fond de ses larges yeux de jeune déesse. On lui avait conté bien des anecdotes abominables, une première faiblesse pour un cocher, et plus tard un marché passé avec un banquier, qui aurait payé la fausse virginité de la demoiselle du petit hôtel des Champs-Élysées. Mais, à certaines heures, elle lui semblait si enfant, qu'il doutait, se promettant de la confesser, revenant pour avoir le mot de cette étrange fille, dont l'énigme vivante finissait par l'occuper autant qu'un problème délicat de haute politique. Il avait vécu jusque-là dans le dédain des femmes, et la première sur laquelle il tombait, était certes la machine la plus compliquée qu'on pût imaginer.

Le lendemain du jour où Clorinde était allée, au trot de son cheval de louage, lui porter une poignée de main de condoléance, à la porte du Conseil d'État, Rougon lui rendit une visite, qu'elle avait d'ailleurs exigée solennellement. Elle devait, disait-elle, lui montrer quelque chose qui le tirerait de ses humeurs noires. Il l'appelait en riant « son vice »; il s'oubliait volontiers chez elle, amusé, chatouillé, l'esprit en éveil, d'autant plus qu'il l'épelait encore, aussi peu avancé que le premier jour. Comme il tournait le coin de la rue Marbeuf, il jeta un coup d'œil dans la rue du Colisée, sur l'hôtel habité par Delestang, qu'il croyait avoir déjà surpris plusieurs fois le visage entre les persiennes entrebâillées de son cabinet, à guetter, de l'autre côté de l'avenue, les fenêtres de Clorinde; mais les persiennes étaient closes, Delestang devait être parti le matin pour sa ferme-modèle de la Chamade.

La porte de l'hôtel Balbi était toujours grande ouverte. Rougon, au bas de l'escalier, rencontra une petite femme noire, mal coiffée, traînant une robe jaune en loques, qui mordait dans une orange comme dans une pomme.

— Antonia, est-ce que votre maîtresse est chez elle ? lui demanda-t-il.

Elle ne répondit pas, la bouche pleine, agitant la tête violemment, avec un rire. Elle avait les lèvres toutes barbouillées du jus de l'orange; elle rapetissait ses petits yeux, pareils à deux gouttes d'encre sur sa peau brune.

Rougon monta, habitué déjà au service débraillé de la maison. Dans l'escalier, il croisa un grand diable de domestique, à mine de bandit, à longue barbe noire, qui le regarda tranquillement, sans lui céder le côté de la rampe. Puis, sur le palier du pre-

Portrait d'Eugène Rouher.

Ne pas oublier que je fais un Rouher très grandi ; le vrai Rouher, ignorant, médiocre plaideur souple, sera le mari de mon aventurière.

Il faut se rappeler cette indication de Zola quand on lit ses notes sur Rouher : « L'Empire n'a pas eu un homme d'État. Il n'a eu que des hommes d'affaires. » Rouher : « Homme médiocre, souple, avisé, ignorant d'ailleurs, voulant jouir, sans souci de la postérité, d'ambition vulgaire. Avocat, praticien habile, terre à terre, homme de bon sens et de lieu commun. Lourd en somme. » Notes auxquelles Zola ajoute un portrait du ministre à la Chambre : « Les notes sur le pupitre. Il menace et il s'apaise. Au fond de la tribune. Il se rapproche. Son corps penché à droite. Son bras droit étendu. Sa main gauche saisit en arrière la tribune. Il suit d'un mouvement de haut en bas la pensée. Magnifique éloquence. »

mier étage, il se trouva seul, en face de trois portes ouvertes. Celle de gauche donnait dans la chambre de Clorinde. Il eut la curiosité d'allonger la tête. Bien qu'il fût quatre heures, la chambre n'était pas encore faite; un paravent, devant le lit, en cachait à demi les couvertures pendantes; et, jetés sur le paravent, les jupons de la veille séchaient, tout crottés par le bas. Devant la fenêtre, la cuvette, pleine d'eau savonneuse, traînait à terre, tandis que le chat de la maison, un chat gris, dormait, pelotonné au milieu d'un tas de vêtements.

C'était au second étage que Clorinde se tenait habituellement, dans cette galerie dont elle avait fait successivement un atelier, un fumoir, une serre chaude et un salon d'été. A mesure que Rougon montait, il entendait grandir un vacarme de voix, de rires aigus, de meubles renversés. Et, quand il fut devant la porte, il finit par distinguer qu'un piano poitrinaire menait le tapage, pendant qu'une voix chantait. Il frappa à deux reprises, sans recevoir de réponse. Alors, il se décida à entrer.

— Ah! bravo, bravo, le voilà! cria Clorinde en frappant dans ses mains.

Lui, difficile d'ordinaire à décontenancer, resta un instant sur le seuil, timidement. Devant le vieux piano qu'il tapait avec furie, pour en tirer des sons moins grêles, se tenait le chevalier Rusconi, le légat d'Italie, un beau brun, diplomate grave à ses heures. Au milieu de la pièce, le député La Rouquette valsait avec une chaise, dont il serrait amoureusement le dossier entre ses bras, si emporté par son élan, qu'il avait jonché le parquet de sièges culbutés. Et, dans la lumière crue d'une des baies, en face d'un jeune homme qui la dessinait au fusain sur une toile blanche, Clorinde, debout au milieu d'une table, posait en Diane chasseresse, les cuisses nues, les bras nus, la gorge nue, toute nue, l'air tranquille. Sur un canapé, trois messieurs très sérieux fumaient de gros cigares en la regardant, les jambes croisées, sans rien dire.

— Attendez, ne bougez pas! cria le chevalier Rusconi à Clorinde qui allait sauter de la table. Je vais faire les présentations.

Et, suivi de Rougon, il dit plaisamment, en passant devant M. La Rouquette, tombé hors d'haleine dans un fauteuil :

— Monsieur La Rouquette, que vous connaissez. Un futur ministre.

Puis, s'approchant du peintre, il continua :

— Monsieur Luigi Pozzo, mon secrétaire. Diplomate, peintre, musicien et amoureux.

Il oubliait les trois messieurs sur le canapé. Mais, en se tournant, il les aperçut; et il quitta son ton plaisant, il s'inclina de leur côté, en murmurant d'une voix cérémonieuse :

— Monsieur Brambilla, monsieur Staderino, monsieur Viscardi, tous trois réfugiés politiques.

Les trois Vénitiens, sans lâcher leurs cigares, saluèrent.

Le chevalier Rusconi retournait au piano, lorsque Clorinde l'interpella vivement, en lui reprochant d'être un mauvais maître de cérémonie. Et, à son tour, montrant Rougon, elle dit simplement, avec une intonation particulière, très flatteuse :

— Monsieur Eugène Rougon.

On se salua de nouveau. Rougon, qui avait eu peur, un moment, de quelque plaisanterie compromettante, fut surpris du tact et de la dignité brusques de cette grande fille, à demi nue dans son costume de gaze. Il s'assit, il demanda des nouvelles de la comtesse Balbi, comme il le faisait d'habitude; il affectait même, à chaque visite, d'être venu pour la mère, ce qui lui semblait plus convenable.

— J'aurais été très heureux de lui présenter mes compliments, ajouta-t-il, selon la formule qu'il avait adoptée pour la circonstance.

— Mais maman est là! dit Clorinde en montrant un coin de la pièce, du bout de son arc en bois doré.

Et la comtesse, en effet, était là, derrière des meubles, renversée dans un large fauteuil. Ce fut un étonnement. Les trois réfugiés politiques devaient, eux aussi, ignorer sa présence; ils se levèrent et saluèrent. Rougon alla lui serrer la main. Il se tenait debout, et elle, toujours allongée, répondait par monosyllabes, avec ce continuel sourire qui ne la quittait pas, même lorsqu'elle souffrait. Puis, elle retomba dans son silence, distraite, jetant des coups d'œil de côté sur l'avenue, où un fleuve de voitures coulait. Elle s'était sans doute assise là pour voir passer le monde. Rougon la quitta.

Cependant, le chevalier Rusconi, assis de nouveau devant le piano, cherchait un air, tapant doucement les touches, chantonnant à demi-voix des paroles italiennes. M. La Rouquette s'éventait avec son mouchoir. Clorinde, très sérieuse, avait repris sa pose. Et Rougon, dans le recueillement subit qui s'était fait, marchait à petits pas, de long en large, regardant les murs. La galerie se trouvait encombrée d'une étonnante débandade d'objets; des meubles, un secrétaire, un bahut, plusieurs tables, poussés au milieu, établissaient un labyrinthe d'étroits sentiers; à une extrémité, des plantes de serre chaude, reléguées, culbutées les unes contre les autres, agonisaient, avec leurs palmes vertes pendantes, déjà toutes mangées de rouille; tandis que, à l'autre bout, s'amoncelait un gros tas de terre glaise séchée, dans lequel on reconnaissait encore les bras et les jambes émiettés d'une statue que Clorinde avait ébauchée, mordue un beau jour du caprice d'être une artiste. La galerie, très vaste, n'avait en réalité de libre qu'un espace restreint devant une des baies, sorte de vide carré transformé en petit salon par deux canapés et trois fauteuils dépareillés.

— Vous pouvez fumer, dit Clorinde à Rougon.

Il remercia ; il ne fumait jamais. Elle, sans se tourner, cria :

— Chevalier, faites-moi donc une cigarette. Vous devez avoir du tabac devant vous, sur le piano.

Et, pendant que le chevalier faisait la cigarette, le silence recommença. Rougon, contrarié de trouver là tout ce monde, allait prendre son chapeau. Il revint pourtant devant Clorinde, la tête levée, souriant :

— Ne m'avez-vous pas prié de passer pour me montrer quelque chose ? demanda-t-il.

Elle ne répondit pas tout de suite, très grave, toute à la pose. Il dut insister :

— Qu'est-ce donc, ce que vous vouliez me montrer ?

— Moi! dit-elle.

Elle dit cela d'une voix souveraine, sans un geste, campée sur la table, dans sa pose de déesse. Rougon, très sérieux à son tour, recula d'un pas, la regarda lentement. Et elle était vraiment superbe, avec son profil pur, son cou délié, qu'une ligne tombante attachait à ses épaules. Elle avait surtout cette beauté royale, la beauté du buste. Ses bras ronds, ses jambes rondes, gardaient un luisant de marbre. Sa hanche gauche, légèrement avancée, la ployait un peu, la main droite en l'air, découvrant de l'aisselle au talon, une longue ligne puissante et souple, creusée à la taille, renflée à la cuisse. Elle s'appuyait de l'autre main sur son arc, de l'air tranquillement fort de la chasseresse antique, insoucieuse de sa nudité, dédaigneuse de l'amour des hommes, froide, hautaine, immortelle [23].

— Très joli, très joli, murmura Rougon, ne sachant que dire.

La vérité était qu'il la trouvait gênante, avec son immobilité de statue. Elle semblait si victorieuse, si certaine d'être classiquement belle, que, s'il avait osé, il l'aurait critiquée comme un marbre dont certaines puissances blessaient ses yeux bourgeois; il aurait préféré une taille plus mince, des hanches moins larges, une poitrine placée moins bas. Puis, une envie d'homme brutal lui vint, celle de la prendre au mollet. Il dut s'éloigner davantage, pour ne pas céder à cette envie.

— Vous avez assez vu ? demanda Clorinde, toujours sérieuse et convaincue. Attendez, voici autre chose.

Et, brusquement, elle ne fut plus Diane. Elle laissa tomber son arc, elle fut Vénus. Les mains rejetées derrière la tête, nouées dans son chignon, le buste renversé à demi, haussant les pointes des seins, elle souriait, ouvrait à demi les lèvres, égarait son regard, la face comme noyée tout d'un coup dans du soleil. Elle paraissait plus petite, avec des membres plus gras, toute dorée d'un frisson de désir, dont il semblait voir passer les moires chaudes sur sa peau de satin. Elle était pelotonnée, s'offrant, se faisant désirable, d'un air d'amante soumise qui veut être prise entière dans un embrassement.

M. Brambilla, M. Staderino et M. Viscardi, sans quitter leur raideur noire de conspirateurs, l'applaudirent gravement :

— Brava! brava! brava!

M. La Rouquette éclatait d'enthousiasme, tandis que le chevalier Rusconi, qui s'était rapproché de la table, pour tendre la cigarette à la jeune fille, restait là, le regard pâmé, avec un léger balancement de la tête, comme s'il battait le rythme de son admiration.

Rougon ne dit rien. Il noua si fortement ses mains, que les doigts craquèrent. Un léger frisson venait de lui courir de la nuque aux talons. Alors, il ne songea plus à s'en aller, il s'installa. Mais elle, déjà, avait repris son grand corps libre, riant très fort, fumant sa cigarette, avec un retroussement cavalier des lèvres. Elle racontait qu'elle aurait adoré jouer la comédie; elle aurait tout su rendre, la colère, la tendresse, la pudeur, l'effroi; et, d'une attitude, d'un jeu de physionomie, elle indiquait des personnages. Puis tout d'un coup :

— Monsieur Rougon, voulez-vous que je vous fasse, lorsque vous parlez à la Chambre ?

Elle se gonfla, se rengorgea, en soufflant, en lançant les poings en avant, avec une mimique si drôle, si vraie dans la charge, que tout le monde se pâma. Rougon riait comme un enfant; il la trouvait adorable, très fine et très inquiétante.

— Clorinda, Clorinda, murmura Luigi, en tapant de petits coups d'appui-main sur son chevalet.

Elle remuait tellement, qu'il ne pouvait plus travailler. Il avait lâché le fusain, pour étaler de minces couleurs sur la toile, d'un air appliqué d'écolier. Il restait grave, au milieu des rires, levant des yeux de flamme sur la jeune fille, regardant d'un air terrible les hommes avec lesquels elle plaisantait. C'était lui

23. Tels sont les traits sous lesquels apparaît dans les témoignages de l'époque la comtesse de Castiglione. Il n'y a donc rien de romancé. Elle est très conforme d'ailleurs au canon de la beauté du temps.

« Et elle était vraiment superbe, avec son profil pur, son cou délié, qu'une ligne tombante attachait à ses épaules. Elle avait surtout cette beauté royale, la beauté du buste. » La description du roman rappelle ce portrait de la comtesse de Castiglione, au château de Compiègne. Mais si Clorinde Balbi ressemble en effet à la Castiglione, Zola ne mentionne pas une seule fois ce nom dans ses notes. Clorinde, son « aventurière », c'est : « Une grande belle fille. Type romain. Une beauté admirablement régulière. Un marbre. Brune avec une peau très blanche. Yeux noirs. » Zola la veut sans parti politique, « ni pour le despotisme, ni pour la démocratie » : « Je la ferai très femme, sans idée politique quand elle entre dans mon roman, ayant seulement alors le besoin de faire une grande fortune. En elle est l'esprit d'intrigue. » Et il conclut : « En somme, très femme, très souple, ni bonne ni mauvaise comme toujours ; la vie étudiée sans parti pris. »

qui avait eu l'idée de la peindre vêtue de ce costume de Diane chasseresse, dont tout Paris causait, depuis le dernier bal de la légation. Il se disait son cousin, parce qu'ils étaient nés dans la même rue, à Florence.

— Clorinda! répéta-t-il d'un ton de colère.

— Luigi a raison, dit-elle. Vous n'êtes pas raisonnables, messieurs; vous faites un bruit!... Travaillons, travaillons.

Et elle se campa de nouveau dans sa pose olympienne. Elle redevint un beau marbre. Ces messieurs restèrent à leur place, immobiles, comme cloués. M. La Rouquette hasardait seul, sur le bras de son fauteuil, un roulement de tambour discret, du bout des doigts. Rougon, le dos renversé, regardait Clorinde, peu à peu songeur, envahi d'une rêverie, dans laquelle la jeune fille grandissait démesurément. C'était, tout de même, une étrange mécanique qu'une femme. Jamais il n'avait eu l'idée d'étudier cela. Il commençait à entrevoir des complications extraordinaires. Un instant, il eut l'intuition très nette de la puissance de ces épaules nues, capables d'ébranler un monde. Clorinde, dans ses regards brouillés, s'élargissait toujours, lui bouchait toute la baie, de sa taille de statue géante. Mais il battit des paupières, il la retrouva, bien moins grosse que lui, sur la table. Alors, il eut un sourire : s'il l'avait voulu, il l'aurait fouettée comme une petite fille; et il resta surpris d'en avoir eu peur un moment.

Cependant, à l'autre bout de la galerie, un petit bruit de voix montait. Rougon prêta l'oreille par habitude, mais il n'entendit qu'un murmure rapide de syllabes italiennes. Le chevalier Rusconi, qui venait de se glisser derrière les meubles, s'appuyait d'une main au dossier du fauteuil de la comtesse, penché respectueusement vers elle, paraissant lui conter quelque affaire avec de longs détails. La comtesse se contentait d'approuver de la tête. Une fois, pourtant, elle eut un signe violent de dénégation, et le chevalier se pencha davantage, l'apaisa de sa voix chantante, qui coulait avec un gazouillis d'oiseau. Rougon, grâce à sa connaissance du provençal, finit par surprendre quelques mots qui le rendirent grave.

— Maman, cria brusquement Clorinde, est-ce que tu as montré au chevalier la dépêche d'hier soir ?

— Une dépêche! répéta tout haut le chevalier.

La comtesse avait tiré d'une de ses poches un paquet de lettres, dans lequel elle chercha longtemps. Enfin elle lui remit un bout de papier bleu, très chiffonné. Dès qu'il l'eut parcouru, il eut un geste d'étonnement et de colère :

— Comment! s'écria-t-il en français, oubliant le monde qui était là, vous savez cela depuis hier! Mais je n'ai eu la nouvelle que ce matin, moi!

Clorinde éclata d'un beau rire, ce qui acheva de le fâcher.

— Et madame la comtesse me laisse lui conter l'affaire tout au long, comme si elle l'ignorait!... Allons, puisque le siège de la légation est ici, je viendrai chaque jour y dépouiller la correspondance.

La comtesse souriait. Elle fouilla encore dans son paquet de lettres; elle prit un second papier, qu'elle lui fit lire. Cette fois, il parut très satisfait. Et la conversation à voix basse recommença. Il avait retrouvé son sourire respectueux. En quittant la comtesse, il lui baisa la main.

— Voilà les affaires sérieuses terminées, dit-il à demi-voix, en venant se rasseoir devant le piano.

Il tapa à tour de bras une ronde canaille, très populaire cette année-là. Puis, tout d'un coup, ayant regardé l'heure, il courut prendre son chapeau.

— Vous partez ? demanda Clorinde.

Elle l'appela du geste, s'appuya sur son épaule, pour lui parler à l'oreille. Il hochait la tête, en riant. Il murmurait :

— Très fort, très fort... J'écrirai ça là-bas.

Et il sortit, après avoir salué. Luigi, d'un coup d'appui-main, avait fait relever Clorinde, accroupie sur la table. Sans doute le fleuve de voitures coulant le long de l'avenue finissait par ennuyer la comtesse, car elle tira un cordon de sonnette, derrière elle, dès qu'elle eut perdu de vue le coupé du chevalier, noyé au milieu des landaus descendant du Bois. Ce fut le grand diable de domestique, à figure de bandit, qui entra, en laissant la porte ouverte. La comtesse s'abandonna à son bras, traversa lentement la pièce, au milieu de ces messieurs, debout, inclinés devant elle. Elle répondait de la tête, avec son sourire. Puis, sur le seuil, elle se tourna, elle dit à Clorinde :

— J'ai ma migraine, je vais me coucher un peu.

— Flaminio, cria la jeune fille au domestique qui emportait sa mère, mettez-lui un fer chaud aux pieds!

Les trois réfugiés politiques ne se rassirent pas. Ils demeurèrent encore là, un instant, sur une même ligne, achevant de mâchonner leurs cigares, qu'ils jetèrent dans un coin, derrière le tas de terre glaise, du même geste correct et précis. Et ils défilèrent devant Clorinde, ils s'en allèrent, en procession.

— Mon Dieu! disait M. La Rouquette, qui venait d'entamer une conversation sérieuse avec Rougon, je sais bien que cette question des sucres est très importante. Il s'agit de toute une branche de l'industrie française. Le malheur est que personne à la Chambre, ne me paraît avoir étudié la matière à fond.

Rougon, qu'il ennuyait, ne répondait plus que par des hochements de tête. Le jeune député se rapprocha, continua, en donnant à sa figure poupine une subite gravité.

— Moi, j'ai un oncle dans les sucres. Il a une des plus riches raffineries de Marseille... Eh bien! je suis allé passer trois mois chez lui. J'ai pris des notes, oh! beaucoup de notes. Je causais avec les ouvriers, je me mettais au courant, enfin!... Vous comprenez, je voulais parler à la Chambre.

Il posait devant Rougon, il se donnait un mal énorme pour entretenir celui-ci des seuls objets qu'il croyait devoir l'intéresser, très désireux d'ailleurs de se montrer à lui sous un jour d'homme politique solide.

— Et vous n'avez pas parlé? interrompit Clorinde, que la présence de M. La Rouquette semblait impatienter.

— Non, je n'ai pas parlé, reprit-il d'une voix ralentie, j'ai cru devoir ne pas parler... Au dernier moment, j'ai eu peur que mes chiffres ne fussent pas bien exacts.

Rougon le regarda entre les deux yeux, en disant gravement :

— Savez-vous le nombre des morceaux de sucre que l'on consomme par jour, au café Anglais ?

M. La Rouquette resta un moment ahuri, les yeux écarquillés. Puis, il partit d'un éclat de rire :

— Ah! très joli! très joli! cria-t-il. Je comprends, vous plaisantez... Mais c'est la question du sucre, cela; moi, je parlais de la question des sucres... Très joli! Vous me permettez de répéter le mot, n'est-ce pas ?

Il avait de légers bonds de jouissance, au fond de son fauteuil. Il reprit sa figure rose, mis à l'aise, cherchant des mots légers. Mais Clorinde l'attaqua sur les femmes. Elle l'avait encore vu l'avant-veille, aux Variétés, avec une petite blonde, très laide, ébouriffée comme un caniche. D'abord, il nia. Vexé ensuite de la façon cruelle dont elle traitait « le petit caniche », il s'oublia, il défendit cette dame, une personne très comme il faut, qui n'était pas si mal que cela; et il lui parla de ses cheveux, de sa taille, de sa jambe. Clorinde devint terrible. M. La Rouquette finit par crier :

— Elle m'attend, et j'y vais.

Alors, quand elle eut refermé la porte, la jeune fille battit des mains, triomphante, répétant :

— Le voilà parti, bon voyage!

Et elle sauta vivement de la table, elle courut à Rougon, auquel elle donna ses deux mains. Elle se faisait très douce, elle était bien contrariée qu'il ne l'eût pas trouvée seule. Comme elle avait eu de la peine à renvoyer tout ce monde! Les gens ne comprenaient pas, vraiment! Ce La Rouquette, avec ses sucres, était-il assez ridicule! Mais maintenant, peut-être, on n'allait plus les déranger, ils pourraient causer. Elle devait avoir tant de choses à lui dire! Tout en parlant, elle le conduisait vers un canapé. Il s'était assis, sans lui lâcher les mains, lorsque Luigi donna des coups secs d'appui-main, en répétant sur un ton fâché :

— Clorinda! Clorinda!

Elle échappa à Rougon, alla se pencher derrière le peintre, d'un air souple de caresse. Oh! que c'était joli, ce qu'il avait fait! Cela venait très bien. Mais, réellement, elle était un peu fatiguée; et elle demandait un quart d'heure de repos. D'ailleurs, il pouvait faire le costume; elle n'avait pas besoin de poser pour le costume. Luigi jetait des regards luisants sur Rougon, continuait à murmurer des paroles maussades. Alors, très vite, elle lui parla en italien, les sourcils froncés, sans cesser de sourire. Et il se tut, il promena de nouveau son pinceau, maigrement.

— Je ne mens pas, reprit-elle en revenant s'asseoir près de Rougon, j'ai la jambe gauche tout engourdie.

Elle se donna des tapes sur la jambe gauche, pour faire circuler le sang, dit-elle. Sous la gaze, on voyait la tache rose de ses genoux. Cependant, elle avait oublié qu'elle était nue. Elle se penchait vers lui, sérieuse, s'éraflant la peau de l'épaule contre le gros drap de son paletot. Mais, tout d'un coup, un bouton qu'elle rencontra, lui fit passer un grand frisson sur la gorge. Elle se regarda, devint très rouge. Et, vivement, elle alla prendre un lambeau de dentelle noire, dans lequel elle s'enveloppa.

— J'ai un peu froid, dit-elle, après avoir roulé devant Rougon un fauteuil, dans lequel elle s'assit.

Elle ne montrait plus sous la dentelle que les bouts de ses poignets nus. Elle s'était noué le lambeau au cou, de façon à s'en faire une énorme cravate, au fond de laquelle elle enfonçait le menton. Là-dedans, le buste entièrement noyé, elle restait toute noire, avec son visage redevenu pâle et grave.

— Enfin, que vous est-il arrivé? demanda-t-elle. Racontez-moi tout.

Et elle le questionna sur sa disgrâce, avec une franchise de curiosité filiale. Elle était étrangère, elle se faisait répéter jusqu'à trois reprises des détails qu'elle disait ne pas comprendre. Elle l'interrompait par des exclamations en langue italienne; tandis que, dans ses yeux noirs, il pouvait suivre toute l'émotion de son récit. Pourquoi s'était-il fâché avec l'empereur ? comment avait-il pu renoncer à une situation si haute ? quels étaient donc ses ennemis, pour qu'il se fût laissé battre ainsi ? Et quand il hésitait, quand elle l'acculait à quelque aveu qu'il ne voulait pas faire, elle le regardait avec une candeur si affectueuse, qu'il s'abandonnait, lui racontant les histoires jusqu'au bout. Bientôt, elle sut sans doute tout ce qu'elle désirait savoir. Elle lança encore quelques questions, très éloignées du sujet, et dont la singularité surprit Rougon. Puis, les mains jointes, elle se tut. Elle avait fermé les yeux. Elle réfléchissait profondément.

— Eh bien ? demanda-t-il en souriant.

— Rien, murmura-t-elle; ça m'a fait de la peine.

Il fut touché. Il chercha à lui reprendre les mains; mais elle les enfouit dans la dentelle, et le silence continua. Au bout de deux grandes minutes, elle rouvrit les paupières, en disant :

— Alors, vous avez des projets ?

Lui, la regarda fixement. Un soupçon l'effleurait. Mais elle était si adorable maintenant, renversée au fond du fauteuil, dans une pose languissante, comme si les chagrins de son « bon ami » l'eussent brisée, qu'il ne s'arrêta pas au léger froid qui venait de passer sur sa nuque. Elle le flatta beaucoup. Certes, il ne resterait pas longtemps à l'écart, il redeviendrait le maître quelque jour. Elle était sûre qu'il devait nourrir de grandes pensées et avoir confiance en son étoile, car cela se lisait sur son front. Pourquoi ne la prenait-il pas pour confidente ? elle était si discrète, elle serait si heureuse d'être de moitié dans son avenir! Rougon, grisé, cherchant toujours à rattraper les petites mains qui s'enfonçaient dans la dentelle, parla encore, parla toujours, à ce point qu'il lâcha tout, ses espérances, ses certitudes. Elle ne le poussait plus, le laissant aller, sans un geste, de peur de l'arrêter. Elle l'examinait, le détaillait membre à membre, sondant son crâne, pesant ses épaules, mesurant sa poitrine. C'était décidément un homme solide, qui, toute forte qu'elle était, l'aurait jetée d'un tour de poignet sur son dos, et emportée ainsi sans se gêner, aussi haut qu'elle aurait voulu.

Elle s'était soulevée, ouvrant les bras, laissant glisser la dentelle. Alors, elle reparut, plus nue, tendant la gorge, coulant ses épaules hors de la gaze, d'un mouvement si souple de chatte amoureuse, qu'elle sembla jaillir de son corsage. Ce fut une vision brusque, comme une récompense et une promesse accordées à Rougon. Et n'était-ce pas le morceau de dentelle qui avait glissé ? Elle le ramenait déjà, elle le nouait plus étroitement.

— Chut! murmura-t-elle, Luigi gronde.

Et elle courut auprès du peintre, se pencha une seconde fois, lui parlant très vite, dans le cou. Rougon, quand elle ne fut plus là, toute vibrante, frotta rudement ses mains, énervé, presque fâché. Elle lui causait à fleur de peau une irritation extraordinaire. Et il l'injuriait. A vingt ans, il n'aurait pas été plus bête. Elle venait de le confesser comme un enfant, lui qui depuis deux mois cherchait à la faire parler, sans tirer d'elle autre chose que de beaux rires. Elle n'avait eu qu'à lui refuser un instant ses poignets; il s'était oublié jusqu'à tout dire, pour qu'elle les lui rendît. Maintenant, cela devenait clair, elle le conquérait, elle discutait s'il valait encore la peine d'être séduit.

Rougon eut un sourire d'homme fort. Il la briserait quand il voudrait. N'était-ce pas elle qui le provoquait ? Et des pensées malhonnêtes lui venaient, tout un projet de séduction, dans lequel il la plantait là, après avoir été son maître. En vérité, il ne pouvait jouer le rôle d'un imbécile avec cette grande fille qui lui montrait ainsi ses épaules. Pourtant, il n'était plus bien sûr que la dentelle ne se fût pas dénouée toute seule.

— Est-ce que vous trouvez que j'ai les yeux gris, vous ? demanda Clorinde, en se rapprochant.

Il se leva, la regarda de tout près, sans troubler le calme limpide de ses yeux. Mais, comme il avançait les mains, elle lui donna une tape. Il n'avait pas besoin de toucher. Elle était très froide, à présent. Elle s'enveloppait dans son chiffon, avec une pudeur qui s'alarmait des moindres trous. Il eut beau la plaisanter, la taquiner, faire mine d'employer la force, elle se couvrait davantage, poussait de petits cris, quand il effleurait la dentelle. D'ailleurs, elle ne voulut plus se rasseoir.

— J'aime mieux marcher un peu, disait-elle; ça me dérouille les jambes.

Alors, il la suivit, ils marchèrent ensemble, de long en large. Il tâcha de la confesser à son tour. D'ordinaire, elle ne répondait pas aux questions. Elle avait une causerie à sauts brusques, coupée d'exclamations, entremêlée d'histoires qu'elle ne finissait jamais. Comme il l'interrogeait habilement sur une absence de quinze jours qu'elle avait faite avec sa mère, le mois précédent, elle enfila une suite interminable d'anecdotes sur ses voyages. Elle était allée partout, en Angleterre, en Espagne, en Allemagne; elle avait tout vu. Puis, c'était une pluie de petites observations puériles sur la nourriture, ur les modes, sur le temps qu'il faisait. Quelquefois, lle commençait un récit dans lequel elle se mettait en scène, avec des personnages connus qu'elle nommait; Rougon tendait l'oreille, croyant qu'elle allait enfin laisser échapper une confidence; mais le récit tournait à l'enfantillage, ou bien restait sans dénouement. Ce jour-là encore, il n'apprit rien. Elle avait sur la face son rire qui la masquait. Elle demeurait impénétrable, au milieu de son expansion bavarde. Rougon, assourdi par ces renseignements stupéfiants dont les uns démentaient les autres, en arrivait à ne plus savoir s'il avait auprès de lui une bambine de douze ans, innocente jusqu'à la bêtise, ou quelque femme très savante, retournée à la naïveté par un raffinement.

Clorinde interrompit une aventure qui lui était arrivée dans une petite ville d'Espagne, la galanterie d'un voyageur dont elle avait dû accepter le lit, pendant qu'il dormait sur une chaise.

— Il ne faut pas retourner aux Tuileries, dit-elle sans transition aucune. Faites-vous regretter.

— Merci bien, mademoiselle Machiavel, répondit-il en riant.

Elle rit plus fort que lui. Mais elle ne continua pas moins à lui donner des conseils excellents. Et comme il tentait encore de lui pincer les bras, en manière de jeu, elle se fâcha, elle cria qu'on ne pouvait causer deux minutes sérieusement. Ah! si elle était un homme! comme elle saurait faire son chemin! Les hommes avaient si peu de tête!

— Voyons, racontez-moi les histoires de vos amis, reprit-elle, en s'asseyant sur le bord de la table, tandis que Rougon restait debout devant elle.

Luigi, qui ne les quittait pas du regard, ferma violemment sa boîte à couleurs.

— Je m'en vais, dit-il.

Mais Clorinde courut à lui, le ramena, en jurant qu'elle allait reprendre la pose. Elle devait avoir peur de rester seule avec Rougon. Et, comme Luigi cédait, elle cherchait à gagner du temps.

— Vous me laisserez bien manger quelque chose. J'ai une faim! Oh! deux bouchées seulement.

Elle ouvrit la porte en criant :

— Antonia! Antonia!

Et elle donna un ordre en italien. Elle venait de se rasseoir au bord de la table, lorsque Antonia entra, tenant sur chacune de ses mains ouvertes une tartine de beurre. La servante les lui tendit, comme sur un plateau, avec son rire de bête qu'on chatouille, un rire qui fendait sa bouche rouge dans sa face noire. Puis, elle s'en alla, en essuyant ses mains contre sa jupe. Clorinde la rappela pour lui demander un verre d'eau.

— Voulez-vous partager ? dit-elle à Rougon. C'est très bon, le beurre. Quelquefois, j'y mets du sucre. Mais il ne faut pas toujours être gourmande.

Elle ne l'était guère, en effet. Rougon l'avait surprise, un matin, en train de manger pour déjeuner un morceau d'omelette froide, cuite de la veille. Il la soupçonnait d'avarice, un vice italien.

— Trois minutes, n'est-ce pas, Luigi ? cria-t-elle en mordant à la première tartine.

Et revenant à Rougon, toujours debout devant elle, elle demanda :

— Voyons, monsieur Kahn, par exemple, quelle est son histoire, comment est-il député ?

Rougon se prêta à ce nouvel interrogatoire, espérant tirer d'elle quelque confidence forcée. Il la savait très curieuse de la vie de chacun, l'oreille tendue à toutes les indiscrétions, sans cesse aux aguets des intrigues compliquées au milieu desquelles elle vivait. Elle avait le souci des grandes fortunes.

— Oh! répondit-il en riant, Kahn est né député. Il a dû faire ses dents sur les bancs de la Chambre. Sous Louis-Philippe, il siégeait déjà au centre droit, et il soutenait la monarchie constitutionnelle [24] avec une passion juvénile. Après 48, il est passé au centre gauche, toujours très passionné, d'ailleurs; il avait écrit une profession de foi républicaine d'un style superbe. Aujourd'hui, il est revenu au centre droit, il défend passionnément l'Empire... Au demeurant, est fils d'un banquier juif de Bordeaux, dirige des hauts fourneaux près de Bressuire, s'est taillé une spécialité dans les questions financières et industrielles, vit assez médiocrement en attendant la grosse fortune qu'il fera un jour, a été promu au grade d'officier le 15 août dernier...

Et Rougon cherchait, les regards perdus.

— Je n'oublie rien, je crois... Non, il n'a pas d'enfant...

— Comment! il est marié! s'écria Clorinde.

Elle eut un geste pour dire que M. Kahn ne l'intéressait plus. C'était un sournois; jamais il n'avait montré sa femme. Alors, Rougon lui expliqua que Mme Kahn vivait à Paris, très retirée. Puis, sans attendre une interrogation, il reprit :

— Voulez-vous la biographie de Béjuin, maintenant ?

— Non, non, dit la jeune fille.

Mais il continua quand même :

— Il sort de l'École polytechnique. Il a écrit des brochures que personne n'a lues. Il dirige la cristal-

---

24. La monarchie constitutionnelle avait été accordée par Louis-Philippe en 1830 après la chute de Charles X.

lerie de Saint-Florent [25], à trois lieues de Bourges...
C'est le préfet du Cher qui l'a inventé...

— Taisez-vous donc! cria-t-elle.

— Un digne homme, votant bien, ne parlant
jamais, très patient, attendant qu'on songe à lui,
toujours là à vous regarder pour qu'on ne l'oublie
pas... Je l'ai fait nommer chevalier...

Elle dut lui mettre la main sur la bouche, se
fâchant, disant :

— Eh! il est marié aussi, celui-là! il n'est pas
drôle!... J'ai vu sa femme chez vous, un paquet!
Elle m'a invitée à aller visiter leur cristallerie, à
Bourges.

D'une bouchée, elle acheva sa première tartine.
Puis, elle but une grande gorgée d'eau. Ses jambes
pendaient, au bord de la table; et, un peu tassée
sur les reins, le cou plié en arrière, elle les balançait,
d'un mouvement machinal dont Rougon suivait le
rythme. A chaque va-et-vient, les mollets se ren-
flaient, sous la gaze.

— Et monsieur Du Poizat? demanda-t-elle,
après un silence.

— Du Poizat a été sous-préfet, répondit-il simplement.

Elle le regarda, surprise de la brièveté de l'histoire.

— Je le sais bien, dit-elle. Ensuite ?

— Ensuite, il sera préfet plus tard, et alors on le
décorera.

Elle comprit qu'il ne voulait pas en dire davantage. D'ailleurs, elle avait jeté le nom de Du Poizat
négligemment. Maintenant, elle cherchait ces messieurs sur ses doigts; elle partait du pouce, elle
murmurait :

— Monsieur d'Escorailles : il n'est pas sérieux,
il aime toutes les femmes... Monsieur La Rouquette :
inutile, je le connais trop bien... Monsieur de Combelot : encore un qui est marié...

Et, comme elle s'arrêtait à l'annulaire, ne trouvant plus personne, Rougon lui dit, en la regardant
fixement :

— Vous oubliez Delestang.

— Vous avez raison! cria-t-elle. Parlez-moi donc
de celui-là !

— C'est un bel homme, reprit-il sans la quitter
des yeux. Il est fort riche. Je lui ai toujours prédit
un grand avenir.

Il continua sur ce ton, outrant les éloges, dou-
blant les chiffres. La ferme-modèle de la Chamade
valait deux millions. Delestang serait certainement
ministre un jour. Mais elle gardait aux lèvres une
moue dédaigneuse.

— Il est bien bête, finit-elle par murmurer.

— Dame! dit Rougon avec un fin sourire.

Il paraissait ravi du mot qu'elle venait de laisser
échapper. Alors, par un de ces sauts brusques qu
lui étaient familiers, elle posa une nouvelle question
en le regardant à son tour fixement.

— Vous devez joliment connaître monsieur de
Marsy ?

— Oui, oui, nous nous connaissons, dit-il san
broncher, comme amusé davantage par ce qu'elle
lui demandait là.

Mais il redevint sérieux. Il fut très digne, très
juste.

— C'est un homme d'une intelligence extraordinaire, expliqua-t-il. Je m'honore de l'avoir pour
ennemi... Il a touché à tout. A vingt-huit ans, il
était colonel. Plus tard, on le trouve à la tête d'une
grande usine. Puis, il s'est occupé successivement
d'agriculture, de finance, de commerce. On assure
même qu'il a peint des portraits et écrit des romans.

Clorinde, oubliant de manger, restait rêveuse.

— J'ai causé avec lui l'autre soir, dit-elle à demi-
voix. Il est tout à fait bien... Un fils de reine [26].

— Pour moi, poursuivit Rougon, l'esprit le gâte.
J'ai une autre idée de la force. Je l'ai entendu faire
des calembours dans une circonstance bien grave.
Enfin, il a réussi, il règne autant que l'empereur.
Tous ces bâtards ont de la chance!... Ce qu'il a de
plus personnel, c'est la poigne, une main de fer,
hardie, résolue, très fine et très déliée pourtant.

Malgré elle, la jeune fille avait baissé les yeux
sur les grosses mains de Rougon. Il s'en aperçut,
il reprit en souriant :

— Oh! moi, j'ai des pattes, n'est-ce pas ? C'est
pour cela que nous ne nous sommes jamais entendus avec Marsy. Lui, sabre galamment le monde,
sans tacher ses gants blancs. Moi, j'assomme.

Il avait fermé les poings, des poings gras, velus
aux phalanges, et il les balançait, heureux de les voir
énormes. Clorinde prit la seconde tartine, dans
laquelle elle enfonça les dents, toujours songeuse.
Enfin, elle leva les yeux sur Rougon.

— Alors, vous ? demanda-t-elle.

— C'est mon histoire que vous voulez ? dit-il.
Rien de plus facile à conter. Mon grand-père vendait
des légumes. Moi, jusqu'à trente-huit ans, j'ai
traîné mes savates de petit avocat, au fond de ma
province. J'étais un inconnu hier. Je n'ai pas comme
notre ami Kahn usé mes épaules à soutenir tous

25. Saint-Florent-sur-Cher, dans l'arrondissement de Bourges, se
distingue aujourd'hui par l'industrie métallurgique et ses fabriques
d'objets en matière plastique.
26. Le duc de Morny était le fils illégitime de la reine Hortense et
le demi-frère de Napoléon III.

les gouvernements. Je ne sors pas comme Béjuin de l'École polytechnique. Je ne porte ni le beau nom du petit Escorailles ni la belle figure de ce pauvre Combelot. Je ne suis pas aussi bien apparenté que La Rouquette, qui doit son siège de député à sa sœur, la veuve du général de Llorentz, aujourd'hui dame du palais. Mon père ne m'a pas laissé comme à Delestang cinq millions de fortune, gagnés dans les vins. Je ne suis pas né sur les marches d'un trône, ainsi que le comte de Marsy, et je n'ai pas grandi pendu à la jupe d'une femme savante, sous les caresses de Talleyrand [27]. Non, je suis un homme nouveau, je n'ai que mes poings...

Et il tapait ses poings l'un contre l'autre, riant très haut, tournant la chose plaisamment. Mais il s'était redressé, il semblait casser des pierres entre ses doigts fermés. Clorinde l'admirait.

— Je n'étais rien, je serai maintenant ce qu'il me plaira, continua-t-il, s'oubliant, causant pour lui. Je suis une force. Et ils me font hausser les épaules, les autres, quand ils protestent de leur dévouement à l'Empire! Est-ce qu'ils l'aiment? est-ce qu'ils le sentent? est-ce qu'ils ne s'accommoderaient pas de tous les gouvernements? Moi, j'ai poussé avec l'Empire; je l'ai fait et il m'a fait... J'ai été nommé chevalier après le 10 décembre, officier en janvier 52, commandeur le 15 août 54, grand officier il y a trois mois. Sous la présidence, j'ai eu un instant le portefeuille des Travaux publics; plus tard, l'empereur m'a chargé d'une mission en Angleterre; puis, je suis entré au Conseil d'État et au Sénat...

— Et demain, où entrez-vous? demanda Clorinde, avec un rire, sous lequel elle tâchait de cacher l'ardeur de sa curiosité.

Il la regarda, s'arrêta net.

— Vous êtes bien curieuse, mademoiselle Machiavel, dit-il.

Alors, elle balança ses jambes d'un mouvement plus vif. Il y eut un silence. Rougon, à la voir de nouveau perdue dans une grosse rêverie, crut le moment favorable pour la confesser.

— Les femmes... commença-t-il.

Mais elle l'interrompit, les yeux vagues, souriant légèrement à ses pensées, murmurant à demi-voix :

— Oh! les femmes ont autre chose.

Ce fut son seul aveu. Elle acheva sa tartine, vida d'un trait le verre d'eau pure, et se mit debout sur

27. Talleyrand-Périgord (Charles-Maurice de), né en 1754, mort en 1838, ancien évêque d'Autun, puis député à la Constituante et chef du clergé constitutionnel, condamné par le pape, préféra la diplomatie à l'épiscopat et il parvint à servir sous tous les régimes. Il passait pour n'être pas indifférent aux femmes.

la table, d'un saut qui attestait son habileté d'écuyère.

— Eh! Luigi! cria-t-elle.

Le peintre, depuis un instant, mordant ses moustaches d'impatience, s'était levé, piétinant autour d'elle et de Rougon. Il revint s'asseoir avec un soupir, il reprit sa palette. Les trois minutes de grâce demandées par Clorinde avaient duré un quart d'heure. Cependant, elle se tenait debout sur la table, toujours enveloppée du morceau de dentelle noire. Puis, quand elle eut retrouvé la pose, elle se découvrit d'un seul geste. Elle redevenait un marbre, elle n'avait plus de pudeur.

Dans les Champs-Élysées, les voitures roulaient plus rares. Le soleil couchant enfilait l'avenue d'une poussière de soleil qui poudrait les arbres, comme si les roues eussent soulevé ce nuage de lumière rousse. Sous le jour tombant des hautes baies vitrées, les épaules de Clorinde se moirèrent d'un reflet d'or. Et, lentement, le ciel pâlissait.

— Est-ce que le mariage de monsieur de Marsy avec cette princesse valaque est toujours décidé? demanda-t-elle au bout d'un instant.

— Mais je le pense, répondit Rougon. Elle est fort riche. Marsy est toujours à court d'argent. D'ailleurs, on raconte qu'il en est fou.

Le silence ne fut plus troublé. Rougon était là, se croyant chez lui, ne songeant pas à s'en aller. Il réfléchissait, il reprenait sa promenade. Cette Clorinde était vraiment une fille très séduisante. Il pensait à elle, comme s'il l'avait déjà quittée depuis longtemps; et, les yeux sur le parquet, il descendait dans des pensées à demi formulées, fort douces, dont il goûtait le chatouillement intérieur. Il lui semblait sortir d'un bain tiède, avec une langueur de membres délicieuse. Une odeur particulière, d'une rudesse presque sucrée, le pénétrait. Cela lui aurait paru bon, de se coucher sur un des canapés et de s'y endormir, dans cette odeur.

Il fut brusquement réveillé par un bruit de voix. Un grand vieillard, qu'il n'avait pas vu entrer, baisait sur le front Clorinde, qui se penchait en souriant, au bord de la table.

— Bonjour, mignonne, disait-il. Comme tu es belle! Tu montres donc tout ce que tu as?

Il eut un léger ricanement, et comme Clorinde, confuse, ramassait son bout de dentelle noire :

— Non, non, reprit-il vivement, c'est très joli, tu peux tout montrer, va!... Ah! ma pauvre enfant, j'en ai vu bien d'autres!

Puis, se tournant vers Rougon qu'il traita de « cher collègue », il lui serra la main, en ajoutant :

— Une gamine qui s'est oubliée plus d'une

fois sur mes genoux, quand elle était petite! Maintenant, ça vous a une poitrine qui vous éborgne!

C'était le vieux M. de Plouguern Il avait soixante-dix ans. Sous Louis-Philippe, envoyé à la Chambre par le Finistère, il fut un des députés légitimistes qui firent le pèlerinage de Belgrave-Square [28]; et il donna sa démission, à la suite du vote de flétrissure, dont ses compagnons et lui furent frappés. Plus tard, après les journées de Février, il montra une tendresse soudaine pour la République, qu'il acclama vigoureusement sur les bancs de la Constituante. Maintenant, depuis que l'empereur lui avait assuré au Sénat une retraite méritée, il était bonapartiste. Seulement, il savait l'être en gentilhomme. Son humilité grande se permettait parfois le ragoût d'une pointe d'opposition. L'ingratitude l'amusait. Sceptique jusqu'aux moelles, il défendait la religion et la famille. Il croyait devoir cela à son nom, un des plus illustres de la Bretagne. Certains jours, il trouvait l'Empire immoral, et il le disait tout haut. Lui, avait vécu une vie d'aventures suspectes, très dissolu, très inventif, raffinant les jouissances; on racontait sur sa vieillesse des anecdotes qui faisaient rêver les jeunes gens. Ce fut pendant un voyage en Italie qu'il connut la comtesse Balbi, dont il resta l'amant près de trente ans; après des séparations qui duraient des années, ils se remettaient ensemble, pour trois nuits, dans les villes où ils se rencontraient. Une histoire voulait que Clorinde fût sa fille; mais ni lui ni la comtesse n'en savaient réellement rien; et, depuis que l'enfant devenait femme, grasse et désirable, il affirmait avoir beaucoup fréquenté son père, autrefois. Il la couvait de ses yeux restés vifs, et prenait avec elle des familiarités fort libres de vieil ami. M. de Plouguern, grand, sec, osseux, avait une ressemblance avec Voltaire [29], pour lequel il pratiquait une dévotion secrète.

— Parrain, tu ne regardes pas mon portrait? cria Clorinde.

Elle l'appelait parrain, par amitié. Il s'était avancé derrière Luigi, clignant les yeux en connaisseur.

— Délicieux! murmura-t-il.

Rougon s'approcha, Clorinde elle-même sauta de la table, pour voir. Et tous trois se pâmèrent. La peinture était très propre. Le peintre avait déjà couvert la toile entière d'un léger frottis rose, blanc jaune, qui gardait des pâleurs d'aquarelle. Et la figure souriait d'un air joli de poupée, avec ses lèvres arquées, ses sourcils recourbés, ses joues frottées de vermillon tendre. C'était une Diane à mettre sur une boîte de pastilles.

— Oh! voyez donc là, près de l'œil, cette petite lentille, dit Clorinde en tapant les mains d'admiration. Ce Luigi, il n'oublie rien!

Rougon, que les tableaux ennuyaient d'ordinaire était charmé. Il comprenait l'art, en ce moment. Il porta ce jugement, d'un ton très convaincu:

— C'est admirablement dessiné.

— Et la couleur est excellente, reprit M. de Plouguern. Ces épaules sont de la chair... Très agréables les seins. Celui de gauche surtout est d'une fraîcheur de rose... Hein! quels bras! Cette mignonne vous a des bras étonnants! J'aime beaucoup le renflement au-dessus de la saignée; c'est d'un modelé parfait.

Et se tournant vers le peintre:

— Monsieur Pozzo, ajouta-t-il, tous mes compliments. J'avais déjà vu une *Baigneuse* de vous. Mais ce portrait sera supérieur... Pourquoi n'exposez-vous pas? J'ai connu un diplomate qui jouait merveilleusement du violon; cela ne l'a pas empêché de faire son chemin.

Luigi, très flatté, s'inclinait. Cependant, le jour baissait, et comme il voulait finir une oreille, disait-il, il pria Clorinde de reprendre la pose pour dix minutes au plus. M. de Plouguern et Rougon continuèrent à causer peinture. Celui-ci avouait que des études spéciales l'avaient empêché de suivre le mouvement artistique des dernières années; mais il protestait de son admiration pour les belles œuvres. Il en vint à déclarer que la couleur le laissait assez froid; un beau dessin le satisfaisait pleinement, un dessin qui fût capable d'élever et d'inspirer de grandes pensées. Quant à M. de Plouguern, il n'aimait que les anciens [30]; il avait visité tous les musées de l'Europe, il ne comprenait pas qu'on eût assez de hardiesse pour oser peindre encore. Pourtant, le mois précédent, il avait fait décorer un petit salon par un artiste que personne ne connaissait et qui avait vraiment bien du talent.

— Il m'a peint des petits Amours, des fleurs, des feuillages tout à fait extraordinaires, dit-il. Positivement, on cueillerait les fleurs. Et il y a là-dedans des insectes, papillons, mouches, hannetons, qu'on

---

28. Le comte de Chambord résida en 1844 à Belgrave-Square, dans le faubourg de Pimlico, à Londres. C'est là que lui rendaient visite les légitimistes de marque. M. de Plouguern a eu pour modèles le vicomte de Kerveguen et le marquis de La Rochejaquelein, l'un député et l'autre sénateur, l'un et l'autre légitimistes.

29. Voltaire (1694-1778), par son esprit frondeur et anticlérical, avait surtout l'audience des républicains. Il est donc plaisant que M. de Plouguern ait pour lui une secrète attirance : c'est un aspect de la duplicité du personnage, que l'on verra à la fois entreprenant avec les femmes et défenseur de la vertu.

30. Pour Zola, défenseur des impressionnistes, ce trait situe M. de Plouguern parmi les arriérés qui n'admettent rien de moderne. Donc, en toute chose, un réactionnaire.

croirait vivants. Enfin, c'est très gai... Moi, j'aime la peinture gaie [31].

— L'art n'est pas fait pour ennuyer, conclut Rougon.

A ce moment, comme ils marchaient côte à côte, à petits pas, M. de Plouguern écrasa, sous le talon de sa bottine, quelque chose qui éclata avec le léger bruit d'un pois fulminant.

— Qu'est-ce donc ? cria-t-il.

Il ramassa un chapelet glissé d'un fauteuil, sur lequel Clorinde avait dû vider ses poches. Un des grains de verre, près de la croix, était pulvérisé ; la croix elle-même, toute petite, en argent, avait un de ses bras replié et aplati. Le vieillard balança le chapelet, ricanant, disant :

— Mignonne, pourquoi donc laisses-tu traîner ces joujoux-là ?

Mais Clorinde était devenue pourpre. Elle se précipita du haut de la table, les lèvres gonflées, les yeux brouillés de colère, se couvrant les épaules à la hâte, balbutiant :

— Méchant ! méchant ! il a brisé mon chapelet !

Et elle le lui arracha. Elle pleurait comme une enfant.

— Là, là, disait M. de Plouguern riant toujours. Voyez-vous ma dévote ! L'autre matin, elle a failli me crever les yeux, parce qu'en apercevant un rameau de buis au fond de son alcôve, je lui demandais ce qu'elle balayait avec ce petit balai-là... Ne pleure plus, grosse bête ! Je ne lui ai rien cassé, au bon Dieu.

— Si, si, cria-t-elle, vous lui avez fait du mal !

Elle ne le tutoyait plus. De ses mains tremblantes, elle achevait d'enlever la perle de verre. Puis, avec un redoublement de sanglots, elle voulut arranger la croix. Elle l'essuyait du bout des doigts, comme si elle avait vu des gouttes de sang perler sur le métal. Elle murmurait :

— C'est le pape qui m'en a fait le cadeau, la première fois que je suis allée le voir avec maman. Il me connaît bien, le pape ; il m'appelle « son bel apôtre », parce que je lui ai dit un jour que je serais contente de mourir pour lui... Un chapelet qui me portait bonheur. Maintenant, il n'aura plus de vertu, il attirera le diable [32]...

— Voyons, donne-le-moi, interrompit M. de Plouguern. Tu vas t'abîmer les ongles, à vouloir raccommoder ça... L'argent, c'est dur, mignonne.

Il avait repris le chapelet, il tâchait de déplier le bras de la croix, délicatement, de façon à ne pas le casser. Clorinde ne pleurait plus, les yeux fixes, très attentive. Rougon, lui aussi, avançait la tête, avec un sourire ; il était d'une irréligion déplorable, à ce point que la jeune fille avait failli rompre deux fois avec lui, pour des plaisanteries déplacées.

— Fichtre ! disait à demi-voix M. de Plouguern, il n'est pas tendre, le bon Dieu. C'est que j'ai peur de le couper en deux... Tu aurais un bon Dieu de rechange, petite.

Il fit un nouvel effort. La croix se rompit net.

— Ah ! tant pis ! s'écria-t-il. Cette fois, il est cassé.

Rougon s'était mis à rire. Alors Clorinde, les yeux très noirs, la face convulsée, se recula, les regarda en face, puis de ses poings fermés les repoussa furieusement, comme si elle avait voulu les jeter à la porte. Elle les injuriait en italien, la tête perdue.

— Elle nous bat, elle nous bat, répéta gaiement M. de Plouguern.

— Voilà les fruits de la superstition, dit Rougon entre ses dents.

Le vieillard cessa de plaisanter, la mine subitement grave ; et, comme le grand homme continuait à lancer des phrases toutes faites sur l'influence détestable du clergé, sur l'éducation déplorable des femmes catholiques, sur l'abaissement de l'Italie livrée aux prêtres, il déclara de sa voix sèche :

— La religion fait la grandeur des États.

— Quand elle ne les ronge pas comme un ulcère, répliqua Rougon. L'histoire est là. Que l'empereur ne tienne pas les évêques en respect, il les aura bientôt tous sur les bras.

Alors, M. de Plouguern se fâcha à son tour. Il défendit Rome. Il parla des convictions de toute sa vie. Sans religion, les hommes retournaient à l'état de brutes. Et il en vint à plaider la grande cause de la famille. L'époque tournait à l'abomination ; jamais le vice ne s'était étalé plus impudemment, jamais l'impiété n'avait jeté un pareil trouble dans les consciences [33].

— Ne me parlez pas de votre Empire ! finit-il par crier. C'est un fils bâtard de la révolution... Oh ! nous le savons, votre Empire rêve l'humiliation de l'Église. Mais nous sommes là, nous ne nous laisserons pas égorger comme des moutons... Essayez un peu, mon cher monsieur Rougon, d'avouer vos doctrines au Sénat.

— Eh ! ne lui répondez plus, dit Clorinde. Si vous le poussiez, il finirait par cracher sur le Christ. C'est un damné.

Rougon, accablé, s'inclina. Il y eut un silence. La

---

31. Zola a entendu des niaiseries de ce genre dans les expositions, quand il était chargé des *Salons* par *l'Événement*, en 1866, *la Situation*, en 1867 ou *l'Événement illustré*, en 1868, ce qui l'avait amené à se moquer de « la peinture de boudoir ».

32. La comtesse de Castiglione avait, selon les chroniqueurs, des superstitions de ce genre.

33. Zola, chroniqueur politique après la guerre de 1870, a entendu des professions de foi de ce genre dans la bouche des conservateurs.

jeune fille cherchait sur le parquet le petit fragment détaché de la croix ; quand elle l'eut trouvé, elle le plia soigneusement avec le chapelet, dans un morceau de journal. Elle se calmait.

— Ah ! çà ! mignonne, reprit tout d'un coup M. de Plouguern, je ne t'ai pas encore dit pourquoi je suis monté. J'ai une loge au Palais-Royal ce soir, et je vous emmène.

— Ce parrain ! s'écria Clorinde, redevenue toute rose de plaisir. On va réveiller maman.

Elle l'embrassa « pour la peine », disait-elle. Elle se tourna vers Rougon, souriante, la main tendue, en disant avec une moue exquise :

— Vous ne m'en voulez pas, vous ! Ne me faites donc plus enrager avec vos idées de païen... Je deviens bête, lorsqu'on me taquine sur la religion. Je compromettrais mes meilleures amitiés.

Luigi, cependant, avait poussé son chevalet dans un coin, voyant qu'il ne pourrait finir l'oreille, ce jour-là. Il prit son chapeau, il vint toucher la jeune fille à l'épaule, pour l'avertir qu'il partait. Et elle l'accompagna jusque sur le palier, elle tira elle-même la porte sur eux ; mais ils se firent leurs adieux si bruyamment, qu'on entendit un léger cri de Clorinde, qui se perdit dans un rire étouffé. Quand elle rentra, elle dit :

— Je vais me déshabiller, à moins que parrain ne veuille m'emmener comme ça au Palais-Royal.

Et ils s'égayèrent tous les trois, à cette idée. Le crépuscule était tombé. Quand Rougon se retira, Clorinde descendit avec lui, laissant M. de Plouguern seul un instant, le temps de passer une robe. Il faisait déjà tout noir dans l'escalier. Elle marchait la première, sans dire un mot, si lentement, qu'il sentait le frôlement de sa tunique de gaze sur ses genoux. Puis, arrivée devant la porte de la chambre, elle entra ; elle fit deux pas, avant de se retourner. Lui, l'avait suivie. Là, les deux fenêtres éclairaient d'une poussière blanche le lit défait, la cuvette oubliée, le chat toujours endormi sur le paquet de vêtements.

— Vous ne m'en voulez pas ? répéta-t-elle à voix presque basse, en lui tendant les mains.

Il jura que non. il avait pris ses mains, il remonta le long des bras jusqu'au-dessus des coudes, fouillant doucement dans la dentelle noire, pour que ses gros doigts pussent passer sans rien déchirer. Elle haussait légèrement les bras, comme désireuse de lui faciliter cette besogne. Ils étaient dans l'ombre du paravent, ils ne se voyaient point la face. Et lui, au milieu de cette chambre dont l'air renfermé le suffoquait un peu, retrouvait l'odeur d'une rudesse presque sucrée qui l'avait déjà grisé. Mais, dès qu'il

eut dépassé les coudes, ses mains devenant brutales, il sentit Clorinde lui échapper, et il l'entendit crier par la porte restée ouverte derrière eux :

— Antonia ! de la lumière, et donnez-moi ma robe grise !

Quand Rougon se trouva sur l'avenue des Champs-Élysées, il demeura un moment étourdi, à respirer l'air frais qui soufflait des hauteurs de l'Arc de triomphe. L'avenue, vide de voitures, allumait un à un ses becs de gaz, dont les clartés brusques piquaient l'ombre d'une traînée d'étincelles vives. Il venait d'avoir comme un coup de sang, il se passait les mains sur la face.

— Ah ! non, dit-il tout haut, ce serait trop bête

4

Le cortège du baptême devait partir du pavillon de l'Horloge, à cinq heures. L'itinéraire était la grande allée du jardin des Tuileries, la place de la Concorde, la rue de Rivoli, la place de l'Hôtel-de-Ville, le pont d'Arcole, la rue d'Arcole et la place du Parvis.

Dès quatre heures, la foule fut immense au pont d'Arcole. Là, dans la trouée que la rivière faisait au milieu de la ville, un peuple pouvait tenir. C'était un élargissement brusque de l'horizon, avec la pointe de l'île Saint-Louis au loin, barrée par la ligne noire du pont Louis-Philippe ; à gauche, le petit bras se perdait au fond d'un étranglement de constructions basses ; à droite, le grand bras ouvrait un lointain noyé dans une fumée violâtre, où l'on distinguait la tache verte des arbres du Port-aux-Vins. Puis, des deux côtés, du quai Saint-Paul au quai de la Mégisserie, du quai Napoléon au quai de l'Horloge, les trottoirs allongeaient des grandes routes ; tandis que la place de l'Hôtel-de-Ville, en face du pont, étendait une plaine. Et sur ces vastes espaces, le ciel, un ciel de juin d'une pureté chaude, mettait un pan énorme de son infini bleu.

Quand la demie sonna, il y avait du monde partout. Le long des trottoirs, des files interminables de curieux, écrasés contre les parapets, stationnaient. Une mer de têtes humaines, aux flots toujours montants, emplissait la place de l'Hôtel-de-Ville. En face, les vieilles maisons du quai Napoléon, dans les vides noirs de leurs fenêtres grandes ouvertes, entassaient des visages ; et même, du fond des ruelles sombres bâillant sur la rivière, la rue Colombe, la rue Saint-Landry, la rue Glatigny, des bonnets de femme se penchaient, avec leurs brides envolées par le vent. Le pont Notre-Dame envahi montrait une rangée de spectateurs, les coudes appuyés sur la pierre, comme sur le velours d'une tribune colossale. A l'autre bout, tout là-bas, le pont Louis-Philippe s'animait d'un grouillement de points noirs; pendant que les croisées les plus lointaines, les petites raies qui trouaient régulièrement les façades jaunes et grises du cap de maisons, à la pointe de l'île, s'éclairaient par instants de la tache claire d'une robe. Il y avait des hommes debout sur les toits, parmi les cheminées. Des gens qu'on ne voyait pas, regardaient dans des lunettes, du haut de leurs terrasses, quai de la Tournelle. Et le soleil oblique, largement épandu, semblait le frisson même de cette foule; il roulait le rire ému de la houle des têtes, des ombrelles voyantes, tendues comme des miroirs, mettaient des rondeurs d'astre, au milieu du bariolage des jupes et des paletots.

Mais ce qu'on apercevait de toute part, des quais, des ponts, des fenêtres, c'était, à l'horizon, sur la muraille nue d'une maison à six étages, dans l'île Saint-Louis, une redingote grise géante, peinte à fresque, de profil, avec sa manche gauche pliée au coude, comme si le vêtement eût gardé l'attitude et le gonflement d'un corps, à cette heure disparu. Cette réclame monumentale prenait, dans le soleil, au-dessus de la fourmilière des promeneurs, une extraordinaire importance.

Cependant, une double haie ménageait le passage du cortège, au milieu de la foule. A droite, s'alignaient des gardes nationaux; à gauche, des soldats de la ligne. Un bout de cette double haie se perdait dans la rue d'Arcole, pavoisée de drapeaux, tendue aux fenêtres d'étoffes riches, qui battaient mollement, le long des maisons noires. Le pont, laissé vide, était la seule bande de terre nue, au milieu de l'envahissement des moindres coins; et il faisait un étrange effet, désert, léger, avec son unique arche de fer, d'une courbe si molle. Mais, en bas, sur les berges de la rivière, l'écrasement recommençait; des bourgeois endimanchés avaient étalé leurs mouchoirs, s'étaient assis là, à côté de leurs femmes, attendant, se reposant de toute une après-midi de flânerie. Au-delà du pont, au milieu de la nappe élargie de la rivière, très bleue, moirée de vert à la rencontre des deux bras, une équipe de canotiers en vareuses rouges ramaient, pour maintenir leur canot à la hauteur du Port-aux-Fruits. Il y avait encore, contre le quai de Gesvres, un grand lavoir, avec ses charpentes verdies par l'eau, dans lequel on entendait les rires et les coups de battoir des blanchisseuses. Et ce peuple entassé, ces trois à quatre cent mille têtes, par moments, se levaient, regardaient les tours de Notre-Dame, qui dressaient de biais leur masse carrée, au-dessus des maisons du quai Napoléon. Les tours, dorées par le soleil couchant, couleur de rouille sur le ciel clair, vibraient dans l'air, toutes sonores d'un carillon formidable.

Deux ou trois fausses alertes avaient déjà causé de profondes bousculades dans la foule.

— Je vous assure qu'ils ne passeront pas avant cinq heures et demie, disait un grand diable assis devant un café du quai de Gesvres, en compagnie de monsieur et de madame Charbonnel.

C'était Gilquin, Théodore Gilquin, l'ancien locataire de Mme Mélanie Correur, le terrible ami de Rougon. Ce jour-là, il était tout habillé de coutil jaune, un vêtement complet à vingt-neuf francs, fripé, taché, éclaté aux coutures; et il avait des bottes crevées, des gants havane clair, un large chapeau de paille sans ruban. Quand il mettait des gants, Gilquin était habillé. Depuis midi, il pilotait les Charbonnel, dont il avait fait la connaissance, un soir, chez Rougon, dans la cuisine.

— Vous verrez tout, mes enfants, répétait-il en essuyant de la main les longues moustaches qui balafraient de noir sa face d'ivrogne. Vous vous êtes remis entre mes mains, n'est-ce pas ? eh bien, laissez-moi régler l'ordre et la marche de la petite fête.

Gilquin avait déjà bu trois verres de cognac et cinq chopes. Depuis deux grandes heures, il tenait là les Charbonnel, sous prétexte qu'il fallait arriver les premiers. C'était un petit café qu'il connaissait, où l'on était parfaitement bien, disait-il; et il tutoyait le garçon. Les Charbonnel, résignés, l'écoutaient, très surpris de l'abondance et de la variété de sa conversation; Mme Charbonnel n'avait voulu qu'un verre d'eau sucrée; M. Charbonnel prenait un verre d'anisette, ainsi que cela lui arrivait parfois, au cercle du Commerce, à Plassans. Cependant Gilquin leur parlait du baptême, comme s'il avait passé le matin aux Tuileries, pour avoir des renseignements.

— L'impératrice est bien contente, disait-il. Elle a eu des couches superbes. Oh! c'est une gaillarde! Vous allez voir quelle prestance elle a... L'empereur, lui, est revenu avant-hier de Nantes, où il était allé à cause des inondations... Hein! quel malheur que ces inondations [34]!

Mme Charbonnel recula sa chaise. Elle avait une

34. En mai-juin 1856, donc à l'époque dont parle Zola, il y eut de graves inondations du Rhône, de la Saône, de la Loire et de l'Allier. Napoléon III rendit visite aux régions sinistrées et distribua des secours.

légère peur de la foule, qui coulait devant elle, de plus en plus compacte.

— Que de monde! murmura-t-elle.

— Pardi! cria Gilquin, il y a plus de trois cent mille étrangers dans Paris. Depuis huit jours, les trains de plaisir amènent ici toute la province... Tenez, voilà des Normands là-bas, et voilà des Gascons, et voilà des Francs-Comtois. Oh! je les flaire tout de suite, moi! J'ai joliment roulé ma bosse.

Puis, il dit que les tribunaux chômaient, que la Bourse était fermée, que toutes les administrations avaient donné congé à leurs employés. La capitale entière fêtait le baptême. Et il en vint à citer des chiffres, à calculer ce que coûteraient la cérémonie et les fêtes. Le Corps législatif avait voté quatre cent mille francs; mais c'était une misère, car un palefrenier des Tuileries lui avait affirmé, la veille, que le cortège seul coûterait près de deux cent mille francs. Si l'empereur n'ajoutait qu'un million pris sur la liste civile, il devrait s'estimer heureux. La layette à elle seule était de cent mille francs.

— Cent mille francs! répéta Mme Charbonnel abasourdie. Mais en quoi donc est-elle? qu'est-ce qu'on a donc mis après?

Gilquin eut un rire complaisant. Il y avait des dentelles si chères! Lui, autrefois, avait voyagé pour les dentelles. Et il continua ses calculs: cinquante mille francs étaient alloués en secours aux parents des enfants légitimes, nés le même jour que le petit prince, et dont l'empereur et l'impératrice avaient voulu être parrain et marraine; quatre-vingt-cinq mille francs devaient être dépensés en achat de médailles pour les auteurs des cantates chantées dans les théâtres. Enfin, il donna des détails sur les cent vingt mille médailles commémoratives distribuées aux collégiens, aux enfants des écoles primaires et des salles d'asile, aux sous-officiers et aux soldats de l'armée de Paris. Il en avait une, il la montra. C'était une médaille de la grandeur d'une pièce de dix sous, portant d'un côté les profils de l'empereur et de l'impératrice, de l'autre celui du prince impérial, avec la date du baptême: 14 juin 1856.

— Voulez-vous me la céder? demanda M. Charbonnel.

Gilquin consentit. Mais, comme le bonhomme, embarrassé pour le prix, lui donnait une pièce de vingt sous, il refusa grandement, il dit que cela ne devait valoir que dix sous. Cependant, Mme Charbonnel regardait les profils du couple impérial. Elle s'attendrissait.

— Ils ont l'air bien bon, disait-elle. Ils sont là-dessus, l'un contre l'autre, comme de braves gens...

Voyez donc, monsieur Charbonnel, on dirait deux têtes sur le même traversin, quand on regarde la pièce de cette façon.

Alors, Gilquin revint à l'impératrice, dont il exalta la charité. Au neuvième mois de sa grossesse, elle avait donné des après-midi entières à la création d'une maison d'éducation pour les jeunes filles pauvres, tout en haut du faubourg Saint-Antoine. Elle venait de refuser quatre-vingt mille francs, recueillis cinq sous par cinq sous dans le peuple, pour offrir un cadeau au petit prince, et cette somme allait, d'après son désir, servir à l'apprentissage d'une centaine d'orphelins. Gilquin, légèrement gris déjà, ouvrait des yeux terribles en cherchant des inflexions tendres, des expressions alliant le respect du sujet à l'admiration passionnée de l'homme. Il déclarait qu'il ferait volontiers le sacrifice de sa vie, aux pieds de cette noble femme. Mais, autour de lui, personne ne protestait. Le brouhaha de la foule était au loin comme l'écho de ses éloges, s'élargissant en une clameur continue. Et les cloches de Notre-Dame, à toute volée, roulaient par-dessus les maisons l'écroulement de leur joie énorme.

— Il serait peut-être temps d'aller nous placer, dit timidement M. Charbonnel, qui s'ennuyait d'être assis.

Mme Charbonnel s'était levée, ramenant son châle jaune sur son cou.

— Sans doute, murmura-t-elle. Vous vouliez arriver des premiers, et nous restons là, à laisser passer tout le monde devant nous.

Mais Gilquin se fâcha. Il jura, en tapant de son poing la petite table de zinc. Est-ce qu'il ne connaissait pas son Paris? Et, pendant que Mme Charbonnel, intimidée, retombait sur sa chaise, il cria au garçon de café:

— Jules, une absinthe et des cigares!

Puis, quand il eut trempé ses grosses moustaches dans son absinthe, il le rappela furieusement.

— Est-ce que tu te fiches de moi? Veux-tu bien m'emporter cette drogue et me servir l'autre bouteille, celle de vendredi!... J'ai voyagé pour les liqueurs, mon vieux. On ne met pas dedans Théodore.

Il se calma, lorsque le garçon, qui semblait avoir peur de lui, lui eut apporté la bouteille. Alors, il donna des tapes amicales sur les épaules des Charbonnel, il les appela papa et maman.

— Quoi donc! maman, les petons nous démangent? Allez, vous avez le temps de les user, d'ici à ce soir!... Voyons, que diable! mon gros père, est-ce que nous ne sommes pas bien, devant ce café? Nous sommes assis, nous regardons passer le

Le cortège du baptême du prince impérial sort des Tuileries, 14 juin 1856.

monde... Je vous dis que nous avons le temps. Faites-vous servir quelque chose.

— Merci, nous avons notre suffisance, déclara M. Charbonnel.

Gilquin venait d'allumer un cigare. Il se renversait, les pouces aux entournures de son gilet, bombant sa poitrine, se dandinant sur sa chaise. Une béatitude noyait ses yeux. Tout d'un coup, il eut une idée.

— Vous ne savez pas ? cria-t-il, eh bien! demain matin, à sept heures, je suis chez vous et je vous emmène, je vous fais voir toute la fête. Hein! voilà qui est gentil.

Les Charbonnel se regardaient, très inquiets. Mais, lui, expliquait le programme tout au long. Il avait une voix de montreur d'ours faisant un boniment. Le matin, déjeuner au Palais-Royal et promenade dans la ville. L'après-midi, à l'esplanade des Invalides, représentations militaires, mâts de cocagne, trois cents ballons perdus emportant des cornets de bonbons, grand ballon avec pluie de dragées. Le soir, dîner chez un marchand de vin du quai Debilly qu'il connaissait, feu d'artifice dont la pièce principale devait représenter un baptistère, flânerie au milieu des illuminations. Et il leur parla de la croix de feu qu'on hissait sur l'hôtel de la Légion d'honneur, du palais féerique de la place de la Concorde qui nécessitait l'emploi de neuf cent cinquante mille verres de couleur, de la tour Saint-Jacques dont la statue, en l'air, semblait une torche allumée. Comme les Charbonnel hésitaient toujours, il se pencha, il baissa la voix.

— Puis, en rentrant, nous nous arrêterons dans une crémerie de la rue de Seine, où l'on mange de la soupe au fromage épatante.

Alors, les Charbonnel n'osèrent plus refuser. Leurs yeux arrondis exprimaient à la fois une curiosité et une épouvante d'enfant. Ils se sentaient devenir la chose de ce terrible homme. Mme Charbonnel se contenta de murmurer :

— Ah! ce Paris, ce Paris!... Enfin, puisque nous y sommes, il faut bien tout voir. Mais si vous saviez, monsieur Gilquin, comme nous étions tranquilles à Plassans! J'ai là-bas des conserves qui se perdent, des confitures, des cerises à l'eau-de-vie, des cornichons.

— N'aie donc pas peur, maman! dit Gilquin qui s'égayait jusqu'à la tutoyer. Tu gagnes ton procès et tu m'invites, hein! Nous allons tous là-bas rafler les conserves.

Il se versa un nouveau verre d'absinthe. Il était complètement gris. Pendant un moment, il couva les Charbonnel d'un regard attendri. Lui, voulait qu'on eût le cœur sur la main. Brusquement, il se mit debout, il agita ses longs bras, poussant des psit! des hé! là-bas! C'était Mme Mélanie Correur, en robe de soie gorge-de-pigeon, qui passait sur le trottoir, en face. Elle tourna la tête, elle parut très ennuyée d'apercevoir Gilquin. Cependant, elle traversa la chaussée, en balançant ses hanches d'un air de princesse. Et quand elle fut debout devant la table, elle se fit longtemps prier pour accepter quelque chose.

— Voyons, un petit verre de cassis, dit Gilquin. Vous l'aimez... Vous vous souvenez, rue Vaneau ? Était-ce assez farce, dans ce temps-là! Ah! cette grosse bête de Correur!

Elle finissait par s'asseoir, lorsqu'une immense acclamation courut dans la foule. Les promeneurs, comme soulevés par un coup de vent, s'emportaient, avec un piétinement de troupeau débandé. Les Charbonnel, instinctivement, s'étaient levés pour prendre leur course. Mais la lourde main de Gilquin les recolla sur leur chaise. Il était pourpre.

— Ne bougez donc pas, sacrebleu! Attendez le commandement... Vous voyez bien que tous ces imbéciles ont le nez cassé. Il n'est que cinq heures, n'est-ce pas ? C'est le cardinal-légat qui arrive. Nous nous en moquons, hein! du cardinal-légat. Moi, je trouve blessant que le pape ne soit pas venu en personne. On est parrain ou on ne l'est pas, il me semble!... Je vous jure que le mioche ne passera pas avant une demi-heure.

Peu à peu, l'ivresse lui ôtait de son respect. Il avait retourné sa chaise, il fumait dans le nez de tout le monde, envoyant des clignements d'yeux aux femmes, regardant les hommes d'un air provocant. Au pont Notre-Dame, à quelques pas, il se produisit des embarras de voitures; les chevaux piaffaient d'impatience, des uniformes de hauts fonctionnaires et d'officiers supérieurs, brodés d'or, constellés de décorations, se montraient aux portières.

— En voilà de la quincaillerie! murmura Gilquin avec un sourire d'homme supérieur.

Mais, comme un coupé arrivait sur le quai de la Mégisserie, il faillit d'un saut renverser la table; il s'écria :

— Tiens! Rougon!

Et, debout, de sa main gantée, il saluait. Puis, craignant de ne pas être vu, il prit son chapeau de paille, il l'agita. Rougon, dont le costume de sénateur était très regardé, se renfonça vite dans un coin du coupé. Alors, Gilquin l'appela, en se faisant un porte-voix de son poing à demi fermé. En face, sur le trottoir, la foule s'attroupait, se retournait, pour voir à qui en avait ce grand diable, habillé de coutil jaune. Enfin, le cocher put fouetter son cheval, le coupé s'engagea sur le pont Notre-Dame.

— Taisez-vous donc! dit à voix étouffée madame Correur, en saisissant l'un des bras de Gilquin.

Il ne voulut pas s'asseoir tout de suite. Il se haussait, pour suivre le coupé, au milieu des autres voitures. Et il lança une dernière phrase, derrière les roues qui fuyaient.

— Ah! le lâcheur, c'est parce qu'il a de l'or sur son patelot, maintenant! Ça n'empêche pas, mon gros, que tu aies emprunté plus d'une fois les bottes de Théodore!

Autour de lui, aux sept ou huit tables du petit café, des bourgeois avec leurs dames ouvraient des yeux énormes; il y avait surtout, à la table voisine, une famille, le père, la mère et trois enfants, qui l'écoutaient, d'un air profondément intéressé. Lui, se gonflait, ravi d'avoir un public. Il promena lentement un regard sur les consommateurs, et dit très haut, en se rasseyant :

— Rougon! c'est moi qui l'ai fait!

Mme Correur ayant tenté de l'interrompre, il la prit à témoin. Elle savait bien tout, elle! Ça s'était passé chez elle, rue Vaneau, hôtel Vaneau. Elle ne démentirait peut-être pas qu'il lui avait prêté ses bottes vingt fois, pour aller chez des gens comme il faut se mêler à un tas de trafics, auxquels personne ne comprenait rien. Rougon, dans ce temps-là, n'avait qu'une paire de vieilles savates éculées, dont un chiffonnier n'aurait pas voulu. Et, se penchant d'un air victorieux vers la table voisine, mêlant la famille à la conversation, il s'écria :

— Parbleu! elle ne dira pas non. C'est elle, à Paris, qui lui a payé sa première paire de bottes neuves.

Mme Correur tourna sa chaise, pour ne plus paraître faire partie de la société de Gilquin. Les Charbonnel restaient tout pâles de la façon dont il entendaient traiter un homme qui devait leur mettre en poche cinq cent mille francs. Mais Gilquin était lancé, il raconta, avec des détails interminables, les commencements de Rougon. Lui, se disait philosophe; il riait maintenant, il prenait à partie les consommateurs les uns après les autres, fumant, crachant, buvant, leur expliquant qu'il était accoutumé à l'ingratitude des hommes; il lui suffisait d'avoir sa propre estime. Et il répétait qu'il avait fait Rougon. A cette époque, il voyageait pour la parfumerie; mais le commerce n'allait pas, à cause de la République. Tous les deux, ils crevaient de faim sur le même palier. Alors, lui, avait eu l'idée

de pousser Rougon à se faire envoyer de l'huile d'olive par un propriétaire de Plassans; et ils s'étaient mis en campagne, chacun de son côté, battant le pavé de Paris jusqu'à des dix heures du soir, avec des échantillons d'huile dans leurs poches. Rougon n'était pas fort; pourtant il rapportait parfois de belles commandes, prises chez les grands personnages où il allait en soirée. Ah! ce gredin de Rougon! plus bête qu'une oie sur toutes sortes de choses, et malin avec cela! Comme il avait fait trimer Théodore, plus tard, pour sa politique! Ici, Gilquin baissa un peu la voix, cligna les yeux; car, enfin, lui aussi avait fait partie de la bande. Il courait les bastringues de barrière, où il criait : Vive la République! Dame, il fallait bien être républicain, pour racoler du monde. L'Empire lui devait un beau cierge. Eh bien! l'Empire ne lui disait pas même merci. Tandis que Rougon et sa clique se partageaient le gâteau, on le flanquait à la porte, comme un chien galeux. Il préférait ça, il aimait mieux rester indépendant. Seulement, il éprouvait un regret, celui de n'être pas allé jusqu'au bout avec les républicains, pour balayer à coups de fusil toute cette crapule-là.

— C'est comme le petit Du Poizat, qui a l'air de ne plus me reconnaître! dit-il en terminant. Un gringalet dont j'ai bourré plus d'une fois la pipe!... Du Poizat! sous-préfet! Je l'ai vu en chemise avec la grande Amélie qui le jetait d'une claque à la porte, quand il n'était pas sage.

Il se tut un instant, subitement attendri, les yeux noyés d'ivresse. Puis, il reprit, en interrogeant les consommateurs à la ronde :

— Enfin, vous venez de voir Rougon... Je suis aussi grand que lui. J'ai son âge. Je me flatte d'avoir une tête un peu moins canaille que la sienne. Eh bien, est-ce que je ne ferais pas mieux que ce gros cochon dans une voiture, avec des machines dorées plein le corps ?

Mais, à ce moment, une telle clameur s'éleva de la place de l'Hôtel-de-Ville, que les consommateurs ne songèrent guère à répondre. La foule s'emporta de nouveau; on ne voyait que des jambes d'homme en l'air, tandis que les femmes se retroussaient jusqu'aux genoux, montrant leurs bas blancs, pour mieux courir. Et, comme la clameur approchait, s'élargissait en un glapissement de plus en plus distinct, Gilquin cria :

— Houp! c'est le mioche!... Payez vite, papa Charbonnel, et suivez-moi tous.

Mme Correur avait saisi un pan de son paletot de coutil jaune, afin de ne pas le perdre. Mme Charbonnel venait ensuite essoufflée. On faillit laisser en chemin M. Charbonnel. Gilquin s'était jeté en plein tas, résolument, jouant des coudes, ouvrant un sillon; et il manœuvrait avec une telle autorité, que les rangs les plus serrés s'écartaient devant lui. Quand il fut parvenu au parapet du quai, il plaça son monde. D'un effort, il souleva ces dames, les assit sur le parapet, les jambes du côté de la rivière, malgré les petits cris d'effroi qu'elles poussaient. Lui et M. Charbonnel restèrent debout derrière elles.

— Hein! mes petites chattes, vous êtes aux premières loges, leur dit-il pour les calmer. N'ayez pas peur! Nous allons vous prendre par la taille.

Il glissa ses deux bras autour du bel embonpoint de Mme Correur, qui lui sourit. On ne pouvait se fâcher avec ce gaillard-là. Cependant, on ne voyait rien. Du côté de la place de l'Hôtel-de-Ville, il y avait comme un clapotement de têtes, une marée de vivats qui montaient; des chapeaux, au loin, agités par des mains qu'on ne distinguait pas, mettaient au-dessus de la foule une large vague noire, dont le flot gagnait lentement de proche en proche. Puis, ce furent les maisons du quai Napoléon, situées en face de la place, qui s'émurent les premières; aux fenêtres, les gens se haussèrent, se bousculèrent, avec des visages ravis, des bras tendus montrant quelque chose, à gauche, du côté de la rue de Rivoli. Et, pendant trois éternelles minutes, le pont resta encore vide. Les cloches de Notre-Dame, comme prises d'une fureur d'allégresse, sonnaient plus fort.

Tout d'un coup, au milieu de la multitude anxieuse, des trompettes parurent, sur le pont désert. Un immense soupir roula et se perdit. Derrière les trompettes et le corps de musique qui les suivait, venait un général accompagné de son état-major, à cheval. Ensuite, après des escadrons de carabiniers, de dragons et de guides, commençaient les voitures de gala. Il y en avait d'abord huit, attelées de six chevaux. Les premières contenaient des dames du palais, des chambellans, des officiers de la maison de l'empereur et de l'impératrice, des dames d'honneur de la grande-duchesse de Bade, chargée de représenter la marraine. Et Gilquin, sans lâcher Mme Correur, lui expliquait dans le dos que la marraine, la reine de Suède, n'avait, pas plus que le parrain, pris la peine de se déranger. Puis, lorsque passèrent la septième voiture et la huitième, il nomma les personnages, avec une familiarité qui le montrait très au courant des choses de la cour. Ces deux dames, c'étaient la princesse Mathilde et la princesse Marie. Ces trois messieurs, c'étaient le

roi Jérôme [35], le prince Napoléon et le prince de Suède; ils avaient avec eux la grande-duchesse de Bade. Le cortège avançait lentement. Aux portières, des écuyers, des aides de camp, des chevaliers d'honneur, tenaient les brides très courtes, pour maintenir leurs chevaux au pas.

— Où donc est le petit? demanda Mme Charbonnel impatiente.

— Pardi! on ne l'a pas mis sous une banquette, dit Gilquin en riant. Attendez, il va venir.

Il serra plus amoureusement Mme Correur, qui s'abandonnait, parce qu'elle avait peur de tomber, disait-elle. Et, gagné par l'admiration, les yeux luisants, il murmura encore :

— N'importe, c'est vraiment beau! Se gobergent-ils ces mâtins-là, dans leurs boîtes de satin!... Quand on pense que j'ai travaillé à tout ça!

Il se gonflait; le cortège, la foule, l'horizon entier était à lui. Mais, dans le court recueillement causé par l'apparition des premières voitures, un brouhaha formidable arrivait; maintenant, c'était sur le quai même que les chapeaux volaient au-dessus des têtes moutonnantes. Au milieu du pont, six piqueurs de l'empereur passaient, avec leur livrée verte, leurs calottes rondes autour desquelles retombaient les brins dorés d'un large gland. Et la voiture de l'impératrice se montra enfin; elle était traînée par huit chevaux; elle avait quatre lanternes, très riches, plantées aux quatre coins de la caisse; et, toute en glace, vaste, arrondie, elle ressemblait à un grand coffret de cristal, enrichi de galeries d'or, monté sur des roues d'or. A l'intérieur, on distinguait nettement, dans un nuage de dentelles blanches, la tache rose du prince impérial, tenu sur les genoux de la gouvernante des Enfants de France; auprès d'elle, était la nourrice, une Bourguignonne, belle femme à forte poitrine. Puis, à quelque distance, après un groupe de garçons d'attelage à pied et d'écuyers à cheval, venait la voiture de l'empereur, attelée également de huit chevaux d'une richesse aussi grande, dans laquelle l'empereur et l'impératrice saluaient. Aux portières des deux voitures, des maréchaux recevaient sans un geste, sur les broderies de leurs uniformes, la poussière des roues.

— Si le pont venait à casser! dit en ricanant Gilquin, qui avait le goût des imaginations atroces.

<hr>

35. Jérôme Bonaparte (1784-1860), frère de Napoléon Ier, ancien roi de Westphalie. Il n'assista pas au baptême, mais il était cité dans le *Moniteur universel* du 15 juin 1856, qui a servi de source à Zola. Le prince Napoléon, né en 1822, était le fils de Jérôme et de la princesse de Wurtemberg. La princesse Mathilde, amie des hommes de lettres et des artistes, et dont le *Journal* des Goncourt parle très fréquemment, née en 1820, était la sœur du précédent, dont les écarts l'effrayaient. La princesse Marie, née en 1835, était la petite-fille de Lucien Bonaparte, frère de l'empereur.

Le carrosse de l'empereur, dessin de Constantin Guys.

Mme Correur, effrayée, le fit taire. Mais lui, insistait, disait que ces ponts de fer n'étaient jamais bien solides ; et, quand les deux voitures furent au milieu du pont, il affirma qu'il voyait le tablier danser. Quel plongeon, tonnerre ! le papa, la maman, l'enfant, ils auraient tous bu un fameux coup [36] ! Les voitures roulaient doucement, sans bruit ; le tablier était si léger, avec sa longue courbe molle, qu'elles étaient comme suspendues, au-dessus du grand vide de la rivière ; en bas, dans la nappe bleue, elles se reflétaient, pareilles à d'étranges poissons d'or, qui auraient nagé entre deux eaux. L'empereur et l'impératrice, un peu las, avaient posé la tête sur le satin capitonné, heureux d'échapper un instant à la foule et de n'avoir plus à saluer. La gouvernante des Enfants de France, elle aussi, profitait des trottoirs déserts, pour relever le petit prince glissé de ses genoux ; tandis que la nourrice, penchée, l'amusait d'un sourire. Et le cortège entier baignait dans le soleil ; les uniformes, les toilettes, les harnais flambaient ; les voitures, toutes braisillantes, emplies d'une lueur d'astre, envoyaient des reflets de glace qui dansaient sur les maisons noires du quai Napoléon. Au loin, au-dessus du pont, se dressait, comme fond à ce tableau, la réclame monumentale peinte sur le mur d'une maison à six étages de l'île Saint-Louis, la redingote grise géante, vide de corps, que le soleil battait d'un rayonnement d'apothéose.

Gilquin remarqua la redingote, au moment où elle dominait les deux voitures. Il cria :

— Tiens ! l'oncle, là-bas !

Un rire courut dans la foule, autour de lui. M. Charbonnel, qui n'avait pas compris, voulut se faire donner des explications. Mais on ne s'entendait plus, un vivat assourdissant montait, les trois cent mille personnes qui s'écrasaient là, battaient des mains. Quand le petit prince était arrivé au milieu du pont, et qu'on avait vu paraître derrière lui l'empereur et l'impératrice, dans ce large espace découvert où rien ne gênait la vue, une émotion extraordinaire s'était emparée des curieux. Il y avait eu un de ces enthousiasmes populaires, tout nerveux, roulant les têtes comme sous un coup de vent, d'un bout d'une ville à l'autre. Les hommes se haussaient, mettaient des bambins ébahis à califourchon sur leur cou ; les femmes pleuraient, balbutiant des paroles de tendresse pour « le cher petit [37] », partageant avec des mots du cœur la joie bourgeoise du couple impérial. Une tempête de cris continuait à sortir de la place de l'Hôtel-de-Ville ; sur les quais, des deux côtés, en amont, en aval, aussi loin que le regard pouvait aller, on apercevait une forêt de bras tendus, s'agitant, saluant. Aux fenêtres, des mouchoirs volaient, des corps se penchaient, le visage allumé, avec le trou noir de la bouche grande ouverte. Et, tout là-bas, les fenêtres de l'île Saint-Louis, étroites comme de minces traits de fusain ; s'animaient d'un pétillement de lueurs blanches, d'une vie qu'on ne distinguait pas nettement. Cependant, l'équipe des canotiers en vareuses rouges, debout au milieu de la Seine qui les emportait, vociféraient à pleine gorge ; pendant que les blanchisseuses, à demi sorties des vitrages du bateau, les bras nus, débraillées, affolées, voulant se faire entendre, tapaient furieusement leurs battoirs, à les casser.

— C'est fini, allons-nous-en, dit Gilquin.

Mais les Charbonnel voulurent voir jusqu'au bout. La queue du cortège, des escadrons de cent-gardes, de cuirassiers et de carabiniers, s'enfonçaient dans la rue d'Arcole. Puis, il se produisit un tumulte épouvantable ; la double haie des gardes nationaux et des soldats de la ligne fut rompue en plusieurs endroits ; des femmes criaient.

— Allons-nous-en, répéta Gilquin. On va s'écraser.

Et, quand il eut posé ces dames sur le trottoir, il leur fit traverser la chaussée, malgré la foule. Mme Correur et les Charbonnel étaient d'avis de suivre le parapet, pour prendre le pont Notre-Dame et aller voir ce qui se passait sur la place du Parvis. Mais il ne les écoutait pas, il les entraînait. Lorsqu'ils furent de nouveau devant le petit café, il les poussa brusquement, les assit à la table qu'ils venaient de quitter.

— Vous êtes encore de jolis cocos ! leur criait-il. Est-ce que vous croyez que j'ai envie de me faire casser les pattes par ce tas de badauds ?... Nous allons boire quelque chose, parbleu ? Nous sommes mieux là qu'au milieu de la foule. Hein ! nous en avons assez, de la fête ! Ça finit par être bête ! Voyons, qu'est-ce que vous prenez, maman ?

Les Charbonnel, qu'il couvait de ses yeux inquiétants, élevèrent de timides objections. Ils auraient bien voulu voir la sortie de l'église. Alors, il leur expliqua qu'il fallait laisser les curieux s'écouler ; dans un quart d'heure, il les conduirait, s'il n'y avait pas trop de monde pourtant. Mme Correur, pendant qu'il redemandait à Jules des cigares et de la bière, s'échappa prudemment.

---

36. Zola s'exerce visiblement ici au style indirect qu'il systématisera dans l'*Assommoir*.

37. Zola met encore l'expression entre guillemets pour en souligner le ridicule attendri. Plus tard, il la prendra à son compte et elle reviendra fréquemment, sans guillemets, dans le reste de l'œuvre, et plus particulièrement dans *Fécondité*.

— Eh! bien! c'est ça, reposez-vous, dit-elle aux Charbonnel. Vous me trouverez là-bas.

Elle prit le pont Notre-Dame et s'engagea dans la rue de la Cité. Mais l'écrasement y était tel, qu'elle mit un grand quart d'heure pour atteindre la rue de Constantine. Elle dut se décider à couper par la rue de la Licorne et la rue des Trois-Canettes. Enfin, elle déboucha sur la place du Parvis, après avoir laissé à un soupirail de maison suspecte tout un volant de sa robe gorge-de-pigeon. La place, sablée, jonchée de fleurs, était plantée de mâts portant des bannières aux armes impériales. Devant l'église, un porche colossal, en forme de tente, drapait sur la nudité de la pierre des rideaux de velours rouge, à franges et à glands d'or.

Là, Mme Correur fut arrêtée par une haie de soldats qui maintenait la foule. Au milieu du vaste carré laissé libre, des valets de pied se promenaient à petits pas, le long des voitures rangées sur cinq files; tandis que les cochers, solennels, restaient sur leurs sièges, les guides aux mains. Et comme elle allongeait le cou, cherchant quelque fente pour pénétrer, elle aperçut Du Poizat qui fumait tranquillement un cigare, dans un angle de la place, au milieu des valets de pied.

— Est-ce que vous ne pouvez pas me faire entrer? lui demanda-t-elle, quand elle eut réussi à l'appeler, en agitant son mouchoir.

Il parla à un officier, il l'emmena devant l'église.

— Si vous m'en croyez, vous resterez ici avec moi, dit-il. C'est plein à crever, là-dedans. J'étouffais, je suis sorti... Tenez, voici le colonel et monsieur Bouchard qui ont renoncé à trouver des places.

Ces messieurs, en effet, étaient là, à gauche, du côté de la rue du Cloître-Notre-Dame. M. Bouchard racontait qu'il venait de confier sa femme à M. d'Escorailles, qui avait un fauteuil excellent pour une dame. Quant au colonel, il regrettait de ne pouvoir expliquer la cérémonie à son fils Auguste.

— J'aurais voulu lui montrer le fameux vase, dit-il. C'est, comme vous le savez, le propre vase de saint Louis, un vase de cuivre damasquiné et niellé [38], du plus beau style persan, une antiquité du temps des croisades, qui a servi au baptême de tous nos rois.

— Vous avez vu les honneurs? demanda M. Bouchard à Du Poizat.

— Oui, répondit celui-ci. C'est madame de Llorentz qui portait le chrémeau.

Il dut donner des détails. Le chrémeau était le bonnet de baptême. Ni l'un ni l'autre de ces messieurs ne savaient cela; ils se récrièrent. Du Poizat énuméra alors les honneurs du prince impérial, le chrémeau, le cierge, la salière, et les honneurs du parrain et de la marraine, le bassin, l'aiguière, la serviette; tous ces objets étaient portés par des dames du palais. Et il y avait encore le manteau du petit prince, un manteau superbe, extraordinaire, étalé près des fonts, sur un fauteuil.

— Comment! il n'y a pas une toute petite place? s'écria Mme Correur, à laquelle ces détails donnaient une fièvre de curiosité.

Alors, ils lui citèrent tous les grands corps, toutes les autorités, toutes les délégations qu'ils avaient vus passer. C'était un défilé interminable : le Corps diplomatique, le Sénat, le Corps législatif, le Conseil d'État, la Cour de cassation, la Cour des comptes, la cour impériale, les tribunaux de commerce et de première instance, sans compter les ministres, les préfets, les maires et leurs adjoints, les académiciens, les officiers supérieurs, jusqu'à des délégués du consistoire israélite et du consistoire protestant. Et il en y avait encore, et il y en avait toujours.

— Mon Dieu! que ça doit être beau! laissa échapper Mme Correur avec un soupir.

Du Poizat haussa les épaules. Il était d'une humeur détestable. Tout ce monde « l'embêtait ». Et il semblait agacé par la longueur de la cérémonie. Est-ce qu'ils n'auraient pas bientôt fini? Ils avaient chanté le *Veni Creator;* ils s'étaient encensés, promenés, salués. Le petit devait être baptisé, maintenant. M. Bouchard et le colonel, plus patients, regardaient les fenêtres pavoisées de la place; puis, ils renversèrent la tête, à un brusque carillon qui secoua les tours; et ils eurent un léger frisson, inquiets du voisinage énorme de l'église, dont ils n'apercevaient pas le bout, dans le ciel. Cependant, Auguste s'était glissé vers le porche. Mme Correur le suivit. Mais comme elle arrivait en face de la grand-porte, ouverte à deux battants, un spectacle extraordinaire la planta net sur les pavés.

Entre les deux larges rideaux, l'église se creusait, immense, dans une vision surhumaine de tabernacle. Les voûtes d'un bleu tendre, étaient semées d'étoiles. Les verrières étalaient, autour de ce firmament, des astres mystiques, attisant les petites flammes vives d'une braise de pierreries. Partout, des hautes colonnes, tombait une draperie de velours rouge, qui mangeait le peu de jour traînant sous la nef; et, dans cette nuit rouge, brûlait seul, au milieu, un ardent foyer de cierges, des milliers de cierges en tas, plantés si près les uns des autres, qu'il y avait là comme un soleil unique, flambant dans une pluie

38. Incrusté d'émail noir.

d'étincelles. C'était, au centre de la croisée, sur une estrade, l'autel qui s'embrasait. A gauche, à droite, s'élevaient des trônes. Un large dais de velours doublé d'hermine mettait, au-dessus du trône le plus élevé, un oiseau géant, au ventre de neige, aux ailes de pourpre. Et toute une foule riche, moirée d'or, allumée d'un pétillement de bijoux, emplissait l'église : près de l'autel, au fond, le clergé, les évêques crossés et mitrés, faisaient une gloire [39], un de ces resplendissements qui ouvrent une trouée sur le ciel; autour de l'estrade, des princes, des princesses, de grands dignitaires, étaient rangés avec une pompe souveraine; puis des deux côtés, dans les bras de la croisée, des gradins montaient, le Corps diplomatique et le Sénat à droite, le Corps législatif et le Conseil d'État à gauche; tandis que les délégations de toutes sortes s'entassaient dans le reste de la nef, et que les dames, en haut, au bord des tribunes, étalaient les vives panachures de leurs étoffes claires. Une grande buée saignante flottait. Les têtes étagées au fond, à droite, à gauche, gardaient des tons roses de porcelaine peinte. Les costumes, le satin, la soie, le velours, avaient des reflets d'un éclat sombre, comme près de s'enflammer. Des rangs entiers, tout d'un coup, prenaient feu. L'église profonde se chauffait d'un luxe inouï de fournaise.

Alors, Mme Correur vit s'avancer, au milieu du chœur, un aide des cérémonies, qui cria trois fois, furieusement :

— Vive le prince impérial! vive le prince impérial! vive le prince impérial!

Et, dans l'immense acclamation dont les voûtes tremblèrent, Mme Correur aperçut, au bord de l'estrade, l'empereur debout, dominant la foule. Il se détachait en noir sur le flamboiement d'or, que les évêques allumaient derrière lui. Il présentait au peuple le prince impérial, un paquet de dentelles blanches, qu'il tenait très haut, de ses deux bras levés.

Mais, brusquement, un suisse écarta d'un geste Mme Correur. Elle recula de deux pas, elle n'eut plus devant elle, tout près, qu'un des rideaux du porche. La vision avait disparu. Alors elle se retrouva dans le plein jour, et elle resta ahurie, croyant avoir vu quelque vieux tableau, pareil à ceux du Louvre, cuit par l'âge, empourpré et doré, avec des personnages anciens comme on n'en rencontre pas sur les trottoirs.

— Ne restez pas là, lui dit Du Poizat, en la ramenant près du colonel et de M. Bouchard.

Ces messieurs, maintenant, causaient des inon-

dations. Les ravages étaient épouvantables, dans les vallées du Rhône et de la Loire. Des milliers de famille se trouvaient sans abri. Les souscriptions, ouvertes de tous côtés, ne suffisaient pas au soulagement de tant de misères. Mais l'empereur se montrait d'un courage et d'une générosité admirables : à Lyon, on l'avait vu traverser à gué les quartiers bas de la ville, recouverts par les eaux; à Tours, il s'était promené en canot, pendant trois heures, au milieu des rues inondées. Et partout il semait les aumônes sans compter.

— Écoutez donc! interrompit le colonel.

Les orgues ronflaient dans l'église. Un chant large sortait par l'ouverture béante du porche, dont les draperies battaient, sous cette haleine énorme.

— C'est le *Te Deum*, dit M. Bouchard.

Du Poizat eut un soupir de soulagement. Ils allaient donc avoir fini! Mais M. Bouchard lui expliqua que les actes n'étaient pas encore signés. Ensuite, le cardinal-légat devait donner la bénédiction pontificale. Du monde, pourtant, commença bientôt à sortir. Rougon, un des premiers, parut, ayant au bras une femme maigre, à figure jaune, mise très simplement. Un magistrat, en costume de président de la cour d'appel, les accompagnait.

— Qui est-ce ? demanda Mme Correur.

Du Poizat lui nomma les deux personnes. M. Beulin-d'Orchère avait connu Rougon un peu avant le coup d'État, et il lui témoignait depuis cette époque une estime particulière, sans chercher pourtant à établir entre eux des rapports suivis. Mlle Véronique, sa sœur, habitait avec lui un hôtel de la rue Garancière, qu'elle ne quittait guère que pour assister aux messes basses de Saint-Sulpice.

— Tenez, dit le colonel en baissant la voix, voilà la femme qu'il faudrait à Rougon.

— Parfaitement, approuva M. Bouchard. Fortune convenable, bonne famille, femme d'ordre et d'expérience. Il ne trouvera pas mieux.

Mais Du Poizat se récria. La demoiselle était mûre comme une nèfle qu'on a oubliée sur de la paille. Elle avait au moins trente-six ans et elle en paraissait bien quarante. Un joli manche à balai à mettre dans un lit! Une dévote qui portait des bandeaux plats! une tête si usée, si fade, qu'elle semblait avoir trempé pendant six mois dans de l'eau bénite!

— Vous êtes jeunes, déclara gravement le chef de bureau. Rougon doit faire un mariage de raison... Moi j'ai fait un mariage d'amour; mais ça ne réussit pas à tout le monde.

— Eh! je me moque de la fille, en somme, finit par avouer Du Poizat. C'est la mine du Beulin-d'Orchère qui me fait peur. Ce gaillard-là a une

---

39. Représentation picturale du ciel avec les saints et les anges. Zola emploie volontiers le vocabulaire de la peinture.

mâchoire de dogue... Regardez-le donc, avec son lourd museau et sa forêt de cheveux crépus, où pas un fil blanc ne se montre, malgré ses cinquante ans! Est-ce qu'on sait ce qu'il pense! Dites-moi un peu pourquoi il continue à pousser sa sœur dans les bras de Rougon, maintenant que Rougon est par terre ?

M. Bouchard et le colonel gardèrent le silence, en échangeant un regard inquiet. Le « dogue », comme l'appelait l'ancien sous-préfet, allait-il donc à lui tout seul dévorer Rougon ? Mais Mme Correur dit lentement :

— C'est très bon d'avoir la magistrature avec soi.

Cependant, Rougon avait conduit Mlle Véronique jusqu'à sa voiture; et là, avant qu'elle fût montée, il la saluait. Juste à ce moment, la belle Clorinde sortait de l'église, au bras de Delestang. Elle devint grave, elle enveloppa d'un regard de flamme cette grande fille jaune, sur laquelle Rougon avait la galanterie de refermer la portière, malgré son habit de sénateur. Alors, pendant que la voiture s'éloignait, elle marcha droit à lui, lâchant le bras de Delestang, retrouvant son rire de grande enfant. Toute la bande la suivit.

— J'ai perdu maman! lui cria-t-elle gaiement. On m'a enlevé maman, au milieu de la foule... Vous m'offrez un petit coin dans votre coupé, hein ?

Delestang, qui allait lui proposer de la reconduire chez elle, parut très contrarié. Elle portait une robe de soie orange, brochée de fleurs si voyantes, que les valets de pied la regardaient. Rougon s'était incliné, mais ils durent attendre le coupé, pendant près de dix minutes. Tous restèrent, même Delestang, dont la voiture était sur le premier rang, à deux pas. L'église continuait à se vider lentement. M. Kahn et M. Béjuin, qui passaient, accoururent se joindre à la bande. Et comme le grand homme avait de molles poignées de main, l'air maussade, M. Kahn lui demanda, avec une vivacité inquiète :

— Est-ce que vous êtes souffrant ?

— Non, répondit-il. Ce sont toutes ces lumières, là-dedans, qui m'ont fatigué.

Il se tut, puis il reprit, à demi-voix :

— C'était très grand... Je n'ai jamais vu une pareille joie sur la figure d'un homme.

Il parlait de l'empereur. Il avait ouvert les bras, dans un geste large, avec une lente majesté comme pour rappeler la scène de l'église; et il n'ajouta rien. Ses amis, autour de lui, se taisaient également. Ils faisaient, dans un coin de la place, un tout petit groupe. Devant eux, le défilé grossissait, les magis-trats en robe, les officiers en grande tenue, les fonctionnaires en uniforme, une foule galonnée, chamarrée, décorée, qui piétinait les fleurs dont la place était couverte, au milieu des appels des valets de pied et des roulements brusques des équipages. La gloire de l'Empire à son apogée flottait dans la pourpre du soleil couchant, tandis que les tours de Notre-Dame, toutes roses, toutes sonores, semblaient porter très haut, à un sommet de paix et de grandeur, le règne futur de l'enfant baptisé sous leurs voûtes. Mais eux, mécontents, ne sentaient qu'une immense convoitise leur venir de la splendeur de la cérémonie, des cloches sonnantes, des bannières déployées, de la ville enthousiaste, de ce monde officiel épanoui. Rougon, qui pour la première fois, éprouvait le froid de sa disgrâce, avait la face très pâle; et, rêvant, il jalousait l'empereur.

— Bonsoir, je m'en vais, c'est assommant, dit Du Poizat, après avoir serré la main aux autres.

— Qu'avez-vous donc, aujourd'hui ? lui demanda le colonel. Vous êtes bien féroce.

Et le sous-préfet répondit tranquillement, en s'en allant :

— Tiens! pourquoi voulez-vous que je sois gai!... J'ai lu ce matin, au *Moniteur*, la nomination de cet imbécile de Campenon à la préfecture qu'on m'avait promise.

Les autres se regardèrent. Du Poizat avait raison. Ils n'étaient pas de la fête. Rougon, dès la naissance du prince, leur avait promis toute une pluie de cadeaux pour le jour du baptême : M. Kahn devait avoir sa concession; le colonel, la croix de commandeur; Mme Correur, les cinq ou six bureaux de tabac qu'elle sollicitait. Et ils étaient tous là, en un petit tas, dans un coin de la place, les mains vides. Ils levèrent alors sur Rougon un regard si désolé, si plein de reproches, que celui-ci eut un haussement d'épaules terrible. Comme son coupé arrivait enfin, il y poussa brusquement Clorinde, il s'y enferma sans dire un mot, en faisant claquer la portière avec violence.

— Voilà Marsy sous le porche, murmura M. Kahn qui entraînait M. Béjuin. A-t-il l'air superbe, cette canaille!... Tournez donc la tête. Il n'aurait qu'à ne pas nous rendre notre salut.

Delestang s'était hâté de monter dans sa voiture, pour suivre le coupé. M. Bouchard attendit sa femme; puis, quand l'église fut vide, il demeura très surpris, il s'en alla avec le colonel, las également de chercher son fils Auguste. Quant à Mme Correur, elle venait d'accepter le bras d'un lieutenant de dragons, un pays à elle, qui lui devait un peu son épaulette.

Cependant, dans le coupé, Clorinde parlait avec ravissement de la cérémonie, tandis que Rougon, renversé, le visage ensommeillé, l'écoutait. Elle avait vu les fêtes de Pâques à Rome : ce n'était pas plus grandiose. Et elle expliquait que la religion, pour elle, était un coin du paradis entrouvert, avec Dieu le Père assis sur son trône ainsi qu'un soleil, au milieu de la pompe des anges rangés autour de lui, en un large cercle de beaux jeunes gens vêtus d'or. Puis, tout d'un coup, elle s'interrompit, elle demanda :

— Viendrez-vous ce soir au banquet que la Ville offre à Leurs Majestés ? Ce sera magnifique.

Elle était invitée. Elle aurait une toilette rose, toute semée de myosotis. C'était M. de Plouguern qui devait la conduire, parce que sa mère ne voulait plus sortir le soir, à cause de ses migraines. Elle s'interrompit encore, elle posa une nouvelle question, brusquement :

— Quel est donc le magistrat avec lequel vous étiez tout à l'heure ?

Rougon leva le menton, récita tout d'une haleine :

— Monsieur Beulin-d'Orchère, cinquante ans, d'une famille de robe, a été substitut à Montbrison, procureur du roi à Orléans, avocat général à Rouen, a fait partie d'une commission mixte [40] en 52, est venu ensuite à Paris comme conseiller de la cour d'appel, enfin est aujourd'hui président de cette cour... Ah ! j'oubliais ! il a approuvé le décret du 22 janvier 1852, confisquant les biens de la famille d'Orléans [41]... Êtes-vous contente ?

Clorinde s'était mise à rire. Il se moquait d'elle, parce qu'elle voulait s'instruire ; mais c'était bien permis de connaître les gens avec lesquels on pouvait se rencontrer. Et elle ne lui ouvrit pas la bouche de Mlle Beulin-d'Orchère. Elle reparlait du banquet de l'Hôtel-de-Ville ; la galerie des Fêtes devait être décorée avec un luxe inouï ; un orchestre jouerait des airs pendant tout le temps du dîner. Ah ! la France était un grand pays ! Nulle part, ni en Angleterre, ni en Allemagne, ni en Espagne, ni en Italie,

elle n'avait vu des bals plus étourdissants, des galas plus prodigieux. Aussi, disait-elle avec sa face tout allumée d'admiration, son choix était fait, maintenant : elle voulait être Française.

— Oh ! des soldats ! cria-t-elle, voyez donc, des soldats !

Le coupé, qui avait suivi la rue de la Cité, se trouvait arrêté, au bout du pont Notre-Dame, par un régiment défilant sur le quai. C'étaient des soldats de la ligne, de petits soldats marchant comme des moutons, un peu débandés par les arbres des trottoirs. Ils revenaient de faire la haie. Ils avaient sur la face tout l'éblouissement du grand soleil de l'après-midi, les pieds blancs, l'échine gonflée sous le poids du sac et du fusil. Et ils s'étaient tant ennuyés, au milieu des poussées de la foule, qu'ils en gardaient un air de bêtise ahurie.

— J'adore l'armée française, dit Clorinde ravie, se penchant pour mieux voir.

Rougon, comme réveillé, regardait, lui aussi. C'était la force de l'Empire qui passait, dans la poussière de la chaussée. Tout un embarras d'équipages encombrait lentement le pont ; mais les cochers, respectueux, attendaient ; tandis que les personnages en grand costume mettaient la tête aux portières, la face vaguement souriante, couvrant de leurs yeux attendris les petits soldats hébétés par leur longue faction. Les fusils, au soleil, illuminaient la fête.

— Et ceux-là, les derniers, les voyez-vous ? reprit Clorinde. Il y en a tout un rang qui n'ont pas encore de barbe. Sont-ils gentils, hein !

Et, dans une rage de tendresse, elle envoya, du fond de la voiture, des baisers aux soldats, à deux mains. Elle se cachait un peu, pour qu'on ne la vît pas. C'était une joie, un amour de la force armée, dont elle se régalait seule. Rougon eut un sourire paternel ; il venait également de goûter sa première jouissance de la journée.

— Qu'y a-t-il donc ? demanda-t-il, lorsque le coupé put enfin tourner le coin du quai.

Un rassemblement considérable s'était formé sur le trottoir et sur la chaussée. La voiture dut s'arrêter de nouveau. Une voix dit dans la foule :

— C'est un ivrogne qui a insulté les soldats. Les sergents de ville viennent de l'empoigner.

Alors, le rassemblement s'étant ouvert, Rougon aperçut Gilquin, ivre-mort, tenu au collet par deux sergents de ville. Son vêtement de coutil jaune, arraché, montrait des morceaux de sa peau. Mais il restait bon garçon, avec sa moustache pendante, dans sa face rouge. Il tutoyait les sergents de ville, il les appelait « mes agneaux ». Et il leur expliquait

---

40. Les commissions mixtes, instituées en 1852, étaient ainsi nommées parce qu'elles réunissaient des représentants des ministères de l'Intérieur, de la Justice et de la Guerre. Elles avaient pour mission de « statuer dans le plus bref délai possible sur le sort de tous les individus compromis dans les mouvements insurrectionnels ou les tentatives de désordre depuis le 2 décembre ».

41. « Le 22 janvier, en même temps qu'il (Napoléon III) ressuscitait le ministère de Police et le ministère d'État dont MM. de Maupas et Casabianca deviennent les titulaires, il décrétait la confiscation des biens de la famille d'Orléans possédait en France. De toutes parts retentissent des cris réprobateurs ; M. Dupin aîné qui était monté sur le siège de procureur général à la Cour de cassation en descend, M. Vuitry se démet de ses fonctions de conseiller d'État ; MM. Magne, Fould, Rouher et de Morny abandonnent leurs portefeuilles ministériels. M. Dupin lança ce mot qui fit fortune : *C'est le premier vol de l'aigle* » (H. Magen, *Histoire du Second Empire*).

qu'il avait passé l'après-midi bien tranquillement dans un café, en compagnie de gens très riches. On pouvait se renseigner au théâtre du Palais-Royal, où M. et Mme Charbonnel étaient allés voir jouer *les Dragées du baptême* [42]; ils ne diraient pour sûr pas le contraire.

— Lâchez-moi donc, farceurs! cria-t-il en se raidissant brusquement. Le café est là, à côté, tonnerre! venez-y avec moi, si vous ne me croyez pas!... Les soldats m'ont manqué, comprenez bien! il y en a un petit qui riait. Alors, je l'ai envoyé se faire moucher. Mais insulter l'armée française, jamais!... Parlez un peu à l'empereur de Théodore, vous verrez ce qu'il dira... Ah! sacrebleu! vous seriez propres!

La foule, amusée, riait. Les deux sergents de ville, imperturbables, ne lâchaient pas prise, poussaient lentement Gilquin vers la rue Saint-Martin, dans laquelle on apercevait, au loin, la lanterne rouge d'un poste de police. Rougon s'était vivement rejeté au fond de la voiture. Mais, tout d'un coup, Gilquin le vit, en levant la tête. Alors, dans son ivresse, il devint goguenard et prudent. Il le regarda, clignant de l'œil, parlant pour lui.

— Suffit! les enfants, on pourrait faire du scandale, on n'en fera pas, parce qu'on a de la dignité... Hein? dites donc? vous ne mettriez pas la patte sur Théodore, s'il se trimbalait avec des princesses, comme un citoyen de ma connaissance. On a tout de même travaillé avec du beau monde, et délicatement, on s'en vante, sans demander des mille et des cents. On sait ce qu'on vaut. Ça console des petitesses... Tonnerre de Dieu! les amis ne sont donc plus les amis?...

Il s'attendrissait, la voix coupée de hoquets. Rougon appela discrètement de la main un homme boutonné dans un grand paletot, qu'il reconnut près du coupé; et, lui ayant parlé bas, il donna l'adresse de Gilquin, 17, rue Virginie, à Grenelle. L'homme s'approcha des sergents de ville, comme pour les aider à maintenir l'ivrogne qui se débattait. La foule resta toute surprise de voir les agents tourner à gauche, puis jeter Gilquin dans un fiacre, dont le cocher, sur un ordre, suivit le quai de la Mégisserie. Mais la tête de Gilquin, énorme, ébouriffée, crevant d'un rire triomphal, apparut une dernière fois à la portière, en hurlant :

— Vive la République!

Quand le rassemblement fut dissipé, les quais reprirent leur tranquillité large. Paris, las d'enthousiasme, était à table; les trois cent mille curieux qui s'étaient écrasés là, avaient envahi les restaurants du bord de l'eau et du quartier du Temple. Sur les trottoirs vides, des provinciaux traînaient seuls les pieds, éreintés, ne sachant où manger. En bas, aux deux bords du bateau, les laveuses achevaient de taper leur linge, à coups violents. Une raie de soleil dorait encore le haut des tours de Notre-Dame, muettes maintenant, au-dessus des maisons toutes noires d'ombre. Et, dans le léger brouillard qui montait de la Seine, là-bas, à la pointe de l'île Saint-Louis, on ne distinguait plus, au milieu du gris brouillé des façades, que la redingote géante, la réclame monumentale, accrochant, à quelque clou de l'horizon, la défroque bourgeoise d'un Titan, dont la foudre aurait mangé les membres.

5

Un matin, vers onze heures, Clorinde vint chez Rougon, rue Marbeuf. Elle rentrait du Bois; un domestique tenait son cheval, à la porte. Elle alla droit au jardin, tourna à gauche et se planta devant une fenêtre grande ouverte du cabinet où travaillait le grand homme.

— Hein! je vous surprends! dit-elle tout d'un coup.

Rougon leva vivement la tête. Elle riait dans le chaud soleil de juin. Son amazone de drap gros bleu, dont elle avait rejeté la longue traîne sur son bras gauche, la faisait plus grande; tandis que son corsage à gilet et à petites basques rondes, très collant, était comme une peau vivante qui gantait ses épaules, sa gorge, ses hanches. Elle avait des manchettes de toile, un col de toile, sous lequel se nouait une mince cravate de foulard bleu. Elle portait très crânement, sur ses cheveux roulés, son chapeau d'homme, autour duquel une gaze mettait un nuage bleuâtre, tout poudré d'or du soleil.

— Comment! c'est vous! cria Rougon en accourant. Mais entrez donc!

— Non, non, répondit-elle. Ne vous dérangez pas, je n'ai qu'un mot à vous dire... Maman doit m'attendre pour déjeuner.

C'était la troisième fois qu'elle venait ainsi chez Rougon, contre toutes les convenances. Mais elle affectait de rester dans le jardin. D'ailleurs, les deux premières fois, elle était aussi en amazone, costume qui lui donnait une liberté de garçon, et

---

42. *Les Dragées du baptême* fut joué le 14 juin 1856 au théâtre du Palais-Royal et au théâtre des Bouffes-Parisiens. Le même jour, la Comédie-Française donnait *la Paix* et *le Baptême* (en vers), les Variétés *les Deux Baptêmes*.

dont la longue jupe devait lui sembler une protection suffisante.

— Vous savez, je viens en mendiante, reprit-elle. C'est pour des billets de loterie... Nous avons organisé une loterie en faveur des jeunes filles pauvres.

— Eh bien! entrez, répéta Rougon. Vous m'expliquerez cela.

Elle avait gardé sa cravache à la main, une cravache très fine, à petit manche d'argent. Elle se remit à rire, en tapant sa jupe à légers coups.

— C'est tout expliqué, pardi! Vous allez me prendre des billets. Je ne suis venue que pour ça... Il y a trois jours que je vous cherche, sans pouvoir mettre la main sur vous, et la loterie se tire demain.

Alors, sortant un petit portefeuille de sa poche, elle demanda :

— Combien voulez-vous de billets ?

— Pas un, si vous n'entrez pas! cria-t-il.

Il ajouta sur un ton plaisant :

— Que diable! est-ce qu'on fait des affaires par les fenêtres! Je ne vais peut-être pas vous passer de l'argent comme à une pauvresse!

— Ça m'est égal, donnez toujours.

Mais il tint bon. Elle le regarda un instant, muette. Puis elle reprit :

— Si j'entre, m'en prendrez-vous dix ? ... Ils sont à dix francs.

Et elle ne se décida pas tout de suite. Elle promena d'abord un rapide regard dans le jardin. Un jardinier, à genoux dans une allée, plantait une corbeille de géraniums. Elle eut un mince sourire, et se dirigea vers le petit perron de trois marches, sur lequel ouvrait la porte-fenêtre du cabinet. Rougon lui tendait déjà la main. Et, quand il l'eut amenée au milieu de la pièce :

— Vous avez donc peur que je ne vous mange ? dit-il. Vous savez bien que je suis le plus soumis de vos esclaves... Que craignez-vous ici ?

Elle tapait toujours sa jupe du bout de sa cravache, à légers coups.

— Moi, je ne crains rien, répondit-elle avec un bel aplomb de fille émancipée.

Puis, après avoir posé la cravache sur un canapé, elle fouilla de nouveau dans son portefeuille.

— Vous en prenez dix, n'est-ce pas ?

— J'en prendrai vingt, si vous voulez, dit-il; mais, par grâce, asseyez-vous, causons un peu... Vous n'allez pas vous sauver tout de suite, bien sûr ?

— Alors, un billet par minute, hein ?... Si je reste un quart d'heure, ça fera quinze billets; si je reste vingt minutes, ça fera vingt; et comme ça jusqu'à ce soir, moi je veux bien... Est-ce entendu ?

Ils s'égayèrent de cet arrangement. Clorinde finit par s'asseoir sur un fauteuil, dans l'embrasure même de la fenêtre restée ouverte. Rougon, pour ne pas l'effrayer, se remit à son bureau. Et ils causèrent, de la maison d'abord. Elle jetait des coups d'œil par la fenêtre, elle déclarait le jardin un peu petit, mais charmant, avec sa pelouse centrale et ses massifs d'arbres verts. Lui, indiquait le plan détaillé des lieux : en bas, au rez-de-chaussée, se trouvaient son cabinet, un grand salon, un petit salon et une très belle salle à manger; au premier étage, ainsi qu'au second, il y avait sept chambres. Tout cela quoique relativement petit, était bien trop vaste pour lui. Quand l'empereur lui avait fait cadeau de cet hôtel, il devait épouser une dame veuve, choisie par Sa Majesté elle-même. Mais la dame était morte. Maintenant, il resterait garçon.

— Pourquoi ? demanda-t-elle, en le regardant carrément en face.

— Bah! répondit-il, j'ai bien autre chose à faire. A mon âge, on n'a plus besoin de femme.

Mais elle, haussant les épaules, dit simplement :

— Ne posez donc pas!

Ils en étaient arrivés à tenir entre eux des conversations très libres. Elle voulait qu'il fût de tempérament voluptueux. Lui, se défendait, et lui racontait sa jeunesse, des années passées dans des chambres nues, où les blanchisseuses n'entraient même pas, disait-il en riant. Alors, elle l'interrogeait sur ses maîtresses, avec une curiosité enfantine; il en avait bien eu quelques-unes; par exemple, il ne pouvait renier une dame, connue de tout Paris, qui s'était, en le quittant, installée en province. Mais il haussait les épaules. Les jupons ne le dérangeaient guère. Quand le sang lui montait à la tête, parbleu! il était comme tous les hommes, il aurait crevé une cloison d'un coup d'épaule, pour entrer dans une alcôve. Il n'aimait pas à s'attarder aux bagatelles de la porte. Puis, lorsque c'était fini, il redevenait bien tranquille.

— Non, non, pas de femme! répéta-t-il, les yeux déjà allumés par la pose abandonnée de Clorinde. Ça tient trop de place.

La jeune fille, renversée dans son fauteuil, souriait étrangement. Elle avait un visage pâmé, avec un lent battement de la gorge. Elle exagérait son accent italien, la voix chantante.

— Laissez, mon cher, vous nous adorez, dit-elle. Voulez-vous parier que vous serez marié dans l'année ?

Et elle était vraiment irritante, tant elle paraissait

certaine de vaincre. Depuis quelque temps, elle s'offrait à Rougon, tranquillement. Elle ne prenait plus la peine de dissimuler sa lente séduction, ce travail savant dont elle l'avait entouré, avant de faire le siège de ses désirs. Maintenant, elle le croyait assez conquis pour mener l'aventure à visage découvert. Un véritable duel s'engageait entre eux, à toute heure. S'ils ne posaient pas encore tout haut les conditions du combat, il y avait des aveux très francs sur leurs lèvres, dans leurs yeux. Quand ils se regardaient, ils ne pouvaient s'empêcher de sourire ; et ils se provoquaient. Clorinde faisait son prix, allait à son but, avec une hardiesse superbe, sûre de n'accorder jamais que ce qu'elle voudrait. Rougon, grisé, piqué au jeu, mettait de côté tout scrupule, rêvait simplement de faire sa maîtresse de cette belle fille, puis de l'abandonner, pour lui prouver sa supériorité sur elle. Leur orgueil se battait plus encore que leurs sens.

— Chez nous, continuait-elle à voix presque basse, l'amour est la grande affaire. Les gamines de douze ans ont des amoureux... Moi, je suis devenue un garçon, parce que j'ai voyagé. Mais si vous aviez connu maman, quand elle était jeune ! Elle ne quittait pas sa chambre. Elle était si belle, qu'on venait la voir de loin. Un comte est resté exprès six mois à Milan, sans arriver à apercevoir le bout de ses nattes. C'est que les Italiennes ne sont pas comme les Françaises, qui bavardent et qui courent ; elles restent au cou de l'homme qu'elles ont choisi... Moi, j'ai voyagé, je ne sais pas si je me souviendrai. Il me semble pourtant que j'aimerai bien fort, oh ! oui, bien fort, à en mourir.

Ses paupières s'étaient fermées peu à peu, sa face se noyait d'une extase voluptueuse. Rougon, pendant qu'elle parlait, avait quitté son bureau, les mains tremblantes, comme attiré par une force supérieure. Mais, lorsqu'il se fut approché, elle ouvrit les yeux tout grands, elle le regarda d'un air tranquille. Et montrant la pendule, souriant, elle reprit :

— Ça fait dix billets.

— Comment, dix billets ? balbutia-t-il, ne comprenant plus.

Quand il revint à lui, elle riait aux éclats. Elle se plaisait ainsi à l'affoler ; puis elle lui échappait d'un mot, lorsqu'il allait ouvrir les bras ; cela paraissait l'amuser beaucoup. Rougon, redevenu tout d'un coup très pâle, la regarda furieusement, ce qui redoubla sa gaieté.

— Allons, je m'en vais, dit-elle. Vous n'êtes pas assez galant pour les dames... Non, sérieusement, maman m'attend pour déjeuner.

Mais il avait repris son air paternel. Ses yeux gris, sous ses lourdes paupières, gardaient seuls une flamme, lorsqu'elle tournait la tête ; et il l'enveloppait alors tout entière d'un regard, avec la rage d'un homme poussé à bout, résolu à en finir. Cependant, il disait qu'elle pouvait bien lui donner encore cinq minutes. C'était si ennuyeux, le travail dans lequel elle l'avait trouvé, un rapport pour le Sénat, sur des pétitions ! Et il lui parla de l'impératrice, à laquelle elle vouait un véritable culte. L'impératrice était à Biarritz depuis huit jours. Alors, la jeune fille se renversa de nouveau au fond de son fauteuil, dans un bavardage sans fin. Elle connaissait Biarritz [43], elle y avait passé une saison, autrefois, quand cette plage n'était pas encore à la mode. Elle se désespérait de ne pouvoir y retourner, pendant le séjour de la cour. Puis, elle en vint à raconter une séance de l'Académie, où M. de Plouguern l'avait menée, la veille. On recevait un écrivain, qu'elle plaisantait beaucoup, parce qu'il était chauve. Elle tenait, d'ailleurs, les livres en horreur. Dès qu'elle s'entêtait à lire, elle devait se mettre au lit, avec des crises de nerfs. Elle ne comprenait pas ce qu'elle lisait. Quand Rougon lui eut dit que l'écrivain reçu la veille était un ennemi de l'empereur, et que son discours fourmillait d'allusions abominables, elle resta consternée.

— Il avait l'air bon homme pourtant, déclara-t-elle.

Rougon, à son tour, tonnait contre les livres. Il venait de paraître un roman, surtout, qui l'indignait ; une œuvre de l'imagination la plus dépravée, affectant un souci de la vérité exacte, traînant le lecteur dans les débordements d'une femme hystérique [44]. Ce mot d'« hystérie » parut lui plaire, car il le répéta trois fois. Clorinde lui en ayant demandé le sens, il refusa de le donner, pris d'une grande pudeur.

— Tout peut se dire, continua-t-il ; seulement, il y a une façon de tout dire... Ainsi, dans l'administration, on est souvent obligé d'aborder les sujets les plus délicats. J'ai lu des rapports sur certaines femmes, par exemple, vous me comprenez ? eh bien ! des détails très précis s'y trouvaient consignés, dans un style clair, simple, honnête. Cela restait chaste, enfin !... Tandis que les romanciers de nos jours ont adopté un style lubrique, une façon de dire les choses qui les font vivre devant vous. Ils

---

43. C'est l'impératrice Eugénie qui lança la station balnéaire de Biarritz qui en a conservé le souvenir.
44. Il peut s'agir de *Germinie Lacerteux* ou de *Thérèse Raquin*, mais aussi, avec un léger anachronisme, d'*Emma Bovary*.

appellent ça de l'art. C'est de l'inconvenance, voilà tout [45].

Il prononça encore le mot « pornographie », et alla jusqu'à nommer le marquis de Sade [46], qu'il n'avait jamais lu, d'ailleurs. Pourtant, tout en parlant, il manœuvrait avec une grande habileté pour passer derrière le fauteuil de Clorinde, sans qu'elle le remarquât. Celle-ci, les yeux perdus, murmurait :

— Oh! moi, les romans, je n'en ai jamais ouvert un seul. C'est bête, tous ces mensonges... Vous ne connaissez pas *Léonora la bohémienne*. Ça, c'est gentil. J'ai lu ça en italien, quand j'étais petite. On y parle d'une jeune fille qui épouse un seigneur à la fin. Elle est prise d'abord par des brigands...

Mais un léger grincement, derrière elle, lui fit vivement tourner la tête, comme éveillée en sursaut.

— Que faites-vous donc là ? demanda-t-elle.

— Je baisse le store, répondit Rougon. Le soleil doit vous incommoder.

Elle se trouvait, en effet, dans une nappe de soleil, dont les poussières volantes doraient d'un duvet lumineux le drap tendu de son amazone.

— Voulez-vous bien laisser le store! cria-t-elle. J'aime le soleil, moi! Je suis comme dans un bain.

Et, très inquiète, elle se souleva à demi, elle jeta un regard dans le jardin, pour voir si le jardinier était toujours là. Quand elle l'eut retrouvé, de l'autre côté de la corbeille, accroupi, ne montrant que le dos rond de son bourgeron bleu, elle se rassit, tranquillisée, souriante. Rougon, qui avait suivi la direction de son regard, lâcha le store, pendant qu'elle le plaisantait. Il était donc comme les hiboux, il cherchait l'ombre. Mais il ne se fâchait pas, il marchait au milieu du cabinet, sans montrer le moindre dépit. Son grand corps avait des mouvements ralentis d'ours rêvant quelque traîtrise.

Puis, comme il se trouvait à l'autre extrémité de la pièce, près d'un large canapé au-dessus duquel une grande photographie était pendue, il l'appela :

— Venez donc voir, dit-il. Vous ne connaissez pas mon dernier portrait ?

Elle s'allongea davantage dans le fauteuil, elle répondit, sans cesser de sourire :

— Je le vois très bien d'ici.... Vous me l'avez déjà montré, d'ailleurs.

Il ne se découragea pas. Il était allé fermer le store

de l'autre fenêtre, et il inventa encore deux ou trois prétextes, pour l'attirer dans ce coin d'ombre discrète, où il faisait très bon, disait-il. Elle, dédaignant ce piège grossier, ne répondait même plus, se contentait de refuser de la tête. Alors, voyant qu'elle avait compris, il revint se planter devant elle, les mains nouées, cessant de ruser, la provoquant de face.

— J'oubliais!... Je veux vous montrer Monarque, mon nouveau cheval. Vous savez que j'ai fait un échange... Vous me direz votre opinion sur lui, vous qui aimez les chevaux.

Elle refusa encore. Mais il insista : l'écurie n'était qu'à deux pas; cela demanderait cinq minutes au plus. Puis, comme elle disait toujours non, il laissa échapper à demi-voix, d'un accent presque méprisant :

— Ah! vous n'êtes pas brave!

Ce fut comme un coup de fouet. Elle se mit debout, sérieuse, un peu pâle.

— Allons voir Monarque, dit-elle simplement.

Elle rejetait déjà la traîne de son amazone sur son bras gauche. Elle lui avait planté ses yeux droit dans les yeux. Pendant un instant, ils se regardèrent, si profondément, qu'ils lisaient leurs pensées. C'était un défi offert et accepté, sans ménagement aucun. Et elle descendit le perron la première, tandis qu'il boutonnait, d'un geste machinal, le veston d'appartement dont il était vêtu. Mais elle n'avait pas fait trois pas dans l'allée, qu'elle s'arrêta.

— Attendez, dit-elle.

Elle remonta dans le cabinet. Quand elle revint, elle balançait légèrement, du bout des doigts, sa cravache, qu'elle avait oubliée derrière un coussin du canapé. Rougon regarda la cravache d'un regard oblique ; puis, il leva lentement les yeux sur Clorinde. Maintenant, elle souriait. Elle marcha de nouveau la première.

L'écurie se trouvait à droite, au fond du jardin. Quand ils passèrent devant le jardinier, cet homme rangeait ses outils, debout, près de partir. Rougon tira sa montre; il était onze heures cinq, le palefrenier devait déjeuner. Et, dans le soleil ardent, tête nue, il suivit Clorinde, qui tranquillement s'avançait, en donnant des coups de cravache à droite, à gauche, sur les arbres verts. Ils n'échangèrent pas une parole. Elle ne se retourna même pas. Puis, lorsqu'elle fut arrivée à l'écurie, elle laissa Rougon ouvrir la porte, elle passa devant lui. La porte repoussée trop fort, se referma violemment, sans qu'elle cessât de sourire. Elle avait un visage candide, superbe et confiant.

C'était une écurie petite, très ordinaire, avec quatre stalles de chêne. Bien qu'on eût lavé les

---

45. Zola prête à Rougon les accusations lancées par une critique pudibonde contre les manifestations du naturalisme. Quant à l'écrivain « reçu de la veille » à l'Académie française et ennemi de l'empereur, il s'agit du duc de Broglie qui succéda à Saint-Aulaire et n'hésita pas à faire de son discours de réception une profession de foi orléaniste.

46. Le marquis de Sade (1740-1814) a laissé son nom au goût pervers de faire souffrir. Mais il a surtout célébré la révolte de l'homme libre contre Dieu et la société.

dalles le matin, et que les boiseries, les râteliers, les mangeoires fussent tenus très proprement, une odeur forte montait. Il y faisait une chaleur humide de baignoire. Le jour, qui entrait par deux lucarnes rondes, traversait de deux rayons pâles l'ombre du plafond, sans éclairer les coins noirs, à terre. Clorinde, les yeux pleins de la grande lumière du dehors ne distingua d'abord rien; mais elle attendit, elle ne rouvrit pas la porte, pour ne pas paraître avoir peur. Deux des stalles seulement étaient occupées. Les chevaux soufflaient, tournant la tête.

— C'est celui-ci, n'est-ce pas? demanda-t-elle, lorsque ses yeux se furent habitués à l'obscurité. Il m'a l'air très bien.

Elle donnait de petites tapes sur la croupe du cheval. Puis, elle se glissa dans la stalle, en le flattant tout le long des flancs, sans montrer la moindre crainte. Elle désirait, disait-elle, lui voir la tête. Et, lorsqu'elle fut tout au fond, Rougon l'entendit qui lui appliquait de gros baisers sur les narines. Ces baisers l'exaspéraient.

— Revenez, je vous en prie, cria-t-il. S'il se jetait de côté, vous seriez écrasée.

Mais elle riait, baisait le cheval plus fort, lui parlait avec des mots très tendres, tandis que la bête, comme régalée de cette pluie de caresses inattendues, avait des frissons qui couraient sur sa peau de soie. Enfin, elle reparut. Elle disait qu'elle adorait les chevaux, qu'ils la connaissaient bien, que jamais ils ne lui faisaient du mal, même lorsqu'elle les taquinait. Elle savait comment il fallait les prendre. C'étaient des bêtes très chatouilleuses. Celui-là avait l'air bon enfant. Et elle s'accroupit derrière lui, soulevant un de ses pieds à deux mains, pour lui examiner le sabot. Le cheval se laissait faire.

Rougon, debout, la regardait devant lui, par terre. Dans le tas énorme de ses jupes, ses hanches gonflaient le drap, quand elle se penchait en avant. Il ne disait plus rien, le sang à la gorge, pris tout à coup de la timidité des gens brutaux. Pourtant, il finit par se baisser. Alors, elle sentit un effleurement sous ses aisselles, mais si léger, qu'elle continua à examiner le sabot du cheval. Rougon respira, allongea brusquement les mains davantage. Et elle n'eut pas un tressaillement, comme si elle se fût attendue à cela. Elle lâcha le sabot, elle dit, sans se retourner :

— Qu'avez-vous donc? que vous prend-il?

Il voulut la saisir à la taille, mais il reçut des chiquenaudes sur les doigts, tandis qu'elle ajoutait :

— Non, pas de jeux de main, s'il vous plaît! Je suis comme les chevaux, moi; je suis chatouilleuse... Vous êtes drôle!

Elle riait, n'ayant pas l'air de comprendre. Lorsque l'haleine de Rougon lui chauffa la nuque, elle se leva avec l'élasticité puissante d'un ressort d'acier; elle s'échappa, alla s'adosser au mur, en face des stalles. Il la suivit, les mains tendues, cherchant à prendre d'elle ce qu'il pouvait. Mais elle se faisait un bouclier de la traîne de son amazone, qu'elle portait sur son bras gauche, pendant que sa main droite, levée, tenait la cravache. Lui, les lèvres tremblantes, ne prononçait pas une parole. Elle, très à l'aise, causait toujours.

— Vous ne me toucherez pas, voyez-vous! disait-elle. J'ai reçu des leçons d'escrime, quand j'étais jeune. Je regrette même de n'avoir pas continué... Prenez garde à vos doigts. Là, qu'est-ce que je vous disais!

Elle semblait jouer. Elle ne tapait pas fort, s'amusant seulement à lui cingler la peau, chaque fois qu'il hasardait ses mains en avant. Et elle était si prompte à la riposte, qu'il ne pouvait même plus arriver jusqu'à son vêtement. D'abord, il avait voulu lui prendre les épaules; mais, atteint deux fois par la cravache, il s'était attaqué à la taille; puis, touché encore, il venait traîtreusement de se baisser jusqu'à ses genoux, pas assez vite cependant pour éviter un pluie de petits coups, sous lesquels il dut se relever. C'était une grêle, à droite, à gauche, dont on entendait le léger claquement.

Rougon, criblé, la peau cuisante, recula un instant. Il était très rouge maintenant, avec des gouttes de sueur qui commençaient à perler sur ses tempes. L'odeur forte de l'écurie le grisait; l'ombre, chaude d'une buée animale, l'encourageait à tout risquer. Alors, le jeu changea. Il se jeta sur Clorinde rudement, par élans brusques. Et elle, sans cesser encore de rire et de causer, n'éparpilla plus les cinglements de cravache en tapes amicales, frappa des coups secs, un seul chaque fois, de plus en plus fort. Elle était très belle ainsi, la jupe serrée aux jambes, les reins souples dans son corsage collant, pareille à un serpent agile, d'un bleu noir. Quand elle fouettait l'air de son bras, la ligne de sa gorge, un peu renversée, avait un grand charme.

— Voyons, est-ce fini? demanda-t-elle en riant. Vous vous lasserez le premier, mon cher.

Mais ce furent les derniers mots qu'elle prononça. Rougon, affolé, effrayant, la face pourpre, se ruait avec un souffle haletant de taureau échappé. Elle-même, heureuse de taper sur cet homme, avait dans les yeux une lueur de cruauté qui s'allumait. Muette à son tour, elle quitta le mur, elle s'avança superbement au milieu de l'écurie; et elle tournait sur elle-même, multipliant les coups, le tenant à distance, l'atteignant aux jambes, aux bras, au ventre, aux épaules; tandis que, stupide, énorme, il dansait, pareil à une bête sous le fouet d'un dompteur. Elle tapait de haut, comme grandie, fière, les joues pâles, gardant aux lèvres un sourire nerveux. Pourtant, sans qu'elle le remarquât, il la poussait au fond, vers une porte ouverte qui donnait sur une seconde pièce, où l'on serrait une provision de paille et de foin. Puis, comme elle défendait sa cravache dont il faisait mine de vouloir s'emparer, il la saisit aux hanches, malgré les coups, et l'envoya rouler sur la paille, à travers la porte, d'un tel élan, qu'il y vint tomber à côté d'elle. Elle ne jeta pas un cri. A toute volée, de toutes ses forces, elle lui cravacha la figure, d'une oreille à l'autre [47].

— Garce! cria-t-il.

Et il lâcha des mots orduriers, jurant, toussant, étranglant. Il la tutoya, il lui dit qu'elle avait couché avec tout le monde, avec le cocher, avec le banquier, avec Pozzo. Puis, il demanda :

— Pourquoi ne voulez-vous pas avec moi ?

Elle ne daigna pas répondre. Elle était debout, immobile, la face toute blanche, dans une tranquillité hautaine de statue.

— Pourquoi ne voulez-vous pas ? répéta-t-il. Vous m'avez bien laissé prendre vos bras nus... Dites-moi seulement pourquoi vous ne voulez pas ?

Elle restait grave, supérieure à l'injure, les yeux ailleurs.

— Parce que, dit-elle enfin.

Et, le regardant, elle reprit, au bout d'un silence :

— Épousez-moi... Après, tout ce que vous voudrez.

Il eut un rire contraint, un rire bête et blessant, qu'il accompagna d'un refus de la tête.

— Alors, jamais! s'écria-t-elle, entendez-vous, jamais, jamais!

Ils n'ajoutèrent pas un mot, ils rentrèrent dans l'écurie. Les chevaux, au fond de leurs stalles, tournaient la tête, soufflant plus fort, inquiets de ce bruit de lutte qu'ils avaient entendu derrière eux. Le soleil venait de gagner les deux lucarnes, deux rayons jaunes éclaboussaient l'ombre d'une poussière éclatante; et le pavé, à l'endroit où les rayons le frappaient, fumait, dégageant un redoublement d'odeur. Cependant, Clorinde, très paisible, la cravache sous le bras, s'était de nouveau glissée

près de Monarque. Elle lui posa deux baisers sur les narines, en disant :

— Adieu, mon gros. Tu es sage, toi!

Rougon, brisé, honteux, éprouvait un grand calme. Le dernier coup de cravache avait comme satisfait sa chair. De ses mains restées tremblantes, il renouait sa cravate, il tâtait si son veston était bien boutonné. Puis, il se surprit à enlever soigneusement de l'amazone de la jeune fille les quelques brins de paille qui s'y étaient accrochés. Maintenant, une crainte d'être trouvé là, avec elle, lui faisait tendre l'oreille. Elle, comme s'il ne se fût rien passé d'extraordinaire entre eux, le laissait tourner autour de sa jupe, sans la moindre peur. Quand elle le pria d'ouvrir la porte, il obéit.

Dans le jardin, ils marchèrent tout doucement. Rougon, qui se sentait une légère cuisson sur la joue gauche, se tamponnait avec son mouchoir. Dès le seuil du cabinet, le premier regard de Clorinde fut pour la pendule.

— Ça fait trente-deux billets, dit-elle en souriant.

Comme il la regardait, surpris, elle rit plus haut, elle continua :

— Renvoyez-moi vite, l'aiguille marche. Voilà la trente-troisième minute qui commence... Tenez, je mets les billets sur votre bureau.

Il donna trois cent vingt francs, sans une hésitation. Ses doigts n'eurent qu'un petit frémissement, en comptant les pièces d'or; c'était une punition qu'il s'infligeait. Alors, elle, enthousiasmée de la façon dont il lâchait une telle somme, s'avança avec un geste adorable d'abandon. Elle lui tendit la joue. Et, quand il y eut posé un baiser, paternellement, elle s'en alla, l'air ravi, en disant :

— Merci pour ces pauvres filles... Je n'ai plus que sept billets à placer. Parrain les prendra.

Lorsque Rougon fut seul, il se rassit à son bureau, machinalement. Il reprit son travail interrompu, écrivit pendant quelques minutes, en consultant avec une grande attention les pièces éparses devant lui. Puis, il resta la plume aux doigts, la face grave, regardant dans le jardin, par la fenêtre ouverte, sans voir. Ce qu'il retrouvait à cette fenêtre, c'était la mince silhouette de Clorinde, qui se balançait, se nouait, se déroulait, avec la volupté molle d'une couleuvre bleuâtre. Elle rampait, elle entrait, et, au milieu du cabinet, elle se tenait debout sur la queue vivante de sa robe, les hanches vibrantes, tandis que ses bras s'allongeaient jusqu'à lui, par un glissement sans fin d'anneaux souples. Peu à peu, des bouts de sa personne envahissaient la pièce, se vautraient partout, sur le tapis, sur les fauteuils, le

47. Il semble bien que Zola ait voulu réduire l'aspect mélodramatique de ce geste. Dans la première version en effet on pouvait lire : *Il jeta un cri terrible, leva la main; mais elle, le regardant, reprit au bout d'un silence :* — Épousez-moi...

long des tentures, silencieusement, passionnément. Une odeur rude s'exhalait d'elle.

Alors, Rougon jeta violemment sa plume, quitta le bureau avec colère, en faisant craquer ses doigts les uns dans les autres. Est-ce qu'elle allait l'empêcher de travailler, maintenant ? devenait-il fou, pour voir des choses qui n'existaient pas, lui dont la tête était si solide ? Il se rappelait une femme, autrefois, quand il était étudiant, près de laquelle il écrivait des nuits entières, sans même entendre son petit souffle. Il leva le store, ouvrit la seconde fenêtre, établit un courant d'air en poussant brutalement une porte, à l'autre extrémité de la pièce, comme s'il se trouvait menacé d'asphyxie. Et, du geste irrité dont il aurait chassé quelque guêpe dangereuse, il se mit à chasser l'odeur de Clorinde, à coups de mouchoir. Quand il ne la sentit plus là, il respira bruyamment, il s'essuya la face avec le mouchoir, pour en enlever la chaleur que cette grande fille y avait mise.

Cependant, il ne put continuer la page commencée. Il marcha d'un bout à l'autre du cabinet, à pas lents. Comme il se regardait dans une glace, il vit une rougeur sur sa joue gauche. Il s'approcha, s'examina. La cravache n'avait laissé là qu'une légère éraflure. Il pourrait expliquer cela par un accident quelconque. Mais, si la peau gardait à peine la balafre d'une mince ligne rose, lui sentait de nouveau, dans la chair, profondément, la brûlure ardente du cinglement qui lui avait coupé la face. Il courut à un cabinet de toilette, installé derrière une portière ; il se trempa la tête dans une cuvette d'eau ; cela le soulagea beaucoup. Il craignait que ce coup de cravache ne lui fît désirer Clorinde davantage. Il avait peur de songer à elle, tant que la petite écorchure de sa joue ne serait pas guérie. La chaleur qui le chauffait à cette place, lui descendait dans les membres.

— Non, je ne veux pas ! dit-il tout haut, en rentrant dans le cabinet. C'est idiot, à la fin !

Il s'était assis sur le canapé, les poings fermés. Un domestique entra l'avertir que le déjeuner refroidissait, sans le tirer de ce recueillement de lutteur, aux prises avec sa propre chair. Sa face dure se gonflait sous un effort intérieur ; son cou de taureau éclatait, ses muscles se tendaient, comme s'il était en train d'étouffer dans ses entrailles, sans un cri, quelque bête qui le dévorait. Cette bataille dura dix grandes minutes. Il ne se souvenait pas d'avoir jamais dépensé tant de puissance. Il en sortit blême, la sueur à la nuque.

Pendant deux jours, Rougon ne reçut personne. Il s'était enfoncé dans un travail considérable. Il veilla une nuit tout entière. Son domestique le surprit encore, à trois reprises, renversé sur le canapé, comme hébété, avec une figure effrayante. Le soir du deuxième jour, il s'habilla pour aller chez Delestang, où il devait dîner. Mais au lieu de traverser les Champs-Élysées, il remonta l'avenue, il entra à l'hôtel Balbi. Il n'était que six heures.

— Mademoiselle n'y est pas, lui dit la petite bonne Antonia, en l'arrêtant dans l'escalier, avec son rire de chèvre noire.

Il éleva la voix pour être entendu, et il hésitait à se retirer, lorsque Clorinde parut en haut, se penchant sur la rampe.

— Montez donc ! cria-t-elle. Que cette fille est sotte ! Elle ne comprend jamais les ordres qu'on lui donne.

Au premier étage, elle le fit entrer dans une étroite pièce, à côté de sa chambre. C'était un cabinet de toilette, avec un papier à ramages bleu tendre, qu'elle avait meublé d'un grand bureau d'acajou déverni, appuyé au mur, d'un fauteuil de cuir et d'un cartonnier. Des paperasses traînaient sous une épaisse couche de poussière. On se serait cru chez un huissier louche. Elle dut aller chercher une chaise dans sa chambre.

— Je vous attendais, cria-t-elle du fond de cette pièce.

Quand elle eut apporté la chaise, elle expliqua qu'elle faisait sa correspondance. Elle montrait, sur le bureau, de larges feuilles de papier jaunâtre, couvertes d'une grosse écriture ronde. Et, comme Rougon s'asseyait, elle vit qu'il était en habit.

— Vous venez demander ma main ? dit-elle gaiement.

— Tout juste ! répondit-il.

Puis il reprit, en souriant :

— Pas pour moi, pour un de mes amis.

Elle le regarda, hésitante, ne sachant pas s'il plaisantait. Elle était dépeignée, sale, avec une robe de chambre rouge mal attachée, belle, malgré tout, de la beauté puissante d'un marbre antique roulé dans la boutique d'une revendeuse. Et, suçant un de ses doigts sur lequel elle venait de faire une tache d'encre, elle s'oubliait à examiner la légère cicatrice qu'on voyait encore sur la joue gauche de Rougon. Elle finit par répéter à demi-voix, d'un air distrait :

— J'étais sûr que vous viendriez. Seulement, je vous attendais plus tôt.

Et elle ajouta tout haut, se souvenant, continuant la conversation :

— Alors, c'est pour un de vos amis, votre ami le plus cher, sans doute.

Son beau rire sonnait. Elle était persuadée,

maintenant, que Rougon parlait de lui. Elle éprouvait une envie de toucher du doigt la cicatrice, de s'assurer qu'elle l'avait marqué, qu'il lui appartenait désormais. Mais Rougon la prit aux poignets, l'assit doucement sur le fauteuil de cuir.

— Causons, voulez-vous ? dit-il. Nous sommes deux bons camarades, hein! cela vous va-t-il ?... Eh bien! j'ai beaucoup réfléchi, depuis avant-hier. J'ai songé à vous tout le temps... Je m'imaginais que nous étions mariés, que nous vivions ensemble depuis trois mois. Et vous ne savez pas dans quelle occupation je nous voyais tous les deux ?

Elle ne répondit pas, un peu gênée, malgré son aplomb.

— Je nous voyais au coin du feu. Vous aviez pris la pelle, moi je m'étais emparé de la pincette, et nous nous assommions.

Cela lui parut si drôle, qu'elle se renversa, prise d'une hilarité folle.

— Non, ne riez pas, c'est sérieux, continua-t-il. Ce n'est pas la peine de mettre nos vies en commun pour nous tuer de coups. Je vous jure que cela arriverait. Des gifles, puis une séparation... Retenez bien ceci : on ne doit jamais chercher à unir deux volontés.

— Alors ? demanda-t-elle, devenue très grave.

— Alors, je pense que nous agirons très sagement en nous donnant une poignée de main et en ne gardant l'un pour l'autre qu'une bonne amitié.

Elle resta muette, les yeux plantés droit dans les siens, avec son large regard noir. Un pli terrible coupait son front de déesse offensée. Ses lèvres eurent un léger tremblement, un balbutiement silencieux de mépris.

— Vous permettez ? dit-elle.

Et, ramenant le fauteuil devant le bureau, elle se mit à plier ses lettres. Elle se servait, comme dans les administrations, de grandes enveloppes grises, qu'elle cachetait à la cire. Elle avait allumé une bougie, elle regardait la cire flamber. Rougon attendait qu'elle eût fini, tranquillement.

— Et c'est pour ça que vous êtes venu ? reprit-elle enfin, sans lâcher sa besogne.

A son tour, il ne répondit pas. Il voulait la voir de face. Quand elle se décida à retourner son fauteuil, il lui sourit, en tâchant de rencontrer ses yeux ; puis, il lui baisa la main, comme désireux de la désarmer. Elle gardait sa froideur hautaine.

— Vous savez bien, dit-il, que je viens vous demander en mariage pour un de mes amis.

Il parla longuement. Il l'aimait beaucoup plus qu'elle ne croyait ; il l'aimait surtout parce qu'elle était intelligente et forte. Cela lui coûtait de renon-

cer à elle ; mais il sacrifiait sa passion à leur bonheur à tous deux. Lui, la voulait reine chez elle. Il la voyait mariée à un homme très riche, qu'elle pousserait à sa guise ; et elle gouvernerait, elle n'aurait pas à faire l'abandon de sa personnalité. Cela ne valait-il pas mieux que de se paralyser l'un l'autre ? Ils étaient gens à se dire ces vérités-là en face. Il finit par l'appeler son enfant. Elle était sa fille perverse, une créature dont l'esprit d'intrigue le réjouissait, et qu'il aurait éprouvé un véritable chagrin à voir pauvrement tourner.

— C'est tout ? demanda-t-elle quand il se tut.

Elle l'avait écouté avec la plus grande attention. Et, levant les yeux sur lui, elle reprit :

— Si vous me mariez pour m'avoir, je vous avertis que vous faites un mauvais calcul... J'ai dit jamais!

— Quelle idée ! s'écria-t-il, en rougissant légèrement.

Il toussa, il saisit sur le bureau un couteau à papier, dont il examina le manche, pour qu'elle ne vît pas son trouble. Mais elle, sans s'occuper de lui davantage, réfléchissait.

— Et quel est le mari ? murmura-t-elle.

— Devinez ?

Elle retrouva un faible sourire, battant le bureau de ses doigts, haussant les épaules. Elle savait bien qui.

— Il est si bête ! dit-elle à demi-voix.

Rougon défendit Delestang. C'était un homme très comme il faut, dont elle ferait tout ce qu'elle voudrait. Il donna des détails sur sa santé, sur sa fortune, sur ses habitudes. D'ailleurs, il s'engageait à les servir, elle et lui, de toute son influence, s'il remontait jamais au pouvoir. Delestang n'avait peut-être pas une intelligence supérieure ; mais il ne serait déplacé dans aucune situation.

— Oh! il remplit le programme, je vous l'accorde, dit-elle en riant franchement.

Puis, après un nouveau silence :

— Mon Dieu! je ne dis pas non, vous êtes peut-être dans le vrai... Monsieur Delestang ne me déplaît pas.

Elle le regardait, en prononçant ces derniers mots. Elle croyait avoir remarqué, à plusieurs reprises, qu'il était jaloux de Delestang. Mais elle ne vit pas tressaillir un pli de sa face. Il avait eu réellement les poings assez gros pour tuer le désir, en deux jours. Au contraire, il parut enchanté du succès de sa démarche ; et il recommença à lui étaler les avantages d'un pareil mariage, comme s'il traitait, en avoué retors, une affaire particulièrement bonne pour elle. Il lui avait pris les mains, les lui tapotait avec une grande amitié, d'un air de complice heureux, répétant :

— Ça m'est venu cette nuit. J'ai pensé tout de suite : Nous voilà sauvés!... Je ne veux pas que vous restiez fille, moi! Vous êtes la seule femme qui me sembliez mériter un mari. Delestang arrange l'affaire. Avec Delestang, nous gardons nos coudées franches.

Et il ajouta gaiement :

— J'ai conscience que vous me récompenserez, en me faisant assister à des choses extraordinaires.

— Monsieur Delestang connaît-il vos projets ? demanda-t-elle.

Il resta un moment surpris, comme si elle avait laissé échapper là une parole qu'il n'attendait pas d'elle; puis, il répondit avec tranquillité :

— Non, c'est inutile. On lui expliquera ça plus tard.

Elle s'était remise, depuis un instant, à cacheter ses lettres. Quand elle avait posé sur la cire un large cachet sans initiale, elle retournait l'enveloppe, elle écrivait l'adresse, lentement, de sa grosse écriture. A mesure qu'elle jetait les lettres à sa droite, Rougon tâchait de lire les suscriptions. C'étaient, pour la plupart, des noms d'hommes politiques italiens très connus. Elle dut s'apercevoir de son indiscrétion, car elle dit, en se levant et en emportant sa correspondance pour la faire mettre à la poste :

— Lorsque maman a ses migraines, c'est moi qui écris là-bas.

Rougon, resté seul, se promena dans la petite pièce. Sur le cartonnier, il lut, comme chez les hommes d'affaires *Quittances; Lettres à classer; Dossiers A*. Il sourit en apercevant, au milieu des paperasses du bureau, un corset qui traînait, usé, craqué à la taille. Il y avait encore un savon dans la coquille de l'encrier, et des bouts de satin bleu à terre, les rognures de quelque raccommodage de jupe, qu'on avait oublié de balayer. La porte de la chambre à coucher se trouvant entrebâillée, il eut la curiosité d'allonger la tête; mais les persiennes étaient fermées, il y faisait si noir, qu'il aperçut seulement la grande ombre des rideaux du lit. Clorinde rentrait.

— Je m'en vais, dit-il. Je dîne ce soir chez notre homme. Me laissez-vous libre d'agir ?

Elle ne répondit pas. Elle revenait toute sombre, comme si elle avait fait de nouvelles réflexions dans l'escalier. Lui, tenait déjà la rampe. Mais elle le ramena, repoussa la porte. C'était son rêve qui s'en allait, un espoir mené si savamment, qu'une heure plus tôt, elle le croyait encore une certitude. Toute

la brûlure d'une offense mortelle lui remontait aux joues. Il lui semblait qu'on l'avait souffletée.

— Alors, c'est sérieux ? demanda-t-elle, en se mettant à contre-jour pour qu'il ne remarquât pas la rougeur de son visage.

Et, quand il eut repris ses arguments pour la troisième fois, elle resta muette. Elle craignait, de s'abandonner à la colère folle, dont elle entendait le craquement dans sa nuque. Elle avait peur de le battre. Puis, dans cet écroulement de la vie qu'elle s'était déjà arrangée, elle perdit la vue nette des choses, elle recula jusqu'à la porte de la chambre à coucher, sur le point d'entrer, d'attirer Rougon, en lui criant : « Tiens! prends-moi, j'ai confiance, je ne serai ensuite ta femme que si tu veux. » Rougon, qui parlait toujours, comprit tout d'un coup; il se tut, très pâle. Et ils se regardèrent. Pendant un instant, ils eurent un léger tremblement d'hésitation. Lui, revoyait le lit, à côté, avec la grande ombre des rideaux. Elle, calculait déjà les conséquences de sa générosité. Ce ne fut, de part et d'autre, que l'abandon d'une minute.

— Vous voulez ce mariage ? dit-elle avec lenteur.

Il n'hésita pas, il répondit en haussant la voix :

— Oui.

— Eh bien! faites.

Et tous deux, à petits pas, ils revinrent vers la porte, ils sortirent sur le palier, l'air très calme. Rougon gardait seulement aux tempes les quelques gouttes de sueur que venait de lui coûter sa dernière victoire. Clorinde se redressait, dans la certitude de sa force. Ils demeurèrent un moment face à face, muets, n'ayant plus rien à se dire, ne pouvant se séparer pourtant. Enfin, comme il s'en allait en lui donnant une poignée de main, elle le retint par une courte pression, elle lui dit sans colère :

— Vous vous croyez plus fort que moi... Vous avez tort... Un jour, vous pourrez avoir des regrets.

Elle ne le menaça pas davantage. Elle s'accouda sur la rampe, pour le regarder descendre. Quand il fut en bas, il leva la tête, et ils se sourirent. Elle n'avait pas la vengeance puérile, elle rêvait déjà de l'écraser par quelque triomphe d'apothéose. En rentrant dans le cabinet, elle se surprit à dire, à demi-voix :

— Ah! tant pis! tous les chemins mènent à Rome.

Dès le soir, Rougon commença le siège du cœur de Delestang. Il lui rapporta de prétendues paroles, très flatteuses, que Mlle Balbi, avait prononcées sur son compte, au banquet de l'Hôtel-de-Ville, le jour du baptême. Et il ne se lassa plus, à partir de cette heure, d'entretenir l'ancien avoué de la beauté extraordinaire de la jeune fille. Lui, qui, autrefois, le mettait si souvent en garde contre les femmes, tâchait de le livrer à celle-là, pieds et poings liés. Un jour, c'étaient les mains qu'elle avait superbes; un autre jour, il célébrait sa taille, il en parlait avec une crudité provocante. Delestang, très inflammable, le cœur déjà occupé de Clorinde, flamba bientôt d'une passion folle. Quand Rougon lui eut affirmé qu'il n'avait jamais songé à elle, il lui avoua qu'il l'aimait depuis six mois, mais qu'il se taisait, de peur d'aller sur ses brisées. Maintenant, il se rendait tous les soirs rue Marbeuf, pour causer d'elle. Il y avait comme une conspiration autour de lui; il n'abordait plus personne, sans entendre un éloge enthousiaste de celle qu'il adorait; jusqu'aux Charbonnel qui l'arrêtèrent un matin, au milieu de la place de la Concorde, pour s'émerveiller longuement sur « cette belle demoiselle avec laquelle on le voyait partout. »

De son côté, Clorinde trouvait des sourires exquis. Elle avait refait un plan d'existence, elle s'était accoutumée en quelques jours à son nouveau rôle. Par une tactique de génie, elle ne séduisait pas l'ancien avoué avec la carrure cavalière qu'elle venait d'expérimenter sur Rougon. Elle se transformait, se faisait languissante, affichait des effarouchements d'innocente, se disait nerveuse, au point d'avoir des crises pour un serrement de main trop tendre. Quand Delestang racontait à Rougon qu'elle s'était évanouie dans ses bras, parce qu'il avait osé lui baiser le poignet, celui-ci regardait cela comme une preuve de grande pureté d'esprit. Puis, les choses marchant trop lentement, Clorinde se livra, un soir de juillet, dans un de ses abandons de pensionnaire. Delestang demeura confus de cette victoire, d'autant plus qu'il crut avoir lâchement profité d'une syncope de la jeune fille : elle était restée comme morte, elle semblait ne se souvenir de rien. Lorsqu'il hasardait une excuse, ou qu'il tentait une familiarité, elle le regardait avec une telle candeur, qu'il balbutiait, dévoré de remords et de désir. Aussi, après cette aventure, songea-t-il sérieusement à l'épouser. Il voyait là un moyen de réparer sa vilaine action; il y voyait plus encore une façon de posséder légitimement le bonheur volé, ce bonheur d'une minute dont le souvenir le brûlait, et qu'il désespérait de jamais retrouver autrement.

Cependant, pendant huit jours encore, Delestang hésita. Il vint consulter Rougon. Quand ce dernier comprit ce qui s'était passé, il demeura un instant la tête basse, à sonder tout ce noir de la femme, la longue résistance que Clorinde lui avait opposée, puis sa chute brusque dans les bras de cet imbécile. Il ne vit pas les causes profondes de cette double conduite. Un instant, la chair blessée, pris d'un besoin de brutalité, il fut sur le point de tout dire, dans un flot d'injures. D'ailleurs, Delestang, sur les questions crues qu'il lui adressait, niait tout rapport, en galant homme. Et cela suffit pour rappeler Rougon à lui. Il acheva alors de décider l'ancien avoué, très habilement. Il ne lui conseillait pas ce mariage, il l'y poussait par des réflexions presque étrangères au sujet. Quant aux vilaines histoires qui pouvaient courir sur Mlle Balbi, elles le surprenaient, il n'y croyait pas, lui-même était allé aux renseignements, sans apprendre rien que d'honorable. Du reste, il ne fallait pas discuter la femme qu'on aimait. Ce fut son dernier mot.

Six semaines plus tard, au sortir de la Madeleine, où le mariage venait d'être célébré avec une pompe extraordinaire, Rougon répondit à un député, qui s'étonnait du choix de Delestang :

— Que voulez-vous! je l'ai averti cent fois... Il devait être roulé par une femme.

Vers la fin de l'hiver, comme Delestang et sa femme revenaient d'un voyage en Italie, ils apprirent que Rougon était sur le point d'épouser Mlle Beulin-d'Orchère. Quand ils allèrent le voir, Clorinde le félicita, avec une bonne grâce parfaite. Lui, prétendit d'un air bonhomme faire ça pour ses amis. Depuis trois mois, on le persécutait, on lui prouvait qu'un homme dans sa position devait être marié. Il riait, il ajoutait que, lorsqu'il recevait ses intimes, le soir, il n'y avait seulement pas une femme chez lui, pour verser le thé.

— Alors, ça vous est venu tout d'un coup, vous n'y songiez pas, dit Clorinde en souriant. Il fallait vous marier en même temps que nous. Nous serions allés ensemble en Italie.

Et elle le questionna, tout en plaisantant. C'était son ami Du Poizat qui avait eu sans doute cette belle idée ? Il jura que non, il raconta que Du Poizat, au contraire, était absolument opposé à ce mariage; l'ancien sous-préfet détestait M. Beulin-d'Orchère. Mais tous les autres, M. Kahn, M. Béjuin, Mme Correur, les Charbonnel eux-mêmes, ne tarissaient pas sur les mérites de Mlle Véronique : elle allait, à les entendre, apporter dans sa maison des vertus, des prospérités, des charmes inimaginables. Il termina, en tournant la chose au comique.

— Enfin, c'est une personne qu'on a faite exprès pour moi. Je ne pouvais pas la refuser.

Puis, il ajouta avec finesse :

— Si nous avons la guerre à l'automne, il faut bien songer à des alliances.

Clorinde l'approuva vivement. Elle fit, elle aussi, un grand éloge de Mlle Beulin-d'Orchère, qu'elle n'avait pourtant aperçue qu'une fois. Delestang, qui jusque-là s'était contenté de hocher la tête, sans quitter sa femme des yeux, se lança dans des considérations enthousiastes sur le mariage. Il entamait le récit de son bonheur, lorsqu'elle se leva, en parlant d'une autre visite qu'ils devaient faire. Et, comme Rougon les accompagnait, elle le retint, laissant son mari marcher en avant.

— Je vous disais bien que vous seriez marié dans l'année, lui souffla-t-elle doucement à l'oreille.

6

L'été arriva. Rougon vivait dans un calme absolu. Mme Rougon, en trois mois, avait rendu grave la maison de la rue Marbeuf, où trônait autrefois une odeur d'aventure. Maintenant, les pièces, un peu froides, très propres, sentaient la vie honnête; les meubles méthodiquement rangés, les rideaux ne laissant pénétrer qu'un filet de jour, les tapis étouffant les bruits, mettaient là l'austérité presque religieuse d'un salon de couvent; même il semblait que ces choses étaient anciennes, qu'on entrait dans un antique logis tout plein d'un parfum patriarcal. Cette grande femme laide, qui exerçait une surveillance continue, ajoutait à ce recueillement la douceur de son pas silencieux; et elle menait le ménage d'une main si discrète et si aisée, qu'elle paraissait avoir vieilli en cet endroit, dans vingt années de mariage.

Rougon souriait, quand on le complimentait. Il s'entêtait à dire qu'il s'était marié sur le conseil et sur le choix de ses amis. Sa femme le ravissait. Depuis longtemps, il avait l'envie d'un intérieur bourgeois, qui fût comme une preuve matérielle de sa probité. Cela achevait de le tirer de son passé suspect, de le classer parmi les honnêtes gens. Il était resté très provincial, il avait gardé comme idéal certains salons cossus de Plassans, dont les fauteuils conservaient toute l'année leurs housses de toile blanche. Lorsqu'il allait chez Delestang, où Clorinde étalait par boutade un luxe extravagant, il témoignait son mépris, en haussant légèrement les épaules. Rien ne lui paraissait ridicule comme de jeter l'argent par les fenêtres; non pas qu'il fût avare; mais il répétait d'ordinaire qu'il connaissait des jouissances préférables à toutes celles qu'on achète. Aussi s'était-il déchargé sur sa femme du soin de leur fortune. Il avait jusque-là vécu sans compter. Dès lors, elle administra l'argent avec le souci étroit qu'elle apportait déjà dans la conduite du ménage.

Pendant les premiers mois, Rougon s'enferma, se recueillant, se préparant aux luttes qu'il rêvait. C'était, chez lui, un amour du pouvoir pour le pouvoir, dégagé des appétits de vanité, de richesses, d'honneurs. D'une ignorance crasse, d'une grande médiocrité dans toutes les choses étrangères au maniement des hommes, il ne devenait véritablement supérieur que par ses besoins de domination. Là, il aimait son effort, il idolâtrait son intelligence. Être au-dessus de la foule où il ne voyait que des imbéciles et des coquins, mener le monde à coups de trique, cela développait dans l'épaisseur de sa chair un esprit adroit, d'une extraordinaire énergie. Il ne croyait qu'en lui, avait des convictions comme on a des arguments, subordonnait tout à l'élargissement continu de sa personnalité. Sans vice aucun, il faisait en secret des orgies de toute-puissance. S'il tenait de son père la carrure lourde des épaules, l'empâtement du masque, il avait reçu de sa mère, cette terrible Félicité qui gouvernait Plassans, une flamme de volonté, une passion de la force, dédaigneuse des petits moyens et des petites joies; et il était certainement le plus grand des Rougon [48].

Quand il se trouva ainsi seul, inoccupé, après des années de vie active, il éprouva d'abord un sentiment délicieux de sommeil. Depuis les chaudes journées de 1851, il lui semblait qu'il n'avait pas dormi. Il acceptait sa disgrâce comme un congé mérité par de longs services. Il pensait rester six mois à l'écart, le temps de choisir un meilleur terrain, puis rentrer à son gré dans la grande bataille. Mais, au bout de quelques semaines, il était déjà las de repos. Jamais il n'avait eu une conscience si nette de sa force; maintenant qu'il ne les employait plus, sa tête et ses membres le gênaient; et il passait ses journées à se promener, au fond de son étroit jardin, avec des bâillements formidables, pareil à un de ces lions mis en cage, qui étirent puissamment leurs membres engourdis. Alors, commença pour lui une odieuse existence, dont il cacha avec soin l'ennui écrasant; il était bonhomme, il se disait bien content d'être en dehors du « gâchis »; seules ses lourdes paupières se soulevaient parfois, guettant les événements, retombant sur la flamme de ses yeux, dès qu'on le regardait. Ce qui le tint debout, ce fut l'impopularité dans laquelle il se sentait marcher. Sa chute avait comblé de joie bien du monde. Il ne se passait pas un jour, sans que quelque journal l'attaquât; on personnifiait en lui le coup d'État, les proscriptions, toutes ces violences dont on parlait à mots couverts; on allait jusqu'à féliciter l'empereur de

48. Rappel discret de la théorie de l'hérédité. Nous retrouvons ici *la Fortune des Rougon* et *la Conquête de Plassans*.

s'être séparé d'un serviteur qui le compromettait. Aux Tuileries, l'hostilité était plus grande encore; Marsy triomphant le criblait de bons mots, que les dames colportaient dans les salons. Cette haine le réconfortait, l'enfonçait dans son mépris du troupeau humain. On ne l'oubliait pas, on le détestait, et cela lui semblait bon. Lui seul contre tous, c'était un rêve qu'il caressait; lui seul, avec un fouet, tenant les mâchoires à distance. Il se grisa des injures, il devint plus grand, dans l'orgueil de sa solitude.

Cependant, l'oisiveté pesait terriblement à ses muscles de lutteur. S'il avait osé, il aurait saisi une bêche pour défoncer un coin de son jardin. Il entreprit un long travail, l'étude comparée de la constitution anglaise et de la constitution impériale de 1852; il s'agissait, en tenant compte de l'histoire et des mœurs politiques des deux peuples, de prouver que la liberté était tout aussi grande en France qu'en Angleterre. Puis, quand il eut amassé des documents, quand le dossier fut complet, il dut faire un effort considérable pour prendre la plume; volontiers, il aurait plaidé la chose devant la Chambre; mais la rédiger, écrire un ouvrage, avec le souci des phrases, lui paraissait une besogne d'une difficulté énorme, sans utilité immédiate. Le style l'avait toujours embarrassé; aussi le tenait-il en grand dédain. Il ne dépassa pas la dixième page. D'ailleurs, il laissa traîner sur son bureau le manuscrit commencé, bien qu'il n'y ajoutât pas vingt lignes par semaine. Chaque fois qu'on le questionnait sur ses occupations, il répondait en expliquant son idée tout au long, et en donnant à l'œuvre une portée immense. C'était l'excuse derrière laquelle il cachait le vide abominable de ses journées.

Les mois s'écoulaient, il souriait avec une bonhomie plus sereine. Pas un des désespoirs qu'il étouffait ne montait à sa face. Il accueillait les plaintes de ses intimes par des raisonnements concluant tous à sa parfaite félicité. N'était-il pas heureux? Il adorait l'étude, il travaillait à sa guise; cela était préférable à l'agitation fiévreuse des affaires publiques. Puisque l'empereur n'avait pas besoin de lui, il faisait bien de le laisser tranquille dans son coin; et il ne nommait ainsi l'empereur qu'avec le plus profond dévouement. Souvent pourtant, il déclarait être prêt, attendre simplement un signe de son maître pour reprendre « le fardeau du pouvoir »; mais il ajoutait qu'il ne tenterait pas une seule démarche qui pût provoquer ce signe. En effet, il semblait mettre un soin jaloux à rester à l'écart. Dans le silence des premières années de l'Empire, au milieu de cette étrange stupeur faite d'épouvante et de lassitude, il entendait monter un sourd réveil. Et comme espoir suprême, il comptait sur quelque catastrophe qui le rendrait brusquement nécessaire. Il était l'homme des situations graves, « l'homme aux grosses pattes », selon le mot de M. de Marsy.

Le dimanche et le jeudi, la maison de la rue Marbeuf s'ouvrait aux intimes. On venait causer dans le grand salon rouge, jusqu'à dix heures et demie, heure à laquelle Rougon mettait ses amis impitoyablement à la porte; il disait que les longues veillées encrassent le cerveau. Mme Rougon, à dix heures précises, servait elle-même le thé, en ménagère attentive aux moindres détails. Il n'y avait que deux assiettes de petits fours, auxquelles personne ne touchait.

Le jeudi de juillet qui suivit, cette année-là, les élections générales, toute la bande se trouvait réunie dans le salon, dès huit heures. Ces dames, Mme Bouchard, Mme Charbonnel, Mme Correur, assises près d'une fenêtre ouverte, pour respirer les rares bouffées d'air venues de l'étroit jardin, formaient un rond, au milieu duquel M. d'Escorailles racontait ses fredaines de Plassans, lorsqu'il allait passer douze heures à Monaco, sous le prétexte d'une partie de chasse, chez un ami. Mme Rougon, en noir, à demi cachée derrière un rideau, n'écoutait pas, se levait doucement, disparaissait pendant des quarts d'heure entiers. Il y avait encore avec les dames M. Charbonnel, posé au bord d'un fauteuil, stupéfait d'entendre un jeune homme comme il faut avouer de pareilles aventures. Au fond de la pièce, Clorinde était debout, prêtant une oreille distraite à une conversation sur les récoltes, engagée entre son mari et M. Béjuin. Vêtue d'une robe écrue, très chargée de rubans paille, elle tapait à petits coups d'éventail la paume de sa main gauche, en regardant fixement le globe lumineux de l'unique lampe qui éclairait le salon. A une table de jeu, dans la clarté jaune, le colonel et M. Bouchard jouaient au piquet; tandis que Rougon, sur un coin du tapis vert, faisait des réussites, relevant les cartes d'un air grave et méthodique, interminablement. C'était son amusement favori, le jeudi et le dimanche, une occupation qu'il donnait à ses doigts et à sa pensée.

— Eh bien, ça réussira-t-il? demanda Clorinde, qui s'approcha, avec un sourire.

— Mais ça réussit toujours, répondit-il tranquillement.

Elle se tenait devant lui, de l'autre côté de la table, pendant qu'il disposait le jeu en huit paquets. Quand il eut retiré toutes les cartes, deux à deux, elle reprit:

— Vous avez raison, ça réussit... A quoi aviez-vous pensé ?

Mais lui, leva les yeux lentement, comme étonné de la question :

— Au temps qu'il fera demain, finit-il par dire. Et il se remit à étaler les cartes. Delestang et M. Béjuin ne causaient plus. Un rire perlé de la jolie Mme Bouchard sonnait seul dans le salon. Clorinde s'approcha d'une fenêtre, resta là un moment, à regarder la nuit qui tombait. Puis, sans se retourner, elle demanda :

— A-t-on des nouvelles de ce pauvre monsieur Kahn ?

— J'ai reçu une lettre, répondit Rougon. Je l'attends ce soir.

Alors, on parla de la mésaventure de M. Kahn. Il avait eu l'imprudence, pendant la dernière session, de critiquer assez vivement un projet de loi déposé par le gouvernement; ce projet de loi, qui créait dans un département voisin une concurrence redoutable, menaçait de ruiner ses hauts fourneaux de Bressuire. Pourtant, il ne croyait pas avoir dépassé les bornes d'une légitime défense, lorsque, à son retour dans les Deux-Sèvres, où il allait soigner son élection, il avait appris, de la bouche même du préfet, qu'il n'était plus candidat officiel; il cessait de plaire, le ministre venait de désigner un avoué de Niort, homme d'une grande médiocrité. C'était un coup de massue.

Rougon donnait des détails, quand M. Kahn entra, suivi de Du Poizat. Tous les deux étaient arrivés par le train de sept heures. Ils n'avaient pris que le temps de dîner.

— Eh bien, qu'en pensez-vous ? dit M. Kahn au milieu du salon, pendant qu'on s'empressait autour de lui. Me voilà un révolutionnaire, maintenant !

Du Poizat s'était jeté dans un fauteuil, d'un air harassé.

— Une jolie campagne ! cria-t-il, un joli gâchis ! C'est à dégoûter tous les honnêtes gens !

Mais il fallut que M. Kahn racontât l'affaire longuement. Lorsqu'il avait débarqué là-bas, il disait avoir senti, dès ses premières visites, une sorte d'embarras chez ses meilleurs amis. Quant au préfet, M. de Langlade, c'était un homme de mœurs dissolues, qu'il accusait d'être au mieux avec la femme de l'avoué de Niort, le nouveau député. Pourtant, ce Langlade lui avait appris sa disgrâce d'une façon fort aimable, en fumant un cigare, au dessert d'un déjeuner fait à la préfecture. Et il rapporta la conversation d'un bout à l'autre. Le pis était qu'on imprimait déjà ses affiches et ses bulletins. Dans le premier moment,

la colère l'étouffait au point qu'il voulait se présenter quand même.

— Ah! si vous ne nous aviez pas écrit, dit Du Poizat en se tournant vers Rougon, nous aurions donné une fameuse leçon au gouvernement !

Rougon haussa les épaules. Il répondit négligemment, pendant qu'il battait ses cartes :

— Vous auriez échoué et vous restiez à jamais compromis. La belle avance !

— Je ne sais pas comment vous êtes bâti, vous ! cria Du Poizat, qui se mit brusquement debout, avec des gestes furibonds. Moi, je déclare que le Marsy commence à m'échauffer les oreilles. C'est vous qu'il a voulu atteindre en frappant notre ami Kahn... Avez-vous lu les circulaires du personnage ? Ah! elles sont propres, ses élections ! Il les a faites à coups de phrases... Ne souriez donc pas ! Si vous aviez été à l'Intérieur, vous auriez mené l'affaire d'une façon autrement large.

Et, comme Rougon continuait à sourire en le regardant, il ajouta avec plus de violence :

— Nous étions là-bas, nous avons tout vu... Il y a un malheureux garçon, un ancien camarade à moi, qui a osé poser une candidature républicaine. Vous n'avez pas idée de la façon dont on l'a traqué. Le préfet, les maires, les gendarmes, toute la clique est tombée sur lui; on lacérait ses affiches, on jetait ses bulletins dans les fossés, on arrêtait les quelques pauvres diables chargés de distribuer ses circulaires; jusqu'à sa tante, une digne femme pourtant, qui l'a fait prier de ne plus mettre les pieds chez elle, parce qu'il la compromettait. Et les journaux donc ! Il y était traité de brigand. Les bonnes femmes se signent maintenant, quand il passe dans un village.

Il respira bruyamment, il reprit, après s'être jeté de nouveau dans un fauteuil :

— N'importe, si Marsy a eu la majorité dans tous les départements, Paris n'en a pas moins nommé cinq députés de l'opposition... C'est le réveil. Que l'empereur laisse le pouvoir entre les mains de ce grand bellâtre de ministre et de ces préfets d'alcôve, qui, pour coucher librement avec les femmes, envoient les maris à la Chambre, dans cinq ans d'ici, l'Empire ébranlé menacera ruine... Moi, je suis enchanté des élections de Paris. Je trouve que ça nous venge.

— Alors, si vous aviez été préfet ?... demanda Rougon de son air paisible, avec une si fine ironie, qu'elle plissait à peine les coins de ses grosses lèvres.

Du Poizat montra ses dents blanches mal rangées. Ses poings chétifs d'enfant malade serraient les bras du fauteuil, comme s'il avait voulu les tordre.

— Oh! murmura-t-il, si j'avais été préfet...

Mais il n'acheva pas, il s'affaissa contre le dossier, en disant :

— Non, c'est écœurant, à la fin!.. D'ailleurs, j'ai toujours été républicain, moi!

Cependant, devant la fenêtre, les dames se taisaient, la face tournée vers l'intérieur du salon, pour écouter; tandis que M. d'Escorailles, un large éventail à la main, sans rien dire, éventait la jolie Mme Bouchard, toute languissante, les tempes moites sous les haleines chaudes du jardin. Le colonel et M. Bouchard, qui venaient de recommencer une partie, cessaient de jouer par instants, approuvant ou désapprouvant ce qu'on disait, d'un hochement de tête. Un large cercle de fauteuils s'était formé autour de Rougon : Clorinde, attentive, le menton dans la main, ne risquait pas un geste; Delestang souriait à sa femme, l'esprit occupé par quelque souvenir tendre; M. Béjuin, les mains nouées sur les genoux, regardait successivement ces messieurs et ces dames, l'air effaré. La brusque entrée de Du Poizat et de M. Kahn avait soufflé, dans le grand calme du salon, tout un orage; ils semblaient avoir apporté sur eux, entre les plis de leurs vêtements, une odeur d'opposition.

— Enfin, j'ai suivi votre conseil, je me suis retiré, reprit M. Kahn. On m'avait averti que je serais traité plus rudement encore que le candidat républicain. Moi qui ai servi l'Empire avec tant de dévouement! Avouez qu'une telle ingratitude est faite pour décourager les âmes les plus fortes.

Et il se plaignit amèrement d'une foule de vexations. Il avait voulu fonder un journal, pour soutenir son projet d'un chemin de fer de Niort à Angers; plus tard, ce journal devait être une arme financière très puissante entre ses mains; mais on venait de lui refuser l'autorisation, M. de Marsy s'étant imaginé que Rougon se cachait derrière lui, et qu'il s'agissait d'une feuille de combat, destinée à battre en brèche son portefeuille.

— Parbleu! dit Du Poizat, ils ont peur qu'on n'écrive enfin la vérité. Ah! je vous aurais fourni de jolis articles!... C'est une honte d'avoir une presse comme la nôtre, bâillonnée, menacée d'être étranglée au premier cri. Un de mes amis, qui publie un roman, a été appelé au ministère, où un chef de bureau l'a prié de changer la couleur du gilet de son héros, parce que cette couleur déplaisait au ministre. Je n'invente rien.

Il cita d'autres faits, il parla des légendes effrayantes qui circulaient parmi le peuple, du suicide d'une jeune actrice et d'un parent de l'empereur, du prétendu duel de deux généraux, dont l'un aurait tué l'autre, dans un corridor des Tuileries, à la suite d'une histoire de vol. Est-ce que des contes semblables auraient trouvé des crédules, si la presse avait pu parler librement ? Et il répéta comme conclusion :

— Je suis républicain, décidément.

— Vous êtes bien heureux, murmura M. Kahn; moi, je ne sais plus ce que je suis.

Rougon, pliant ses larges épaules, avait commencé une réussite fort délicate. Il s'agissait, après avoir distribué les cartes trois fois en sept paquets, en cinq, puis en trois, d'arriver à ce que, toutes les cartes étant tombées, les huit trèfles se trouvassent ensemble. Il paraissait absorbé au point de ne rien entendre, bien que ses oreilles eussent comme des frémissements, à certains mots.

— Le régime parlementaire offrait des garanties sérieuses, dit le colonel. Ah! si les princes revenaient !

Le colonel Jobelin était orléaniste, dans ses heures d'opposition. Il racontait volontiers le combat du col de Mouzaïa, où il avait fait le coup de feu, à côté du duc d'Aumale [49], alors capitaine au 4e de ligne.

— On était très heureux sous Louis-Philippe, continua-t-il, en voyant le silence qui accueillait ses regrets. Croyez-vous que, si nous avions un cabinet responsable, notre ami ne serait pas à la tête de l'État avant six mois ? Nous compterions bientôt un grand orateur de plus.

Mais M. Bouchard donnait des signes d'impatience. Lui, se disait légitimiste; son grand-père avait approché la cour, autrefois. Aussi, à chaque soirée, des querelles terribles s'engageaient-elles entre lui et son cousin sur la politique.

— Laissez donc! murmura-t-il; votre monarchie de Juillet a toujours vécu d'expédients. Il n'y a qu'un principe, vous le savez bien.

Alors, ils se traitèrent très vertement. Ils faisaient table rase de l'Empire, ils installaient chacun le gouvernement de son choix. Est-ce que les Orléans avaient jamais marchandé une décoration à un vieux soldat ? Est-ce que les rois légitimes auraient commis des passe-droits comme on en voyait chaque jour dans les bureaux ? Quand ils en furent venus à se traiter sourdement d'imbéciles, le colonel cria, en prenant furieusement ses cartes :

— Fichez-moi la paix! entendez-vous, Bouchard!... J'ai un quatorze de dix et une quatrième [50] de valet. Est-ce bon ?

---

49. Henri d'Orléans, duc d'Aumale (1822-1897), quatrième fils de Louis-Philippe, se distingua lors de la conquête de l'Algérie.
50. Série de quatre cartes consécutives dans une couleur.

Delestang, tiré de sa rêverie par la dispute, crut devoir défendre l'Empire. Mon Dieu! ce n'était pas que l'Empire le contentât absolument. Il aurait voulu un gouvernement plus largement humain. Et il tâcha d'expliquer ses aspirations, une conception socialiste très compliquée, l'extinction du paupérisme, l'association de tous les travailleurs, quelque chose comme sa ferme-modèle de la Chamade, en grand. Du Poizat disait d'ordinaire qu'il avait trop fréquenté les bêtes. Pendant que son mari parlait en hochant sa tête superbe de personnage officiel, Clorinde le regardait, avec une légère moue des lèvres.

— Oui, je suis bonapartiste, dit-il à plusieurs reprises; je suis, si vous voulez, bonapartiste libéral.

— Et vous, Béjuin? demanda brusquement M. Kahn.

— Mais moi aussi, répondit M. Béjuin, la bouche tout empâtée par ses longs silences; c'est-à-dire, il y a des nuances, certainement... Enfin, je suis bonapartiste.

Du Poizat eut un rire aigu.

— Parbleu! cria-t-il.

Et, comme on le pressait de s'expliquer, il continua crûment:

— Je vous trouve bons, vous autres! On ne vous a pas lâchés. Delestang est toujours au Conseil d'État. Béjuin vient d'être réélu.

— Ça s'est fait tout naturellement, interrompit celui-ci. C'est le préfet du Cher...

— Oh! vous n'y êtes pour rien, je ne vous accuse pas. Nous savons comment les choses se passent... Combelot aussi est réélu, La Rouquette aussi... L'Empire est superbe.

M. d'Escorailles, qui continuait à éventer la jolie Mme Bouchard, voulut intervenir. Lui, défendait l'Empire à un autre point de vue; il s'était rallié, parce que l'empereur lui paraissait avoir une mission à remplir; le salut de la France avant tout.

— Vous avez gardé votre situation d'auditeur, n'est-ce pas? reprit Du Poizat en élevant la voix; eh bien, vos opinions sont connues... Que diable! ce que je dis là semble vous scandaliser tous. C'est simple pourtant... Kahn et moi nous ne sommes plus payés pour être aveugles, voilà!

On se fâcha. C'était abominable, cette façon d'envisager la politique. Il y avait, dans la politique, autre chose que des intérêts personnels. Le colonel lui-même et M. Bouchard, bien qu'ils ne fussent pas bonapartistes, reconnaissaient qu'il pouvait exister des bonapartistes de bonne foi; et ils parlaient de leurs propres convictions, avec un redoublement de chaleur, comme si on avait voulu les leur arracher

de vive force. Quant à Delestang, il était très blessé; il répétait qu'on ne l'avait pas compris, il indiquait par quels points considérables il s'éloignait des partisans aveugles de l'Empire; ce qui l'entraîna dans de nouvelles explications sur les développements démocratiques dont le gouvernement de l'empereur lui paraissait susceptible. M. Béjuin, lui non plus, pas plus d'ailleurs que M. d'Escorailles, n'acceptèrent d'être des bonapartistes tout court; ils établissaient des nuances énormes, se cantonnaient chacun dans des opinions particulières, difficiles à définir; si bien qu'au bout de dix minutes toute la société était passée à l'opposition. Les voix se haussaient, des discussions partielles s'engageaient, les mots de légitimiste, d'orléaniste, de républicain, volaient, au milieu des professions de foi vingt fois répétées. Mme Rougon se montra un instant, sur le seuil d'une porte, l'air inquiet; puis, doucement, elle disparut de nouveau.

Rougon, cependant, venait de finir la réussite des trèfles. Clorinde se pencha, pour lui demander dans le vacarme:

— Elle a réussi?

— Mais sans doute, répondit-il avec son sourire calme.

Et, comme s'il se fût aperçu seulement alors de l'éclat des voix, il agita la main, en reprenant:

— Vous faites bien du bruit!

Ils se turent, croyant qu'il voulait parler. Un grand silence se fit. Tous, un peu las, attendaient. Rougon, d'un coup de pouce, avait élargi sur la table un éventail de treize cartes. Il compta, il dit au milieu du recueillement:

— Trois dames, signe de querelle... Une nouvelle à la nuit... Une femme brune dont il faudra se méfier...

Mais Du Poizat, impatienté, l'interrompit:

— Et vous, Rougon, qu'est-ce que vous pensez?

Le grand homme se renversa dans son fauteuil, s'allongea, en étouffant de la main un léger bâillement. Il haussait le menton, comme si le cou lui avait fait du mal.

— Oh! moi, murmura-t-il, les yeux au plafond, je suis autoritaire, vous le savez bien. On apporte ça en naissant. Ce n'est pas une opinion, c'est un besoin... Vous êtes bêtes de vous disputer. En France, dès qu'il y a cinq messieurs dans un salon, il y a cinq gouvernements en présence. Ça n'empêche personne de servir le gouvernement reconnu. Hein, n'est-ce pas? c'est histoire de causer.

Il baissa le menton et leur jeta un lent regard à la ronde.

— Marsy a très bien conduit les élections. Vous

avez tort de blâmer ses circulaires. La dernière surtout était d'une jolie force... Quant à la pressse, elle est déjà trop libre. Où en serions-nous, si le premier venu pouvait écrire ce qu'il pense ? Moi, d'ailleurs, j'aurais comme Marsy refusé à Kahn l'autorisation de fonder un journal. Il est toujours inutile de fournir une arme à ses adversaires... Voyez-vous, les empires qui s'attendrissent sont des empires perdus. La France demande une main de fer. Quand on l'étrangle un peu, cela n'en va pas plus mal [51].

Delestang voulut protester. Il commença une phrase :

— Cependant, il y a une certaine somme de libertés nécessaires...

Mais Clorinde lui imposa silence. Elle approuvait tout ce que disait Rougon, d'un hochement de tête exagéré. Elle se penchait pour qu'il la vît mieux, soumise devant lui, convaincue. Aussi fut-ce à elle qu'il adressa un coup d'œil, en s'écriant :

— Ah! oui, les libertés nécessaires, je m'attendais à les voir arriver!... Écoutez, si l'empereur me consultait, il n'accorderait jamais une liberté.

Et comme Delestang de nouveau s'agitait, sa femme le fit tenir tranquille d'un froncement terrible de ses beaux sourcils.

— Jamais! répéta Rougon avec force.

Il s'était soulevé de son fauteuil, d'un air si formidable, que personne ne souffla mot. Mais il se laissa retomber, les membres mous, comme détendu, murmurant :

— Voilà que vous me faites crier, moi aussi... Je suis un bon bourgeois, maintenant. Je n'ai pas à me mêler de tout ça, et j'en suis ravi. Dieu veuille que l'empereur n'ait plus besoin de moi!

A ce moment, la porte du salon s'ouvrait. Il mit un doigt sur sa bouche, il souffla très bas :

— Chut!

C'était M. La Rouquette qui entrait. Rougon le soupçonnait d'être envoyé par sa sœur, Mme de Llorentz, pour espionner ce qu'on disait chez lui. M. de Marsy, bien que marié depuis six mois à peine, venait de renouer avec cette dame, qu'il avait gardée comme maîtresse pendant près de deux ans. Aussi, dès l'arrivée du jeune député, cessa-t-on de parler politique. Le salon reprit son air discret. Rougon alla lui-même chercher un grand abat-jour, qu'il posa sur la lampe; et l'on ne vit plus, dans le cercle étroit de clarté jaune, que les mains sèches du colonel et de M. Bouchard, jetant régulièrement les cartes. Devant la fenêtre, Mme Char-

bonnel, à demi-voix, contait ses soucis à Mme Correur, pendant que M. Charbonnel accentuait chaque détail d'un gros soupir; il y avait bientôt deux ans qu'ils étaient à Paris, et leur maudit procès n'en finissait pas; la veille encore, ils avaient dû se résigner à acheter six chemises chacun, en apprenant une nouvelle remise de l'affaire. Un peu en arrière, près d'un rideau, Mme Bouchard semblait dormir, assoupie par la chaleur. M. d'Escorailles était venu la retrouver. Puis, comme personne ne les regardait, il eut la tranquille audace de poser un long baiser silencieux sur ses lèvres à demi closes. Elle ouvrit les yeux tout grands, sans bouger, très sérieuse.

— Mon Dieu! non, disait M. La Rouquette, juste à ce moment, je ne suis pas allé aux Variétés. J'ai vu la répétition générale de la pièce. Oh! un succès fou, une musique d'une gaieté! Ça fera courir tout Paris... J'avais un travail à terminer. Je prépare quelque chose.

Il avait serré la main de ces messieurs et baisé galamment le poignet de Clorinde, au-dessus du gant. Il se tenait debout, appuyé au dossier d'un fauteuil, souriant, mis avec une correction irréprochable. Dans la façon dont sa redingote était boutonnée, perçait toutefois une prétention de haute gravité.

— A propos, reprit-il en s'adressant au maître de la maison, j'ai un document à vous signaler, pour votre grand travail, une étude sur la constitution anglaise, très curieuse, ma foi, qui a paru dans une revue de Vienne... Et avancez-vous ?

— Oh! lentement, répondit Rougon. J'en suis à un chapitre qui me donne beaucoup de mal.

D'ordinaire, il trouvait piquant de faire causer le jeune député. Il savait par lui tout ce qui se passait aux Tuileries. Persuadé, ce soir-là, qu'on l'envoyait pour connaître son opinion sur le triomphe des candidatures officielles, il réussit, sans hasarder une seule phrase digne d'être répétée, à tirer de lui une foule de renseignements. Il commença par le complimenter de sa réélection. Puis, de son air bonhomme, il entretint la conversation par de simples hochements de tête. L'autre, charmé de tenir la parole, ne s'arrêta plus. La cour était dans la joie. L'empereur avait appris le résultat des élections à Plombières; on racontait qu'à la réception de la dépêche, il s'était assis, les jambes coupées par l'émotion. Cependant, une grosse inquiétude dominait toute cette victoire : Paris venait de voter en monstre d'ingratitude.

— Bah! on musellera Paris, murmura Rougon, qui étouffa un nouveau bâillement, comme ennuyé

51. Ce sont les théories mêmes de l'Empire autoritaire dont Rougon, en tant que parvenu, est le parfait représentant.

de ne rien trouver d'intéressant, dans le flot de paroles de M. La Rouquette.

Dix heures sonnèrent. Mme Rougon, poussant un guéridon au milieu de la pièce, servit le thé. C'était l'heure où des groupes isolés se formaient dans les coins. M. Kahn, une tasse à la main, debout devant Delestang, qui ne prenait jamais de thé, parce que ça l'agitait, entrait dans de nouveaux détails sur son voyage en Vendée; sa grande affaire de la concession d'une voie ferrée de Niort à Angers en était toujours au même point; cette canaille de Langlade, le préfet des Deux-Sèvres, avait osé se servir de son projet comme de manœuvre électorale en faveur du nouveau candidat officiel. M. La Rouquette, maintenant, passant derrière les dames, leur glissait dans la nuque des mots qui les faisaient sourire. Derrière un rempart de fauteuils, Mme Correur causait vivement avec Du Poizat; elle lui demandait des nouvelles de son frère Martineau, le notaire de Coulonges; et Du Poizat disait l'avoir vu, un instant, devant l'église, toujours le même, avec sa figure froide, son air grave. Puis, comme elle entamait ses récriminations habituelles, il lui conseilla méchamment de ne jamais remettre les pieds là-bas, car Mme Martineau avait juré de la jeter à la porte. Mme Correur acheva son thé, toute suffoquée.

— Voyons, mes enfants, il faut aller se coucher, dit paternellement Rougon.

Il était dix heures vingt-cinq, et il accorda cinq minutes. Des gens partaient. Il accompagna M. Kahn et M. Béjuin, que Mme Rougon chargeait toujours de compliments pour leurs femmes, bien qu'elle vît ces dames au plus deux fois par an. Il poussa doucement vers la porte les Charbonnel toujours très embarrassés pour s'en aller. Puis, comme la jolie Mme Bouchard sortait entre M. d'Escorailles et M. La Rouquette, il se tourna vers la table de jeu, en criant :

— Eh! monsieur Bouchard, voilà qu'on vous prend votre femme!

Mais le chef de bureau, sans entendre, annonçait son jeu.

— Une quinte majeure en trèfle, hein! elle est bonne, celle-là!... Trois rois, ils sont bons aussi...

Rougon, de ses grosses mains, enleva les cartes.

— C'est fini, allez-vous-en, dit-il. Vous n'êtes pas honteux, de vous acharner comme ça!... Voyons, colonel, soyez raisonnable.

C'était ainsi tous les jeudis et tous les dimanches. Il devait les interrompre au beau milieu d'une partie, ou quelquefois même éteindre la lampe, pour les

décider à quitter le jeu. Et ils se retiraient furieux, en se querellant.

Delestang et Clorinde restèrent les derniers. Celle-ci, pendant que son mari cherchait partout son éventail, dit doucement à Rougon :

— Vous avez tort de ne pas faire un peu d'exercice, vous tomberez malade.

Il eut un geste à la fois indifférent et résigné. Mme Rougon rangeait déjà les tasses et les petites cuillers. Puis, comme les Delestang lui serraient la main, il bâilla franchement, à pleine bouche. Et il dit par politesse, pour ne pas laisser croire que c'était l'ennui de la soirée qui venait de lui monter à la gorge :

— Ah! sacrebleu! je vais joliment dormir, cette nuit!

Les soirées se passaient toutes ainsi. Il pleuvait du gris dans le salon de Rougon, selon le mot de Du Poizat, qui trouvait aussi que, maintenant, « ça sentait trop la dévote ». Clorinde se montrait filiale. Souvent, l'après-midi, elle arrivait seule, rue Marbeuf, avec quelque commission dont elle s'était chargée. Elle disait gaiement à Mme Rougon qu'elle venait faire la cour à son mari; et celle-ci, souriant de ses lèvres pâles, les laissait ensemble, pendant des heures. Ils causaient affectueusement, sans paraître se souvenir du passé; ils se donnaient des poignées de main de camarades, dans ce même cabinet où, l'année précédente, il piétinait devant elle de désir. Aussi, ne songeant plus à ça, s'abandonnaient-ils tous les deux à une tranquille familiarité. Il lui ramenait sur les tempes les mèches folles de ses cheveux, qu'elle avait toujours au vent, ou bien l'aidait à retrouver, au milieu des fauteuils, la traîne de sa robe d'une longueur exagérée. Un jour, comme ils traversaient le jardin, elle eut la curiosité de pousser la porte de l'écurie. Elle entra, en le regardant, avec un léger rire. Lui, les mains dans les poches, se contenta de murmurer, souriant aussi :

— Hein! est-on bête, parfois!

Puis, à chaque visite, il lui donnait d'excellents conseils. Il plaidait la cause de Delestang, qui en somme était un bon mari. Elle, sagement, répondait qu'elle l'estimait; à l'entendre, il n'avait pas encore contre elle un seul sujet de plainte. Elle disait ne pas être seulement coquette, ce qui était vrai. Dans ses moindres paroles perçait une grande indifférence, presque un mépris pour les hommes. Quand on parlait de quelque femme dont on ne comptait plus les amants, elle ouvrait de grands yeux d'enfant, des yeux surpris, en demandant : « Ça l'amuse donc ? » Elle oubliait sa beauté pendant des semaines, ne s'en souvenait que dans quelque besoin; et alors elle s'en servait terriblement, comme d'une arme. Aussi, lorsque Rougon, avec une insistance singulière, revenait à ce sujet, lui conseillait de rester fidèle à Delestang, finissait-elle par se fâcher, criant :

— Mais laissez-moi tranquille! Je songe bien à tout ça... Vous êtes blessant, à la fin!

Un jour, elle lui répondit carrément :

— Eh bien, si ça arrivait, qu'est-ce que ça pourrait vous faire ?... Vous n'avez rien à y perdre, vous!

Il rougit, cessa pendant quelque temps de lui parler de ses devoirs, du monde, des convenances. Ce frisson persistant de jalousie était tout ce qui restait dans sa chair de son ancienne passion. Il poussait les choses jusqu'à la faire surveiller, dans les salons où elle se rendait. S'il s'était aperçu de la moindre intrigue, il eût peut-être averti le mari. D'ailleurs, quand il voyait celui-ci en particulier, il le mettait en garde, lui parlait de l'extraordinaire beauté de sa femme. Mais Delestang riait d'un air de confiance et de fatuité; si bien que, dans le ménage, c'était Rougon qui avait tous les tourments de l'homme trompé.

Ses autres conseils, très pratiques, montraient sa grande amitié pour Clorinde. Ce fut lui qui l'amena doucement à renvoyer sa mère en Italie. La comtesse Balbi, seule maintenant dans le petit hôtel des Champs-Élysées, y menait une étrange vie d'insouciance, dont on causait. Il se chargea de régler avec elle la délicate question d'une pension viagère. On vendit l'hôtel, le passé de la jeune femme fut comme effacé. Puis, il entreprit de la guérir de ses excentricités; mais là il se heurta à une naïveté absolue, à un entêtement de femme obtuse. Clorinde, mariée, riche, vivait dans un incroyable gâchis d'argent, avec des accès brusques d'une avarice honteuse. Elle avait gardé sa petite bonne, cette noiraude d'Antonia qui suçait des oranges du matin au soir. A elles deux, elles salissaient abominablement l'appartement de madame, tout un coin du vaste hôtel de la rue du Colisée. Quand Rougon allait la voir, il trouvait des assiettes sales sur les fauteuils, des litres de sirop à terre, le long des murs. Il devinait sous les meubles un entassement de choses malpropres, fourrées là, à l'annonce de sa visite. Et, au milieu des tentures graisseuses, des boiseries grises de poussière, elle continuait à avoir des caprices stupéfiants. Souvent, elle le recevait à demi nue, entortillée dans une couverture, allongée sur un canapé, se plaignant de maux inconnus, d'un chien qui lui mangeait les pieds, ou bien d'une

épingle avalée par mégarde et dont la pointe devait sortir par sa cuisse gauche. D'autres fois, elle fermait les persiennes à trois heures, allumait toutes les bougies, puis dansait avec sa bonne, l'une en face de l'autre, en riant si fort, que, lorsqu'il entrait, la bonne restait cinq grandes minutes à souffler contre la porte, avant de pouvoir s'en aller. Un jour, elle ne voulut pas se laisser voir; elle avait cousu les rideaux de son lit de haut en bas, elle se tint assise sur le traversin, dans cette cage d'étoffe, causant tranquillement avec lui pendant plus d'une heure, comme s'ils s'étaient trouvés aux deux coins d'une cheminée. Ces choses-là lui semblaient toutes naturelles. Quand il la grondait, elle s'étonnait, elle disait qu'elle ne faisait pas de mal. Il avait beau prêcher les convenances, promettre de la rendre en un mois la femme la plus séduisante de Paris, elle s'emportait, répétant :

— Je suis comme ça, je vis comme ça... Qu'est-ce que ça peut faire aux autres ?

Parfois, elle se mettait à sourire.

— On m'aime tout de même, allez! murmurait-elle.

Et, à la vérité, Delestang l'adorait. Elle restait sa maîtresse, d'autant plus puissante, qu'elle semblait moins sa femme. Il fermait les yeux sur ses caprices, pris de la peur terrible qu'elle ne le plantât là, comme elle l'en avait menacé un jour. Au fond de sa soumission, peut-être la sentait-il vaguement supérieure, assez forte pour faire de lui ce qu'il lui plairait. Devant le monde, il la traitait en enfant, parlait d'elle avec une tendresse complaisante d'homme grave. Dans l'intimité, ce grand bel homme à tête superbe pleurait, les nuits où elle ne voulait pas lui ouvrir la porte de sa chambre. Il enlevait seulement les clefs des appartements du premier étage pour sauver son grand salon des taches de graisse.

Rougon pourtant obtint de Clorinde qu'elle s'habillât à peu près comme tout le monde. Elle était très fine, d'ailleurs, de cette finesse des fous lucides qui se font raisonnables en présence des étrangers. Il la rencontrait dans certaines maisons, l'air réservé, laissant son mari se mettre en avant, tout à fait convenable au milieu de l'admiration soulevée par sa grande beauté. Chez elle, il trouvait souvent M. de Plouguern; et elle plaisantait entre eux deux, sous le déluge de leur morale, tandis que le vieux sénateur, plus familier, lui tapotait les joues, au grand ennui de Rougon; mais il n'osa jamais dire son sentiment à ce sujet. Il fut plus hardi à l'égard de Luigi Pozzo, le secrétaire du chevalier Rusconi. Il l'avait aperçu plusieurs fois sortant de chez elle à des heures singulières. Quand il laissa entendre à la jeune femme combien cela pouvait la compromettre, elle leva sur lui un de ses beaux regards de surprise; puis, elle éclata de rire. Elle se moquait pas mal de l'opinion! En Italie les femmes recevaient les hommes qui leur plaisaient, personne ne songeait à de vilaines choses. Du reste, Luigi ne comptait pas; c'était un cousin; il lui apportait des petits gâteaux de Milan, qu'il achetait dans le passage Colbert.

Mais la politique restait la grosse préoccupation de Clorinde. Depuis qu'elle avait épousé Delestang, toute son intelligence s'employait à des affaires louches et compliquées, dont personne ne connaissait au juste l'importance. Elle contentait là son besoin d'intrigue, si longtemps satisfait dans ses campagnes de séduction contre les hommes de grand avenir; et elle semblait s'être ainsi préparée à quelque besogne plus vaste, en tendant jusqu'à vingt-deux ans ses pièges de fille à marier. Maintenant, elle entretenait une correspondance très suivie avec sa mère, fixée à Turin. Elle allait presque chaque jour à la légation d'Italie, où le chevalier Rusconi l'emmenait dans les coins, causant rapidement, à voix basse. Puis, c'étaient des courses incompréhensibles aux quatre coins de Paris, des visites faites furtivement à de hauts personnages, des rendez-vous donnés au fond de quartiers perdus. Tous les réfugiés vénitiens, les Brambilla, les Staderino, les Viscardi, la voyaient en secret, lui passaient des bouts de papier couverts de notes. Elle avait acheté une serviette de maroquin rouge, un portefeuille monumental à serrure d'acier, digne d'un ministre, dans lequel elle promenait un monde de dossiers. En voiture, elle le tenait sur ses genoux, comme un manchon; partout où elle montait, elle l'emportait avec elle sous son bras, d'un geste familier; même, à des heures matinales, on la rencontrait à pied, le serrant des deux mains contre sa poitrine, les poignets meurtris. Bientôt le portefeuille se râpa, éclata aux coutures. Alors, elle le boucla avec des sangles. Et, dans ses robes voyantes à longue traîne, toujours chargée de ce sac de cuir informe que les liasses de papier crevaient, elle ressemblait à quelque avocat véreux courant les justices de paix pour gagner cent sous.

Plusieurs fois, Rougon avait tâché de connaître les grandes affaires de Clorinde. Un jour, étant resté un instant seul avec le fameux portefeuille, il ne s'était fait aucun scrupule de tirer à lui les lettres dont des coins passaient par les fentes. Mais ce qu'il apprenait d'une façon ou d'une autre lui paraissait si incohérent, si plein de trous, qu'il souriait des

prétentions politiques de la jeune femme. Elle lui expliqua, une après-midi, d'un air tranquille, tout un vaste projet : elle était en train de travailler à une alliance entre l'Italie et la France, en vue d'une prochaine campagne contre l'Autriche [52]. Rougon, un moment très frappé, finit par hausser les épaules, devant les choses folles mêlées à son plan. Pour lui, elle avait simplement trouvé là une originalité de haut goût. Il ne tenait pas à modifier son opinion sur les femmes. Clorinde, d'ailleurs, acceptait volontiers le rôle de disciple. Lorsqu'elle venait le voir rue Marbeuf, elle se faisait très humble, très soumise, le questionnait, l'écoutait avec une ardeur de néophyte désireux de s'instruire. Et lui, souvent, oubliait à qui il parlait, exposait son système de gouvernement, s'engageait dans les aveux les plus nets. Peu à peu, ces conversations devinrent une habitude; il la prit pour confidente, se soulagea du silence qu'il observait avec ses meilleurs amis, la traita en élève discrète dont la respectueuse admiration le charmait.

Pendant les mois d'août et de septembre, Clorinde multiplia ses visites. Elle venait maintenant jusqu'à trois et quatre fois par semaine. Jamais elle n'avait montré une telle tendresse de disciple. Elle flattait beaucoup Rougon, s'extasiait sur son génie, regrettait les grandes choses qu'il aurait accomplies, s'il ne s'était pas mis à l'écart. Un jour, dans une minute de lucidité, il lui demanda en riant :

— Vous avez donc bien besoin de moi ?

— Oui, répondit-elle hardiment.

Mais elle se hâta de reprendre son air d'extase émerveillée. La politique l'amusait plus qu'un roman, disait-elle. Et, quand il tournait le dos, elle ouvrait tout grands ses yeux, où brûlait une courte flamme, quelque ancienne pensée de rancune toujours vivante. Souvent, elle laissait ses mains dans les siennes, comme si elle se fût sentie trop faible encore; et, les poignets frémissants, elle semblait attendre de lui avoir volé assez de sa force pour l'étrangler.

Ce qui inquiétait surtout Clorinde, c'était la lassitude croissante de Rougon. Elle le voyait s'endormir au fond de son ennui. D'abord, elle avait parfaitement distingué ce qu'il pouvait y avoir de joué dans son attitude. Mais, à présent, malgré toute sa finesse, elle commençait à le croire vraiment découragé. Ses gestes s'alourdissaient, sa voix devenait molle; et, certains jours, il se montrait d'une telle indifférence, d'une si grande bonhomie,

---

52. Les historiens de la Castiglione s'accordent à reconnaître à leur personnage ce goût de l'intrigue politique qui passe presque les bornes du vraisemblable.

que la jeune femme, épouvantée, se demandait s'il n'allait pas finir par accepter tranquillement sa retraite au Sénat d'homme politique fourbu.

Vers la fin de septembre, Rougon parut très préoccupé. Puis, dans une de leurs causeries habituelles, il lui avoua qu'il nourrissait un grand projet. Il s'ennuyait à Paris, il avait besoin d'air. Et, tout d'un trait, il parla : c'était un vaste plan de vie nouvelle, un exil volontaire dans les Landes, le défrichement de plusieurs lieues carrées de terrain, la fondation d'une ville au milieu de la contrée conquise. Clorinde, toute pâle, l'écoutait.

— Mais votre situation ici, vos espérances! cria-t-elle.

Il eut un geste de dédain, en murmurant :

— Bah! des châteaux en Espagne!... Voyez-vous, décidément, je ne suis pas fait pour la politique.

Et il reprit son rêve caressé d'être un grand propriétaire, avec des troupeaux de bêtes sur lesquels il régnerait. Mais, dans les Landes, son ambition grandissait; il devenait le roi conquérant d'une terre nouvelle; il avait un peuple. Ce furent des détails interminables. Depuis quinze jours, sans rien dire, il lisait des ouvrages spéciaux. Il desséchait des marais, combattait avec des machines puissantes l'empierrement du sol, arrêtait la marche des dunes par des plantations de pins, dotait la France d'un coin de fertilité miraculeux. Toute son activité endormie, toute sa force de géant inoccupé, se réveillaient dans cette création; ses poings serrés semblaient déjà fendre les cailloux rebelles; ses bras retournaient le sol d'un seul effort; ses épaules portaient des maisons toutes bâties, qu'il plantait à sa guise au bord d'une rivière, dont il creusait le lit d'un seul coup de pied. Rien de plus aisé que tout cela. Il trouverait là de l'ouvrage tant qu'il voudrait. L'empereur l'aimait sans doute assez encore pour lui donner un département à arranger. Debout, une flamme aux joues, grandi par le redressement brusque de ses gros membres, il éclata d'un rire superbe.

— Hein! c'est une idée! dit-il. Je laisse mon nom à la ville, je fonde un petit empire, moi aussi!

Clorinde crut à quelque caprice, à une imagination née du profond ennui dans lequel il se débattait. Mais, les jours suivants, il lui reparla de son projet, avec plus d'enthousiasme encore. A chaque visite, elle le trouvait perdu au milieu de cartes étalées sur le bureau, sur les sièges, sur le tapis. Une après-midi, elle ne put le voir, il était en conférence avec deux ingénieurs. Alors, elle commença à éprouver une peur véritable. Allait-il donc la planter là, pour

bâtir sa ville, au fond d'un désert ? N'était-ce pas plutôt quelque nouvelle combinaison qu'il mettait en œuvre ? Elle renonça à la vérité vraie, elle crut prudent de jeter l'alarme dans la bande.

Ce fut une consternation. Du Poizat s'emporta; depuis plus d'un an, il battait le pavé; à son dernier voyage en Vendée, son père avait sorti un pistolet d'un tiroir, quand il s'était risqué à lui demander dix mille francs, pour monter une affaire superbe; et, maintenant, il recommençait à crever la faim, comme en 48. M. Kahn se montra tout aussi furieux : ses hauts fourneaux de Bressuire étaient menacés d'une faillite prochaine; il se sentait perdu, s'il n'obtenait pas avant six mois la concession de son chemin de fer. Les autres, M. Béjuin, le colonel, les Bouchard, les Charbonnel, se répandirent également en doléances. Ça ne pouvait pas finir ainsi. Rougon, véritablement, n'était pas raisonnable. On lui parlerait.

Cependant, quinze jours s'écoulèrent. Clorinde, très écoutée de toute la bande, avait décidé qu'il serait mauvais d'attaquer le grand homme en face. On attendait une occasion. Un dimanche soir, vers le milieu d'octobre, comme les amis se trouvaient réunis au complet dans le salon de la rue Marbeuf, Rougon dit en souriant :

— Vous ne savez pas ce que j'ai reçu aujourd'hui ?

Et il prit derrière la pendule une carte rose, qu'il montra.

— Une invitation à Compiègne [53].

A ce moment, le valet de chambre ouvrit discrètement la porte. L'homme que monsieur attendait était là. Rougon s'excusa et sortit. Clorinde s'était levée, écoutant. Puis, dans le silence, elle dit avec énergie :

— Il faut qu'il aille à Compiègne!

Les amis, prudemment, regardèrent autour d'eux; mais ils étaient bien seuls, Mme Rougon avait disparu depuis quelques minutes. Alors, à demi-voix, tout en guettant les portes, ils parlèrent librement. Les dames faisaient un cercle devant la cheminée, où un gros tison se consumait en braise; M. Bouchard et le colonel jouaient leur éternel piquet, tandis que les hommes avaient roulé leurs fauteuils, dans un coin, pour s'isoler. Clorinde, debout au milieu de la pièce, la tête penchée, réfléchissait profondément.

— Il attendait donc quelqu'un ? demanda Du Poizat. Qui ça peut-il être ?

53. Le château de Compiègne, ancien château de Charles le Chauve, reconstruit sous Louis XIV, était la résidence favorite de la cour impériale et c'était un honneur notable d'y être convié.

Les autres haussèrent les épaules, voulant dire qu'ils ne savaient pas.

— Encore pour sa grande bête d'affaire peut-être! continua-t-il. Moi je suis à bout. Un de ces soirs, vous verrez, je lui flanquerai à la figure tout ce que je pense.

— Chut! dit Kahn, en posant un doigt sur ses lèvres.

L'ancien sous-préfet avait haussé la voix d'une façon inquiétante. Tous prêtèrent un moment l'oreille. Puis, ce fut M. Kahn lui-même qui recommença, très bas :

— Sans doute, il a pris des engagements envers nous.

— Dites qu'il a contracté une dette, ajouta le colonel, en posant ses cartes.

— Oui, oui, une dette, c'est le mot, déclara M. Bouchard. Nous ne le lui avons pas mâché, le dernier jour, au Conseil d'État.

Et les autres appuyaient vivement de la tête. Il y eut une lamentation générale. Rougon les avait tous ruinés. M. Bouchard ajoutait que, sans sa fidélité au malheur, il serait chef de bureau depuis longtemps. A entendre le colonel, on était venu lui offrir la croix de commandeur et une situation pour son fils Auguste, de la part du comte de Marsy ; mais il avait refusé, par amitié pour Rougon. Le père et la mère de M. d'Escorailles, disait la jolie Mme Bouchard, se trouvaient très froissés de voir leur fils rester auditeur, quand ils attendaient depuis six mois déjà sa nomination de maître des requêtes. Et même ceux qui ne disaient rien, Delestang, M. Béjuin, Mme Correur, les Charbonnel, pinçaient les lèvres, levaient les yeux au ciel, d'un air de martyrs auxquels la patience commence à manquer.

— Enfin, nous sommes volés, reprit Du Poizat. Mais il ne partira pas, je vous en réponds! Est-ce qu'il y a du bon sens à aller se battre avec des cailloux, dans je ne sais quel trou perdu, lorsqu'on a des intérêts si graves à Paris ?... Voulez-vous que je lui parle, moi ?

Clorinde sortait de sa rêverie. Elle lui imposa silence d'un geste ; puis, quand elle eut entrouvert la porte pour voir si personne n'était là, elle répéta :

— Entendez-vous, il faut qu'il aille à Compiègne!

Et, comme toutes les faces se tendaient vers elle, d'un nouveau geste elle arrêta les questions.

— Chut! pas ici!

Pourtant, elle dit encore que son mari et elle étaient aussi invités à Compiègne ; et elle laissa échapper

les noms de M. de Marsy et de Mme de Llorentz, sans vouloir s'expliquer davantage. On pousserait le grand homme au pouvoir malgré lui, on le compromettrait, s'il le fallait. M. Beulin-d'Orchère et toute la magistrature l'appuyaient sourdement. L'empereur, avouait M. La Rouquette, au milieu de la haine de son entourage contre Rougon, gardait un silence absolu ; dès qu'on le nommait en sa présence, il devenait grave, l'œil voilé[54], la bouche noyée dans l'ombre des moustaches.

— Il ne s'agit pas de nous, finit par déclarer M. Kahn. Si nous réussissons, le pays nous devra des remerciements.

Alors, tout haut, on continua, en faisant un grand éloge du maître de la maison. Dans la pièce voisine, un bruit de voix venait de s'élever. Du Poizat, mordu par la curiosité, poussa la porte comme s'il allait sortir puis la referma assez lentement pour apercevoir l'homme qui se trouvait avec Rougon. C'était Gilquin, en gros paletot, presque propre, tenant à la main une forte canne à pomme de cuivre. Il disait, sans baisser la voix, avec une familiarité exagérée :

— Tu sais, n'envoie plus maintenant rue Virginie, à Grenelle. J'ai eu des histoires ; je reste au fond des Batignolles, passage Guttin... Enfin, tu peux compter sur moi. A bientôt.

Et il donna une poignée de main à Rougon. Quand celui-ci rentra dans le salon, il s'excusa, en regardant Du Poizat fixement.

— Un brave garçon que vous connaissez, n'est-ce pas, Du Poizat ?... Il va me racoler des colons pour mon nouveau monde, là-bas, au fond des Landes... A propos, je vous emmène tous ; vous pouvez faire vos paquets. Kahn sera mon premier ministre. Delestang et sa femme auront le portefeuille des Affaires étrangères. Béjuin se chargera des Postes. Et je n'oublie pas les dames, madame Bouchard, qui tiendra le sceptre de la beauté, et madame Charbonnel, à laquelle je confierai les clefs de mes greniers.

Il plaisantait, tandis que les amis, mal à l'aise, se demandaient s'il ne les avait pas entendus, par quelque fente du mur. Lorsqu'il décora le colonel de tous ses ordres, celui-ci faillit se fâcher. Cependant, Clorinde regardait l'invitation à Compiègne, qu'elle avait prise sur la cheminée.

— Est-ce que vous irez ? dit-elle négligemment.

— Mais sans doute, répondit Rougon étonné. Je compte bien profiter de l'occasion pour me faire donner mon département par l'empereur.

Dix heures sonnaient. Mme Rougon reparut et servit le thé.

54. Ce trait a été souvent noté par ceux qui ont approché Napoléon III.

Le château de Compiègne, vue prise du côté du parc.

7

Vers sept heures, le soir de son arrivée à Compiègne, Clorinde causait avec M. de Plouguern, près d'une fenêtre de la galerie des Cartes. On attendait l'empereur et l'impératrice pour passer dans la salle à manger. La seconde série d'invités de la saison se trouvait au château depuis trois heures à peine; et, tout le monde n'étant pas encore descendu, la jeune femme s'occupait à juger d'un mot chaque personne qui entrait. Les dames, décolletées, avec des fleurs dans les cheveux, souriaient dès le seuil d'un air doux; les hommes restaient graves, en cravate blanche et en culotte courte, le mollet tendu sous le bas de soie.

— Ah! voici le chevalier, murmura Clorinde. Il est très bien, lui... Mais vois donc, parrain, monsieur Beulin-d'Orchère, si l'on ne dirait pas qu'il va aboyer; et quelles jambes, bon Dieu!

M. de Plouguern ricanait, heureux de ces médisances. Le chevalier Rusconi vint saluer Clorinde, avec sa galanterie langoureuse de bel Italien; puis, il fit le tour des dames, en se balançant, dans une suite de révérences rythmées, du plus tendre effet. A quelques pas, Delestang, très sérieux, regardait les immenses cartes de la forêt de Compiègne, qui couvraient les murs de la galerie.

— Dans quel wagon es-tu donc monté? reprit Clorinde. Je t'ai cherché pour faire le voyage avec toi. Imagine-toi que je me suis fourrée avec un tas d'hommes...

Mais elle s'interrompit, étouffant un rire entre ses doigts.

— Monsieur La Rouquette a l'air en sucre.

— Oui, un déjeuner de pensionnaire, dit méchamment le sénateur.

A ce moment, il y eut à la porte un grand froissement d'étoffes; le battant s'ouvrit très large, et une femme entra, vêtue d'une robe si chargée de nœuds, de fleurs et de dentelles, qu'elle dut presser la jupe à deux mains, pour pouvoir passer. C'était Mme de Combelot, la belle-sœur de Clorinde. Celle-ci la dévisagea, en murmurant :

— S'il est permis!

Et, comme M. de Plouguern la regardait elle-même, dans sa robe de tarlatane toute simple, passée sur un dessous de faille rose mal taillé, elle continua, d'un ton de parfaite insouciance :

— Oh! moi, la toilette, tu sais, parrain! On me prend telle que je suis.

Cependant, Delestang s'était décidé à quitter les cartes, pour aller au-devant de sa sœur, qu'il amena à sa femme. Elles ne s'aimaient guère toutes deux. Elles échangèrent un compliment aigredoux. Et Mme de Combelot s'éloigna, traînant une queue de satin, pareille à un coin de parterre, au milieu des hommes muets, qui reculaient discrètement de deux ou trois pas, devant le flot débordant de ses volants de dentelle. Clorinde, dès qu'elle fut de nouveau seule avec M. de Plouguern, plaisanta, en faisant allusion à la grande passion que la dame éprouvait pour l'empereur. Puis, comme le sénateur racontait la belle résistance de ce dernier :

— Il n'a pas beaucoup de mérite, elle est si maigre! J'ai entendu des hommes la trouver jolie, je ne sais pourquoi. Elle a une figure de rien du tout.

Tout en causant, elle continuait à surveiller la porte, préoccupée.

— Ah! cette fois, dit-elle, ça doit être monsieur Rougon.

Mais elle se reprit aussitôt, avec une courte flamme dans les yeux :

— Tiens! non, c'est monsieur de Marsy.

Le ministre, très correct dans son habit noir et sa culotte courte, s'avança en souriant vers Mme de Combelot; et, pendant qu'il la complimentait, il regardait les invités, les yeux vagues et voilés, comme s'il n'eût reconnu personne. Alors, à mesure qu'on le salua, il inclina la tête, avec une grande amabilité. Plusieurs hommes s'approchèrent. Bientôt il devint le centre d'un groupe. Sa tête pâle, fine et méchante, dominait les épaules qui moutonnaient autour de lui.

— A propos, reprit Clorinde en poussant M. de Plouguern au fond de l'embrasure, j'ai compté sur toi pour me donner des détails... Que sais-tu au sujet des fameuses lettres de madame de Llorentz?

— Mais ce que tout le monde sait, répondit-il.

Et il parla des trois lettres écrites, disait-on, par le comte de Marsy à Mme de Llorentz, il y avait près de cinq ans, un peu avant le mariage de l'empereur. Cette dame, qui venait de perdre son mari, un général d'origine espagnole, se trouvait alors à Madrid, où elle réglait des affaires d'intérêt. C'était le beau temps de leur liaison. Le comte, pour l'égayer, cédant aussi à son esprit de vaudevilliste, lui avait envoyé des détails extrêmement piquants sur certaines personnes augustes, dans l'intimité desquelles il vivait. Et l'on racontait que, depuis ce temps, Mme de Llorentz, belle femme extrêmement jalouse, gardait ces lettres, qu'elle tenait suspendues sur la tête de M. de Marsy, comme une vengeance toujours prête.

— Elle s'est laissé convaincre, quand il a dû épouser une princesse valaque, dit le sénateur en terminant. Mais, après avoir consenti à un mois de lune de miel, elle lui a signifié que, s'il ne revenait se mettre à ses pieds, elle déposerait un beau matin les trois terribles lettres sur le bureau de l'empereur ; et il a repris sa chaîne... Il la comble de douceurs pour se faire rendre cette maudite correspondance.

Clorinde riait beaucoup. L'histoire lui paraissait très drôle. Et elle multiplia ses questions. Alors, si le comte trompait Mme de Llorentz, celle-ci était capable d'exécuter sa menace ? Ces trois lettres, où les tenait-elle ? dans son corsage, cousues entre deux rubans de satin, à ce qu'elle avait entendu dire. Mais M. de Plouguern n'en savait pas davantage. Personne n'avait lu les lettres. Il connaissait un jeune homme qui, pour en prendre une copie, s'était fait inutilement, pendant près de six mois, l'humble esclave de Mme de Llorentz.

— Diable ! ajouta-t-il, il ne le quitte pas des yeux, petite. Eh ! j'oubliais en effet : tu as fait sa conquête !... Est-il vrai qu'à sa dernière soirée, au ministère, il a causé avec toi près d'une heure ?

La jeune femme ne répondit pas. Elle n'écoutait plus, elle restait immobile et superbe, sous le regard fixe de M. de Marsy. Puis, levant lentement la tête, le regardant à son tour, elle attendit son salut. Il s'approcha d'elle, s'inclina. Et elle lui sourit alors, très doucement. Ils n'échangèrent pas un mot. Le comte retourna au milieu du groupe, où M. La Rouquette parlait très haut, en le nommant à chaque phrase « Son Excellence ».

Peu à peu, pourtant, la galerie s'était remplie. Il y avait là près de cent personnes, de hauts fonctionnaires, des généraux, des diplomates étrangers, cinq députés, trois préfets, deux peintres, un romancier, deux académiciens, sans compter les officiers du palais, chambellans, aides de camp et écuyers. Le discret murmure des voix montait dans la lumière des lustres. Les familiers du château se promenaient à petits pas, tandis que les nouveaux invités, debout, n'osaient se risquer au milieu des dames. Cette première heure de gêne, entre des personnes dont plusieurs ne se connaissaient pas, et qui se trouvaient tout d'un coup réunies à la porte de la salle à manger impériale, donnait aux visages un air de dignité maussade. Par moments, de brusques silences se faisaient, des têtes se tournaient, vaguement anxieuses. Et le mobilier empire de la vaste pièce, les consoles à pieds droits, les fauteuils carrés, semblaient augmenter encore la solennité de l'attente.

— Le voici enfin ! murmura Clorinde.

Rougon venait d'entrer. Il s'arrêta un moment à deux pas de la porte. Il avait pris son allure épaisse

de bonhomme, le dos un peu gonflé, la face endormie. D'un regard, il vit le léger frisson d'hostilité que sa présence produisait, au milieu de certains groupes. Puis, tranquillement, tout en distribuant quelques poignées de main, il manœuvra de façon à se trouver en face de M. de Marsy. Ils se saluèrent, parurent charmés de se rencontrer. Et, les yeux dans les yeux, en ennemis qui ont le respect de leur force, ils causèrent amicalement. Autour d'eux, un vide s'était fait. Les dames suivaient leurs moindres gestes ; tandis que les hommes, affectant une grande discrétion, regardaient ailleurs, en glissant de leur côté des coups d'œil furtifs. Des chuchotements couraient dans les coins. Quel était donc le secret dessein de l'empereur ? pourquoi mettait-il ainsi ces deux personnages en présence ? M. La Rouquette, très perplexe, crut flairer un événement grave. Il vint questionner M. de Plouguern, qui s'amusa à lui répondre :

— Dame ! Rougon va peut-être culbuter Marsy, et l'on fera bien de le ménager... A moins pourtant que l'empereur n'ait pas songé à mal. Ça lui arrive quelquefois... Peut-être aussi a-t-il voulu prendre seulement le plaisir de les voir ensemble, en espérant qu'ils seraient drôles.

Mais les chuchotements cessèrent, un grand mouvement eut lieu. Deux officiers du palais allaient de groupe en groupe, en murmurant une phrase à demi-voix. Et les invités, redevenus subitement graves, se dirigèrent vers la porte de gauche, où ils formèrent une double haie, les hommes d'un côté, les femmes de l'autre. Près de la porte se plaça M. de Marsy, qui garda Rougon à son côté ; puis, les autres personnages s'échelonnèrent, selon leur rang ou leur grade. Là, on attendit encore trois minutes, dans un grand recueillement.

La porte s'ouvrit à deux battants. L'empereur, en habit, la poitrine barrée par la tache rouge du grand cordon, entra le premier, suivi du chambellan de service, M. de Combelot. Il eut un faible sourire, en s'arrêtant devant M. de Marsy et Rougon ; il tordait sa longue moustache d'une main lente, avec un balancement de tout son corps. Puis, d'une voix embarrassée, il murmura :

— Vous direz à madame Rougon toute la peine que nous avons éprouvée en la sachant malade... Nous aurions vivement désiré la voir avec vous... Enfin, ce ne sera rien, il faut l'espérer. Il y a beaucoup de rhumes en ce moment.

Et il passa. Deux pas plus loin, il serra la main d'un général, auquel il demanda des nouvelles de son fils, qu'il appelait « mon petit ami Gaston » ; Gaston avait l'âge du prince impérial, mais il était déjà beaucoup plus fort. La haie s'inclinait à mesure qu'il avançait. Enfin, tout au bout, M. de Combelot lui présenta l'un des deux académiciens, qui venait à la cour pour la première fois; et l'empereur parla d'une œuvre récente de l'écrivain, dont il avait lu certains passages avec le plus grand plaisir, disait-il.

Cependant, l'impératrice était entrée, accompagnée de Mme de Llorentz. Elle portait une toilette très modeste, une robe de soie bleue, recouverte d'une tunique de dentelle blanche. A petits pas, souriante, pliant gracieusement son cou nu, où un simple velours bleu attachait un cœur de diamants, elle descendait, le long de la haie formée par les dames. Des révérences, sur son passage, étalaient de larges froissements de jupes, d'où montaient des odeurs musquées. Mme de Llorentz lui présenta une jeune femme, qui paraissait très émue. Mme de Combelot affecta une familiarité attendrie.

Puis, quand les souverains furent au bout de la double haie, ils revinrent sur leurs pas, l'empereur en passant à son tour devant les dames, l'impératrice en remontant devant les hommes. Il y eut de nouvelles présentations. Personne ne parlait encore, un embarras respectueux tenait les invités muets, en face les uns des autres. Mais les rangs se rompirent; des mots furent échangés à demi-voix, et des rires clairs s'élevaient, lorsque l'adjudant général du palais vint dire que le dîner était servi.

— Hein! tu n'as plus besoin de moi! dit gaiement M. de Plouguern à l'oreille de Clorinde.

Elle lui sourit. Elle était restée devant M. de Marsy, pour le forcer à lui offrir le bras, ce qu'il fit d'ailleurs d'un air galant. Une légère confusion régnait. L'empereur et l'impératrice passèrent les premiers, suivis des personnes désignées pour s'asseoir à leur droite et à leur gauche; c'étaient, ce jour-là, deux diplomates étrangers, une jeune Américaine et la femme d'un ministre. Derrière, venaient les autres invités, à leur guise, chacun tenant à son bras la dame qu'il lui avait plu de choisir. Et, lentement, le défilé s'organisa.

L'entrée dans la salle à manger fut d'une grande pompe. Cinq lustres flambaient au-dessus de la longue table, allumant les pièces d'argenterie du surtout, des scènes de chasse, avec le cerf au départ, les cors sonnant l'hallali, les chiens arrivant à la curée. La vaisselle plate mettait au bord de la nappe un cordon de lunes d'argent; tandis que les flancs des réchauds où se reflétait la braise des bougies, les cristaux ruisselants de gouttes de flammes, les corbeilles de fruits et les vases de fleurs d'un rose vif, faisaient du couvert impérial une splendeur dont la clarté flottante emplissait l'immense pièce.

Par la porte ouverte à deux battants, le cortège débouchait, après avoir traversé la salle des gardes, d'un pas ralenti. Les hommes se penchaient, disaient un mot, puis se redressaient, dans le secret chatouillement de vanité de cette marche triomphale; les dames, les épaules nues, trempées de clartés, avaient une douceur ravie; et, sur les tapis, les jupes traînantes, espaçant les couples, donnaient une majesté de plus au défilé, qu'elles accompagnaient de leur murmure d'étoffes riches. C'était une approche presque tendre, une arrivée gourmande dans un milieu de luxe, de lumière et de tiédeur, comme un bain sensuel où les odeurs musquées des toilettes se mêlaient à un léger fumet de gibier, relevé d'un filet de citron. Lorsque, sur le seuil, en face du développement superbe de la table, une musique militaire, cachée au fond d'une galerie voisine, les accueillait d'une fanfare, pareille au signal de quelque gala de féerie, les invités, un peu gênés par leurs culottes courtes, serraient le bras des dames, involontairement, un sourire aux lèvres.

Alors, l'impératrice descendit à droite et se tint debout au milieu de la table, pendant que l'empereur, passant à gauche, venait prendre place en face d'elle. Puis, lorsque les personnes désignées se furent mises à la droite et à la gauche de Leurs Majestés, les autres couples tournèrent un instant, choisissant leur voisinage, s'arrêtant à leur guise. Ce soir-là il y avait quatre-vingt-sept couverts. Près de trois minutes s'écoulèrent, avant que tout le monde fût entré et placé. La moire satinée des épaules, les fleurs voyantes des toilettes, les diamants des hautes coiffures, donnaient comme un rire vivant à la grande lumière des lustres. Enfin, les valets de pied prirent les chapeaux, que les hommes avaient gardés à la main. Et l'on s'assit.

M. de Plouguern avait suivi Rougon. Après le potage, il lui poussa le coude, en demandant :

— Est-ce que vous avez chargé Clorinde de vous raccommoder avec Marsy ?

Et, du coin de l'œil, il lui montrait la jeune femme, assise de l'autre côté de la table, auprès du comte, avec lequel elle causait d'une façon tendre. Rougon, l'air très contrarié, se contenta de hausser les épaules; puis, il affecta de ne plus regarder en face de lui. Mais, malgré son effort d'indifférence, il revenait à Clorinde, il s'intéressait à ses moindres gestes, aux mouvements de ses lèvres, comme s'il avait voulu voir les mots qu'elle prononçait.

— Monsieur Rougon, dit en se penchant Mme de Combelot, qui s'était mise le plus près possible de l'empereur, vous vous souvenez de cet accidentlà ? C'est vous qui m'avez trouvé un fiacre. Tout un volant de ma robe était arraché.

Elle se rendait intéressante, en racontant que sa voiture avait failli un jour être coupée en deux par le landau d'un prince russe. Et il dut répondre. Pendant un moment, on causa de ça, au milieu de la table. On cita toutes sortes de malheurs, entre autres la chute de cheval qu'une parfumeuse du passage des Panoramas avait faite, la semaine précédente, et dans laquelle elle s'était cassé un bras. L'impératrice eut un léger cri de commisération. L'empereur ne disait rien, écoutant d'un air profond, mangeant lentement.

— Où donc s'est fourré Delestang ? demanda à son tour Rougon à M. de Plouguern.

Ils le cherchèrent. Enfin, le sénateur l'aperçut au bout de la table. Il était à côté de M. de Combelot, parmi toute une rangée d'hommes, l'oreille tendue à des propos très libres que le brouhaha des voix couvrait. M. La Rouquette avait entamé l'histoire gaillarde d'une blanchisseuse de son pays ; le chevalier Rusconi donnait des appréciations personnelles sur les Parisiennes ; tandis que l'un des deux peintres et le romancier, plus bas, jugeaient avec des mots crus les dames dont les bras trop gras ou trop maigres les faisaient ricaner. Et Rougon, furieusement, reportait ses regards de Clorinde, de plus en plus aimable pour le comte, à son imbécile de mari, aveugle là-bas, souriant dignement des choses un peu fortes qu'il entendait.

— Pourquoi ne s'est-il pas mis avec nous ? murmura-t-il.

— Eh ! je ne le plains pas, dit M. de Plouguern. On a l'air de s'amuser, dans ce bout-là.

Puis, il continua, à son oreille :

— Je crois qu'ils arrangent madame de Llorentz. Avez-vous remarqué comme elle est décolletée ?... Il y en a un qui va sortir, pour sûr. Hein ? celui de gauche ?

Mais, comme il se penchait, pour mieux voir Mme de Llorentz, assise du même côté que lui, à cinq places de distance, il devint subitement grave. Cette dame, une belle blonde un peu forte, avait en ce moment un visage terrible, tout pâle d'une rage froide, avec des yeux bleus qui tournaient au noir, fixés ardemment sur M. de Marsy et sur Clorinde. Et il dit entre ses dents, si bas, que Rougon lui-même ne put comprendre :

— Diable ! ça va se gâter.

La musique jouait toujours, une musique lointaine qui semblait venir du plafond. A certains éclats des cuivres, les convives levaient la tête, cherchaient l'air dont ils étaient poursuivis. Puis, ils n'entendaient plus ; le chant léger des clarinettes, au fond de la galerie voisine, se confondait avec les bruits argentins de la vaisselle plate qu'on apportait par piles énormes. De grands plats avaient des sonneries étouffées de cymbales. Autour de la table, c'était un empressement silencieux, tout un peuple de domestiques s'agitant sans une parole, les huissiers en habit et en culotte bleu clair, avec l'épée et le tricorne, les valets de pied, cheveux poudrés, portant l'habit vert de grande livrée, galonné d'or. Les mets arrivaient, les vins circulaient, régulièrement ; tandis que les chefs de service, les contrôleurs, le premier officier tranchant, le chef de l'argenterie, debout, surveillaient cette manœuvre compliquée, cette confusion où le rôle du dernier valet était réglé à l'avance. Derrière l'empereur et l'impératrice, les valets de chambre particuliers de Leurs Majestés servaient, avec une dignité correcte.

Quand les rôtis arrivèrent et que les grands vins de Bourgogne furent versés, le tapage des voix s'éleva. Maintenant, dans le coin des hommes, au bout de la table, M. La Rouquette causait cuisine, discutant le degré de cuisson d'un quartier de chevreuil à la broche, qu'on venait de servir. Il y avait eu un potage à la Crécy, un saumon au bleu, un filet de bœuf sauce échalotte, des poulardes à la financière, des perdrix aux choux montées, de petits pâtés aux huîtres.

— Je parie que nous allons avoir des cardons au jus et des concombres à la crème ! dit le jeune député.

— J'ai vu des écrevisses, déclara poliment Delestang.

Mais comme les cardons au jus et les concombres à la crème apparaissaient, M. La Rouquette triompha bruyamment. Il ajouta qu'il connaissait les goûts de l'impératrice. Cependant, le romancier regardait le peintre, avec un léger claquement de langue.

— Hein ? cuisine médiocre ! murmura-t-il.

Le peintre eut une moue approbative. Puis, après avoir bu, il dit à son tour :

— Les vins sont exquis.

A ce moment, un rire brusque de l'impératrice sonna si haut, que tout le monde se tut. Des têtes s'allongeaient, pour savoir. L'impératrice causait avec l'ambassadeur d'Allemagne, placé à sa droite ; elle riait toujours, en prononçant des mots entrecoupés, qu'on n'entendait pas. Dans le silence curieux qui s'était fait, un cornet à piston, accompagné en sourdine par des basses, jouait un solo, une phrase mélodique de romance sentimentale. Et, peu à peu, le brouhaha grandit de nouveau. Les chaises se tournaient à demi, des coudes se posaient au bord de la nappe, des conversations intimes s'engageaient, au milieu d'une liberté de table d'hôte princière.

— Voulez-vous un petit four ? demanda M. de Plouguern.

Rougon refusa de la tête. Depuis un instant, il ne mangeait plus. On avait remplacé la vaisselle plate par de la porcelaine de Sèvres, décorée de fines peintures bleues et roses. Tout le dessert défila devant lui, sans qu'il acceptât autre chose qu'un peu de camembert. Il ne se contraignait plus, il regardait Clorinde et M. de Marsy en face, largement, espérant sans doute intimider la jeune femme. Mais celle-ci affectait une familiarité telle avec le comte, qu'elle semblait oublier où elle se trouvait, se croire au fond d'un étroit salon, à quelque souper fin de deux couverts. Sa grande beauté avait un éclat de tendresse extraordinaire. Et elle croquait des sucreries que le comte lui passait, elle le conquérait de son sourire continu, d'une façon impudemment tranquille. Des chuchotements s'élevaient autour d'eux.

La conversation étant tombée sur la mode, M. de Plouguern, par malice, interpella Clorinde au sujet de la nouvelle forme des chapeaux. Puis, comme elle feignait de n'avoir pas entendu, il se pencha pour adresser la même question à Mme de Llorentz. Mais il n'osa pas, tant cette dernière lui parut formidable, avec ses dents serrées, son masque tragique de fureur jalouse. Clorinde, justement, venait d'abandonner sa main gauche à M. de Marsy sous prétexte de lui montrer un camée antique, qu'elle avait au doigt ; et elle laissa sa main, le comte prit la bague, la remit ; ce fut presque indécent. Mme de Llorentz, qui jouait nerveusement avec une cuiller, cassa son verre à bordeaux, dont un domestique enleva vivement les éclats.

— Elles se prendront au chignon, c'est certain, dit le sénateur à l'oreille de Rougon. Les avez-vous surveillées ?... Mais du diable si je comprends le jeu de Clorinde! Hein ? que veut-elle ?

Et, comme il levait les yeux sur son voisin, il fut très surpris de l'altération de ses traits.

— Qu'avez-vous donc ? vous souffrez ?

— Non, répondit Rougon, j'étouffe un peu. Ces dîners durent trop longtemps. Puis, il y a une odeur de musc, ici!

C'était la fin. Quelques dames mangeaient encore un biscuit, à demi renversées sur leurs chaises. Cependant, personne ne bougeait. L'empereur, muet jusque-là, venait de hausser la voix ; et, aux deux bouts de la table, les convives, qui avaient complè-

tement oublié la présence de Sa Majesté, tendaient tout d'un coup l'oreille, d'un air de grande complaisance. Le souverain répondait à une dissertation de M. Beulin-d'Orchère contre le divorce. Puis, s'interrompant, il jeta un coup d'œil sur le corsage très ouvert de la jeune dame américaine, assise à sa gauche, en disant de sa voix pâteuse :

— En Amérique, je n'ai jamais vu divorcer que les femmes laides.

Un rire courut parmi les convives. Cela parut un mot d'esprit très fin, si délicat même, que M. La Rouquette s'ingénia à en découvrir les sens cachés. La jeune dame américaine crut sans doute y voir un compliment, car elle remercia en inclinant la tête, confuse. L'empereur et l'impératrice s'étaient levés. Il y eut un grand bruissement de jupes, un piétinement autour de la table, pendant que les huissiers et les valets de pied, rangés gravement contre les murs, restaient seuls corrects, au milieu de cette débandade de gens ayant bien dîné. Et le défilé s'organisa de nouveau, Leurs Majestés en tête, les invités venant à la file, espacés par les longues traînes, traversant la salle des gardes avec une solennité un peu essoufflée. Derrière eux, dans le plein jour des lustres, au-dessus du désordre encore tiède de la nappe, retentissaient les coups de grosse caisse de la musique militaire, achevant la dernière figure d'un quadrille.

Le café fut servi, ce soir-là, dans la galerie des Cartes. Un préfet du palais apporta la tasse de l'empereur sur un plateau de vermeil. Cependant, plusieurs invités étaient déjà montés au fumoir. L'impératrice venait de se retirer avec quelques dames dans le salon de famille, à gauche de la galerie. On se disait à l'oreille qu'elle avait témoigné un vif mécontentement de l'étrange attitude de Clorinde, pendant le dîner. Elle s'efforçait d'introduire à la cour, durant le séjour à Compiègne, une décence bourgeoise, un amour des jeux innocents et des plaisirs champêtres. Elle montrait une haine personnelle, comme une rancune, contre certaines extravagances.

M. de Plouguern avait emmené Clorinde à l'écart, pour lui faire un bout de morale. A la vérité, il voulait la confesser. Mais elle jouait une grande surprise. Où prenait-on qu'elle se fût compromise avec le comte de Marsy ? Ils avaient plaisanté ensemble, rien de plus.

— Tiens, regarde! murmura le vieux sénateur.

Et, poussant la porte entrebâillée d'un petit salon voisin, il lui montra Mme de Llorentz faisant une scène abominable à M. de Marsy. Il les avait vus entrer. La belle blonde, affolée, se soulageait avec des mots très gros, perdant toute mesure, oubliant que les éclats de sa voix pouvaient amener un affreux scandale. Le comte, un peu pâle, souriant, la calmait en parlant rapidement, doucement, à voix basse. Le bruit de la querelle étant parvenu dans la galerie des Cartes, les invités qui entendirent, s'en allèrent du voisinage du petit salon, par prudence.

— Tu veux donc qu'elle affiche les fameuses lettres aux quatre coins du château ? demanda M. de Plouguern, qui s'était remis à marcher, après avoir donné le bras à la jeune femme.

— Eh! ce serait drôle! dit-elle en riant.

Alors, tout en serrant son bras nu avec une ardeur de jeune galant, il recommença à prêcher. Il fallait laisser à Mme de Combelot les allures excentriques. Puis, il lui assura que Sa Majesté paraissait fort irritée contre elle. Clorinde, qui nourrissait un culte pour l'impératrice, resta très étonnée. En quoi avait-elle pu déplaire ? Et comme ils arrivaient en face du salon de famille, ils s'arrêtèrent un instant, regardant par la porte laissée ouverte. Tout un cercle de dames entouraient une vaste table. L'impératrice, assise au milieu d'elles, leur apprenait patiemment le jeu du baguenaudier [55], tandis que quelques hommes, derrière les fauteuils, suivaient la leçon avec gravité.

Rougon, pendant ce temps, querellait Delestang, au bout de la galerie. Il n'avait pas osé lui parler de sa femme ; il le maltraitait à propos de la résignation qu'il mettait à accepter un appartement donnant sur la cour du château ; et il voulait le forcer à réclamer un appartement sur le parc. Mais Clorinde s'avançait au bras de M. de Plouguern. Elle disait, de façon à être entendue :

— Laissez-moi donc tranquille avec votre Marsy ! Je ne lui reparlerai de la soirée. Là, êtes-vous content ?

Cette parole calma tout le monde. Justement, M. de Marsy sortait du petit salon, l'air très gai ; il plaisanta un moment avec le chevalier Rusconi, puis entra dans le salon de famille, où l'on entendit bientôt l'impératrice et les dames rire aux éclats d'une histoire qu'il leur contait. Dix minutes plus tard, Mme de Llorentz reparut à son tour ; elle semblait lasse, elle avait gardé un tremblement des mains ; et, voyant des regards curieux épier ses moindres gestes, elle resta là, bravement, à causer au milieu des groupes.

Un ennui respectueux faisait étouffer sous les mouchoirs de légers bâillements. La soirée était l'instant pénible de la journée. Les nouveaux invités,

ne sachant à quoi se distraire, s'approchaient des fenêtres, regardaient la nuit. M. Beulin-d'Orchère continuait dans un coin sa dissertation contre le divorce. Le romancier, qui trouvait ça « crevant », demandait tout bas à l'un des académiciens s'il n'était pas permis d'aller se coucher. Cependant, l'empereur apparaissait de temps à autre, traversant la galerie en traînant les pieds, une cigarette aux lèvres.

— Il a été impossible de rien organiser pour ce soir, expliquait M. de Combelot au petit groupe formé par Rougon et ses amis. Demain, après la chasse à courre, il y aura une curée froide aux flambeaux. Après-demain, les artistes de la Comédie-Française doivent venir jouer les Plaideurs [56]. On parle aussi de tableaux vivants et d'une charade, qu'on représenterait vers la fin de la semaine.

Et il fournit des détails. Sa femme devait avoir un rôle. Les répétitions allaient commencer. Puis, il conta longuement une promenade faite l'avant-veille par la cour à la Pierre-qui-tourne, un monolithe druidique, autour duquel on pratiquait alors des fouilles [57]. L'impératrice avait tenu à descendre dans l'excavation.

— Imaginez-vous, continua le chambellan d'une voix émue, que les ouvriers ont eu le bonheur de découvrir deux crânes devant Sa Majesté. Personne ne s'y attendait. On a été très content.

Il caressait sa superbe barbe noire, qui lui valait tant de succès parmi les dames ; sa figure de bel homme vaniteux avait une douceur niaise ; et il zézayait en parlant, par excès de politesse.

— Mais, dit Clorinde, on m'avait assuré que les acteurs du Vaudeville donneraient une représentation de la pièce nouvelle... Les femmes ont des toilettes prodigieuses. Et l'on rit à se tordre, paraît-il.

M. de Combelot prit un air pincé.

— Oui, oui, murmura-t-il, il en a été question un instant.

— Eh bien ?

— On a abandonné ce projet... L'impératrice n'aime guère ce genre de pièce.

A ce moment, il y eut un grand mouvement dans la galerie. Tous les hommes étaient redescendus du fumoir. L'empereur allait faire sa partie de palets. Mme de Combelot, qui se piquait d'une jolie force à ce jeu, venait de lui demander une revanche, car elle se rappelait avoir été battue par lui, l'autre saison ; et elle prenait une humilité tendre, elle s'offrait

55. Jeu d'anneaux qu'il faut enfiler, puis désenfiler dans un certain ordre.

56. Les Plaideurs de Racine (1668).
57. Napoléon III fut toujours très intéressé par les fouilles archéologiques. Il entreprit lui-même des travaux sur la guerre des Gaules, fit pratiquer des recherches à Gergovie et se pencha sur le problème d'Alésia.

toujours, avec un sourire si net, que Sa Majesté, gênée, intimidée, devait souvent détourner les yeux.

La partie s'engagea. Un grand nombre d'invités firent cercle, jugeant les coups, s'émerveillant. La jeune femme, devant la longue table recouverte d'un drap vert, lança son premier palet, qu'elle plaça près du but, figuré par un point blanc. Mais l'empereur, montrant plus d'adresse encore, le délogea et prit la place. On applaudit doucement. Ce fut pourtant Mme de Combelot, qui gagna.

— Sire, qu'est-ce que nous avons joué? demanda-t-elle avec hardiesse.

Il sourit, il ne répondit pas. Puis, se tournant, il dit :

— Monsieur Rougon, voulez-vous faire une partie avec moi ?

Rougon s'inclina et prit les palets, tout en parlant de sa maladresse.

Un frémissement avait couru, parmi les personnes rangées aux deux bords de la table. Est-ce que Rougon, décidément, rentrait en grâce ? Et l'hostilité sourde dans laquelle il marchait depuis son arrivée, se fondait, des têtes s'avançaient pour suivre ses palets d'un air de sympathie. M. La Rouquette, plus perplexe encore qu'avant le dîner, emmena sa sœur à l'écart, afin de savoir à quoi s'en tenir ; mais elle ne put sans doute lui fournir aucune explication satisfaisante, car il revint avec un geste d'immense incertitude.

— Ah! très bien! murmura Clorinde, à un coup délicatement joué par Rougon.

Et elle jeta des regards significatifs aux amis du grand homme qui se trouvaient là. L'heure était bonne pour le pousser dans l'amitié de l'empereur. Elle mena l'attaque. Ce fut, pendant un instant, une pluie d'éloges.

— Diable! laissa échapper Delestang, qui ne put trouver autre chose, sous l'ordre muet des yeux de sa femme.

— Et vous vous prétendiez maladroit! dit le chevalier Rusconi avec ravissement. Ah! sire, je vous en prie, ne jouez pas la France avec lui !

— Mais monsieur Rougon se conduirait très bien à l'égard de la France, j'en suis sûr, ajouta M. Beulin-d'Orchère, en donnant un air fin à sa face de dogue.

Le mot était direct. L'empereur daignait sourire. Et il rit de bon cœur, lorsque Rougon, embarrassé de ces compliments, répondit par cette explication, d'un air modeste :

— Mon Dieu! j'ai joué au bouchon, quand j'étais gamin.

En entendant rire Sa Majesté, toute la galerie éclata. Ce fut, pendant un moment, une gaieté extraordinaire. Clorinde, avec son flair de femme adroite, avait compris qu'en admirant Rougon, joueur très médiocre en somme, on flattait l'empereur, qui montrait une supériorité incontestable. Cependant, M. de Plouguern ne s'était pas encore exécuté, jalousant ce succès. Elle vint le heurter légèrement du coude, comme par mégarde. Il comprit et s'extasia au premier palet lancé par son collègue. Alors, M. La Rouquette, emporté, risquant tout, s'écria :

— Très joli! le coup est d'un moelleux!

L'empereur ayant gagné, Rougon demanda une revanche. Les palets glissaient de nouveau sur le tapis de drap vert, avec un petit bruissement de feuille sèche, lorsqu'une gouvernante parut à la porte du salon de famille, tenant sur ses bras le prince impérial. L'enfant, âgé d'une vingtaine de mois, avait une robe blanche très simple, les cheveux ébouriffés, les yeux enflés de sommeil. D'ordinaire, lorsqu'il s'éveillait ainsi, le soir, on l'apportait un instant à l'impératrice, pour qu'elle l'embrassât. Il regardait la lumière de cet air profondément sérieux des petits garçons.

Un vieillard, un grand dignitaire, s'était précipité, traînant ses jambes goutteuses. Et se penchant, avec un tremblement sénile de la tête, il avait pris la petite main molle du prince, qu'il baisait, en murmurant de sa voix cassée :

— Monseigneur, monseigneur...

L'enfant, effrayé par l'approche de ce visage parcheminé, se rejeta vivement en arrière, poussa des cris terribles. Mais le vieillard ne le lâchait pas. Il protestait de son dévouement. On dut arracher à son adoration la petite main molle qu'il tenait collée sur ses lèvres.

— Retirez-vous, emportez-le, dit l'empereur impatienté à la gouvernante.

Le souverain venait de perdre la seconde partie. La belle commença. Rougon, prenant les éloges au sérieux, s'appliquait. Maintenant, Clorinde trouvait qu'il jouait trop bien. Elle lui souffla à l'oreille, au moment où il allait ramasser ses palets :

— J'espère que vous n'allez pas gagner.

Il sourit. Mais, brusquement, des abois violents se firent entendre. C'était Néro, le braque favori de l'empereur, qui, profitant d'une porte entrouverte, venait de s'élancer dans la galerie. Sa Majesté donnait l'ordre de l'emmener, et un huissier tenait déjà le chien par le collier, quand le vieillard, le grand dignitaire, se précipita de nouveau, en s'écriant :

— Mon beau Néro, mon beau Néro...

Et il s'agenouilla presque sur le tapis, pour le

prendre entre ses bras tremblants. Il lui serrait le museau contre sa poitrine, il lui posait de gros baisers sur la tête, répétant :

— Je vous en prie, sire, ne le renvoyez pas... Il est si beau!

L'empereur consentit à ce qu'il restât. Alors, le vieillard eut un redoublement de caresses. Le chien ne s'épouvanta pas, ne grogna pas. Il lécha les mains sèches qui le flattaient.

Rougon, pendant ce temps, faisait des fautes. Il avait lancé un palet avec une telle gaucherie, que la rondelle de plomb garnie de drap était sautée dans le corsage d'une dame, qui la retira du milieu de ses dentelles, en rougissant. L'empereur gagna. Alors, délicatement, on lui laissa entendre qu'il avait remporté là une victoire sérieuse. Il en conçut une sorte d'attendrissement. Il s'en alla avec Rougon, causant, comme s'il croyait devoir le consoler. Ils marchèrent jusqu'au bout de la galerie, abandonnant la largeur de la pièce à un petit bal, qu'on organisait.

L'impératrice, qui venait de quitter le salon de famille, s'efforçait, avec une bonne grâce charmante, de combattre l'ennui grandissant des invités. Elle avait proposé de jouer aux petits papiers; mais il était déjà trop tard, on préféra danser. Toutes les dames se trouvaient alors réunies dans la galerie des Cartes. On envoya au fumoir chercher les hommes qui s'y cachaient. Et comme on se mettait en place pour un quadrille, M. de Combelot s'assit obligeamment devant le piano. C'était un piano mécanique, avec une petite manivelle, à droite du clavier. Le chambellan, d'un mouvement continu du bras, tournait, l'air sérieux.

— Monsieur Rougon, disait l'empereur, on m'a parlé d'un travail, un parallèle entre la constitution anglaise et la nôtre... Je pourrai peut-être vous fournir des documents.

— Votre Majesté est trop bonne... Mais je nourris un autre projet, un vaste projet.

Et Rougon, voyant le souverain si affectueux, voulut profiter de l'occasion. Il expliqua son affaire tout au long, son rêve de grande culture dans un coin des Landes, le défrichement de plusieurs lieues carrées, la fondation d'une ville, la conquête d'une nouvelle terre. Pendant qu'il parlait, l'empereur levait sur lui ses yeux mornes, où une lueur s'allumait. Il ne disait rien, il hochait la tête par moments. Puis, quand l'autre se tut :

— Sans doute... on pourrait voir...

Et, se tournant vers un groupe voisin, composé de Clorinde, de son mari et de M. de Plouguern :

— Monsieur Delestang, donnez-nous donc votre

avis... J'ai gardé le meilleur souvenir de ma visite à votre ferme-modèle de la Chamade.

Delestang s'approcha. Mais le cercle qui se formait autour de l'empereur, dut reculer jusque dans l'embrasure d'une fenêtre. Mme de Combelot, en valsant, à demi pâmée entre les bras de M. La Rouquette, venait d'envelopper, d'un frôlement de sa longue traîne, les bas de soie de Sa Majesté. Au piano, M. de Combelot goûtait la musique qu'il faisait; il tournait plus vite, il balançait sa belle tête correcte; et, par moments, il abaissait un regard sur la caisse de l'instrument, comme surpris des sons graves, que certains tours de la manivelle ramenaient.

— J'ai eu le bonheur d'obtenir des veaux superbes cette année, grâce à un nouveau croisement de races, expliquait Delestang. Malheureusement, quand Votre Majesté est venue, les parcs étaient en réparation.

Et l'empereur parla culture, élevage, engrais, lentement, par monosyllabes [58]. Depuis sa visite à la Chamade, il tenait Delestang en grande estime. Il louait surtout celui-ci d'avoir tenté pour le personnel de sa ferme un essai de vie en commun, avec tout un système de partage de certains bénéfices et de caisse de retraite. Lorsqu'ils causaient ensemble, ils avaient des communautés d'idées, des coins d'humanitairerie [59] qui les faisaient se comprendre à demi-mot.

— Monsieur Rougon vous a parlé de son projet? demanda l'empereur.

— Oh! un projet superbe, répondit Delestang. On pourrait tenter en grand des expériences...

Il montra un véritable enthousiasme. La race porcine le préoccupait; les beaux types se perdaient en France. Puis, il laissa entendre qu'il étudiait un nouvel aménagement des prairies artificielles. Mais il faudrait d'immenses terrains. Si Rougon réussissait, il irait là-bas appliquer son procédé. Et brusquement, il s'arrêta : il venait d'apercevoir sa femme qui le regardait d'un regard fixe. Depuis qu'il approuvait le projet de Rougon, elle pinçait les lèvres, furieuse, toute pâle.

— Mon ami, murmura-t-elle, en lui montrant le piano.

M. de Combelot, les doigts rompus, ouvrait la main, qu'il refermait ensuite doucement, pour se délasser. Il allait attaquer une polka, avec le sourire complaisant d'un martyr, lorsque Delestang courut

---

58. Les historiens prêtent à l'empereur ce langage laconique, dont on ne sait s'il était naturel ou recherché pour se donner une contenance.

59. Le mot est de Zola qui imite ici le style des Goncourt.

lui offrir de le remplacer ; ce qu'il accepta d'un air poli, comme s'il cédait une place d'honneur. Et Delestang, attaquant la polka, se mit à tourner la manivelle. Mais c'était autre chose. Il n'avait pas le jeu souple, le tour de poignet facile et moelleux du chambellan.

Rougon, pourtant, voulait obtenir un mot décisif de l'empereur. Celui-ci, très séduit, lui demandait maintenant s'il ne comptait pas établir là-bas de vastes cités ouvrières ; il serait aisé d'accorder à chaque famille un bout de terrain, une petite concession d'eau, des outils ; et il promettait même de lui communiquer les plans, le projet d'une de ces cités qu'il avait jeté lui-même sur le papier, avec des maisons uniformes, où tous les besoins étaient prévus.

— Certainement, j'entre tout à fait dans les idées de Votre Majesté, répondit Rougon, que le socialisme nuageux du souverain impatientait. Nous ne pourrons rien faire sans elle... Ainsi, il faudra sans doute exproprier certaines communes. L'utilité publique devra être déclarée. Enfin, j'aurai à m'occuper de la formation d'une société... Un mot de Votre Majesté est nécessaire...

L'œil de l'empereur s'éteignit. Il continuait à hocher la tête. Puis, sourdement, d'une voix à peine distincte, il répéta :

— Nous verrons... nous en causerons...

Et il s'éloigna, traversant de sa marche alourdie la figure d'un quadrille. Rougon fit bonne contenance, comme s'il avait eu la certitude d'une réponse favorable. Clorinde était radieuse. Peu à peu, parmi les hommes graves qui ne dansaient pas, la nouvelle courut que Rougon quittait Paris, qu'il allait se mettre à la tête d'une grande entreprise, dans le Midi. Alors, on vint le féliciter. On lui souriait d'un bout de la galerie à l'autre. Il ne restait plus trace de l'hostilité du premier moment. Puisqu'il s'exilait de lui-même, on pouvait lui serrer la main, sans courir le risque de se compromettre. Ce fut un véritable soulagement pour beaucoup d'invités. M. La Rouquette, quittant la danse, en parla au chevalier Rusconi, d'un air enchanté d'homme mis à l'aise.

— Il fait bien ; il accomplira de grandes choses là-bas, dit-il, Rougon est un homme très fort ; mais, voyez-vous, il manque de tact en politique.

Ensuite, il s'attendrit sur la bonté de l'empereur, qui, selon son expression, « aimait ses vieux serviteurs comme on aime d'anciennes maîtresses ». Il s'acoquinait à eux, il éprouvait des regains de tendresse, après les ruptures les plus éclatantes. S'il avait invité Rougon à Compiègne, c'était sûrement par quelque muette lâcheté de cœur. Et le jeune député cita d'autres faits à l'honneur des bons sentiments de Sa Majesté : quatre cent mille francs donnés pour payer les dettes d'un général ruiné par une danseuse, huit cent mille francs offerts en cadeau de noce à un de ses anciens complices de Strasbourg et de Boulogne [60], près d'un million dépensé en faveur de la veuve d'un grand fonctionnaire.

— Sa cassette est au pillage, dit-il en terminant. Il ne s'est laissé nommer empereur que pour enrichir ses amis... Je hausse les épaules, quand j'entends les républicains lui reprocher la liste civile. Il épuiserait dix listes civiles à faire le bien. C'est un argent qui retourne à la France.

Tout en parlant à demi-voix, M. La Rouquette et le chevalier Rusconi suivaient des yeux l'empereur. Celui-ci achevait de faire le tour de la galerie. Il manœuvrait prudemment au milieu des danseuses, s'avançant muet et seul, dans le vide que le respect ouvrait devant lui. Quand il passait derrière les épaules nues d'une dame assise, il allongeait un peu le cou, les paupières pincées, avec un regard oblique et plongeant.

— Et une intelligence ! dit à voix plus basse le chevalier Rusconi. Un homme extraordinaire !

L'empereur était arrivé près d'eux. Il resta là une minute, morne et hésitant. Puis, il parut vouloir s'approcher de Clorinde, très gaie, en ce moment, très belle ; mais elle le regarda hardiment, elle dut l'effrayer. Il se remit à marcher, la main gauche rejetée et appuyée sur les reins, roulant de l'autre main les bouts cirés de ses moustaches. Et, comme M. Beulin-d'Orchère se trouvait en face de lui, il fit un détour, se rapprocha de biais, en disant :

— Vous ne dansez donc pas, monsieur le président ?

Le magistrat avoua qu'il ne savait pas danser, qu'il n'avait jamais dansé de sa vie. Alors, l'empereur reprit, d'une voix encourageante :

— Ça ne fait rien, on danse tout de même.

Ce fut son dernier mot. Il gagna doucement la porte, il disparut.

— N'est-ce pas ? un homme extraordinaire ? disait M. La Rouquette, qui répétait le mot du chevalier Rusconi. Hein ? à l'étranger, on se préoccupe énormément de lui ?

Le chevalier, en diplomate discret, répondit par de vagues signes de tête. Pourtant, il convint que toute l'Europe avait les yeux fixés sur l'empereur. Une parole prononcée aux Tuileries ébranlait les trônes voisins.

---

60. Allusion au passé de conspirateur de Louis-Napoléon Bonaparte.

— C'est un prince qui sait se taire, ajouta-t-il, avec un sourire dont la fine ironie échappa au jeune député.

Tous deux retournèrent galamment auprès des dames. Ils firent des invitations pour le prochain quadrille. Un aide de camp tournait depuis un quart d'heure la manivelle du piano. Delestang et M. de Combelot se précipitèrent, offrant de le remplacer. Mais les dames crièrent :

— Monsieur de Combelot, monsieur de Combelot... Il tourne beaucoup mieux !

Le chambellan remercia d'un salut aimable, et tourna avec une ampleur vraiment magistrale. Ce fut le dernier quadrille. On venait de servir le thé, dans le salon de famille. Néro, qui sortit de derrière un canapé, fut bourré de sandwichs. De petits groupes se formaient, causant d'une façon intime. M. de Plouguern avait emporté une brioche sur le coin d'une console ; il mangeait, buvant de légères gorgées de thé, expliquant à Delestang, avec lequel il partageait sa brioche, comment il avait fini par accepter des invitations à Compiègne, lui dont on connaissait les opinions légitimistes. Mon Dieu ! c'était bien simple : il croyait ne pas pouvoir refuser son concours, à un gouvernement qui sauvait la France de l'anarchie. Il s'interrompit pour dire :

— Elle est excellente, cette brioche... Moi, j'avais assez mal dîné, ce soir.

A Compiègne, d'ailleurs, sa verve méchante était toujours en éveil. Il parla de la plupart des femmes présentes, avec une crudité de paroles, dont Delestang rougissait. Il ne respectait que l'impératrice, une sainte ; elle montrait une dévotion exemplaire, elle était légitimiste et aurait sûrement rappelé Henri V, si elle avait pu disposer librement du trône. Pendant un instant, il célébra les douceurs de la religion. Puis, comme il entamait de nouveau une anecdote graveleuse, l'impératrice justement rentra dans ses appartements, suivie de Mme de Llorentz. Sur le seuil de la porte, elle fit une grande révérence à l'assemblée. Tout le monde, silencieusement, s'inclina.

Les salons se vidèrent. On causait plus fort. Des poignées de main s'échangeaient. Quand Delestang chercha sa femme pour monter à leur chambre, il ne la trouva plus. Enfin Rougon, qui l'aidait, finit par la découvrir, assise à côté de M. de Marsy, sur un étroit canapé, au fond de ce petit salon, où Mme de Llorentz avait fait au comte une si terrible scène de jalousie, après le dîner. Clorinde riait très haut. Elle se leva, en apercevant son mari. Elle dit, sans cesser de rire :

— Bonsoir, monsieur le comte... Vous verrez demain, pendant la chasse, si je tiens mon pari.

Rougon la suivit des yeux, tandis que Delestang l'emmenait à son bras. Il aurait voulu les accompagner jusqu'à leur porte, pour lui demander quel était ce pari dont elle parlait ; mais il dut rester là, retenu par M. de Marsy, qui le traitait avec un redoublement de politesse. Quand il fut libre, au lieu de monter se coucher, il profita d'une porte ouverte, il descendit dans le parc. La nuit était très sombre, une nuit d'octobre, sans une étoile, sans un souffle, noire et morte. Au loin, les hautes futaies mettaient des promontoires de ténèbres. Il avait peine à distinguer devant lui la pâleur des allées. A cent pas de la terrasse, il s'arrêta. Son chapeau à la main, debout dans la nuit, il reçut un instant au visage toute la fraîcheur qui tombait. Ce fut un soulagement, comme un bain de force. Et il s'oublia à regarder sur la façade, à gauche, une fenêtre vivement éclairée ; les autres fenêtres s'éteignaient, elle troua bientôt seule de son flamboiement la masse endormie du château. L'empereur veillait. Brusquement, il crut voir son ombre, une tête énorme, traversée par des bouts de moustaches ; puis, deux autres ombres passèrent, l'une très grêle, l'autre forte, si large, qu'elle bouchait toute la clarté. Il reconnut nettement, dans cette dernière, la colossale silhouette d'un agent de la police secrète, avec lequel Sa Majesté s'enfermait pendant des heures, par goût ; et l'ombre grêle ayant passé de nouveau, il supposa qu'elle pouvait bien être une ombre de femme. Tout disparut, la fenêtre reprit son éclat tranquille, la fixité de son regard de flamme, perdu dans les profondeurs mystérieuses du parc. Peut-être, maintenant, l'empereur songeait-il au défrichement d'un coin des Landes, à la fondation d'une ville ouvrière, où l'extinction du paupérisme serait tentée en grand. Souvent, il se décidait la nuit. C'était la nuit qu'il signait des décrets, écrivait des manifestes, destituait des ministres. Cependant peu à peu, Rougon souriait ; il se rappelait invinciblement une anecdote, l'empereur en tablier bleu, coiffé d'un bonnet de police fait d'un morceau de journal, collant du papier à trois francs le rouleau dans une pièce de Trianon, pour y loger une maîtresse ; et il se l'imaginait, à cette heure, dans la solitude de son cabinet, au milieu du solennel silence, découpant des images qu'il collait à l'aide d'un petit pinceau, très proprement.

Alors Rougon, levant les bras, se surprit à dire tout haut :

— Sa bande l'a fait, lui !

Il se hâta de rentrer. Le froid le prenait, surtout

aux jambes, que la culotte découvrait jusqu'aux genoux [61].

Le lendemain, vers neuf heures, Clorinde lui envoya Antonia qu'elle avait amenée, pour demander s'ils pouvaient, son mari et elle, venir déjeuner chez lui. Il s'était fait monter une tasse de chocolat. Il les attendit. Antonia les précéda, apportant le large plateau d'argent sur lequel on leur avait servi, dans leur chambre, deux tasses de café.

— Hein ? ce sera plus gai, dit Clorinde en entrant. Vous avez le soleil, de ce côté-ci... Oh ! vous êtes beaucoup mieux que nous !

Et elle visita l'appartement. Il se composait d'une antichambre, dans laquelle se trouvait, à droite, la porte d'un cabinet de domestique ; au fond, était la chambre à coucher, une vaste pièce tendue d'une cretonne écrue à grosses fleurs rouges, avec un grand lit d'acajou carré et une immense cheminée, où flambaient des troncs d'arbre.

— Parbleu ! criait Rougon, il fallait réclamer ! Moi, je n'aurais pas accepté un appartement sur la cour ! Ah ! si l'on courbe l'échine !... Je l'ai dit hier soir à Delestang.

La jeune femme haussa les épaules en murmurant.

— Lui ! il tolérerait qu'on me logeât dans les greniers !

Elle voulut voir jusqu'au cabinet de toilette, dont toute la garniture était en porcelaine de Sèvres, blanc et or, marquée du chiffre impérial. Puis, elle vint devant la fenêtre. Un léger cri de surprise et d'admiration lui échappa. En face d'elle, à des lieues, la forêt de Compiègne emplissait l'horizon de la mer roulante de ses hautes futaies ; des cimes monstrueuses moutonnaient, se perdaient dans un balancement ralenti de houle ; et, sous le soleil blond de cette matinée d'octobre, c'étaient des mares d'or, des mares de pourpre, une richesse de manteau galonné traînant d'un bord du ciel à l'autre.

— Voyons, déjeunons, dit Clorinde.

Ils débarrassèrent une table, sur laquelle se trouvaient un encrier et un buvard. Ils trouvèrent piquant de se passer de leurs domestiques. La jeune femme, très rieuse, répétait qu'il lui avait semblé le matin se réveiller à l'auberge, une auberge tenue par un prince, au bout d'un long voyage fait en rêve. Ce déjeuner de hasard, sur des plateaux d'argent, la ravissait comme une aventure qui lui serait arrivée dans quelque pays inconnu, tout là-bas, disait-elle. Cependant, Delestang s'émerveillait sur la quantité de bois brûlant dans la cheminée. Il finit par murmurer, les yeux sur les flammes, d'un air absorbé :

61. L'étiquette impériale avait imposé le port de la culotte à la Française.

— Je me suis laissé conter qu'on brûle pour quinze cents francs de bois par jour au château... Quinze cents francs ! Hein ? Rougon, le chiffre ne vous paraît pas un peu fort ?

Rougon, qui buvait lentement son chocolat, se contenta de hocher la tête. Il était très préoccupé par la gaieté vive de Clorinde. Ce matin-là, elle semblait s'être levée avec une fièvre extraordinaire de beauté ; elle avait ses grands yeux luisants de combat.

— Quel est donc ce pari dont vous parliez hier soir ? lui demanda-t-il brusquement.

Elle se mit à rire, sans répondre. Et comme il insistait :

— Vous verrez bien, dit-elle.

Alors, peu à peu, il se fâcha, il la traita durement. Ce fut une véritable scène de jalousie, avec des allusions d'abord voilées, qui devinrent bientôt des accusations toutes crues : elle s'était donnée en spectacle, elle avait laissé ses doigts dans ceux de M. de Marsy pendant plus de deux minutes. Delestang, d'un air tranquille, trempait de longues mouillades dans son café au lait.

— Ah ! si j'étais votre mari ! cria Rougon.

Clorinde s'était levée. Elle se tenait debout derrière Delestang, les deux mains appuyées sur ses épaules.

— Eh bien ! quoi ? si vous étiez mon mari, demanda-t-elle.

Et se penchant vers Delestang, parlant dans ses cheveux, qu'elle soulevait d'un souffle tiède :

— N'est-ce pas, mon ami, il serait bien sage, aussi sage que toi ?

Pour toute réponse, il plia le cou et baisa la main appuyée sur son épaule gauche. Il regardait Rougon, la face émue et embarrassée, clignant les yeux, voulant lui faire entendre qu'il allait peut-être un peu loin. Rougon faillit l'appeler imbécile. Mais Clorinde ayant fait un signe par-dessus la tête de son mari, il la suivit à la fenêtre, où elle s'accouda. Un instant, elle resta muette, les yeux perdus sur l'immense horizon. Puis elle dit, sans transition :

— Pourquoi voulez-vous quitter Paris ? Vous ne m'aimez donc plus ?... Écoutez, je serai raisonnable, je suivrai vos conseils, si vous renoncez à vous exiler là-bas dans votre abominable pays.

Lui, à ce marché, devint très grave. Il mit en avant les grands intérêts auxquels il obéissait. Maintenant, il était impossible qu'il reculât. Et, pendant qu'il parlait, Clorinde cherchait vainement à lire la vérité vraie sur son visage, il semblait très décidé à partir.

— C'est bon, vous ne m'aimez plus, reprit-elle.

Alors, je suis bien maîtresse d'agir à ma guise...
Vous verrez.

Elle quitta la fenêtre sans contrariété, retrouvant
son rire. Delestang, que le feu continuait à intéresser, cherchait à déterminer le nombre approximatif
des cheminées du château. Mais elle l'interrompit,
car elle avait tout juste le temps de s'habiller, si elle
ne voulait pas manquer la chasse. Rougon les accompagna jusque dans le corridor, un large couloir de
couvent, garni d'une moquette verte. Clorinde, en
s'en allant, s'amusa à lire de porte en porte les noms
des invités, écrits sur de petites pancartes encadrées
de minces filets de bois. Puis, tout au bout elle se
retourna ; et, croyant voir Rougon perplexe, comme
près de la rappeler, elle s'arrêta, attendit quelques
secondes, l'air souriant. Il rentra chez lui, il ferma
sa porte d'une main brutale.

Le déjeuner fut avancé, ce matin-là. Dans la galerie des Cartes, on causa beaucoup du temps, qui
était excellent pour une chasse à courre : une poussière diffuse de soleil, un air blond et vif, immobile
comme une eau dormante. Les voitures de la cour
partirent du château un peu avant midi. Le rendez-
vous était au Puits-du-Roi, vaste carrefour en pleine
forêt. La vénerie impériale attendait là depuis une
heure, les piqueurs à cheval, en culotte de drap rouge,
avec le grand chapeau galonné en bataille, les
valets de chiens, chaussés de souliers noirs, à boucles
d'argent, pour courir à l'aise au milieu des taillis ;
et les voitures des invités venus des châteaux voisins,
alignées correctement, formaient un demi-cercle,
en face de la meute tenue par les valets ; tandis que
des groupes de dames et de chasseurs en uniforme
faisaient au centre un sujet de tableau ancien, une
chasse sous Louis XV, ressuscitée dans l'air blond.
L'empereur et l'impératrice ne suivirent pas la chasse.
Aussitôt après l'attaque, leurs chars à bancs tournèrent dans une allée et revinrent au château. Beaucoup de personnes les imitèrent. Rougon avait
d'abord essayé d'accompagner Clorinde ; mais elle
lançait son cheval si follement, qu'il perdit du terrain et se décida à rentrer de dépit, furieux de la voir
galoper côte à côte avec M. de Marsy, au fond d'une
avenue, très loin.

Vers cinq heures et demie, Rougon fut prié de
descendre prendre le thé, dans les petits appartements de l'impératrice. C'était une faveur accordée
d'ordinaire aux hommes spirituels. Il y avait déjà
là M. Beulin-d'Orchère et M. de Plouguern ; et ce
dernier conta, en termes délicats, une farce très
grosse, qui eut un grand succès de rire. Cependant,
les chasseurs rentraient à peine. Mme de Combelot
arriva, en affectant une lassitude extrême. Et,

comme on lui demandait des nouvelles, elle répondit avec des mots techniques :

— Oh ! l'animal s'est fait battre pendant plus de
quatre heures... Imaginez qu'il a débuché [62] un
instant en plaine. Il avait repris un peu d'air... Enfin,
il est allé se laisser prendre à la mare Rouge. Un
hallali superbe !

Le chevalier Rusconi donna un autre détail, d'un
air inquiet.

— Le cheval de madame Delestang s'est emporté... Elle a disparu du côté de la route de Pierre-
fonds. On n'a pas encore de ses nouvelles.

Alors, on l'accabla de questions. L'impératrice
paraissait désolée. Il raconta que Clorinde avait
suivi tout le temps d'un train d'enfer. Son allure
enthousiasmait les veneurs les plus accomplis. Puis,
brusquement, son cheval s'était dérobé dans une
allée latérale.

— Oui, ajouta M. La Rouquette, qui brûlait
de placer un mot, elle avait cravaché cette pauvre
bête avec une violence !... Monsieur de Marsy s'est
élancé derrière elle pour lui porter secours. Il n'a pas
reparu non plus.

Mme de Llorentz, assise derrière Sa Majesté, se
leva. Elle crut qu'on la regardait en souriant. Elle
devint toute blême. Maintenant, la conversation
roulait sur les dangers qu'on courait à la chasse.
Un jour, le cerf, réfugié dans la cour d'une ferme,
s'était retourné si terriblement contre les chiens,
qu'une dame avait eu une jambe cassée, au milieu
de la bagarre. Puis, on fit des suppositions. Si
M. de Marsy était parvenu à maîtriser le cheval de
Mme Delestang, peut-être avaient-ils mis pied à
terre tous les deux, pour se reposer quelques minutes ; les abris, des huttes, des hangars, des pavillons, abondaient dans la forêt. Et il sembla à
Mme de Llorentz que les sourires redoublaient,
tandis qu'on guettait du coin de l'œil sa fureur
jalouse. Rougon se taisait, battant fiévreusement
une marche sur ses genoux, du bout des doigts.

— Bah ! quand ils passeraient la nuit dehors ! dit
entre ses dents M. de Plouguern.

L'impératrice avait donné des ordres pour que
Clorinde fût invitée à venir prendre le thé, si elle
rentrait. Tout d'un coup, il y eut de légères exclamations. La jeune femme était sur le seuil de la
porte, le teint vif, souriante, triomphante. Elle
remercia Sa Majesté de l'intérêt qu'elle lui témoignait. Et, d'un air tranquille :

— Mon Dieu ! je suis désolée. On a eu tort de
s'inquiéter... J'avais fait avec monsieur de Marsy

---

62. Sortir du bois, en parlant du gros gibier.

le pari d'arriver la première à la mort du cerf. Sans ce maudit cheval...

Puis, elle ajouta gaiement :

— Nous n'avons perdu ni l'un ni l'autre, voilà tout.

Mais elle dut raconter l'aventure plus au long. Elle n'éprouva pas la moindre gêne. Après dix minutes d'un galop furieux, son cheval s'était abattu, sans qu'elle eût aucun mal. Alors, comme elle chancelait un peu d'émotion, M. de Marsy l'avait fait entrer un instant sous un hangar.

— Nous avions deviné! cria M. La Rouquette. Vous dites sous un hangar ?... Moi, j'avais dit dans un pavillon.

— Vous deviez être bien mal là-dessous, ajouta méchamment M. de Plouguern.

Clorinde, sans cesser de sourire, répondit avec une lenteur heureuse :

— Non, je vous assure. Il y avait de la paille. Je me suis assise... Un grand hangar plein de toiles d'araignée. La nuit tombait. C'était très drôle.

Et, regardant en face Mme de Llorentz, elle continua, d'une voix plus traînante encore, qui donnait aux mots une valeur particulière :

— Monsieur de Marsy a été très bon pour moi.

Depuis que la jeune femme racontait son accident, Mme de Llorentz appuyait violemment deux doigts de sa main contre ses lèvres. Aux derniers détails, elle ferma les yeux, comme prise d'un vertige de colère. Elle resta là encore une minute; puis ne se contenant plus, elle sortit. M. de Plouguern, très intrigué, se glissa derrière elle. Clorinde, qui la guettait, eut un geste involontaire de victoire.

La conversation changea. M. Beulin-d'Orchère parlait d'un procès scandaleux dont l'opinion se préoccupait beaucoup; il s'agissait d'une demande en séparation, fondée sur l'impuissance du mari, et il rapportait certains faits avec des phrases si décentes de magistrat, que Mme de Combelot ne comprenant pas, demandait des explications. Le chevalier Rusconi plut énormément, en chantant à demi-voix des chansons populaires du Piémont, des vers d'amour, dont il donnait ensuite la traduction française. Au milieu d'une de ces chansons, Delestang entra; il revenait de la forêt, où il battait les routes depuis deux heures, à la recherche de sa femme; on sourit de l'étrange figure qu'il avait. Cependant, l'impératrice semblait prise tout d'un coup d'une vive amitié pour Clorinde. Elle l'avait fait asseoir à son côté, elle causait chevaux avec elle. Pyrame, le cheval monté par la jeune femme pendant la chasse, était d'un galop très dur; et elle disait que, le lendemain, elle lui ferait donner César.

Rougon, dès l'arrivée de Clorinde, s'était approché d'une fenêtre, en affectant d'être très intéressé par des lumières qui s'allumaient au loin, à gauche du parc. Personne ainsi ne put voir les légers tressaillements de sa face. Il demeura longtemps debout, devant la nuit. Enfin il se retournait, l'air impassible, lorsque M. de Plouguern, qui rentrait, s'approcha de lui, souffla à son oreille d'une voix enfiévrée de curieux satisfait :

— Oh! une scène épouvantable... Vous avez vu, je l'ai suivie. Elle a justement rencontré Marsy au bout des couloirs. Ils sont entrés dans une chambre. Là, j'ai entendu Marsy lui dire carrément qu'elle l'assommait.... Elle est repartie comme une folle, en se dirigeant vers le cabinet de l'empereur... Ma foi, oui, je crois qu'elle est allée mettre sur le bureau de l'empereur les fameuses lettres...

A ce moment, Mme de Llorentz reparut. Elle était toute blanche, les cheveux envolés sur les tempes, l'haleine courte. Elle reprit sa place derrière l'impératrice, avec le calme désespéré d'un patient qui vient de pratiquer sur lui-même quelque terrible opération dont il peut mourir.

— Pour sûr, elle a lâché les lettres, répéta M. de Plouguern, en l'examinant.

Et, comme Rougon semblait ne pas le comprendre, il alla se pencher derrière Clorinde, lui racontant l'histoire. Elle l'écoutait ravie, les yeux allumés d'une joie luisante. Ce fut seulement au sortir des petits appartements de l'impératrice, quand vint l'heure du dîner, que Clorinde parut apercevoir Rougon. Elle lui prit le bras, elle lui dit, tandis que Delestang marchait derrière eux :

— Eh bien! vous avez vu... Si vous aviez été gentil ce matin, je n'aurais pas failli me casser les jambes.

Le soir, il y eut une curée froide aux flambeaux, dans la cour du palais. En quittant la salle à manger, le cortège des invités, au lieu de revenir immédiatement à la galerie des Cartes, se dispersa dans les salons de la façade, dont les fenêtres furent ouvertes toutes grandes. L'empereur prit place sur le balcon central, où une vingtaine de personnes purent le suivre.

En bas, de la grille au vestibule, deux files de valets de pied en grande livrée, les cheveux poudrés, ménageaient une large allée. Chacun d'eux tenait une longue pique, au bout de laquelle flambaient des étoupes, dans des gobelets remplis d'esprit-de-vin. Ces hautes flammes vertes dansaient en l'air, comme flottantes et suspendues, tachant la nuit sans l'éclairer, ne tirant du noir que la double rangée des gilets écarlates qu'elles rendaient violâtres.

Chasse à courre en forêt de Compiègne, celle-ci en présence
de l'empereur et de l'impératrice.

Curée froide devant le château de Compiègne, gravure de Morin pour *la Vie parisienne*, revue où Zola puisa nombre de renseignements sur la vie de la cour au Second Empire.

Des deux côtés de la cour, une foule s'entassait, des bourgeois de Compiègne avec leurs dames, des visages blafards grouillant dans l'ombre, d'où par moments un reflet des étoupes faisait sortir quelque tête abominable, une face vert-de-grisée de petit rentier. Puis, au milieu, devant le perron, les débris du cerf, en tas sur le pavé, étaient recouverts de la peau de l'animal, étalée, la tête en avant; tandis que, à l'autre bout, contre la grille, la meute attendait, entourée des piqueurs. Là, des valets de chiens en habit vert, avec de grands bas de coton blanc, agitaient des torches. Une vive clarté rougeâtre, traversée de fumées dont la suie roulait vers la ville, montait, dans une lueur de fournaise, les chiens serrés les uns contre les autres, soufflant fortement, les gueules ouvertes.

L'empereur resta debout. Par instants, un éclat brusque des torches montrait sa face vague, impénétrable. Clorinde, pendant tout le dîner, avait épié chacun de ses gestes, sans surprendre en lui qu'une fatigue morne, l'humeur chagrine d'un malade souffrant en silence. Une seule fois, elle crut le voir regarder M. de Marsy obliquement, de son regard gris que ses paupières éteignaient. Au bord du balcon, il demeurait maussade, un peu voûté, tordant sa moustache; pendant que, derrière lui, les invités se haussaient, pour voir.

— Allez! Firmin! dit-il, comme impatienté.

Les piqueurs sonnaient *la Royale*. Les chiens donnaient de la voix, hurlaient, le cou tendu, dressés à demi sur leurs pattes de derrière, dans un élan d'effroyable vacarme. Tout d'un coup, au moment où un valet montrait la tête du cerf à la meute affolée, Firmin, le maître d'équipage, placé sur le perron, abaissa son fouet; et la meute, qui attendait ce signal, traversa la cour en trois bonds, les flancs haletant d'une rage d'appétit. Mais Firmin avait relevé son fouet. Les chiens, arrêtés à quelque distance du cerf, s'aplatirent un instant sur le pavé, l'échine secouée de frissons, la gueule cassée d'aboiements de désir. Et ils durent reculer, ils retournèrent se ranger à l'autre bout, près de la grille.

— Oh! les pauvres bêtes! dit Mme de Combelot, d'un air de compassion langoureuse.

— Superbe! cria M. La Rouquette.

Le chevalier Rusconi applaudissait. Des dames se penchaient, très excitées, avec de petits battements aux coins des lèvres, le cœur tout gonflé du besoin de voir les chiens manger. On ne leur donnait pas leurs os tout de suite; c'était très émotionnant.

— Non, non, pas encore, murmuraient des voix grasses.

Cependant, Firmin, à deux reprises, avait levé et baissé son fouet. La meute écumait, exaspérée. A la troisième fois, le maître d'équipage ne releva pas le fouet. Le valet s'était sauvé, en emportant la peau et la tête du cerf. Les chiens se ruèrent, se vautrèrent sur les débris; leurs abois furieux s'apaisaient dans un grognement sourd, un tremblement convulsif de jouissance. Des os craquaient. Alors, sur le balcon, aux fenêtres, ce fut une satisfaction; les dames avaient des sourires aigus, en serrant leurs dents blanches; les hommes soufflaient, les yeux vifs, les doigts occupés à tordre quelque cure-dent apporté de la salle à manger. Dans la cour, il y eut comme une soudaine apothéose; les piqueurs sonnaient des fanfares; les valets de chiens secouaient les torches; des flammes de Bengale brûlaient, sanglantes, incendiant la nuit, baignant les têtes placides des bourgeois de Compiègne, entassés sur les côtés, d'une pluie rouge, à larges gouttes.

L'empereur, tout de suite, tourna le dos. Et comme Rougon se trouvait à côté de lui, il parut sortir de la profonde rêverie qui le tenait maussade depuis le dîner.

— Monsieur Rougon, dit-il, j'ai songé à votre affaire... Il y a des obstacles, beaucoup d'obstacles.

Il s'arrêta, il ouvrit les lèvres, les referma. Puis, s'en allant, il dit encore :

— Il faut rester à Paris, monsieur Rougon.

Clorinde, qui entendit, eut un geste vif de triomphe. Le mot de l'empereur ayant couru, tous les visages redevinrent graves et anxieux, pendant que Rougon traversait lentement les groupes, se dirigeant vers la galerie des Cartes.

Et, en bas, les chiens achevaient leurs os. Ils se coulaient furieusement les uns sous les autres, pour arriver au milieu du tas. C'était une nappe d'échines mouvantes, les blanches, les noires, se poussant, s'allongeant, s'étalant comme une mare vivante, dans un ronflement vorace. Les mâchoires se hâtaient, mangeaient vite, avec la fièvre de tout manger. De courtes querelles se terminaient par un hurlement. Un gros braque, une bête superbe, fâché d'être trop au bord, recula et s'élança d'un bond au milieu de la bande. Il fit son trou, il but un lambeau des entrailles du cerf.

8

Des semaines se passèrent. Rougon avait repris sa vie de lassitude et d'ennui. Jamais il ne faisait allusion à l'ordre que l'empereur lui avait donné de rester à Paris. Il parlait seulement de son échec, des prétendus obstacles qui s'opposaient à son défrichement d'un coin des Landes; et, sur ce sujet, il ne tarissait pas. Quels pouvaient être ces obstacles ? Lui, n'en voyait aucun. Il allait jusqu'à s'emporter contre l'empereur, dont il était impossible, disait-il, de tirer une explication quelconque. Peut-être Sa Majesté avait-elle craint d'être obligée de subventionner l'affaire ?

Cependant, à mesure que les jours coulaient, Clorinde multipliait ses visites rue Marbeuf. Chaque après-midi, elle semblait attendre de Rougon quelque nouvelle, elle le regardait d'un air de surprise, en le voyant rester muet. Depuis son séjour à Compiègne, elle vivait dans l'espoir d'un brusque triomphe; elle avait imaginé tout un drame, une colère furieuse de l'empereur, une chute retentissante de M. de Marsy, une rentrée immédiate du grand homme au pouvoir. Ce plan de femme lui semblait d'un succès certain. Aussi, au bout d'un mois, son étonnement fut-il immense, lorsqu'elle vit le comte rester au ministère. Et elle conçut un dédain pour l'empereur, qui ne savait pas se venger. Elle, à sa place, aurait eu la passion de sa rancune. A quoi songeait-il donc, dans l'éternel silence qu'il gardait ?

Clorinde, toutefois, ne désespérait pas encore. Elle flairait la victoire, quelque coup de chance imprévu. M. de Marsy était ébranlé. Rougon avait pour elle des attentions de mari qui craint d'être trompé. Depuis ses accès d'étrange jalousie, à Compiègne, il la surveillait d'une façon plus paternelle, la noyait de morale, voulait la voir tous les jours. La jeune femme souriait, certaine maintenant qu'il ne quitterait pas Paris. Pourtant, vers le milieu de décembre, après des semaines d'une paix endormie, il recommença à parler de sa grande affaire. Il avait vu des banquiers, il rêvait de se passer de l'appui de l'empereur. Et, de nouveau, on le trouva perdu au milieu de cartes, de plans, d'ouvrages spéciaux. Gilquin, disait-il, avait déjà racolé plus de cinq cents ouvriers, qui consentaient à s'en aller là-bas; c'était la première poignée d'hommes d'un peuple. Alors, Clorinde s'enrageant à sa besogne, mit en branle toute la bande des amis.

Ce fut un travail énorme. Chacun prit un rôle. L'entente eut lieu à demi-mots, chez Rougon lui-même, dans les coins, le dimanche et le jeudi. On se partageait les missions difficiles. On se lançait tous les jours au milieu de Paris, avec la volonté entêtée de conquérir une influence. On ne dédaignait rien; les plus petits succès comptaient. On profitait de tout, on tirait ce qu'on pouvait des moindres évé-

nements, on utilisait la journée entière, depuis le bonjour du matin jusqu'à la dernière poignée de main du soir. Les amis des amis devinrent complices, et encore les amis de ceux-là. Paris entier fut pris dans cette intrigue. Au fond des quartiers perdus, il y avait des gens qui soupiraient après le triomphe de Rougon, sans savoir au juste pourquoi. La bande, dix à douze personnes, tenait la ville.

— Nous sommes le gouvernement de demain, disait sérieusement Du Poizat.

Il établissait des parallèles entre eux et les hommes qui avaient fait le Second Empire. Il ajoutait :

— Je serai le Marsy de Rougon.

Un prétendant n'était qu'un nom. Il fallait une bande pour faire un gouvernement. Vingt gaillards qui ont de gros appétits sont plus forts qu'un principe; et quand ils peuvent mettre avec eux le prétexte d'un principe, ils deviennent invincibles. Lui, battait le pavé, allait dans les journaux, où il fumait des cigares, en minant sourdement M. de Marsy; il savait toujours des histoires délicates sur son compte; il l'accusait d'ingratitude et d'égoïsme. Puis, lorsqu'il avait amené le nom de Rougon, il laissait échapper des demi-mots, élargissant des horizons extraordinaires de vagues promesses : celui-là, s'il pouvait seulement ouvrir les mains un jour, ferait tomber sur tout le monde une pluie de récompenses, de cadeaux, de subventions. Il entretenait ainsi la presse de renseignements, de citations, d'anecdotes, qui occupaient continuellement le public de la personnalité du grand homme; deux petites feuilles publièrent le récit d'une visite à l'hôtel de la rue Marbeuf; d'autres parlèrent du fameux ouvrage sur la constitution anglaise et la constitution de 52. La popularité semblait venir, après un silence hostile de deux années; un sourd murmure d'éloges montait. Et Du Poizat se livrait à d'autres besognes, des maquignonnages inavouables, l'achat de certains appuis, un jeu de Bourse passionné sur l'entrée plus ou moins sûre de Rougon au ministère.

— Ne songeons qu'à lui, répétait-il souvent, avec cette liberté de parole qui gênait les hommes gourmés de la bande. Plus tard, il songera à nous.

M. Beulin-d'Orchère avait l'intrigue lourde; il évoqua contre M. de Marsy une affaire scandaleuse, qu'on se hâta d'étouffer. Il se montrait plus adroit, en laissant dire qu'il pourrait bien être garde des Sceaux un jour, si son beau-frère remontait au pouvoir; ce qui mettait à sa dévotion les magistrats ses collègues. M. Kahn menait également une troupe à l'attaque, des financiers, des députés, des fonctionnaires, grossissant les rangs de tous les mécontents rencontrés en chemin; il s'était fait un lieutenant docile de M. Béjuin; il employait même M. de Combelot et M. La Rouquette, sans que ceux-ci se doutassent le moins du monde des travaux auxquels il les poussait. Lui, agissait dans le monde officiel, très haut, étendant sa propagande jusqu'aux Tuileries, travaillant souterrainement pendant plusieurs jours, pour qu'un mot, de bouche en bouche, fût enfin répété à l'empereur.

Mais ce furent surtout les femmes qui s'employèrent avec passion. Il y eut là des dessous terribles, une complication d'aventures dont on ignora toujours au juste la portée. Mme Correur n'appelait plus la jolie Mme Bouchard que « ma petite chatte ». Elle l'emmenait à la campagne, disait-elle; et, pendant une semaine, M. Bouchard vivait en garçon, M. d'Escorailles lui-même était réduit à passer ses soirées dans les petits théâtres. Un jour, Du Poizat avait rencontré ces dames avec des messieurs décorés; ce dont il s'était bien gardé de parler. Mme Correur habitait maintenant deux appartements, l'un rue Blanche, l'autre rue Mazarine; ce dernier était très coquet; Mme Bouchard y venait l'après-midi, prenait la clef chez la concierge. On racontait aussi la conquête d'un grand fonctionnaire, faite par la jeune femme un matin de pluie, comme elle traversait le Pont-Royal, en retroussant ses jupons.

Puis, le fretin des amis s'agitait, s'utilisait le plus possible. Le colonel Jobelin se rendait dans un café des boulevards pour voir d'anciens amis, des officiers; il les catéchisait, entre deux parties de piquet; et quand il en avait embauché une demi-douzaine, il se frottait les mains, le soir, en répétant que « toute l'armée était pour la bonne cause ». M. Bouchard se livrait, au ministère, à un racolage semblable; peu à peu, il avait soufflé aux employés une haine féroce contre M. de Marsy; il gagnait jusqu'aux garçons de bureau, il faisait soupirer tout ce monde dans l'attente d'un âge d'or, dont il parlait à l'oreille de ses intimes. M. d'Escorailles agissait sur la jeunesse riche, auprès de laquelle il vantait les idées larges de Rougon, sa tolérance pour certaines fautes, son amour de l'audace et de la force. Enfin, les Charbonnel eux-mêmes, sur les bancs du Luxembourg, où ils allaient attendre, chaque après-midi, l'issue de leur interminable procès, trouvaient moyen d'enrégimenter les petits rentiers du quartier de l'Odéon.

Quant à Clorinde, elle ne se contentait pas d'avoir la haute main sur toute la bande. Elle menait des opérations très compliquées, dont elle n'ouvrait la bouche à personne. Jamais on ne l'avait rencontrée, le matin, dans des peignoirs aussi mal agrafés, traînant plus passionnément, au fond de quartiers louches, son portefeuille de ministre, crevé aux coutures, sanglé de bouts de corde. Elle donnait à son mari des commissions extraordinaires, que celui-ci faisait avec une douceur de mouton, sans comprendre. Elle envoyait Luigi Pozzo porter des lettres; elle demandait à M. de Plouguern de l'accompagner, puis elle le laissait pendant une heure, sur un trottoir, à attendre. Un instant, la pensée dut lui venir de faire agir le gouvernement italien en faveur de Rougon. Sa correspondance avec sa mère, toujours fixée à Turin, prit une activité folle. Elle rêvait de bouleverser l'Europe, et allait jusqu'à deux fois par jour chez le chevalier Rusconi, pour y rencontrer des diplomates. Souvent, maintenant, dans cette campagne si étrangement conduite, elle semblait se souvenir de sa beauté. Alors, certaines après-midi, elle sortait débarbouillée, peignée, superbe. Et, quand ses amis, surpris eux-mêmes, lui disaient qu'elle était belle :

— Il le faut bien! répondait-elle, avec un singulier air de lassitude résignée.

Elle se gardait comme un argument irrésistible. Pour elle, se donner ne tirait pas à conséquence. Elle y mettait si peu de plaisir, que cela devenait une affaire pareille aux autres, un peu plus ennuyeuse peut-être. Lorsqu'elle était revenue de Compiègne, Du Poizat, qui connaissait l'aventure de la chasse à courre, avait voulu savoir dans quels termes elle restait avec M. de Marsy. Vaguement, il songeait à trahir Rougon pour le comte, si Clorinde arrivait à être la maîtresse toute-puissante de ce dernier. Mais elle s'était presque fâchée, en niant énergiquement toute l'histoire. Il la jugeait donc bien sotte, pour la soupçonner d'une liaison semblable ? Et, oubliant son démenti, elle avait laissé entendre qu'elle ne reverrait même pas M. de Marsy. Autrefois encore, elle aurait pu rêver de l'épouser. Jamais un homme d'esprit, selon elle, ne travaillait sérieusement à la fortune d'une maîtresse. D'ailleurs, elle mûrissait un autre plan.

— Voyez-vous, disait-elle parfois, il y a souvent plusieurs façons d'arriver où l'on veut; mais, de toutes ces façons, il n'y en a jamais qu'une qui fasse plaisir... Moi, j'ai des choses à contenter.

Elle couvait toujours Rougon des yeux, elle le voulait grand, comme si elle eût rêvé de l'engraisser de puissance, pour quelque régal futur. Elle gardait sa soumission de disciple, se mettait dans son ombre avec une humilité pleine de cajolerie. Lui, au milieu de l'agitation continue de la bande, semblait ne rien voir. Dans son salon, le jeudi et le dimanche, il faisait des réussites, pesamment, le nez sur les cartes, sans paraître entendre les chuchotements, derrière son dos. La bande causait de l'affaire, s'adressait des signes par-dessus sa tête, complotait au coin de son feu, comme s'il n'eût pas été là, tant il semblait bonhomme; il demeurait impassible, détaché de tout, si éloigné des choses dont on parlait à voix basse, qu'on finissait par hausser la voix, en s'égayant de ses distractions. Lorsqu'on mettait la conversation sur sa rentrée au pouvoir, il s'emportait, il jurait de ne jamais bouger, quand même un triomphe l'attendrait au bout de sa rue; et, en effet, il s'enfermait de plus en plus étroitement chez lui, affectant une ignorance absolue des événements extérieurs. Le petit hôtel de la rue Marbeuf, d'où rayonnait une telle fièvre de propagande, était un lieu de silence et de sommeil, au seuil duquel les familiers se jetaient des coups d'œil d'intelligence, pour laisser dehors l'odeur de bataille qu'ils apportaient dans leurs vêtements.

— Allons donc! criait Du Poizat, il nous fait tous poser! Il nous entend très bien. Regardez ses oreilles, le soir; on les voit s'élargir.

A dix heures et demie, lorsqu'ils se retiraient tous ensemble, c'était le sujet de conversation habituel. Il n'était pas possible que le grand homme ignorât le dévouement de ses amis. Il jouait au bon Dieu, disait encore l'ancien sous-préfet. Ce diable de Rougon vivait comme une idole indoue, assoupi dans la satisfaction de lui-même, les mains croisées sur le ventre, souriant et béat au milieu d'une foule de fidèles, qui l'adoraient en se coupant les entrailles en quatre. On déclarait cette comparaison très juste.

— Je le surveillerai, vous verrez, concluait Du Poizat.

Mais on eut beau étudier le visage de Rougon, on le trouva toujours fermé, paisible, presque naïf. Peut-être était-il de bonne foi. D'ailleurs, Clorinde préférait qu'il ne se mêlât de rien. Elle redoutait de le voir se mettre en travers de ses plans, si on le forçait un jour à ouvrir les yeux. C'était comme malgré lui qu'on travaillait à sa fortune. Il s'agissait de le pousser quand même, de l'asseoir à quelque sommet, violemment. Ensuite, on compterait.

Cependant, peu à peu, les choses marchant avec trop de lenteur, la bande finit par s'impatienter. Les aigreurs de Du Poizat l'emportèrent. On ne reprocha pas nettement à Rougon tout ce qu'on faisait pour lui; mais on le larda d'allusions, de mots amers à double entente. Maintenant, le colonel venait quelquefois aux soirées, les pieds blancs de poussière; il n'avait pas eu le temps de passer chez lui, il s'était éreinté à courir toute l'après-midi; des courses bêtes dont on ne lui aurait sans doute jamais de reconnaissance. D'autres soirs, c'était M. Kahn, les yeux gros de fatigue, qui se plaignait de veiller trop tard, depuis un mois; il allait beaucoup dans le monde, non que cela l'amusât, grand Dieu! mais il y rencontrait certaines gens pour certaines affaires. Ou bien Mme Correur racontait des histoires attendrissantes, l'histoire d'une pauvre jeune femme, une veuve très recommandable, à laquelle elle allait tenir compagnie; et elle regrettait de n'avoir aucune puissance, elle disait que, si elle était le gouvernement, elle empêcherait bien des injustices. Puis, tous les amis étalaient leur propre misère; chacun se lamentait, disait quelle serait sa situation, s'il ne s'était pas montré trop bête; doléances sans fin que des regards jetés sur Rougon soulignaient clairement. On l'éperonnait au sang, on allait jusqu'à vanter M. de Marsy. Lui, d'abord, avait conservé sa belle tranquillité. Il ne comprenait toujours pas. Mais, au bout de quelques soirées, de légers tressaillements passèrent sur sa face, à certaines phrases prononcées dans son salon. Il ne se fâchait point, il serrait un peu les lèvres, comme sous d'invisibles piqûres d'aiguille. Et, à la longue, il devint si nerveux, qu'il abandonna ses réussites; elles ne réussissaient plus, il préférait se promener à petits pas, causant, quittant brusquement les gens, quand les reproches déguisés commençaient. Par moments, des fureurs blanches le prenaient, il semblait serrer avec force ses mains derrière le dos, pour ne pas céder à l'envie de jeter à la rue tout ce monde.

— Mes enfants, dit un soir le colonel, moi, je ne reviens pas de quinze jours... Il faut le bouder. Nous verrons s'il s'amusera tout seul.

Alors, Rougon, qui rêvait de fermer sa porte, fut très blessé de l'abandon où on le laissait. Le colonel avait tenu parole; d'autres l'imitaient; le salon était presque vide, il manquait toujours cinq ou six amis. Lorsqu'un d'eux reparaissait après une absence, et que le grand homme lui demandait s'il n'avait pas été malade, il répondait non d'un air surpris, et il ne donnait aucune explication. Un jeudi, il ne vint personne. Rougon passa la soirée seul, à se promener dans la vaste pièce, les mains derrière le dos, la tête basse. Il sentait pour la première fois la force du lien qui l'attachait à sa bande. Des haussements d'épaules disaient son mépris, quand il songeait à la bêtise des Charbonnel, à la rage envieuse de Du Poizat, aux douceurs louches de Mme Correur. Pourtant ces familiers, qu'il tenait en une si médiocre estime, il avait le besoin de les voir, de régner sur eux; un besoin de maître jaloux, pleurant en secret des moindres infidélités. Même, au fond de son cœur, il était attendri par leur sottise, il aimait leurs vices. Ils semblaient à présent faire partie de son être, ou plutôt c'était lui qui se trouvait lentement absorbé ; à ce point qu'il restait comme diminué les jours où ils s'écartaient de sa personne. Aussi finit-il par leur écrire, lorsque leur absence se prolongeait. Il allait jusqu'à les voir chez eux, pour faire la paix, après les bouderies sérieuses. Maintenant, on vivait en continuelle querelle, rue Marbeuf, avec cette fièvre de ruptures et de raccommodements des ménages dont l'amour s'aigrit.

Dans les derniers jours de décembre, il y eut une débandade particulièrement grave. Un soir, sans qu'on sût pourquoi, les mots amenant les mots, on s'était dévoré entre soi, à dents aiguës. Pendant près de trois semaines, on ne se revit pas. La vérité était que la bande commençait à désespérer. Les efforts les plus savants n'aboutissaient à aucun résultat appréciable. La situation ne semblait pas devoir changer de longtemps, la bande abandonnait le rêve de quelque catastrophe imprévue qui aurait rendu Rougon nécessaire. Elle avait attendu l'ouverture de la session du Corps législatif ; mais la vérification des pouvoirs s'était faite sans amener autre chose qu'un refus de serment de deux députés républicains [63]. A cette heure, M. Kahn lui-même, l'homme souple et profond du groupe, ne comptait plus voir tourner à leur profit la politique générale. Rougon, exaspéré, s'occupait de son affaire des Landes avec un redoublement de passion, comme pour cacher les tressaillements de sa face, qu'il ne parvenait plus à endormir.

— Je ne me sens pas bien, disait-il parfois. Vous voyez, mes mains tremblent... Mon médecin m'a ordonné de faire de l'exercice. Je suis toute la journée dehors.

En effet, il sortait beaucoup. On le rencontrait, les mains ballantes, la tête haute, distrait. Quand on l'arrêtait, il racontait des courses interminables. Un matin, comme il rentrait déjeuner, après une promenade du côté de Chaillot, il trouva une carte de visite à tranche dorée, sur laquelle s'étalait le nom de Gilquin, écrit à la main, en belle anglaise ; la carte était très sale, toute marquée de doigts gras. Il sonna son domestique.

— La personne qui vous a remis cette carte, n'a rien dit ? demanda-t-il.

Le domestique, nouveau dans la maison, eut un sourire.

— C'est un monsieur en paletot vert. Il a l'air

bien aimable, il m'a offert un cigare... Il a dit seulement qu'il était un de vos amis.

Et il se retirait, lorsqu'il se ravisa.

— Je crois qu'il y a quelque chose d'écrit derrière.

Rougon retourna la carte et lut ces mots au crayon : « Impossible d'attendre. Je passerai dans la soirée. C'est très pressé, une drôle d'affaire. » Il eut un geste d'insouciance. Mais, après son déjeuner, la phrase : « C'est très pressé, une drôle d'affaire », lui revint à l'esprit, s'imposa, finit par l'impatienter. Quelle pouvait être cette affaire que Gilquin trouvait drôle ? Depuis qu'il avait chargé l'ancien commis voyageur de besognes obscures et compliquées, il le voyait régulièrement une fois par semaine, le soir ; jamais celui-ci ne s'était présenté le matin. Il s'agissait donc d'une chose extraordinaire. Rougon, à bout de suppositions, pris d'une impatience qu'il trouvait lui-même ridicule, se décida à sortir, à tenter de voir Gilquin avant la soirée.

— Quelque histoire d'ivrogne, pensait-il en descendant les Champs-Élysées. Enfin, je serai tranquille.

Il allait à pied, voulant suivre l'ordonnance de son médecin. La journée était superbe, un clair soleil de janvier, dans un ciel blanc. Gilquin ne demeurait plus passage Guttin, aux Batignolles. Sa carte portait : rue Guisarde, faubourg Saint-Germain.

Rougon eut toutes les peines du monde à découvrir cette rue abominablement sale, située près de Saint-Sulpice. Il trouva, au fond d'une allée noire, une concierge couchée, qui lui cria de son lit, d'une voix cassée par la fièvre :

— Monsieur Gilquin !... Ah ! je ne sais pas. Voyez au quatrième, tout en haut, la porte à gauche.

Au quatrième étage, le nom de Gilquin était écrit sur la porte, entouré d'arabesques représentant des cœurs enflammés percés de flèches. Mais il eut beau frapper, il n'entendit, derrière le bois, que le tic-tac d'un coucou et le miaulement d'une chatte, très doux dans le silence. A l'avance, il se doutait qu'il faisait une course inutile ; cela le soulagea pourtant d'être venu. Il redescendit, calmé, en se disant qu'il pouvait bien attendre le soir. Puis, dehors, il ralentit le pas ; il traversa le marché Saint-Germain, suivit la rue de Seine, sans but, un peu las déjà, décidé cependant à rentrer à pied. Et, comme il arrivait à la hauteur de la rue Jacob, il songea aux Charbonnel. Depuis dix jours, il ne les avait pas vus. Ils le boudaient. Alors, il résolut de monter un instant chez eux pour leur tendre la

---

63. Carnot et Goudchaux, élus à Paris, refusèrent de prêter le serment de fidélité à l'empereur lorsqu'ils furent élus en 1857 : ils furent considérés comme démissionnaires.

main. Cette après-midi-là, le temps était si tiède, qu'il se sentait tout attendri.

La chambre des Charbonnel, à l'hôtel du Périgord, donnait sur la cour, un puits sombre, d'où montait une odeur d'évier mal lavé. Elle était noire, grande, avec un mobilier d'acajou éclopé et des rideaux de damas rouge déteint. Lorsque Rougon entra, Mme Charbonnel pliait ses robes, qu'elle mettait au fond d'une grande malle, tandis que M. Charbonnel, suant, les bras raidis, ficelait une autre malle, plus petite.

— Eh bien, vous partez? demanda-t-il en souriant.

— Oh! oui, répondit Mme Charbonnel avec un profond soupir; cette fois, c'est bien fini.

Cependant, ils s'empressèrent, très flattés de le voir chez eux. Toutes les chaises étaient encombrées par des vêtements, des paquets de linge, des paniers dont les flancs crevaient. Il s'assit sur le bord du lit, en reprenant de son air bonhomme :

— Laissez donc! je suis très bien là... Continuez ce que vous faisiez, je ne veux pas vous déranger.... C'est par le train de huit heures que vous partez?

— Oui, par le train de huit heures, dit M. Charbonnel. Ça nous fait encore six heures à passer dans ce Paris... Ah! nous nous en souviendrons longtemps, monsieur Rougon.

Et lui qui parlait peu d'ordinaire, lâcha des choses terribles, alla jusqu'à montrer le poing à la fenêtre, en disant qu'il fallait venir dans une ville pareille, pour ne pas voir clair chez soi, à deux heures de l'après-midi. Ce jour sale tombant du puits étroit de la cour, c'était Paris. Mais, Dieu merci! il allait retrouver le soleil, dans son jardin de Plassans. Et il regardait autour de lui s'il n'oubliait rien. Le matin, il avait acheté un indicateur des chemins de fer. Sur la cheminée, dans un papier taché de graisse, il montra un poulet qu'ils emportaient pour manger en route.

— Ma bonne, répétait-il, as-tu bien vidé tous les tiroirs?... J'avais des pantoufles dans la table de nuit... Je crois que des papiers sont tombés derrière la commode...

Rougon, au bord du lit, regardait avec un serrement de cœur les préparatifs de ces vieilles gens, dont les mains tremblaient en faisant leurs paquets. Il sentait un muet reproche dans leur émotion. C'était lui qui les avait retenus à Paris; et cela aboutissait à un échec absolu, à une véritable fuite.

— Vous avez tort, murmura-t-il.

Mme Charbonnel eut un geste de supplication, comme pour le faire taire. Elle dit vivement :

— Écoutez, monsieur Rougon, ne nous promettez rien. Notre malheur recommencerait... Quand je pense que depuis deux ans et demi nous vivons ici! Deux ans et demi, mon Dieu! au fond de ce trou!... Je garderai pour le restant de mes jours des douleurs dans la jambe gauche; c'est moi qui couchais du côté de la ruelle, et le mur, là, derrière vous, pisse l'eau... Non, je ne puis pas tout vous dire. Ça serait trop long. Nous avons mangé un argent fou. Tenez, hier, j'ai dû acheter cette malle pour emporter ce que nous avons usé à Paris, des vêtements mal cousus qu'on nous a vendus les yeux de la tête, du linge qui me revenait en loques de la blanchisseuse... Ah! ce sont vos blanchisseuses que je ne regretterai pas, par exemple! Elles brûlent tout avec leurs acides.

Et elle jeta un tas de chiffons dans la malle, en criant :

— Non, non, nous partons. Voyez-vous, une heure de plus, et j'en mourrais.

Mais Rougon, avec entêtement, reparla de leur affaire. Ils avaient donc appris de bien mauvaises nouvelles? Alors, les Charbonnel, presque en pleurant, lui contèrent que l'héritage de leur petit-cousin Chevassu allait décidément leur échapper. Le Conseil d'État était sur le point d'autoriser les sœurs de la Sainte-Famille à accepter le legs de cinq cent mille francs. Et ce qui avait achevé de leur ôter tout espoir, c'était qu'on leur avait appris la présence de monseigneur Rochart à Paris, où il venait une seconde fois pour enlever l'affaire.

Tout d'un coup, M. Charbonnel, pris d'un brusque emportement, cessa de s'acharner sur la petite malle et se tordit les bras, en répétant d'une voix brisée :

— Cinq cent mille francs! cinq cent mille francs!

Le cœur manqua à tous deux. Ils s'assirent, le mari sur la malle, la femme sur un paquet de linge, au milieu du bouleversement de la pièce. Et, avec des paroles longues et molles, ils se plaignirent; quand l'un se taisait, l'autre recommençait. Ils rappelaient leur tendresse pour le petit-cousin Chevassu. Comme ils l'avaient aimé! La vérité était qu'ils ne le voyaient plus depuis dix-sept ans, lorsqu'ils avaient appris sa mort. Mais, en ce moment, ils s'attendrissaient de très bonne foi, ils croyaient l'avoir entouré de toutes sortes d'attentions pendant sa maladie. Puis, ils accusèrent les sœurs de la Sainte-Famille de manœuvres honteuses; elles avaient capté la confiance de leur parent, écartant de lui ses amis, exerçant une pression de toutes les heures sur sa volonté affaiblie de malade. Mme Charbonnel, qui était pourtant dévote, alla jusqu'à conter une histoire abominable, par laquelle leur petit-cousin Chevassu serait mort de peur, après avoir écrit son testament sous la dictée d'un prêtre, qui lui avait montré le diable, au pied de son lit. Quant à l'évêque de Faverolles, monseigneur Rochart, il faisait là un vilain métier, en dépouillant de leur bien de braves gens, connus de tout Plassans pour l'honnêteté avec laquelle ils s'étaient amassé une petite aisance, dans les huiles.

— Mais tout n'est peut-être pas perdu, dit Rougon qui les voyait faiblir. Monseigneur Rochart n'est pas le bon Dieu... Je n'ai pu m'occuper de vous. J'ai tant d'affaires! Laissez-moi voir où en sont les choses. Je ne veux pas qu'on nous mange.

Les Charbonnel se regardèrent avec un léger haussement d'épaules. Le mari murmura :

— Ce n'est pas la peine, monsieur Rougon.

Et comme Rougon insistait, en jurant qu'il allait faire tous ses efforts, qu'il n'entendait pas les voir partir ainsi :

— Ce n'est pas la peine, bien sûr, répéta la femme. Vous vous donneriez du mal pour rien... Nous avons causé de vous avec notre avocat. Il s'est mis à rire, il nous a dit que vous n'étiez pas de force en ce moment contre monseigneur Rochart.

— Quand on n'est pas de force, que voulez-vous ? dit à son tour M. Charbonnel. Il vaut mieux céder.

Rougon avait baissé la tête. Les phrases de ces vieilles gens l'atteignaient comme des soufflets. Jamais il n'avait souffert plus cruellement de son impuissance.

Cependant, Mme Charbonnel continuait :

— Nous allons retourner à Plassans. C'est beaucoup plus sage... Oh! nous ne nous quittons pas fâchés, monsieur Rougon. Quand nous verrons là-bas madame Félicité votre mère, nous lui dirons que vous vous êtes mis en quatre pour nous. Et si d'autres nous questionnent, n'ayez pas peur, ce n'est jamais nous qui vous nuirons. On n'est point tenu de faire plus qu'on ne peut, n'est-ce pas ?

C'était le comble. Il s'imaginait les Charbonnel débarquant au fond de sa province. Dès le soir, toute la petite ville clabaudait. C'était pour lui un échec personnel, une défaite dont il mettrait des années à se relever.

— Restez! cria-t-il, je veux que vous restiez!... Nous verrons si monseigneur Rochart m'avale d'une bouchée!

Il riait d'un rire inquiétant, qui effraya les Charbonnel. Pourtant ils résistaient toujours. Enfin, ils consentirent à demeurer quelque temps encore à Paris, huit jours, pas plus. Le mari dénouait laborieusement les cordes dont il avait ficelé la petite malle; la femme, bien qu'il fût à peine trois heures, venait d'allumer une bougie, pour replacer le linge et les vêtements dans les tiroirs. Quand il les quitta, Rougon leur serra affectueusement la main, en renouvelant ses promesses.

Dans la rue, au bout de dix pas, il se repentit. Pourquoi avait-il retenu ces Charbonnel, qui s'entêtaient à vouloir partir ? C'était une excellente occasion pour se débarrasser d'eux. Maintenant, il se trouvait plus que jamais à leur faire gagner leur procès. Et il était surtout irrité contre lui-même, en s'avouant les motifs de vanité auxquels il avait obéi. Cela lui semblait indigne de sa force. Enfin, il avait promis, il aviserait. Il descendit la rue Bonaparte, suivit le quai et traversa le pont des Saints-Pères.

Le temps restait doux. Sur la rivière, cependant, un vent très vif soufflait. Il se trouvait au milieu du pont, boutonnant son paletot, lorsqu'il aperçut devant lui une grosse dame chargée de fourrures, qui lui barrait le trottoir. A la voix, il reconnut Mme Correur.

— Ah! c'est vous, disait-elle d'un air dolent. Il faut que je vous rencontre pour consentir à vous serrer la main... Je ne serais pas allée chez vous de huit jours. Non, vous n'êtes pas assez obligeant.

Et elle lui reprocha de n'avoir pas fait une démarche qu'elle lui demandait depuis des mois. Il s'agissait toujours de cette demoiselle Herminie Billecoq, une ancienne élève de Saint-Denis, que son séducteur, un officier, consentait à épouser, si quelque âme honnête voulait avancer la dot réglementaire. D'ailleurs, toutes ces dames la persécutaient; Mme veuve Leturc attendait son bureau de tabac; les autres, Mme Chardon, Mme Testanière, Mme Jalaguier, venaient tous les jours pleurer misère chez elle et lui rappeler les engagements qu'elle avait cru pouvoir prendre.

— Moi, je comptais sur vous, dit-elle en terminant. Oh! vous m'avez laissée dans un joli pétrin!... Tenez, de ce pas, je vais au ministère de l'Instruction publique, pour la bourse du petit Jalaguier. Vous me l'aviez promise, cette bourse.

Elle soupira, elle murmura encore :

— Enfin, nous sommes bien forcés de trotter, puisque vous refusez d'être notre bon Dieu à tous.

Rougon, que le vent incommodait, gonflait le dos en regardant, au bas du pont, le port Saint-Nicolas, qui mettait là un coin de ville marchande. Tout en écoutant Mme Correur, il s'intéressait à une péniche chargée de pains de sucre; des hommes la déchargeaient, en faisant glisser les pains le long d'une rigole formée de deux planches. Trois cents personnes, du haut des quais, suivaient cette manœuvre.

— Je ne suis rien, je ne peux rien, répondit-il. Vous avez tort de me garder rancune.

Mais elle reprit d'un ton superbe :

— Laissez donc! je vous connais, moi! Quand vous voudrez, vous serez tout... Ne faites pas le finaud, Eugène!

Il ne put retenir un sourire. La familiarité de Mme Mélanie, comme il la nommait autrefois, réveillait en lui le souvenir de l'hôtel Vaneau, lorsqu'il n'avait pas de bottes aux pieds et qu'il conquérait la France. Il oublia les reproches qu'il venait de s'adresser, en sortant de chez les Charbonnel.

— Voyons, dit-il d'un air bon enfant, qu'avez-vous à me conter ?... Mais, je vous en prie, ne restons pas en place. On gèle ici. Puisque vous allez rue de Grenelle, je vous accompagne jusqu'au bout du pont.

Alors, il retourna sur ses pas, marchant à côté de Mme Correur, sans lui donner le bras. Celle-ci, longuement, disait ses chagrins.

— Les autres, après tout, je m'en moque! Ces dames attendront... Je ne vous tourmenterais pas, je serais gaie comme autrefois, vous vous rappelez, si je n'avais moi-même de gros ennuis. Que voulez-vous! on finit par s'aigrir... Mon Dieu! il s'agit toujours de mon frère. Ce pauvre Martineau! sa femme l'a rendu complètement fou. Il n'a plus d'entrailles.

Et elle entra dans de minutieux détails sur une nouvelle tentative de raccommodement qu'elle avait faite, la semaine précédente. Pour connaître au juste les dispositions de son frère à son égard, elle s'était avisée d'envoyer là-bas, à Coulonges, une de ses amies, cette demoiselle Herminie Billecoq, dont elle mûrissait le mariage depuis deux ans.

— Son voyage m'a coûté cent dix-sept francs, continua-t-elle. Eh bien! savez-vous comment on l'a reçue ? Madame Martineau s'est jetée entre elle et mon frère, furieuse, l'écume à la bouche, en criant que si j'envoyais des gourgandines, elle les ferait arrêter par les gendarmes... Ma bonne Herminie était encore si tremblante, quand je suis allée la chercher à la gare Montparnasse, que nous avons dû entrer dans un café pour prendre quelque chose.

Ils étaient arrivés au bout du pont. Les passants les coudoyaient. Rougon tâchait de la consoler, cherchait de bonnes paroles.

— Cela est bien fâcheux. Mais votre frère reviendra à vous, vous verrez. Le temps arrange tout.

Puis, comme elle le tenait là, au coin du trottoir,

dans le vacarme des voitures qui tournaient, il se remit à marcher, il revint sur le pont, à petits pas. Elle le suivait, elle répétait :

— Le jour où Martineau mourra, elle est capable de tout brûler, s'il laisse un testament... Le pauvre cher homme n'a plus que les os et la peau. Herminie lui a trouvé une bien mauvaise mine... Enfin, je suis très tourmentée.

— On ne peut rien faire, il faut attendre, dit Rougon avec un geste vague.

Elle l'arrêta de nouveau au milieu du pont, et baissant la voix :

— Herminie m'a appris une singulière chose. Il paraît que Martineau s'est fourré dans la politique maintenant. Il est républicain. Aux dernières élections, il avait bouleversé le pays... Ça m'a porté un coup. Hein ? on pourrait l'inquiéter ?

Il y eut un silence. Elle le regardait fixement. Lui, suivit des yeux un landau qui passait, comme s'il avait voulu éviter son regard. Il reprit, d'un air innocent :

— Tranquillisez-vous. Vous avez des amis, n'est-ce pas ? Eh bien! comptez sur eux.

— Je ne compte que sur vous, Eugène, dit-elle tendrement, très bas.

Alors, il sembla touché. Il la regarda à son tour en face, et il la trouva attendrissante, avec son cou gras, son masque plâtré de belle femme qui ne voulait pas vieillir. Elle était toute sa jeunesse.

— Oui, comptez sur moi, répondit-il en lui serrant les mains. Vous savez bien que j'épouse toutes vos querelles.

Il la reconduisit encore jusqu'au quai Voltaire. Quand elle l'eut quitté, il traversa enfin le pont, ralentissant sa marche, s'intéressant de nouveau aux pains de sucre qu'on déchargeait sur le port Saint-Nicolas. Il s'accouda même un instant au parapet. Mais les pains qui coulaient dans les rigoles, l'eau verte dont le flot continu entrait sous les arches, les badauds, les maisons, tout se brouilla bientôt, se noya au fond d'une rêverie invincible. Il songeait à des choses confuses, il descendait avec Mme Correur dans des profondeurs noires. Et il n'avait plus de regrets; son rêve était de devenir très grand, très puissant, afin de satisfaire ceux qui l'entouraient, au-delà du naturel et du possible.

Un frisson le tira de son immobilité. Il grelottait. La nuit tombait, les souffles de la rivière soulevaient sur les quais de petites poussières blanches. Comme il suivait le quai des Tuileries, il se sentit très las. Le courage lui manqua tout d'un coup pour rentrer à pied. Mais il ne passait que des fiacres pleins, et il allait renoncer à trouver une voiture, lorsqu'il vit un cocher arrêter son cheval en face de lui. Une tête sortait de la portière. C'était M. Kahn qui criait :

— J'allais chez vous. Montez donc! Je vous reconduirai, et nous pourrons causer.

Rougon monta. Il était à peine assis, que l'ancien député éclata en paroles violentes, dans les cahots du fiacre, dont le cheval avait repris son trot endormi.

— Ah! mon ami, on vient de me proposer une chose... Jamais vous ne devineriez. J'étouffe.

Et baissant la glace d'une portière :

— Vous permettez, n'est-ce pas ?

Rougon s'enfonça dans un coin, regardant, par la glace ouverte, filer la muraille grise du jardin des Tuileries. M. Kahn, très rouge, continuait, avec des gestes saccadés :

— Vous le savez, j'ai suivi vos conseils... Depuis deux ans, je lutte opiniâtrement. J'ai vu l'empereur trois fois, j'en suis à mon quatrième mémoire sur la question. Si je n'ai pas obtenu la concession de mon chemin de fer, j'ai toujours empêché que Marsy ne la fasse donner à la compagnie de l'Ouest... Enfin, j'ai manœuvré de façon à attendre que nous fussions les plus forts, comme vous m'aviez dit [64].

Il se tut un instant, sa voix se perdant dans le tapage abominable d'une charrette chargée de fer qui longeait le quai. Puis, quand le fiacre eut dépassé la charrette :

— Eh bien! tout à l'heure, dans mon cabinet, un monsieur que je ne connais pas, un gros entrepreneur, paraît-il, est venu tranquillement m'offrir, au nom de Marsy et du directeur de la compagnie de l'Ouest, de me faire accorder la concession, si je voulais bien compter à ces messieurs un million en actions... Qu'en dites-vous ?

— C'est un peu cher, murmura Rougon en souriant.

M. Kahn hochait la tête, les bras croisés.

— Non, vous ne vous faites pas une idée de l'aplomb de ces gens-là!... Il faudrait vous raconter ma conversation tout entière avec l'entrepreneur. Marsy, moyennant le million, s'engage à m'appuyer et à faire aboutir ma demande dans le délai

d'un mois. C'est sa part qu'il réclame, rien de plus... Et comme je parlais de l'empereur, notre homme s'est mis à rire. Il m'a dit en propres termes que j'étais fichu si j'avais l'empereur pour moi.

Le fiacre débouchait sur la place de la Concorde. Rougon sortit de son coin, comme réchauffé, le sang aux joues.

— Et vous avez flanqué ce monsieur à la porte ? demanda-t-il.

L'ancien député, l'air très surpris, le regarda un instant sans répondre. Sa colère était brusquement tombée. Il s'enfonça à son tour dans un coin de la voiture, s'abandonnant mollement aux cahots, murmurant :

— Ah! non, on ne flanque pas les gens à la porte comme ça, sans réfléchir... Je voulais avoir votre avis, d'ailleurs. Moi, je l'avoue, j'ai envie d'accepter.

— Jamais, Kahn! cria Rougon furieux. Jamais!

Et ils discutèrent. M. Kahn donnait des chiffres; sans doute un pot-de-vin d'un million était énorme; mais il prouvait qu'on boucherait aisément ce trou, à l'aide de certaines opérations. Rougon n'écoutait pas, refusait d'entendre, de la main. Lui, se moquait de l'argent. Il ne voulait pas que Marsy empochât un million, parce que laisser donner ce million, c'était avouer son impuissance, se reconnaître vaincu, estimer l'influence de son rival à un prix exorbitant, qui la grandissait encore en face de la sienne.

— Vous voyez bien qu'il se fatigue, dit-il. Il met les pouces... Attendez encore. Nous aurons la concession pour rien.

Et il ajouta d'un ton presque menaçant :

— Nous nous fâcherions, je vous en préviens. Je ne peux pas permettre qu'un de mes amis soit rançonné de cette façon.

Il se fit un silence. Le fiacre montait les Champs-Élysées. Les deux hommes, songeurs, semblaient compter attentivement les arbres, dans les contre-allées. Ce fut M. Kahn qui reprit le premier, à demi-voix :

— Écoutez, moi je ne demanderais pas mieux, je voudrais rester avec vous; mais avouez que depuis bientôt deux ans...

Il n'acheva pas, il tourna autrement sa phrase.

— Enfin, ce n'est pas votre faute, vous avez les mains liées en ce moment... Donnons le million, croyez-moi.

— Jamais! répéta Rougon avec force. Dans quinze jours, vous aurez votre concession, entendez-vous!

Le fiacre venait de s'arrêter devant le petit hôtel

---

64. Henri Mitterand a rappelé en ces termes les origines de cette affaire : « Cette histoire est inspirée de l'affaire dite du Grand-Central. Les financiers de Pourtalès et de Seraincourt, propriétaires des mines d'Aubin, demandèrent la concession d'un chemin de fer qui devait aller de Clermont-Ferrand à Montauban en passant par leurs mines. Morny leur apporta son appui. Les actions de la compagnie formée pour la construction et l'exploitation de la ligne entrèrent à la Bourse de très fortes primes, avant que le premier coup de pioche eût été donné. Puis l'affaire périclita, et dut être renflouée par les compagnies d'Orléans et de Lyon » (Pléiade, t. II, p. 1522-1523).

de la rue Marbeuf. Alors, sans descendre, la portière fermée, ils causèrent là encore un instant, comme s'ils s'étaient trouvés dans leur cabinet, très à l'aise. Rougon avait le soir à dîner M. Bouchard et le colonel Jobelin, et il voulait retenir M. Kahn, qui refusait, à son grand regret, étant déjà invité ailleurs. Maintenant, le grand homme se passionnait pour l'affaire de la concession. Quand il fut enfin descendu du fiacre, il referma amicalement la portière, en échangeant un dernier signe de tête avec l'ancien député.

— A demain jeudi, n'est-ce pas ? cria celui-ci, qui allongea le cou, pendant que la voiture l'emportait.

Rougon rentra avec une légère fièvre. Il ne put même lire les journaux du soir. Bien qu'il fût à peine cinq heures, il passa au salon, où il attendit ses invités, en se promenant de long en large. Le premier soleil de l'année, ce pâle soleil de janvier, lui avait donné un commencement de migraine. Il gardait de son après-midi une sensation très vive. Toute la bande était là, les amis qu'il subissait, ceux dont il avait peur, ceux pour lesquels il éprouvait une véritable affection, le poussant, l'acculant à un dénouement immédiat. Et cela ne lui déplaisait pas; il donnait raison à leur impatience, il sentait monter en lui une colère faite de leurs colères. C'était comme si, peu à peu, on eût rétréci l'espace devant ses pas. L'heure venait où il lui faudrait faire quelque saut formidable.

Brusquement, il songea à Gilquin, qu'il avait complètement oublié. Il sonna pour demander si « le monsieur au paletot vert » était revenu, pendant son absence. Le domestique n'avait vu personne. Alors, il donna l'ordre, s'il se présentait le soir, de l'introduire dans son cabinet.

— Et vous me préviendrez tout de suite, ajouta-t-il, même si nous sommes à table.

Puis, sa curiosité réveillée, il alla chercher la carte de Gilquin. Il relut à plusieurs reprises : « C'est pressé, une drôle d'affaire », sans en apprendre davantage. Quand M. Bouchard et le colonel arrivèrent, il glissa la carte dans sa poche, troublé, irrité par cette phrase, qui se plantait de nouveau dans sa cervelle.

Le dîner fut très simple. M. Bouchard était garçon depuis deux jours, sa femme ayant dû partir auprès d'une tante malade, dont elle parlait d'ailleurs pour la première fois. Quant au colonel, qui trouvait toujours son couvert mis chez Rougon, il avait amené ce soir-là son fils Auguste, alors en congé. Mme Rougon fit les honneurs de la table, avec sa bonne grâce silencieuse. Le service s'opérait sous ses yeux, lentement, minutieusement, sans qu'on entendît le moindre bruit de vaisselle. On causa des études dans les lycées. Le chef de bureau cita des vers d'Horace, rappela les prix qu'il avait remportés aux concours généraux, vers 1813. Le colonel aurait voulu une discipline plus militaire; et il dit pourquoi Auguste s'était fait refuser au baccalauréat, en novembre : l'enfant avait une intelligence si vive, qu'il allait toujours au-delà des questions des professeurs, ce qui mécontentait ces messieurs. Pendant que son père expliquait ainsi son échec, Auguste mangeait un blanc de volaille, avec un sourire en dessous de cancre réjoui.

Au dessert, un coup de sonnette, dans le vestibule, parut émotionner Rougon jusque-là distrait. Il crut que c'était Gilquin, il leva vivement les yeux vers la porte, pliant déjà machinalement sa serviette, en attendant d'être prévenu. Mais ce fut Du Poizat qui entra. L'ancien sous-préfet s'assit à deux pas de la table, en familier de la maison. Il venait souvent le soir, de bonne heure, tout de suite après son repas, qu'il prenait dans une petite pension du faubourg Saint-Honoré.

— Je suis éreinté, murmura-t-il sans donner aucun détail sur ses besognes compliquées de l'après-midi. Je serais allé me coucher, si je n'avais eu l'idée de venir jeter un coup d'œil sur les journaux... Ils sont dans votre cabinet, les journaux, n'est-ce pas, Rougon ?

Il resta là pourtant, il accepta une poire avec deux doigts de vin. La conversation s'était mise sur la cherté des vivres; tout, depuis vingt ans, se trouvait doublé; M. Bouchard se souvenait d'avoir vu les pigeons à quinze sous la paire, dans sa jeunesse. Cependant, dès que le café et les liqueurs furent servis, Mme Rougon se retira discrètement. On retourna au salon sans elle; on était comme en famille. Le colonel et le chef de bureau apportèrent eux-mêmes la table de jeu devant la cheminée; et ils battirent les cartes, absorbés, perdus déjà dans de profondes combinaisons. Auguste, sur un guéridon, feuilletait la collection d'un journal illustré. Du Poizat avait disparu.

— Voyez donc ce jeu, dit brusquement le colonel. Il est extraordinaire, hein ?

Rougon s'approcha, hocha la tête. Puis, comme il revenait s'asseoir dans le silence, prenant les pincettes pour relever les bûches, le domestique, qui était entré doucement, vint lui dire à l'oreille :

— Le monsieur de ce matin est là.

Il tressaillit. Il n'avait pas entendu le coup de sonnette. Dans son cabinet, il trouva Gilquin debout, un rotin sous le bras, examinant avec des clignements d'yeux d'artiste une mauvaise gravure représentant Napoléon à Sainte-Hélène. Il restait boutonné jusqu'au menton, au fond de son grand paletot vert, la tête couverte d'un chapeau de soie noire presque neuf, fortement incliné sur l'oreille.

— Eh bien ? demanda vivement Rougon.

Mais Gilquin ne se pressait pas. Il branla la tête, il en regardant la gravure :

— C'est touché tout de même !... Il a l'air de joliment s'embêter, là-dessus !

Le cabinet se trouvait éclairé par une seule lampe, posée sur un coin du bureau. A l'entrée de Rougon, un petit bruit, un frémissement de papier, était parti d'un fauteuil à dossier énorme, placé devant la cheminée; puis, un tel silence avait régné, qu'on eût pu croire au craquement d'un tison à demi éteint. Gilquin, d'ailleurs, refusait de s'asseoir. Les deux hommes demeurèrent près de la porte, dans un pan d'ombre que jetait un corps de bibliothèque.

— Eh bien ? répétait Rougon.

Et il dit avoir passé rue Guisarde, l'après-midi. Alors, l'autre parla de sa concierge, une excellente femme, qui s'en allait de la poitrine, à cause de la maison, dont le rez-de-chaussée était humide.

— Mais cette affaire pressée... Qu'est-ce donc ?

— Attends ! Je suis venu pour ça. Nous allons causer... Et tu es monté, tu as entendu la chatte ? Imagine-toi, c'est une chatte qui est venue par les gouttières; une nuit, comme ma fenêtre était restée ouverte, je l'ai trouvée couchée avec moi. Elle me léchait la barbe. Ça m'a semblé farce, et je l'ai gardée.

Enfin, il se décida à parler de l'affaire. Mais l'histoire fut longue. Il commença par conter ses amours avec une repasseuse, dont il s'était fait aimer, un soir, à la sortie de l'Ambigu [65]. Cette pauvre Eulalie venait d'être obligée de laisser ses meubles à son propriétaire, parce qu'un amant l'avait quittée, juste au moment où elle devait cinq termes. Alors, depuis dix jours, elle logeait un hôtel de la rue Montmartre, près de son atelier; et c'était chez elle qu'il avait couché toute la semaine, au deuxième, la porte au fond du couloir, dans une petite chambre noire qui donnait sur la cour.

Rougon, résigné, l'écoutait.

— Il y a trois jours donc, continua Gilquin, j'avais apporté un gâteau et une bouteille de vin.

Nous avons mangé ça dans le lit, tu comprends. Nous nous couchons de bonne heure... Eulalie s'est levée un peu avant minuit, pour secouer les miettes. Puis, la voilà qui dort à poings fermés. Une vraie souche, cette fille !... Moi, je ne dormais pas. J'avais soufflé la bougie, je regardais en l'air, lorsqu'une dispute s'est élevée dans la chambre voisine. Il faut te dire que les deux chambres communiquaient par une porte aujourd'hui condamnée. Les voix restaient basses; la paix parut se faire; mais j'entendis des bruits si singuliers, que, ma foi, j'allai coller un œil contre une fente de la porte... Non, tu ne devinerais jamais...

Il s'arrêta, les yeux arrondis, jouissant de l'effet qu'il pensait produire.

— Eh bien ! ils étaient deux, un jeune de vingt-cinq ans, assez gentil, et un vieux qui doit avoir dépassé la cinquantaine, petit, maigre, maladif... Les gaillards examinaient des pistolets, des poignards, des épées, toutes sortes d'armes neuves dont l'acier luisait... Ils parlaient dans un jargon à eux, que je ne comprenais pas d'abord. Mais, à certains mots, j'ai reconnu de l'italien. Tu sais, j'ai voyagé en Italie, pour les pâtes. Alors, je me suis appliqué, et j'ai compris, mon bon... Ce sont des messieurs qui sont venus à Paris pour assassiner l'empereur. Voilà !

Et il croisa les bras, serrant sa canne sur sa poitrine, tandis qu'il répétait à plusieurs reprises :

— Hein ? elle est drôle !

C'était là l'affaire que Gilquin trouvait drôle. Rougon haussa les épaules; vingt fois on lui avait dénoncé des complots. Mais l'ancien commis voyageur précisait.

— Tu m'as dit de venir te répéter les cancans du quartier. Moi, je veux bien te rendre service, je te répète tout, n'est-ce pas ? Tu as tort de branler la tête... Crois-tu que si j'étais allé à la préfecture, on ne m'aurait pas lâché un joli pourboire ? Seulement, j'aime mieux en faire profiter un ami. Entends-tu, c'est sérieux ! Va conter la chose à l'empereur, qui t'embrassera, parbleu !

Depuis trois jours, il surveillait les jolis messieurs, comme il les nommait. Dans la journée, il en venait deux autres, un jeune et un d'âge mûr, très beau, avec une face pâle, de longs cheveux noirs, qui semblait être le chef [66]. Tout ce monde-là rentrait

---

65. *L'Ambigu*, ou, plus précisément, *l'Ambigu-Comique*, était à l'angle de la rue de Bondy et de la rue Saint-Martin. Ce théâtre de boulevard s'était spécialisé dans les mélodrames.

66. Felice Orsini (1819-1858) était l'instigateur de l'attentat. Magen, dans son *Histoire du Second Empire*, le décrit en des termes qui rappellent un peu ceux de Zola : « Avec sa belle tête bien portée, son regard à la fois vif et doux, son geste expressif et son agréable humeur, Felice Orsini se conciliait la sympathie de tous. » Il avait pour complices Pieri, dans les poches duquel on trouva un poignard, un revolver et une bombe chargée de fulminate de mercure, Gomez, qui se disait son domestique et Rudio. Il aurait été trahi par Gomez.

éreinté, discutait à mots couverts, brièvement. La veille, il les avait vus charger des « petits machins » en fer, qu'il croyait être des bombes. Il s'était fait donner la clef d'Eulalie ; il restait dans la chambre, sans souliers, l'oreille tendue. Et, dès neuf heures, le soir, il s'arrangeait de façon à ce qu'Eulalie ronflât, pour tranquilliser les voisins. Selon lui, il ne fallait jamais mettre les femmes dans les affaires politiques.

A mesure que Gilquin parlait, Rougon devenait grave. Il croyait. Sous la légère ivresse de l'ancien commis voyageur, au milieu des détails étranges dont le récit se trouvait coupé, il sentait une vérité se dégager et s'imposer. Puis, toute son attente de la journée, sa curiosité anxieuse, le frappaient maintenant comme un pressentiment. Et il était repris par ce tremblement intérieur qui le tenait depuis le matin, une émotion involontaire d'homme fort dont le sort va se jouer sur un coup de carte.

— Des imbéciles qui doivent avoir toute la préfecture à leurs trousses, murmura-t-il en affectant une grande indifférence.

Gilquin se mit à ricaner. Il mâchait entre ses dents :

— La préfecture fera bien de se presser, en ce cas.

Et il se tut, riant toujours, donnant une tape amicale à son chapeau. Le grand homme comprit qu'il n'avait pas tout dit. Il le regarda en face. Mais l'autre rouvrait la porte, en reprenant :

— Enfin, te voilà prévenu... Moi, je vais dîner, mon bon. Je n'ai pas encore dîné, tel que tu me vois. J'ai filé mes individus toute l'après-midi... Et j'ai une faim !

Rougon l'arrêta, offrit de lui faire servir un morceau de viande froide ; et il donna tout de suite l'ordre de mettre un couvert dans la salle à manger. Gilquin parut très touché. Il referma la porte du cabinet, baissa le ton, pour que le domestique n'entendît pas.

— Tu es un bon garçon... Écoute bien. Je ne veux pas te mentir. Si tu m'avais mal reçu, j'allais à la préfecture... Mais à présent tu sauras tout. C'est de l'honnêteté, hein ? Tu te souviendras de ce service-là, j'espère. Les amis sont toujours les amis, on a beau dire...

Alors, il se pencha, il ajouta d'une voix sifflante :

— C'est pour demain soir... On doit nettoyer Badinguet devant l'Opéra, à son entrée au théâtre. La voiture, les aides de camp, la clique, tout sera balayé du coup.

Pendant que Gilquin s'attablait dans la salle à manger, Rougon resta au milieu de son cabinet, immobile, la face terreuse. Il réfléchissait, il hésitait. Enfin, il s'assit à son bureau, prit une feuille de papier ; mais il la repoussa presque aussitôt. Un instant, il parut vouloir se diriger vivement vers la porte, comme sur le point de donner un ordre. Et il revint lentement, il s'absorba de nouveau dans une pensée qui noyait son visage d'ombre.

A ce moment, devant la cheminée, le fauteuil à dossier énorme eut une secousse brusque. Du Poizat se dressa, pliant un journal d'un air tranquille.

— Comment ! vous étiez là, vous ! dit Rougon rudement.

— Mais sans doute, je lisais les journaux, répondit l'ancien sous-préfet, avec un sourire qui montrait ses dents blanches mal rangées. Vous le saviez bien, vous m'avez vu en entrant.

Ce mensonge effronté coupa court à toute explication. Les deux hommes se regardèrent quelques secondes, en silence. Et comme Rougon semblait le consulter, perplexe, s'approchant une seconde fois de son bureau, Du Poizat eut un petit geste qui signifiait clairement : « Attendez donc, rien ne presse, il faut voir. » Pas un mot ne fut échangé entre eux. Ils retournèrent au salon.

Ce soir-là, une telle querelle avait éclaté entre le colonel et M. Bouchard, à propos des princes d'Orléans et du comte de Chambord, qu'ils venaient de jeter les cartes, jurant de ne plus jamais jouer ensemble. Ils s'étaient assis aux deux côtés de la cheminée, les yeux gros de menaces. Quand Rougon entra, ils se réconciliaient, en faisant de lui un éloge extraordinaire.

— Oh ! je ne me gêne pas, je le dis devant lui, poursuivit le colonel. Il n'y a personne de sa taille à cette heure.

— Nous disons du mal de vous, vous entendez, reprit M. Bouchard d'un air fin.

Et la conversation continua.

— Une intelligence hors ligne !

— Un homme d'action qui a le coup d'œil des conquérants !

— Ah ! nous aurions bien besoin qu'il s'occupât un peu de nos affaires !

— Oui, le gâchis serait moins grand. Lui seul peut sauver l'Empire.

Rougon gonflait ses grosses épaules, en affectant un air maussade, par modestie. Ces coups d'encensoir en pleine figure lui étaient extrêmement agréables. Jamais sa vanité ne se trouvait si délicieusement chatouillée, que lorsque le colonel et M. Bouchard, pendant des soirées entières, se renvoyaient ainsi des phrases admiratives. Leur bêtise s'étalait, leurs visages prenaient des expressions gravement bouffonnes; et plus il les sentait plats, plus il jouissait de leur voix monotone, qui le célébrait à faux, d'une façon continue. Parfois, il en plaisantait, quand les deux cousins n'étaient pas là; mais il n'y contentait pas moins tous ses appétits d'orgueil et de domination. C'était un fumier d'éloges, assez vaste pour qu'il pût y vautrer à l'aise son grand corps.

— Non, non, je suis un pauvre homme, dit-il en hochant la tête. Ah! si j'étais réellement aussi fort que vous le croyez...

Il n'acheva pas. Il s'était assis devant la table de jeu, et machinalement il faisait une réussite, ce qui ne lui arrivait plus que très rarement. M. Bouchard et le colonel allaient toujours; ils le déclaraient grand orateur, grand administrateur, grand financier, grand politique. Du Poizat, resté debout, approuvait de la tête. Il dit enfin, sans regarder Rougon, comme s'il n'eût pas été là :

— Mon Dieu! un événement suffirait... L'empereur est très bien disposé pour Rougon. Que demain une catastrophe éclate, qu'il sente le besoin d'un bras énergique, et après-demain Rougon est ministre... Mon Dieu! oui.

Le grand homme leva lentement les yeux. Il se laissa aller au fond de son fauteuil, sans terminer sa réussite, la face de nouveau toute grise d'ombre. Mais, dans sa songerie, les voix flatteuses et infatigables du colonel et de M. Bouchard semblaient le bercer, le pousser à quelque résolution, devant laquelle il hésitait encore. Il finissait par sourire, lorsque le jeune Auguste, qui venait d'achever la réussite interrompue, s'écria :

— Elle a réussi, monsieur Rougon.

— Parbleu! dit Du Poizat, répétant le mot habituel du grand homme, ça réussit toujours!

A ce moment, un domestique vint dire à Rougon qu'un monsieur et une dame le demandaient; et il lui remit une carte, qui lui fit pousser un léger cri.

— Comment! ils sont à Paris.

C'étaient le marquis et la marquise d'Escorailles. Il se hâta de les recevoir dans son cabinet. Ils s'excusèrent de venir si tard. Puis, dans leur conversation, ils laissèrent entendre qu'ils se trouvaient à Paris depuis deux jours, mais que la peur de voir mal interpréter la visite chez un personnage tenant de près au gouvernement, leur avait fait remettre cette visite à l'heure indue où ils se présentaient. Cette explication ne blessa nullement Rougon. La présence du marquis et de la marquise dans sa maison était pour lui un honneur inespéré. L'empereur

en personne aurait frappé à sa porte, qu'il eût éprouvé une satisfaction de vanité moins grande. Ces vieilles gens venant en solliciteurs, c'était tout Plassans qui lui rendait hommage, le Plassans aristocratique, froid, guindé, dont il avait gardé, du fond de sa jeunesse, une idée d'Olympe inaccessible; et il satisfaisait enfin un rêve d'ambition ancienne, il se sentait vengé des dédains de sa petite ville, lorsqu'il y traînait ses souliers éculés d'avocat sans causes.

— Nous n'avons pas trouvé Jules, dit la marquise. Nous nous faisions un plaisir de le surprendre... Il a dû aller à Orléans, pour une affaire, paraît-il.

Rougon ignorait l'absence du jeune homme. Mais il comprit, en se souvenant que la tante auprès de laquelle se trouvait Mme Bouchard, habitait Orléans. Et il excusa Jules, il expliqua même l'affaire grave, un travail sur une question d'abus de pouvoir, qui avait nécessité son voyage. Il le donna comme un garçon intelligent, dont la carrière serait belle.

— Il a besoin de faire son chemin, dit le marquis, sans appuyer sur cette allusion à la ruine de la famille. Nous nous sommes séparés de lui avec un grand déchirement.

Et, discrètement, le père et la mère déplorèrent les nécessités de notre abominable époque qui empêchent les fils de grandir dans la religion de leurs parents. Eux, n'avaient pas remis les pieds à Paris, depuis la chute de Charles X. Ils n'y seraient certes jamais revenus, s'il ne s'était agi de l'avenir de Jules. Depuis que le cher enfant, sur leurs conseils secrets, servait l'Empire, ils feignaient bien devant le monde de le renier, mais ils travaillaient à son avancement d'une façon sourde et continue.

— Nous ne nous cachons pas avec vous, monsieur Rougon, reprit le marquis d'un ton de familiarité charmante. Nous aimons notre enfant, c'est bien légitime... Oh! vous avez beaucoup fait, et nous vous remercions. Mais il faut que vous fassiez plus encore. Nous sommes des amis et des compatriotes, n'est-ce pas ?

Rougon, très ému, s'inclinait. L'attitude humble de ces deux vieillards qu'il avait connus si majestueux, quand ils se rendaient, le dimanche, à l'église Saint-Marc [67], lui causait un grandissement de sa propre personne. Il leur fit des promesses formelles.

Lorsqu'ils se retirèrent, après vingt minutes de

67. Dans *la Fortune des Rougon*, le quartier Saint-Marc est représenté comme le quartier aristocratique de la ville.

conversation intime, la marquise lui prit une main, qu'elle garda dans la sienne, en murmurant :

— Alors, c'est entendu, cher monsieur Rougon. Nous sommes venus exprès de Plassans. Nous nous impatientions, que voulez-vous, à notre âge ! Maintenant, nous nous en retournerons bien joyeux... On nous disait que vous ne pouviez plus rien.

Rougon eut un sourire. Il prononça ces derniers mots d'un air de décision qui semblait répondre en lui à des pensées secrètes :

— On peut ce qu'on veut... Comptez sur moi.

Cependant, quand ils ne furent plus là, l'ombre d'un regret lui passa encore sur le visage. Il s'arrêta au milieu de l'antichambre, lorsqu'il aperçut, respectueusement debout, dans un coin, un individu proprement mis, balançant entre ses doigts un petit chapeau de feutre rond.

— Qu'est-ce que vous voulez ? lui demanda-t-il d'un ton brusque.

L'individu, très grand, très fort, murmura, en baissant les yeux :

— Monsieur ne me reconnaît pas ?

Et comme Rougon disait non, brutalement :

— Je suis Merle, l'ancien huissier de monsieur au Conseil d'État.

Rougon se radoucit un peu.

— Ah ! très bien. Vous portez toute votre barbe, maintenant... Eh bien ! qu'est-ce que vous voulez, mon garçon ?

Alors, Merle s'expliqua, avec des manières polies d'homme comme il faut. Il avait rencontré Mme Correur, l'après-midi ; c'était elle qui lui avait conseillé d'aller voir monsieur le soir même ; sans cela, il ne se serait jamais permis de déranger monsieur à pareille heure.

— Madame Correur est bien bonne, répéta-t-il à plusieurs reprises.

Puis, il dit enfin qu'il se trouvait sans place. S'il portait toute sa barbe, c'était qu'il avait quitté le Conseil d'État depuis environ six mois. Et quand Rougon l'interrogea sur les motifs de son renvoi, il n'avoua pas avoir été mis à la porte pour sa mauvaise conduite. Il pinça les lèvres, il répondit d'un air discret :

— On savait combien j'étais dévoué à monsieur. Depuis le départ de monsieur, on me faisait toutes sortes de misères, parce que je n'ai jamais su cacher mes sentiments... Un jour, j'ai failli donner un soufflet à un camarade, qui disait des choses inconvenantes... Et ils m'ont renvoyé.

Rougon le regardait fixement.

— Alors, mon garçon, c'est à cause de moi que vous voilà sur le pavé ?

Merle eut un petit sourire.

— Et je vous dois une place, n'est-ce pas ? Il faut que je vous case quelque part ?

Il sourit de nouveau, en disant simplement :

— Monsieur serait bien bon.

Un court silence régna. Rougon tapait légèrement ses mains l'une contre l'autre, d'un mouvement machinal et nerveux. Il se mit à rire, résolu, soulagé. Il avait trop de dettes, il voulait payer tout.

— Je songerai à vous, vous aurez votre place, reprit-il. Vous avez bien fait de venir, mon garçon.

Et il le congédia. Cette fois, il n'hésitait plus. Il entra dans la salle à manger, où Gilquin achevait un pot de confiture, après avoir mangé une tranche de pâté, une cuisse de poulet et des pommes de terre froides. Du Poizat, qui était venu rejoindre ce dernier, causait avec lui, à califourchon sur une chaise. Ils parlaient des femmes, de la façon de se faire aimer, très crûment. Gilquin avait gardé son chapeau sur la tête ; et il se renversait, il se dandinait sur sa chaise ; un cure-dent aux lèvres, pour avoir bon genre.

— Allons, je file, dit-il, en vidant son verre plein, avec un claquement de langue. Je vais rue Montmartre voir ce que deviennent mes oiseaux.

Mais Rougon, qui semblait très gai, le plaisanta. Est-ce qu'il croyait toujours à son histoire de conspirateurs, maintenant qu'il avait dîné ? Du Poizat, lui aussi, affectait l'incrédulité la plus grande. Il prit rendez-vous pour le lendemain avec Gilquin, auquel il devait un déjeuner, disait-il. Gilquin, sa canne sous le bras, répétait, dès qu'il pouvait placer un mot :

— Alors, vous n'allez pas prévenir...

— Eh ! si, finit par répondre Rougon. On se moquera de moi, voilà tout... Rien ne presse. Demain matin.

L'ancien commis voyageur tenait déjà le bouton de la porte. Il revint en ricanant.

— Vous savez, dit-il, on peut faire sauter Badinguet, je m'en fiche, moi ! Ça serait même plus drôle.

— Oh ! reprit le grand homme d'un air convaincu, presque religieux, l'empereur ne craint rien, même si l'histoire est vraie. Ces coups-là ne réussissent jamais... Il y a une Providence.

Ce mot fut le dernier prononcé. Du Poizat s'en alla avec Gilquin, qu'il tutoyait amicalement. Et lorsque, une heure plus tard, à dix heures et demie, Rougon donna une poignée de main à M. Bouchard et au colonel qui partaient, il s'étira les bras, il bâilla, comme il faisait parfois, en disant :

— Je suis éreinté. Je vais joliment dormir, cette nuit.

Le lendemain soir, trois bombes éclataient sous la voiture de l'empereur, devant l'Opéra. Une épouvantable panique s'emparait de la foule entassée dans la rue Le Peletier. Plus de cinquante personnes étaient frappées. Une femme en robe de soie bleue, tuée roide, barrait le ruisseau. Deux soldats agonisaient sur le pavé. Un aide de camp, blessé à la nuque, laissait derrière lui des gouttes de sang. Et, sous la lueur crue du gaz, au milieu de la fumée, l'empereur descendu sain et sauf de la voiture criblée de projectiles, saluait. Son chapeau seul était troué d'un éclat de bombe [68].

Rougon avait passé la journée tranquillement chez lui. Le matin, pourtant, il était un peu agité, et avait, à deux reprises, témoigné l'envie de sortir. Mais, comme il achevait de déjeuner, Clorinde arriva. Alors, il s'oublia avec elle, jusqu'au soir, dans son cabinet. Elle venait pour le consulter sur une affaire compliquée, et elle se montrait découragée, elle n'arrivait à rien, disait-elle. Lui, alors, la consola, très touché de sa tristesse, montrant beaucoup d'espoir, donnant à entendre que tout allait changer. Il n'ignorait pas le dévouement et la propagande de ses amis; il récompenserait jusqu'aux plus humbles d'entre eux. Quand elle le quitta, il l'embrassa au front. Puis, après son dîner, il éprouva un besoin irrésistible de marcher. Il sortit, il prit le chemin le plus direct pour arriver sur les quais, étouffant, cherchant l'air vif de la rivière. Cette soirée d'hiver était très douce, avec un ciel nuageux et bas, qui semblait peser sur la ville, dans un silence noir. Au loin, le grondement des grandes voies se mourait. Il suivit les trottoirs déserts, d'un pas égal, toujours devant lui, frôlant de son paletot la pierre du parapet; des lumières à l'infini, dans l'enfoncement des ténèbres, pareilles à des étoiles marquant les bornes d'un ciel éteint, lui donnaient une sensation élargie, immense, de ces places et de ces rues dont il ne voyait plus les maisons; et, à mesure qu'il avançait, il trouvait Paris grandi, fait à sa taille, ayant assez d'air pour sa poitrine. L'eau couleur d'encre, moirée d'écailles d'or vivantes, avait une respiration grosse et douce de colosse endormi, qui accompagnait l'énormité de son rêve. Comme il arrivait en face du palais de Justice, une horloge sonna neuf heures. Il eut un tressaillement, il se tourna, prêta l'oreille; il lui semblait entendre passer sur les toits une panique soudaine, des bruits lointains d'explosions, des cris d'épouvante. Paris, tout d'un coup, lui parut dans la stupeur de quelque grand crime. Et il se rappela alors cette après-midi de juin, l'après-

midi claire et triomphante du baptême, les cloches sonnant dans le soleil chaud, les quais emplis d'un écrasement de foule, toute cette gloire de l'Empire à son apogée, sous laquelle il s'était senti un instant écrasé, au point de jalouser l'empereur. A cette heure, c'était sa revanche, un ciel sans lune, la ville terrifiée et muette, les quais vides, traversés d'un frisson qui effarait les becs de gaz, avec quelque chose de louche embusqué au fond de la nuit. Lui, respirant à longs soupirs, aimait ce Paris coupe-gorge [69], dans l'ombre effrayante duquel il ramassait la toute-puissance.

Dix jours plus tard, Rougon remplaça au ministère de l'Intérieur M. de Marsy, qui fut nommé président du Corps législatif [70].

9

Un matin de mars, au ministère de l'Intérieur, Rougon était dans son cabinet, très occupé à rédiger une circulaire confidentielle que les préfets devaient recevoir le lendemain. Il s'arrêtait, soufflait, écrasait la plume sur le papier.

— Jules, donnez-moi donc un synonyme à autorité, dit-il. C'est bête, cette langue!... Je mets autorité à toutes les lignes.

— Mais pouvoir, gouvernement, empire, répondit le jeune homme en souriant.

M. Jules d'Escorailles, qu'il avait pris pour secrétaire, dépouillait la correspondance, sur un coin du bureau. Il ouvrait soigneusement les enveloppes avec un canif, parcourait les lettres d'un coup d'œil, les classait. Devant la cheminée, où brûlait un grand feu, le colonel, M. Kahn et M. Béjuin se trouvaient assis. Tous trois très à l'aise, allongés, chauffaient leurs semelles, sans dire un mot. Ils étaient chez eux. M. Kahn lisait un journal. Les deux autres, béatement renversés, tournaient leurs pouces, en regardant la flamme.

Rougon se leva, versa un verre d'eau sur une console, et le but d'un trait.

— Je ne sais ce que j'ai mangé hier, murmura-t-il. J'avalerais la Seine, ce matin.

Et il ne se rassit pas tout de suite. Il fit le tour du cabinet, déhanchant son grand corps. Son pas

---

68. Tous ces détails sont exacts.

69. L'expression rappelle dans sa concision le titre des monographies de Virmaître, comme *Paris-Police*, *Paris-Palette*, *Paris-Croque-mort*.

70. Le général Espinasse remplaça Billault à l'Intérieur le 7 février 1858 et il avait en plus du ministère de l'Intérieur celui de la Sûreté générale.

Le Petit-Pont, par Lepère. Si la vie de cour au Second Empire n'est retracée par Zola dans *Son Excellence
Eugène Rougon* que d'après des témoins, Flaubert, les Goncourt, ou des revues comme *la Vie parisienne*,
ce qu'il écrit spontanément — et qui reste une constante tout au long des *Rougon-Macquart* — ce sont
ses descriptions de Paris qui rendent la ville très proche et vivante. Ainsi la promenade de Rougon sur
les quais la veille de l'attentat, ainsi sa rêverie devant le port Saint-Nicolas sur la Seine.

ébranlait sourdement le parquet, sous l'épais tapis. Il alla écarter les rideaux de velours vert, pour avoir plus de jour. Puis, au milieu de la vaste pièce, d'un luxe noir et fané de palais garni, il s'étira les bras, les mains nouées derrière la nuque, jouissant, comme pâmé par l'odeur administrative, l'odeur de puissance satisfaite, qu'il respirait là. Un rire lui venait malgré lui et il riait tout seul, les côtes chatouillées, d'un rire de plus en plus fort où sonnait son triomphe. Le colonel et ces messieurs, en entendant cette gaieté, se tournèrent, lui adressèrent un hochement de tête silencieux.

— Ah! c'est bon tout de même! dit-il simplement.

Comme il reprenait sa place devant l'énorme bureau de palissandre, Merle entra. L'huissier était correct, en habit noir et en cravate blanche. Il n'avait plus un poil de barbe, rasé de près, la face digne.

— Je demande pardon à Son Excellence, murmura-t-il, il y a là le préfet de la Somme...

— Qu'il aille au diable! je travaille, répondit brutalement Rougon. Il est incroyable que je ne puisse avoir un moment à moi.

Merle ne se déconcerta pas. Il continua :

— Monsieur le préfet assure que Son Excellence l'attend... Il y a aussi les préfets de la Nièvre, du Cher et du Jura.

— Eh bien! qu'ils attendent, ils sont faits pour ça! reprit Rougon très haut.

L'huissier sortit. M. d'Escorailles avait eu un sourire. Les trois autres, qui se chauffaient, s'allongèrent davantage, très amusés également par la réponse du ministre. Celui-ci fut flatté de son succès.

— C'est vrai, je suis dans les préfets depuis un mois... Il a fallu que je les fisse tous venir. Un joli défilé, allez! il y en a de stupides. Enfin, ils sont obéissants. Mais je commence à en avoir assez... D'ailleurs, je travaille pour eux, ce matin.

Et il se remit à sa circulaire. On n'entendit plus, dans l'air chaud de la pièce, que le bruit de sa plume d'oie et le léger froissement des enveloppes ouvertes par M. d'Escorailles. M. Kahn avait pris un autre journal; le colonel et M. Béjuin sommeillaient à demi.

Au dehors, la France, peureuse, se taisait. L'empereur, en appelant Rougon au pouvoir, voulait des exemples. Il connaissait sa poigne de fer; il lui avait dit, au lendemain de l'attentat, dans la colère de l'homme sauvé : « Pas de modération! il faut qu'on vous craigne! » Et il venait de l'armer de cette terrible loi de sûreté générale[71], qui autorisait l'inter-

nement en Algérie ou l'expulsion hors de l'Empire de tout individu condamné pour un fait politique Bien qu'aucune main française n'eût trempé dans le crime de la rue Le Peletier, les républicains allaient être traqués et déportés; c'était le coup de balai des dix mille suspects, oubliés le 2 Décembre. On parlait d'un mouvement préparé par le parti révolutionnaire; on avait, disait-on, saisi des armes et des papiers. Dès le milieu de mars, trois cent quatre vingts internés étaient embarqués à Toulon. Maintenant, tous les huit jours, un convoi partait. Le pays tremblait, dans la terreur qui sortait, comme une fumée d'orage, du cabinet de velours vert, où Rougon riait tout seul, en s'étirant les bras.

Jamais le grand homme n'avait goûté de pareils contentements. Il se portait bien, il engraissait; la santé lui était revenue avec le pouvoir. Quand il marchait, il enfonçait son tapis à coups de talon pour qu'on entendît la lourdeur de son pas aux quatre coins de la France. Son désir était de ne pouvoir poser son verre vide sur une console, jeter sa plume, faire un mouvement, sans donner une secousse au pays. Cela l'amusait d'être une épouvante, de forger la foudre, au milieu de la béatitude de ses amis, d'assommer un peuple avec ses poings enflés de bourgeois parvenu. Il avait écrit dans une circulaire : « C'est aux bons à se rassurer, aux méchants seuls à trembler[72]. » Et il jouait son rôle de Dieu, damnant les uns, sauvant les autres, d'une main jalouse. Un immense orgueil lui venait, l'idolâtrie de sa force et de son intelligence se changeait en un culte réglé. Il se donnait à lui-même des régals de jouissance surhumaine.

Dans la poussée des hommes du Second Empire, Rougon affichait depuis longtemps des opinions autoritaires. Son nom signifiait répression à outrance, refus de toutes les libertés, gouvernement absolu. Aussi personne ne se trompait-il, en le voyant au ministère. Cependant, à ses intimes, il faisait des aveux; il avait des besoins plutôt que des opinions; il trouvait le pouvoir trop désirable, trop nécessaire à ses appétits de domination, pour ne pas l'accepter, sous quelque condition qu'il se présentât. Gouverner, mettre son pied sur la nuque de la foule, c'était là son ambition immédiate; le reste offrait simplement des particularités secondaires, dont il s'accommoderait toujours. Il avait l'unique passion d'être supérieur. Seulement, à cette heure, les circonstances dans lesquelles il rentrait aux affaires, doublaient pour lui la joie du succès; il tenait de l'empereur une entière liberté d'action, il réalisait

71. Loi votée le 19 février. Elle prévoyait les peines les plus graves, prison ou transportation pour « quiconque pratiquerait des manœuvres dans le but de troubler la paix publique ou d'exciter à la haine ou au mépris du gouvernement de l'Empereur ».

72. Louis-Napoléon, en 1849, avait prononcé ces mots, repris par Espinasse.

on ancien désir de mener les hommes à coups de ouet, comme un troupeau. Rien ne l'épanouissait davantage que de se sentir détesté. Puis, parfois, quand on lui collait le nom de tyran entre es épaules, il souriait, il disait ces paroles profondes :

— Si je deviens libéral un jour, ils diront que j'ai changé.

Mais la plus grande volupté de Rougon était encore de triompher devant sa bande. Il oubliait la France, les fonctionnaires à ses genoux, le peuple de solliciteurs assiégeant sa porte, pour vivre dans l'admiration continue des dix à quinze familiers de son entourage. Il leur ouvrait à toute heure son cabinet, les faisait régner là, sur les fauteuils, à son bureau même, se disait heureux d'en rencontrer sans cesse entre ses jambes, ainsi que des animaux fidèles. Le ministre, ce n'était pas seulement lui, mais eux tous, qui étaient comme des dépendances de sa personne. Dans la victoire, un travail sourd se faisait, les liens se resserraient, il se prenait à les aimer d'une amitié jalouse, mettant sa force à ne pas être seul, se sentant la poitrine élargie par leurs ambitions. Il oubliait ses mépris secrets, en arrivait à les trouver très intelligents, très forts, à son image. Il voulait surtout qu'on le respectât en eux, il les défendait avec emportement, comme il aurait défendu les dix doigts de ses mains. Leurs querelles étaient les siennes. Même il finissait par s'imaginer leur devoir beaucoup, souriant au souvenir de leur longue propagande. Et, sans besoins lui-même, il taillait à la bande de belles proies, il goûtait à combler la joie personnelle d'agrandir autour de lui l'éclat de sa fortune.

Cependant, la vaste pièce gardait son silence tiède. M. d'Escorailles, après avoir examiné la suscription d'une des lettres qu'il dépouillait, la tendit à Rougon, sans l'ouvrir.

— Une lettre de mon père, dit-il.

Le marquis, avec une humilité outrée, remerciait le ministre d'avoir pris Jules dans son cabinet. Rougon lut lentement les deux pages de fine écriture. Il plia la lettre, la glissa dans sa poche. Puis, avant de se remettre au travail, il demanda :

— Du Poizat n'a pas écrit ?

— Si, monsieur, répondit le secrétaire en cherchant une lettre parmi les autres. Il commence à se reconnaître dans sa préfecture. Il dit que les Deux-Sèvres, et en particulier la ville de Niort, ont besoin d'être menées par une main solide.

Rougon parcourait la lettre. Quand il l'eut achevée :

— Sans doute, murmura-t-il, il aura les pleins

pouvoirs qu'il demande... Ne lui répondez pas, c'est inutile. Ma circulaire lui est destinée.

Il reprit la plume, cherchant les dernières phrases. Du Poizat avait voulu être préfet à Niort, dans son pays ; et le ministre, à chaque décision grave, se préoccupait surtout des Deux-Sèvres, gouvernant la France d'après les avis et les besoins de son ancien compagnon de misère. Il terminait enfin sa lettre confidentielle aux préfets, lorsque M. Kahn, brusquement, se fâcha.

— Mais c'est abominable ! cria-t-il.

Et tapant de la main le journal qu'il tenait, s'adressant à Rougon :

— Avez-vous lu ça ?... Il y a, en tête, un article qui fait appel aux plus mauvaises passions. Tenez, écoutez cette phrase : « La main qui punit doit être impeccable, car si la justice vient à se tromper, le lien social lui-même se dénoue. » Comprenez-vous ?.. Et dans les faits divers donc ! Je trouve là l'histoire d'une comtesse enlevée par le fils d'un marchand de grains. On ne devrait pas laisser passer des anecdotes pareilles. Ça détruit le respect du peuple pour les hautes classes.

M. d'Escorailles intervint.

— Le feuilleton est encore plus odieux. Il s'agit d'une femme bien élevée qui trompe son mari. Le romancier ne lui donne pas même des remords.

Rougon eut un geste terrible.

— Oui, oui, on m'a déjà signalé ce numéro, dit-il. Vous devez voir que j'ai marqué les passages au crayon rouge... Un journal qui est à nous, pourtant ! Tous les jours, je suis obligé de l'éplucher ligne par ligne. Ah ! le meilleur ne vaut rien, il faudrait leur couper le cou à tous !

Il ajouta plus bas, en pinçant les lèvres :

— J'ai envoyé chercher le directeur. Je l'attends.

Le colonel avait pris le journal des mains de M. Kahn. Il s'indigna et le passa à M. Béjuin, qui, à son tour, parut écœuré. Rougon, les coudes sur le bureau, songeait, les paupières à demi closes.

— A propos, dit-il en se tournant vers son secrétaire, ce pauvre Huguenin est mort hier. Voilà une place d'inspecteur vacante. Il faudra nommer quelqu'un.

Et, comme les trois amis, devant la cheminée, levaient vivement la tête, il continua :

— Oh ! une place sans importance. Six mille francs. Il est vrai qu'il n'y a absolument rien à faire.

Mais il fut interrompu. La porte d'un cabinet voisin s'était ouverte.

— Entrez, entrez, monsieur Bouchard ! cria-t-il. J'allais vous faire appeler.

M. Bouchard, chef de division depuis huit jours,

apportait un travail sur les maires et les préfets qui sollicitaient des croix de chevalier et d'officier. Rougon avait vingt-cinq croix à distribuer aux plus méritants. Il prit le travail, examina la liste des noms, feuilleta les dossiers. Pendant ce temps, le chef de division, s'approchant de la cheminée, donnait des poignées de main à ces messieurs. Il s'adossa, releva les pans de sa redingote, pour présenter ses cuisses à la flamme.

— Hein ? vilaine pluie, murmura-t-il. Le printemps sera tardif.

— Une pluie du tonnerre de Dieu ! dit le colonel. Je sens une attaque, j'ai eu des élancements dans le pied gauche toute la nuit.

Puis, après un silence :

— Et madame ? demanda M. Kahn.

— Je vous remercie, elle se porte bien, répondit M. Bouchard. Elle doit venir ce matin, je crois.

Il y eut un nouveau silence. Rougon feuilletait toujours les papiers. Il s'arrêta à un nom.

— Isidore Gaudibert... Est-ce qu'il n'a pas fait des vers, celui-là ?

— Parfaitement ! dit M. Bouchard. Il est maire de Barbeville depuis 1852. A chaque heureux événement, pour le mariage de l'empereur, pour les couches de l'impératrice, pour le baptême du prince impérial, il a envoyé à Leurs Majestés des odes pleines de goût.

Le ministre faisait une moue méprisante. Mais le colonel affirma avoir lu les odes ; lui, les trouvait spirituelles. Il en citait particulièrement une, dans laquelle l'empereur était comparé à un feu d'artifice. Et, sans transition, à demi-voix, par satisfaction personnelle sans doute, ces messieurs se mirent à dire le plus grand bien de l'empereur. Maintenant, toute la bande était bonapartiste avec passion. Les deux cousins, le colonel et M. Bouchard, réconciliés, ne se jetant plus à la tête les princes d'Orléans et le comte de Chambord, luttaient désormais à qui ferait l'éloge du souverain en meilleurs termes.

— Ah ! non, pas celui-là ! cria tout à coup Rougon. Ce Jusselin est une créature de Marsy. Je n'ai pas besoin de récompenser les amis de mon prédécesseur.

Et, d'un trait de plume qui écorcha le papier, il biffa le nom.

— Seulement, reprit-il, il faut trouver quelqu'un... C'est une croix d'officier.

Ces messieurs ne bougeaient pas. M. d'Escorailles, malgré sa grande jeunesse, avait reçu la croix de chevalier huit jours auparavant ; M. Kahn et

M. Bouchard étaient officiers ; le colonel venait enfin d'être nommé commandeur.

— Voyons, nous disons une croix d'officier, répétait Rougon, en fouillant de nouveau dans les dossiers.

Mais il s'interrompit, comme frappé d'une idée subite.

— Est-ce que vous n'êtes pas maire quelque part, monsieur Béjuin ? demanda-t-il.

M. Béjuin se contenta d'incliner la tête à deux reprises. Ce fut M. Kahn qui répondit pour lui.

— Sans doute, il est maire de Saint-Florent, la petite commune où se trouve sa cristallerie.

— Cela va tout seul, alors ! dit le ministre, ravi de cette occasion de pousser un des siens. Il n'est justement que chevalier... Monsieur Béjuin, vous ne demandez jamais rien. Il faut toujours que je songe à vous.

M. Béjuin eut un sourire et remercia. Il ne demandait jamais rien, en effet. Mais il était sans cesse là, silencieux, modeste, attendant les miettes ; et il ramassait tout.

— Léon Béjuin, n'est-ce pas ? à la place de Pierre-François Jusselin, reprit Rougon en opérant le changement de nom.

— Béjuin, Jusselin, ça rime, fit remarquer le colonel.

Cette observation parut une plaisanterie très fine. On en rit beaucoup. Enfin, M. Bouchard remporta les pièces signées. Rougon s'était levé ; il avait des inquiétudes dans les jambes, disait-il ; les jours de pluie l'agitaient. Cependant, la matinée s'avançait, les bureaux bourdonnaient au loin ; des pas rapides traversaient les pièces voisines ; des portes s'ouvraient, se fermaient ; tandis que des chuchotements couraient, étouffés par les tentures. Plusieurs employés vinrent encore présenter des pièces à la signature du ministre. C'était un va-et-vient continu, la machine administrative en travail, avec une dépense extraordinaire de papiers promenés de bureau en bureau. Et, au milieu de cette agitation, derrière la porte, dans l'antichambre, on entendait le gros silence résigné des vingt et quelques personnes qui s'assoupissaient sous les regards de Merle, en attendant que Son Excellence voulût bien les recevoir. Rougon, comme pris d'une fièvre d'activité, débattait parmi tout le monde, donnait des ordres à demi-voix dans un coin de son cabinet, éclatait brusquement en paroles violentes contre quelque chef de service, taillait la besogne, tranchait les affaires d'un mot, énorme, insolent, le cou gonflé, la face crevant de force.

Merle entra, avec sa tranquille dignité que les rebuffades ne pouvaient entamer.

— Monsieur le préfet de la Somme... commença-t-il.

— Encore ! interrompit furieusement Rougon.

L'huissier s'inclina, attendit de pouvoir parler.

— Monsieur le préfet de la Somme m'a prié de demander à Son Excellence si elle le recevrait ce matin. Dans le cas contraire, Son Excellence serait bien bonne de lui fixer une heure pour demain.

— Je le recevrai ce matin... Qu'il ait un peu de patience, que diable !

La porte du cabinet était restée ouverte, et l'on apercevait l'antichambre, par l'entrebâillement, une vaste pièce, avec une grande table au milieu, et un cordon de fauteuils de velours rouge, le long des murs. Tous les fauteuils étaient occupés ; même deux dames se tenaient debout, devant la table. Les têtes se tournaient discrètement, des regards se glissaient dans le cabinet du ministre, suppliants, tout allumés du désir d'entrer. Près de la porte, le préfet de la Somme, un petit homme blême, causait avec ses deux collègues du Jura et du Cher. Et comme il faisait le mouvement de se lever, croyant sans doute qu'il allait enfin être admis, Rougon reprit, en s'adressant à Merle :

— Dans dix minutes, entendez-vous... Je ne puis absolument recevoir personne en ce moment.

Mais il parlait encore qu'il vit M. Beulin-d'Orchère traverser l'antichambre. Il alla vivement à sa rencontre, l'attira d'une poignée de main dans son cabinet, en criant :

— Eh ! entrez donc, cher ami ! Vous arrivez, n'est-ce pas ? Vous n'avez pas attendu ?... Quoi de nouveau ?

La porte fut refermée sur le silence consterné de l'antichambre. Rougon et M. Beulin-d'Orchère eurent un entretien à voix basse, devant une des fenêtres ; le magistrat, nommé récemment premier président de la Cour à Paris, ambitionnait les Sceaux ; mais l'empereur, tâté à son égard, était resté impénétrable [73].

— Bien, bien, dit le ministre en haussant la voix. Le renseignement est excellent. J'agirai, je vous le promets.

Il venait de le faire sortir par ses appartements, lorsque Merle parut, en annonçant :

— Monsieur La Rouquette.

— Non, non, je suis occupé, il m'embête ! dit

73. Delangle fut nommé premier président de la cour impériale en décembre 1852. En mai 1859, il prenait le portefeuille de la Justice, après avoir succédé à Espinasse à l'Intérieur.

Rougon, en faisant un geste énergique pour que l'huissier refermât la porte.

M. La Rouquette entendit parfaitement. Il n'en pénétra pas moins dans le cabinet, souriant, la main tendue :

— Comment va Votre Excellence ? C'est ma sœur qui m'envoie. Hier vous aviez l'air un peu fatigué, aux Tuileries... Vous savez qu'on doit jouer un proverbe dans les appartements de l'impératrice, lundi prochain. Ma sœur a un rôle. Combelot a dessiné les costumes. Vous viendrez, n'est-ce pas ?

Et il demeura là un grand quart d'heure, souple et caressant, cajolant Rougon, qu'il appelait tantôt « Votre Excellence » et tantôt « cher maître ». Il plaça quelques anecdotes sur les petits théâtres, recommanda une danseuse, demanda un mot pour le directeur de la manufacture des tabacs, afin d'avoir de bons cigares. Et il finit par dire un mal épouvantable de M. de Marsy, en plaisantant.

— Il est gentil tout de même, déclara Rougon, quand le jeune député ne fut plus là. Voyons, je vais me tremper la figure dans ma cuvette, moi. J'ai les joues qui éclatent.

Il disparut un instant derrière une portière. On entendit un grand barbotement d'eau. Il reniflait, il soufflait. Cependant, M. d'Escorailles, ayant fini de classer la correspondance, venait de tirer de sa poche une petite lime à manche d'écaille et se travaillait les ongles, délicatement. M. Béjuin et le colonel regardaient le plafond, si enfoncés dans leurs fauteuils, qu'ils semblaient ne plus jamais devoir les quitter. Un moment, M. Kahn fouilla le tas des journaux à côté de lui, sur une table. Il les retournait, regardait les titres, les rejetait. Puis, il se leva.

— Vous partez ? demanda Rougon, qui reparut, s'épongeant la figure dans une serviette.

— Oui, répondit M. Kahn, j'ai lu les journaux, je m'en vais.

Mais il lui dit d'attendre. Et il le prit à son tour à l'écart, il lui annonça qu'il se rendrait sans doute dans les Deux-Sèvres, la semaine suivante, pour l'ouverture des travaux du chemin de fer de Niort à Angers. Plusieurs motifs le poussaient à faire un voyage là-bas. M. Kahn se montra enchanté. Il avait enfin obtenu la concession, dès les premiers jours de mars. Seulement, il s'agissait maintenant de lancer l'affaire, et il sentait toute la solennité que la présence du ministre donnerait à la mise en scène, dont il soignait déjà les détails.

— Alors, c'est entendu, je compte sur vous pour le premier coup de mine, dit-il en s'en allant.

Rougon s'était remis devant son bureau. Il consultait une liste de noms. Derrière la porte, dans l'antichambre, l'attente grandissait.

— J'ai à peine un quart d'heure, murmura-t-il. Enfin, je recevrai ceux que je pourrai.

Il sonna et dit à Merle :

— Faites entrer monsieur le préfet de la Somme.

Mais il reprit aussitôt, la liste sous les yeux :

— Attendez donc !... Est-ce que madame et monsieur Charbonnel sont là ? Faites-les entrer.

On entendit la voix de l'huissier appelant : « Monsieur et madame Charbonnel ! » Et les deux bourgeois de Plassans parurent, suivis par les regards étonnés de toute l'antichambre. M. Charbonnel était en habit, un habit à queue carrée, qui avait un collet de velours ; Mme Charbonnel portait une robe de soie puce, avec un chapeau à rubans jaunes. Depuis deux heures, ils attendaient, patiemment.

— Il fallait me faire passer votre carte, dit Rougon. Merle vous connaît.

Puis, sans leur laisser balbutier des phrases où les mots : « Votre Excellence » revenaient sans cesse, il cria gaiement :

— Victoire ! Le Conseil d'État a rendu son arrêt. Nous avons battu notre terrible évêque.

L'émotion de la vieille dame fut si forte, qu'elle dut s'asseoir. Le mari s'appuya au dossier d'un fauteuil.

— J'ai su cette bonne nouvelle hier soir, continuait le ministre. Comme je tenais à vous l'apprendre moi-même, je vous ai fait prier de venir ce matin !... Hein ! voilà une jolie tuile, cinq cent mille francs !

Il plaisantait, heureux de leurs visages bouleversés. Mme Charbonnel put enfin demander d'une voix étranglée et timide :

— C'est fini, bien sûr ?... On ne recommencera plus le procès ?

— Non, non, soyez tranquilles. L'héritage est à vous.

Et il donna quelques détails. Le Conseil d'État n'avait pas autorisé les sœurs de la Sainte-Famille à accepter le legs, en se basant sur l'existence d'héritiers naturels, et en cassant le testament qui ne paraissait pas avoir tous les caractères d'authenticité désirables. Monseigneur Rochart était exaspéré. Rougon, qui l'avait rencontré la veille chez son collègue le ministre de l'Instruction publique, riait encore de ses regards furibonds. Son triomphe sur le prélat l'égayait beaucoup.

— Vous voyez bien qu'il ne m'a pas mangé, dit-il encore. Je suis trop gros... Oh ! tout n'est pas terminé entre nous. J'ai vu ça à la couleur de ses yeux.

C'est un homme qui ne doit rien oublier. Mais ceci me regarde.

Les Charbonnel se confondaient en remerciements, avec des révérences. Ils dirent qu'ils partiraient le soir même. Maintenant, ils étaient pris d'une vive inquiétude, la maison de leur cousin Chevassu, à Faverolles, se trouvait gardée par une vieille domestique dévote, très dévouée aux sœurs de la Sainte-Famille ; peut-être, en apprenant l'issue du procès, allait-on dévaliser la maison. Ces religieuses devaient être capables de tout.

— Oui, partez ce soir, reprit le ministre. Si quelque chose clochait là-bas, écrivez-moi.

Il les reconduisait. Quand la porte fut ouverte, il remarqua l'étonnement des figures, dans l'antichambre ; le préfet de la Somme échangeait un sourire avec ses collègues du Jura et du Cher ; les deux dames, devant la table, avaient aux lèvres un léger pli de dédain. Alors, il haussa la voix, rudement :

— Écrivez-moi, n'est-ce pas ? Vous savez combien je vous suis dévoué... Et quand vous serez à Plassans, dites à ma mère que je me porte bien.

Il traversa l'antichambre, les accompagna jusqu'à l'autre porte, pour les imposer à tout le monde, sans aucune honte d'eux, tirant un grand orgueil d'être parti de leur petite ville et de pouvoir aujourd'hui les mettre aussi haut qu'il lui plaisait. Et les solliciteurs, les fonctionnaires, inclinés sur leur passage, saluaient la robe de soie puce et l'habit à queue carrée des Charbonnel.

Quand il rentra dans son cabinet, il trouva le colonel debout.

— A ce soir, dit ce dernier. Il commence à faire trop chaud chez vous.

Et il se pencha pour lui murmurer quelques paroles à l'oreille. Il s'agissait de son fils Auguste, qu'il allait retirer du collège, désespérant de lui voir jamais passer son baccalauréat. Rougon avait promis de le prendre dans son ministère, bien que le diplôme de bachelier fût exigé de tous les employés.

— Eh bien, c'est cela, amenez-le, répondit-il. Je passerai par-dessus les formalités. Je chercherai un biais... Et il gagnera quelque chose tout de suite, puisque vous y tenez.

M. Béjuin resta seul devant la cheminée. Il roula son fauteuil, s'installa au milieu, sans paraître s'apercevoir que la pièce se vidait. Il demeurait toujours le dernier, attendait encore quand les autres n'étaient plus là, dans l'espoir de se faire offrir quelque part oubliée.

Merle, de nouveau, reçut l'ordre d'introduire le préfet de la Somme. Mais, au lieu de se diriger vers la porte, il s'approcha du bureau, en disant avec un sourire aimable :

— Si Son Excellence daigne le permettre, je vais m'acquitter d'une toute petite commission.

Rougon posa les deux coudes sur son buvard, pour écouter.

— C'est cette pauvre madame Correur... Je suis allé chez elle ce matin. Elle est couchée, elle a un clou bien mal placé, et très gros ! oh ! plus gros que la moitié du poing. Ça n'a rien de dangereux, mais ça la fait beaucoup souffrir, parce qu'elle a la peau très fine...

— Alors ? demanda le ministre.

— J'ai même aidé la bonne à la retourner. Mais j'ai mon service, moi... Alors, elle est très inquiète, elle aurait voulu voir Son Excellence pour les réponses qu'elle attend. Je m'en allais, quand elle m'a rappelé, en me disant que je serais bien gentil, si je pouvais ce soir lui rapporter les réponses, après mon travail... Son Excellence serait-elle assez obligeante... ?

Le ministre se tourna tranquillement.

— Monsieur d'Escorailles, donnez-moi donc ce dossier là-bas, dans cette armoire.

C'était le dossier de Mme Correur, une énorme chemise grise crevant de papiers. Il y avait là des lettres, des projets, des pétitions de toutes les écritures et de toutes les orthographes : demandes de bureaux de tabac, demandes de bureaux de timbres, demandes de secours, de subventions, de pensions, d'allocations. Toutes les feuilles volantes portaient en marge l'apostille de Mme Correur, cinq ou six lignes suivies d'une grosse signature masculine. Rougon feuilletait le dossier et regardait, au bas des lettres, de petites notes écrites de sa main au crayon rouge.

— La pension de madame Jalaguier est portée à dix-huit cents francs. Madame Leturc a son bureau de tabac... Les fournitures de madame Chardon sont acceptées... Rien encore pour madame Testanière... Ah ! vous direz aussi que j'ai réussi pour mademoiselle Herminie Billecoq. J'ai parlé d'elle, des dames donneront la dot nécessaire à son mariage avec l'officier qui l'a séduite.

— Je remercie mille fois Son Excellence, dit Merle en s'inclinant.

Il sortait, lorsqu'une adorable tête blonde, coiffée d'un chapeau rose, parut à la porte.

— Puis-je entrer ? demanda une voix flûtée.

Et Mme Bouchard, sans attendre la réponse, entra. Elle n'avait pas vu l'huissier dans l'antichambre, elle était allée droit devant elle. Rougon, qui l'appelait « ma chère enfant », la fit asseoir, après avoir gardé un instant entre les siennes ses petites mains gantées.

— Est-ce pour quelque chose de sérieux ? demanda-t-il.

— Oui, oui, très sérieux, répondit-elle avec un sourire.

Alors, il recommanda à Merle de n'introduire personne. M. d'Escorailles, qui avait fini la toilette de ses ongles, était venu saluer Mme Bouchard. Elle lui fit signe de se pencher, lui parla tout bas, vivement. Le jeune homme approuva de la tête. Et il alla prendre son chapeau, en disant à Rougon :

— Je vais déjeuner, je ne vois rien d'important... Il n'y a que cette place d'inspecteur. Il faudrait nommer quelqu'un.

Le ministre restait perplexe, secouait la tête.

— Oui, sans doute, il faut nommer quelqu'un... On m'a proposé déjà un tas de monde. Ça m'ennuie de nommer des gens que je ne connais pas.

Et il regardait autour de lui, dans les coins de la pièce, comme pour trouver. Son regard brusquement tomba sur M. Béjuin, allongé devant la cheminée, silencieux, béat.

— Monsieur Béjuin, appela-t-il.

Celui-ci ouvrit doucement les yeux, sans bouger.

— Voulez-vous être inspecteur ? Je vous expliquerai : une place de six mille francs, où l'on n'a rien à faire, et qui est très compatible avec vos fonctions de député.

M. Béjuin dodelina de la tête. Oui, oui, il acceptait. Et quand l'affaire fut entendue, il resta encore là deux minutes à flairer l'air. Mais il sentit sans doute qu'il n'y aurait plus rien à ramasser ce matinlà, car il se retira lentement, en traînant les pieds, derrière M. d'Escorailles.

— Nous voilà seuls... Voyons, qu'y a-t-il, ma chère enfant ? demanda Rougon à la jolie Mme Bouchard.

Il avait roulé un fauteuil, et s'était assis devant elle, au milieu du cabinet. Alors, il remarqua sa toilette, une robe de cachemire de l'Inde rose pâle, d'une grande douceur, qui la drapait comme un peignoir. Elle était habillée sans l'être. Sur ses bras, sur sa gorge, l'étoffe souple vivait ; tandis que, dans la mollesse de la jupe, de larges plis marquaient la rondeur de ses jambes. Il y avait là une nudité très savante, une séduction calculée jusque dans la taille placée un peu haut, dégageant les hanches. Et pas un bout de jupon ne se montrait, elle semblait sans linge, délicieusement mise pourtant.

— Voyons, qu'y a-t-il ? répéta Rougon.

Elle souriait, ne parlant pas encore. Elle se renversait, les cheveux frisés sous son chapeau rose, montrant la blancheur mouillée de ses dents, entre ses lèvres ouvertes. Sa petite figure avait un abandon câlin, un air de prière ardent et soumis.

— C'est quelque chose que j'ai à vous demander, murmura-t-elle enfin.

Puis, elle ajouta vivement :

— Dites d'abord que vous me l'accordez ?

Mais il ne promit rien. Il voulait savoir auparavant. Il se défiait des dames. Et, comme elle se penchait tout près de lui, il l'interrogea :

— C'est donc bien gros, que vous n'osez parler. Il faut que je vous confesse, n'est-ce pas ?... Procédons par ordre. Est-ce pour votre mari ?

Elle répondait non de la tête, sans cesser de sourire.

— Diable!... Pour monsieur d'Escorailles alors ? Vous complotiez quelque chose à voix basse, tout à l'heure.

Elle répondait toujours non. Elle avait une légère moue, signifiant clairement qu'il avait bien fallu renvoyer M. d'Escorailles. Puis, Rougon cherchant avec quelque surprise, elle rapprocha encore son fauteuil, se trouva dans ses jambes.

— Écoutez... Vous ne me gronderez pas ? vous m'aimez bien un peu ?... C'est pour un jeune homme. Vous ne le connaissez pas ; je vous dirai son nom tout à l'heure, quand vous lui aurez donné la place... Oh! une place sans importance. Vous n'aurez qu'un mot à dire, et nous vous serons bien reconnaissants.

— Un de vos parents peut-être ? demanda-t-il de nouveau.

Elle eut un soupir, le regarda avec des yeux mourants, laissa glisser ses mains pour qu'il les reprît dans les siennes. Et elle dit très bas :

— Non, un ami... Mon Dieu! je suis bien malheureuse!

Elle s'abandonnait, elle se livrait à lui par cet aveu. C'était une attaque très voluptueuse, d'un art supérieur, savamment calculée pour lui enlever ses moindres scrupules. Un instant, il crut même qu'elle inventait cette histoire par un raffinement de séduction, afin de se faire désirer davantage, au sortir des bras d'un autre.

— Mais c'est très mal! s'écria-t-il.

Alors, d'un geste prompt et familier, elle lui mit sa main dégantée sur la bouche. Elle s'était allongée tout contre lui. Ses yeux se fermaient dans son visage pâmé. L'un de ses genoux relevait sa jupe molle, qui la couvrait à peine du fin tissu d'une longue chemise de nuit. L'étoffe tendue du corsage avait les émotions de sa gorge. Pendant quelques secondes, il la sentit comme nue entre ses bras. Et il la saisit brutalement par la taille, il la planta debout au milieu du cabinet, se fâchant, jurant.

— Tonnerre de Dieu! soyez donc raisonnable!

Elle, les lèvres blanches, resta devant lui, avec des regards en dessous.

— Oui, c'est très mal, c'est indigne! Monsieur Bouchard est un excellent homme. Il vous adore, il a une confiance aveugle en vous... Non, certes, je ne vous aiderai pas à le tromper. Je refuse, entendez-vous, je refuse absolument! Et je vous dis ce que je pense, je ne mâche pas mes paroles, ma belle enfant... On peut être indulgent. Ainsi, par exemple, passe encore...

Il s'arrêta, il allait laisser échapper qu'il lui tolérait M. d'Escorailles. Peu à peu, il se calmait, une grande dignité lui venait. Il la fit asseoir, en la voyant prise d'un petit tremblement; lui resta debout, la chapitra d'importance. Ce fut un sermon en forme, avec de très belles paroles. Elle offensait toutes les lois divines et humaines; elle marchait sur un abîme, déshonorait le foyer domestique, se préparait à une vieillesse de remords; et, comme il crut deviner un léger sourire aux coins de ses lèvres, il fit même le tableau de cette vieillesse, la beauté dévastée, le cœur à jamais vide, la rougeur du front sous les cheveux blancs. Puis, il examina sa faute au point de vue de la société; là, surtout, il se montra sévère, car si elle avait pour elle l'excuse de sa nature sensible, le mauvais exemple qu'elle donnait devait rester sans pardon; ce qui l'amena à tonner contre le dévergondage moderne, les débordements abominables de l'époque. Enfin, il fit un retour sur lui-même. Il était le gardien des lois. Il ne pouvait abuser de son pouvoir pour encourager le vice. Sans la vertu, un gouvernement lui semblait impossible. Et il termina en mettant ses adversaires au défi de trouver dans son administration un seul acte de népotisme, une seule faveur due à l'intrigue.

La jolie Mme Bouchard l'écoutait, la tête basse, pelotonnée, montrant son cou délicat sous le bavolet de son chapeau rose. Quand il se fut soulagé, elle se leva, se dirigea vers la porte, sans dire un mot. Mais comme elle sortait, la main sur le bouton, elle leva la tête, et se remit à sourire, en murmurant :

— Il s'appelle Georges Duchesne. Il est commis principal dans la division de mon mari, et veut être sous-chef...

— Non, non! cria Rougon.

Alors, elle s'en alla, en l'enveloppant d'un long regard méprisant de femme dédaignée. Elle s'attardait, elle traînait sa jupe avec langueur, désireuse de laisser derrière elle le regret de sa possession.

Le ministre entra dans son cabinet d'un air de fatigue. Il avait fait un signe à Merle qui le suivit. La porte était restée entrouverte.

— Monsieur le directeur du *Vœu national*, que Son Excellence a fait demander, vient d'arriver, dit l'huissier à demi-voix.

— Très bien! répondit Rougon. Mais je recevrai auparavant les fonctionnaires qui sont là depuis longtemps.

A ce moment, un valet de chambre parut à la porte conduisant aux appartements particuliers. Il annonça que le déjeuner était prêt et que Mme Delestang attendait Son Excellence au salon. Le ministre s'était avancé vivement.

— Dites qu'on serve! Tant pis! je recevrai plus tard. Je crève de faim.

Il allongea le cou pour jeter un coup d'œil. L'antichambre était toujours pleine. Pas un fonctionnaire, pas un solliciteur, n'avait bougé. Les trois préfets causaient dans leur coin; les deux dames, devant la table, s'appuyaient du bout de leurs doigts, un peu lasses; les mêmes têtes, aux mêmes places, demeuraient fixes et muettes, le long des murs, contre les dossiers de velours rouge. Alors, il quitta son cabinet, en donnant à Merle l'ordre de retenir le préfet de la Somme et le directeur du *Vœu national*.

Mme Rougon, un peu souffrante, était partie la veille pour le Midi, où elle devait passer un mois; elle avait un oncle du côté de Pau. Delestang, chargé d'une mission très importante au sujet d'une question agricole, se trouvait en Italie depuis six semaines. Et c'était ainsi que le ministre, avec lequel Clorinde voulait causer longuement, l'avait invitée à venir déjeuner au ministère, en garçons.

Elle l'attendait patiemment, en feuilletant un traité de droit administratif qui traînait sur une table.

— Vous devez avoir l'estomac dans les talons, lui dit-il gaiement. J'ai été débordé, ce matin.

Et il lui offrit le bras, il la conduisit à la salle à manger, une pièce immense, dans laquelle les deux couverts, mis sur une petite table devant la fenêtre, étaient comme perdus. Deux grands laquais servaient. Rougon et Clorinde, très sobres tous les deux, mangèrent vite : quelques radis, une tranche de saumon froid, des côtelettes à la purée et un peu de fromage. Ils ne touchèrent pas au vin. Rougon, le matin, ne buvait que de l'eau. A peine échangèrent-ils dix paroles. Puis, quand les deux laquais, après avoir desservi, eurent apporté le café et les liqueurs, la jeune femme lui adressa un léger mouvement des sourcils, qu'il comprit parfaitement.

— C'est bien, dit-il, laissez-nous. Je sonnerai.

Les laquais sortirent. Alors, elle se leva, en donnant des tapes sur sa jupe pour faire tomber les miettes. Elle portait une robe de soie noire, trop grande, chargée de volants, si compliquée, qu'elle y était empaquetée, sans qu'on pût distinguer où se trouvaient ses hanches et sa gorge.

— Quelle halle! murmurait-elle, en allant au fond de la pièce. C'est un salon pour noces et repas de corps, votre salle à manger!

Et elle revint, ajoutant :

— Je voudrais bien fumer ma cigarette, moi!

— Diable! dit Rougon, c'est qu'il n'y a pas de tabac. Je ne fume jamais [74].

Mais elle cligna les yeux, elle sortit de sa poche une petite blague en soie rouge brodée d'or, guère plus grosse qu'une bourse. Du bout de ses doigts minces, elle roula une cigarette. Puis, comme ils ne voulaient pas sonner, ce fut une chasse aux allumettes dans toute la pièce. Enfin, sur le coin d'un dressoir, ils trouvèrent trois allumettes, qu'elle emporta soigneusement. Et, la cigarette aux lèvres, allongée de nouveau sur sa chaise, elle se mit à boire son café par petites gorgées, en regardant Rougon bien en face, avec un sourire.

— Eh bien, je suis tout à vous, dit celui-ci, qui souriait également. Vous aviez à causer, causons.

Elle eut un geste d'insouciance.

— Oui. J'ai reçu une lettre de mon mari. Il s'ennuie à Turin. Il est très heureux d'avoir obtenu cette mission, grâce à vous; seulement, il ne veut pas qu'on l'oublie là-bas... Mais nous parlerons de cela tout à l'heure. Rien ne presse.

Elle se remit à fumer et à le regarder avec son irritant sourire. Rougon, peu à peu, s'était accoutumé à la voir, sans se poser les questions qui, autrefois, piquaient si vivement sa curiosité. Elle avait fini par entrer dans ses habitudes, il l'acceptait maintenant comme une figure classée, connue, dont les étrangetés ne lui causaient plus un sursaut de surprise. Mais, à la vérité, il ne savait toujours rien de précis sur elle, il l'ignorait toujours autant qu'aux premiers jours. Elle restait multiple, puérile et profonde, bête le plus souvent, singulièrement fine parfois, très douce et très méchante. Quand elle le surprenait encore par un geste, un mot dont il ne trouvait pas l'explication, il avait des haussements d'épaules d'homme fort, il disait que toutes les femmes étaient ainsi. Et il croyait par là témoigner

---

74. Rougon exerce sa volonté en ne fumant pas, ce qui fut le cas de Zola qui renonça à la pipe qu'il affectionnait dans sa jeunesse. Peut-être y a-t-il aussi chez le personnage, comme chez son créateur, un souci toujours présent de ménager sa santé.

un grand mépris pour les femmes, ce qui aiguisait le sourire de Clorinde, un sourire discret et cruel, montrant le bout des dents, entre les lèvres rouges.

— Qu'avez-vous donc à me regarder ? demanda-t-il enfin, gêné par ces grands yeux ouverts sur lui. Est-ce que j'ai quelque chose qui vous déplaît ?

Une pensée cachée venait de luire au fond des yeux de Clorinde, pendant que deux plis donnaient à sa bouche une grande dureté. Mais elle reprit aussitôt son rire adorable, soufflant sa fumée par minces filets, murmurant :

— Non, non, je vous trouve très bien... Je pensais à une chose, mon cher. Savez-vous que vous avez eu une fière chance ?

— Comment cela ?

— Sans doute... Vous voilà au sommet que vous vouliez atteindre. Tout le monde vous a poussé, les événements eux-mêmes vous ont servi.

Il allait répondre, lorsqu'on frappa à la porte. Clorinde, d'un mouvement instinctif, cacha sa cigarette derrière sa jupe. C'était un employé qui voulait communiquer à Son Excellence une dépêche très pressée. Rougon, d'un air maussade, lut la dépêche, indiqua à l'employé le sens dans lequel il fallait rédiger la réponse. Puis, il referma la porte violemment, et venant se rasseoir :

— Oui, j'ai eu des amis très dévoués. Je tâche de m'en souvenir... Et vous avez raison, j'ai à remercier jusqu'aux événements. Les hommes ne peuvent souvent rien quand les faits ne les aident pas.

En disant ces paroles d'une voix lente, il la regardait, ses lourdes paupières baissées, cachant à demi le regard dont il l'étudiait. Pourquoi parlait-elle de sa chance ? Que savait-elle au juste des événements favorables auxquels elle faisait allusion ? Peut-être Du Poizat avait-il causé ? Mais, à la voir souriante et songeuse, la face comme attendrie d'un ressouvenir sensuel, il sentait en elle une autre préoccupation ; sûrement elle ignorait tout. Lui-même oubliait, préférait ne pas fouiller trop au fond de sa mémoire. Il y avait une heure dans sa vie qui finissait par lui sembler très confuse. Il en arrivait à croire qu'il devait réellement sa haute situation au dévouement de ses amis.

— Je ne voulais rien être, on m'a poussé malgré moi, continua-t-il. Enfin, les choses ont tourné pour le mieux. Si je réussis à faire quelque bien, je serai satisfait.

Il acheva son café. Clorinde roulait une seconde cigarette.

— Vous vous rappelez ? murmura-t-elle, il y a deux ans, quand vous avez quitté le Conseil d'État, je vous questionnais, je vous demandais la raison de ce coup de tête. Faisiez-vous le sournois, dans ce temps-là ! Mais, maintenant, vous pouvez parler... Voyons, là, franchement, entre nous, aviez-vous un plan arrêté ?

— On a toujours un plan, répondit-il finement. Je me sentais tomber, je préférais faire le saut moi-même.

— Et votre plan s'est-il exécuté, les choses ont-elles exactement marché comme vous l'aviez prévu ?

Il eut un clignement d'yeux de compère qui se met à l'aise.

— Mais non, vous le savez bien, jamais les choses ne marchent ainsi... Pourvu qu'on arrive !

Et il s'interrompit, lui offrant des liqueurs.

— Hein ? du curaçao ou de la chartreuse ?

Elle accepta un petit verre de chartreuse. Comme il versait, on frappa de nouveau. Elle cacha encore sa cigarette, avec un geste d'impatience. Lui, furieux, sans lâcher le carafon, se leva. Cette fois, c'était pour une lettre scellée d'un large cachet. Il parcourut d'un regard, la fourra dans une poche de sa redingote, en disant :

— C'est bien ! Et qu'on ne me dérange plus, n'est-ce pas ?

Clorinde, quand il fut revenu en face d'elle, trempa ses lèvres dans sa chartreuse, buvant goutte à goutte, le regardant en dessous, les yeux luisants. Elle était reprise par cet attendrissement qui lui noyait la face. Elle dit très bas, les deux coudes posés sur la table :

— Non, mon cher, vous ne saurez jamais tout ce qu'on a fait pour vous.

Il s'approcha, posa à son tour ses deux coudes, en s'écriant vivement :

— Tiens, c'est vrai, vous allez me conter ça ! Maintenant, il n'y a plus de cachotteries, n'est-ce pas ?... Dites-moi ce que vous avez fait ?

Elle répondit non du menton, longuement, en pinçant sa cigarette des lèvres.

— C'est donc terrible ? Vous craignez que je ne puisse pas payer ma dette, peut-être ?... Attendez, je vais tâcher de deviner... Vous avez écrit au pape et vous avez mis tremper quelque bon Dieu dans mon pot à eau, sans que je m'en aperçoive ?

Mais elle se fâcha de cette plaisanterie. Elle menaçait de s'en aller, s'il continuait.

— Ne riez pas de la religion, disait-elle. Ça vous porterait malheur.

Puis, calmée, chassant de la main la fumée qu'elle soufflait et qui semblait incommoder Rougon, elle reprit d'une voix particulière :

— J'ai vu beaucoup de monde. Je vous ai fait des amis.

Elle éprouvait un besoin mauvais de lui tout conter. Elle voulait qu'il n'ignorât pas de quelle façon elle avait travaillé à sa fortune. Cet aveu était une première satisfaction, dans sa longue rancune si patiemment cachée. S'il l'avait poussée, elle aurait donné des détails précis. C'était ce retour en arrière qui la rendait rieuse, un peu folle, la peau chaude d'une moiteur dorée.

— Oui, oui, répéta-t-elle, des hommes très hostiles à vos idées, dont j'ai dû faire la conquête pour vous, mon cher.

Rougon était devenu très pâle. Il avait compris.

— Ah! dit-il simplement.

Il cherchait à éviter ce sujet. Mais, effrontément, tranquillement, elle plantait dans ses yeux son large regard noir, riant d'un rire de gorge. Alors, il céda, il l'interrogea.

— Monsieur de Marsy, n'est-ce pas?

Elle répondit oui d'un signe de tête, en rejetant derrière son épaule une bouffée de fumée.

— Le chevalier Rusconi?

Elle répondit encore oui.

— Monsieur Lebeau, monsieur de Salneuve, monsieur Guyot-Laplanche?

Elle répondait toujours oui. Pourtant, au nom de M. de Plouguern, elle protesta. Celui-là, non. Et elle acheva son verre de chartreuse, à petits coups de langue, la mine triomphante.

Rougon s'était levé. Il alla au fond de la pièce, revint derrière elle, lui dit dans la nuque:

— Pourquoi pas avec moi, alors?

Elle se retourna brusquement, de peur qu'il ne lui baisât les cheveux.

— Avec vous? mais c'est inutile! Pour quoi faire, avec vous?... C'est bête, ce que vous dites là! Avec vous, je n'avais pas besoin de plaider votre cause.

Et, comme il la regardait, pris d'une colère blanche, elle partit d'un grand éclat de rire.

— Ah! l'innocent! on ne peut pas seulement plaisanter, il croit tout ce qu'on lui dit!... Voyons, mon cher, me pensez-vous capable de mener un pareil commerce? Et pour vos beaux yeux encore! D'ailleurs, si j'avais commis toutes ces vilenies, je ne vous les raconterais pas, bien sûr... Non, vrai, vous êtes amusant!

Rougon resta un moment décontenancé. Mais la façon ironique dont elle se démentait, la rendait plus provocante, et toute sa personne, le rire de sa gorge, la flamme de ses yeux, répétait ses aveux, disait toujours oui. Il allongeait les bras pour la prendre par la taille, lorsqu'on frappa une troisième fois.

— Tant pis! murmura-t-elle, je garde ma cigarette.

Un huissier entra, tout essoufflé, balbutiant que Son Excellence le ministre de la Justice demandait à parler à Son Excellence; et il regardait du coin de l'œil cette dame qui fumait.

— Dites que je suis sorti! cria Rougon. Je n'y suis pour personne, entendez-vous!

Quand l'huissier se fut retiré à reculons, en saluant, il s'emporta, donna des coups de poing sur les meubles. On ne le laissait plus respirer; la veille encore, on l'avait relancé jusque dans son cabinet de toilette, pendant qu'il se faisait la barbe. Clorinde, délibérément, marcha vers la porte.

— Attendez, dit-elle. On ne nous dérangera plus.

Elle prit les clefs, les mit en dedans, ferma à double tour.

— Là. On peut frapper, maintenant.

Et elle revint rouler une troisième cigarette, debout devant la fenêtre. Il crut à une heure d'abandon. Il s'approcha, lui dit dans le cou:

— Clorinde!

Elle ne bougea pas, et il reprit d'une voix plus basse:

— Clorinde, pourquoi ne veux-tu pas?

Ce tutoiement la laissa calme. Elle dit non de la tête, mais faiblement, comme si elle avait voulu l'encourager, le pousser encore. Il n'osait la toucher, devenu tout d'un coup timide, demandant la permission en écolier que sa première bonne fortune paralyse. Pourtant, il finit par la baiser rudement sur la nuque, à la racine des cheveux. Alors, elle se tourna, toute méprisante, en s'écriant:

— Tiens, ça vous reprend donc, mon cher? Je croyais que ça vous avait passé... Quel drôle d'homme vous faites! Vous embrassez les femmes après dix-huit mois de réflexion.

Lui, la tête baissée, se ruant sur elle, avait saisi une de ses mains qu'il mangeait de baisers. Elle la lui abandonnait. Elle continuait à se moquer, sans se fâcher.

— Pourvu que vous ne me mordiez pas les doigts, c'est tout ce que je vous demande... Ah! je n'aurais pas cru cela de vous! Vous étiez devenu si sage, quand j'allais vous voir rue Marbeuf! Et vous voilà de nouveau en folie, parce que je vous raconte des saletés, dont je n'ai jamais eu l'idée, Dieu merci! Eh bien! vous êtes propre, mon cher!... Moi, je ne brûle pas si longtemps. C'est de l'histoire ancienne. Vous n'avez pas voulu de moi, je ne veux plus de vous.

— Écoutez, tout ce que vous voudrez, murmura-t-il. Je ferai tout, je donnerai tout.

Mais elle disait encore non, le punissant dans sa chair de ses anciens dédains, goûtant là une première vengeance. Elle l'avait souhaité tout-puissant pour le refuser et faire ainsi un affront à sa force d'homme.

— Jamais, jamais! répéta-t-elle à plusieurs reprises.Vous ne vous souvenez donc pas ? Jamais!

Alors, honteusement, Rougon se traîna à ses pieds. Il avait pris ses jupes entre ses bras, il baisait ses genoux à travers la soie. Ce n'était pas la robe molle de Mme Bouchard, mais un paquet d'étoffe d'une épaisseur irritante, et qui pourtant le grisait de son odeur. Elle, avec un haussement d'épaules, lui abandonnait les jupes. Mais il s'enhardissait, ses mains descendaient, cherchaient les pieds, au bord du volant.

— Prenez garde! dit-elle de sa voix paisible.

Et, comme il enfonçait les mains, elle lui posa sur le front le bout embrasé de sa cigarette. Il recula en poussant un cri, voulut de nouveau se précipiter sur elle. Mais elle s'était échappée et tenait un cordon de sonnette, adossée contre le mur, près de la cheminée. Elle cria :

— Je sonne, je dis que c'est vous qui m'avez enfermée!

Il tourna sur lui-même, les poings aux tempes, le corps secoué d'un grand frisson. Et, pendant quelques secondes, il demeura immobile, avec la peur d'entendre sa tête éclater. Il se roidissait pour se calmer d'un coup, les oreilles bourdonnantes, les yeux aveuglés de flammes rouges.

— Je suis une brute, murmura-t-il. C'est stupide.

Clorinde riait d'un air de victoire, en lui faisant de la morale. Il avait tort de mépriser les femmes; plus tard, il reconnaîtrait qu'il existait des femmes très fortes. Puis, elle retrouva son ton de bonne fille.

— Nous ne sommes pas fâchés, hein ?... Voyez-vous, ne me demandez jamais ça. Je ne veux pas, ça ne me plaît pas.

Rougon se promenait, honteux de lui. Elle lâcha le cordon de sonnette, alla se rasseoir devant la table, où elle se fit un verre d'eau sucrée.

— J'ai donc reçu hier une lettre de mon mari, reprit-elle tranquillement. J'avais tant d'affaires ce matin, que je vous aurais peut-être manqué de parole pour le déjeuner, si je n'avais désiré vous la montrer. Tenez, la voici... Il vous rappelle vos promesses.

Il prit la lettre, la lut en marchant, la rejeta sur la table, devant elle, avec un geste d'ennui.

— Eh bien ? demanda-t-elle.

Mais lui, ne parla pas tout de suite. Il gonflait le dos, il bâillait légèrement.

— Il est bête, finit-il par dire.

Elle fut très blessée. Depuis quelque temps, elle

ne tolérait plus qu'on parût douter des capacités de son mari. Elle baissa un instant la tête, réprimant les petits mouvements de révolte dont ses mains étaient agitées. Peu à peu, elle s'affranchissait de sa soumission d'écolière, semblait prendre à Rougon assez de sa force pour se poser en adversaire redoutable.

— Si nous montrions cette lettre, ce serait un homme fini, dit le ministre, poussé à se venger sur le mari de la résistance de la femme. Ah! le bonhomme n'est pas facile à caser.

— Vous exagérez, mon cher, reprit-elle après un silence. Autrefois, vous juriez qu'il avait le plus bel avenir. Il possède des qualités très sérieuses et très solides... Allez, ce ne sont pas les hommes vraiment forts qui vont le plus loin.

Rougon continuait sa promenade. Il haussait les épaules.

— Votre intérêt est qu'il entre au ministère. Vous y compterez un ami. Si réellement le ministre de l'Agriculture et du Commerce se retire pour des raisons de santé, comme on le dit, l'occasion est superbe. Mon mari est compétent, et sa mission en Italie le désigne au choix de l'empereur... Vous savez que l'empereur l'aime beaucoup; ils s'entendent très bien ensemble; ils ont les mêmes idées... Un mot de vous enlèverait l'affaire.

Il fit encore deux ou trois tours sans répondre. Puis, s'arrêtant devant elle :

— Je veux bien, après tout... Il y en a de plus bêtes... Mais je fais cela uniquement pour vous. Je désire vous désarmer. Hein! vous ne devez pas être bonne. N'est-ce pas, vous êtes très rancunière ?

Il plaisantait. Elle se mit à rire également, en répétant :

— Oui, oui, très rancunière... Je me souviens.

Puis, comme elle le quittait, il la retint un instant à la porte. A deux reprises, ils se serrèrent fortement les doigts, sans ajouter un mot.

Dès que Rougon fut seul, il retourna à son cabinet. La grande pièce était vide. Il s'assit devant le bureau, les coudes au bord du buvard, soufflant dans le silence. Ses paupières se baissaient, une somnolence rêveuse le tint assoupi pendant près de dix minutes. Mais il eut un sursaut, il s'étira les bras; et il sonna. Merle parut.

— Monsieur le préfet de la Somme attend toujours n'est-ce pas ?... Faites-le entrer.

Le préfet de la Somme entra, blême et souriant, en redressant sa petite taille. Il fit son compliment au ministre d'un air correct. Rougon, un peu alourdi, attendait. Il le pria de s'asseoir.

— Voici, monsieur le préfet, pourquoi je vous ai

mandé. Certaines instructions doivent être données de vive voix... Vous n'ignorez pas que le parti révolutionnaire relève la tête. Nous avons été à deux doigts d'une catastrophe épouvantable. Enfin, le pays demande à être rassuré, à sentir au-dessus de lui l'énergique protection du gouvernement. De son côté, Sa Majesté l'empereur est décidée à faire des exemples, car jusqu'à présent on a singulièrement abusé de sa bonté...

Il parlait lentement, renversé au fond de son fauteuil, jouant avec un gros cachet à manche d'agate. Le préfet approuvait chaque membre de phrase d'un vif mouvement de tête.

— Votre département, continua le ministre, est un des plus mauvais. La gangrène républicaine...

— Je fais tous mes efforts..., voulut dire le préfet.

— Ne m'interrompez pas... Il faut donc que la répression y soit éclatante. C'est pour m'entendre avec vous sur ce sujet que j'ai désiré vous voir... Nous nous sommes occupés ici d'un travail, nous avons dressé une liste...

Et il cherchait parmi ses papiers. Il prit un dossier qu'il feuilleta.

— On a dû répartir sur toute la France le nombre d'arrestations jugées nécessaires. Le chiffre pour chaque département est proportionné au coup qu'il s'agit de porter... Comprenez bien nos intentions. Ainsi, tenez, la Haute-Marne, où les républicains sont en infime minorité, trois arrestations seulement. La Meuse, au contraire, quinze arrestations... Quant à votre département, la Somme, n'est-ce pas ? nous disons la Somme...

Il tournait les feuillets, clignait ses grosses paupières. Enfin, il leva la tête et regarda le fonctionnaire en face.

— Monsieur le préfet, vous avez douze arrestations à faire.

Le petit homme blême s'inclina, en répétant :

— Douze arrestations... J'ai parfaitement compris Son Excellence.

Mais il restait perplexe, pris d'un léger trouble qu'il ne voulait pas montrer. Après quelques minutes de conversation, comme le ministre le congédiait en se levant, il se décida à demander :

— Son Excellence pourrait-elle me désigner les personnes... ?

— Oh! arrêtez qui vous voudrez!... Je ne puis pas m'occuper de ces détails. Je serais débordé. Et partez ce soir, procédez aux arrestations dès demain... Ah! pourtant, je vous conseille de frapper haut. Vous avez bien là-bas des avocats, des négociants, des pharmaciens, qui s'occupent de poli-

tique. Coffrez-moi tout ce monde-là. Ça fait plus d'effet[75].

Le préfet se passa la main sur le front, d'un geste anxieux, fouillant déjà sa mémoire, cherchant des avocats, des négociants, des pharmaciens. Il hochait toujours la tête d'un air d'approbation. Mais Rougon ne fut sans doute pas satisfait de son attitude hésitante.

— Je ne vous cacherai pas, reprit-il, que Sa Majesté est très mécontente en ce moment du personnel administratif. Il pourrait y avoir bientôt un grand mouvement préfectoral. Nous avons besoin d'hommes très dévoués, dans les circonstances graves où nous sommes.

Ce fut comme un coup de fouet.

— Son Excellence peut compter sur moi, s'écria le préfet. J'ai déjà mes hommes; il y a un pharmacien à Péronne, un marchand de drap et un fabricant de papier à Doullens; quant aux avocats, ils ne manquent pas, c'est une peste... Oh! j'assure à Son Excellence que je trouverai les douze... Je suis un vieux serviteur de l'Empire.

Il parla encore de sauver le pays, et s'en alla, en saluant très bas. Le ministre, derrière lui, balança son grand corps d'un air de doute; il ne croyait pas aux petits hommes. Sans se rasseoir, il barra la Somme d'un trait rouge sur la liste. Plus des deux tiers des départements se trouvaient déjà barrés. Le cabinet gardait le silence étouffé de ses tentures vertes mangées par la poussière, l'odeur grasse dont l'embonpoint de Rougon semblait l'emplir.

Quand il sonna Merle de nouveau, il s'irrita de voir que l'antichambre était toujours pleine. Il crut même reconnaître les deux dames, devant la table.

— Je vous avais dit de congédier tout le monde, cria-t-il. Je sors, je ne puis recevoir.

— Monsieur le directeur du *Vœu national* est là, murmura l'huissier.

Rougon l'avait oublié. Il noua les poings derrière son dos et donna l'ordre de l'introduire. C'était un homme d'une quarantaine d'années, mis avec une grande recherche, la figure épaisse.

— Ah! vous voilà, monsieur, dit le ministre d'une voix rude. Il est impossible que les choses continuent sur un pareil pied, je vous en préviens!

Et, tout en marchant, il accabla la presse de gros mots. Elle désorganisait, elle démoralisait, elle poussait à tous les désordres. Il préférait aux journalistes les brigands qui assassinent sur les grandes routes; on guérit d'un coup de poignard, tandis que les coups de plume sont empoisonnés; et

---

75. Nous avons montré dans *l'Introduction* que Zola avait à peine romancé et que le général Espinasse tint à peu près ces propos.

il trouva d'autres comparaisons encore plus saisissantes. Peu à peu, il se fouettait lui-même, il s'agitait furieusement, il roulait sa voix avec un fracas de tonnerre. Le directeur, resté debout, baissait la tête sous l'orage, la mine humble et consternée. Il finit par demander :

— Si Son Excellence daignait m'expliquer, je ne comprends pas bien pourquoi...

— Comment, pourquoi ! s'écria Rougon exaspéré.

Il se précipita, étala le journal sur son bureau, en montra les colonnes toutes balafrées à coups de crayon rouge.

— Il n'y a pas dix lignes qui ne soient répréhensibles ! Dans votre article de tête, vous paraissez mettre en doute l'infaillibilité du gouvernement en matière de répression. Dans cet entrefilet, à la seconde page, vous semblez faire une allusion à ma personne, en parlant des parvenus dont le triomphe est insolent. Dans vos faits divers, traînent des histoires ordurières, des attaques stupides contre les hautes classes.

Le directeur, épouvanté, joignait les mains, tâchait de placer un mot.

— Je jure à Son Excellence... Je suis désespéré que Son Excellence ait pu supposer un instant... Moi qui ai pour Son Excellence une si vive admiration...

Mais Rougon ne l'écoutait pas.

— Et le pis, monsieur, c'est que personne n'ignore les liens qui vous attachent à l'administration. Comment les autres feuilles peuvent-elles nous respecter, si les journaux que nous payons ne nous respectent pas ?... Depuis ce matin, tous mes amis me dénoncent ces abominations.

Alors, le directeur cria avec Rougon. Ces articles-là ne lui avaient point passé sous les yeux. Mais il allait flanquer tous ses rédacteurs à la porte. Si Son Excellence le voulait, il communiquerait chaque matin à Son Excellence une épreuve du numéro. Rougon, soulagé, refusa ; il n'avait pas le temps. Et il poussait le directeur vers la porte, lorsqu'il se ravisa.

— J'oubliais. Votre feuilleton est odieux... Cette femme bien élevée qui trompe son mari, est un argument détestable contre la bonne éducation. On ne doit pas laisser dire qu'une femme comme il faut puisse commettre une faute.

— Le feuilleton a beaucoup de succès, murmura le directeur, inquiet de nouveau. Je l'ai lu, je l'ai trouvé très intéressant.

— Ah ! vous l'avez lu... Eh bien ! cette malheureuse a-t-elle des remords à la fin ?

Le directeur porta la main à son front, ahuri, cherchant à se souvenir.

— Des remords ? non, je ne crois pas.

Rougon avait ouvert la porte. Il la referma sur lui, en criant :

— Il faut absolument qu'elle ait des remords !... Exigez de l'auteur qu'il lui donne des remords [76] !

10

Rougon avait écrit à Du Poizat et à M. Kahn, pour qu'on lui évitât l'ennui d'une réception officielle aux portes de Niort. Il arriva un samedi soir, vers sept heures, et descendit directement à la préfecture, avec l'idée de se reposer jusqu'au lendemain midi ; il était très las. Mais après le dîner, quelques personnes vinrent. La nouvelle de la présence du ministre devait déjà courir la ville. On ouvrit la porte d'un petit salon, voisin de la salle à manger ; un bout de soirée s'organisa. Rougon, debout entre les deux fenêtres, fut obligé d'étouffer ses bâillements et de répondre d'une façon aimable aux compliments de bienvenue.

Un député du département, cet avoué qui avait hérité de la candidature officielle de M. Kahn, parut le premier, effaré, en redingote et en pantalon de couleur ; et il s'excusait, il expliquait qu'il rentrait à pied d'une de ses fermes, mais qu'il avait quand même voulu saluer tout de suite Son Excellence. Puis, un petit homme gros et court se montra, sanglé dans un habit noir un peu juste, ganté de blanc, l'air cérémonieux et désolé. C'était le premier adjoint. Il venait d'être prévenu par sa bonne. Il répéta que M. le maire serait désespéré ; M. le maire, qui attendait Son Excellence le lendemain seulement, se trouvait à sa propriété des Varades, à dix kilomètres. Derrière l'adjoint, défilèrent encore six messieurs ; grands pieds, grosses mains, larges figures massives ; le préfet les présenta comme des membres distingués de la Société de statistique. Enfin, le proviseur du lycée amena sa femme, une délicieuse blonde de vingt-huit ans, une Parisienne dont les toilettes révolutionnaient Niort. Elle se plaignit de la province à Rougon, amèrement.

Cependant, M. Kahn, qui avait dîné avec le ministre et le préfet, était très questionné sur la solennité du lendemain. On devait se rendre à une lieue de la ville, dans le quartier dit des Moulins, devant

---

76. Zola reprend ici un de ses thèmes favoris sur les rapports de la littérature et de la morale.

l'entrée d'un tunnel projeté pour le chemin de fer de Niort à Angers ; et là Son Excellence le ministre de l'Intérieur mettrait lui-même le feu à la première mine. Cela parut touchant. Rougon faisait le bonhomme. Il voulait simplement honorer l'entreprise si laborieuse d'un vieil ami. D'ailleurs, il se considérait comme le fils adoptif du département des Deux-Sèvres, qui l'avait autrefois envoyé à l'Assemblée législative. A la vérité, le but de son voyage, vivement conseillé par Du Poizat, était de le montrer dans toute sa puissance à ses anciens électeurs, afin d'assurer complètement sa candidature, s'il lui fallait jamais un jour entrer au Corps législatif.

Par les fenêtres du petit salon, on voyait la ville noire et endormie. Personne ne venait plus. On avait appris trop tard l'arrivée du ministre. Cela tournait au triomphe, pour les gens zélés qui se trouvaient là. Ils ne parlaient pas de quitter la place, ils se gonflaient dans la joie d'être les premiers à posséder Son Excellence en petit comité. L'adjoint répétait plus haut, d'une voix dolente, sous laquelle perçait une grande jubilation :

— Mon Dieu ! que monsieur le maire va être contrarié !... et monsieur le président ! et monsieur le procureur impérial ! et tous ces messieurs !

Vers neuf heures pourtant, on put croire que la ville était dans l'antichambre. Il y eut un bruit imposant de pas. Puis, un domestique vint dire que M. le commissaire central désirait présenter ses hommages à Son Excellence. Et ce fut Gilquin qui entra, Gilquin superbe, en habit, portant des gants paille et des bottines de chevreau. Du Poizat l'avait casé dans son département. Gilquin, très convenable, ne gardait qu'un dandinement un peu osé des épaules et la manie de ne pas se séparer de son chapeau ; il tenait ce chapeau appuyé contre sa hanche, légèrement renversé, dans une pose étudiée sur quelque gravure de tailleur. Il s'inclina devant Rougon, en murmurant avec une humilité exagérée :

— Je me rappelle au bon souvenir de Son Excellence, que j'ai eu l'honneur de rencontrer plusieurs fois à Paris.

Rougon sourit. Ils causèrent un instant. Gilquin passa ensuite dans la salle à manger, où l'on venait de servir le thé. Il y trouva M. Kahn, en train de revoir, sur un coin de la table, la liste des invitations pour le lendemain. Dans le petit salon, maintenant, on parlait de la grandeur du règne ; Du Poizat, debout à côté de Rougon, exaltait l'Empire ; et tous deux échangeaient des saluts, comme s'ils s'étaient félicités d'une œuvre personnelle, en face des Niortais béants d'une admiration respectueuse.

— Sont-ils forts, ces mâtins-là ! murmura Gilquin, qui suivait la scène par la porte grande ouverte.

Et, tout en versant du rhum dans son thé, il poussa le coude de M. Kahn. Du Poizat, maigre et ardent, avec ses dents blanches mal rangées et sa face d'enfant fiévreux, où le triomphe avait mis une flamme, faisait rire d'aise Gilquin, qui le trouvait « très réussi ».

— Hein ? vous ne l'avez pas vu arriver dans le département ? continua-t-il à voix basse. Moi, j'étais avec lui. Il tapait les pieds d'un air rageur en marchant. Allez, il devait en avoir gros sur le cœur contre les gens d'ici. Depuis qu'il est dans sa préfecture, il se régale à se venger de son enfance. Et les bourgeois qui l'ont connu pauvre diable autrefois, n'ont pas envie aujourd'hui de sourire, quand il passe, je vous en réponds !... Oh ! c'est un préfet solide, un homme tout à son affaire. Il ne ressemble guère à ce Langlade que nous avons remplacé, un garçon à bonnes fortunes, blond comme une fille... Nous avons trouvé des photographies de dames très décolletées jusque dans les dossiers du cabinet.

Gilquin se tut un instant. Il croyait s'apercevoir que, d'un angle du petit salon, la femme du proviseur ne le quittait pas des yeux. Alors, voulant développer les grâces de son buste, il se plia pour dire de nouveau à M. Kahn :

— Vous a-t-on raconté l'entrevue de Du Poizat avec son père ? Oh ! l'aventure la plus amusante du monde !... Vous savez que le vieux est un ancien huissier qui a amassé un magot en prêtant à la petite semaine, et qui vit maintenant comme un loup, au fond d'une vieille maison en ruine, avec des fusils chargés dans son vestibule... Or, Du Poizat, auquel il a prédit vingt fois l'échafaud, rêvait depuis longtemps de l'écraser. Ça entrait pour une bonne moitié dans son désir d'être préfet ici... Un matin donc, Du Poizat endosse son plus bel uniforme, et, sous le prétexte de faire une tournée, va frapper à la porte du vieux. On parlemente un bon quart d'heure. Enfin le vieux ouvre. Un petit vieillard blême, qui regarde d'un air hébété les broderies de l'uniforme. Et savez-vous ce qu'il a dit, dès la seconde phrase, quand il a su que son fils était préfet ? « Hein ! Léopold, n'envoie plus toucher les contributions ! » Au demeurant, ni émotion, ni surprise... Lorsque Du Poizat est revenu, il pinçait les lèvres, la face blanche comme un linge. Cette tranquillité de son père l'exaspérait. En voilà un sur le dos duquel il ne montera jamais !

M. Kahn hochait discrètement la tête. Il avait remis la liste des invitations dans sa poche, il prenait à son tour une tasse de thé, en jetant des coups d'œil dans le salon voisin.

— Rougon dort debout, dit-il. Ces imbéciles devraient bien le laisser aller se coucher. Il faut qu'il soit solide pour demain.

— Je ne l'avais pas revu, reprit Gilquin. Il a engraissé.

Puis, il baissa encore la voix, il répéta :

— Très forts, ces gaillards !... Ils ont manigancé je ne sais quoi, au moment du grand coup. Moi, je les avais avertis. Le lendemain, patatras ! la danse a eu lieu tout de même. Rougon prétend qu'il est allé à la préfecture, où personne n'a voulu le croire. Enfin, ça le regarde, on n'a pas besoin d'en causer... Cet animal de Du Poizat m'avait payé un fameux déjeuner dans un café des boulevards. Oh ! quelle journée ! Nous avons dû passer la soirée au théâtre ; je ne me souviens plus bien, j'ai dormi deux jours.

Sans doute M. Kahn trouvait les confidences de Gilquin inquiétantes. Il quitta la salle à manger. Alors, Gilquin, resté seul, se persuada que la femme du proviseur le regardait décidément. Il rentra dans le salon, s'empressa auprès d'elle, finit par lui apporter du thé, des petits fours, de la brioche. Il était vraiment fort bien ; il ressemblait à un homme comme il faut mal élevé, ce qui paraissait attendrir peu à peu la belle blonde. Cependant, le député démontrait la nécessité d'une nouvelle église à Niort, l'adjoint demandait un pont, le proviseur parlait d'agrandir les bâtiments du lycée, tandis que les six membres de la Société de statistique, muets, approuvaient tout de la tête.

— Nous verrons demain, messieurs, répondit Rougon, les paupières à demi fermées. Je suis ici pour connaître vos besoins et faire droit à vos requêtes.

Dix heures sonnaient, lorsqu'un domestique vint dire un mot au préfet, qui se pencha aussitôt à l'oreille du ministre. Celui-ci se hâta de sortir. Mme Correur l'attendait, dans une pièce voisine. Elle était avec une fille grande et mince, la figure fade, toute salie de taches de rousseur.

— Comment ! vous êtes à Niort ! s'écria Rougon.

— Depuis cette après-midi seulement, dit Mme Correur. Nous sommes descendues là, en face, place de la Préfecture, à l'hôtel de Paris.

Et elle expliqua qu'elle arrivait de Coulonges, où elle avait passé deux jours. Puis, s'interrompant pour montrer la grande fille.

— Mademoiselle Herminie Billecoq, qui a bien voulu m'accompagner.

Herminie Billecoq fit une révérence cérémonieuse. Mme Correur continua :

— Je ne vous ai pas parlé de ce voyage, parce que vous m'auriez peut-être blâmée ; mais c'était plus fort que moi, je voulais voir mon frère... Quand j'ai appris votre voyage à Niort, je suis accourue. Nous vous guettions, nous vous avons regardé entrer à la préfecture ; seulement nous avons jugé préférable de nous présenter très tard. Ces petites villes sont si méchantes !

Rougon approuva de la tête. Mme Correur, en effet, grasse, peinte en rose, habillée de jaune, lui semblait compromettante en province.

— Et vous avez vu votre frère ? demanda-t-il.

— Oui, oui, murmura-t-elle, les dents serrées, je l'ai vu. Madame Martineau n'a pas osé me mettre à la porte. Elle avait pris la pelle, elle faisait brûler du sucre... Ce pauvre frère ! Je savais qu'il était malade, mais ça m'a donné un coup tout de même de le voir si décharné. Il m'a promis de ne pas me déshériter ; cela serait contraire à ses principes. Le testament est fait, la fortune doit être partagée entre moi et madame Martineau... N'est-ce pas, Herminie ?

— La fortune doit être partagée, affirma la grande fille. Il l'a dit quand vous êtes entrée, il l'a répété quand il vous a montré la porte. Oh ! c'est sûr ! je l'ai entendu.

Cependant, Rougon poussait les deux femmes, en disant :

— Eh bien, je suis enchanté ! Vous êtes plus tranquille maintenant. Mon Dieu, les querelles de famille, ça finit toujours par s'arranger... Allons, bonsoir. Je vais me coucher.

Mais Mme Correur l'arrêta. Elle avait tiré son mouchoir de la poche, elle se tamponnait les yeux, prise d'une crise brusque de désespoir.

— Ce pauvre Martineau !... Il a été si bon, il m'a pardonné avec tant de simplicité !... Si vous saviez, mon ami... C'est pour lui que je suis accourue, c'est pour vous supplier en sa faveur...

Les larmes lui coupèrent la voix. Elle sanglotait. Rougon, étonné, ne comprenant pas, regardait les deux femmes. Mlle Herminie Billecoq, elle aussi, pleurait, mais plus discrètement ; elle était très sensible, elle avait l'attendrissement contagieux. Ce fut elle qui put balbutier la première :

— Monsieur Martineau s'est compromis dans la politique.

Alors, Mme Correur se mit à parler avec volubilité.

— Vous vous souvenez, je vous ai témoigné des craintes, un jour. J'avais un pressentiment... Martineau devenait républicain. Aux dernières élections, il s'était exalté et avait fait une propagande acharnée pour le candidat de l'opposition. Je connaissais des détails que je ne veux pas dire. Enfin, tout cela devait mal tourner... Dès mon arrivée à Coulonges, au Lion d'or, où nous avons pris une chambre, j'ai questionné les gens, j'en ai appris encore plus long. Martineau a fait toutes les bêtises. Ça n'étonnerait personne dans le pays, s'il était arrêté. On s'attend à voir les gendarmes l'emmener d'un jour à l'autre... Vous pensez quelle secousse pour moi! Et j'ai songé à vous, mon ami...

De nouveau, sa voix s'éteignit dans des sanglots. Rougon cherchait à la rassurer. Il parlerait de l'affaire à Du Poizat, il arrêterait les poursuites, si elles étaient commencées. Même il laissa échapper cette parole :

— Je suis le maître, allez dormir tranquille.

Mme Correur hochait la tête, en roulant son mouchoir, les yeux séchés. Elle finit par reprendre à demi-voix :

— Non, non, vous ne savez pas. C'est plus grave que vous ne croyez... Il mène madame Martineau à la messe et reste à la porte, en affectant de ne jamais mettre le pied dans l'église, ce qui est un sujet de scandale chaque dimanche. Il fréquente un ancien avocat retiré là-bas, un homme de 48, avec lequel on l'entend pendant des heures parler de choses terribles. On a souvent aperçu des hommes de mauvaise mine se glisser la nuit dans son jardin, sans doute pour venir prendre un mot d'ordre.

A chaque détail, Rougon haussait les épaules; mais Mlle Herminie Billecoq ajouta vivement, comme fâchée d'une telle tolérance :

— Et les lettres qu'il reçoit de tous les pays, avec des cachets rouges; c'est le facteur qui nous a dit cela. Il ne voulait pas parler, il était tout pâle. Nous avons dû lui donner vingt sous... Et son dernier voyage, il y a un mois. Il est resté huit jours dehors, sans que personne dans le pays puisse encore savoir aujourd'hui où il est allé. La dame du Lion d'or nous a assuré qu'il n'avait pas même emporté de malle.

— Herminie, je vous en prie! dit Mme Correur d'un air inquiet. Martineau est dans d'assez vilains draps. Ce n'est pas à nous de le charger.

Rougon maintenant écoutait, en examinant tour à tour les deux femmes. Il devenait très grave.

— S'il est si compromis que cela... murmura-t-il.

Il crut voir une flamme s'allumer dans les yeux troublés de Mme Correur. Il continua :

— Je ferai mon possible, mais je ne promets rien.

— Ah! il est perdu, il est bien perdu! s'écria Mme Correur. Je le sens, voyez-vous... Nous ne voulons rien dire. Si nous vous disions tout...

Elle s'interrompit pour mordre son mouchoir.

— Moi qui ne l'avais pas vu depuis vingt ans! Et je le retrouve pour ne le revoir jamais peut-être!.. Il a été si bon, si bon!

Herminie eut un léger hochement des épaules. Elle faisait à Rougon des signes, pour lui donner à entendre qu'il fallait pardonner au désespoir d'une sœur, mais que le vieux notaire était le pire des gredins.

— A votre place, reprit-elle, je dirais tout. Ça vaudrait mieux.

Alors, Mme Correur parut se décider à un grand effort. Elle baissa encore la voix.

— Vous vous rappelez les *Te Deum* qu'on a chantés partout, quand l'empereur a été si miraculeusement sauvé, devant l'Opéra... Eh bien, le jour où l'on a chanté le *Te Deum* à Coulonges, un voisin a demandé à Martineau s'il n'allait pas à l'église, et ce malheureux a répondu : « Pourquoi faire, à l'église ? Je me moque bien de l'empereur! »

— « Je me moque bien de l'empereur! » répéta Mlle Herminie Billecoq d'un air consterné.

— Comprenez-vous mes craintes maintenant ? continua l'ancienne maîtresse d'hôtel. Je vous l'ai dit, ça n'étonnerait personne dans le pays s'il était arrêté.

En prononçant cette phrase, elle regardait Rougon fixement. Celui-ci ne parla pas tout de suite. Il semblait interroger une dernière fois cette grosse face molle, où des yeux pâles clignotaient sous les rares poils blonds des sourcils. Il s'arrêta un instant au cou gras et blanc. Puis, il ouvrit les bras, il s'écria :

— Je ne puis rien, je vous assure. Je ne suis pas le maître.

Et il donna des raisons. Il se faisait un scrupule, disait-il, d'intervenir dans ces sortes d'affaires. Si la justice se trouvait saisie, les choses devaient avoir leur cours. Il aurait préféré ne pas connaître Mme Correur, parce que son amitié pour elle allait lui lier les mains; il s'était juré de ne jamais rendre certains services à ses amis. Enfin, il se renseignerait. Et il cherchait à la consoler déjà, comme si son frère était en route pour quelque colonie. Elle baissait la tête, elle avait de petits hoquets qui secouaient l'énorme paquet de cheveux blonds dont elle chargeait sa nuque. Pourtant, elle se calmait. Comme elle prenait congé, elle poussa Herminie devant elle, en disant :

— Mademoiselle Herminie Billecoq... Je vous l'ai présentée, je crois. Pardonnez, j'ai la tête si malade!... C'est cette demoiselle que nous sommes parvenus à doter. L'officier, son séducteur, n'a pu encore l'épouser, à cause des formalités qui sont interminables... Remerciez Son Excellence, ma chère.

La grande fille remercia en rougissant, avec la mine d'une innocente devant laquelle on a lâché un gros mot. Mme Correur la laissa sortir la première ; puis, serrant fortement la main de Rougon, se penchant vers lui, elle ajouta :

— Je compte sur vous, Eugène.

Quand le ministre revint dans le petit salon, il le trouva vide. Du Poizat avait réussi à congédier le député, le premier adjoint et les six membres de la Société de statistique. M. Kahn lui-même était parti, après avoir pris rendez-vous pour le lendemain, à dix heures. Il ne restait dans la salle à manger que la femme du proviseur et Gilquin, qui mangeaient des petits fours, en causant de Paris ; Gilquin roulait des yeux tendres, parlait des courses, du Salon de peinture, d'une première représentation à la Comédie-Française, avec l'aisance d'un homme auquel tous les mondes étaient familiers. Pendant ce temps, le proviseur donnait à voix basse au préfet des renseignements sur un professeur de quatrième soupçonné d'être républicain. Il était onze heures. On se leva, on salua Son Excellence ; et Gilquin se retirait avec le proviseur et sa femme, en offrant son bras à cette dernière, lorsque Rougon le retint.

— Monsieur le commissaire central, un mot, je vous prie.

Puis, lorsqu'ils furent seuls, il s'adressa à la fois au commissaire et au préfet.

— Qu'est-ce donc que l'affaire Martineau ?... Cet homme est-il réellement très compromis ?

Gilquin eut un sourire. Du Poizat fournit quelques renseignements.

— Mon Dieu, je ne pensais pas à lui. On l'a dénoncé. J'ai reçu des lettres... Il est certain qu'il s'occupe de politique. Mais il y a déjà eu quatre arrestations dans le département. J'aurais préféré, pour arriver au nombre de cinq que vous m'avez fixé, faire coffrer un professeur de quatrième qui lit à ses élèves des livres révolutionnaires.

— J'ai appris des faits bien graves, dit sévèrement Rougon. Les larmes de sa sœur ne doivent pas sauver ce Martineau, s'il est vraiment si dangereux. Il y a là une question de salut public.

Et se tournant vers Gilquin :

— Qu'en pensez-vous ?

— Je procéderai demain à l'arrestation, répondit celui-ci. Je connais toute l'affaire. J'ai vu madame Correur à l'hôtel de Paris, où je dîne d'habitude.

Du Poizat ne fit aucune objection. Il tira un petit carnet de sa poche, biffa un nom pour en écrire un autre au-dessus, tout en recommandant au commis-

saire central de faire surveiller quand même le professeur de quatrième. Rougon accompagna Gilquin jusqu'à la porte. Il reprit :

— Ce Martineau est un peu souffrant, je crois. Allez en personne à Coulonges. Soyez très doux.

Mais Gilquin se redressa d'un air blessé. Il oublia tout respect, il tutoya Son Excellence.

— Me prends-tu pour un sale mouchard ! s'écriat-il. Demande à Du Poizat l'histoire de ce pharmacien que j'ai arrêté au lit, avant-hier. Il y avait, dans le lit, la femme d'un huissier. Personne n'a rien su... J'agis toujours en homme du monde.

Rougon dormit neuf heures d'un sommeil profond. Quand il ouvrit les yeux le lendemain, vers huit heures et demie, il fit appeler Du Poizat, qui arriva, un cigare aux dents, l'air très gai. Ils causèrent, ils plaisantèrent comme autrefois, lorsqu'ils habitaient chez Mme Mélanie Correur, et qu'ils allaient se réveiller, le matin, avec des tapes sur leurs cuisses nues. Tout en se débarbouillant, le ministre demanda des détails sur le pays, les histoires des fonctionnaires, les besoins des uns, les vanités des autres. Il voulait pouvoir trouver pour chacun une phrase aimable.

— N'ayez pas peur, je vous soufflerai ! dit Du Poizat en riant.

Et, en quelques mots, il le mit au courant, il le renseigna sur les personnages qui l'approcheraient. Rougon, parfois, lui faisait répéter un fait pour le mieux caser dans sa mémoire. A dix heures, M. Kahn arriva. Ils déjeunèrent tous les trois, en arrêtant les derniers détails de la solennité. Le préfet ferait un discours ; M. Kahn aussi. Rougon prendrait la parole le dernier. Mais il serait bon de provoquer un quatrième discours. Un instant, ils songèrent au maire ; seulement Du Poizat le trouvait trop bête, et il conseilla de choisir l'ingénieur en chef des ponts et chaussées, qui se trouvait naturellement désigné, mais dont M. Kahn craignait l'esprit critique. Enfin, ce dernier, en sortant de table, emmena le ministre à l'écart, pour lui indiquer les points sur lesquels il serait heureux de le voir insister, dans son discours.

Le rendez-vous était pour dix heures et demie, à la préfecture. Le maire et le premier adjoint se présentèrent ensemble ; le maire balbutiait, était au désespoir de ne s'être pas trouvé à Niort, la veille ; tandis que le premier adjoint affectait de demander à Son Excellence si elle avait passé une bonne nuit, si elle se sentait remise de sa fatigue. Ensuite, parurent le président du tribunal civil, le procureur impérial et ses deux substituts, l'ingénieur en chef des ponts et chaussées, que suivirent à la file le receveur général, le directeur des contributions directes et le conservateur des hypothèques. Plusieurs de ces messieurs étaient avec leurs dames. La femme du proviseur, la jolie blonde, vêtue d'une toilette bleu ciel du plus piquant effet, causa une grosse émotion ; elle pria Son Excellence d'excuser son mari, retenu au lycée par une attaque de goutte, qui l'avait pris la veille au soir en rentrant. Cependant, d'autres personnages arrivaient : le colonel du 78e de ligne caserné à Niort, le président du tribunal de commerce, les deux juges de paix de la ville, le conservateur des eaux et forêts accompagné de ses trois demoiselles, des conseillers municipaux, des délégués de la Chambre consultative des arts et manufactures, de la Société de statistique et du Conseil des prud'hommes.

La réception avait lieu dans le grand salon de la préfecture. Du Poizat faisait les présentations. Et le ministre, souriant, plié en deux, accueillait chaque personne en vieille connaissance. Il savait des particularités étonnantes sur chacune d'elles. Il parla au procureur impérial, très élogieusement, d'un réquisitoire prononcé dernièrement par lui dans une affaire d'adultère ; il demanda d'une voix émue au directeur des contributions directes des nouvelles de madame, alitée depuis deux mois ; il retint un instant le colonel du 78e de ligne, pour lui montrer qu'il n'ignorait pas les brillantes études de son fils à Saint-Cyr ; il causa chaussures avec un conseiller municipal qui possédait de grands ateliers de cordonnerie, et entama avec le conservateur des hypothèques, archéologue passionné, une discussion sur une pierre druidique découverte la semaine précédente. Quand il hésitait, cherchant la phrase, Du Poizat venait à son aide d'un mot habilement soufflé. D'ailleurs, il gardait un aplomb superbe.

Comme le président du tribunal de commerce entrait et s'inclinait devant lui, il s'écria d'une voix affable :

— Vous êtes seul, monsieur le président ? J'espère bien que vous amènerez madame au banquet, ce soir...

Il s'arrêta, en voyant autour de lui l'embarras des figures. Du Poizat le poussait légèrement du coude. Alors, il se souvint que le président du tribunal de commerce vivait séparé de sa femme, à la suite de certains faits scandaleux. Il s'était trompé, il avait cru parler à l'autre président, au président du tribunal civil. Cela ne troubla en rien son aplomb. Souriant toujours, sans chercher à revenir sur sa maladresse, il reprit d'un air fin :

— J'ai une bonne nouvelle à vous annoncer, monsieur. Je sais que mon collègue le garde des

Sceaux vous a porté pour la décoration... C'est une indiscrétion. Gardez-moi le secret.

Le président du tribunal de commerce devint très rouge. Il suffoquait de joie. Autour de lui, on s'empressait, on le félicitait ; pendant que Rougon prenait note mentalement de cette croix donnée avec tant d'à-propos, pour ne pas oublier d'avertir son collègue. C'était le mari trompé qu'il décorait. Du Poizat eut un sourire d'admiration.

Cependant, il y avait une cinquantaine de personnes dans le grand salon. On attendait toujours, les visages muets, les regards gênés.

— L'heure avance, on pourrait partir, murmura le ministre.

Mais le préfet se pencha, lui expliqua que le député, l'ancien adversaire de M. Kahn, n'était pas encore là. Enfin celui-ci entra, tout suant ; sa montre avait dû s'arrêter, il n'y comprenait rien. Puis, voulant rappeler devant tous sa visite de la veille, il commença cette phrase :

— Comme je le disais hier au soir à Votre Excellence...

Et il marcha à côté de Rougon, en lui annonçant qu'il retournerait le lendemain matin à Paris. Le congé de Pâques avait pris fin le mardi, la session était rouverte. Mais il avait cru devoir rester quelques jours de plus à Niort, pour faire les honneurs du département à Son Excellence.

Tous les invités étaient descendus dans la cour de la préfecture, où une dizaine de voitures, rangées aux deux côtés du perron, attendaient. Le ministre monta avec le député, le préfet et le maire, dans une calèche qui prit la tête. Le reste des invités s'empila le plus hiérarchiquement possible ; il y avait là deux autres calèches, trois victorias et des chars à bancs à six et à huit places. Dans la rue de la Préfecture, le défilé s'organisa. On partit au petit trot. Les rubans des dames s'envolaient, tandis que leurs jupes débordaient par-dessus les portières. Les chapeaux noirs des messieurs miroitaient au soleil. Il fallut traverser tout un bout de la ville. Le long des rues étroites, le pavé aigu secouait rudement les voitures qui passaient avec un bruit de ferraille. Et à toutes les fenêtres, sur toutes les portes, les Niortais saluaient sans un cri, cherchant Son Excellence, très surpris de voir la redingote bourgeoise du ministre à côté de l'habit brodé d'or du préfet.

Au sortir de la ville, on roula sur une large promenade plantée d'arbres magnifiques. Il faisait très doux ; une belle journée d'avril, un ciel clair, tout blond de soleil. La route, droite et unie, s'enfonçait au milieu de jardins pleins de lilas et d'abricotiers en fleurs. Puis, les champs s'élargirent en vastes cultures, coupées de loin en loin par un bouquet d'arbres. Dans les voitures, on causait.

— Voici une filature, n'est-ce pas ? dit Rougon, à l'oreille duquel le préfet se penchait.

Et s'adressant au maire, lui montrant le bâtiment de briques rouges, au bord de l'eau :

— Une filature qui vous appartient, je crois... On m'a parlé de votre nouveau système de cardage pour les laines. Je tâcherai de trouver un instant afin de visiter toutes ces merveilles.

Il demanda des détails sur la puissance motrice de la rivière. Selon lui, les moteurs hydrauliques, dans de bonnes conditions, avaient d'énormes avantages. Et il émerveilla le maire par ses connaissances techniques. Les autres voitures suivaient, un peu débandées. Des conversations arrivaient, hérissées de chiffres, au milieu du trot assourdi des chevaux. Un rire perlé sonna, qui fit tourner toutes les têtes : c'était la femme du proviseur, dont l'ombrelle venait de s'envoler sur un tas de cailloux.

— Vous possédez une ferme par ici, reprit Rougon en souriant au député. La voilà sur ce coteau, si je ne me trompe... Des prairies superbes! Je sais, d'ailleurs, que vous vous occupez d'élevage, et que vous avez eu des vaches couronnées, aux derniers comices agricoles.

Alors, ils parlèrent bestiaux. Les prairies, trempées de soleil, avaient une douceur de velours vert. Toute une nappe de fleurs y naissaient. Des rideaux de grands peupliers ménageaient des échappées d'horizon, des coins de paysage adorables. Une vieille femme qui conduisait un âne, dut arrêter la bête au bord du chemin, pour laisser passer le cortège. Et l'âne se mit à braire, effaré par cette procession de voitures, dont les panneaux vernis luisaient dans la campagne. Les dames en toilette, les hommes gantés, tinrent leur sérieux.

On monta, à gauche, une légère pente; puis, on redescendit. On était arrivé. C'était un creux dans les terres, le cul-de-sac d'un étroit vallon, une sorte de trou étranglé entre trois coteaux qui faisaient muraille. De la campagne environnante, en levant les yeux, on ne voyait, sur le ciel noir, que les carcasses crevées de deux moulins en ruine. Là, au fond, au milieu d'un carré d'herbe, une tente était dressée, de la toile grise bordée d'un large galon rouge, avec des trophées de drapeaux, sur les quatre faces. Un millier de curieux venus à pied, des bourgeois, des dames, des paysans du quartier, s'étageaient à droite, du côté de l'ombre, le long de l'amphithéâtre formé par un des coteaux. Devant la tente, un détachement du 78e de ligne se trouvait

sous les armes, en face des pompiers de Niort, dont le bel ordre était très remarqué; tandis que, au bord de la pelouse, une équipe d'ouvriers, en blouses neuves, attendaient, ayant à leur tête des ingénieurs boutonnés dans leurs redingotes. Dès que les voitures se montrèrent, la Société philharmonique de la ville, une société composée d'instrumentistes amateurs, se mit à jouer l'ouverture de *la Dame blanche*[77].

— Vive Son Excellence! crièrent quelques voix, que le bruit des instruments étouffa.

Rougon descendit de voiture. Il levait les yeux, il regardait le trou au fond duquel il se trouvait, fâché de cet étranglement de l'horizon, qui lui semblait rapetisser la solennité. Et il resta là un instant dans l'herbe, attendant un compliment de bienvenue. Enfin, M. Kahn accourut. Il s'était échappé de la préfecture aussitôt après le déjeuner; seulement il venait, par prudence, d'examiner la mine à laquelle Son Excellence devait mettre le feu. Ce fut lui qui conduisit le ministre jusqu'à la tente. Les invités suivaient. Il y eut un moment de confusion. Rougon demandait des renseignements.

— Alors, c'est dans cette tranchée que doit s'ouvrir le tunnel ?

— Parfaitement, répondit M. Kahn. La première mine est creusée dans ce rocher rougeâtre, où Votre Excellence voit un drapeau.

Le coteau du fond, entamé à la pioche, montrait le roc. Des arbustes déracinés pendaient parmi les déblais. On avait semé de feuillages le sol de la tranchée. M. Kahn indiqua encore de la main le tracé de la voie ferrée, que marquait une double file de jalons, alignant des bouts de papier blanc, au milieu des sentiers, des herbes, des buissons. C'était un coin paisible de nature à éventrer.

Pourtant, les autorités avaient fini par se caser sous la tente. Les curieux, derrière, se penchaient, pour voir entre les toiles. La Société philharmonique achevait l'ouverture de *la Dame blanche*.

— Monsieur le ministre, dit tout à coup une voix aiguë qui vibra dans le silence, je tiens à remercier le premier Votre Excellence d'avoir bien voulu accepter l'invitation que nous nous sommes permis de lui adresser. Le département des Deux-Sèvres gardera un éternel souvenir...

C'était Du Poizat qui venait de prendre la parole. Il se tenait à trois pas de Rougon, debout tous les deux; et, à certaines chutes de phrase cadencées, ils inclinaient légèrement la tête l'un vers l'autre. Il parla ainsi un quart d'heure, rappelant au ministre

77. Opéra-comique en trois actes de Boieldieu, sur un livret d'Eugène Scribe (1825).

la façon brillante dont il avait représenté le département à l'Assemblée législative; la ville de Niort avait inscrit son nom dans ses annales comme celui d'un bienfaiteur, et brûlait de lui témoigner sa reconnaissance en toute occasion. Du Poizat s'était chargé de la partie politique et pratique. Par moments, sa voix se perdait dans le plein air. Alors, on ne voyait plus que ses gestes, un mouvement régulier de son bras droit; et le millier de curieux étagés sur le coteau, s'intéressaient aux broderies de sa manche, dont l'or luisait dans un coup de soleil.

Ensuite, M. Kahn s'avança au milieu de la tente. Lui, avait la voix très grosse. Il aboyait certains mots. Le fond du vallon formait écho et renvoyait les fins de phrase sur lesquelles il appuyait trop complaisamment. Il conta ses longs efforts, les études, les démarches qu'il avait dû faire pendant près de quatre ans, pour doter le pays d'une nouvelle voie ferrée. Maintenant, toutes les prospérités allaient pleuvoir sur le département; les champs seraient fertilisés, les usines doubleraient leur fabrication, la vie commerciale pénétrerait jusque dans les plus humbles villages; et il semblait, à l'entendre, que les Deux-Sèvres devenaient, sous ses mains élargies, une contrée de cocagne, avec des ruisseaux de lait et des bosquets enchantés, où des tables chargées de bonnes choses attendaient les passants. Puis, brusquement, il affecta une modestie outrée. On ne lui devait aucune gratitude, il n'aurait jamais mené à bien un aussi vaste projet, sans le haut patronage dont il était fier. Et, tourné vers Rougon, il l'appela « l'illustre ministre, le défenseur de toutes les idées nobles et utiles ». En terminant, il célébra les avantages financiers de l'affaire. A la Bourse, on s'arrachait les actions. Heureux les rentiers qui avaient pu placer leur argent dans une entreprise à laquelle Son Excellence le ministre de l'Intérieur voulait attacher son nom!

— Très bien, très bien! murmurèrent quelques invités.

Le maire et plusieurs représentants de l'autorité serrèrent la main de M. Kahn, qui affecta d'être très ému. Au dehors, des applaudissements éclataient. La Société philharmonique crut devoir attaquer un pas redoublé; mais le premier adjoint se précipita, envoya un pompier pour faire taire la musique. Pendant ce temps, sous la tente, l'ingénieur en chef des ponts et chaussées hésitait, disait qu'il n'avait rien préparé. L'insistance du préfet le décida. M. Kahn, très inquiet, murmura à l'oreille de ce dernier :

— Vous avez eu tort. Il est mauvais comme la gale.

L'ingénieur en chef était un homme long et maigre, qui avait de grandes prétentions à l'ironie. Il parlait lentement, en tordant le coin de sa bouche, toutes les fois qu'il voulait lancer une épigramme. Il commença par écraser M. Kahn sous les éloges. Puis, les allusions méchantes arrivèrent. Il jugea en quelques mots le projet de chemin de fer, avec ce dédain des ingénieurs du gouvernement pour les travaux des ingénieurs civils. Il rappela le contre-projet de la compagnie de l'Ouest, qui devait passer par Thouars, et insista, sans paraître y mettre de malice, sur le coude du tracé de M. Kahn, desservant les hauts fourneaux de Bressuire. Le tout sans brutalité aucune, mêlé de phrases aimables, procédant par coups d'épingle, sentis des seuls initiés. Il fut plus cruel encore en finissant. Il parut regretter que « l'illustre ministre » vînt se compromettre dans une affaire dont le côté financier donnait des inquiétudes à tous les hommes d'expérience. Il faudrait des sommes énormes; la plus grande honnêteté, le plus grand désintéressement seraient nécessaires. Et il laissa tomber cette dernière phrase, la bouche tordue :

— Ces inquiétudes sont chimériques, nous sommes complètement rassurés en voyant, à la tête de l'entreprise, un homme dont la belle situation de fortune et la haute probité commerciale sont bien connues dans le département.

Un murmure d'approbation courut. Seules quelques personnes regardaient M. Kahn, qui s'efforçait de sourire, les lèvres blanches. Rougon avait écouté en fermant les yeux à demi, comme gêné par la grande lumière. Quand il les rouvrit, ses yeux pâles étaient devenus noirs. Il comptait d'abord parler très brièvement. Mais il avait maintenant un des siens à défendre. Il fit trois pas, se trouva au bord de la tente; et là, avec un geste dont l'ampleur semblait s'adresser à toute la France attentive, il commença.

— Messieurs, permettez-moi de franchir ces coteaux par la pensée, d'embrasser l'Empire tout entier d'un coup d'œil, et d'élargir ainsi la solennité qui nous rassemble, pour en faire la fête du labeur industriel et commercial. Au moment même où je vous parle, du nord au midi, on creuse des canaux, on construit des voies ferrées, on perce des montagnes, on élève des ponts...

Un profond silence s'était fait. Entre les phrases, on entendait des souffles dans les branches, puis la voix haute d'une écluse, au loin. Les pompiers, qui luttaient de belle tenue avec les soldats, sous le soleil ardent, jetaient des regards obliques, pour voir parler le ministre, sans tourner le cou. Sur le coteau, les spectateurs avaient fini par se mettre à leur aise ; les dames s'étaient accroupies, après avoir étalé leur mouchoir à terre ; deux messieurs que le soleil gagnait, venaient d'ouvrir les ombrelles de leurs femmes. Et la voix de Rougon montait peu à peu. Il paraissait gêné au fond de ce trou, comme si le vallon n'eût pas été assez vaste pour ses gestes. De ses mains brusquement jetées en avant, il semblait vouloir déblayer l'horizon, autour de lui. A deux reprises, il chercha l'espace ; mais il ne rencontra en haut, au bord du ciel, que les moulins dont les carcasses éventrées craquaient au soleil.

L'orateur avait repris le thème de M. Kahn, en l'agrandissant. Ce n'était plus le département des Deux-Sèvres seulement qui entrait dans une ère de prospérité miraculeuse, mais la France entière, grâce à l'embranchement de Niort à Angers. Pendant dix minutes, il énuméra les bienfaits sans nombre dont les populations seraient comblées. Il poussa les choses jusqu'à parler de la main de Dieu. Puis, il répondit à l'ingénieur en chef ; il ne discutait pas son discours, il n'y faisait aucune allusion ; il disait simplement le contraire de ce qu'il avait dit, insistant sur le dévouement de M. Kahn, le montrant modeste, désintéressé, grandiose. Le côté financier de l'entreprise le laissait plein de sérénité. Il souriait, il entassait d'un geste rapide des monceaux d'or. Alors, des bravos lui coupèrent la voix.

— Messieurs, un dernier mot, dit-il après s'être essuyé les lèvres avec son mouchoir.

Le dernier mot dura un quart d'heure. Il se grisait, il s'engageait plus qu'il n'aurait voulu. Même à la péroraison, comme il en était à la grandeur du règne, célébrant la haute intelligence de l'empereur, il laissa entendre que Sa Majesté patronnait d'une façon particulière l'embranchement de Niort à Angers. L'entreprise devenait une affaire d'État.

Trois salves d'applaudissements retentirent. Un vol de corbeaux, volant dans le ciel pur, à une grande hauteur, s'effaroucha, avec des croassements prolongés. Dès la dernière phrase du discours, la Société philharmonique s'était mise à jouer, sur un signal parti de la tente ; tandis que les dames, serrant leurs jupes, se relevaient vivement, désireuses de ne rien perdre du spectacle. Cependant, autour de Rougon, les invités souriaient d'un air ravi. Le maire, le procureur impérial, le colonel du 78e de ligne, hochaient la tête, en écoutant le député s'émerveiller à demi-voix, de façon à être entendu du ministre. Mais le plus enthousiaste était sûrement l'ingénieur en chef des ponts et chaussées ; il affecta une servilité extraordinaire, la bouche tordue, comme foudroyé par les magnifiques paroles du grand homme.

— Si Son Excellence veut bien me suivre, dit M. Kahn, dont la grosse face suait de joie.

C'était la fin. Son Excellence allait mettre le feu à la première mine. Des ordres venaient d'être donnés à l'équipe d'ouvriers en blouses neuves. Ces hommes précédèrent le ministre et M. Kahn dans la tranchée, et se rangèrent au fond, sur deux lignes. Un contremaître tenait un bout de corde allumé, qu'il présenta à Rougon. Les autorités, restées sous la tente, allongeaient le cou. Le public anxieux attendait. La Société philharmonique jouait toujours.

— Est-ce que ça va faire beaucoup de bruit ? demanda avec un sourire inquiet la femme du proviseur à l'un des deux substituts.

— C'est selon la nature de la roche, se hâta de répondre le président du tribunal de commerce, qui entra dans des explications minéralogiques.

— Moi, je me bouche les oreilles, murmura l'aînée des trois filles du conservateur des eaux et forêts.

Rougon, la corde allumée à la main, au milieu de tout ce monde, se sentait ridicule. En haut, sur la crête des coteaux, les carcasses des moulins craquaient plus fort. Alors, il se hâta, mit le feu à la mèche dont le contremaître lui indiqua le bout, entre deux pierres. Aussitôt un ouvrier souffla dans une trompe, longuement. Toute l'équipe s'écarta. M. Kahn avait vivement ramené Son Excellence sous la tente, en montrant une sollicitude inquiète.

— Eh bien, ça ne part donc pas ? balbutia le conservateur des hypothèques, qui clignait les yeux d'anxiété, avec une envie folle de se boucher les oreilles, comme les dames.

L'explosion n'eut lieu qu'au bout de deux minutes. On avait mis la mèche très longue, par prudence. L'attente des spectateurs tournait à l'angoisse ; tous les yeux, fixés sur la roche rouge, s'imaginaient la voir remuer ; des personnes nerveuses dirent que ça leur cassait la poitrine. Enfin, il y eut un ébranlement sourd, la roche se fendit, pendant qu'un jet de fragments, gros comme les deux poings, montait dans la fumée. Et tout le monde s'en alla. On entendait ces mots, cent fois répétés :

— Sentez-vous la poudre ?

Le soir, le préfet donna un dîner, auquel les autorités assistèrent. Il avait lancé cinq cents invitations pour le bal qui suivit. Ce bal fut splendide. Le grand salon était décoré de plantes vertes, et l'on avait ajouté, aux quatre coins, quatre petits lustres, dont les bougies, jointes à celles du lustre central, jetaient une clarté extraordinaire. Niort ne se souvenait pas d'un tel éclat. Le flamboiement des six fenêtres éclairait la place de la Préfecture, où plus de deux mille curieux se pressaient, les yeux en l'air, pour voir les danses. Même l'orchestre s'entendait si distinctement, que des gamins, en bas, organisaient des galops[78] sur les trottoirs. Dès neuf heures, les dames s'éventaient, les rafraîchissements circulaient, les quadrilles succédaient aux valses et aux polkas. Près de la porte, Du Poizat, très cérémonieux, recevait les retardataires, avec un sourire.

— Votre Excellence ne danse donc pas ? demanda hardiment à Rougon la femme du proviseur, qui venait d'entrer, vêtue d'une robe de tarlatane semée d'étoiles d'or.

Rougon s'excusa en souriant. Il était debout devant une fenêtre, au milieu d'un groupe. Et, tout en soutenant une conversation sur la revision du cadastre, il jetait au dehors de rapides coups d'œil. De l'autre côté de la place, dans la vive lueur dont les lustres éclairaient les façades, il venait d'apercevoir, à une des croisées de l'hôtel de Paris, Mme Correur et Mlle Herminie Billecoq. Elles restaient là, regardant la fête, accoudées à la barre d'appui comme à la rampe d'une loge. Elles avaient des visages luisants, des cous nus et gonflés de légers rires, à certaines bouffées chaudes de la fête.

Cependant, la femme du proviseur achevait le tour du grand salon, distraite, insensible à l'admiration que l'ampleur de sa longue jupe soulevait parmi les tout jeunes gens. Elle cherchait quelqu'un du regard, sans cesser de sourire, d'un air languissant.

— Monsieur le commissaire central n'est donc pas venu ? finit-elle par demander à Du Poizat, qui la questionnait sur la santé de son mari. Je lui ai promis une valse.

— Mais il devrait être là, répondit le préfet ; je suis surpris de ne pas le voir... Il a eu une mission à remplir aujourd'hui. Seulement il m'avait promis d'être de retour à six heures.

C'était vers midi, après le déjeuner, que Gilquin avait quitté Niort à cheval, pour aller arrêter le notaire Martineau. Coulonges se trouvait à cinq lieues. Il comptait y être à deux heures et pouvoir repartir vers les quatre heures au plus tard, ce qui lui permettrait de ne pas manquer le banquet, auquel il était invité. Aussi ne pressa-t-il pas l'allure de son cheval, se dandinant sur la selle, se promet-

tant d'être très entreprenant, le soir, au bal, avec cette personne blonde, qu'il jugeait seulement un peu maigre. Gilquin aimait les femmes grasses. A Coulonges, il descendit à l'hôtel du Lion d'or, où un brigadier et deux gendarmes devaient l'attendre. De cette façon, son arrivée ne serait pas remarquée ; on louerait une voiture, on « emballerait » le notaire, sans qu'une voisine se mît sur sa porte. Mais les gendarmes n'étaient pas au rendez-vous. Jusqu'à cinq heures, Gilquin les attendit, jurant, buvant des grogs, regardant sa montre tous les quarts d'heure. Jamais il ne serait à Niort pour le dîner. Il faisait seller son cheval, lorsque enfin le brigadier parut, suivi de ses deux hommes. Il y avait eu malentendu.

— Bon, bon, ne vous excusez pas, nous n'avons pas le temps, cria furieusement le commissaire central. Il est déjà cinq heures un quart... Empoignons notre individu, et que ça ne traîne pas ! Il faut que nous roulions dans dix minutes.

D'ordinaire, Gilquin était bon homme. Il se piquait, dans ses fonctions, d'une urbanité parfaite. Ce jour-là, il avait même arrêté un plan compliqué, afin d'éviter les émotions trop fortes au frère de Mme Correur : ainsi il devait entrer seul, pendant que les gendarmes se tiendraient, avec la voiture, à la porte du jardin, dans une ruelle donnant sur la campagne. Mais ses trois heures d'attente au Lion d'or l'avaient tellement exaspéré, qu'il oublia toutes ces belles précautions. Il traversa le village et alla sonner rudement chez le notaire, à la porte de la rue. Un gendarme fut laissé devant cette porte ; l'autre fit le tour, pour surveiller les murs du jardin. Le commissaire était entré avec le brigadier. Dix à douze curieux effarés regardaient de loin.

A la vue des uniformes, la servante qui avait ouvert, prise d'une terreur d'enfant, disparut en criant ce seul mot, de toutes ses forces :

— Madame ! madame ! madame !

Une femme petite et grasse, dont la face gardait un grand calme, descendit lentement l'escalier.

— Madame Martineau, sans doute ? dit Gilquin d'une voix rapide. Mon Dieu ! madame, j'ai une triste mission à remplir... Je viens arrêter votre mari.

Elle joignit ses mains courtes, tandis que ses lèvres décolorées tremblaient. Mais elle ne poussa pas un cri. Elle resta sur la dernière marche, bouchant l'escalier avec ses jupes. Elle voulut voir le mandat d'amener, demanda des explications, traîna les choses.

— Attention ! le particulier va nous filer entre les doigts, murmura le brigadier à l'oreille du commissaire.

---

78. Danse à deux temps d'origine hongroise ou bavaroise, en honneur jusqu'à la guerre de 1914.

Sans doute elle entendit. Elle les regarda, de son air calme, en disant :

— Montez, messieurs.

Et elle monta la première. Elle les introduisit dans un cabinet, au milieu duquel M. Martineau se tenait debout, en robe de chambre. Les cris de la bonne venaient de lui faire quitter le fauteuil où il passait ses journées. Très grand, les mains comme mortes, le visage d'une pâleur de cire, il n'avait plus que les yeux de vivants, des yeux noirs, doux et énergiques. Mme Martineau le montra d'un geste silencieux.

— Mon Dieu! monsieur, commença Gilquin, j'ai une triste mission à remplir...

Quand il eut terminé, le notaire hocha la tête, sans parler. Un léger frisson agitait la robe de chambre drapée sur ses membres maigres. Il dit enfin, avec une grande politesse :

— C'est bien, messieurs, je vais vous suivre.

Alors, il se mit à marcher dans la pièce, rangeant les objets qui traînaient sur les meubles. Il changea de place un paquet de livres. Il demanda à sa femme une chemise propre. Le frisson dont il était secoué, devenait plus violent. Mme Martineau, le voyant chanceler, le suivait, les bras tendus pour le recevoir, comme on suit un enfant.

— Dépêchons, dépêchons, monsieur, répétait Gilquin.

Le notaire fit encore deux tours; et, brusquement, ses mains battirent l'air, il se laissa tomber dans un fauteuil, tordu, roidi par une attaque de paralysie. Sa femme pleurait à grosses larmes muettes.

Gilquin avait tiré sa montre.

— Tonnerre de Dieu! cria-t-il.

Il était cinq heures et demie. Maintenant, il devait renoncer à être de retour à Niort pour le dîner de la préfecture. Avant qu'on eût mis cet homme dans une voiture, on allait perdre au moins une demi-heure. Il tâcha de se consoler en jurant bien de ne pas manquer le bal; justement il se souvenait d'avoir retenu la femme du proviseur pour la première valse.

— C'est de la frime, lui murmura le brigadier à l'oreille. Voulez-vous que je remette le particulier sur ses pieds?

Et, sans attendre la réponse, il s'avança, il adressa au notaire des exhortations pour l'engager à ne pas tromper la justice. Le notaire, les paupières closes, les lèvres amincies, gardait une rigidité de cadavre. Peu à peu, le brigadier se fâcha, en vint aux gros mots, finit par abattre sa lourde main de gendarme sur le collet de la robe de chambre. Mais Mme Martineau, si calme jusque-là, le repoussa rudement, se

planta devant son mari, en serrant ses poings de dévote résolue.

— C'est de la frime, je vous dis! répéta le brigadier.

Gilquin haussa les épaules. Il était décidé à emmener le notaire mort ou vif.

— Que l'un de vos hommes aille chercher la voiture au Lion d'or, ordonna-t-il. J'ai prévenu l'aubergiste.

Quand le brigadier fut sorti, il s'approcha de la fenêtre, regarda complaisamment le jardin où des abricotiers étaient en fleur. Et il s'oubliait là, lorsqu'il se sentit touché à l'épaule. Mme Martineau, debout derrière lui, l'interrogea, les joues séchées, la voix raffermie :

— Cette voiture est pour vous, n'est-ce pas? Vous ne pouvez traîner mon mari à Niort, dans l'état où il se trouve.

— Mon Dieu! madame, dit-il pour la troisième fois, ma mission est très pénible...

— Mais c'est un crime! Vous le tuez... Vous n'avez pas été chargé de le tuer, pourtant!

— J'ai des ordres, répondit-il d'une voix plus rude, voulant couper court à la scène de supplications qu'il prévoyait.

Elle eut un geste terrible. Une colère folle passa sur sa face de bourgeoise grasse, tandis que ses regards faisaient le tour de la pièce, comme pour chercher quelque moyen suprême de salut. Mais, d'un effort, elle s'apaisa, elle reprit son attitude de femme forte qui ne comptait pas sur ses larmes.

— Dieu vous punira, monsieur, dit-elle simplement, après un silence, pendant lequel elle ne l'avait pas quitté des yeux.

Et elle retourna, sans un sanglot, sans une supplication, s'accouder au fauteuil où son mari agonisait. Gilquin avait souri.

A ce moment, le brigadier, qui était allé lui-même au Lion d'or, revint dire que l'aubergiste prétendait ne pas avoir pour l'instant la moindre carriole. Le bruit de l'arrestation du notaire, très aimé dans le pays, avait dû se répandre. L'aubergiste cachait certainement ses voitures; deux heures auparavant, interrogé par le commissaire central, il s'était engagé à lui garder un vieux coupé, qu'il louait d'ordinaire aux voyageurs, pour des promenades dans les environs.

— Fouillez l'auberge! cria Gilquin repris par la fureur devant ce nouvel obstacle; fouillez toutes les maisons du village!... Est-ce qu'on se fiche de nous, à la fin! On m'attend, je n'ai pas de temps à perdre... Je vous donne un quart d'heure, entendez-vous!

Le brigadier disparut de nouveau, emmenant ses

hommes, les lançant dans des directions différentes. Trois quarts d'heure se passèrent, puis quatre, puis cinq. Au bout d'une heure et demie, un gendarme se montra enfin, la mine longue : toutes les recherches étaient restées sans résultat. Gilquin, pris de fièvre, marchait d'un pas saccadé, allant de la porte à la fenêtre, regardant tomber le jour. Sûrement on ouvrirait le bal sans lui ; la femme du proviseur croirait à une impolitesse ; cela le rendrait ridicule, paralyserait ses moyens de séduction. Et, chaque fois qu'il passait devant le notaire, il sentait la colère l'étrangler ; jamais malfaiteur ne lui avait donné tant d'embarras. Le notaire, plus froid, plus blême, restait allongé, sans un mouvement.

Ce fut seulement à sept heures passées que le brigadier reparut, l'air rayonnant. Il avait enfin trouvé le vieux coupé de l'aubergiste, caché au fond d'un hangar, à un quart de lieue du village. Le coupé était tout attelé, et c'était l'ébrouement du cheval qui l'avait fait découvrir. Mais quand la voiture fut à la porte, il fallut habiller M. Martineau. Cela prit un temps fort long. Mme Martineau, avec une lenteur grave, lui mit des bas blancs, une chemise blanche ; puis, elle le vêtit tout en noir, pantalon, gilet, redingote. Jamais elle ne consentit à se laisser aider par un gendarme. Le notaire s'abandonnait entre ses bras sans une résistance. On avait allumé une lampe. Gilquin tapait dans ses mains d'impatience, tandis que le brigadier, immobile, mettait au plafond l'ombre énorme de son chapeau.

— Est-ce fini, est-ce fini ? répétait Gilquin.

Mme Martineau fouillait un meuble depuis cinq minutes. Elle en tira une paire de gants noirs, et les glissa dans la poche de M. Martineau.

— J'espère, monsieur, demanda-t-elle, que vous me laisserez monter dans la voiture ? Je veux accompagner mon mari.

— C'est impossible, répondit brutalement Gilquin.

Elle se contint, Elle n'insista pas.

— Au moins, reprit-elle, me permettrez-vous de le suivre ?

— Les routes sont libres, dit-il. Mais vous ne trouverez pas de voiture, puisqu'il n'y en a pas dans le pays.

Elle haussa légèrement les épaules et sortit donner un ordre. Dix minutes plus tard, un cabriolet stationnait à la porte, derrière le coupé. Il fallut alors descendre M. Martineau. Les deux gendarmes le portèrent. Sa femme lui soutenait la tête. Et, à la moindre plainte poussée par le moribond, elle commandait impérieusement aux deux hommes de s'arrêter, ce que ceux-ci faisaient, malgré les regards terribles du commissaire. Il y eut ainsi un repos à chaque marche de l'escalier. Le notaire était comme un mort correctement vêtu qu'on emportait. On dut l'asseoir évanoui dans la voiture.

— Huit heures et demie ! cria Gilquin, en regardant une dernière fois sa montre. Quelle sacrée corvée ! Je n'arriverai jamais.

C'était une chose dite. Bien heureux s'il faisait son entrée vers le milieu du bal. Il sauta à cheval en jurant, il dit au cocher d'aller bon train. En tête venait le coupé, aux portières duquel galopaient les deux gendarmes ; puis, à quelques pas, le commissaire central et le brigadier suivaient ; enfin, le cabriolet, où se trouvait Mme Martineau, fermait la marche. La nuit était très fraîche. Sur la route grise, interminable, au milieu de la campagne endormie, le cortège passait, avec le roulement sourd des roues et la cadence monotone du galop des chevaux. Pas une parole ne fut dite pendant le trajet. Gilquin arrangeait la phrase qu'il prononcerait en abordant la femme du proviseur. Mme Martineau, par moments, se levait toute droite dans son cabriolet, croyant avoir entendu un râle ; mais c'était à peine si elle apercevait, en avant, la caisse du coupé, qui roulait, noire et silencieuse.

On entra dans Niort à dix heures et demie. Le commissaire, pour éviter de traverser la ville, fit prendre par les remparts. Aux prisons, il fallut carillonner. Quand le guichetier vit le prisonnier qu'on lui amenait, si blanc, si roide, il monta réveiller le directeur. Celui-ci, un peu souffrant, arriva bientôt en pantoufles. Mais il se fâcha, il refusa absolument de recevoir un homme dans un pareil état. Est-ce qu'on prenait les prisons pour un hôpital ?

— Puisqu'il est arrêté maintenant, que voulez-vous qu'on en fasse ? demanda Gilquin, mis hors de lui par ce dernier incident.

— Ce qu'on voudra, monsieur le commissaire, répondit le directeur. Je vous répète qu'il n'entrera pas ici. Je n'accepterai jamais une pareille responsabilité.

Mme Martineau avait profité de la discussion pour monter dans le coupé, auprès de son mari. Elle proposa de le mener à l'hôtel.

— Oui, à l'hôtel, au diable, où vous voudrez ! cria Gilquin. J'en ai assez, à la fin ! Remportez-le !

Pourtant, il poussa le devoir jusqu'à accompagner le notaire à l'hôtel de Paris, désigné par Mme Martineau elle-même. La place de la Préfecture commençait à se vider ; seuls les gamins sautaient encore sur les trottoirs, tandis que des couples de bourgeois, lentement, se perdaient dans l'ombre des rues voisines. Mais le flamboiement des six fenêtres du grand salon éclairait toujours la place de la lueur vive du plein jour; l'orchestre avait des voix de cuivre plus retentissantes; les dames, dont on voyait les épaules nues passer dans l'entrebâillement des rideaux, balançaient leurs chignons, frisés à la mode de Paris. Gilquin, au moment où l'on montait le notaire à une chambre du premier étage, aperçut, en levant la tête, Mme Correur et Mlle Herminie Billecoq, qui n'avaient pas quitté leur fenêtre. Elles étaient là, roulant leur cou, échauffées par les fumées de la fête. Mme Correur, cependant, avait dû voir arriver son frère, car elle se penchait, au risque de tomber. Sur un signe véhément qu'elle lui fit, Gilquin monta.

Et plus tard, vers minuit, le bal de la préfecture atteignait tout son éclat. On venait d'ouvrir les portes de la salle à manger, où un souper froid était servi. Les dames, très rouges, s'éventaient, mangeaient debout, avec des rires. D'autres continuaient à danser, ne voulant pas perdre un quadrille, se contentant des verres de sirop que des messieurs leur apportaient. Une poussière lumineuse flottait, comme envolée des chevelures, des jupes et des bras cerclés d'or, qui battaient l'air. Il y avait trop d'or, trop de musique et trop de chaleur. Rougon, suffoquant, se hâta de sortir, sur un appel discret de Du Poizat.

A côté du grand salon, dans la pièce où il les avait déjà vues la veille, Mme Correur et Mlle Herminie Billecoq l'attendaient, en pleurant toutes deux à gros sanglots.

— Mon frère, mon pauvre Martineau! balbutia Mme Correur, qui étouffait ses larmes dans son mouchoir. Ah! je le sentais, vous ne pouviez pas le sauver... Mon Dieu! pourquoi ne l'avez-vous pas sauvé?

Il voulut parler, mais elle ne lui en laissa pas le temps.

— Il a été arrêté aujourd'hui. Je viens de le voir... Mon Dieu! mon Dieu!

— Ne vous désolez pas, dit-il enfin. On instruira son affaire. J'espère bien qu'on le relâchera.

Mme Correur cessa de se tamponner les yeux. Elle le regarda, en s'écriant de sa voix naturelle:

— Mais il est mort!

Et elle reprit tout de suite son ton éploré, la figure de nouveau au fond de son mouchoir.

— Mon Dieu! mon Dieu! mon pauvre Martineau!

Mort! Rougon sentit un petit frisson lui courir à fleur de peau. Il ne trouva pas une parole. Pour la première fois, il eut conscience d'un trou devant lui, d'un trou plein d'ombre, dans lequel, peu à peu,

on le poussait. Voilà que cet homme était mort, maintenant! Jamais il n'avait voulu cela. Les faits allaient trop loin.

— Hélas! oui, le pauvre cher homme, il est mort, racontait avec de longs soupirs Mlle Herminie Billecoq. Il paraît qu'on a refusé de le recevoir aux prisons. Alors, quand nous l'avons vu arriver à l'hôtel dans un si triste état, madame est descendue et a forcé la porte, en criant qu'elle était sa sœur. Une sœur, n'est-ce pas? a toujours le droit de recevoir le dernier soupir de son frère. C'est ce que j'ai dit à cette coquine de madame Martineau, qui parlait encore de nous chasser. Elle a été bien obligée de nous laisser une place devant le lit... Oh! mon Dieu, ç'a été fini très vite. Il n'a pas râlé plus d'une heure. Il était couché sur le lit, tout habillé de noir; on aurait cru un notaire allant à un mariage. Et il s'est éteint comme une chandelle, avec une toute petite grimace. Ça n'a pas dû lui faire beaucoup de mal.

— Est-ce que madame Martineau ne m'a pas cherché querelle, ensuite! conta à son tour Mme Correur. Je ne sais ce qu'elle barbotait; elle parlait de l'héritage, elle m'accusait d'avoir porté le dernier coup à mon frère. Je lui ai répondu: « Moi, madame, jamais je ne l'aurais laissé emmener, je me serais plutôt fait hacher par les gendarmes! » Et ils m'auraient hachée, comme je vous le dis... N'est-ce pas, Herminie?

— Oui, oui, répondit la grande fille.

— Enfin, que voulez-vous, mes larmes ne le ressusciteront pas, mais on pleure parce qu'on a besoin de pleurer... Mon pauvre Martineau [79]!

Rougon restait mal à l'aise. Il retira ses mains, dont Mme Correur s'était emparée. Et il ne trouvait toujours rien à dire, répugné par les détails de cette mort qui lui semblait abominable.

— Tenez! s'écria Herminie debout devant la fenêtre, on voit la chambre d'ici, là, en face, dans la grande clarté, la troisième fenêtre du premier

79. Dans *les Suspects en 1858* de Tenot et Dubois, on trouve l'anecdote qui a servi de source à Zola :

« M. Lebrun, indignement maltraité par le brigadier de gendarmerie chargé de l'arrêter, tomba, frappé subitement de paralysie, sur le parquet. Les représentants de l'autorité – de véritables assassins – voulurent l'emmener quand même. La paralysie était feinte, assurait l'impitoyable brigadier. — Si dans cinq minutes il n'est pas sur ses jambes, s'écria-t-il, je l'attache sur la croupe de mon cheval, et ce ne sera pas long.

« La femme du pauvre vieillard voulut monter dans la voiture à côté de son mari. — Point de ça, dit le commissaire de police, montez dans une autre voiture.

« Puis on partit pour Bourges, par une nuit glaciale. En arrivant à la ville on conduisit le malheureux à la maison d'arrêt. Il était dans un état si pitoyable que le concierge de la prison refusa de le recevoir sans un ordre du préfet. On se décida alors à le mener à l'hôtel de l'Europe, où il expira dans la nuit du 3 mars dans les bras de sa famille éplorée » (p. 273-274).

étage, en partant de la gauche... Il y a une lumière derrière les rideaux.

Alors, il les congédia, pendant que Mme Correur s'excusait, l'appelait son ami, expliquait le premier mouvement auquel elle avait cédé, en venant lui apprendre la fatale nouvelle.

— Cette histoire est bien fâcheuse, dit-il à l'oreille de Du Poizat, lorsqu'il rentra dans le bal, la face encore toute pâle.

— Eh! c'est cet imbécile de Gilquin! répondit le préfet en haussant les épaules.

Le bal flambait. Dans la salle à manger, dont on apercevait un coin par la porte grande ouverte, le premier adjoint bourrait de friandises les trois filles du conservateur des Eaux et Forêts; tandis que le colonel du 78e de ligne buvait du punch, l'oreille tendue aux méchancetés de l'ingénieur en chef des Ponts et Chaussées, qui croquait des pralines. M. Kahn, près de la porte, répétait très haut au président du tribunal civil son discours de l'après-midi, sur les bienfaits de la nouvelle voie ferrée, au milieu d'un groupe compact d'hommes graves, le directeur des contributions directes, les deux juges de paix, les délégués de la Chambre consultative d'agriculture et de la Société de statistique, bouches béantes. Puis, autour du grand salon, sous les cinq lustres, une valse que l'orchestre jouait avec des éclats de trompette, berçait les couples, le fils du receveur général et la sœur du maire, l'un des substituts et une demoiselle en bleu, l'autre des substituts et une demoiselle en rose. Mais un couple surtout soulevait un murmure d'admiration, le commissaire central et la femme du proviseur galamment enlacés, tournant avec lenteur; il s'était hâté d'aller faire une toilette correcte, habit noir, bottes vernies, gants blancs; et la jolie blonde lui avait pardonné son retard, pâmée à son épaule, les yeux noyés de tendresse. Gilquin accentuait les mouvements de hanches, en rejetant en arrière son torse de beau danseur de bals publics, pointe canaille dont le haut goût ravissait la galerie. Rougon, que le couple faillit bousculer, dut se coller contre un mur, pour le laisser passer, dans un flot de tarlatane étoilée d'or.

80. Le duc d'Orléans avait aménagé le château de Saint-Cloud au début du XVIIIe siècle. Il devint la résidence d'été de Napoléon Ier, et, naturellement, de Napoléon III, qui l'imitait en tout.

81. Anachronisme : les travaux de Chaillot ne commencèrent qu'en 1866. Zola avait déjà commis la même erreur dans *la Curée*.

11

Rougon avait enfin obtenu pour Delestang le portefeuille de l'agriculture et du commerce. Un matin, dans les premiers jours de mai, il alla rue du Colisée prendre son nouveau collègue. Il devait y avoir conseil des ministres à Saint-Cloud[80], où la cour venait de s'installer.

— Tiens! vous nous accompagnez? dit-il avec surprise, en apercevant Clorinde qui montait dans le landau tout attelé devant le perron.

— Mais oui, je vais au conseil, moi aussi, répondit-elle en riant.

Puis, elle ajouta d'une voix sérieuse, lorsqu'elle eut casé entre les banquettes les volants de sa longue jupe de soie cerise pâle :

— J'ai un rendez-vous avec l'impératrice. Je suis trésorière d'une œuvre pour les jeunes ouvrières, à laquelle elle s'intéresse.

Les deux hommes montèrent à leur tour. Delestang s'assit à côté de sa femme; il avait une serviette d'avocat, en maroquin chamois, qu'il garda sur les genoux. Rougon, les mains libres, se trouva en face de Clorinde. Il était près de neuf heures et demie, et le conseil était pour dix heures. Le cocher reçut l'ordre de marcher bon train. Pour couper au plus court, il prit la rue Marbeuf, s'engagea dans le quartier de Chaillot, que la pioche des démolisseurs commençait à éventrer[81]. C'étaient des rues désertes, bordées de jardins et de constructions en planches, des traverses escarpées qui tournaient sur elles-mêmes, d'étroites places de province plantées d'arbres maigres, tout un coin bâtard de grande ville se chauffant sur un coteau, au soleil matinal, avec des échoppes à la débandade.

— Est-ce laid, par ici! dit Clorinde, renversée au fond du landau.

Elle s'était tournée à demi vers son mari, elle l'examina un instant, la face grave; et, comme malgré elle, elle se mit à sourire. Delestang, correctement boutonné dans sa redingote, était assis avec dignité sur son séant, le corps ni trop en avant ni trop en arrière. Sa belle figure pensive, sa calvitie précoce qui lui haussait le front, faisaient retourner les passants. La jeune femme remarqua que personne ne regardait Rougon, dont le visage lourd semblait dormir. Alors, maternellement, elle tira un peu la manchette gauche de son mari, trop enfoncée sous le parement.

— Qu'est-ce que vous avez donc fait cette nuit? demanda-t-elle au grand homme, en lui voyant étouffer des bâillements dans ses doigts.

— J'ai travaillé tard, je suis harassé, murmura-t-il. Un tas d'affaires bêtes!

Et la conversation tomba de nouveau. Maintenant, c'était lui qu'elle étudiait. Il s'abandonnait aux légères secousses de la voiture, sa redingote déformée par ses larges épaules, son chapeau mal brossé, gardant les marques d'anciennes gouttes de pluie. Elle se souvenait d'avoir, le mois précédent, acheté un cheval à un maquignon qui lui ressemblait. Son sourire reparut, avec une pointe de dédain.

— Eh bien? dit-il, impatienté d'être examiné de la sorte.

— Eh bien! je vous regarde! répondit-elle. Est-ce que ce n'est pas permis?... Vous avez donc peur qu'on ne vous mange?

Elle lança cette phrase d'un air provocant, en montrant ses dents blanches. Mais lui, plaisanta.

— Je suis trop gros, ça ne passerait pas.

— Oh! si l'on avait bien faim! dit-elle très sérieusement, après avoir paru consulter son appétit.

Le landau arrivait à la porte de la Muette. Ce fut, au sortir des ruelles étranglées de Chaillot, un élargissement brusque d'horizon dans les verdures tendres du Bois. La matinée était superbe, trempant au loin les pelouses d'une clarté blonde, donnant un frisson tiède à l'enfance des arbres. Ils laissèrent à droite le parc aux daims et prirent la route de Saint-Cloud. Maintenant, la voiture roulait sur l'avenue sablée, sans une secousse, avec une légèreté et une douceur de traîneau glissant sur la neige.

— Hein? est-ce désagréable, ce pavé! reprit Clorinde, en s'allongeant. On respire ici, on peut causer... Est-ce que vous avez des nouvelles de notre ami Du Poizat?

— Oui, dit Rougon. Il se porte bien.

— Est-il toujours content de son département?

Il fit un geste vague, voulant se dispenser de répondre. La jeune femme devait connaître certains ennuis que le préfet des Deux-Sèvres commençait à lui donner par la rudesse de son administration. Elle n'insista pas, elle parla de M. Kahn et de Mme Correur, en lui demandant des détails sur son voyage là-bas, d'un air de curiosité méchante. Puis, s'interrompit, pour s'écrier:

— A propos! j'ai rencontré hier le colonel Jobelin et son cousin monsieur Bouchard. Nous avons parlé de vous... Oui, nous avons parlé de vous.

Il pliait les épaules, il ne disait toujours rien. Alors, elle rappela le passé.

— Vous vous souvenez de nos bonnes petites soirées, rue Marbeuf. A présent, vous avez trop d'affaires, on ne peut plus vous approcher. Vos amis s'en plaignent. Ils prétendent que vous les

oubliez... Vous savez, je dis tout, moi. Eh bien! on vous traite de lâcheur, mon cher.

A ce moment, comme la voiture venait de passer entre les deux lacs, elle croisa un coupé, qui rentrait à Paris. On vit une face rude se rejeter au fond du coupé, sans doute pour éviter un salut.

— Mais c'est votre beau-frère! cria Clorinde.

— Oui, il est souffrant, répondit Rougon avec un sourire. Son médecin lui a ordonné des promenades matinales.

Et tout d'un coup, s'abandonnant, il continua, pendant que le landau filait sous de grands arbres, le long d'une allée à la courbe molle:

— Que voulez-vous! je ne puis pourtant pas leur donner la lune!... Ainsi voilà Beulin-d'Orchère qui a fait le rêve d'être garde des Sceaux. J'ai tenté l'impossible, j'ai sondé l'empereur sans pouvoir rien en tirer. L'empereur, je crois, a peur de lui. Ce n'est pas ma faute, n'est-ce pas? Beulin-d'Orchère est premier président. Cela devrait lui suffire, que diable! en attendant mieux. Et il évite de me saluer! C'est un sot.

Maintenant, Clorinde, les yeux baissés, les doigts jouant avec le gland de son ombrelle, ne bougeait plus. Elle le laissait aller, elle ne perdait pas une phrase.

— Les autres ne sont pas plus raisonnables. Si le colonel et Bouchard se plaignent, ils ont grand tort, car j'ai déjà trop fait pour eux... Je parle pour tous mes amis. Ils sont une douzaine d'un joli poids sur mes épaules! Tant qu'ils n'auront pas ma peau, ils ne se déclareront pas satisfaits.

Il se tut, puis il reprit en riant avec bonhomie:

— Bah! s'ils en avaient absolument besoin, je la leur donnerais bien encore... Quand on a les mains ouvertes, il n'est plus possible de les refermer. Malgré tout le mal que mes amis disent de moi, je passe mes journées à solliciter pour eux une foule de faveurs.

Et, lui touchant le genou, la forçant à le regarder:

— Voyons, vous! Je vais causer avec l'empereur ce matin... Vous n'avez rien à demander?

— Non, merci, répondit-elle d'une voix sèche.

Comme il s'offrait toujours, elle se fâcha, elle l'accusa de leur reprocher les quelques services qu'il avait pu leur rendre, à son mari et à elle. Ce n'étaient pas eux qui lui pèseraient davantage. Elle termina en disant:

— A présent, je fais mes commissions moi-même. Je suis assez grande fille, peut-être!

Cependant, la voiture venait de sortir du Bois. Elle traversait Boulogne, dans le tapage d'un convoi de grosses charrettes, le long de la Grande-Rue.

Jusque-là, Delestang était resté au fond du landau, béat, les mains posées sur la serviette de maroquin, sans une parole, comme livré à quelque haute spéculation intellectuelle. Alors, il se pencha, il cria à Rougon, au milieu du bruit :

— Pensez-vous que Sa Majesté nous retienne à déjeuner ?

Rougon eut un geste d'ignorance. Il dit ensuite :

— On déjeune au palais, quand le conseil se prolonge.

Delestang rentra dans son coin, où il parut de nouveau en proie à une rêverie des plus graves. Mais il se pencha une seconde fois, pour poser cette question :

— Est-ce que le conseil sera très chargé ce matin ?

— Oui, peut-être, répondit Rougon. On ne sait jamais. Je crois que plusieurs de nos collègues doivent rendre compte de certains travaux... Moi, en tout cas, je soulèverai la question de ce livre pour lequel je suis en conflit avec la commission de colportage.

— Quel livre ? demanda vivement Clorinde.

— Une ânerie, un de ces volumes qu'on fabrique pour les paysans. Cela s'appelle *les Veillées du bonhomme Jacques*. Il y a de tout là-dedans, du socialisme, de la sorcellerie, de l'agriculture, jusqu'à un article célébrant les bienfaits de l'association... Un bouquin dangereux, enfin !

La jeune femme, dont la curiosité ne devait pas être satisfaite, se tourna comme pour interroger son mari.

— Vous êtes sévère, Rougon, déclara Delestang. J'ai parcouru ce livre, j'y ai découvert de bonnes choses ; le chapitre sur l'association est bien fait... Je serais surpris si l'empereur condamnait les idées qui s'y trouvent exprimées.

Rougon allait s'emporter. Il ouvrait les bras, dans une geste de protestation. Et il se calma brusquement, comme ne voulant pas discuter ; il ne dit plus rien, jetant des coups d'œil sur le paysage, aux deux côtés de l'horizon. Le landau était alors au milieu du pont de Saint-Cloud ; en bas, toute moirée de soleil, la rivière avait des nappes dormantes d'un bleu pâle ; tandis que des files d'arbres, le long des rives, enfonçaient dans l'eau des ombres vigoureuses. L'immense ciel, en amont et en aval, montait, tout blanc d'une limpidité printanière, à peine teinté d'un frisson bleu.

Lorsque la voiture se fut arrêtée dans la cour du château, Rougon descendit le premier et tendit la main à Clorinde. Mais celle-ci affecta de ne pas accepter ce soutien ; elle sauta légèrement à terre. Puis, comme il restait le bras tendu, elle lui donna un petit coup d'ombrelle sur les doigts, en murmurant :

— Puisqu'on vous dit qu'on est grande fille !

Et elle semblait sans respect pour les poings énormes du maître, qu'elle gardait longtemps autrefois dans ses mains d'élève soumise, afin de leur voler un peu de leur force. Aujourd'hui, elle pensait sans doute les avoir assez appauvris ; elle n'avait plus ses cajoleries adorables de disciple. A son tour, poussée en puissance, elle devenait maîtresse. Quand Delestang fut descendu de voiture, elle laissa Rougon entrer le premier, pour souffler à l'oreille de son mari :

— J'espère que vous n'allez pas l'empêcher de patauger, avec son bonhomme Jacques. Vous avez là une bonne occasion de ne pas toujours dire comme lui.

Dans le vestibule, avant de le quitter, elle l'enveloppa d'un dernier regard, s'inquiéta d'un bouton de sa redingote qui tirait sur l'étoffe ; et, tandis qu'un huissier l'annonçait chez l'impératrice, elle les regarda disparaître, Rougon et lui, souriante.

Le conseil des ministres se tenait dans un salon voisin du cabinet de l'empereur. Au milieu, une douzaine de fauteuils entouraient une grande table, recouverte d'un tapis. Les fenêtres, hautes et claires, donnaient sur la terrasse du château. Quand Rougon et Delestang entrèrent, tous leurs collègues se trouvaient déjà réunis, à l'exception du ministre des Travaux publics et du ministre de la Marine et des Colonies, alors en congé. L'empereur n'avait encore paru. Ces messieurs causèrent pendant près de dix minutes, debout devant les fenêtres, groupés autour de la table. Il y en avait deux de visages chagrins, qui se détestaient au point de ne jamais s'adresser la parole ; mais les autres, la mine aimable, se mettaient à l'aise, en attendant les affaires graves. Paris s'occupait alors de l'arrivée d'une ambassade venue du fond de l'Extrême-Orient, avec des costumes étranges et des façons de saluer extraordinaires. Le ministre des Affaires étrangères raconta une visite qu'il avait rendue, la veille, au chef de cette ambassade ; il se moquait finement, tout en restant très correct. Puis, la conversation tomba à des sujets plus frivoles ; le ministre d'État fournit des renseignements sur la santé d'une danseuse de l'Opéra, qui avait failli se casser la jambe. Et même dans leur abandon, ces messieurs demeuraient en éveil et en défiance, cherchant certaines de leurs phrases, rattrapant des moitiés de mot, se guettant sous leurs sourires, redevenant subitement sérieux, dès qu'ils se sentaient surveillés.

— Alors, c'est une simple foulure ? dit Delestang, qui s'intéressait beaucoup aux danseuses.

— Oui, une foulure, répéta le ministre d'État. La pauvre femme en sera quitte pour garder quinze jours la chambre... Elle est bien honteuse d'être tombée.

Un petit bruit fit tourner les têtes. Tous s'inclinèrent; l'empereur venait d'arriver. Il resta un instant appuyé au dossier de son fauteuil. Et il demanda de sa voix sourde, lentement :

— Elle va mieux ?

— Beaucoup mieux, sire, répondit le ministre en s'inclinant de nouveau. J'ai eu de ses nouvelles ce matin.

Sur un geste de l'empereur, les membres du conseil prirent place autour de la table. Ils étaient neuf; plusieurs étalèrent des papiers devant eux; d'autres se renversèrent, en se regardant les ongles. Un silence régna. L'empereur semblait souffrant; il roulait doucement les bouts de ses moustaches entre ses doigts, la face éteinte. Puis, comme personne ne parlait, il parut se souvenir, il prononça quelques mots.

— Messieurs, la session du Corps législatif va être close...

Il fut d'abord question du budget, que la Chambre venait de voter en cinq jours. Le ministre des Finances signala les vœux exprimés par le rapporteur. Pour la première fois, la Chambre avait des velléités de critique. Ainsi, le rapporteur souhaitait voir l'amortissement fonctionner d'une façon normale et le gouvernement se contenter des crédits votés, sans recourir toujours à des demandes de crédits supplémentaires. D'autre part, des membres s'étaient plaints du peu de cas que le Conseil d'État faisait de leurs observations, quand ils cherchaient à réduire certaines dépenses; un d'entre eux avait même réclamé pour le Corps législatif le droit de préparer le budget [82].

— Il n'y a pas lieu, selon moi, de tenir compte de ces réclamations, dit le ministre des Finances en terminant. Le gouvernement dresse ses budgets avec la plus grande économie possible; et cela est tellement vrai, que la commission a dû se donner beaucoup de mal pour arriver à retrancher deux pauvres millions... Toutefois, je crois sage d'ajouter trois demandes de crédits supplémentaires, qui étaient à l'étude. Un virement de fonds nous donnera les sommes nécessaires, et la situation sera régularisée plus tard.

L'empereur approuva de la tête. Il paraissait pas écouter, les yeux vagues, regardant comme aveuglé la grande lueur claire tombant de la fenêtre du milieu, en face de lui. Il y eut de nouveau un silence. Tous les ministres approuvaient, après l'empereur. Pendant un instant, on n'entendit plus qu'un léger bruit. C'était le garde des Sceaux qui feuilletait un manuscrit de quelques pages, ouvert sur la table. Il consulta ses collègues d'un regard.

— Sire, dit-il enfin, j'ai apporté le projet d'un mémoire sur la fondation d'une nouvelle noblesse... Ce sont encore de simples notes; mais j'ai pensé qu'il serait bon, avant d'aller plus loin, de les lire en conseil, afin de pouvoir profiter de toutes les lumières...

— Oui, lisez, monsieur le garde des Sceaux, interrompit l'empereur. Vous avez raison.

Et il se tourna à demi, pour regarder le ministre de la Justice, pendant qu'il lisait. Il s'animait, une flamme jaune brûlait dans ses yeux gris.

Cette question d'une nouvelle noblesse préoccupait alors beaucoup la cour. Le gouvernement avait commencé par soumettre au Corps législatif un projet de loi punissant d'une amende et d'un emprisonnement toute personne convaincue de s'être attribué sans droit un titre nobiliaire quelconque. Il s'agissait de donner une sanction aux anciens titres et de préparer ainsi la création de titres nouveaux. Ce projet de loi avait soulevé à la Chambre une discussion passionnée; des députés, très dévoués à l'Empire, s'étaient écriés qu'une noblesse ne pouvait exister dans un État démocratique; et, lors du vote, vingt-trois voix venaient de se prononcer contre le projet. Cependant, l'empereur caressait son rêve. C'était lui qui avait indiqué au garde des Sceaux tout un vaste plan [83].

Le mémoire débutait par une partie historique. Ensuite, le futur système se trouvait exposé tout au long; les titres devaient être distribués par catégories de fonctions, afin de rendre les rangs de la nouvelle noblesse accessibles à tous les citoyens;

---

82. Le débat eut lieu au Corps législatif le 27 avril 1858 et le député Calley Saint-Paul avait dit : « Dans cette situation, je demande si le budget n'est pas plutôt le budget du Conseil d'État que le budget de la Chambre. » Zola a suivi de très près les comptes rendus du *Moniteur*.

83. Le débat eut lieu au Corps législatif le 7 mai 1858. « Louis-Napoléon, écrit Magen, avait chargé MM. Delangle, Troplong, Baroche et Magne de rédiger des mémoires concluant à la formation d'une aristocratie au moyen de « titres nobiliaires attachés hiérarchiquement à certaines fonctions civiles et militaires, et transmissibles par voie d'hérédité ». M. Magne ne s'arrêta pas là : il jugeait possible « le rétablissement des majorats pour la nouvelle noblesse administrative ». Décrassé et créé duc par son complice de Boulogne, de Strasbourg et du 2 décembre, M. Fialin formula dans un décret les idées que, par le bizarre accouplement de deux mots antagonistes, il prétendait « être tout à fait dans l'esprit du gouvernement à la fois monarchique et démocratique de l'Empire ».

Conseil des ministres à Saint-Cloud, présidé par l'empereur.

combinaison démocratique qui paraissait enthousiasmer fort le garde des Sceaux. Enfin suivait un projet de décret. A l'article II, le ministre haussa et ralentit la voix :

— « Le titre de comte sera concédé après cinq ans d'exercice dans leurs fonctions ou dignités, ou après avoir été nommés par nous grands-croix de la Légion d'honneur : à nos ministres et aux membres de notre conseil privé; aux cardinaux, aux maréchaux, aux amiraux et aux sénateurs; à nos ambassadeurs et aux généraux de division ayant commandé en chef. »

Il s'arrêta un instant, interrogeant l'empereur du regard, pour demander s'il n'avait oublié personne. Sa Majesté, la tête un peu tombée sur l'épaule droite, se recueillait. Elle finit par murmurer :

— Je crois qu'il faudrait joindre les présidents du Corps législatif et du Conseil d'État.

Le garde des Sceaux hocha vivement la tête en signe d'approbation, et se hâta de mettre une note sur la marge de son manuscrit. Puis, au moment où il allait reprendre sa lecture, il fut interrompu par le ministre de l'Instruction publique et des Cultes, qui avait une omission à signaler.

— Les archevêques... commença-t-il.

— Pardon, dit sèchement le ministre de la Jus-

tice, les archevêques ne doivent être que barons. Laissez-moi lire le décret tout entier.

Et il ne se retrouva plus dans ses feuilles de papier. Il chercha longtemps une page qui s'était égarée parmi les autres. Rougon, carrément assis, le cou enfoncé entre ses rudes épaules de paysan, souriait du coin des lèvres; et, comme il se tournait, il vit son voisin le ministre d'État, le dernier représentant d'une vieille famille normande, sourire également d'un fin sourire de mépris. Alors tous deux eurent un léger hochement de menton. Le parvenu et le gentilhomme s'étaient compris.

— Ah! voici, reprit enfin le garde des Sceaux : « Article III. Le titre de baron sera concédé : 1° aux membres du Corps législatif qui auront été honorés trois fois du mandat de leurs concitoyens; 2° aux conseillers d'État, après huit ans d'exercice; 3° au premier président et au procureur général de la Cour de cassation, au premier président et au procureur général de la Cour des comptes, aux généraux de division et aux vice-amiraux, aux archevêques et aux ministres plénipotentiaires, après cinq ans d'exercice dans leurs fonctions, ou s'ils ont obtenu le grade de commandeur de la Légion d'honneur... »

Et il continua ainsi. Les premiers présidents et les procureurs généraux des cours impériales, les

315

généraux de brigade et les contre-amiraux, les évêques, jusqu'aux maires des chefs-lieux de préfecture de première classe, devaient être faits barons ; seulement, on leur demandait dix ans de service.

— Tout le monde baron, alors ! murmura Rougon à demi-voix.

Ses collègues, qui affectaient de le regarder comme un homme mal élevé, prirent des mines graves, pour lui faire comprendre qu'ils trouvaient cette plaisanterie très déplacée. L'empereur avait paru ne pas entendre. Cependant, lorsque la lecture fut terminée, il demanda :

— Que pensez-vous du projet, messieurs ?

Il y eut une hésitation. On attendait une interrogation plus directe.

— Monsieur Rougon, reprit Sa Majesté, que pensez-vous du projet ?

— Mon Dieu ! sire, répondit le ministre de l'Intérieur en souriant de son air tranquille, je n'en pense pas beaucoup de bien. Il offre le pire des dangers, celui du ridicule. Oui, j'aurais peur que tous ces barons-là ne prêtassent à rire... Je ne mets pas en avant les raisons graves, le sentiment d'égalité qui domine aujourd'hui, la rage de vanité qu'un pareil système développerait...

Mais il eut la parole coupée par le garde des Sceaux, très aigre, très blessé, se défendant en homme attaqué personnellement. Il se disait bourgeois, fils de bourgeois, incapable de porter atteinte aux principes égalitaires de la société moderne. La nouvelle noblesse devait être une noblesse démocratique ; et ce mot de « noblesse démocratique », rendait sans doute si bien son idée, qu'il le répéta à plusieurs reprises. Rougon répliqua, toujours souriant, sans se fâcher. Le garde des Sceaux, petit, sec, noirâtre, finit par lancer des personnalités blessantes. L'empereur demeurait comme étranger à la querelle ; il regardait de nouveau, avec de lents balancements d'épaules, la grande clarté blanche tombant de la fenêtre, en face de lui. Pourtant, quand les voix montèrent et devinrent gênantes pour sa dignité, il murmura :

— Messieurs, messieurs...

Puis, au bout d'un silence :

— Monsieur Rougon a peut-être raison... La question n'est pas mûre encore. Il faudra l'étudier sur d'autres bases. On verra plus tard.

Le conseil examina ensuite plusieurs menues affaires. On parla surtout du journal le Siècle[84], dont un article venait de produire un scandale à la cour. Il ne se passait pas de semaine sans que l'empereur

fût supplié, dans son entourage, de supprimer ce journal, le seul organe républicain qui restât debout. Mais Sa Majesté, personnellement, avait une grande douceur pour la presse, elle s'amusait souvent, dans le secret du cabinet, à écrire de longs articles en réponse aux attaques contre son gouvernement ; son rêve inavoué était d'avoir son journal à elle, où elle pourrait publier des manifestes et entamer des polémiques. Toutefois, Sa Majesté décida, ce jour-là, qu'un avertissement serait envoyé au Siècle.

Leurs Excellences croyaient le conseil fini. Cela se voyait à la manière dont ces messieurs se tenaient assis sur le bord de leurs fauteuils. Même le ministre de la Guerre, un général à l'air ennuyé qui n'avait pas soufflé mot de toute la séance, tirait déjà ses gants de sa poche, lorsque Rougon s'accouda fortement à la table.

— Sire, dit-il, je voudrais entretenir le conseil d'un conflit qui s'est élevé entre la commission de colportage[85] et moi, au sujet d'un ouvrage présenté à l'estampille.

Ses collègues se renfoncèrent dans leurs fauteuils. L'empereur se tourna à demi, avec un léger hochement de tête, pour autoriser le ministre de l'Intérieur à continuer.

Alors, Rougon entra dans des détails préliminaires. Il ne souriait plus, il n'avait plus son air bonhomme. Penché au bord de la table, le bras droit balayant le tapis d'un geste régulier, il raconta qu'il avait voulu présider lui-même une des dernières séances de la commission, pour stimuler le zèle des membres qui la composaient.

— Je leur ai indiqué les vues du gouvernement sur les améliorations à opérer dans les importants services dont ils sont chargés... Le colportage aurait de graves dangers si, devenant une arme entre les mains des révolutionnaires, il aboutissait à raviver les discussions et les haines. La commission a donc le devoir de rejeter tous les ouvrages fomentant et irritant des passions qui ne sont plus de notre âge. Elle accueillera au contraire les livres dont l'honnêteté lui paraîtra inspirer un acte d'adoration pour Dieu, d'amour pour la patrie, de reconnaissance pour le souverain.

Les ministres, très maussades, crurent cependant devoir saluer au passage ce dernier membre de phrase.

— Le nombre des mauvais livres augmente tous les jours, continua-t-il. C'est une marée montante contre laquelle on ne saurait trop protéger le pays.

84. Journal d'opposition modéré et anticlérical.

85. Cette commission avait été créée le 11 septembre 1854. Elle établissait la liste des ouvrages autorisés et se transformait de la sorte en véritable commission de censure.

Sur douze livres publiés, onze et demi sont bons à jeter au feu. Voilà la moyenne... Jamais les sentiments coupables, les théories subversives, les monstruosités anti-sociales n'ont trouvé autant de chantres... Je suis obligé parfois de lire certains ouvrages. Eh bien, je l'affirme...

Le ministre de l'Instruction publique se hasarda à l'interrompre.

— Les romans... dit-il.

— Je ne lis jamais de romans, déclara sèchement Rougon.

Son collègue eut un geste de protestation pudibonde, un roulement d'yeux scandalisé, comme pour jurer que lui non plus ne lisait jamais de romans. Il s'expliqua.

— Je voulais dire simplement ceci : les romans sont surtout un aliment empoisonné servi aux curiosités malsaines de la foule[86].

— Sans doute, reprit le ministre de l'Intérieur. Mais il est des ouvrages tout aussi dangereux : je parle de ces ouvrages de vulgarisation, où les auteurs s'efforcent de mettre à la portée des paysans et des ouvriers un fatras de science sociale et économique, dont le résultat le plus clair est de troubler les cerveaux faibles... Justement, un livre de ce genre, *les Veillées du bonhomme Jacques*, est en ce moment soumis à l'examen de la commission. Il s'agit d'un sergent qui, rentré dans son village, cause chaque dimanche soir avec le maître d'école, en présence d'une vingtaine de laboureurs; et chaque conversation traite un sujet particulier, les nouvelles méthodes de culture, les associations ouvrières, le rôle considérable du producteur dans la société. J'ai lu ce livre qu'un employé m'a signalé; je l'ai trouvé d'autant plus inquiétant, qu'il cache des théories funestes sous une admiration feinte pour les institutions impériales. Il n'y a pas à s'y tromper, c'est là l'œuvre d'un démagogue. Aussi ai-je été très surpris, quand j'ai entendu plusieurs membres de la commission m'en parler d'une façon élogieuse. J'ai discuté certains passages avec eux, sans paraître les convaincre. L'auteur, m'ont-ils assuré, aurait même fait l'hommage d'un exemplaire de son livre à Sa Majesté... Alors, sire, avant d'opérer la moindre pression, j'ai cru devoir prendre votre avis et celui du conseil.

Et il regardait en face l'empereur, dont les yeux vacillants finirent par se poser sur un couteau à papier, placé devant lui. Le souverain prit ce cou-

teau, le fit tourner entre ses doigts, en murmurant :

— Oui, oui, *les Veillées du bonhomme Jacques*...

Puis, sans se prononcer davantage, il eut un regard oblique, à droite et à gauche de la table.

— Vous avez peut-être parcouru le livre, messieurs, je serai bien aise de savoir...

Il n'achevait pas, il mâchait ses phrases. Les ministres s'interrogeaient furtivement, comptant chacun que son voisin allait pouvoir répondre, donner un avis. Le silence se prolongeait au milieu d'une gêne croissante. Évidemment pas un d'eux ne connaissait même l'existence de l'ouvrage. Enfin le ministre de la Guerre se chargea de faire un grand geste d'ignorance pour tous ses collègues. L'empereur tordit ses moustaches, ne se pressa pas.

— Et vous, monsieur Delestang ? demanda-t-il.

Delestang se remuait dans son fauteuil, comme en proie à une lutte intérieure. Cette interrogation directe le décida. Mais, avant de parler, il jeta involontairement un coup d'œil du côté de Rougon.

— J'ai le volume entre les mains, sire.

Il s'arrêta, en sentant les gros yeux gris de Rougon fixés sur lui. Cependant, devant la satisfaction visible de l'empereur, il reprit, les lèvres un peu tremblantes :

— J'ai le regret de n'être pas de la même opinion que mon ami et collègue monsieur le ministre de l'Intérieur... Certes, l'ouvrage pourrait contenir des restrictions et insister davantage sur la lenteur prudente avec laquelle tout progrès vraiment utile doit s'accomplir. Mais *les Veillées du bonhomme Jacques* ne m'en paraissent pas moins une œuvre conçue dans d'excellentes intentions. Les vœux qui s'y trouvent exprimés pour l'avenir, ne blessent en rien les institutions impériales. Ils en sont, au contraire, comme l'épanouissement légitimement attendu...

Il se tut de nouveau. Malgré le soin qu'il mettait à se tourner vers l'empereur, il devinait, de l'autre côté de la table, la masse énorme de Rougon, tassé sur les coudes, la face pâle de surprise. D'ordinaire, Delestang était toujours de l'avis du grand homme. Aussi ce dernier espéra-t-il un instant ramener d'un mot le disciple révolté.

— Voyons, il faut citer un exemple, cria-t-il en nouant et en faisant craquer ses mains. Je regrette de n'avoir pas apporté l'ouvrage... Tenez, ceci, un chapitre dont je me souviens. Le bonhomme Jacques parle de deux mendiants qui vont de porte en porte, dans le village; et, sur une question du maître d'école, il déclare qu'il va enseigner aux paysans le moyen de ne jamais avoir un seul pauvre parmi eux. Suit tout un système compliqué pour l'extinction du paupérisme. On est là en pleine théorie commu-

---

86. Des aphorismes de ce genre se trouvent dans les rapports des procureurs impériaux dans les poursuites contre des ouvrages, comme le rapport de l'avocat impérial – tel était son titre – contre *Madame Bovary*.

niste... Monsieur le ministre de l'Agriculture et du Commerce ne peut vraiment approuver ce chapitre.

Delestang, brusquement brave, osa regarder Rougon en face.

— Oh! en pleine théorie communiste, dit-il, vous allez bien loin! Je n'ai vu là qu'un exposé ingénieux des principes de l'association.

Tout en parlant, il fouillait dans sa serviette.

— J'ai justement l'ouvrage, déclara-t-il enfin.

Et il se mit à lire le chapitre en question. Il lisait d'une façon douce et monotone. Sa belle tête de grand homme d'État, à certains passages, prenait une expression de gravité extraordinaire. L'empereur écoutait d'un air profond. Lui, semblait particulièrement jouir des morceaux attendrissants, des pages où l'auteur avait prêté à ses paysans un parler d'une niaiserie enfantine. Quant à Leurs Excellences, elles étaient enchantées. Quelle adorable histoire! Rougon lâché par Delestang, auquel il avait fait donner un portefeuille, uniquement pour s'appuyer sur lui, au milieu de la sourde hostilité du conseil! Ses collègues lui reprochaient ses continuels empiétements de pouvoir, son besoin de domination qui le poussait à les traiter en simples commis, tandis qu'il affectait d'être le conseiller intime et le bras droit de Sa Majesté. Et il allait se trouver complètement isolé! Ce Delestang était un homme à bien accueillir.

— Il y a peut-être un ou deux mots, murmura l'empereur, quand la lecture fut terminée. Mais, en somme, je ne vois pas... N'est-ce pas, messieurs?

— C'est tout à fait innocent, affirmèrent les ministres.

Rougon évita de répondre. Il parut plier les épaules. Puis, il revint de nouveau à la charge, contre Delestang seul. Pendant quelques minutes encore, la discussion continua entre eux, par phrases brèves. Le bel homme s'aguerrissait, devenait mordant. Alors, peu à peu, Rougon se souleva. Il entendait pour la première fois son pouvoir craquer sous lui. Tout d'un coup, il s'adressa à l'empereur, debout, le geste véhément.

— Sire, c'est une misère, l'estampille sera accordée, puisque Votre Majesté, dans sa sagesse, pense que le livre n'offre aucun danger. Mais je dois vous le déclarer, sire, il y aurait les plus grands périls à rendre à la France la moitié des libertés réclamées par ce bonhomme Jacques... Vous m'avez appelé au pouvoir dans des circonstances terribles. Vous m'avez dit de ne pas chercher, par une modération hors de saison, à rassurer ceux qui tremblaient. Je me suis fait craindre, selon vos désirs. Je crois m'être conformé à vos moindres instructions et vous avoir rendu les services que vous attendiez de moi. Si quelqu'un m'accusait de trop de rudesse, si l'on me reprochait d'abuser de la puissance dont Votre Majesté m'a investi, un pareil blâme, sire, viendrait à coup sûr d'un adversaire de votre politique... Eh bien! croyez-le, le corps social est tout aussi profondément troublé, je n'ai malheureusement pas réussi, en quelques semaines, à le guérir des maux qui le rongent. Les passions anarchiques grondent toujours dans les bas-fonds de la démagogie. Je ne veux pas étaler cette plaie, en exagérer l'horreur; mais j'ai le devoir d'en rappeler l'existence, afin de mettre Votre Majesté en garde contre les entraînements généreux de son cœur. On a pu espérer un instant que l'énergie du souverain et la volonté solennelle du pays avaient refoulé pour toujours dans le néant les époques abominables de perversion publique. Les événements ont prouvé la douloureuse erreur où l'on était. Je vous en supplie, au nom de la nation, sire, ne retirez pas votre puissante main. Le danger n'est pas dans les prérogatives excessives du pouvoir, mais dans l'absence des lois répressives. Si vous retiriez votre main, vous verriez bouillonner la lie de la populace, vous vous trouveriez tout de suite débordé par les exigences révolutionnaires et vos serviteurs les plus énergiques ne sauraient bientôt plus comment vous défendre... Je me permets d'insister, tant les catastrophes du lendemain seraient terrifiantes. La liberté sans entraves est impossible dans un pays où il existe une faction obstinée à méconnaître les bases fondamentales du gouvernement. Il faudra de bien longues années pour que le pouvoir absolu s'impose à tous, efface des mémoires le souvenir des anciennes luttes, devienne indiscutable au point de se laisser discuter. En dehors du principe autoritaire appliqué dans toute sa rigueur, il n'y a pas de salut pour la France. Le jour où Votre Majesté croira devoir rendre au peuple la plus inoffensive des libertés, ce jour-là elle engagera l'avenir entier. Une liberté ne va pas sans une deuxième liberté, puis une troisième liberté arrive, balayant tout, les institutions et les dynasties. C'est la machine implacable, l'engrenage qui pince le bout du doigt, attire la main, dévore le bras, broie le corps... Et, sire, puisque je me permets de m'exprimer librement sur un tel sujet, j'ajouterai ceci: le parlementarisme a tué une monarchie, il ne faut pas lui donner un empire à tuer. Le Corps législatif remplit un rôle déjà trop bruyant. Qu'on ne l'associe jamais davantage à la politique dirigeante du souverain; ce serait la source des plus tapageuses et des plus déplorables discussions. Les dernières élections générales ont prouvé une fois de plus la reconnaissance éternelle du pays;

mais il ne s'en est pas moins produit jusqu'à cinq candidatures dont le succès scandaleux doit être un avertissement. Aujourd'hui, la grosse question est d'empêcher la formation d'une minorité opposante, et surtout, si elle se forme, de ne pas lui fournir des armes pour combattre le pouvoir avec plus d'impudence. Un parlement qui se tait est un parlement qui travaille... Quant à la presse, sire, elle change la liberté en licence. Depuis mon entrée au ministère, je lis attentivement les rapports, je suis pris de dégoût chaque matin. La presse est le réceptacle de tous les ferments nauséabonds. Elle fomente les révolutions, elle reste le foyer toujours ardent où s'allument les incendies. Elle deviendra seulement utile, le jour où l'on aura pu la dompter et employer sa puissance comme un instrument gouvernemental... Je ne parle pas des autres libertés, liberté d'association, liberté de réunion, liberté de tout faire. On les demande respectueusement dans *les Veillées du bonhomme Jacques*. Plus tard, on les exigera. Voilà mes terreurs. Que Votre Majesté m'entende bien, la France a besoin de sentir longtemps sur elle le poids d'un bras de fer [87]...

Il se répétait, il défendait son pouvoir avec un emportement croissant. Pendant près d'une heure, il continua ainsi, à l'abri du principe autoritaire, s'en couvrant, s'en enveloppant, en homme qui use de toute la résistance de son armure. Et, malgré son apparente passion, il gardait assez de sang-froid pour surveiller ses collègues, pour guetter sur leurs visages l'effet de ses paroles. Ceux-ci avaient des faces blanches, immobiles. Brusquement, il se tut.

Il y eut un assez long silence. L'empereur s'était remis à jouer avec le couteau à papier.

— Monsieur le ministre de l'Intérieur voit trop en noir la situation de la France, dit enfin le ministre d'État. Rien, je pense, ne menace nos institutions. L'ordre est absolu. Nous pouvons nous reposer dans la haute sagesse de Sa Majesté. C'est même manquer de confiance en elle que de témoigner des craintes...

— Sans doute, sans doute, murmurèrent plusieurs voix.

— J'ajouterai, dit à son tour le ministre des Affaires étrangères, que jamais la France n'a été plus respectée de l'Europe. Partout, à l'étranger, on rend hommage à la politique ferme et digne de Sa Majesté. L'opinion des chancelleries est que notre pays est entré pour toujours dans une ère de paix et de grandeur.

Aucun de ces messieurs, d'ailleurs, ne se soucia de combattre le programme politique défendu par Rougon. Les regards se tournaient vers Delestang. Celui-ci comprit ce qu'on attendait de lui. Il trouva deux ou trois phrases. Il compara l'Empire à un édifice.

— Certes, le principe d'autorité ne doit pas être ébranlé; mais il ne faut point fermer systématiquement la porte aux libertés publiques... L'Empire est comme un lieu d'asile, un vaste et magnifique édifice dont Sa Majesté a de ses mains posé les assises indestructibles. Aujourd'hui, elle travaille encore à en élever les murs. Seulement il viendra un jour où, sa tâche achevée, elle devra songer au couronnement de l'édifice, et c'est alors...

— Jamais! interrompit violemment Rougon. Tout croulera!

L'empereur étendit la main pour arrêter la discussion. Il souriait, il semblait s'éveiller d'une songerie.

— Bien, bien, dit-il. Nous sommes sortis des affaires courantes... Nous verrons.

Et, s'étant levé, il ajouta :

— Messieurs, il est tard, vous déjeunerez au château.

Le conseil était terminé. Les ministres repoussèrent leurs fauteuils, se mirent debout, saluant l'empereur qui se retirait à petits pas. Mais Sa Majesté se retourna, en murmurant :

— Monsieur Rougon, un mot, je vous prie.

Alors, pendant que le souverain attirait Rougon dans l'embrasure d'une fenêtre, Leurs Excellences, à l'autre bout de la pièce, s'empressèrent autour de Delestang. Elles le félicitaient discrètement, avec des clignements d'yeux, des sourires fins, tout un murmure étouffé d'approbation élogieuse. Le ministre d'État, un homme d'un esprit très délié et d'une grande expérience, se montra particulièrement plat; il avait pour principe que l'amitié des imbéciles porte bonheur. Delestang, modeste, grave, s'inclinait à chaque compliment.

— Non, venez, dit l'empereur à Rougon.

Et il se décida à le mener dans son cabinet, une pièce assez étroite, encombrée de journaux et de livres jetés sur les meubles. Là, il alluma une cigarette, puis il montra à Rougon le modèle réduit d'un nouveau canon, inventé par un officier; le petit canon ressemblait à un jouet d'enfant. Il affectait un ton très bienveillant, il paraissait chercher à prouver au ministre qu'il lui continuait toute sa faveur. Cependant, Rougon flairait une explication. Il voulut parler le premier.

---

87. Rougon se contente de répéter ce que l'empereur avait dit à maintes reprises pendant la période « autoritaire » de son règne.

— Sire, dit-il, je sais avec quelle violence je suis attaqué auprès de Votre Majesté.

L'empereur sourit sans répondre. La cour, en effet, s'était de nouveau mise contre lui. On l'accusait maintenant d'abuser du pouvoir, de compromettre l'Empire par ses brutalités. Les histoires les plus extraordinaires couraient sur son compte, les corridors du palais étaient pleins d'anecdotes et de plaintes, dont les échos, chaque matin, arrivaient dans le cabinet impérial.

— Asseyez-vous, monsieur Rougon, asseyez-vous, dit enfin l'empereur avec bonhomie.

Puis, s'asseyant lui-même, il continua :

— On me bat les oreilles d'une foule d'affaires. J'aime mieux en causer avec vous... Qu'est-ce donc que ce notaire qui est mort à Niort, à la suite d'une arrestation ? un monsieur Martineau, je crois ?

Rougon donna tranquillement des détails. Ce Martineau était un homme très compromis, un républicain dont l'influence dans le département pouvait offrir de grands dangers. On l'avait arrêté. Il était mort.

— Oui, justement, il est mort, c'est cela qui est fâcheux, reprit le souverain. Les journaux hostiles se sont emparés de l'événement, ils le racontent d'une façon mystérieuse, avec des réticences d'un effet déplorable... Je suis très chagrin de tout cela, monsieur Rougon.

Il n'insista pas. Il resta quelques secondes, la cigarette collée aux lèvres.

— Vous êtes allé dernièrement dans les Deux-Sèvres, continua-t-il, vous avez assisté à une solennité... Êtes-vous bien sûr de la solidité financière de monsieur Kahn ?

— Oh ! absolument sûr ! s'écria Rougon.

Et il entra dans de nouvelles explications. M. Kahn s'appuyait sur une société anglaise fort riche ; les actions du chemin de fer de Niort à Angers faisaient prime à la Bourse ; c'était la plus belle opération qu'on pût imaginer. L'empereur paraissait incrédule.

— On a exprimé devant moi des craintes, murmura-t-il. Vous comprenez combien il serait malheureux que votre nom fût mêlé à une catastrophe... Enfin, puisque vous m'affirmez le contraire...

Il abandonna ce second sujet pour passer à un troisième.

— C'est comme le préfet des Deux-Sèvres, on est très mécontent de lui, m'a-t-on assuré. Il aurait tout bouleversé, là-bas. Il serait en outre le fils d'un ancien huissier dont les allures bizarres font causer le département... Monsieur Du Poizat est votre ami, je crois ?

— Un de mes bons amis, sire.

Et, l'empereur s'étant levé, Rougon se leva également. Le premier marcha jusqu'à une fenêtre, puis revint en soufflant de légers filets de fumée.

— Vous avez beaucoup d'amis, monsieur Rougon, dit-il d'un air fin.

— Oui, sire, beaucoup ! répondit carrément le ministre.

Jusque-là, l'empereur avait évidemment répété les commérages du château, les accusations portées par les personnes de son entourage. Mais il devait savoir d'autres histoires, des faits ignorés de la cour, dont ses agents particuliers l'avaient informé, et auxquels il accordait un intérêt bien plus vif ; il adorait l'espionnage, tout le travail souterrain de la police [88]. Pendant un instant, il regarda Rougon, la face vaguement souriante ; puis, d'une voix confidentielle, en homme qui s'amuse :

— Oh ! je suis renseigné, plus que je ne le voudrais... Tenez, un autre petit fait. Vous avez accepté dans vos bureaux un jeune homme, le fils d'un colonel, bien qu'il n'ait pu présenter le diplôme de bachelier. Cela n'a pas d'importance, je le sais. Mais si vous vous doutiez du tapage que ces choses soulèvent !... On fâche tout le monde avec ces bêtises. C'est de la bien mauvaise politique.

Rougon ne répondit rien. Sa Majesté n'avait pas fini. Elle ouvrait les lèvres, cherchait une phrase ; mais ce qu'elle avait à dire paraissait la gêner, car elle hésita un instant à descendre jusque-là. Elle balbutia enfin :

— Je ne vous parlerai pas de cet huissier, un de vos protégés, un nommé Merle, n'est-ce pas ? Il se grise, il est insolent, le public et les employés s'en plaignent... Tout cela est très fâcheux, très fâcheux.

Puis, haussant la voix, concluant brusquement :

— Vous avez trop d'amis, monsieur Rougon. Tous ces gens vous font du tort. Ce serait vous rendre un service que de vous fâcher avec eux... Voyons, accordez-moi la destitution de monsieur Du Poizat et promettez-moi d'abandonner les autres.

Rougon était resté impassible. Il s'inclina, il dit d'un accent profond :

— Sire, je demande au contraire à Votre Majesté le ruban d'officier pour le préfet des Deux-Sèvres... J'ai également plusieurs faveurs à solliciter...

Il tira un agenda de sa poche, il continua :

— Monsieur Béjuin supplie en grâce Votre Majesté de visiter sa cristallerie de Saint-Florent,

---

88. Une fois de plus, Zola montre un Napoléon III qui n'a pas oublié les activités secrètes du prince Louis.

lorsqu'elle ira à Bourges... Le colonel Jobelin désire une situation dans les palais impériaux... L'huissier Merle rappelle qu'il a obtenu la médaille militaire et souhaite un bureau de tabac pour une de ses sœurs...

— Est-ce tout ? demanda l'empereur qui s'était remis à sourire. Vous êtes un patron héroïque. Vos amis doivent vous adorer.

— Non, sire, ils ne m'adorent pas, ils me soutiennent, dit Rougon avec sa rude franchise.

Le mot parut frapper beaucoup le souverain. Rougon venait de livrer tout le secret de sa fidélité ; le jour où il aurait laissé dormir son crédit, son crédit serait mort ; et, malgré le scandale, malgré le mécontentement et la trahison de sa bande, il n'avait qu'elle, il ne pouvait s'appuyer que sur elle, il se trouvait condamné à l'entretenir en santé, s'il voulait se bien porter lui-même. Plus il obtenait pour ses amis, plus les faveurs semblaient énormes et peu méritées, et plus il était fort. Il ajouta respectueusement, avec une intention marquée :

— Je souhaite de tout mon cœur que Votre Majesté, pour la grandeur de son règne, garde longtemps autour d'elle les serviteurs dévoués qui l'ont aidée à restaurer l'Empire.

L'empereur ne souriait plus. Il fit quelques pas, les yeux voilés, songeur ; et il semblait avoir blêmi, effleuré d'un frisson. Dans cette nature mystique, les pressentiments s'imposaient avec une force extrême. Il coupa court à la conversation pour ne pas conclure, remettant à plus tard l'accomplissement de sa volonté. De nouveau, il se montra très affectueux. Même, revenant sur la discussion qui avait eu lieu dans le conseil, il parut donner raison à Rougon, maintenant qu'il pouvait parler sans trop s'engager. Le pays n'était certainement pas mûr pour la liberté. Longtemps encore, une main énergique devait imprimer aux affaires une marche résolue, exempte de faiblesse. Et il termina en renouvelant au ministre l'assurance de son entière confiance ; il lui donnait une pleine liberté d'agir, il confirmait toutes ses instructions précédentes. Cependant, Rougon crut devoir insister.

— Sire, dit-il, je ne saurais être à la merci d'un propos malveillant, j'ai besoin de stabilité pour achever la lourde tâche dont je me trouve aujourd'hui responsable.

— Monsieur Rougon, répondit l'empereur, marchez sans crainte, je suis avec vous.

Et, rompant l'entretien, il se dirigea vers la porte du cabinet, suivi du ministre. Ils sortirent, ils traversèrent plusieurs pièces, pour gagner la salle à manger. Mais au moment d'entrer, le souverain se

Napoléon III, photographie (1865).
« Moyenne des intelligences de son temps : cause de son succès. Héritier naïf d'une légende, il ne l'a pas troublée par son individualité. L'énigme, le sphinx. Constance dans l'indécision. Front obscur. Yeux doux, ternes, plus d'imagination et de rêverie que de jugement. Le nez exclut la vivacité. Lassitude. Démarche précautionneuse. Muet. Peu expansif. Impassible... Il prend des chemins de traverse, tourne la difficulté, attend la Providence. Obstiné dans son but, accommodant sur les moyens » (notes de Zola).

retourna, emmena Rougon dans le coin d'une galerie.

— Alors, demanda-t-il à demi-voix, vous n'approuvez pas le système d'anoblissement proposé par monsieur le garde des Sceaux ? J'aurais vivement désiré vous voir favorable à ce projet. Étudiez la question.

Puis, sans attendre la réponse, il ajouta de son air tranquillement entêté :

— Rien ne presse. J'attendrai. Dans dix ans, s'il le faut.

Après le déjeuner, qui dura à peine une demi-heure, les ministres passèrent dans un petit salon voisin, où le café fut servi. Ils restèrent encore là quelques instants, à s'entretenir, debout autour de l'empereur. Clorinde, que l'impératrice avait également retenue, vint chercher son mari, avec son allure hardie de femme lancée dans les cercles d'hommes politiques. Elle tendit la main à plusieurs de ces messieurs. Tous s'empressèrent, la conversation changea. Mais Sa Majesté se montra si galant pour la jeune femme, il la serra bientôt de si près, le cou allongé, l'œil oblique, que Leurs Excellences jugèrent discret de s'écarter peu à peu. Quatre, puis trois encore sortirent sur la terrasse du château par une porte-fenêtre. Deux seulement restèrent dans le salon, pour sauvegarder les convenances. Le ministre d'État, plein d'obligeance, donnant un air affable à sa haute mine de gentilhomme, avait emmené Delestang ; et, de la terrasse, il lui montrait Paris, au loin. Rougon, debout au soleil, s'absorbait, lui aussi, dans le spectacle de la grande ville, barrant l'horizon, pareille à un écroulement bleuâtre de nuées, au-delà de l'immense nappe verte du bois de Boulogne.

Clorinde était en beauté, ce matin-là. Fagotée comme toujours, traînant sa robe de soie cerise pâle, elle semblait avoir attaché ses vêtements à la hâte, sous l'aiguillon de quelque désir. Elle riait, les bras abandonnés. Tout son corps s'offrait. Dans un bal, au ministère de la Marine, où elle était allée en Dame de cœur, avec des cœurs de diamant à son cou, à ses poignets et à ses genoux, elle avait fait la conquête de l'empereur [89] ; et, depuis cette soirée, elle paraissait rester son amie, plaisanter simplement chaque fois que Sa Majesté daignait la trouver belle.

— Tenez, monsieur Delestang, disait sur la terrasse le ministre d'État à son collègue, là-bas, à gauche, le dôme du Panthéon est d'un bleu tendre extraordinaire.

89. La comtesse de Castiglione porta une robe « Dame de cœur » au bal des Affaires étrangères le 17 février 1857 et se fit remarquer par Napoléon.

Pendant que le mari s'émerveillait, le ministre, curieusement, tâchait de glisser des coups d'œil au fond du petit salon, par la porte-fenêtre restée ouverte. L'empereur, penché, parlait dans la figure de la jeune femme, qui se renversait en arrière, comme pour lui échapper, la gorge toute sonore. On apercevait seulement le profil perdu de Sa Majesté, une oreille allongée, un grand nez rouge, une bouche épaisse, perdue sous le frémissement des moustaches ; et le plan fuyant de la joue, le coin de l'œil entrevu, avaient une flamme de convoitise, l'appétit sensuel des hommes que grise l'odeur de la femme. Clorinde, irritante de séduction, refusait d'un balancement imperceptible de la tête, tout en soufflant de son haleine, à chacun de ses rires, le désir si savamment allumé.

Quand Leurs Excellences rentrèrent dans le salon, la jeune femme disait en se levant, sans qu'on pût savoir à quelle phrase elle répondait :

— Oh ! sire, ne vous y fiez pas, je suis entêtée comme une mule.

Rougon, malgré sa querelle, revint à Paris avec Delestang et Clorinde. Celle-ci sembla vouloir faire sa paix avec lui. Elle n'avait plus cette inquiétude nerveuse qui la poussait aux sujets de conversation désagréables ; elle le regardait même, par moments, avec une sorte de compassion souriante. Lorsque le landau, dans le Bois tout trempé de soleil, roula doucement au bord du lac, elle s'allongea, elle murmura, avec un soupir de jouissance :

— Hein, la belle journée, aujourd'hui !

Puis, après être restée un instant rêveuse, elle demanda à son mari :

— Dites ! est-ce que votre sœur, madame de Combelot, est toujours amoureuse de l'empereur ?

— Henriette est folle ! répondit Delestang, en haussant les épaules.

Rougon donna des détails.

— Oui, oui, toujours, dit-il. On raconte qu'elle s'est jetée un soir aux pieds de Sa Majesté... Il l'a relevée, il lui a conseillé d'attendre...

— Ah bien ! elle peut attendre ! s'écria gaiement Clorinde. Il y en aura d'autres avant elle.

12

Clorinde était alors dans un épanouissement d'étrangeté et de puissance. Elle restait la grande fille excentrique qui battait Paris sur un cheval de louage pour conquérir un mari, mais la grande fille devenue femme, le buste élargi, les reins solides, accomplissant posément les actes les plus extraordinaires, ayant réalisé son rêve longtemps caressé d'être une force. Ses interminables courses au fond de quartiers perdus, ses correspondances inondant de lettres les quatre coins de la France et de l'Italie, son continuel frottement aux personnages politiques dans l'intimité desquels elle se glissait, toute cette agitation désordonnée, pleine de trous, sans but logique, avait fini par aboutir à une influence réelle, indiscutable. Elle lâchait encore des choses énormes, des projets fous, des espoirs extravagants, lorsqu'elle causait sérieusement ; elle promenait toujours son vaste portefeuille crevé, rattaché avec des ficelles, le portait entre ses bras comme un poupon, d'une façon si convaincue, que les passants souriaient, à la voir ainsi passer en longues jupes sales. Pourtant, on la consultait, on la craignait même. Personne n'aurait pu dire au juste d'où elle tirait son pouvoir ; il y avait là des sources lointaines, multiples, disparues, auxquelles il était bien difficile de remonter. On savait au plus des bouts d'histoire, des anecdotes qu'on se chuchotait à l'oreille. L'ensemble de cette singulière figure échappait, imagination détraquée, bon sens écouté et obéi, corps superbe où était peut-être l'unique secret de sa royauté. D'ailleurs, peu importait les dessous de la fortune de Clorinde. Il suffisait qu'elle régnât, même en reine fantasque. On s'inclinait.

Ce fut pour la jeune femme une époque de domination. Elle centralisait chez elle, dans son cabinet de toilette, où traînaient des cuvettes mal essuyées, toute la politique des cours de l'Europe. Avant les ambassades, sans qu'on devinât par quelle voie, elle recevait les nouvelles, des rapports détaillés, dans lesquels se trouvaient annoncées les moindres pulsations de la vie des gouvernements. Aussi avait-elle une cour, des banquiers, des diplomates, des intimes, qui venaient pour tâcher de la confesser. Les banquiers surtout se montraient très courtisans. Elle avait, d'un coup, fait gagner à un d'eux une centaine de millions, par la simple confidence d'un changement de ministère, dans un État voisin. Elle dédaignait ces trafics de la basse politique ; elle lâchait tout ce qu'elle savait, les commérages de la diplomatie, les cancans internationaux des capitales, uniquement pour le plaisir de parler et de montrer qu'elle surveillait à la fois Turin, Vienne, Madrid, Londres, jusqu'à Berlin et à Saint-Pétersbourg ; alors, coulait un flot de renseignements intarissables sur la santé des rois, leurs amours, leurs habitudes, sur le personnel politique de chaque pays, sur la chronique scandaleuse du moindre duché allemand. Elle jugeait les hommes d'État d'une phrase, sautait du nord au midi sans transition, remuait négligemment les royaumes du bout des ongles, vivait là comme chez elle, comme si la vaste terre, avec ses villes, ses peuples, eût tenu dans une boîte à joujoux, dont elle aurait rangé à son caprice les petites maisons de carton et les bonshommes de bois. Puis, lorsqu'elle se taisait, éreintée de bavardages, elle faisait claquer le pouce contre le médius, un geste qui lui était familier, voulant dire que tout cela ne valait certainement pas le léger bruit de ses doigts.

Pour le moment, au milieu du débraillé de ses occupations multiples, ce qui la passionnait, c'était une affaire de la plus haute gravité, dont elle s'efforçait de ne point parler, sans pouvoir, cependant, se refuser la joie de certaines allusions. Elle voulait Venise. Quand elle parlait du grand ministre italien, elle disait : « Cavour [90] », d'une voix familière. Elle ajoutait : « Cavour ne voulait pas, mais j'ai voulu, et il a compris. » Elle s'enfermait matin et soir avec le chevalier Rusconi, à la légation. D'ailleurs, « l'affaire » marchait très bien maintenant. Et, tranquille, renversant son front borné de déesse, parlant dans une sorte de somnambulisme, elle laissait tomber des bouts de phrase sans lien entre eux, des lambeaux d'aveu : une entrevue secrète entre l'empereur et un homme d'État étranger, un projet de traité d'alliance dont on discutait encore certains articles, une guerre pour le printemps prochain. D'autres jours, elle était furieuse ; elle donnait des coups de pied aux chaises, dans sa chambre, et bousculait les cuvettes de son cabinet, à les casser ; elle avait une colère de reine, trahie par des ministres imbéciles, qui voit son royaume aller de mal en pis. Ces jours-là, elle tendait tragiquement son bras nu et superbe, le poing fermé, vers le sud-est, du côté de l'Italie, en répétant : « Ah ! si j'étais là-bas, ils ne feraient pas tant de bêtises ! »

Les soucis de la haute politique n'empêchaient pas Clorinde de mener de front toutes sortes de besognes, où elle semblait finir par se perdre elle-même. On la trouvait souvent assise sur son lit, son énorme portefeuille vidé au milieu de la couverture, et s'enfonçant jusqu'aux coudes dans le tas de papiers, la tête perdue, pleurant de rage ; elle ne se reconnaissait plus parmi cet éboulement de feuilles volantes, ou bien elle cherchait quelque dossier

---

90. Camillo Benso, comte de Cavour (1810-1861), fondateur du journal *Il Risorgimento*, défenseur des idées libérales, président du Conseil de 1852 à 1861, fut l'un des principaux artisans de l'unité italienne. On connaît sa devise *Italia farà dà se* (l'Italie se fera d'elle-même).

égaré, qu'elle découvrait enfin derrière un meuble, sous ses vieilles bottines, avec son linge sale. Lorsqu'elle partait pour terminer une affaire, elle entamait en chemin deux ou trois autres aventures. Ses démarches se compliquaient, elle vivait dans une excitation continue, s'abandonnant à un tourbillon d'idées et de faits, ayant sous elle des profondeurs et des complications d'intrigues inconnues, insondables. Le soir, après des journées de courses à travers Paris, quand elle rentrait les jambes rompues d'avoir monté des escaliers, rapportant entre les plis de ses jupes les odeurs indéfinissables des milieux qu'elle venait de traverser, personne n'aurait osé soupçonner la moitié du négoce mené par elle aux deux bouts de la ville; et, si on l'interrogeait, elle riait, elle ne se souvenait pas toujours.

Ce fut à cette époque qu'elle eut l'étonnante fantaisie de s'installer dans un cabinet particulier d'un des grands restaurants du boulevard [91]. L'hôtel de la rue du Colisée, disait-elle, était loin de tout; elle voulait un pied-à-terre dans un endroit central; et elle fit son bureau d'affaires du cabinet particulier. Pendant deux mois, elle reçut là, servie par les garçons, qui eurent à introduire les plus hauts personnages. Des fonctionnaires, des ambassadeurs, des ministres, se présentèrent au restaurant. Elle, très à l'aise, les faisait asseoir sur le divan défoncé par les dernières soupeuses du carnaval, restait elle-même devant la table, dont la nappe demeurait toujours mise, couverte de mies de pain, encombrée de papiers. Elle campait comme un général. Un jour, prise d'une indisposition, elle était montée tranquillement se coucher sous les combles, dans la chambre du maître d'hôtel qui la servait, un grand garçon brun auquel elle permettait de l'embrasser. Le soir seulement, vers minuit, elle avait consenti à rentrer chez elle.

Delestang, malgré tout, était un homme heureux. Il paraissait ignorer les excentricités de sa femme. Elle le possédait maintenant tout entier et usait de lui à sa guise, sans qu'il se permît un murmure. Son tempérament le prédisposait à ce servage. Il se trouvait trop bien du secret abandon de sa volonté, pour jamais tenter une révolte. Dans l'intimité, c'était lui, le matin, les jours où elle avait consenti à le tolérer chez elle, qui lui rendait au lever de petits services, cherchait partout sous les meubles les bottines égarées et dépareillées, remuait le linge d'une armoire avant de trouver une chemise sans trous. Il lui suffisait de garder devant le monde son attitude d'homme souriant et supérieur. On le

respectait presque, tant il parlait de sa femme d'un air de sérénité et de protection affectueuses.

Clorinde, devenue maîtresse toute-puissante, avait eu l'idée de faire revenir sa mère de Turin; elle voulait désormais, disait-elle, que la comtesse Balbi passât auprès d'elle six mois chaque année. Ce fut alors une explosion subite de tendresse filiale. Elle bouleversa un étage de l'hôtel pour loger la vieille dame le plus près possible de son appartement. Même elle inventa une porte de communication qui allait de son cabinet de toilette dans la chambre à coucher de sa mère. En présence de Rougon surtout, elle étalait son affection avec une outrance italienne d'expressions caressantes. Comment s'était-elle jamais résignée à vivre si longtemps séparée de la comtesse, elle qui ne l'avait jamais quittée pendant une heure avant son mariage ? Elle s'accusait de la dureté de son cœur. Mais ce n'était pas sa faute, elle avait dû céder à des conseils, à de prétendues nécessités, dont le sens lui échappait encore. Rougon, devant cette rébellion, ne bronchait pas. Il ne la catéchisait plus, ne cherchait plus à faire d'elle une des femmes distinguées de Paris. Autrefois, elle avait pu occuper le vide de ses journées, lorsque la fièvre de son oisiveté lui allumait le sang, éveillait les désirs dans ses membres de lutteur au repos. Aujourd'hui, en pleine bataille, il ne songeait guère à ces choses; son peu de sensualité se trouvait mangé par ses quatorze heures de travail chaque jour. Il continuait à la traiter affectueusement, avec cette pointe de dédain qu'il témoignait d'ordinaire aux femmes. Pourtant, il venait de temps à autre la voir, les yeux comme allumés par un réveil de l'ancienne passion toujours inassouvie. Elle restait son vice, la seule chair qui le troublât.

Depuis que Rougon habitait le ministère, où ses amis se plaignaient de ne plus pouvoir le rencontrer dans l'intimité, Clorinde s'était imaginé de recevoir la bande chez elle. Peu à peu, l'habitude fut prise. Et, pour mieux indiquer que ses soirées remplaçaient celles de la rue Marbeuf, elle choisit également le dimanche et le jeudi. Seulement, rue du Colisée, on restait jusqu'à une heure du matin. Elle recevait dans son boudoir, Delestang gardant toujours les clefs du grand salon, par crainte des taches de graisse. Comme le boudoir se trouvait très petit, elle laissait sa chambre à coucher et son cabinet de toilette ouverts; si bien que, le plus souvent, on s'entassait dans la chambre, au milieu des chiffons qui traînaient.

Les jeudis et les dimanches, le grand souci de Clorinde était de rentrer assez tôt pour dîner à la

91. D'après les plans dressés par Zola, il s'agirait du café Anglais.

324

hâte et faire les honneurs de chez elle. Malgré ses efforts de mémoire, cela ne l'empêcha pas, à deux reprises, d'oublier si complètement ses invités, qu'elle demeura stupéfaite en voyant tant de monde autour de son lit, quand elle arriva à minuit passé.

Un jeudi, dans les derniers jours de mai, par extraordinaire, elle rentra vers cinq heures ; elle était sortie à pied, et avait reçu une averse depuis la place de la Concorde, sans se résigner à payer un fiacre de trente sous pour monter les Champs-Élysées. Toute trempée, elle passa immédiatement dans son cabinet de toilette, où sa femme de chambre Antonia, la bouche barbouillée d'une tartine de confitures, la déshabilla en riant très fort de l'égouttement de ses jupes, qui pissaient l'eau sur le parquet.

— Il y a là un monsieur, dit enfin cette dernière, quand elle se fut assise par terre pour lui retirer ses bottines. Il attend depuis une heure.

Clorinde lui demanda comment était le monsieur. Alors, la femme de chambre resta par terre, mal peignée, la robe grasse, montrant ses dents blanches dans sa face brune. Le monsieur était gros, l'air sévère.

— Ah ! oui, monsieur de Reuthlinguer, le banquier, s'écria la jeune femme. C'est vrai, il devait venir à quatre heures. Eh bien ! qu'il attende... Préparez-moi un bain, n'est-ce pas ?

Et elle s'allongea tranquillement dans la baignoire, cachée derrière un rideau, au fond du cabinet. Là, elle lut des lettres arrivées pendant son absence. Au bout d'une grande demi-heure, Antonia, sortie depuis quelques minutes, reparut en murmurant :

— Le monsieur a vu madame rentrer. Il voudrait bien lui parler.

— Tiens ! je l'oubliais, le baron ! dit Clorinde, qui se mit debout au milieu de la baignoire. Vous allez m'habiller.

Mais elle eut, ce soir-là, des caprices de toilette extraordinaires. Dans l'abandon où elle laissait sa personne, elle était ainsi prise parfois d'un accès d'idolâtrie pour son corps. Alors, elle inventait des raffinements, nue devant sa glace, se faisant frotter les membres d'onguents, de baumes, d'huiles aromatiques, connus d'elle seule, achetés à Constantinople, chez le parfumeur du sérail, disait-elle, par un diplomate italien de ses amis. Et pendant qu'Antonia la frottait, elle gardait des attitudes de statue. Cela devait lui donner une peau blanche, lisse, impérissable comme le marbre ; une certaine huile surtout, dont elle comptait elle-même les gouttes sur un tampon de flanelle, avait la propriété

miraculeuse d'effacer à l'instant les moindres rides. Puis, elle se livrait à un minutieux examen de ses mains et de ses pieds. Elle aurait passé une journée à s'adorer.

Pourtant, au bout de trois quarts d'heure, lorsque Antonia lui eut passé une chemise et un jupon, elle se souvint brusquement.

— Et le baron !... Ah ! tant pis, faites-le entrer ! Il sait bien ce que c'est qu'une femme.

Il y avait plus de deux heures que M. de Reuthlinguer attendait dans le boudoir, patiemment assis, les mains nouées sur les genoux. Blême, froid, de mœurs austères, le banquier, qui possédait une des plus grosses fortunes de l'Europe, faisait ainsi antichambre chez Clorinde, depuis quelque temps, jusqu'à deux et trois fois par semaine. Il l'attirait même chez lui, dans cet intérieur pudibond et d'un rigorisme glacial, où le débraillé de la jeune femme consternait les valets.

— Bonjour, baron ! cria-t-elle. On me coiffe, ne regardez pas.

Elle restait à demi nue, la chemise glissée des épaules. Le baron, de ses lèvres pâles, trouva un sourire d'indulgence ; et il se tint debout près d'elle, les yeux froids et clairs, penché dans un salut d'extrême politesse.

— Vous venez pour les nouvelles, n'est-ce pas ?... Je sais justement quelque chose.

Elle se leva, renvoya Antonia, qui lui laissa le peigne planté dans les cheveux. Sans doute elle eut encore peur d'être entendue, car elle posa une main sur l'épaule du banquier, se haussa, lui parla à l'oreille. Le banquier, en l'écoutant, avait les yeux fixés sur sa gorge, qui se tendait vers lui ; mais il ne la voyait certainement pas, il hochait vivement la tête.

— Voilà ! conclut-elle à voix haute. Vous pouvez marcher maintenant.

Il la reprit par le bras, la ramena contre lui, pour lui demander certaines explications. Il n'aurait pas été plus à l'aise en face d'un de ses commis. Quand il la quitta, il l'invita à venir dîner le lendemain ; sa femme s'ennuyait de ne pas la voir. Elle l'accompagna jusqu'à la porte. Mais, tout d'un coup, elle croisa les bras sur sa poitrine, très rouge, en s'écriant :

— Ah bien ! moi qui m'en vais comme ça avec vous !

Alors, elle bouscula Antonia. Cette fille n'en finissait plus ! Et elle lui donna à peine le temps de la coiffer, disant qu'elle n'aimait pas à traîner ainsi à sa toilette. Malgré la saison, elle voulut mettre une longue robe de velours noir, une sorte de blouse flottante, serrée à la taille par un cordon de soie rouge. Déjà, à deux reprises, on était monté prévenir madame que le dîner était servi. Mais, comme elle traversait sa chambre, elle y trouva trois messieurs, dont personne ne soupçonnait la présence en cet endroit. C'étaient les trois réfugiés politiques, MM. Brambilla, Staderino et Viscardi. Elle ne parut nullement surprise de les rencontrer là.

— Est-ce que vous m'attendez depuis longtemps ? demanda-t-elle.

— Oui, oui, répondirent-ils, en balançant lentement la tête.

Ils étaient arrivés avant le banquier. Et ils n'avaient pas fait le moindre bruit, en personnages noirs que des malheurs politiques ont rendus silencieux et réfléchis. Assis côte à côte sur la même chaise longue, ils mâchaient de gros cigares éteints, renversés tous les trois dans la même posture. Cependant, ils s'étaient levés, ils entouraient Clorinde. Il y eut alors, à voix basse, un balbutiement rapide de syllabes italiennes. Elle sembla leur donner des instructions. Un d'eux prit des notes chiffrées sur un carnet, tandis que les autres, très excités sans doute par ce qu'ils entendaient, étouffaient de légers cris sous leurs doigts gantés. Puis, ils s'en allèrent tous les trois à la file, le masque impénétrable.

Ce jeudi-là, il devait y avoir, le soir, une conférence entre plusieurs ministres, pour une importante affaire, un conflit à propos d'une question de viabilité. Delestang, lorsqu'il partit après le dîner, promit à Clorinde de ramener Rougon ; et elle eut une moue, comme pour faire entendre qu'elle ne tenait guère à le voir. Il n'y avait pas encore brouille, mais elle affectait une froideur croissante.

Vers neuf heures, M. Kahn et M. Béjuin arrivèrent les premiers, suivis à peu de distance par Mme Correur. Ils trouvèrent Clorinde dans sa chambre, allongée sur une chaise longue. Elle se plaignait d'un de ces maux inconnus et extraordinaires qui la prenaient brusquement, d'une heure à l'autre ; cette fois, elle avait dû avaler une mouche en buvant ; elle la sentait voler, au fond de son estomac. Drapée dans sa grande blouse de velours noir, le buste appuyé sur trois oreillers, elle était d'une royale beauté, la face blanche, les bras nus, pareille à une de ces figures couchées qui rêvent, adossées contre des monuments. A ses pieds, Luigi Pozzo grattait doucement les cordes d'une guitare ; il avait quitté la peinture pour la musique.

— Asseyez-vous, n'est-ce pas ? murmura-t-elle.

Vous m'excusez. J'ai une bête qui est entrée je ne sais comment...

Pozzo continuait à gratter sa guitare en chantant très bas, l'air ravi, perdu dans une contemplation. Mme Correur roula un fauteuil près de la jeune femme. M. Kahn et M. Béjuin finirent par trouver des chaises libres. Il n'était pas facile de s'asseoir, les cinq ou six sièges de la chambre disparaissant sous des tas de jupons. Lorsque, cinq minutes plus tard, le colonel Jobelin et son fils Auguste se présentèrent, ils durent rester debout.

— Petit, dit Clorinde à Auguste, qu'elle tutoyait toujours, malgré ses dix-sept ans, va donc chercher deux chaises dans le cabinet de toilette.

C'étaient des chaises cannées, toutes dévernies par les linges mouillés qui traînaient sans cesse sur les dossiers. Une seule lampe, recouverte d'une dentelle de papier rose, éclairait la chambre ; une autre se trouvait posée dans le cabinet de toilette, et une troisième dans le boudoir, dont les portes grandes ouvertes montraient des enfoncements crépusculaires, des pièces vagues où semblaient brûler des veilleuses. La chambre elle-même, autrefois mauve tendre, passée aujourd'hui au gris sale, restait comme pleine d'une buée suspendue ; on distinguait à peine des coins de fauteuil arrachés, des traînées de poussière sur les meubles, une large tache d'encre étalée au beau milieu du tapis, quelque encrier tombé là, qui avait éclaboussé les boiseries ; au fond, les rideaux du lit étaient tirés, sans doute pour cacher le désordre des couvertures. Et, dans cette ombre, montait une odeur forte, comme si tous les flacons du cabinet de toilette étaient restés débouchés. Clorinde s'entêtait, même par les temps chauds, à ne jamais ouvrir une fenêtre.

— Ça sent joliment bon chez vous, dit Mme Correur pour la complimenter.

— C'est moi qui sens bon, répondit naïvement la jeune femme.

Et elle parla des essences qu'elle tenait du parfumeur même des sultanes. Elle mit un de ses bras nus sous le nez de Mme Correur. Sa blouse de velours noir avait un peu glissé, ses pieds passaient, chaussés de petites pantoufles rouges. Pozzo, pâmé, grisé par les parfums violents qui s'exhalaient d'elle, tapait son instrument à légers coups de pouce.

Cependant, au bout de quelques minutes, la conversation tourna fatalement sur Rougon, comme cela arrivait chaque jeudi et chaque dimanche. La bande se réunissait uniquement pour épuiser cet éternel sujet, une rancune sourde et grandissante, un besoin de se soulager par des récriminations sans fin. Clorinde ne se donnait même plus la peine de les exciter; ils apportaient toujours quelques nouveaux griefs, mécontents, jaloux, aigris de tout ce que Rougon avait fait pour eux, travaillés par une intense fièvre d'ingratitude.

— Est-ce que vous avez vu le gros homme, aujourd'hui ? demanda le colonel.

Maintenant, Rougon n'était plus « le grand homme ».

— Non, répondit Clorinde. Nous le verrons peut-être ce soir. Mon mari s'entête à me l'amener.

— Je suis allé cette après-midi dans un café où on le jugeait bien sévèrement, reprit le colonel après un silence. On assurait qu'il branlait dans le manche, qu'il n'en avait pas dans le ventre pour deux mois.

M. Kahn eut un geste dédaigneux, en disant :

— Moi, je ne lui en donne pas pour trois semaines... Voyez-vous, Rougon n'est pas un homme de gouvernement; il aime trop le pouvoir, il se laisse griser, et alors il tape à tort et à travers, il administre à coups de bâton, avec une brutalité révoltante... Enfin, depuis cinq mois, il a commis des actes monstrueux...

— Oui, oui, interrompit le colonel, toutes sortes de passe-droits, d'injustices, d'absurdités... Il abuse, il abuse, vraiment.

Mme Correur, sans parler, tourna les doigts en l'air, comme pour dire qu'il avait la tête peu solide.

— C'est cela, reprit M. Kahn en remarquant le geste. La tête n'est pas très d'aplomb, hein ?

Et, comme il le regardait, M. Béjuin crut devoir lâcher aussi quelque chose.

— Oh! pas fort, Rougon, murmura-t-il, pas fort du tout!

Clorinde, la tête renversée sur ses oreillers, examinant au plafond le rond lumineux de la lampe, les laissait aller. Quand ils se turent, elle dit à son tour, pour les pousser :

— Sans doute il a abusé, mais il prétend avoir fait tout ce qu'on lui reproche dans l'unique but d'obliger ses amis... Ainsi, j'en causais l'autre jour avec lui. Les services qu'il vous a rendus...

— A nous! à nous! crièrent-ils tous les quatre à la fois, furieusement.

Ils parlaient ensemble, ils voulaient protester sur le coup. Mais M. Kahn cria le plus fort.

— Les services qu'il m'a rendus! quelle plaisanterie!... J'ai dû attendre ma concession pendant deux ans. Cela m'a ruiné. L'affaire, qui était superbe, est devenue très lourde... Puisqu'il m'aime tant, pourquoi ne vient-il pas à mon secours,

maintenant ? Je lui ai demandé d'obtenir de l'empereur une loi autorisant la fusion de ma compagnie avec la compagnie du chemin de fer de l'Ouest; il m'a répondu qu'il fallait attendre... Les services de Rougon, ah! je demande à les voir! Il n'a jamais rien fait, et il ne peut plus rien faire!

— Et moi, et moi, reprit le colonel en coupant du geste la parole à Mme Correur, et moi, croyez-vous que je lui doive quelque chose ? Il ne parle pas peut-être de ce grade de commandeur qui m'était promis depuis cinq ans ?... Il a pris Auguste dans ses bureaux, c'est vrai; mais je m'en mords joliment les doigts aujourd'hui. Si j'avais mis Auguste dans l'industrie, il gagnerait déjà le double... Cet animal de Rougon m'a déclaré hier ne pas pouvoir augmenter Auguste avant dix-huit mois. Si c'est ainsi qu'il ruine son crédit pour ses amis!

Mme Correur réussit enfin à se soulager. Elle s'était penchée vers Clorinde.

— Dites, madame, il ne m'a pas nommée ? Jamais je n'ai reçu ça de lui. J'en suis encore à connaître la couleur de ses bienfaits. Il n'en peut pas dire autant, et si je voulais parler... J'ai sollicité pour plusieurs dames de mes amies, je ne m'en défends pas; j'aime à rendre service. Eh bien! une remarque que j'ai faite : tout ce qu'il accorde tourne à mal, ses faveurs semblent porter malheur au monde. Ainsi cette pauvre Herminie Billecoq, une ancienne élève de Saint-Denis, séduite par un officier, et pour laquelle il avait trouvé une dot; voilà qu'elle est accourue me raconter une catastrophe ce matin, elle ne se marie plus, l'officier a filé, après avoir croqué la dot... Entendez-vous, toujours pour les autres, jamais pour moi! Je me suis avisée, ces temps derniers, quand je suis revenue de Coulonges avec mon héritage, de lui signaler les manœuvres de madame Martineau. Je voulais, dans le partage, la maison où je suis née, et cette femme s'est arrangée pour la garder... Savez-vous quelle a été sa seule réponse ? Il m'a répété à trois fois qu'il ne voulait plus s'occuper de cette vilaine histoire.

Cependant, M. Béjuin, lui aussi, s'agitait. Il bégaya :

— Moi, c'est comme madame... Je ne lui ai rien demandé, jamais, jamais! Tout ce qu'il a pu faire, c'est malgré moi, c'est sans que je le sache. Il profite de ce qu'on ne dit rien pour vous accaparer, oui, le mot est juste, vous accaparer...

Sa voix s'éteignit dans un bredouillement. Et tous quatre, ils continuaient à hocher la tête. Puis, ce fut M. Kahn qui recommença d'une voix solennelle :

— La vérité, voyez-vous, la voici... Rougon est un ingrat. Vous vous souvenez du temps où nous battions tous le pavé de Paris pour le pousser au ministère. Hein! nous sommes-nous assez dévoués à sa cause, au point d'en perdre le boire et le manger ? A cette époque-là, il a contracté une dette que sa vie entière ne réussirait pas à payer. Parbleu! aujourd'hui, la reconnaissance lui est lourde, et il nous lâche. Ça devait arriver.

— Oui, oui, il nous doit tout! crièrent les autres. Il nous en récompense joliment!

Pendant un instant, ils l'écrasèrent sous l'énumération de leurs bienfaits; lorsqu'un d'eux se taisait, un autre rappelait un détail plus accablant encore. Pourtant, le colonel, tout d'un coup, s'inquiéta de son fils Auguste, le jeune homme n'était plus dans la chambre. A ce moment, un bruit étrange vint du cabinet de toilette, une sorte de barbotement doux et continu. Le colonel se hâta d'aller voir, et il trouva Auguste très intéressé par la baignoire qu'Antonia avait oublié de vider. Des ronds de citron, dont Clorinde s'était servie pour ses ongles, flottaient. Auguste, trempant ses doigts, les flairait, avec une sensualité de collégien.

— Il est insupportable, ce petit! disait à demi-voix Clorinde. Il fouille partout.

— Mon Dieu! continua doucement Mme Correur, qui semblait avoir attendu la sortie du colonel, ce dont Rougon manque surtout, c'est de tact... Ainsi, entre nous, pendant que le brave colonel n'est pas là, Rougon a eu le plus grand tort de prendre ce jeune homme au ministère, en passant par-dessus ses amis de ces sortes de services. On se déconsidère.

Mais Clorinde l'interrompit, murmurant :

— Chère dame, allez donc voir ce qu'ils font.

M. Kahn souriait. Quand Mme Correur ne fut plus là, il baissa la voix à son tour.

— Elle est charmante!... Le colonel a été comblé par Rougon. Mais, vraiment, elle n'a guère à se plaindre. Rougon s'est absolument compromis pour elle, dans cette fâcheuse affaire Martineau. Il a fait preuve là de bien peu de moralité. On ne tue pas un homme pour être agréable à une vieille connaissance, n'est-ce pas ?

Il s'était levé, il marchait à petits pas. Puis, il retourna à l'antichambre prendre son porte-cigares dans son paletot. Le colonel et Mme Correur rentraient.

— Tiens! Kahn s'est envolé, dit le colonel.

Et, sans transition, il s'écria :

— Nous pouvons échiner Rougon, nous autres. Seulement, je trouve que Kahn devrait faire le mort. Je n'aime pas les gens sans cœur, moi... Tout à l'heure, j'ai évité de parler. Mais dans ce café où j'ai passé l'après-midi, on disait très carrément que Rougon tombait pour avoir prêté son nom à cette grande flouerie du chemin de fer de Niort à Angers. On ne manque pas de nez à ce point-là! Cet imbécile de gros homme qui va tirer des pétards et prononcer des discours d'une lieue, dans lesquels il se permet même d'engager la responsabilité de l'empereur!... Voilà, mes bons amis! C'est Kahn qui nous a fichus en plein gâchis. Hein, Béjuin, c'est aussi votre opinion ?

M. Béjuin approuva vivement de la tête. Il avait déjà donné toute son adhésion aux paroles de Mme Correur et de M. Kahn. Clorinde, la tête toujours renversée, s'amusait à mordre le gland de sa cordelière, qu'elle promenait sur sa figure comme pour se chatouiller; et elle ouvrait de grands yeux qui riaient silencieusement en l'air.

— Chut! souffla-t-elle.

M. Kahn rentrait, en coupant un cigare du bout des dents. Il l'alluma, jeta trois ou quatre grosses bouffées; on fumait dans la chambre de la jeune femme. Puis, il reprit, continuant la conversation, concluant :

— Enfin, si Rougon prétend avoir ébranlé son pouvoir pour nous servir, je déclare que je nous trouve au contraire horriblement compromis par sa protection. Il a une façon brutale de pousser les gens qui leur casse le nez contre les murs... D'ailleurs, avec ses coups de poing à assommer les bœufs, le voilà de nouveau par terre. Merci! je n'ai pas envie de le ramasser une seconde fois! Quand un homme ne sait pas ménager son crédit, c'est qu'il n'a pas les idées nettes. Il nous compromet, entendez-vous, il nous compromet!... Moi, ma foi! j'ai de trop lourdes responsabilités, je l'abandonne.

Il hésitait pourtant, sa voix faiblissait, tandis que le colonel et Mme Correur baissaient la tête sans doute pour éviter de se prononcer aussi nettement. En somme, Rougon était toujours au ministère; puis, à le quitter, il aurait fallu pouvoir s'appuyer sur une autre toute-puissance.

— Il n'y a pas que le gros homme, dit négligemment Clorinde.

Ils la regardaient, espérant un engagement plus formel. Mais elle eut un simple geste, comme pour leur demander un peu de patience. Cette promesse tacite d'un crédit tout neuf, dont les bienfaits pleuvraient sur eux, était au fond la grande raison de leur assiduité aux jeudis et aux dimanches de la jeune femme. Ils flairaient un prochain triomphe, dans cette chambre aux odeurs violentes. Croyant avoir usé Rougon à satisfaire leurs premiers rêves, ils attendaient l'avènement de quelque pouvoir jeune, qui contenterait leurs rêves nouveaux, extraordinairement multipliés et élargis.

Cependant, Clorinde s'était relevée sur ses coussins. Accoudée au bras de la causeuse, elle se pencha brusquement vers Pozzo, lui souffla dans le cou, avec des rires aigus, comme prise d'une folie heureuse. Quand elle était très contente, elle avait de ces joies soudaines d'enfant. Pozzo, dont la main semblait s'être endormie sur la guitare, renversa la tête en montrant ses dents de bel Italien, et il frissonnait comme chatouillé par la caresse de ce souffle, tandis que la jeune femme riait plus haut, soufflait plus fort, pour lui faire demander grâce. Puis, après l'avoir querellé en italien, elle ajouta, en se tournant vers Mme Correur :

— Il faut qu'il chante, n'est-ce pas ?... S'il chante, je ne soufflerai plus, je le laisserai tranquille... Il a fait une chanson bien jolie.

Alors, ils demandèrent tous la chanson. Pozzo se remit à gratter sa guitare ; et il chanta, les yeux sur Clorinde. C'était un murmure passionné, accompagné de petites notes légères ; les paroles italiennes ne s'entendaient pas, soupirées, tremblées ; au dernier couplet, sans doute un couplet de souffrance amoureuse, Pozzo, qui prenait une voix sombre, resta la bouche souriante, d'un air de ravissement dans le désespoir. Quant il se tut, on l'applaudit beaucoup. Pourquoi ne faisait-il pas éditer ces choses charmantes ? Sa situation dans la diplomatie n'était pas un obstacle.

— J'ai connu un capitaine qui a fait jouer un opéra-comique, dit le colonel Jobelin. On ne l'en a pas plus mal regardé au régiment.

— Oui, mais dans la diplomatie..., murmura Mme Correur en hochant la tête.

— Mon Dieu ! non, je crois que vous vous trompez, déclara M. Kahn. Les diplomates sont comme les autres hommes. Plusieurs cultivent les arts d'agrément.

Clorinde avait lancé un léger coup de pied dans le flanc de Pozzo, en lui donnant un ordre à demi-voix. Il se leva, jeta la guitare sur un tas de vêtements. Et quand il revint, au bout de cinq minutes, il était suivi d'Antonia portant un plateau où se trouvaient des verres et une carafe ; lui, tenait un sucrier qui n'avait pu trouver place sur le plateau. Jamais on ne buvait autre chose que de l'eau sucrée chez la jeune femme ; encore les familiers de la maison savaient-ils lui faire plaisir lorsqu'ils prenaient de l'eau pure.

— Eh bien, qu'y a-t-il? dit-elle en se tournant vers le cabinet de toilette, où une porte grinçait.

Puis, comme se souvenant, elle s'écria :
— Ah! c'est maman... Elle était couchée.

En effet, c'était la comtesse Balbi, enveloppée dans une robe de chambre de laine noire; elle avait noué sur sa tête un lambeau de dentelle, dont les bouts s'enroulaient à son cou. Flaminio, le grand laquais à longue barbe, à mine de bandit, la soutenait par derrière, la portait presque entre ses bras. Et elle semblait n'avoir pas vieilli, la face blanche, gardant son sourire continu d'ancienne reine de beauté.

— Attends, maman! reprit Clorinde. Je vais te donner ma chaise longue. Moi, je m'allongerai sur le lit... Je ne suis pas bien. J'ai une bête qui est entrée. Voilà qu'elle recommence à me mordre.

Il y eut tout un déménagement. Pozzo et Mme Correur conduisirent la jeune femme à son lit; mais il fallut tirer les couvertures et taper les oreillers. Pendant ce temps, la comtesse Balbi se coucha sur la chaise longue. Derrière elle, Flaminio resta debout, noir, muet, couvant d'un regard abominable les personnes qui se trouvaient là.

— Ça ne vous fait rien que je me couche, n'est-ce pas ? répétait la jeune femme. Je suis beaucoup mieux couchée... Je ne vous renvoie pas, au moins. Il faut rester.

Elle s'était allongée, le coude enfoncé dans un oreiller, étalant sa blouse noire, dont l'ampleur faisait sur la couverture blanche une mare d'encre. Personne, d'ailleurs, ne songeait à s'en aller. Mme Correur causait à demi-voix avec Pozzo de la perfection des formes de Clorinde, qu'ils venaient de soutenir. M. Kahn, M. Béjuin et le colonel présentaient leurs compliments à la comtesse. Celle-ci s'inclinait avec son sourire. Puis, sans se retourner, de temps à autre, elle disait, d'une voix très douce :

— Flaminio!

Le grand laquais comprenait, soulevait un coussin, apportait un tabouret, tirait de sa poche un flacon d'odeur, de son air farouche de brigand en habit noir.

A ce moment, Auguste commit un malheur. Il avait rôdé dans les trois pièces, s'était arrêté à tous les chiffons de femme qui traînaient. Puis, commençant à s'ennuyer, il avait eu l'idée de boire des verres d'eau sucrée coup sur coup. Clorinde le surveillait depuis un instant, regardant le sucrier se vider, lorsqu'il cassa le verre, dans lequel il tapait la cuiller violemment.

— C'est le sucre! il en met trop! cria-t-elle.

— Imbécile! dit le colonel. Tu ne peux pas boire de l'eau tranquillement ?... Matin et soir, un grand verre. Il n'y a rien de meilleur. Ça préserve de toutes les maladies.

Heureusement, M. Bouchard entra. Il venait un peu tard, à dix heures passées, parce qu'il avait dû dîner en ville. Et il parut surpris de ne pas trouver là sa femme.

— Monsieur d'Escorailles s'était chargé de l'amener, dit-il, et j'avais promis de la reprendre en passant.

Au bout d'une demi-heure, en effet, Mme Bouchard arriva, accompagnée de M. d'Escorailles et de M. La Rouquette. Après une brouille d'une année, le jeune marquis s'était remis avec la jolie blonde; maintenant, leur liaison tournait à l'habitude, ils se reprenaient pour huit jours, ne pouvaient s'empêcher de se pincer et de s'embrasser derrière les portes, lorsqu'ils se rencontraient. Cela allait de soi, naturellement, avec des renouveaux de désir très vifs. Comme ils venaient chez les Delestang en voiture découverte, ils avaient rencontré M. La Rouquette. Et tous les trois s'en étaient allés au Bois, riant haut, lâchant des plaisanteries risquées; même M. d'Escorailles avait cru un moment rencontrer la main du député, derrière la taille de Mme Bouchard. Quand ils entrèrent, ils apportèrent une bouffée de gaieté, la fraîcheur des allées noires du Bois, le mystère des feuilles endormies, où s'étouffait la polissonnerie de leurs rires.

— Oui, nous revenons du lac, dit M. La Rouquette. Ma parole! on m'a débauché... Je rentrais bien tranquillement travailler.

Il redevint subitement sérieux. Pendant la dernière session, il avait prononcé un discours à la Chambre sur une question d'amortissement, après un grand mois d'études spéciales; et, depuis lors, il prenait des allures posées d'homme marié, comme s'il avait enterré sa vie de garçon à la tribune. Kahn l'emmena au fond de la chambre, en murmurant :

— A propos, vous qui êtes bien avec Marsy...

Leurs voix se perdirent, ils causèrent bas. Cependant, la jolie Mme Bouchard, qui avait salué la comtesse, s'était assise devant le lit, gardant dans sa main la main de Clorinde, la plaignant beaucoup, d'une voix flûtée. M. Bouchard, debout, digne et correct, s'écria tout à coup, au milieu des conversations étouffées :

— Je ne vous ai pas conté ?... Il est gentil, le gros homme!

Et, avant de s'expliquer, il parla amèrement de Rougon, comme les autres. On ne pouvait plus rien lui demander, il n'était même plus poli; et M. Bouchard tenait avant tout à la politesse. Puis, lorsqu'on lui demanda ce que Rougon lui avait fait, il finit par répondre :

— Moi, je n'aime pas les injustices... C'est pour un des employés de ma division, Georges Duchesne vous le connaissez, vous l'avez vu chez moi. Il est plein de mérite, ce garçon! Nous le recevons comme notre enfant. Ma femme l'aime beaucoup, parce qu'il est de son pays... Alors, dernièrement, nous complotions ensemble de faire nommer Duchesne sous-chef. L'idée était de moi, mais tu l'approuvais n'est-ce pas, Adèle ?

Mme Bouchard, l'air gêné, se pencha davantage vers Clorinde, pour éviter les regards de M. d'Escorailles, qu'elle sentait fixés sur elle.

— Eh bien! continua le chef de division, vous ne savez pas de quelle façon le gros homme a accueilli ma demande ?... Il m'a regardé un bon moment en silence, de son air blessant, vous savez. Ensuite, il m'a carrément refusé la nomination. Et comme je revenais à la charge, il m'a dit, avec un sourire « Monsieur Bouchard, n'insistez pas, vous me faites de la peine; il y a des raisons graves... » Impossible d'en tirer autre chose. Il a bien vu que j'étais furieux, car il m'a prié de le rappeler au bon souvenir de ma femme... N'est-ce pas, Adèle ?

Mme Bouchard avait justement eu dans la soirée une explication vive avec M. d'Escorailles, au sujet de ce Georges Duchesne. Elle crut devoir dire, d'un ton d'humeur :

— Mon Dieu! Monsieur Duchesne attendra... Il n'est pas si intéressant!

Mais le mari s'entêtait.

— Non, non, il a mérité d'être sous-chef, il sera sous-chef! Je perdrai plutôt mon nom... Moi, je veux qu'on soit juste!

On dut le calmer. Clorinde, distraite, tâchait d'entendre la conversation de M. Kahn et de M. La Rouquette, réfugiés au pied de son lit. Le premier expliquait sa situation à mots couverts. Sa grande entreprise du chemin de fer de Niort à Angers se trouvait en pleine déconfiture. Les actions avaient commencé par faire quatre-vingts francs de prime à la Bourse, avant qu'un seul coup de pioche fût donné. Embusqué derrière sa fameuse compagnie anglaise, M. Kahn s'était livré aux spéculations les plus imprudentes. Et, aujourd'hui, la faillite allait éclater, si quelque main puissante ne le ramassait dans sa chute.

— Autrefois, murmurait-il, Marsy m'avait offert

Le café de la Cascade au Bois en 1866. Arrivant chez Clorinde, Mme Bouchard, M. d'Escorailles et
M. La Rouquette viennent du Bois, dont ils apportent « une bouffée de gaieté ».

de vendre l'affaire à la compagnie de l'Ouest. Je suis tout prêt à rentrer en pourparlers. Il suffirait d'obtenir une loi...

Clorinde les appela discrètement d'un geste. Et, penchés tous deux au-dessus du lit, ils causèrent longuement avec elle. Marsy n'avait pas de rancune. Elle lui parlerait. Elle lui offrirait le million qu'il demandait, l'année précédente, pour appuyer la demande de concession. Sa situation de président du Corps législatif lui permettrait d'obtenir très aisément la loi nécessaire.

— Allez, il n'y a encore que Marsy si l'on veut le succès de ces sortes d'affaires, dit-elle en souriant. Quand on se passe de lui, pour en lancer une, on est bientôt forcé de l'appeler, pour le supplier d'en raccommoder les morceaux.

Dans la chambre, maintenant, tout le monde parlait à la fois, très haut. Mme Correur expliquait son dernier désir à Mme Bouchard : aller mourir à Coulonges, dans la maison de sa famille; et elle s'attendrissait sur les lieux où elle était née, elle forcerait bien Mme Martineau à lui rendre cette maison toute pleine des souvenirs de son enfance. Les invités, fatalement, revenaient à Rougon : M. d'Escorailles racontait la colère de son père et de sa mère, qui lui avaient écrit de rentrer au Conseil d'État, de briser avec le ministre, en apprenant les abus de pouvoir de celui-ci; le colonel racontait comment le gros homme s'était absolument refusé à demander pour lui à l'empereur une situation dans les palais impériaux; M. Béjuin lui-même se lamentait de ce que Sa Majesté n'était pas venue visiter la cristallerie de Saint-Florent, lors de son dernier voyage à Bourges, malgré l'engagement formel pris par Rougon d'obtenir cette faveur. Et, au milieu de cette rage de paroles, la comtesse Balbi, sur la chaise longue, souriait, regardait ses mains encore potelées, répétait doucement :

— Flaminio !

Le grand diable de domestique avait sorti de la poche de son gilet une toute petite boîte d'écaille pleine de pastilles à la menthe. La comtesse les croquait avec des mines de vieille chatte gourmande.

Vers minuit seulement, Delestang rentra. Quand on le vit soulever la portière du boudoir, un profond silence se fit, tous les cous s'allongèrent. Mais la portière était retombée, personne ne le suivit. Alors, après une nouvelle attente de quelques secondes, des exclamations partirent :

— Vous êtes seul ?

— Vous ne l'amenez donc pas ?

— Vous avez donc perdu le gros homme en route ?

Et il y eut un soulagement. Delestang expliqua que Rougon, très fatigué, venait de le quitter au coin de la rue Marbeuf.

— Il a bien fait, dit Clorinde en se couchant tout à fait sur le lit. Il est si peu amusant !

Ce fut le signal d'un nouveau déchaînement de plaintes et d'accusations. Delestang protestait, lançait des : Permettez! permettez! Il affectait d'ordinaire de défendre Rougon. Quand on le laissa parler, il dit d'une voix mesurée :

— Sans doute il aurait pu mieux agir envers certains de ses amis. Mais il n'en reste pas moins une grande intelligence... Quant à moi, je lui serai éternellement reconnaissant...

— Reconnaissant de quoi ? cria M. Kahn courroucé.

— Mais de tout ce qu'il a fait...

On lui coupa violemment la parole. Rougon n'avait jamais rien fait pour lui. Où prenait-il que Rougon eût fait quelque chose ?

— Vous êtes étonnant ! dit le colonel. On ne pousse pas la modestie à ce point-là !... Mon cher ami, vous n'aviez besoin de personne. Parbleu! vous êtes monté par vos propres forces.

Alors, on célébra les mérites de Delestang. Sa ferme-modèle de la Chamade était une création hors ligne, qui révélait depuis longtemps en lui les aptitudes d'un bon administrateur et d'un homme d'État véritablement doué. Il avait le coup d'œil prompt, l'intelligence nette, la main énergique sans rudesse. D'ailleurs, l'empereur ne l'avait-il pas distingué, dès le premier jour ? Il se rencontrait sur presque tous les points avec Sa Majesté.

— Laissez donc ! finit par déclarer M. Kahn, c'est vous qui soutenez Rougon. Si vous n'étiez pas son ami, si vous ne l'appuyiez pas dans le conseil, il y a quinze jours au moins qu'il serait par terre.

Pourtant, Delestang protestait encore. Certainement, il n'était pas le premier venu; mais il fallait rendre justice aux qualités de tout le monde. Ainsi, le soir même, chez le garde des Sceaux, dans une question de viabilité très embrouillée, Rougon venait de montrer une clarté d'aperçu extraordinaire.

— Oh! la souplesse d'un avoué retors, murmura M. La Rouquette d'un air de dédain.

Clorinde n'avait point encore ouvert les lèvres. Des regards se tournaient vers elle, sollicitant le mot que chacun attendait. Elle roulait doucement la tête sur l'oreiller, comme pour se gratter la nuque. Elle dit enfin, en parlant de son mari, sans le nommer :

— Oui, grondez-le... Il faudra le battre, le jour où l'on voudra le mettre à sa vraie place.

— La situation de ministre de l'Agriculture et du Commerce est tout à fait secondaire, fit remarquer M. Kahn, afin de brusquer les choses.

C'était toucher à une plaie vive. Clorinde souffrait de voir son mari parqué dans ce qu'elle appelait « un petit ministère ». Elle s'assit brusquement sur son séant, en lâchant le mot attendu :

— Eh! il sera à l'Intérieur quand nous voudrons!

Delestang voulut parler. Mais tous s'étaient précipités, l'entourant d'un brouhaha de ravissement. Alors, lui, sembla se déclarer vaincu. Peu à peu, une teinte rosée montait à ses joues, une jouissance noyait sa face superbe. Mme Correur et Mme Bouchard, à demi-voix, le trouvaient beau; la seconde surtout, avec le goût pervers des femmes pour les hommes chauves, regardait passionnément son crâne nu. M. Kahn, le colonel et les autres, avaient des coups d'œil, de petits gestes, des mots rapides, pour dire le cas énorme qu'ils faisaient de sa force. Ils s'aplatissaient devant le plus sot de la bande, ils s'admiraient en lui. Ce maître-là, au moins, serait docile et ne les compromettrait pas. Ils pouvaient impunément le prendre pour dieu, sans craindre sa foudre.

— Vous le fatiguez, fit remarquer la jolie Mme Bouchard de sa voix tendre.

On le fatiguait! Ce fut une commisération générale. En effet, il était un peu pâle, ses yeux se fermaient. Pensez donc! quand on travaille depuis le matin cinq heures! Rien ne brise comme les travaux de tête. Et avec une douce violence, on exigea qu'il allât se coucher. Il obéit docilement, il se retira, après avoir posé un baiser sur le front de sa femme.

— Flaminio! murmura la comtesse.

Elle aussi voulait se mettre au lit. Elle traversa la chambre au bras du domestique, en envoyant à chacun un petit salut de la main. Dans le cabinet de toilette, on entendit Flaminio jurer, parce que la lampe s'était éteinte.

Il était une heure. On parla de se retirer. Mais Clorinde assurait qu'elle n'avait pas sommeil, qu'on pouvait rester. Pourtant personne ne se rassit. La lampe du boudoir venait également de s'éteindre; une forte odeur d'huile se répandait. On eut beaucoup de peine à retrouver de menus objets, un éventail, la canne du colonel, le chapeau de Mme Bouchard. Clorinde, tranquillement allongée, empêcha Mme Correur de sonner Anto-

nia; la femme de chambre se couchait à onze heures. Enfin, on partait, quand le colonel s'aperçut qu'il oubliait Auguste; le jeune homme dormait sur le canapé du boudoir, la tête appuyée sur une robe roulée en tampon; on le gronda de n'avoir pas remonté la lampe. Dans l'ombre de l'escalier, où le gaz baissé agonisait, Mme Bouchard eut un léger cri; son pied avait tourné, disait-elle. Et, comme tout ce monde descendait prudemment le long de la rampe, de grands rires vinrent de la chambre de Clorinde où Pozzo s'était attardé; sans doute elle lui soufflait dans le cou.

Chaque jeudi et chaque dimanche, les soirées se ressemblaient. Au dehors, le bruit courait que Mme Delestang avait un salon politique. On s'y montrait très libéral, on y battait en brèche l'administration autoritaire de Rougon. Toute la bande était passée au rêve d'un empire humanitaire, élargissant peu à peu et à l'infini le cercle des libertés publiques. Le colonel, à ses moments perdus, rédigeait des statuts pour des associations d'ouvriers; M. Béjuin parlait de créer une cité, autour de sa cristallerie de Saint-Florent; M. Kahn, pendant des heures, entretenait Delestang du rôle démocratique des Bonaparte dans la société moderne. Et, à chaque nouvel acte de Rougon, il y avait des protestations indignées, des terreurs patriotiques de voir la France sombrer aux mains d'un tel homme. Un jour, Delestang soutint que l'empereur était le seul républicain de l'époque. La bande affectait des allures de secte religieuse apportant le salut. Maintenant, elle complotait d'une façon ouverte le renversement du gros homme, pour le plus grand bien du pays.

Cependant, Clorinde ne se hâtait pas. On la trouvait étendue sur les canapés de son appartement, distraite, les yeux en l'air, étudiant les coins du plafond. Quand les autres criaient et piétinaient d'impatience autour d'elle, elle avait une figure muette, un jeu lent de paupières pour les inviter à plus de prudence. Elle sortait moins, s'amusait à s'habiller en homme avec sa femme de chambre, sans doute afin de tuer le temps. Elle s'était prise brusquement de tendresse pour son mari, l'embrassait devant le monde, lui parlait en zézayant, témoignait des inquiétudes très vives pour sa santé qui était excellente. Peut-être voulait-elle cacher ainsi l'empire absolu, la surveillance continue, qu'elle exerçait sur lui. Elle le guidait dans ses moindres actions, lui faisait chaque matin la leçon, comme à un écolier dont on se méfie. Delestang se montrait d'ailleurs d'une obéissance absolue. Il saluait, souriait, se fâchait, disait noir, disait blanc, selon la ficelle qu'elle avait tirée. Dès qu'il n'était plus monté, il revenait de lui-même se remettre entre ses mains, pour qu'elle l'accommodât. Et il restait supérieur.

Clorinde attendait. M. Beulin-d'Orchère, qui évitait de venir le soir, la voyait souvent pendant la journée. Il se plaignait amèrement de son beau-frère, l'accusait de travailler à la fortune d'une foule d'étrangers; mais cela se passait toujours ainsi, on se moquait bien des parents! Rougon seul pouvait détourner l'empereur de lui confier les Sceaux, par crainte d'avoir à partager son influence dans le conseil. La jeune femme fouettait sa rancune. Puis, elle parlait à demi-mots du prochain triomphe de son mari, en lui donnant la vague espérance d'être compris dans la nouvelle combinaison ministérielle. En somme, elle se servait de lui pour savoir ce qui se passait chez Rougon. Par une méchanceté de femme, elle aurait voulu voir ce dernier malheureux en ménage; et elle poussait le magistrat à faire épouser sa querelle par sa sœur. Il dut essayer, regretter tout haut un mariage dont il ne tirait aucun profit; mais il échoua sans doute, devant la placidité de Mme Rougon. Son beau-frère, disait-il, était très nerveux depuis quelque temps. Il insinuait qu'il le croyait mûr pour la chute; et il regardait la jeune femme fixement, il lui racontait des faits caractéristiques, d'un air aimable de causeur colportant sans malice les cancans du monde. Pourquoi donc n'agissait-elle pas, si elle était maîtresse? Elle, paresseusement, s'allongeait davantage, prenait une mine de personne enfermée chez elle par un temps de pluie, se résignant dans l'attente d'un rayon de soleil.

Pourtant, aux Tuileries, la puissance de Clorinde grandissait. On causait à voix basse du vif caprice que Sa Majesté éprouvait pour elle. Dans les bals, aux réceptions officielles, partout où l'empereur la rencontrait, il tournait autour de ses jupes de son pas oblique, lui regardait dans le cou, lui parlait de près, avec un lent sourire. Et, disait-on, elle n'avait encore rien accordé, pas même le bout des doigts. Elle jouait son ancien jeu de fille à marier, très provocante, libre, disant tout, montrant tout, mais continuellement sur ses gardes, se dérobant juste à la minute voulue. Elle semblait laisser mûrir la passion du souverain, guetter une circonstance, ménager l'heure où il ne pourrait plus rien lui refuser, afin d'assurer le triomphe de quelque plan longuement conçu.

Ce fut vers cette époque qu'elle se montra tout d'un coup très tendre à l'égard de M. de Plouguern.

Il y avait, depuis plusieurs mois, de la brouille entre eux. Le sénateur, fort assidu auprès d'elle, et qui venait assister presque chaque matin à son lever, s'était un beau jour fâché de se voir consigné à la porte de son cabinet, lorsqu'elle faisait sa toilette. Elle rougissait, prise d'un caprice de pudeur, ne voulant plus être taquinée, gênée, disait-elle, par les yeux gris du vieillard où s'allumaient des flammes jaunes. Mais lui, protestait, refusait de se présenter, comme tout le monde, aux heures où sa chambre s'emplissait de visites. N'était-il pas son père? ne l'avait-il pas fait sauter sur ses genoux toute petite? Et il racontait avec un ricanement les corrections qu'il se permettait de lui administrer jadis, les jupes relevées. Elle finit par rompre, un jour où, malgré les cris et les coups de poing d'Antonia, il était entré pendant qu'elle se trouvait au bain. Quand M. Kahn ou le colonel Jobelin lui demandait des nouvelles de M. de Plouguern, elle répondait d'un air pincé:

— Il rajeunit, il n'a pas vingt ans... Je ne le vois plus.

Puis, brusquement, on ne rencontra que M. de Plouguern chez elle. A toute heure, il était là, dans les coins du cabinet de toilette, au fond des trous intimes de la chambre. Il savait où elle serrait son linge, lui passait une chemise ou une paire de bas; même on l'avait surpris en train de lui lacer son corset. Clorinde montrait le despotisme d'une jeune mariée.

— Parrain, va me chercher la lime à ongles, tu sais, dans le tiroir... Parrain, donne-moi donc mon éponge...

Ce mot de parrain était une caresse. Lui, maintenant, parlait très souvent du comte Balbi, précisant les détails de la naissance de Clorinde. Il mentait, disait avoir connu la mère de la jeune femme au troisième mois de sa grossesse. Et lorsque la comtesse, avec son rire éternel sur sa face usée, se trouvait là, dans la chambre, au moment du lever de Clorinde, il adressait à la vieille dame des regards d'intelligence, attirait d'un clignement d'yeux son attention sur une épaule nue, sur un genou à demi découvert.

— Hein? Lenora, murmurait-il, tout votre portrait!

La fille lui rappelait la mère. Son visage osseux flambait. Souvent, il allongeait ses mains sèches, prenait Clorinde, se serrait contre elle, pour lui conter quelque ordure. Cela le satisfaisait. Il était voltairien, niait tout, combattait les derniers scrupules de la jeune femme, en disant avec son ricanement de poulie mal graissée:

« Pourtant, aux Tuileries, la puissance de Clorinde grandissait. »
Un grand dîner au palais des Tuileries, en 1867.

— Mais, bête, c'est permis... Quand ça fait plaisir, c'est permis.

On ne sut jamais jusqu'où les choses allèrent entre eux. Clorinde avait alors besoin de M. de Plouguern ; elle lui réservait un rôle dans le drame qu'elle rêvait. D'ailleurs, il lui arrivait parfois d'acheter ainsi des amitiés dont elle ne se servait plus ensuite, si elle venait à changer de plan. C'était, à ses yeux, comme une poignée de main donnée à la légère et sans profit. Elle avait ce beau dédain de ses faveurs qui déplaçait en elle l'honnêteté commune et lui faisait mettre ses fiertés autre part.

Cependant, son attente se prolongeait. Elle causait à mots couverts, avec M. de Plouguern, d'un événement vague, indéterminé, trop lent à se produire. Le sénateur semblait chercher des combinaisons, d'un air absorbé de joueur d'échecs ; et il hochait la tête, il ne trouvait sans doute rien. Quant à elle, les rares jours où Rougon venait encore la voir, elle se disait lasse, elle parlait d'aller en Italie passer trois mois. Puis, les paupières à demi closes, elle l'examinait d'un mince regard luisant. Un sourire de cruauté raffinée pinçait ses lèvres. Elle aurait pu tenter déjà de l'étrangler entre ses doigts effilés ; mais elle voulait l'étrangler net ; et c'était une jouissance, cette longue patience qu'elle mettait à regarder pousser ses ongles. Rougon, toujours très préoccupé, lui donnait des poignées de main distraites, sans remarquer la fièvre nerveuse de sa peau. Il la croyait plus raisonnable, la complimentait d'obéir à son mari.

— Vous voilà presque comme je vous voulais, disait-il. Vous avez bien raison, les femmes doivent rester tranquilles chez elles.

Et elle criait, avec un rire aigu, quand il n'était plus là :

— Mon Dieu ! qu'il est bête !... Et il trouve les femmes bêtes, encore !

Enfin, un dimanche soir, vers dix heures, au moment où toute la bande était réunie dans la chambre de Clorinde, M. de Plouguern entra d'un air triomphant.

— Eh bien ! demanda-t-il en affectant une grande indignation, vous connaissez le nouvel exploit de Rougon ?... Cette fois, la mesure est comble.

On s'empressa autour de lui. Personne ne savait rien.

— Une abomination ! reprit-il, les bras en l'air. On ne comprend pas qu'un ministre descende si bas...

Et il raconta d'un trait l'aventure. Les Charbonnel, en arrivant à Faverolles pour prendre possession de l'héritage du cousin Chevassu, avaient fait grand bruit de la prétendue disparition d'une quantité considérable d'argenterie. Ils accusaient la bonne chargée de la garde de la maison, femme très dévote ; à la nouvelle de l'arrêt rendu par le Conseil d'État, cette malheureuse devait s'être entendue avec les sœurs de la Sainte-Famille, et avoir transporté au couvent tous les objets de valeur faciles à cacher. Trois jours après, ils ne parlaient plus de la bonne ; c'étaient les sœurs elles-mêmes qui avaient dévalisé leur maison. Cela faisait dans la ville un scandale épouvantable. Mais le commissaire refusait d'opérer une descente au couvent, lorsque, sur une simple lettre des Charbonnel, Rougon avait télégraphié au préfet de donner des ordres pour qu'une visite domiciliaire eût lieu immédiatement.

— Oui, une visite domiciliaire, cela est en toutes lettres dans la dépêche, dit M. de Plouguern en terminant. Alors, on a vu le commissaire et deux gendarmes bouleverser le couvent. Ils y sont restés cinq jours. Les gendarmes ont voulu tout fouiller... Imaginez-vous qu'ils ont mis le nez jusque dans les paillasses des sœurs...

— Les paillasses des sœurs, oh ! c'est indigne ! s'écria Mme Bouchard révoltée.

— Il faut manquer tout à fait de religion, déclara le colonel.

— Que voulez-vous, soupira à son tour Mme Correur, Rougon n'a jamais pratiqué... J'ai si souvent tenté en pure perte de le réconcilier avec Dieu !

M. Bouchard et M. Béjuin hochaient la tête d'un air désespéré, comme s'ils venaient d'apprendre quelque catastrophe sociale qui leur faisait douter de la raison humaine. M. Kahn demanda, en frottant rudement son collier de barbe :

— Et, naturellement, on n'a rien trouvé chez les sœurs ?

— Absolument rien ! répondit M. de Plouguern.

Puis, il ajouta d'une voix rapide :

— Une casserole en argent, je crois, deux timbales, un porte-huilier, des bêtises, des cadeaux que l'honorable défunt, vieillard d'une grande piété, avait faits aux sœurs pour les récompenser de leurs bons soins pendant sa longue maladie.

— Oui, oui, évidemment, murmurèrent les autres.

Le sénateur n'insista pas. Il reprit d'un ton très lent, en accentuant chaque phrase d'un petit claquement de main :

— La question est ailleurs. Il s'agit du respect dû à un couvent, à une de ces saintes maisons, où se sont réfugiées toutes les vertus chassées de notre société impie. Comment veut-on que les masses soient religieuses, si les attaques contre la religion partent de si haut ? Rougon a commis là un véritable sacrilège, dont il devra rendre compte... Aussi la bonne société de Faverolles est-elle indignée. Monseigneur Rochart, l'éminent prélat, qui a toujours témoigné aux sœurs une tendresse particulière, est immédiatement parti pour Paris, où il vient demander justice. D'autre part, au Sénat, on était aujourd'hui très irrité, on parlait de soulever un incident, sur les quelques détails que j'ai pu fournir. Enfin, l'impératrice elle-même...

Tous tendirent le cou.

— Oui, l'impératrice a su cette déplorable histoire par madame de Llorentz, qui la tenait de notre ami La Rouquette, auquel je l'avais raconté. Sa Majesté s'est écriée : « Monsieur Rougon n'est plus digne de parler au nom de la France. »

— Très bien ! dit tout le monde.

Ce jeudi-là, ce fut, jusqu'à une heure du matin, l'unique sujet de conversation. Clorinde n'avait pas ouvert la bouche. Aux premiers mots de M. de Plouguern, elle s'était renversée sur sa chaise longue, un peu pâle, les lèvres pincées. Puis, elle se signa trois fois, rapidement, sans qu'on la vît, comme si elle remerciait le ciel de lui avoir accordé une grâce longtemps demandée.

Ses mains eurent ensuite des gestes de dévote furieuse au récit de la visite domiciliaire. Peu à peu, elle était devenue très rouge. Les yeux en l'air, elle s'absorba dans une rêverie grave.

Alors, pendant que les autres discutaient, M. de Plouguern s'approcha d'elle, glissa une main au bord de son corsage, pour lui pincer familièrement le sein. Et, avec son ricanement sceptique, du ton libre d'un grand seigneur qui a roulé dans tous les mondes, il souffla à l'oreille de la jeune femme :

— Il a touché au bon Dieu, il est foutu !

13

Rougon, pendant huit jours, entendit monter contre lui une clameur croissante. On lui aurait tout pardonné, ses abus de pouvoir, les appétits de sa bande, l'étranglement du pays ; mais avoir envoyé des gendarmes retourner les paillasses des sœurs, c'était un crime si monstrueux, que les dames, à la cour, affectaient un petit tremblement sur son passage. Monseigneur Rochart faisait, aux quatre coins du monde officiel, un tapage terrible ; il était

allé jusqu'à l'impératrice, disait-on. D'ailleurs, le scandale devait être entretenu par une poignée de gens habiles ; des mots d'ordre circulaient ; les mêmes bruits s'élevaient de tous les côtés à la fois, avec un ensemble singulier. Au milieu de ces furieuses attaques, Rougon resta d'abord calme et souriant. Il haussait ses fortes épaules, appelait l'aventure « une bêtise ». Il plaisantait même. A une soirée du garde des Sceaux, il laissa échapper : « Je n'ai pourtant pas raconté qu'on a trouvé un curé dans une paillasse » ; et, le mot ayant couru, l'outrage et l'impiété étant au comble, il y eut une nouvelle explosion de colère. Alors, lui, peu à peu, se passionna. On l'ennuyait à la fin ! Les sœurs étaient des voleuses, puisqu'on avait découvert chez elles des casseroles et des timbales d'argent. Et il se mit à vouloir pousser l'affaire, il s'engagea davantage, parla de confondre tout le clergé de Faverolles devant les tribunaux.

Un matin, de bonne heure, les Charbonnel se firent annoncer. Il fut très étonné, il ne les savait pas à Paris. Dès qu'il les aperçut, il leur cria que les choses marchaient bien ; la veille, il avait encore envoyé des instructions au préfet pour obliger le parquet à se saisir de l'affaire. Mais M. Charbonnel parut consterné, Mme Charbonnel s'écria :

— Non, non, ce n'est pas cela... Vous êtes allé trop loin, monsieur Rougon. Vous nous avez mal compris.

Et tous deux se répandirent en éloges sur les sœurs de la Sainte-Famille. C'étaient de bien saintes femmes. Ils avaient pu un instant plaider contre elles ; mais jamais, certes, ils n'étaient descendus jusqu'à les accuser de vilaines actions. Tout Faverolles, d'ailleurs, leur aurait ouvert les yeux, tant les personnes de la société y respectaient les bonnes sœurs.

— Vous nous feriez le plus grand tort, monsieur Rougon, dit Mme Charbonnel en terminant, si vous continuiez à vous acharner ainsi contre la religion. Nous sommes venus vous supplier de vous tenir tranquille... Dame ! là-bas, ils ne peuvent pas savoir, n'est-ce pas ? Ils croyaient que nous vous poussions, et auraient fini par nous jeter des pierres... Nous avons donné un beau cadeau au couvent, un christ d'ivoire qui était pendu au pied du lit de notre pauvre cousin.

— Enfin, conclut M. Charbonnel, vous êtes averti, ça vous regarde maintenant... Nous autres, nous n'y sommes plus pour rien.

Rougon les laissa parler. Ils avaient l'air très mécontents de lui, même ils finissaient par hausser la voix. Un léger froid lui était monté à la nuque.

Il les regardait, pris subitement d'une lassitude, comme si un peu de sa force venait encore de lui être enlevé. D'ailleurs, il ne discuta pas. Il les congédia, en leur promettant de ne plus agir. Et, en effet, il laissa étouffer l'affaire.

Depuis quelques jours, il était sous le coup d'un autre scandale, auquel son nom se trouvait mêlé indirectement. Un drame affreux avait eu lieu à Coulonges. Du Poizat, entêté, voulant monter sur le dos de son père, selon l'expression de Gilquin, était revenu un matin frapper à la porte de l'avare. Cinq minutes plus tard, les voisins entendirent des coups de fusil dans la maison, au milieu de hurlements épouvantables. Quand on entra, on trouva le vieillard étendu au pied de l'escalier, la tête fendue; deux fusils déchargés gisaient au milieu du vestibule. Du Poizat, livide, raconta que son père, en le voyant se diriger vers l'escalier, s'était mis brusquement à crier au voleur, comme frappé de folie, et lui avait tiré deux coups de feu, presque à bout portant; il montrait même le trou d'une balle dans son chapeau. Puis, toujours d'après lui, son père, tombant à la renverse, était allé se briser le crâne sur l'angle de la première marche. Cette mort tragique, ce drame mystérieux et sans témoin, soulevaient dans tout le département les bruits les plus fâcheux. Les médecins constatèrent bien un cas d'apoplexie foudroyante. Les ennemis du préfet n'en prétendaient pas moins que celui-ci devait avoir poussé le vieux; et le nombre de ses ennemis grandissait chaque jour, grâce à l'administration pleine de rudesse qui écrasait Niort sous un régime de terreur. Du Poizat, les dents serrées, crispant ses poings d'enfant maladif, restait blême et debout, arrêtant les commérages sur le pas des portes, d'un seul regard de ses yeux gris, quand il passait. Mais il lui arriva un autre malheur; il lui fallut casser Gilquin, compromis dans une vilaine histoire d'exonération militaire; Gilquin, pour cent francs, s'engageait à exempter des fils de paysan; et tout ce qu'on put faire, ce fut de le sauver de la police correctionnelle et de le renier. Cependant, jusque-là, Du Poizat s'était appuyé fortement sur Rougon, dont il engageait la responsabilité davantage à chaque nouvelle catastrophe. Il dut flairer la disgrâce du ministre, car il vint à Paris sans l'avertir, très ébranlé lui-même, sentant craquer ce pouvoir qu'il avait ruiné, cherchant déjà quelque main puissante où se raccrocher. Il songeait à demander son changement de préfecture, afin d'éviter une démission certaine. Après la mort de son père et la coquinerie de Gilquin, Niort devenait impossible.

— J'ai rencontré monsieur Du Poizat dans le faubourg Saint-Honoré, à deux pas d'ici, dit un jour Clorinde au ministre, par méchanceté. Vous n'êtes donc plus bien ensemble ?... Il a l'air furieux contre vous.

Rougon évita de répondre. Peu à peu, ayant dû refuser plusieurs faveurs au préfet, il avait senti un grand froid entre eux; maintenant, ils s'en tenaient aux simples relations officielles. D'ailleurs, la débandade était générale. Mme Correur elle-même l'abandonnait. Certains soirs, il éprouvait de nouveau cette impression de solitude, dont il avait souffert déjà autrefois, rue Marbeuf, lorsque sa bande doutait de lui. Après ses journées si remplies, au milieu de la foule qui assiégeait son salon, il retrouvait seul, perdu, navré. Ses familiers lui manquaient. Un impérieux besoin lui revenait de l'admiration continue du colonel et de M. Bouchard, de la chaleur de vie dont l'entourait sa petite cour; jusqu'aux silences de M. Béjuin qu'il regrettait. Alors, il tenta encore de ramener son monde; il se fit aimable, écrivit des lettres, hasarda des visites. Mais les liens étaient rompus, jamais il ne parvint à les avoir tous là, à ses côtés; s'il renouait d'un bout, quelque fâcherie, à l'autre bout, cassait le fil; et il restait quand même incomplet, avec des amis, avec des membres en moins. Enfin, tous s'éloignèrent. Ce fut l'agonie de son pouvoir. Lui, si fort, était lié à ces imbéciles par le long travail de leur fortune commune. Ils emportaient chacun un peu de lui, en se retirant. Ses forces, dans cette diminution de son importance, demeuraient comme inutiles; ses gros poings tapaient le vide. Le jour où son ombre fut seule au soleil, où il ne put s'engraisser davantage des abus de son crédit, il lui sembla que sa place avait diminué par terre; et il rêva une nouvelle incarnation, une résurrection en Jupiter tonnant, sans bande à ses pieds, faisant la loi par le seul éclat de sa parole.

Cependant, Rougon ne se croyait pas encore sérieusement ébranlé. Il traitait dédaigneusement les morsures qui lui entamaient à peine les talons. Il gouvernerait puissamment, impopulaire et solitaire. Puis, il mettait sa grande force dans l'empereur. Sa crédulité fut alors son unique faiblesse. Chaque fois qu'il voyait Sa Majesté, il la trouvait bienveillante, très douce, avec son pâle sourire impénétrable; et elle lui renouvelait l'expression de sa confiance, elle lui répétait les instructions si souvent données. Cela lui suffisait. Le souverain ne pouvait songer à le sacrifier. Cette certitude le décida à tenter un grand coup. Pour faire taire ses ennemis et asseoir son pouvoir solidement, il imagina d'offrir sa démission, en termes très dignes : il parlait des plaintes répandues contre lui, il disait avoir strictement obéi aux désirs de l'empereur, et sentir le besoin d'une haute approbation, avant de continuer son œuvre de salut public. D'ailleurs, il se posait carrément en homme à forte poigne, en représentant de la répression sans merci. La cour était à Fontainebleau. La démission partie, Rougon attendit avec un sang-froid de beau joueur. L'éponge allait être passée sur les derniers scandales, le drame de Coulonges, la visite domiciliaire chez les sœurs de la Sainte-Famille. S'il tombait, au contraire, il voulait tomber de toute sa hauteur, en homme fort.

Justement, le jour où le sort du ministre devait se décider, il y avait, dans l'orangerie des Tuileries, une vente de charité, en faveur d'une crèche patronnée par l'impératrice. Tous les familiers du palais, tout le haut monde officiel allait sûrement s'y rendre, pour faire leur cour. Rougon résolut d'y montrer sa face calme. C'était une bravade : regarder en face les gens qui le guetteraient de leurs regards obliques, promener son tranquille mépris au milieu des chuchotements de la foule. Vers trois heures, il donnait un dernier ordre au chef du personnel, avant de partir, quand son valet de chambre vint lui dire qu'un monsieur et une dame insistaient vivement pour le voir, à son appartement particulier. La carte portait les noms du marquis et de la marquise d'Escorailles.

Les deux vieillards, que le valet, trompé par leur mise presque pauvre, avait laissés dans la salle à manger, se levèrent cérémonieusement. Rougon se hâta de les mener au salon, tout ému de leur présence, vaguement inquiet. Il s'exclama sur leur brusque voyage à Paris, voulut se montrer très aimable. Mais eux restaient pincés, roides, la mine grise.

— Monsieur, dit enfin le marquis, vous excuserez la démarche que nous nous trouvons obligés de faire... Il s'agit de notre fils Jules. Nous désirerions le voir quitter l'administration, nous vous demandons de ne pas le garder davantage auprès de votre personne.

Et, comme le ministre les regardait d'un air d'extrême surprise :

— Les jeunes gens ont la tête légère, continuat-il. Nous avons écrit deux fois à Jules pour lui exposer nos raisons, en le priant de se mettre à l'écart... Puis, comme il n'obéissait pas, nous nous sommes décidés à venir. C'est la deuxième fois, monsieur, que nous faisons le voyage de Paris en trente ans.

Alors, il se récria. Jules avait le plus bel avenir. Ils allaient briser sa carrière. Pendant qu'il parlait, la marquise laissait échapper des mouvements d'impatience. Elle s'expliqua à son tour, avec plus de vivacité.

— Mon Dieu, monsieur Rougon, ce n'est pas à nous de vous juger. Mais il y a dans notre famille certaines traditions... Jules ne peut tremper dans une persécution abominable contre l'Église. A Plassans, on s'étonne déjà. Nous nous fâcherions avec toute la noblesse du pays.

Il avait compris. Il voulut parler. Elle lui imposa silence, d'un geste impérial.

— Laissez-moi achever... Notre fils s'est rallié malgré nous. Vous savez quelle a été notre douleur, en le voyant servir un gouvernement illégitime. J'ai empêché son père de le maudire. Depuis ce temps, notre maison est en deuil, et lorsque nous recevons des amis, le nom de notre fils n'est jamais prononcé. Nous avions juré de ne plus nous occuper de lui; seulement, il est des limites, il devient intolérable qu'un d'Escorailles se trouve mêlé aux ennemis de notre sainte religion... Vous m'entendez, n'est-ce pas, monsieur ?

Rougon s'inclina. Il ne songea même pas à sourire des pieux mensonges de la vieille dame. Il retrouvait le marquis et la marquise tels qu'il les avait connus, à l'époque où il crevait la faim sur le pavé de Plassans, hautains, pleins de morgue et d'insolence. Si d'autres lui avaient tenu un si singulier langage, il les aurait certainement jetés à la porte. Mais il resta troublé, blessé, rapetissé; c'était sa jeunesse de pauvreté lâche qui revenait; un instant, il crut encore avoir aux pieds ses anciennes savates éculées. Il promit de décider Jules. Puis, il se contenta d'ajouter, en faisant allusion à la réponse qu'il attendait de l'empereur :

— D'ailleurs, madame, votre fils vous sera peut-être rendu dès ce soir.

Quand il se retrouva seul, Rougon se sentit pris de peur. Ces vieilles gens avaient ébranlé son beau sang-froid. Maintenant, il hésitait à paraître à cette vente de charité, où tous les yeux liraient son trouble sur son visage. Mais il eut honte de cette frayeur d'enfant. Et il partit, en passant par son cabinet. Il demanda à Merle s'il n'était rien venu pour lui.

— Non, Excellence, répondit d'un ton pénétré l'huissier, qui semblait aux aguets depuis le matin.

L'orangerie des Tuileries, où avait lieu la vente de charité, était ornée très luxueusement pour la circonstance. Une tenture de velours rouge à crépines d'or cachait les murs, changeait la vaste galerie nue en une haute salle de gala. A l'un des bouts, à gauche, un immense rideau, également de velours rouge, coupait la galerie, ménageait une pièce ; et ce rideau, relevé par des embrasses à glands d'or énormes, s'ouvrait largement, mettait en communication la grande salle, où se trouvaient alignés les comptoirs de vente, et la pièce plus étroite, dans laquelle était installé le buffet. On avait semé le sol de sable fin. Des pots de majolique dressaient, dans chaque coin, des massifs de plantes vertes. Au milieu du carré formé par les comptoirs, un pouf circulaire faisait comme un banc de velours bas, à dossier très renversé ; tandis que, du centre du pouf, un jet colossal de fleurs montait, une gerbe de tiges parmi lesquelles retombaient des roses, des œillets, des verveines, pareils à une pluie de gouttes éclatantes. Et, devant les portes vitrées ouvertes, à deux battants, sur la terrasse du bord de l'eau, des huissiers en habit noir, la mine grave, consultaient d'un coup d'œil les cartes des invités.

Les dames patronnesses ne comptaient guère avoir beaucoup de monde avant quatre heures. Dans la grande salle, debout derrière les comptoirs, elles attendaient les clients. Sur les longues tables couvertes de drap rouge, s'étalaient les marchandises ; il y avait plusieurs comptoirs d'articles de Paris et de chinoiseries, deux boutiques de jouets d'enfants, un kiosque de bouquetière plein de roses, enfin un tourniquet sous une tente, comme dans les fêtes de la banlieue. Les vendeuses, décolletées en toilette de concert, prenaient des grâces marchandes, des sourires de modiste plaçant un vieux chapeau, des inflexions caressantes de voix, bavardant, faisant l'article sans savoir ; et, à ce jeu de demoiselles de magasin, elles s'encanaillaient avec de petits rires, chatouillées par toutes ces mains d'acheteurs, les premières venues, frôlant leurs mains. C'était une princesse qui tenait une des boutiques de joujoux ; en face, une marquise vendait des porte-monnaie de vingt-neuf sous, qu'elle ne lâchait pas à moins de vingt francs ; toutes deux rivales, mettant le triomphe de leur beauté dans la plus grosse recette, raccrochaient les pratiques, appelaient les hommes, demandaient des prix impudents, puis, après des marchandages furieux de bouchères voleuses, donnaient un peu d'elles, le bout de leurs doigts, la vue de leur corsage largement ouvert, par-dessus le marché, pour décider les gros achats. La charité restait le prétexte. Peu à peu pourtant, la salle s'emplissait. Des messieurs, tranquillement, s'arrêtaient, examinaient les marchandes, comme si elles avaient fait partie de l'étalage. Devant certains comptoirs, des jeunes gens très élégants s'écrasaient, ricanaient, allaient jusqu'à des allusions polissonnes sur leurs emplettes ; tandis que ces dames, d'une complaisance inépuisable, passant de l'un à l'autre, offraient toute leur boutique du même air ravi. Être à la foule pendant quatre heures, c'est un régal. Un bruit d'encan s'élevait, coupé de rires clairs, au milieu du piétinement sourd des pas sur le sable. Les tentures rouges mangeaient la lumière crue des hautes fenêtres vitrées, ménageaient une lueur rouge, flottante, qui allumait les gorges nues d'une pointe de rose. Et, entre les comptoirs, parmi le public, promenant de légères corbeilles pendues à leur cou, six autres dames, une baronne, deux filles de banquier, trois femmes de hauts fonctionnaires, se précipitaient au-devant de chaque nouveau venu, en criant des cigares et du feu.

Mme de Combelot surtout avait beaucoup de succès. Elle était bouquetière, assise très haut dans le kiosque plein de roses, un chalet découpé, doré, pareil à une grande volière. Toute en rose elle-même, un rose de peau qui continuait sa nudité au-delà de l'échancrure du corsage, portant seulement entre les deux seins le bouquet de violettes d'uniforme, elle avait imaginé de faire ses bouquets devant le public, comme une vraie bouquetière : une rose, un bouton, trois feuilles, qu'elle roulait entre ses doigts, en tenant le fil du bout des dents, et qu'elle vendait d'un louis à dix louis, selon la figure des messieurs. Et l'on s'arrachait ses bouquets, elle ne pouvait suffire aux commandes, elle se piquait de temps à autre, affairée, suçant vivement le sang de ses doigts.

En face, dans la baraque de toile, la jolie Mme Bouchard tenait le tourniquet. Elle portait une délicieuse toilette bleue d'une coupe paysanne, la taille haute, le corsage formant fichu, presque un déguisement, pour avoir bien l'air d'une marchande de pains d'épice et d'oublies. Avec cela, elle affectait un zézayement adorable, un petit air niais de la plus fine originalité. Sur le tourniquet, les lots étaient classés, d'affreux bibelots de cinq ou six sous, maroquinerie, verrerie, porcelaine ; et la plume grinçait contre les fils de laiton, la plaque tournante emportait les lots, dans un bruit continu de vaisselle cassée. Toutes les deux minutes, quand les joueurs manquaient, Mme Bouchard disait de sa douce voix d'innocente, débarquée la veille de son village :

— A vingt sous le coup, messieurs... Voyons, messieurs, tirez un coup...

Le buffet, également sablé, orné aux angles de plantes vertes, était garni de petites tables rondes et de chaises cannées. On avait tâché d'imiter un vrai café, pour plus de piquant. Au fond, au comptoir monumental, trois dames s'éventaient, en attendant les commandes des consommateurs. Devant elles, des carafons de liqueurs, des assiettes de gâteaux et de sandwichs, des bonbons, des cigares et des cigarettes, faisaient un étalage louche de bal public. Et, par moments, la dame du milieu, une comtesse brune et pétulante, se levait, se penchait pour verser un petit verre, ne se reconnaissant plus au milieu de cette débandade de carafons, manœuvrant ses bras nus au risque de tout casser. Mais Clorinde régnait au buffet. C'était elle qui servait le public des tables. On eût dit Junon [92] fille de brasserie. Elle portait une robe de satin jaune, coupée de biais de satin noir, aveuglante, extraordinaire, un astre dont la traîne ressemblait à une queue de comète. Décolletée très bas, le buste libre, elle circulait royalement entre les chaises cannées, promenant des chopes sur des plateaux de métal blanc, avec une tranquillité de déesse. Elle frôlait les épaules des hommes de ses coudes nus, se baissait, le corsage ouvert, pour prendre les ordres, répondait à tous, sans se presser, souriante, très à l'aise. Quand les consommations étaient bues, elle recevait dans sa main superbe les pièces blanches et les sous, qu'elle jetait d'un geste déjà familier au fond d'une aumônière, pendue à sa ceinture.

Cependant, M. Kahn et M. Béjuin venaient de s'asseoir. Le premier tapa sur la table de zinc, par manière de plaisanterie, en criant :

— Madame, deux bocks!

Elle arriva, servit les deux bocks et resta là debout, à se reposer un instant, le buffet se trouvant alors presque vide. Distraite, à l'aide de son mouchoir de dentelle, elle s'essuyait les doigts, sur lesquels la bière avait coulé. M. Kahn remarqua la clarté particulière de ses yeux, le rayonnement de triomphe qui sortait de toute sa face. Il la regarda, les paupières battantes; puis, il demanda :

— Quand êtes-vous revenue de Fontainebleau ?

— Ce matin, répondit-elle.

— Et vous avez vu l'empereur, quelles nouvelles ?

Elle eut un sourire, pinça les lèvres d'un air indéfinissable, en le regardant à son tour. Alors, il lui vit un bijou original qu'il ne lui connaissait pas. C'était, à son cou nu, sur ses épaules nues, un collier de chien, un vrai collier de chien en

velours noir, avec la boucle, l'anneau, le grelot, un grelot d'or dans lequel tintait une perle fine. Sur le collier se trouvaient écrits en caractères de diamants deux noms, aux lettres entrelacées et bizarrement tordues. Et, tombant de l'anneau, une grosse chaîne d'or battait le long de sa poitrine, entre ses seins, puis remontait s'attacher sur une plaque d'or, fixée au bras droit, où on lisait : *J'appartiens à mon maître.*

— C'est un cadeau ? murmura discrètement M. Kahn, en montrant le bijou d'un signe.

Elle répondit oui de la tête, les lèvres toujours pincées, dans une moue fine et sensuelle. Elle avait voulu ce servage. Elle l'affichait avec une sérénité d'impudeur qui la mettait au-dessus des fautes banales, honorée d'un choix princier, jalousée de toutes. Quand elle s'était montrée, le cou serré dans ce collier, sur lequel des yeux perçants de rivales prétendaient lire un prénom illustre mêlé au sien, toutes les femmes avaient compris, échangeant des coups d'œil, comme pour se dire : C'est donc fait ! Depuis un mois, le monde officiel causait de cette aventure, attendait ce dénouement. Et c'était fait, en vérité; elle le criait elle-même, elle le portait écrit sur l'épaule. S'il fallait en croire une histoire chuchotée d'oreille à oreille, elle avait eu pour premier lit, à quinze ans, la botte de paille où dormait un cocher, au fond d'une écurie. Plus tard, elle était montée dans d'autre couches, toujours plus haut, des couches de banquiers, de fonctionnaires, de ministres, élargissant sa fortune à chacune de ses nuits. Puis, d'alcôve en alcôve, d'étape en étape, comme apothéose, pour satisfaire une dernière volonté et un dernier orgueil, elle venait de poser sa belle tête froide sur l'oreiller impérial.

— Madame, un bock, je vous prie! demanda un gros monsieur décoré, un général qui la regardait en souriant.

Et quand elle eut apporté le bock, deux députés l'appelèrent.

— Deux verres de chartreuse, s'il vous plaît!

Un flot de monde arrivait, de tous côtés les demandes se croisaient : des grogs, de l'anisette, de la limonade, des gâteaux, des cigares. Les hommes la dévisageaient, causant bas, allumés par l'histoire polissonne qui courait. Et, quand cette fille de brasserie, sortie le matin même des bras d'un empereur, recevait leur monnaie, la main tendue, ils semblaient flairer, chercher sur elle quelque chose de ces amours souveraines. Elle, sans un trouble, tournait lentement le cou, pour montrer son collier de chien, dont la grosse chaîne d'or

---

92. La femme de Jupiter, reine de l'Olympe, était toujours représentée avec des formes amples et majestueuses, ce qui, sous le Second Empire, était de nature à plaire.

avait un petit bruit. Cela devait être un ragoût de plus, se faire la servante de tous, lorsqu'on vient d'être reine pendant une nuit, traîner autour des tables d'un café pour rire, parmi les ronds de citron et les miettes de gâteau, des pieds de statue baisés passionnément par d'augustes moustaches.

— C'est très amusant, dit-elle en revenant se planter devant M. Kahn. Ils me prennent pour une fille, ma parole! Il y a un qui m'a pincée, je crois. Je n'ai rien dit. A quoi bon?... C'est pour les pauvres, n'est-ce pas?

M. Kahn, d'un clignement d'yeux, la pria de se pencher; et, très bas, il demanda:

— Alors, Rougon?...

— Chut! tout à l'heure, répondit-elle en baissant la voix également. Je lui ai envoyé une carte d'invitation à mon nom. Je l'attends.

Et M. Kahn ayant hoché la tête, elle ajouta vivement:

— Si, si, je le connais, il viendra... D'ailleurs, il ne sait rien.

M. Kahn et M. Béjuin se mirent dès lors à guetter l'arrivée de Rougon. Ils voyaient toute la grande salle, par la large ouverture des rideaux. La foule y augmentait de minute en minute. Des messieurs, renversés autour du pouf circulaire, les jambes croisées, fermaient les yeux d'un air somnolent; tandis que, s'accrochant à leurs pieds tendus, un continuel défilé de visiteurs tournait devant eux. La chaleur devenait excessive. Le brouhaha grandissait dans la buée rouge flottant au-dessus des chapeaux noirs. Et, par moments, au milieu du sourd murmure, le grincement du tourniquet partait avec un bruit de crécelle.

Mme Correur, qui arrivait, faisait à petits pas le tour des comptoirs, très grosse, vêtue d'une robe de grenadine rayée blanche et mauve, sous laquelle la graisse de ses épaules et de ses bras se renflait en bourrelets rosâtres. Elle avait une mine prudente, des regards réfléchis de cliente cherchant un bon coup à faire. D'ordinaire, elle disait qu'on trouvait d'excellentes occasions, dans ces ventes de charité; ces pauvres dames ne savaient pas, ne connaissaient pas toujours leurs marchandises. Jamais, d'ailleurs, elle n'achetait aux vendeuses de sa connaissance; celles-là « salaient » trop leur monde. Quand elle eut fait le tour de la salle, retournant les objets, les flairant, les reposant, elle revint à un comptoir de maroquinerie, devant lequel elle resta dix grosses minutes, à fouiller l'étalage d'un air perplexe. Enfin, négligemment, elle prit un portefeuille en cuir de Russie sur lequel elle avait jeté les yeux depuis plus d'un quart d'heure.

— Combien? demanda-t-elle.

La vendeuse, une grande jeune femme blonde, en train de plaisanter avec deux messieurs, se tourna à peine, répondit:

— Quinze francs.

Le portefeuille en valait au moins vingt. Ces dames, qui luttaient entre elles à tirer des hommes des sommes extravagantes, vendaient généralement aux femmes à prix coûtant, par une sorte de franc-maçonnerie. Mais Mme Correur remit le portefeuille sur le comptoir d'un air effrayé, en murmurant:

— Oh! c'est trop cher... Je veux faire un cadeau. J'y mettrai dix francs, pas plus. Vous n'avez rien de gentil à dix francs?

Et elle bouleversa de nouveau l'étalage. Rien ne lui plaisait. Mon Dieu! si ce portefeuille n'avait pas coûté si cher! Elle le reprenait, fourrait son nez dans les poches. La vendeuse, impatientée, finit par le lui laisser à quatorze francs, puis à douze. Non, non, c'était encore trop cher. Et elle l'eut à onze francs, après un marchandage féroce. La grande jeune femme disait:

— J'aime mieux vendre... Toutes les femmes marchandent, pas une n'achète... Ah! si nous n'avions pas les messieurs!

Mme Correur, en s'en allant, eut la joie de trouver au fond du portefeuille une étiquette portant le prix de vingt-cinq francs. Elle rôda encore, puis s'installa derrière le tourniquet, à côté de Mme Bouchard. Elle l'appelait « ma chérie », et lui ramenait sur le front deux accroche-cœur qui s'envolaient.

— Tiens, voilà le colonel! dit M. Kahn, toujours attablé au buffet, les yeux guettant les portes.

Le colonel venait parce qu'il ne pouvait pas faire autrement. Il comptait en être quitte avec un louis; et cela lui saignait déjà fortement le cœur. Dès la porte, il fut entouré, assailli, par trois ou quatre dames, qui répétaient:

— Monsieur, achetez-moi un cigare... Monsieur, une boîte d'allumettes...

Il sourit, en se débarrassant poliment. Ensuite, il s'orienta, voulut payer sa dette tout de suite, s'arrêta à un comptoir tenu par une dame très bien en cour, à laquelle il marchanda un étui à cigares fort laid. Soixante-quinze francs! Il ne fut pas maître d'un geste de terreur, il rejeta l'étui et fila; tandis que la dame, rouge, blessée, tournait la tête, comme s'il avait commis sur sa personne une inconvenance. Alors, lui, pour empêcher les commentaires fâcheux, s'approcha du kiosque où Mme de Combelot tournait toujours ses petits bouquets. Ça ne devait pas être cher, ces bouquets-là. Par prudence, il ne voulut pas même d'un bouquet, devinant que la bouquetière devait mettre un haut prix à son travail. Il choisit, dans le tas de roses, la moins épanouie, la plus maigre, un bouton à demi mangé. Et galamment, sortant son porte-monnaie :

— Madame, combien cette fleur ?

— Cent francs, monsieur, répondit la dame, qui avait suivi son manège du coin de l'œil.

Il balbutia, ses mains tremblèrent. Mais, cette fois, il était impossible de reculer. Du monde se trouvait là, on le regardait. Il paya, et, se réfugiant dans le buffet, il s'assit à la table de M. Kahn, en murmurant :

— C'est un guet-apens, un guet-apens...

— Vous n'avez pas vu Rougon dans la salle ? demanda M. Kahn.

Le colonel ne répondit pas. Il jetait de loin des regards furibonds aux vendeuses. Puis, comme M. d'Escorailles et M. La Rouquette riaient très fort, devant un comptoir, il dit encore entre ses dents :

— Parbleu ! les jeunes gens, ça les amuse... Ils finissent toujours par en avoir pour leur argent.

M. d'Escorailles et M. La Rouquette, en effet, s'amusaient beaucoup. Ces dames se les arrachaient. Dès leur entrée, des bras s'étaient tendus vers eux ; à droite, à gauche, leurs noms sonnaient.

— Monsieur d'Escorailles, vous savez ce que vous m'avez promis... Voyons, monsieur La Rouquette, vous m'achèterez bien un petit dada. Non ? Alors, une petite poupée. Oui, oui, une poupée, c'est ce qu'il vous faut !

Ils se donnaient le bras, pour se protéger, disaient-ils, en riant. Ils avançaient, radieux, pâmés, au milieu de l'assaut de toutes ces jupes, dans la caresse tiède de ces jolies voix. Par moments, ils disparaissaient, noyés sous les gorges nues, contre lesquelles ils feignaient de se défendre, avec de petits cris d'effroi. Et, à chaque comptoir, ils se laissaient faire une aimable violence. Puis, ils jouaient l'avarice, en affectant des effarouchements comiques. Une poupée d'un sou, un louis, ça n'était pas dans leurs moyens ! Trois crayons, deux louis, on voulait donc leur retirer le pain de la bouche ! C'était à mourir de rire. Ces dames avaient une gaieté roucoulante, pareille à un chant de flûte. Elles devenaient plus âpres, grisées par cette pluie d'or, triplant, quadruplant les prix, mordues de la passion du vol. Elles se les passaient de mains en mains, avec des clignements d'yeux, et des mots couraient : « Je vais les pincer, ceux-là... Vous allez voir, on peut les saler... », phrases qu'ils entendaient et auxquelles ils répondaient par des saluts plaisants. Derrière leurs dos, elles triomphaient, elles se vantaient ; la plus forte, la plus jalousée fut une demoiselle de dix-huit ans, qui avait vendu un bâton de cire à cacheter trois louis. Cependant, arrivé au bout de la salle, comme une vendeuse voulait absolument lui fourrer dans la poche une boîte de savons, M. d'Escorailles s'écria :

— Je n'ai plus le sou. Si vous voulez que je vous fasse des billets ?

Il secouait son porte-monnaie. La dame, lancée, s'oubliant, prit le porte-monnaie, le fouilla. Et elle regardait le jeune homme, elle semblait sur le point de lui demander sa chaîne de montre.

C'était une farce. M. d'Escorailles emportait toujours dans les ventes un porte-monnaie vide, pour rire.

— Ah ! zut ! dit-il en entraînant M. La Rouquette, je deviens chien, moi !... Hein ? il faut tâcher de nous refaire.

Et, comme ils passaient devant le tourniquet, Mme Bouchard jeta un cri :

— A vingt sous le coup, messieurs... Tirez un coup...

Ils s'approchèrent, en feignant de n'avoir pas entendu.

— Combien le coup, la marchande ?

— Vingt sous, messieurs.

Les rires recommencèrent de plus belle. Mais Mme Bouchard, dans sa toilette bleue, restait candide, levant des yeux étonnés sur les deux messieurs, comme si elle ne les avait pas connus. Alors, une partie formidable s'engagea. Pendant un quart d'heure, le tourniquet grinça, sans un arrêt. Ils tournaient l'un après l'autre. M. d'Escorailles gagna deux douzaines de coquetiers, trois petits miroirs, sept statuettes en biscuit, cinq étuis à cigarettes ; M. La Rouquette eut pour sa part deux paquets de dentelle, un vide-poche en porcelaine de camelote monté sur des pieds de zinc doré, des verres, un bougeoir, une boîte avec une glace. Mme Bouchard, les lèvres pincées, finit par crier :

— Ah bien ! non, vous avez trop de chance ! Je ne joue plus... Tenez, emportez vos affaires.

Elle en avait fait deux gros tas, à côté, sur une table. M. La Rouquette parut consterné. Il lui demanda d'échanger son tas contre le bouquet de violettes d'uniforme, qu'elle portait piqué dans ses cheveux. Mais elle refusa.

— Non, non, vous avez gagné ça, n'est-ce pas ? Eh bien ! emportez ça.

— Madame a raison, dit gravement M. d'Escorailles. On ne boude pas la fortune, et du diable si je laisse un coquetier!... Moi, je deviens chien.

Il avait étalé son mouchoir et nouait proprement un paquet. Il y eut une nouvelle explosion d'hilarité. L'embarras de M. La Rouquette était aussi bien divertissant. Alors, Mme Correur, qui avait gardé jusque-là, au fond de la boutique, une dignité souriante de matrone, avança sa grosse face rose. Elle voulait bien faire un échange, elle.

— Non, je ne veux rien, se hâta de dire le jeune député. Prenez tout, je vous donne tout.

Et ils ne s'en allèrent pas, ils restèrent là un instant. Maintenant, à demi-voix, ils adressaient des galanteries à Mme Bouchard, d'un goût douteux. A la voir, les têtes tournaient plus encore que son tourniquet. Que gagnait-on à son joli jeu ? Ça ne valait pas le jeu de pigeon vole; et ils voulaient lui jouer à pigeon vole toutes sortes de choses aimables. Mme Bouchard baissait les cils, avec un rire de jeune bête; elle avait un léger balancement de hanches, comme une paysanne dont des messieurs se gaussent; pendant que Mme Correur s'extasiait sur elle, en répétant d'un air ravi de connaisseuse :

— Est-elle gentille! est-elle gentille!

Mais Mme Bouchard finit par donner des tapes sur les mains de M. d'Escorailles, qui voulait examiner le mécanisme du tourniquet, en prétendant qu'elle devait tricher. Allaient-ils la laisser tranquille, à la fin! Et, quand elle les eut renvoyés, elle reprit sa voix engageante de marchande.

— Voyons, messieurs, à vingt sous le coup... Un coup seulement, messieurs.

A ce moment, M. Kahn, debout pour voir par-dessus les têtes, se rassit avec précipitation en murmurant :

— Voici Rougon... N'ayons pas l'air, n'est-ce pas ?

Rougon traversait la salle, lentement. Il s'arrêta, joua au tourniquet de Mme Bouchard, paya trois louis une des roses de Mme de Combelot. Puis, quand il eut fait ainsi son offrande, il parut vouloir repartir sur-le-champ. Il écartait la foule, marchait déjà vers une porte. Mais, tout d'un coup, comme il venait de jeter un regard dans le buffet, il se dirigea de ce côté, la tête haute, calme, superbe. M. d'Escorailles et M. La Rouquette s'étaient assis près de M. Kahn, de M. Béjuin et du colonel; il y avait encore là M. Bouchard, qui arrivait. Et tous ces messieurs, quand le ministre passa devant eux, eurent un léger frisson, tant il leur sembla grand et solide, avec ses gros membres. Il les avait

salués de haut, familièrement. Il se mit à une table voisine. Sa large face ne se baissait pas, se tournait lentement, à gauche, à droite, comme pour affronter et supporter sans une ombre les regards qu'il sentait fixés sur lui.

Clorinde s'était approchée, traînant royalement sa lourde robe jaune. Elle lui demanda, en affectant une vulgarité où perçait une pointe de raillerie :

— Que faut-il vous servir ?

— Ah! voilà! dit-il gaiement. Je ne bois jamais rien... Qu'est-ce que vous avez ?

Alors, elle lui énuméra rapidement des liqueurs : fine champagne, rhum, curaçao, kirsch, chartreuse, anisette, vespétro, kummel.

— Non, non, donnez-moi un verre d'eau sucrée.

Elle alla au comptoir, apporta le verre d'eau sucrée, toujours avec sa majesté de déesse. Et elle resta devant Rougon, à le regarder faire fondre son sucre. Lui, continuait à sourire. Il dit les premières banalités venues.

— Vous allez bien ?... Il y a un siècle que je ne vous ai vue.

— J'étais à Fontainebleau, répondit-elle simplement.

Il leva les yeux, l'examina d'un regard profond. Mais elle l'interrogeait à son tour.

— Et êtes-vous content ? tout marche-t-il à votre gré ?

— Oui, parfaitement, dit-il.

— Allons, tant mieux!

Et elle tourna autour de lui, avec des attentions de garçon de café. Elle le couvait de la flamme mauvaise de ses yeux, comme sur le point de laisser à chaque instant échapper son triomphe. Enfin, elle se décidait à le quitter, quand elle se haussa sur les pieds, pour jeter un regard dans la salle voisine. Puis, lui touchant l'épaule :

— Je crois qu'on vous cherche, reprit-elle, le visage tout allumé.

Merle, en effet, s'avançait respectueusement, entre les chaises et les tables du buffet. Il fit coup sur coup trois saluts. Et il priait Son Excellence de l'excuser. On avait apporté derrière Son Excellence la lettre que Son Excellence devait attendre depuis le matin. Alors, tout en n'ayant pas reçu d'ordre, il avait cru...

— C'est bien, donnez, interrompit Rougon.

L'huissier lui remit une grande enveloppe et alla rôder dans la salle. Rougon, d'un coup d'œil, avait reconnu l'écriture; c'était une lettre autographe de l'empereur, la réponse à l'envoi de sa démission. Une petite sueur froide monta à ses tempes. Mais il ne pâlit même pas. Il glissa tranquillement la lettre dans la poche intérieure de sa redingote, sans cesser d'affronter les regards de la table de M. Kahn, auquel Clorinde était allée dire quelques mots. Toute la bande à présent le guettait, ne perdait pas un de ses mouvements, dans une fièvre aiguë de curiosité.

La jeune femme étant revenue se planter devant lui, Rougon but enfin la moitié de son verre d'eau sucrée et chercha une galanterie.

— Vous êtes toute belle aujourd'hui. Si les reines se faisaient servantes...

Elle coupa son compliment, elle dit avec son audace :

— Alors, vous ne lisez pas ?

Il joua l'oubli. Puis, feignant de se souvenir :

— Ah! oui, cette lettre... Je vais la lire, si cela peut vous plaire.

Et, à l'aide d'un canif, il fendit l'enveloppe, soigneusement. D'un regard il eut parcouru les quelques lignes. L'empereur acceptait sa démission. Pendant près d'une minute, il tint le papier sur son visage, comme pour le relire. Il avait peur de ne plus être maître du calme de sa face. Un soulèvement terrible se faisait en lui; une rébellion de toute sa force qui ne voulait pas accepter la chute, le secouait furieusement, jusqu'aux os; s'il ne s'était pas roidi, il aurait crié, fendu la table à coups de poing. Le regard toujours fixé sur la lettre, il revoyait l'empereur tel qu'il l'avait vu à Saint-Cloud, avec sa parole molle, son sourire entêté, lui renouvelant sa confiance, lui confirmant ses instructions. Quelle longue pensée de disgrâce devait-il donc mûrir, derrière son visage voilé, pour le briser si brusquement, en une nuit, après l'avoir vingt fois retenu au pouvoir ?

Enfin Rougon, d'un effort suprême, se vainquit. Il releva sa face, où pas un trait ne bougeait; il remit la lettre dans sa poche, d'un geste indifférent. Mais Clorinde avait appuyé ses deux mains sur la petite table. Elle se courba dans un moment d'abandon, elle murmura, les coins de bouche frémissants :

— Je le savais. J'étais là-bas encore ce matin... Mon pauvre ami !

Et elle le plaignait d'une voix si cruellement moqueuse, qu'il la regarda de nouveau les yeux dans les yeux. Elle ne dissimulait plus, d'ailleurs. Elle tenait la jouissance attendue depuis des mois, goûtant sans hâte, phrase à phrase, la volupté de se montrer enfin à lui en ennemie implacable et vengée.

— Je n'ai pas pu vous défendre, continua-t-elle. Vous ignorez sans doute...

Elle n'acheva pas. Puis, elle demanda, d'un air aigu :

— Devinez qui vous remplace à l'Intérieur ?

Il eut un geste d'insouciance. Mais elle le fatiguait de son regard. Elle finit par lâcher ce seul mot :

— Mon mari!

Rougon, la bouche sèche, but encore une gorgée d'eau sucrée. Elle avait tout mis dans ce mot, sa colère d'avoir été dédaignée autrefois, sa rancune menée avec tant d'art, sa joie de femme de battre un homme réputé de première force. Alors, elle se donna le plaisir de le torturer, d'abuser de sa victoire; elle étala les côtés blessants. Mon Dieu! son mari n'était pas un homme supérieur; elle l'avouait, elle en plaisantait même; et elle voulait dire que le premier venu avait suffi, qu'elle aurait fait un ministre de l'huissier Merle, si le caprice lui en était poussé. Oui, l'huissier Merle, un passant imbécile, n'importe qui : Rougon aurait eu un digne successeur. Cela prouvait la toute-puissance de la femme. Puis, se livrant complètement, elle se montra maternelle, protectrice, donneuse de bons conseils.

— Voyez-vous, mon cher, je vous l'ai dit souvent, vous avez tort de mépriser les femmes. Non, les femmes ne sont pas les bêtes que vous pensez. Ça me mettait en colère, de vous entendre nous traiter de folles, de meubles embarrassants, que sais-je encore ? de boulets au pied... Regardez donc mon mari! Est-ce que j'ai été un boulet à son pied ?... Moi, je voulais vous faire voir ça. Je m'étais promis ce régal, vous vous souvenez, le jour où nous avons eu cette conversation. Vous avez vu, n'est-ce pas ? Eh bien! sans rancune... Vous êtes très fort, mon cher. Mais dites-vous bien une chose : une femme vous roulera toujours, quand elle voudra en prendre la peine.

Rougon, un peu pâle, souriait.

— Oui, vous avez raison peut-être, dit-il d'une voix lente, évoquant toute cette histoire. J'avais ma seule force. Vous aviez...

— J'avais autre chose, parbleu! acheva-t-elle avec une carrure qui arrivait à de la grandeur, tant elle se mettait haut dans le dédain des convenances.

Il n'eut pas une plainte. Elle lui avait pris de sa puissance pour le vaincre; elle retournait aujourd'hui contre lui les leçons épelées à son côté, en disciple docile, pendant leurs bonnes après-midi de la rue Marbeuf. C'était là de l'ingratitude, de la trahison, dont il buvait l'amertume sans dégoût, en homme d'expérience. Sa seule préoccupation, dans ce dénouement, restait de savoir s'il la connaissait enfin tout entière. Il se rappelait ses anciennes enquêtes, ses efforts inutiles pour pénétrer les rouages secrets de cette machine superbe et détraquée. La bêtise des hommes, décidément, était bien grande.

A deux fois, Clorinde s'était éloignée pour servir des petits verres. Puis, lorsqu'elle se fut satisfaite, elle recommença sa marche royale entre les tables, en affectant de ne plus s'occuper de lui. Il la suivait des yeux; et il la vit s'approcher d'un monsieur à barbe immense, un étranger dont les prodigalités révolutionnaient alors Paris. Ce dernier achevait un verre de malaga.

— Combien, madame? demanda-t-il en se levant.

— Cinq francs, monsieur. Toutes les consommations sont à cinq francs.

Il paya. Puis, du même ton, avec son accent :

— Et un baiser, combien ?

— Cent mille francs, répondit-elle sans une hésitation.

Il se rassit, écrivit quelques mots sur une page arrachée d'un agenda. Ensuite, il lui posa un gros baiser sur la joue, la paya, s'en alla d'un pas plein de flegme. Tout le monde souriait, trouvait ça très bien.

— Il ne s'agit que de mettre le prix, murmura Clorinde, en revenant près de Rougon.

Et il vit là une nouvelle allusion. Elle avait dit jamais pour lui. Alors, cet homme chaste, qui avait reçu sans plier le coup de massue de la disgrâce, souffrit beaucoup du collier, qu'elle portait si effrontément. Elle se penchait davantage, le provoquait, roulait son cou. La perle fine tintait dans le grelot d'or; la chaîne pendait, comme tiède encore de la main du maître; les diamants luisaient sur le velours, où il épelait aisément le secret connu de tous. Et jamais il ne s'était senti à ce point mordu par la jalousie inavouée, cette brûlure d'envie orgueilleuse, qu'il avait éprouvée parfois en face de l'empereur tout-puissant. Il aurait préféré Clorinde au bras de ce cocher, dont on parlait à voix basse. Cela irritait ses anciens désirs, de la savoir hors de sa main, tout en haut, esclave d'un homme qui d'un mot courbait les têtes.

Sans doute la jeune femme devina son tourment. Elle ajouta une cruauté, elle lui désigna d'un clignement d'yeux Mme de Combelot, dans son kiosque de fleuriste, vendant ses roses. Et elle murmurait avec son rire mauvais :

— Hein! cette pauvre madame de Combelot! elle attend toujours!

Rougon acheva son verre d'eau sucrée. Il étouffait. Il prit son porte-monnaie, balbutia :

— Combien ?

— Cinq francs.

Lorsqu'elle eut jeté la pièce dans l'aumônière, elle présenta de nouveau la main, en disant plaisamment :

— Et vous ne donnez rien pour la fille ?

Il chercha, trouva deux sous qu'il lui mit dans la main. Ce fut sa brutalité, la seule vengeance que sa rudesse de parvenu sut inventer. Elle rougit, malgré son grand aplomb. Mais elle reprit sa hauteur de déesse. Elle s'en alla, saluant, laissant tomber de ses lèvres :

— Merci, Excellence.

Rougon n'osa pas se mettre debout tout de suite. Il avait les jambes molles, il craignait de fléchir, et il voulait se retirer comme il était venu, solide, la face calme. Il redoutait surtout de passer devant ses anciens familiers, dont les cous tendus, les oreilles élargies, les yeux braqués, n'avaient pas perdu un seul incident de la scène. Il promena ses regards quelques minutes encore, jouant l'indifférence. Il songeait. Un nouvel acte de sa vie politique était donc fini. Il tombait, miné, rongé, dévoré par sa bande. Ses fortes épaules craquaient sous les responsabilités, sous les sottises et les vilenies qu'il avait prises à son compte, par une forfanterie de gros homme, un besoin d'être un chef redouté et généreux. Ses muscles de taureau rendaient simplement sa chute plus retentissante, l'écroulement de sa coterie plus vaste. Les conditions mêmes du pouvoir, la nécessité d'avoir derrière soi des appétits à satisfaire, de se maintenir grâce à l'abus de son crédit, avaient fatalement fait de la débâcle une question de temps. Et, à cette heure, il se rappelait le travail lent de sa bande, ces dents aiguës qui chaque jour mangeaient un peu de sa force. Ils étaient autour de lui; ils lui grimpaient aux genoux, puis à la poitrine, puis à la gorge, jusqu'à l'étrangler; ils lui avaient tout pris, ses pieds pour monter, ses mains pour voler, sa mâchoire pour mordre et engloutir; ils habitaient dans ses membres, en tiraient leur joie et leur santé, s'en donnaient des ripailles, sans songer au lendemain. Puis, aujourd'hui, l'ayant vidé, en entendant le craquement de la charpente, ils filaient, pareils à ces rats que leur instinct avertit de l'éboulement prochain des maisons, dont ils ont émietté les murs. Toute la bande était luisante, florissante. Elle s'engraissait déjà d'un autre embonpoint. M. Kahn venait de vendre son chemin de fer de Niort à Angers au comte de Marsy. Le colonel devait obtenir, la semaine suivante, une situation dans les palais impériaux. M. Bouchard avait la promesse formelle que son protégé, l'intéressant Georges Duchesne, serait nommé sous-chef de bureau dès l'entrée de Delestang au ministère de l'Intérieur. Mme Correur se réjouissait d'une grosse maladie de Mme Martineau, croyant déjà habiter sa maison de Coulonges, mangeant ses rentes en bonne bourgeoise, faisant du bien dans le canton. M. Béjuin était certain de recevoir la visite de l'empereur à sa cristallerie, vers l'automne. M. d'Escorailles enfin, vivement sermonné par le marquis et la marquise, se mettait aux genoux de Clorinde, gagnait un poste de sous-préfet par son seul émerveillement à la regarder servir des petits verres. Et Rougon, en face de la bande gorgée, se trouvait plus petit qu'autrefois, les sentait énormes à leur tour, écrasé sous eux, sans oser encore quitter sa chaise, de peur de les voir sourire, s'il trébuchait.

Pourtant, la tête plus libre, peu à peu raffermi, il se leva. Il repoussait la petite table de zinc pour passer, lorsque Delestang entra, au bras du comte de Marsy. Il courait sur ce dernier une histoire fort curieuse. A en croire certains chuchotements, il s'était rencontré avec Clorinde au château de Fontainebleau, la semaine précédente, uniquement pour faciliter les rendez-vous de la jeune femme et de Sa Majesté. Il avait mission d'amuser l'impératrice. D'ailleurs, cela paraissait piquant, rien de plus ; c'étaient de ces services qu'on se rend toujours entre hommes. Mais Rougon flairait là une revanche du comte, s'employant à sa chute de complicité avec Clorinde, retournant contre son successeur au ministère les armes employées pour le renverser lui-même, quelques mois auparavant, à Compiègne ; cela spirituellement, aiguisé d'une pointe d'ordure élégante. Depuis son retour de Fontainebleau, M. de Marsy ne quittait plus Delestang.

M. Kahn, M. Béjuin, le colonel, toute la bande se jeta dans les bras du nouveau ministre. La nomination devait paraître le lendemain seulement au *Moniteur*, à la suite de la démission de Rougon ; mais le décret était signé, on pouvait triompher. Ils lui allongeaient de vigoureuses poignées de main, avec des ricanements, des paroles chuchotées, un élan d'enthousiasme que contenaient à grand-peine les regards de toute la salle. C'était la lente prise de possession des familiers, qui baisent les pieds, qui baisent les mains, avant de s'emparer des quatre membres. Et il leur appartenait déjà ; un le tenait par le bras droit, un autre par le bras gauche ; un troisième avait saisi un bouton de sa redingote,

tandis qu'un quatrième, derrière son dos, se haussait, glissait des mots dans sa nuque. Lui, dressant sa belle tête, avait une dignité affable, une de ces imposantes mines, correctes, imbéciles, de souverain en voyage, auquel les dames des sous-préfectures offrent des bouquets, comme on en voit sur les images officielles. En face du groupe, Rougon, très pâle, saignant de cette apothéose de la médiocrité, ne put pourtant retenir un sourire. Il se souvenait.

— J'ai toujours prédit que Delestang irait loin, dit-il d'un air fin au comte de Marsy, qui s'était avancé vers lui, la main tendue.

Le comte répondit par une légère moue des lèvres, d'une ironie charmante. Depuis qu'il avait lié amitié avec Delestang, après avoir rendu des services à sa femme, il devait s'amuser prodigieusement. Il retint un instant Rougon, se montra d'une politesse exquise. Toujours en lutte, opposés par leurs tempéraments, ces deux hommes forts se saluaient à l'issue de chacun de leurs duels, en adversaires d'égale science, se promettant d'éternelles revanches. Rougon avait blessé Marsy, Marsy venait de blesser Rougon, cela continuerait ainsi jusqu'à ce que l'un des deux restât sur le carreau. Peut-être même, au fond, ne souhaitaient-ils pas leur mort complète, amusés par la bataille, occupant leur vie de leur rivalité ; puis, ils se sentaient vaguement comme les deux contrepoids nécessaires à l'équilibre de l'Empire, le poing velu qui assomme, la fine main gantée qui étrangle.

Cependant, Delestang était en proie à un embarras cruel. Il avait aperçu Rougon, il ne savait pas s'il devait aller lui tendre la main. Il jeta un coup d'œil perplexe à Clorinde, que son service semblait absorber, indifférente, portant aux quatre coins du buffet, des sandwichs, des babas, des brioches. Et, sur un regard de la jeune femme, il crut comprendre, il s'avança enfin, un peu troublé, s'excusant.

— Mon ami, vous ne m'en voulez pas... Je refusais, on m'a forcé... N'est-ce pas ? Il y a des exigences...

Rougon lui coupa la parole ; l'empereur avait agi dans sa sagesse, le pays allait se trouver entre d'excellentes mains. Alors, Delestang s'enhardit.

— Oh ! je vous ai défendu, nous vous avons tous défendu. Mais là, entre nous, vous étiez allé un peu loin... On a eu surtout à cœur votre dernière affaire pour les Charbonnel, vous savez, ces pauvres religieuses...

M. de Marsy réprima un sourire. Rougon répondit avec sa bonhomie des jours heureux :

— Oui, oui, la visite chez les religieuses... Mon

Dieu, parmi toutes les bêtises que mes amis m'ont fait commettre, c'est peut-être la seule chose raisonnable et juste de mes cinq mois de pouvoir.

Et il s'en allait, quand il vit Du Poizat entrer et s'emparer de Delestang. Le préfet affecta de ne pas l'apercevoir. Depuis trois jours, embusqué à Paris, il attendait. Il dut obtenir son changement de préfecture, car il se confondit en remerciements, avec son sourire de loup aux dents blanches mal rangées. Puis, comme le nouveau ministre se tournait, il reçut presque dans les bras l'huissier Merle, poussé par Mme Correur; l'huissier baissait les yeux, pareil à une grande fille timide, pendant que Mme Correur le recommandait chaudement.

— On ne l'aime pas au ministère, murmura-t-elle, parce qu'il protestait par son silence contre les abus. Allez, il en a vu de drôles sous M. Rougon!

— Oh! oui, de bien drôles! dit Merle. Je puis en conter long... Monsieur Rougon ne sera guère regretté. Moi, je ne suis pas payé pour l'aimer, d'abord. Il a failli me faire mettre à la porte.

Dans la grande salle, que Rougon traversa à pas lents, les comptoirs étaient vides. Les visiteurs, pour plaire à l'impératrice qui patronnait l'œuvre, avaient mis les marchandises au pillage. Les vendeuses, enthousiasmées, parlaient de rouvrir le soir, avec un nouveau fonds. Et elles comptaient leur argent sur les tables. Des chiffres partaient, au milieu de rires victorieux : une avait fait trois mille francs, une autre quatre mille cinq cents, une autre sept mille, une autre dix mille. Celle-là rayonnait. Elle était une femme de dix mille francs.

Pourtant, Mme de Combelot se désespérait. Elle venait de placer sa dernière rose, et les clients assiégeaient toujours son kiosque. Elle descendit, pour demander à Mme Bouchard si elle n'avait rien à vendre, n'importe quoi. Mais le tourniquet, lui aussi, était vide; une dame emportait le dernier lot, une petite cuvette de poupée. Elles cherchèrent quand même, elles s'entêtèrent, et finirent par trouver un paquet de cure-dents, qui avait roulé par terre. Mme de Combelot l'emporta en criant victoire. Mme Bouchard la suivit. Toutes deux remontèrent dans le kiosque.

— Messieurs! messieurs! appela la première, hardiment, debout, ramassant les hommes au-dessous d'elle, d'un geste arrondi de ses bras nus. Voici tout ce qui nous reste, un paquet de cure-dents... Il y a vingt-cinq cure-dents... Je les mets aux enchères...

Les hommes se bousculaient, riaient, levaient en l'air leurs mains gantées. L'idée de Mme de Combelot avait un succès fou.

— Un cure-dents! cria-t-elle. Il y a marchand à cinq francs... Voyons, messieurs, cinq francs!

— Dix francs! dit une voix.

— Douze francs!

— Quinze francs!

Mais M. d'Escorailles ayant sauté brusquement à vingt-cinq francs, Mme Bouchard se pressa et laissa tomber de sa voix flûtée :

— Adjugé à vingt-cinq francs!

Les autres cure-dents montèrent beaucoup plus haut. M. La Rouquette paya le sien quarante-trois francs; le chevalier Rusconi, qui arrivait, poussa son enchère jusqu'à soixante-douze francs; enfin, le dernier, un cure-dents très mince, que Mme de Combelot annonça comme étant fendu, ne voulant pas tromper son monde, disait-elle, fut adjugé pour la somme de cent dix-sept francs à un vieux monsieur, très allumé par l'entrain de la jeune femme, dont le corsage s'entrouvrait, à chacun de ses mouvements passionnés de commissaire-priseur.

— Il est fendu, messieurs, mais il peut encore servir... Nous disons cent huit!... cent dix, là-bas!... cent onze! cent douze! cent treize! cent quatorze!... Allons, cent quatorze! Il vaut mieux que cela... Cent dix-sept! cent dix-sept! personne n'en veut plus ? Adjugé à cent dix-sept!

Et ce fut poursuivi par ces chiffres que Rougon quitta la salle. Sur la terrasse du bord de l'eau, il ralentit le pas. Un orage montait à l'horizon. En bas, la Seine, huileuse, d'un vert sale, coulait lourdement entre les quais blafards, où de grandes poussières s'envolaient. Dans le jardin, des bouffées d'air brûlant secouaient les arbres, dont les branches retombaient, alanguies, mortes, sans un frisson des feuilles. Rougon descendit sous les grands marronniers; la nuit y était presque complète; une humidité chaude suintait comme d'une voûte de cave. Il débouchait dans la grande allée, lorsqu'il aperçut, se carrant au milieu d'un banc, les Charbonnel, magnifiques, transformés, le mari en pantalon clair et en redingote pincée à la taille, la femme coiffée d'un chapeau à fleurs rouges, portant un mantelet léger sur une robe de soie lilas. A côté d'eux, à califourchon sur un bout du banc, un individu dépenaillé, sans linge, vêtu d'une ancienne veste de chasse lamentable, gesticulait, se rapprochait. C'était Gilquin. Il donnait des tapes à sa casquette de toile, qui s'échappait.

— Un tas de gueux! criait-il. Est-ce que Théodore a jamais voulu faire tort d'un sou à quel-

qu'un ? Ils ont inventé une histoire de remplace-
ment militaire pour me compromettre. Alors, moi,
je les ai plantés là, vous comprenez. Qu'ils aillent
au tonnerre de Dieu, n'est-ce pas ?... Ils ont peur
de moi, parbleu ! Ils connaissent bien mes opinions
politiques. Jamais je n'ai été de la clique à Badinguet...

Il se pencha, ajouta plus bas, en roulant des
yeux tendres :

— Je ne regrette qu'une personne là-bas... Oh!
une femme adorable, une dame de la société. Oui,
oui, une liaison bien agréable... Elle était blonde.
J'ai eu de ses cheveux.

Puis, il reprit d'une voix tonnante, tout près de
Mme Charbonnel, lui tapant sur le ventre :

— Eh bien! maman, quand m'emmenez-vous à
Plassans, vous savez, pour manger les conserves,
les pommes, les cerises, les confitures ?... Hein!
on a le sac, maintenant !

Mais les Charbonnel paraissaient très contrariés
de la familiarité de Gilquin. La femme répondit
du bout des dents, en écartant sa robe de soie
lilas :

— Nous sommes pour quelque temps à Paris...
Nous y passerons sans doute six mois chaque
année.

— Oh! Paris! dit le mari d'un air de profonde
admiration, il n'y a que Paris !

Et, comme les coups de vent devenaient plus
forts, et qu'une débandade de bonnes d'enfants
courait dans le jardin, il reprit, en se tournant vers
sa femme :

— Ma bonne, nous ferons bien de rentrer, si
nous ne voulons pas être mouillés. Heureusement,
nous logeons à deux pas.

Ils étaient descendus à l'hôtel du Palais-Royal,
rue de Rivoli. Gilquin les regarda s'éloigner, avec
un haussement d'épaules plein de dédain.

— Encore des lâcheurs! murmura-t-il; tous des
lâcheurs !

Brusquement, il aperçut Rougon. Il se dandina,
l'attendit au passage, donna une tape sur sa
casquette.

— Je ne suis pas allé te voir, lui dit-il. Tu ne
t'en es pas formalisé, n'est-ce pas ?... Ce sauteur
de Du Poizat a dû te faire des rapports sur mon
compte. Des menteries, mon bon; je te prouverai ça
quand tu voudras... Enfin, moi, je ne t'en veux pas.
Et, tiens, la preuve, c'est que je vais te donner mon
adresse : rue du Bon-Puits, 25, à la Chapelle, à
cinq minutes de la barrière. Voilà! si tu as encore
besoin de moi, tu n'as qu'à faire un signe.

Il s'en alla, traînant les pieds. Un instant il parut

s'orienter. Puis, menaçant du poing le château des
Tuileries, au fond de l'allée, d'un gris de plomb
sous le ciel noir, il cria :

— Vive la République!

Rougon quitta le jardin, remonta les Champs-
Élysées.

Il était pris d'un désir, celui de revoir sur l'heure
son petit hôtel de la rue Marbeuf. Dès le lendemain,
il comptait déménager du ministère, venir de nouveau vivre là. Il avait comme une lassitude de tête,
un grand calme, avec une douleur sourde tout au
fond. Il songeait à des choses vagues, à de grandes
choses qu'il ferait un jour, pour prouver sa force.
Par moments, il levait la tête, regardait le ciel.
L'orage ne se décidait pas à crever. Des nuées
rousses barraient l'horizon. Dans l'avenue des
Champs-Élysées, déserte, de grands coups de
tonnerre passaient, avec un fracas d'artillerie lancée
au galop; et la cime des arbres en gardait un frisson.
Les premières gouttes de pluie tombèrent, comme
il tournait le coin de la rue Marbeuf.

Un coupé était arrêté à la porte de l'hôtel. Rougon rencontra là sa femme qui examinait les pièces,
mesurait des fenêtres, donnait des ordres à un
tapissier. Il resta très surpris. Mais elle lui expliqua
qu'elle venait de voir son frère, M. Beulin-d'Orchère; le magistrat, instruit déjà de la chute de
Rougon, avait voulu accabler sa sœur, lui annoncer
sa prochaine entrée au ministère de la Justice, tâcher
de jeter enfin la discorde dans le ménage. Mme Rougon s'était contentée de faire atteler, pour donner
sur-le-champ un coup d'œil à leur prochaine
installation. Elle gardait toujours sa face grise et
reposée de dévote, son calme inaltérable de bonne
ménagère; et, de son pas étouffé, elle traversait les
appartements, reprenait possession de cette maison
qu'elle avait faite douce et muette comme un
cloître. Son seul souci était d'administrer en intendant fidèle la fortune dont elle se trouvait chargée.
Rougon fut attendri devant cette figure sèche et
étroite, aux manies d'ordre méticuleux.

Cependant, l'orage éclatait avec une violence
inouïe. La foudre grondait, l'eau tombait à torrents.
Rougon dut attendre près de trois quarts d'heure.
Il voulut repartir à pied. Les Champs-Élysées
étaient un lac de boue, une boue jaune, fluide, qui,
de l'Arc de Triomphe à la place de la Concorde,
mettait comme le lit d'un fleuve vidé d'un trait.
L'avenue restait déserte, avec de rares piétons se
hasardant, cherchant la pointe des pavés; et les
arbres, ruisselant d'eau, s'égouttaient dans le
calme et la fraîcheur de l'air. Au ciel, l'orage avait
laissé une queue de haillons cuivrés, toute une nuée

sale, basse, d'où tombait un reste de jour mélancolique, une lumière louche de coupe-gorge.

Rougon reprenait son rêve vague d'avenir. Des gouttes de pluie égarée mouillaient ses mains. Il sentait davantage cette courbature de tout son être, comme s'il s'était heurté à quelque obstacle barrant sa route. Et, tout d'un coup, derrière lui, il entendit un grand piétinement, l'approche d'un galop cadencé dont tremblait le sol. Il se retourna.

C'était un cortège qui approchait, dans le gâchis de la chaussée, sous le jour navré du ciel couleur de cuivre, un retour du Bois rayant de l'éclat des uniformes les profondeurs noyées des Champs-Élysées. A la tête et à la queue, galopaient des piquets de dragons. Au milieu, roulait un landau fermé, attelé de quatre chevaux; tandis que, aux deux portières, se tenaient deux écuyers en grand costume brodé d'or, recevant impassibles, les éclaboussures continues des roues, couverts d'une couche de boue liquide, depuis leurs bottes à revers jusqu'à leur chapeau à claque. Et, dans le noir du landau fermé, un enfant seul apparaissait, le prince impérial, regardant le monde, ses dix doigts écartés, son nez rose écrasé contre la glace [93].

— Tiens! ce crapaud! dit en souriant un cantonnier, qui poussait une brouette.

Rougon s'était arrêté, songeur, et suivait le cortège filant dans le rejaillissement des flaques, mouchetant jusqu'aux feuilles basses des arbres.

14

Trois ans plus tard, un jour de mars, il y avait une séance très orageuse au Corps législatif. On y discutait l'adresse pour la première fois [94].

A la buvette, M. La Rouquette et un vieux député, M. de Lamberthon, le mari d'une femme adorable, buvaient des grogs, en face l'un de l'autre, tranquillement.

— Hein! si nous retournions dans la salle? demandait M. de Lamberthon, qui prêtait l'oreille. Je crois que ça chauffe.

On entendait par moments une clameur lointaine, une tempête de voix, brusque comme un coup de vent; puis, tout retombait à un grand silence. Mais M. La Rouquette continuait à fumer d'un air de parfaite insouciance, en répondant :

— Non, laissez donc, je veux finir mon cigare... On nous préviendra, si l'on a besoin de nous. J'ai dit qu'on nous prévienne.

Ils étaient seuls dans la buvette, une petite salle de café très coquette, établie au fond de l'étroit jardin qui fait le coin du quai et de la rue de Bourgogne. Peinte en vert tendre, recouverte d'un treillage de bambous, s'ouvrant par de larges baies vitrées sur les massifs du jardin, elle ressemblait à une serre changée en buffet de gala, avec ses panneaux de glace, ses tables, son comptoir de marbre rouge, ses banquettes de reps vert capitonné. Une des baies ouverte laissait entrer la belle après-midi, une tiédeur printanière que rafraîchissaient les souffles vifs de la Seine.

— La guerre d'Italie a mis le comble à sa gloire, reprit M. La Rouquette, continuant une conversation interrompue. Aujourd'hui, en rendant au pays la liberté, il montre toute la force de son génie...

Il parlait de l'empereur. Pendant un instant, il exalta la portée des décrets de novembre, la participation plus directe des grands corps de l'État à la politique du souverain, la création des ministres sans portefeuille chargés de représenter le gouvernement auprès des Chambres. C'était le retour du régime constitutionnel, dans ce qu'il avait de sain et de raisonnable. Une nouvelle ère, l'Empire libéral, s'ouvrait. Et il secouait la cendre de son cigare, transporté d'admiration [95].

M. de Lamberthon hochait la tête.

— Il est allé un peu vite, murmura-t-il. On aurait pu attendre encore. Rien ne pressait.

— Si, si, je vous assure, il fallait faire quelque chose, dit vivement le jeune député. C'est justement là le génie...

Il baissa la voix, il expliqua la situation politique avec des coups d'œil profonds. Les mandements des évêques, au sujet du pouvoir temporel, menacé par le gouvernement de Turin, inquiétaient beaucoup l'empereur. D'autre part, l'opposition se réveillait, le pays traversait une heure de malaise. Le moment était venu de tenter la réconciliation des partis, d'attirer à soi les hommes politiques boudeurs en leur faisant de sages concessions. Maintenant, il trouvait l'Empire autoritaire très défectueux, il transformait l'Empire libéral en une apothéose dont l'Europe entière allait être éclairée.

---

93. Rappel symbolique du baptême du prince impérial aperçu lors de la précédente disgrâce de Rougon.

94. Accordé par décret du 24 novembre 1860, le droit d'adresse donnait à l'assemblée le droit de répondre au discours du trône qui ouvrait la session.

95. Il est significatif que Rougon reprenne un portefeuille quand l'Empire assouplit le régime, car cela manifeste son pouvoir d'adaptation, qui fait de lui un grand homme politique.

— N'importe, il a agi trop vite, répétait M. de Lamberthon, qui hochait toujours la tête. J'entends bien, l'Empire libéral ; mais c'est l'inconnu, cher monsieur, l'inconnu, l'inconnu...

Et il dit ce mot sur trois tons différents, en promenant sa main devant lui, dans le vide. M. La Rouquette n'ajouta rien ; il finissait son grog. Les deux députés restèrent là, les yeux perdus, regardant le ciel par la baie ouverte, comme s'ils avaient cherché l'inconnu au-delà du quai, du côté des Tuileries, où flottaient de grandes vapeurs grises. Derrière eux, au fond des couloirs, l'ouragan des voix grondait de nouveau, avec le vacarme sourd d'un orage qui s'approche.

M. de Lamberthon tournait la tête, pris d'inquiétude. Au bout d'un silence il demanda :

— C'est Rougon qui doit répondre, n'est-ce pas ?

— Oui, je crois, répondit M. La Rouquette, les lèvres pincées, d'un air discret.

— Il était bien compromis, murmura encore le vieux député. L'empereur a fait un singulier choix, en le nommant ministre sans portefeuille et en le chargeant de défendre sa nouvelle politique.

M. La Rouquette ne donna pas tout de suite son avis. Il caressait sa moustache blonde d'une main lente. Il finit par dire :

— L'empereur connaît Rougon.

Puis, il s'écria d'une voix changée :

— Dites donc, ils n'étaient pas fameux, ces grogs... J'ai une soif d'enragé. J'ai envie de prendre un verre de sirop.

Il commanda un verre de sirop. M. de Lamberthon hésita, se décida enfin pour un madère. Et ils causèrent de Mme de Lamberthon ; le mari reprochait à son jeune collègue la rareté de ses visites. Celui-ci s'était renversé sur la banquette capitonnée, se mirant d'un regard oblique dans les glaces, jouissant du vert tendre des murs, de cette buvette fraîche, qui avait des airs de bosquet Pompadour, installé à quelque carrefour de forêt princière, pour des rendez-vous amoureux.

Un huissier arriva, essoufflé.

— Monsieur La Rouquette, on vous demande tout de suite, tout de suite.

Et, comme le jeune député avait un geste d'ennui, l'huissier se pencha à son oreille, lui dit à demi-voix qu'il était envoyé par M. de Marsy lui-même, le président de la Chambre. Il ajouta plus haut :

— Enfin, on a besoin de tout le monde, venez vite.

M. de Lamberthon s'était précipité vers la salle des séances. M. La Rouquette le suivait, lorsqu'il parut se raviser. L'idée lui poussait de racoler tous les députés flâneurs, pour les envoyer à leurs bancs. Il se jeta d'abord dans la salle des conférences, une belle salle éclairée par un plafond vitré, où se trouvait une cheminée en marbre vert, ornée de deux femmes de marbre blanc, nues et couchées. Malgré la douceur de l'après-midi, des troncs d'arbres y brûlaient. Autour de l'immense table, trois députés sommeillaient, les yeux ouverts, en regardant les tableaux des murs et la pendule fameuse qu'on remontait une seule fois par an ; un quatrième, occupé à se chauffer les reins, debout devant la cheminée, semblait examiner d'un air attendri, à l'autre extrémité de la pièce, une petite statue d'Henri IV en plâtre, qui se détachait sur un trophée de drapeaux pris à Marengo, à Austerlitz et à Iéna. A l'appel de leur collègue allant de l'un à l'autre, criant : « Vite, vite, en séance ! » ces messieurs, comme réveillés en sursaut, disparurent à la file.

Cependant, emporté par son élan, M. La Rouquette courait à la bibliothèque, quand il eut la précaution de revenir sur ses pas, pour fouiller d'un coup d'œil le couloir aux lavabos. M. de Combelot, les mains plongées au fond d'une grande cuvette, les y frottait doucement, en souriant à leur blancheur. Il ne s'émut pas, il retournait tout de suite à sa place. Et il prit le temps de s'éponger longuement les mains, à l'aide d'une serviette chaude, qu'il remit ensuite dans l'étuve aux portes de cuivre. Même il alla, à l'extrémité du couloir, devant une haute glace, peigner sa belle barbe noire, avec un petit peigne de poche.

La bibliothèque était vide. Les livres dormaient dans leurs casiers de chêne ; toutes nues, les deux grandes tables étalaient la sévérité de leurs tapis verts ; aux bras des fauteuils, rangés en bon ordre, les pupitres mécaniques se repliaient, gris d'une légère poussière. Et, au milieu de ce recueillement, dans l'abandon de la galerie où traînait une odeur de papiers, M. La Rouquette dit tout haut, en faisant claquer la porte :

— Il n'y a jamais personne, là-dedans !

Alors, il se lança dans l'enfilade des couloirs et des salles. Il traversa la salle de distribution, dallée en marbre des Pyrénées, où son pas sonnait comme sous une voûte d'église. Un huissier lui ayant appris qu'un député de ses amis, M. de la Villardière, faisait visiter le Palais à un monsieur et à une dame, il s'entêta à le trouver. Il courut à la salle du général Foy, ce vestibule sévère, dont les statues, Mirabeau, le général Foy, Bailly et Casimir Périer [96], font l'admiration respectueuse des bourgeois de province. Et ce fut à côté, dans la salle du trône, qu'il aperçut enfin M. de la Villardière, flanqué d'une grosse dame et d'un gros monsieur, des gens de Dijon, tous deux notaires et électeurs influents.

— On vous demande, dit M. La Rouquette. Vite à votre poste, n'est-ce pas ?

— Oui, tout de suite, répondit le député.

Mais il ne put s'échapper. Le gros monsieur, impressionné par le luxe de la salle, le ruissellement des dorures, les panneaux de glace, s'était découvert ; et il ne lâchait pas son « cher député », il lui demandait des explications sur les peintures de Delacroix [97], les Mers et les Fleuves de France, de hautes figures décoratives, *Mediterraneum Mare, Oceanus, Ligeris, Rhenus, Sequana, Rhodanus, Garumna, Araris* [98]. Ces mots latins l'embarrassaient.

— *Ligeris*, la Loire, dit M. de la Villardière.

Le notaire de Dijon hocha vivement la tête ; il avait compris. Cependant, sa dame considérait le trône, un fauteuil un peu plus haut que les autres, garni d'une housse et placé sur une large marche. Elle restait à distance, dévotement, l'air ému. Elle finit par se rapprocher, par s'enhardir ; et, d'une main furtive, elle souleva la housse, toucha le bois doré, tâta le velours rouge.

Maintenant, M. La Rouquette battait l'aile droite du Palais, les corridors interminables, les pièces réservées aux bureaux et aux commissions. Il revint par la salle des quatre colonnes, où les jeunes députés rêvent en face des statues de Brutus, de Solon et de Lycurgue [99] ; coupa de biais la salle des pas perdus ; longea rapidement le pourtour, cette galerie en hémicycle, une sorte de crypte écrasée, d'une nudité blafarde d'église, éclairée au gaz nuit et jour ; et, hors d'haleine, traînant derrière lui la petite troupe de députés qu'il avait ramassée

dans sa battue générale, il ouvrit toute large une porte d'acajou étoilée d'or. M. de Combelot, les mains blanches, la barbe correcte, le suivait ; M. de la Villardière, qui s'était débarrassé de ses deux électeurs, marchait sur ses talons. Tous montèrent d'un élan, se jetèrent dans la salle des séances où les députés, debout à leur banc, furibonds, les bras tendus, menaçant un orateur impassible à la tribune, criaient :

— A l'ordre ! à l'ordre ! à l'ordre !

— A l'ordre ! à l'ordre ! crièrent plus haut M. La Rouquette et ses amis, tout en ignorant ce dont il s'agissait.

Le vacarme était épouvantable. Il y avait des piétinements enragés, un roulement d'orage obtenu par les planchettes des pupitres secouées violemment. Des voix glapissantes, suraiguës, jetaient des notes de fifre au milieu d'autres voix ronflantes prolongées comme des accompagnements d'orgue. Par moments, les bruits semblaient se briser, le tapage se fêlait ; et alors, au milieu de la clameur mourante, des huées montaient, des paroles s'entendaient :

— C'est odieux ! c'est intolérable !

— Qu'il retire le mot !

— Oui, oui, retirez le mot !

Mais le cri obstiné, le cri qui revenait sans arrêt, comme rythmé par le battement des talons, c'était ce cri : « A l'ordre ! à l'ordre ! à l'ordre ! » s'aigrissant, s'étranglant dans les gosiers séchés.

A la tribune, l'orateur avait croisé les bras. Il regardait en face la Chambre furieuse, ces faces aboyantes, ces poings brandis. A deux reprises, croyant à un peu de silence, il ouvrit la bouche ; ce qui amena un redoublement de tempête, une crise d'emportement fou. La salle craquait.

M. de Marsy, debout devant son fauteuil de président, la main sur la pédale de la sonnette, sonnait d'une façon continue ; un carillon d'alarme au milieu d'un ouragan. Sa haute figure pâle gardait un sang-froid parfait. Il s'arrêta un instant de sonner, tira ses manchettes tranquillement, puis se remit à son carillon. Son mince sourire sceptique, une sorte de tic qui lui était habituel, pinçait les coins de ses lèvres fines. Lorsque les voix se lassaient, il se contentait de lancer :

— Messieurs, permettez, permettez...

Enfin, il obtint un silence relatif.

— J'invite l'orateur, dit-il, à expliquer le mot qu'il vient de prononcer.

L'orateur se penchant, s'appuyant sur le bord de la tribune, répéta sa phrase avec une affirmation entêtée du menton.

---

96. Gabriel Riqueti, comte de Mirabeau (1749-1791), député du tiers état aux États généraux et orateur brillant, partisan de la monarchie constitutionnelle, fut accusé de trahison et exécuté. Le général Maximilien Foy (1775-1825) couvrit la retraite de l'armée en Espagne en 1814 et fut député libéral de 1819 à 1824. Jean Bailly (1736-1793) fut président de la Constituante lors du serment du Jeu de Paume puis maire de Paris. Hostile à la déchéance de Louis XVI, il fut exécuté. Casimir Périer (1777-1832), membre de l'opposition libérale sous la Restauration et président du Conseil en 1831.

97. Eugène Delacroix (1798-1863), chef de l'école romantique en peinture. Parmi ses tableaux les plus connus, citons *Dante et Virgile aux Enfers* et les *Massacres de Scio.*

98. La Méditerranée, l'océan Atlantique, la Loire, le Rhin, la Seine, le Rhône, la Garonne, la Saône.

99. Brutus, neveu de Tarquin le Superbe ; il expulsa son oncle du trône et établit la république à Rome. Il a toujours été considéré comme le modèle des républicains. — Solon (vers 648-vers 558 av. J.-C.), homme politique athénien qui donna à la cité une constitution démocratique. — Lycurgue : législateur mythique de Sparte.

— J'ai dit que le 2 Décembre était un crime [100]...
Il ne put aller plus loin. L'orage recommença.
Un député, le sang aux joues, le traita d'assassin;
un autre lui jeta une ordure, si grosse, que les
sténographes sourirent, en se gardant d'écrire le
mot. Les exclamations se croisaient, s'étouffaient.
Pourtant, on entendait la voix flûtée de M. La Rouquette, qui répétait :

— Il insulte l'empereur, il insulte la France!

M. de Marsy eut un geste digne. Il se rassit, en
disant :

— Je rappelle l'orateur à l'ordre.

Une longue agitation suivit. Ce n'était plus le
Corps législatif ensommeillé qui avait voté, cinq
ans plus tôt, un crédit de quatre cent mille francs
pour le baptême du prince impérial. A gauche,
sur un banc, quatre députés applaudissaient le
mot lancé à la tribune par leur collègue. Ils étaient
cinq maintenant à attaquer l'Empire. Ils l'ébranlaient d'une secousse continue, le niaient, lui refusaient leur vote, avec un entêtement de protestation, dont l'effet devait peu à peu soulever le pays
entier. Ces députés se tenaient debout, groupe
infime, perdu au milieu d'une majorité écrasante;
et ils répondaient aux menaces, aux poings tendus,
à la pression bruyante de la Chambre sans un
découragement, immobiles et fervents dans leur
revanche.

La salle elle-même paraissait changée, toute
sonore, frémissante de fièvre. On avait rétabli la
tribune, au pied du bureau. La froideur des marbres,
le développement pompeux des colonnes de l'hémicycle, se chauffaient de la parole ardente des orateurs. Sur les gradins, le long des banquettes de
velours rouge, la lumière de la baie vitrée tombant
d'aplomb semblait allumer des incendies, dans les
orages des grandes séances. Le bureau monumental, avec ses panneaux sévères, s'animait des ironies
et des insolences de M. de Marsy, dont la redingote
correcte, la taille mince de viveur épuisé, coupaient
d'une ligne pauvre les nudités antiques du bas-
relief placé derrière son dos. Et seules, dans leurs
niches, entre leurs paires de colonnes, les statues
allégoriques de l'Ordre public et de la Liberté
gardaient leurs faces mortes et leurs yeux vides
de divinités de pierre. Mais ce qui soufflait surtout
la vie, c'était le public plus nombreux, penché
anxieusement, suivant les débats, apportant là sa
passion. Le second rang des tribunes venait d'être

remis en place. Les journalistes avaient leur tribune
particulière. Tout en haut, au bord de la corniche
chargée de dorures, des têtes s'allongeaient, un
envahissement de foule, qui parfois faisait lever
les yeux inquiets des députés, comme s'ils avaient
cru brusquement entendre le piétinement de la
populace, un jour d'émeute.

Cependant, l'orateur, à la tribune, attendait toujours de pouvoir continuer. Il dit, la voix couverte
par le murmure qui roulait encore :

— Messieurs, je me résume...

Mais il s'arrêta pour reprendre plus haut, dominant le bruit :

— Si la Chambre refuse de m'écouter, je proteste
et je descends de cette tribune.

— Parlez, parlez! cria-t-on de plusieurs bancs.

Et une voix épaisse, comme enrouée, gronda :

— Parlez, on saura vous répondre.

Le silence régna brusquement. Sur les gradins,
dans les tribunes, on tendait le cou pour voir Rougon qui venait de lancer cette phrase. Il était assis
au premier banc, les coudes appuyés sur la tablette
de marbre. Son gros dos gonflé gardait une immobilité à peine rompue de loin en loin par un léger
balancement des épaules. On n'apercevait pas son
visage, enfoui entre ses larges mains. Il écoutait.
Son début était attendu avec une vive curiosité;
car, depuis sa nomination de ministre sans portefeuille, il n'avait pas encore pris la parole. Sans
doute il eut conscience de tous ces regards fixés sur
lui. Il tourna la tête, fit le tour de la salle. En face,
dans la tribune des ministres, Clorinde en robe
violette, accoudée à la rampe de velours rouge, le
regardait longuement, avec son audace tranquille.
Ils restèrent deux secondes les yeux dans les yeux,
sans se sourire, comme étrangers. Puis, Rougon
reprit sa position, écouta de nouveau, le visage
entre ses mains ouvertes.

— Messieurs, je me résume, disait l'orateur. Le
décret du 24 novembre octroie des libertés purement illusoires. Nous sommes encore bien loin des
principes de 89, inscrits si pompeusement en tête de
la constitution impériale. Si le gouvernement reste
armé de lois exceptionnelles, s'il continue à imposer ses candidats au pays, s'il ne dégage pas
la presse du régime de l'arbitraire, enfin s'il tient
toujours la France à sa merci, toutes les concessions
apparentes qu'il peut faire sont mensongères...

Le président l'interrompit.

— Je ne puis laisser l'orateur employer un pareil
terme.

— Très bien, très bien! cria-t-on à droite.

L'orateur reprit sa phrase, en l'adoucissant. Il

---

100. Phrase prononcée en mars 1865 par Ernest Picard, député
de l'opposition, donc quatre ans plus tard. Le « groupe des Cinq »,
qui proposait des amendements, était composé de Darimon, Favre,
Hénon, Ollivier et Picard.

s'efforçait d'être très modéré maintenant, arrondissant de belles périodes qui tombaient avec une cadence grave, d'une pureté de langue parfaite. Mais M. de Marsy s'acharnait, discutait chacune de ses expressions. Alors, il s'éleva dans de hautes considérations, une phraséologie vague, encombrée de grands mots, où sa pensée se déroba si bien, que le président dut l'abandonner. Puis, tout d'un coup, il revint à son point de départ.

— Je me résume. Mes amis et moi, nous ne voterons pas le premier paragraphe de l'adresse en réponse au discours du trône...

— On se passera de vous, dit une voix.

Une hilarité bruyante court sur les bancs.

— Nous ne voterons pas le premier paragraphe de l'adresse, recommença paisiblement l'orateur, si notre amendement n'est pas adopté. Nous ne saurions nous associer à des remerciements exagérés, lorsque la pensée du chef de l'État nous apparaît pleine de restrictions. La liberté est une; on ne peut la couper par morceaux et la distribuer en rations, ainsi qu'une aumône.

Ici, des exclamations partirent de tous les coins de la salle.

— Votre liberté est de la licence!

— Ne parlez pas d'aumône, vous mendiez une population malsaine!

— Et vous, ce sont les têtes que vous coupez!

— Notre amendement, continua-t-il, comme s'il n'entendait pas, réclame l'abrogation de la loi de sûreté générale, la liberté de la presse, la sincérité des élections...

Les rires reprenaient. Un député avait dit, assez haut pour être entendu de ses voisins : « Va, va, mon bonhomme, tu n'auras rien de tout ça! » Un autre ajoutait des mots drôles à chaque phrase tombée de la tribune. Mais le plus grand nombre, pour s'amuser, scandait les périodes à coups précipités de couteau à papier, tapés sournoisement sous leur pupitre; ce qui produisait un roulement de baguettes de tambour, dans lequel la voix de l'orateur se trouvait étouffée. Celui-ci pourtant lutta jusqu'au bout. Il s'était redressé, il lançait puissamment ces dernières paroles, par-dessus le tumulte :

— Oui, nous sommes des révolutionnaires, si vous entendez par là des hommes de progrès, décidés à conquérir la liberté! Refusez la liberté au peuple, un jour le peuple la reprendra.

Et il descendit de la tribune, au milieu d'un nouveau déchaînement. Les députés ne riaient plus comme une bande de collégiens échappés. Ils s'étaient levés, tournés vers la gauche, poussant une fois encore le cri : « A l'ordre! à l'ordre! »

L'orateur avait regagné son banc, et restait debout, entouré de ses amis. Il y eut des poussées. La majorité sembla vouloir se jeter sur ces cinq hommes, dont les faces pâles les défiaient. Mais M. de Marsy, fâché, sonnait d'une main saccadée, en regardant les tribunes où des dames se reculaient, l'air peureux.

— Messieurs, dit-il, c'est un scandale...

Et le silence s'étant fait, il continua, de très haut, avec son autorité mordante :

— Je ne veux pas prononcer un second rappel à l'ordre. Je dirai seulement qu'il est vraiment scandaleux d'apporter à cette tribune des menaces qui la déshonorent.

Une triple salve d'applaudissements accueillit ces paroles du président. On criait bravo, et les couteaux à papier marchaient ferme, cette fois en manière d'approbation. L'orateur de la gauche voulut répondre; mais ses amis l'en empêchèrent. Le tumulte alla en s'apaisant, se perdit dans le brouhaha des conversations particulières.

— La parole est à Son Excellence monsieur Rougon, reprit M. de Marsy d'une voix calmée.

Un frisson courut, un soupir de curiosité satisfaite qui fit place à une attention religieuse. Rougon, les épaules arrondies, était monté pesamment à la tribune. Il ne regarda pas d'abord la salle; il posait devant lui un paquet de notes, reculait le verre d'eau sucrée, promenait ses mains, comme pour prendre possession de l'étroite caisse d'acajou. Enfin, adossé au bureau, au fond, il leva la face. Il ne vieillissait pas. Son front carré, son grand nez bien fait, ses longues joues sans rides, gardaient une pâleur rosée, un teint frais de notaire de petite ville. Seuls ses cheveux grisonnants, si rudement plantés, s'éclaircissaient vers les tempes et découvraient ses larges oreilles. Les yeux à demi clos, il jeta un regard dans la salle, attendant encore. Un instant, il parut chercher, rencontra le visage attentif et penché de Clorinde, puis commença, la langue lourde et pâteuse.

— Nous aussi nous sommes des révolutionnaires, si l'on entend par ce mot des hommes de progrès, décidés à rendre au pays, une à une, toutes les sages libertés...

— Très bien! très bien!

— Eh! messieurs, quel gouvernement mieux que l'Empire a jamais réalisé les réformes libérales dont vous venez d'entendre tracer le séduisant programme? Je ne combattrai pas le discours de l'honorable préopinant. Il me suffira de prouver que le génie et le grand cœur de l'empereur ont devancé les réclamations des adversaires les plus acharnés de son règne. Oui, messieurs, de lui-même, le souverain a remis à la nation ce pouvoir dont elle l'avait investi, dans un jour de danger public. Magnifique spectacle, si rare dans l'histoire! Oh! nous comprenons le dépit de certains hommes de désordre. Ils en sont réduits à attaquer les intentions, à discuter la quantité de liberté rendue... Vous avez compris le grand acte du 24 novembre. Vous avez voulu, dans le premier paragraphe de l'adresse, témoigner à l'empereur votre profonde reconnaissance de sa magnanimité et de sa confiance en la sagesse du Corps législatif. L'adoption de l'amendement qui vous est soumis, serait une injure gratuite, je dirai même une mauvaise action. Consultez vos consciences, messieurs, demandez-vous si vous vous sentez libres. La liberté est aujourd'hui complète, entière, je m'en porte le garant [101]...

Des applaudissements prolongés l'interrompirent. Il s'était lentement approché du bord de la tribune. Maintenant, le corps un peu penché, le bras droit étendu, il haussait sa voix, qui se dégageait avec une puissance extraordinaire. Derrière lui, M. de Marsy, allongé au fond de son fauteuil, l'écoutait, de l'air vaguement souriant d'un amateur émerveillé par l'exécution magistrale de quelque tour de force. Dans la salle, au milieu du tonnerre des bravos, des membres se penchaient, chuchotaient, surpris, les lèvres pincées. Clorinde avait abandonné ses bras sur le velours rouge de la rampe, toute sérieuse.

Rougon continuait.

— Aujourd'hui, l'heure que nous avons tous attendue avec impatience a enfin sonné. Il n'y a plus aucun danger à faire de la France prospère une France libre. Les passions anarchiques sont mortes. L'énergie du souverain et la volonté solennelle du pays ont pour toujours refoulé dans le néant les époques abominables de perversion publique. La liberté est devenue possible, le jour où a été vaincue cette faction qui s'obstinait à méconnaître les bases fondamentales du gouvernement. C'est pourquoi l'empereur a cru devoir retirer sa puissante main, refusant les prérogatives excessives du pouvoir comme un fardeau inutile, estimant son règne indiscutable au point de le laisser discuter. Et il n'a pas reculé devant la pensée d'engager l'avenir; il ira jusqu'au bout de sa tâche de délivrance, il rendra les libertés une à une, aux époques marquées par sa sagesse. Désormais, c'est ce programme de

progrès continu que nous avons la mission de défendre dans cette assemblée...

Un des cinq députés de la gauche se leva indigné, en disant:

— Vous avez été le ministre de la répression à outrance!

Et un autre ajouta avec passion:

— Les pourvoyeurs de Cayenne et de Lambessa [102] n'ont pas le droit de parler au nom de la liberté!

Une explosion de murmures monta. Beaucoup de députés ne comprenaient pas, se penchaient, interrogeant leurs voisins. M. de Marsy feignit de ne pas avoir entendu; et il se contenta de menacer les interrupteurs de les rappeler à l'ordre.

— On vient de me reprocher... reprit Rougon.

Mais des cris s'élevèrent à droite, l'empêchèrent de continuer.

— Non, non, ne répondez pas!

— Ces injures ne sauraient vous atteindre!

Alors, il apaisa la Chambre d'un geste; et, s'appuyant des deux poings au bord de la tribune, il se tourna vers la gauche, d'un air de sanglier acculé.

— Je ne répondrai pas, déclara-t-il tranquillement.

Ce n'était encore que l'exorde. Bien qu'il eût promis de ne pas réfuter le discours du député de la gauche, il entra ensuite dans une discussion minutieuse. Il fit d'abord un exposé très complet des arguments de son adversaire; il y mettait une sorte de coquetterie, une impartialité dont l'effet était immense, comme dédaigneux de toutes ces bonnes raisons et prêt à les écarter d'un souffle. Puis, il parut oublier de les combattre, il ne répondit à aucune, il s'attaqua à la plus faible d'entre elles avec une violence inouïe, un flot de paroles qui la noya. On l'applaudissait, il triomphait. Son grand corps emplissait la tribune. Ses épaules, balancées, suivaient le roulis de ses phrases. Il avait l'éloquence banale, incorrecte, toute hérissée de questions de droit, enflant les lieux communs, les faisant crever en coups de foudre. Il tonnait, il brandissait des mots bêtes. Sa seule supériorité d'orateur était son haleine, une haleine immense, infatigable, berçant les périodes, coulant magnifiquement pendant des heures, sans se soucier de ce qu'elle charriait.

Après avoir parlé une heure sans un arrêt, il but une gorgée d'eau, il souffla un peu, en rangeant les notes placées devant lui.

— Reposez-vous! dirent plusieurs députés.

101. Le modèle de Rougon est ici Baroche, ministre sans portefeuille en 1861.

102. Lieux de déportation.

Mais il ne se sentait pas fatigué. Il voulut terminer.

— Que vous demande-t-on, messieurs ?

— Écoutez! écoutez!

Une profonde attention tint de nouveau les faces muettes, tournées vers lui. A certains éclats de sa voix, des mouvements agitaient la Chambre d'un bout à l'autre, comme sous un grand vent.

— On vous demande, messieurs, d'abroger la loi de sûreté générale. Je ne rappellerai pas l'heure à jamais maudite où cette loi fut une arme nécessaire; il s'agissait de rassurer le pays, de sauver la France d'un nouveau cataclysme. Aujourd'hui, l'arme est au fourreau. Le gouvernement, qui s'en est toujours servi avec la plus grande modération...

— C'est vrai!

— Le gouvernement ne l'applique plus que dans certains cas tout à fait exceptionnels. Elle ne gêne personne, si ce n'est les sectaires qui nourrissent encore la coupable folie de vouloir retourner aux plus mauvais jours de notre histoire. Parcourez nos villes, parcourez nos campagnes, vous y verrez partout la paix et la prospérité; interrogez les hommes d'ordre, aucun ne sent peser sur ses épaules ces lois d'exception dont on nous fait un si grand crime. Je le répète, entre les mains paternelles du gouvernement, elles continuent à sauvegarder la société contre des entreprises odieuses, dont le succès, d'ailleurs, est désormais impossible. Les honnêtes gens n'ont pas à se préoccuper de leur existence. Laissons-les où elles dorment, jusqu'au jour où le souverain croira devoir les briser lui-même... Que vous demande-t-on encore, messieurs ? la sincérité des élections, la liberté de la presse, toutes les libertés imaginables. Ah! laissez-moi me reposer ici dans le spectacle des grandes choses que l'empire a déjà accomplies. Autour de moi, partout où je porte les yeux, j'aperçois les libertés publiques croître et donner des fruits splendides. Mon émotion est profonde. La France, si abaissée, se relève, offre au monde l'exemple d'un peuple conquérant son émancipation par sa bonne conduite. A cette heure, les jours d'épreuve sont passés. Il n'est plus question de dictature, de gouvernement autoritaire. Nous sommes tous les ouvriers de la liberté...

— Bravo! bravo!

— On demande la sincérité des élections. Le suffrage universel, appliqué sur sa base la plus large, n'est-il pas la condition primordiale d'existence de l'empire ? Sans doute le gouvernement recommande ses candidats. Est-ce que la révolution n'appuie pas les siens avec une audace impudente ? On nous attaque, nous nous défendons, rien de plus juste.

On voudrait nous bâillonner, nous lier les mains, nous réduire à l'état de cadavre. C'est ce que nous n'accepterons jamais. Par amour pour le pays, nous serons toujours là, à le conseiller, à lui dire où sont ses véritables intérêts. Il reste, d'ailleurs, le maître absolu de son sort. Il vote, et nous nous inclinons. Les membres de l'opposition qui appartiennent à cette assemblée, où ils jouissent d'une entière liberté de parole, sont une preuve de notre respect pour les arrêts du suffrage universel. Les révolutionnaires doivent s'en prendre au pays, si le pays acclame l'empire par des majorités écrasantes... Dans le parlement, toutes les entraves au libre contrôle sont aujourd'hui brisées. Le souverain a voulu donner aux grands corps de l'État une participation plus directe à sa politique et un témoignage éclatant de sa confiance. Vous pourrez désormais discuter les actes du pouvoir, exercer dans son plein le droit d'amendement, émettre des vœux motivés. Chaque année, l'adresse sera comme un rendez-vous entre l'empereur et les représentants de la nation, où ceux-ci auront la faculté de tout dire avec franchise. C'est de la discussion au grand jour que naissent les États forts. La tribune est rétablie, cette tribune illustrée par tant d'orateurs dont l'histoire a gardé les noms. Un parlement qui discute est un parlement qui travaille. Et voulez-vous connaître toute ma pensée ? je suis heureux de voir ici un groupe de députés opposants. Il y aura toujours parmi nous des adversaires qui chercheront à nous prendre en faute, et qui mettront ainsi en pleine lumière notre honorabilité. Nous réclamons pour eux les immunités les plus larges. Nous ne craignons ni la passion, ni le scandale, ni les abus de la parole, si dangereux qu'ils puissent être... Quant à la presse, messieurs, elle n'a jamais joui d'une liberté plus entière, sous aucun gouvernement décidé à se faire respecter. Toutes les grandes questions, tous les intérêts sérieux ont des organes. L'administration ne combat que la propagation des doctrines funestes, le colportage du poison. Mais, entendez-moi bien, nous sommes tous pleins de déférence pour la presse honnête, qui est la grande voix de l'opinion publique. Elle nous aide dans notre tâche, elle est l'outil du siècle. Si le gouvernement l'a prise dans ses mains, c'est uniquement pour ne pas la laisser aux mains de ses ennemis...

Des rires approbateurs s'élevèrent. Rougon, cependant, approchait de la péroraison. Il empoignait le bois de la tribune de ses doigts crispés. Il jetait son corps en avant, balayait l'air de son bras droit. Sa voix roulait avec une sonorité de torrent. Brusquement, au milieu de son idylle libérale, il parut

Rouher prononçant un discours à la Chambre, 4 février 1868.

Le roman devient ainsi une large page sociale et humaine. J'éviterai un dénouement terrible. Le livre ne se dénouera pas par un drame. Il s'arrêtera quand j'aurai fini. Mais il pourrait continuer encore. J'y mettrai plus de souplesse encore que dans les autres. Je chercherai moins que jamais à raconter une histoire. J'étalerai une simple peinture de caractère et de faits. Cela pourra être d'un grand effet.

Et plus loin Zola ajoute dans ses notes : « (Rougon) est devant la Chambre et je montre une grande séance de discussion avec l'opposition. Il aurait le dernier mot avec mon aventurière, ou du moins je finirai en plein cynisme politique, ainsi que j'ai fait dans *la Curée* en plein cynisme moral. »

pris d'une fureur haletante. Son poing tendu, lancé en manière de bélier, menaçait quelque chose, là-bas, dans le vide. Cet adversaire invisible, c'était le spectre rouge. En quelques phrases dramatiques, il montra le spectre rouge secouant son drapeau ensanglanté, promenant sa torche incendiaire, laissant derrière lui des ruisseaux de boue et de sang. Tout le tocsin des journées d'émeute sonnait dans sa voix, avec le sifflement des balles, les caisses de la Banque éventrées, l'argent des bourgeois volé et partagé. Sur les bancs, les députés pâlissaient. Puis, Rougon s'apaisa; et, à grands coups de louanges qui avaient des bruits balancés d'encensoir, il termina en parlant de l'empereur.

— Dieu merci! nous sommes sous l'égide de ce prince que la Providence a choisi pour nous sauver dans un jour de miséricorde infinie. Nous pouvons nous reposer à l'abri de sa haute intelligence. Il nous a pris par la main, et il nous conduit pas à pas vers le port, au milieu des écueils.

Des acclamations retentirent. La séance fut suspendue pendant près de dix minutes. Un flot de députés s'était précipité au-devant du ministre qui regagnait son banc, le visage en sueur, les flancs encore agités de son grand souffle. M. La Rouquette, M. de Combelot, cent autres, le félicitaient, allongeaient le bras pour tâcher de lui prendre une poignée de main au passage. C'était comme un long ébranlement qui se continuait dans la salle. Les tribunes elles-mêmes parlaient et gesticulaient. Sous la baie ensoleillée du plafond, parmi ces dorures, ces marbres, ce luxe grave tenant du temple et du cabinet d'affaires, une agitation de place publique roulait, des rires de doute, des étonnements bruyants, des admirations exaltées, la clameur d'une foule secouée de passion. Les regards de M. de Marsy et de Clorinde s'étant rencontrés, ils eurent tous deux un hochement de tête; ils avouaient la victoire du grand homme. Rougon, par son discours, venait de commencer la prodigieuse fortune qui devait le porter si haut.

Un député, cependant, était à la tribune. Il avait un visage rasé, d'un blanc de cire, avec de longs cheveux jaunes dont les boucles rares tombaient sur ses épaules. Roide, sans un geste, il parcourait de grandes feuilles de papier, le manuscrit d'un discours qu'il se mit à lire d'une voix molle. Les huissiers jetaient leur cri :

— Silence, messieurs!... Veuillez faire silence!

L'orateur avait des explications à demander au gouvernement. Il se montrait très irrité de l'attitude expectante de la France, en présence du Saint-Siège menacé par l'Italie. Le pouvoir temporel était l'arche sainte, et l'adresse devait contenir un vœu formel, une injonction même, pour son maintien intégral. Le discours entrait dans des considérations historiques, démontrait que le droit chrétien, plusieurs siècles avant les traités de 1815, avait établi l'ordre politique en Europe. Puis, venaient des phrases d'une rhétorique terrifiée, l'orateur disait voir avec effroi la vieille société européenne se dissoudre au milieu des convulsions des peuples. Par moments, à certaines allusions trop directes contre le roi d'Italie, des rumeurs s'élevaient dans la salle. Mais, à droite, le groupe compact des députés cléricaux, près d'une centaine de membres, attentifs, soulignaient les moindres passages par leur assentiment, applaudissaient chaque fois que leur collègue nommait le pape, avec une légère salutation dévote.

L'orateur, en terminant, eut une phrase couverte de bravos.

— Il me déplaît, dit-il, que Venise la superbe, la reine de l'Adriatique, soit devenue l'obscure vassale de Turin [103].

Rougon, la nuque encore mouillée de sueur, la voix enrouée, son grand corps brisé par son premier discours, s'entêta à répondre tout de suite. Ce fut un beau spectacle. Il étala sa fatigue, la mit en scène, se traîna à la tribune, où il balbutia d'abord des paroles éteintes. Il se plaignait avec amertume de trouver parmi les adversaires du gouvernement des hommes considérables, si dévoués jusque-là aux institutions impériales. Il y avait sûrement malentendu; ils ne voudraient pas grossir les rangs des révolutionnaires, ébranler un pouvoir dont l'effort constant était d'assurer le triomphe de la religion. Et, tourné vers la droite, il leur adressait des gestes pathétiques, il leur parlait avec une humilité pleine de ruse, comme à des ennemis puissants, aux seuls ennemis devant lesquels il tremblât.

Mais peu à peu, sa voix avait repris toute son emphase. Il emplissait la salle de son mugissement, il se tapait la poitrine à grands coups de poing.

— On nous a accusé d'irréligion. On a menti! Nous sommes l'enfant respectueux de l'Église et nous avons le bonheur de croire... Oui, messieurs, la foi est notre guide et notre soutien, dans cette tâche du gouvernement, si lourde parfois à porter. Qu'adviendrait-il de nous, si nous ne nous abandonnions pas aux mains de la Providence ? Nous avons la seule prétention d'être l'humble exécuteur de ses desseins, l'instrument docile des volontés de Dieu. C'est là ce qui nous permet de parler haut et

103. Phrase prononcée par le député Kolb-Bernard le 11 mars 1861.

de faire un peu de bien... Et, messieurs, je suis heureux de cette occasion pour m'agenouiller ici, avec toute la ferveur de mon cœur de catholique, devant le souverain pontife, devant ce vieillard auguste dont la France restera la fille vigilante et dévouée[104].

Les applaudissements n'attendirent pas la fin de la phrase. Le triomphe tournait à l'apothéose. La salle croulait.

A la sortie, Clorinde guetta Rougon. Ils n'avaient plus échangé une parole depuis trois ans. Lorsqu'il parut, rajeuni, comme allégé, ayant démenti en une heure toute sa vie politique, prêt à satisfaire, sous la fiction du parlementarisme, son furieux appétit d'autorité, elle céda à un entraînement, elle alla vers lui, la main tendue, les yeux attendris et humides d'une caresse, en disant :

— Vous êtes tout de même d'une jolie force, vous.

104. Allusion à l'ingérence de Napoléon III dans les affaires italiennes : il avait d'abord soutenu Cavour pour l'unité italienne contre l'Autriche pour défendre ensuite le pouvoir temporel du pape contre les patriotes, de manière à se concilier l'opinion catholique. Rougon se contente donc de suivre les fluctuations de son maître.

L'ASSOMMOIR

PAR

Émile ZOLA

GERVAISE

EN VENTE CHEZ C. MARPON ET E. FLAMMARION, ÉDITEURS

GALERIES DE L'ODÉON, 1 A 7, ET RUE ROTROU, 4, PARIS

ET CHEZ TOUS LES LIBRAIRES

L'Assommoir

Dans son Introduction à l'édition de l'Assommoir *du Club français du Livre, en 1954, Armand Lanoux déclarait : « La littérature est pleine de chemins qui se perdent. En voici un, ouvert par Zola, négligé par lui et ses successeurs. Peut-être une littérature ultérieure y trouvera-t-elle le moyen de prolonger naturalisme, réalisme, populisme et vérisme sans les répéter, une ouverture hors du monde tragiquement clos désormais du roman réaliste noir ? »*

Posée voici quinze ans, la question est restée sans réponse, parce qu'il semble que Zola ait atteint d'emblée un sommet auquel peu d'écrivains oseraient prétendre accéder. C'était le premier faîte de son œuvre — le second sera Germinal — *mais c'était aussi l'aboutissement d'une longue « tranche de vie », le produit d'une expérience qu'il n'eût certes pas, même par amour du naturalisme et du fait vrai, souhaitée aussi longue. Près de vingt ans pour obtenir le succès, l'attente est longue pour un ambitieux, quelque légitimes que soient ses prétentions : elle est plus pénible encore quand on vit, comme c'était son cas, de sa plume.*

Il avait préparé le roman dans son projet primitif. Il l'avait peut-être surtout vécu en voisin de familles ouvrières durement nécessiteuses, en gagne-petit, en cousin aussi, rapporte la tradition, d'une petite Anna qui, pour n'être pas Coupeau, n'en était pas moins quelque peu Nana. Il soulageait ses colères rentrées et exprimait ses sympathies, il déplorait les tares et les excusait comme un nécessaire produit d'une société qui rejette les moins favorisés de ses membres sans essayer de les assimiler. S'il dénonçait l'alcoolisme, il plaidait non coupable pour les alcooliques, qui « boivent pour oublier » et s'il retrace le chemin qui mène de l'Assommoir du père Colombe au cabanon de Sainte-Anne, c'est moins pour distraire que pour instruire, mais il sait qu'on ne peut instruire sans égayer, d'où le ton canaille — et voulu tel — de ces ribotes de condamnés qui vont en titubant à l'exécution parce que l'expérience leur a prouvé qu'il ne servait à rien de marcher droit...

Sans doute Zola a-t-il, comme toujours, préparé très soigneusement son nouveau roman en consultant les ouvrages spécialisés et a-t-on conservé ses notes de travail sur l'Ouvrier *de Jules Simon (1861),* De l'état intellectuel et moral des populations ouvrières, *de Paul Leroy-Beaulieu (1868), le* Sublime ou le Travailleur comme il est en 1870 et ce qu'il peut être, *de Denis Poulot (1870), les manuels Roret sur les métiers de chaîniste ou de couvreur,* De l'alcoolisme, des diverses formes du délire alcoolique et de leur traitement, *de Valentin Magnan (1874). Sans doute aussi a-t-il dressé une longue liste de mots d'argot tirés de Denis Poulot ou, surtout, du* Dictionnaire de la langue verte *de Delvau (1866). Sans doute enfin a-t-on pu relever de très étroites ressemblances avec tel ou tel de ses prédécesseurs, honnêtement avouées d'ailleurs, au point que ses habituels détracteurs l'ont traité de plagiaire. Il n'en reste pas moins que l'Assommoir est un chef-d'œuvre du naturalisme et le premier chef-d'œuvre de Zola, qui n'a dû sa réussite qu'à sa connaissance du milieu qu'il dépeignait et des problèmes qu'il osait poser. Dès le premier plan remis à Lacroix, il savait où il voulait aller et il est allé au-delà :*

« Un roman qui aura pour cadre le monde ouvrier et pour héros Louis Duval, marié à Laure, fille de Bergasse. Peinture d'un ménage d'ouvriers à notre époque. Drame intime et profond de la déchéance du travailleur parisien sous la déplorable influence du milieu des barrières et des cabarets. La sincérité seule des peintures pourra donner une grande allure à ce roman. On nous a montré jusqu'ici les ouvriers comme les soldats, sous un jour complètement faux. Ce serait faire œuvre de courage que de dire la vérité et de réclamer, par l'exposition franche des faits, de l'air, de la lumière et de l'instruction pour les basses classes. »

Trois ans plus tard, en 1872, il prévoit deux romans au lieu d'un et le premier aura pour centre d'intérêt une femme qui, cette fois, s'appelle Gervaise : « Le roman populaire — Gervaise Ledoux et ses enfants », et « un deuxième roman ouvrier, particulièrement politique ».

Le second roman se divisera à son tour en deux, Germinal *et la* Débâcle, *qui laisseront pressentir ce* que pourrait être la force des ouvriers dans le monde s'ils parvenaient à organiser leurs efforts. Dans l'Assommoir, il s'agit de peindre un milieu et d'insister sur une misère qui justifiera les révoltes. Le dessein est nettement exprimé dans le plan : « Je ne voudrais pas faire trop dramatique ni trop extraordinaire. Le drame doit sortir des faits naturels. »

Voici que nous sortons des considérations sociales — à la suite de Zola — pour examiner, toujours à sa suite, le second aspect de l'œuvre nouvelle, conçue comme un combat littéraire, aspect polémique que l'auteur n'a jamais nié et qu'il devait mettre en lumière dans les faits avant de répondre aux attaques qui se déclenchèrent contre lui.

Conçu à Saint-Aubin, dans le Calvados, pendant les vacances de 1875, l'Assommoir fut mis en chantier au cours des derniers mois de la même année. En avril 1876, la première moitié était achevée et, le 13, le roman débutait dans le Bien public pour être interrompu le 7 juin, sur les pressions de lecteurs vertueux et indignés. C'était un premier avertissement. Zola y répondit en reprenant la publication le 9 juillet dans la République des Lettres qui l'acheva sans autre incident le 7 janvier 1877. L'Assommoir est alors mis en vente chez Charpentier.

Une remarque d'Henri Mitterand permet d'affirmer que Zola entendait bien mener la bataille : « Le texte de l'édition originale n'était exactement ni celui du manuscrit, ni celui du feuilleton. Zola avait rétabli les passages supprimés sur feuilleton pour leur excès de hardiesse; mais il avait coupé des dizaines de phrases qu'il avait laissé imprimer dans le Bien public et la République des Lettres, et qu'il jugeait inutiles et encombrantes dans l'édition de librairie. »

Les considérations sont donc exclusivement d'ordre artistique et non d'ordre moral, ce que confirme une lettre à Fourcauld, qui l'avait violemment attaqué dans le Gaulois :

« Paris, 23 septembre 1876.

« Monsieur,
« Je vis très retiré, je lis peu les journaux, et c'est aujourd'hui seulement qu'on me communique le

Émile Zola, gravure de Desboutin, 1875.

Gaulois *du 21 septembre, dans lequel vous avez bien voulu vous occuper de l'Assommoir. Il m'est difficile de vous remercier, malgré ma courtoisie habituelle, car votre intention évidente a été de vous montrer très dur. Cependant, vous voulez bien appeler mes* Contes à Ninon *de « petits chefs-d'œuvre »; c'est là certainement un éloge, et je vous en remercie.*

« *A la vérité, j'ai encore chez moi des œuvres qui sont beaucoup plus remarquables que les* Contes à Ninon; *ce sont mes anciennes narrations de collège, conservées au fond d'un tiroir. J'ai même mon premier cahier d'écriture, où les bâtons ont déjà un mérite littéraire bien supérieur à celui de mes derniers romans.*

« *Je plaisante, monsieur, pour ne pas trop m'attrister. Mes amis — j'en ai quelques-uns, je vous l'affirme, — mes amis, devant l'étonnante attitude de la critique qui se rue sur l'Assommoir avant même que le livre ait paru, me conseillent de me défendre, de répondre, d'expliquer le livre. Quant à moi, j'estime que les livres doivent s'expliquer d'eux-mêmes. Dans l'Assommoir, qui, d'ailleurs, tient à tout un ensemble d'œuvres, il n'y a qu'une simple question d'art, une question de peinture exacte, doublée d'une question de philologie. Je n'y ai pas mis autre chose pour mon compte, et je suis le premier stupéfait des étranges découvertes que la critique prétend y faire.*

« *Je laisse volontiers à la critique le temps de mieux me lire. Depuis dix ans, j'attends d'elle un peu de justice. Je crois avoir, il est vrai, une force sur elle, c'est que je travaille et que je sais très nettement où je veux aller, tandis que je la soupçonne d'être peu studieuse et de battre singulièrement la campagne. Peut-être faut-il que le vaste ensemble de romans auquel je me suis consacré soit terminé complètement, pour qu'on le comprenne et qu'on le juge. Et j'attendrai très bien dix ans encore, car je suis bronzé maintenant et j'ai renoncé à toutes les glorioles que les esprits aimables cueillent dans le joli chemin du succès.*

« *Veuillez agréer, monsieur, l'assurance de mes sentiments les plus distingués.*

Émile Zola.

S'agissant d'un roman sur le peuple, écrit pour le peuple, Zola s'est, plus que dans aucun autre de ses romans, attaché au problème du style, parce qu'il fallait parler comme le peuple. S'il est un style élaboré, c'est bien celui de ces six cents pages où s'entrecroisent sans hiatus les répliques des personnages et les interventions de l'auteur, qui engage ainsi un dialogue au fil invisible avec ses héros. Il parvient même parfois à une sorte de mimétisme de la réaction verbale qui le conduit à la confusion habile et voulue des rôles d'observateur et d'observé.

Zola, ici, transcende le naturalisme, parce qu'il va au-delà du document et qu'il est participant sans restriction : il EST Gervaise et il voit les autres à travers les yeux de Gervaise, les justifie ou les accable avec les arguments de Gervaise. Les notes sur les personnages sont significatives, pensons-nous, à cet égard. Ainsi, Lantier est « l'ouvrier en paletot (sans un sou d'ailleurs) qui se pique le nez proprement, parle politique, lit les journaux..., (...) affectant des airs supérieurs, se fait entretenir ».

L'homme est franchement déplaisant pour un bourgeois lucide et raisonnable, qui sait ce qu'il en coûte aux petites filles de se laisser prendre aux faux-semblants d'un paletot et d'une conversation choisie... Une Gervaise Macquart, élevée parmi les brutes, aurait-elle pu, dans la terrible logique des classes, ne pas juger le moine à l'habit et ne pas prendre pour diamant le clinquant des formules toutes faites ? Elle a payé. Coupeau, prévoit Zola, est « agréable quand il est jeune, gouailleur, noceur, d'un toupet infernal, pas méchant diable, chantant, rigolo, puis très vite déformé par le métier, s'encanaillant rapidement, (...) ». Abandonnée par le phraseur aux moustaches cosmétiquées comme l'esprit, Gervaise pouvait-elle ne pas trouver reposant et sûr le rigolo loyal et sans prétention qui lui offre une prune chez le père Colombe et manifeste une répulsion sincère pour l'alcool ? Et quand, après l'accident, Coupeau s'aveulira, pourrait-elle ne pas regretter l'autre, tout en accordant son cœur resté disponible à Goujet « le beau forgeron » ?

Lorilleux est « méchant », Mme Lorilleux « très laide, la femme de son mari »... Seraient-ils ainsi s'ils avaient accueilli moins durement Gervaise quand Coupeau la leur présente ? Mme Boche serait-elle une commère, si elle n'avait provoqué par ses cancans de fausse bonne grosse la scène du lavoir et précipité le destin de Gervaise ?

Pour M. Albérès, dans la présentation qu'il fait de l'Assommoir (édition Tchou), la structure du roman est celle d'une tragédie classique, avec la fatalité partout présente, tout intérieure et toute personnelle et il constate l'homogénéité de la création. Certes. Mais il s'agit d'une tragédie du peuple, avec une fatalité pour le peuple, des personnages du peuple, un décor à l'usage du peuple et des péripéties qui ne concernent que le peuple. Dans la tragédie classique, il y a un mouvement ascensionnel : la mort même y devient un sommet. Dans l'Assommoir, il n'y a que des descentes et la mort n'est qu'une chute ignominieuse. La structure d'une tragédie est en dents de scie, strictement composée avec pauses et reprises. La structure de l'Assommoir est linéaire, en pente vers un déclin qui s'accélère à mesure que le dénouement approche. Il n'y a même pas de séparation en parties pour prendre de recul. On étouffe, coincé dans cette atmosphère irrespirable, où tout devient étriqué, petit, misérable, où les valeurs sont sans rapport avec celles auxquelles on avait été habitué, où il n'y a plus de limite entre le bien et le mal, parce qu'il n'y a plus ni bien ni mal. On ne fait pas de métaphysique quand on a touché le fond de la détresse physique, qui paralyse et englue. Tout est ordonné autour de cette forme de misère qui est une dégradation. Tout devient dérisoire. La religion, quand il en est question, est une religion de pauvre. On se marie à la sauvette, on communie à la débandade, on dépêche dans un monde qui ne peut être que meilleur avec quelques bredouillis de prières et personne ne songerait à se formaliser quand Coupeau, qui a compris comment on traitait l' « éminente dignité des pauvres », demande au curé qui l'unira à Gervaise s'il n'aurait pas une messe d'occasion. Leur messe à eux sera manquée, comme leur mariage, comme leur vie, comme leur mort, comme leurs amours, comme leurs joies. La mairie, d'ailleurs, ne les traite pas mieux que l'église. Ils sont les parias, les refoulés. Aussi se construisent-ils un univers à eux, qui est une mascarade, une sorte de contre-univers, où il n'y a que des envers. Ils ont leur religion à eux : le plaisir d'une paresse abondamment arrosée, un temple : l'Assommoir du père Colombe, un dieu : l'alcool à bon marché, une ville dans la ville : le quartier de la Goutte-d'Or, dont M. Stefan Max disait :

« Mais dans le symbole de ce quartier-tragique miroir, à part l'engendrement de la haine de soi par le spectacle de sa propre misère, il y a également l'objectivation du moi — le moi considéré non comme sujet mais comme objet. Cependant, Zola ne pense pas comme Sartre par concepts philosophiques, mais par images; et celle du dédoublement d'un être contemplant son ombre, son quartier, la bête qui lui ressemble et l'observe en silence doit s'interpréter comme une désarticulation de l'être, comme une faille dans l'univers de l'être par où la mort trouverait à se glisser pour le désagréger, en enlever peu à peu la substance » (les Métamorphoses de la Grande Ville, Paris, 1967).

Univers désarticulé, comme Gervaise elle-même, la Banban dont ricane Mme Lorilleux, qui marche droit mais pense mal. Personnage central du roman, Gervaise est en même temps et paradoxalement ambiguë et symbolique. Sa simplicité de bonne fille, pâte molle et prête à tout céder pour avoir la paix, est tout apparente et pourrait expliquer que l'on ait prêté à Zola une psychologie courte. En réalité, elle se prête beaucoup aux autres pour mieux se replier sur elle-même. Cette jouisseuse aurait besoin de se replier sur elle-même pour mieux prendre ses distances vis-à-vis des autres qu'elle méprise sous l'accueil de son sourire. Jacques Dubois a proposé une analyse intéressante de ce double mouvement dans une étude de quelques structures de l'Assommoir : « les Refuges de Gervaise, Pour un décor symbolique de l'Assommoir » (Cahiers naturalistes, n° 30, 1965, p. 108) :

L'Assommoir et *la Fille Élisa*, dessin de Pépin pour *le Grelot*, en 1877, l'année des deux romans. « Mon Assommoir va paraître dans une quinzaine de jours », écrit Zola à Flaubert le 3 janvier 1877. « ... Goncourt a complètement terminé sa fille Élisa. Seulement il ne veut paraître qu'en avril, sans doute pour laisser l'Assommoir essuyer les plâtres. »

Médan, photographie de Zola, qui acheta la maison en 1878 grâce au succès de *l'Assommoir*. Ci-dessous le romancier avec son chien, à Médan, vers 1880.

« Refuge *est un de ces termes qui possèdent deux faces : ce que l'on fuit et vers où l'on fuit, la face négative et la face positive. Ce que fuit Gervaise, c'est de toute évidence les forces hostiles de son milieu. Non qu'elle refuse absolument de les affronter, mais elle désire ne le faire qu'en lieu clos, dans un* « local » *fait à ses mesures, au sein d'un univers apprivoisé par elle, — ici, sa boutique. Tandis qu'à l'extérieur elle voit fondre ses pauvres ressources morales tant son être se disperse, chez elle, elle peut édifier un monde hors du monde, un monde dense et plein où, entre des moments de courage et de lutte, elle s'abandonne tout à loisir à elle-même (et quelquefois aux autres...) et connaît une sorte de béatitude. Ainsi apparaît la face positive du refuge. »*

Un de ces refuges est peut-être cet « air raisonnable » qu'à diverses reprises lui prête Zola. Ce n'est que peu à peu qu'elle confondra résignation avec raison et, jusque dans sa déchéance, elle conserve une sorte de conception mythique du bonheur. Or ses prétentions étaient, elles aussi, raisonnables, et réduites au minimum indispensable : n'être pas battue, avoir un lit pour dormir et manger à peu près à sa faim. Elle sait d'expérience que l'amour-passion est réservé aux riches, à ceux qui n'ont que ça à faire et elle se fût trouvée comblée par un amour tranquille, sans histoire. Lantier et elle, lors de la reprise de la liaison, « couchottent à la papa ». Physiologie, hygiène, rien de plus. Mais, pour Goujet, « c'était une tendresse raisonnable, ne songeant pas aux vilaines choses, parce qu'il vaut encore mieux garder la tranquillité, quand on peut s'arranger pour être heureux, tout en restant tranquille ». C'est une conception réaliste d'un bonheur sans péril. Gervaise est vertueuse comme on peut l'être rue de la Goutte-d'Or et sa dégradation prend, de la sorte, une valeur de symbole. Les faits comportent leur leçon beaucoup plus que des commentaires marginaux. L'univers de Gervaise, donc de l'Assommoir, *qu'elle domine de sa grâce claudicante, est peuplé de signes et elle sait les interpréter :* ainsi que le note Stefan Max, *le ruisseau qui passe devant chez elle prend la couleur de ses pensées et,* rose quand elle s'installe, dans l'allégresse, il devient noir le jour de sa mort. Double symbole : la nature pour les misérables est limitée à un ruisseau ou à la boue qui crotte les robes le jour des noces. Le naturalisme de l'Assommoir n'est, à tout prendre, qu'un romantisme à l'envers. A chaque instant se profile le Destin, mais il grimace, ricane et s'interpose en grotesque de mascarade. Le père Bazouge, rencontré le soir du mariage, apparaît périodiquement pour donner, de sa voix d'ivrogne répugnant, sinistrement plaisantin, des avertissements. Avec lui, la Mort passe et, grossièrement, la Camarde fait camarade.

Quand Coupeau, encore vertueux, prend dans ses bras Nana naissante, il l'invite, comme mû par un pressentiment, à ne pas faire la gourgandine. Quand, quelques années plus tard, il tombera de son toit, il y aura, embusquée, une petite vieille, toute frémissante d'espoir, qui attendait l'accident, et semble presque le provoquer. Quand Gervaise, triomphante et fière de sa victoire sur le sort, vient pour signer le bail qui fait d'elle une boutiquière à son compte, il est question d'expulser un mauvais payeur.

Chaque moment de détente est gâché par un événement qui pèsera par la suite sur la destinée de Gervaise : ainsi, au repas d'anniversaire, longuement préparé, dans la joie, comme une revanche sur les mauvais jours passés, arrive Lantier qui est le signe extérieur de la chute. A partir de là, nous n'assisterons plus qu'à une série de dégringolades.

Beaucoup d'autres aspects auraient pu être, légitimement, dégagés : il nous a paru préférable de nous en tenir à ce qui était vraiment nouveau dans l'Assommoir, parce que cette nouveauté explique, sans pour autant la justifier, la critique de l'époque. Zola avait été trop en avance sur son temps pour être compris et les laudateurs ne virent pas beaucoup plus clair que les opposants. On fit de part et d'autre un procès d'intention, quand il y avait une forme d'art nouvelle. Attaqué sur le fond, Zola se défendit sur le fond et, le 13 février 1877, il adressait au directeur du Bien public *une longue lettre où, après avoir dénoncé un certain romantisme des républicains, il déclarait :*

« *J'affirme donc que j'ai fait une œuvre utile en analysant un certain coin du peuple, dans l'Assommoir. J'y ai étudié la déchéance d'une famille ouvrière, le père et la mère tournant mal, la fille se gâtant par le mauvais exemple, par l'influence fatale de l'éducation et du milieu. J'ai fait ce qu'il y avait à faire : j'ai montré des plaies, j'ai éclairé violemment des souffrances et des vices, que l'on peut guérir. Les politiques idéalistes jouent d'un médecin qui jetterait des fleurs sur l'agonie de ses clients. J'ai préféré étaler cette agonie. Voilà comment on vit et comment on meurt. Je ne suis qu'un greffier qui me défends de conclure. Mais je laisse aux moralistes et aux législateurs le soin de réfléchir et de trouver les remèdes.*
« *Si l'on voulait me forcer absolument à conclure, je dirais que tout l'Assommoir peut se résumer dans cette formule : Fermez les cabarets, ouvrez les écoles. L'ivrognerie dévore le peuple. Consultez les statistiques, allez dans les hôpitaux, faites une enquête, vous verrez si je mens. L'homme qui tuerait l'ivrognerie ferait plus pour la France que Charlemagne et Napoléon. J'ajouterai encore : Assainissez les faubourgs et augmentez les salaires. La question du logement est capitale; les puanteurs de la rue, l'escalier sordide, l'étroite chambre où dorment pêle-mêle les pères et les filles, les frères et les sœurs, sont la grande cause de la dépravation des faubourgs. Le travail écrasant qui rapproche l'homme de la brute, le salaire insuffisant qui décourage et fait chercher l'oubli, achèvent d'emplir les cabarets et les maisons de tolérance. Oui, le peuple est ainsi, mais parce que la société le veut bien.* »

Après avoir analysé chacun de ses personnages, Zola conclut :

« *J'ai dit la vérité, j'ai fourni des documents sur les misères et sur les chutes fatales de la classe ouvrière, je suis venu en aide aux politiques naturalistes qui sentent le besoin d'étudier les hommes avant de les servir. Sans la méthode, sans l'analyse, sans la vérité, il n'y a pas plus de politique que de littérature possible, aujourd'hui.*
« *Et, d'ailleurs, il est absolument faux que l'Assommoir soit un égout où ne grouillent que des êtres pourris et malfaisants. Je le nie de toute ma force. On est dépaysé par la forme vraie, on ne peut admettre un art qui ne ment pas; de là les répugnances des lecteurs devant les détails qu'ils subissent cependant sans dégoût dans la vie de tous les jours. Je porte la vie dans mes livres; il faut l'y accepter tout entière. La vie des ducs, comme la vie des zingueurs, aurait des côtés qui pourraient blesser, mais que je croirais devoir mettre, par respect du réel.* »

Le 18 mars, c'est au Télégraphe *qu'il écrivait, en réponse à ceux qui l'accusaient de plagiat :*

« *Monsieur,*
« *Il est très vrai que j'ai pris dans* le Sublime *quelques renseignements. Mais vous oubliez de dire que le* Sublime *n'est pas une œuvre d'imagination, un roman : c'est un livre de documents dont l'auteur cite des mots entendus et des faits vrais. Lui emprunter quelque chose, c'est l'emprunter à la réalité. Puisque l'occasion se présente, je n'en suis pas moins heureux de le remercier publiquement des mots d'argot que son ouvrage m'a fournis, des noms réels que j'ai pu y choisir et des faits que je me suis permis d'y prendre. Les livres sur les ouvriers sont rares. Celui de M. Denis Poulot est un des plus intéressants que je me sois procurés. Plusieurs de mes confrères l'avaient déjà lu avec fruit, sans que personne ait songé à s'en plaindre.*
« *D'ailleurs, monsieur, pendant que vous m'accusiez de plagiat, vous pourriez pousser vos recherches plus loin. Je vous indiquerai d'autres sources où j'ai puisé aussi largement, par exemple, les ouvrages de M. Jules Simon et ceux de M. Leroy-Beaulieu. Jusqu'à présent on m'a accusé de mentir dans l'Assommoir : voilà maintenant qu'on va me foudroyer parce qu'on s'aperçoit que je me suis appuyé sur les documents les plus sérieux. Tous mes romans sont écrits de la sorte; je m'entoure d'une bibliothèque et d'une montagne de notes avant de prendre la plume. Cherchez mes plagiats dans mes précédents ouvrages, monsieur, et vous ferez de belles découvertes.*
« *Je m'étonne que les auteurs de dictionnaires d'argot que j'ai eus dans les mains ne m'aient pas encore accusé de les avoir pillés.*

« *Je m'étonne surtout que le docteur V. Magnan ne m'ait pas fait un procès pour avoir emprunté tant de passages à son beau livre :* De l'alcoolisme. *Mon Dieu, oui. J'ai pris dans ce livre tout le* delirium tremens *de Coupeau : j'ai copié des phrases que le docteur a entendues dans la bouche de certains alcoolisés; j'ai suivi ses observations de savant pas à pas et, certes, si vous voulez bien comparer l'*Assommoir *à son ouvrage, vous trouverez la matière d'un nouveau réquisitoire.*

« *Vous ne me connaissez pas, monsieur, mon passé littéraire m'aurait permis de ne pas répondre. Il ne peut venir à la pensée de personne que je sois un plagiaire. C'est là une invention comique. Je prends mes documents où je les trouve, et je crois les faire miens. Le plan de l'*Assommoir *a été arrêté en 1869, avant même que le* Sublime *ait paru.*

« *Si la mode avait encore été d'indiquer, à la fin des romans, les sources, croyez bien que j'aurais cité l'ouvrage de M. Denis Poulot, avec beaucoup d'autres.*

« *Mais ce qui est bien à moi, ce sont mes personnages, ce sont mes scènes, c'est la vie de mon œuvre, et cela, c'est l'*Assommoir *tout entier...* »

Les attaques, cependant, se multipliaient, et il est difficile de se faire une idée exacte de la polémique soulevée par le roman qui, d'emblée, mettait Zola au tout premier rang de l'actualité. On ne saurait trop conseiller, sur ce point, le livre de Léon Deffoux, la Publication de « l'Assommoir », déjà ancien, mais qui donne un certain nombre d'extraits de presse. L'image s'empara bientôt du sujet, ainsi que la chanson populaire, en attendant que l'adaptation au théâtre donnât à des faïenciers l'idée de fabriquer une série de douze assiettes représentant douze scènes de la Geste de Gervaise, découpage qui devait être repris plus d'un demi-siècle plus tard au cinéma !

Les pairs de Zola, plus perspicaces que les journalistes, flairèrent le chef-d'œuvre. On a lu en tête du premier volume le long et vigoureux article de Huysmans dans l'Actualité de Bruxelles. Mais il devait y avoir aussi, en dépit de leurs divergences, Paul Bourget qui, le 2 février, écrivait à Zola : « *(...) faites-nous encore quelques livres de cette force-là et vous serez le Balzac de la fin du siècle.... »*

Il y eut la lettre de Mallarmé dont les réserves intelligentes valaient les éloges superficiels de lecteurs trop pressés :

« *Mon cher confrère,*

« *Je viens de relire d'un trait l'*Assommoir *qui me manquait chaque dimanche en recevant* la République des Lettres, *depuis quelque temps. L'impression causée par chacun des morceaux était profonde; combien plus l'est celle du livre entier ! Merci doublement puisque c'est dans un exemplaire envoyé par vous que j'ai eu la joie de vous relire.*

« *Voilà une bien grande œuvre; et digne d'une époque où la vérité devient la forme populaire de la beauté! Ceux qui vous accusent de n'avoir pas écrit pour le peuple se trompent dans un sens, autant que ceux qui regrettent un idéal ancien; vous en avez trouvé un qui est moderne, c'est tout. La fin sombre du livre et votre admirable tentative linguistique, grâce à laquelle tant de modes d'expression souvent ineptes forgés par de pauvres diables prennent la valeur des plus belles formules littéraires puisqu'ils arrivent à nous faire sourire ou presque pleurer, nous lettrés! cela m'émeut au dernier point; est-ce chez moi disposition naturelle toutefois, ou réussite peut-être plus difficile encore de votre part, je ne sais ? mais le début du roman reste jusqu'à présent la portion que je préfère. La simplicité si prodigieusement sincère des descriptions de Coupeau travaillant ou de l'atelier de la femme me tiennent sous un charme que n'arrivent point à me faire oublier les tristesses finales : c'est quelque chose d'absolument nouveau dont vous avez doté la littérature, que ces pages si tranquilles qui tournent comme les jours d'une vie.*

« *Si je vous avais parlé au risque de vous ennuyer pendant une heure ou deux de tout ce que j'admire dans ce gros tome, je me laisserais aller à dire ensuite que la merveilleuse bataille du lavoir me paraît un peu un hors-d'œuvre, ou sortir du caractère de Gervaise et que Nana passe peut-être sans transition visible de la gamine vicieuse et chétive à la belle fille qu'elle devient; mais vous auriez si beau jeu de me répondre, que je n'insiste pas. Un rien; entre de pures fautes d'impression, j'ai relevé un lapsus d'œil ou de plume qui vous amusera : celui-ci, page 264, ligne dixième* « Entre Goujet tout noir, les deux femmes semblaient deux cocottes mouchetées ». *Or c'est lui qui était entre elles deux; n'est-ce pas ? Vous me pardonnez, en faveur de vieilles manies de bibliophile, que j'ai eues : cela vous prouve simplement qu'on vous a lu avec soin.*

« *Je suis, dans beaucoup de journaux, avec la joie qu'éprouve tout homme devant un déni de justice ancien, enfin réparé (car on finira par reparler de la* Curée, *de la* Faute de l'abbé Mouret, *etc., à propos de votre grand succès d'aujourd'hui), le revirement de la Critique à votre égard. Cela devait arriver, vous n'en doutiez pas vous-même. Au revoir ; recevez-vous toujours (sauf les soirs de premières) le jeudi ? Je serais bien heureux d'aller vous serrer la main chaleureusement : d'autant plus que j'ai par hasard si froid aux doigts de l'endroit où je vous écris ce bout de billet à la hâte, que je cesse illisible.*

Il y a le jugement de Flaubert, formulé dans une lettre à Mme des Genettes de février 1877 : « Il serait fâcheux de faire beaucoup de livres comme celui-là, mais il y a des parties superbes, une narration qui a de grandes allures et des vérités incontestables. C'est trop long dans la même gamme, *mais Zola est un gaillard d'une jolie force et vous verrez le succès qu'il aura.* »

Il ne se dépassera que dans Germinal.

Stéphane Mallarmé, par Manet.

Préface

Les Rougon-Macquart doivent se composer d'une vingtaine de romans. Depuis 1869, le plan général est arrêté, et je le suis avec une rigueur extrême. *L'Assommoir* est venu à son heure, je l'ai écrit, comme j'écrirai les autres, sans me déranger une seconde de ma ligne droite. C'est ce qui fait ma force. J'ai un but auquel je vais.

Lorsque *l'Assommoir* a paru dans un journal, il a été attaqué avec une brutalité sans exemple, dénoncé, chargé de tous les crimes. Est-il bien nécessaire d'expliquer ici, en quelques lignes, mes intentions d'écrivain ? J'ai voulu peindre la déchéance fatale d'une famille ouvrière, dans le milieu empesté de nos faubourgs. Au bout de l'ivrognerie et de la fainéantise, il y a le relâchement des liens de la famille, les ordures de la promiscuité, l'oubli progressif des sentiments honnêtes, puis comme dénouement la honte et la mort. C'est de la morale en action, simplement.

L'Assommoir est à coup sûr le plus chaste de mes livres. Souvent j'ai dû toucher à des plaies autrement épouvantables. La forme seule a effaré. On s'est fâché contre les mots. Mon crime est d'avoir eu la curiosité littéraire de ramasser et de couler dans un moule très travaillé la langue du peuple. Ah! la forme, là est le grand crime! Des dictionnaires de cette langue existent pourtant, des lettrés l'étudient et jouissent de sa verdeur, de l'imprévu et de la force de ses images [1]. Elle est un régal pour les grammairiens fureteurs. N'importe, personne n'a entrevu que ma volonté était de faire un travail purement philologique, que je crois d'un vif intérêt historique et social [2].

Je ne me défends pas, d'ailleurs. Mon œuvre me défendra. C'est une œuvre de vérité, le premier roman sur le peuple, qui ne mente pas et qui ait l'odeur du peuple. Et il ne faut point conclure que le peuple tout entier est mauvais, car mes personnages ne sont pas mauvais, ils ne sont qu'ignorants et gâtés par le milieu de rude besogne et de misère où ils vivent. Seulement, il faudrait lire mes romans, les comprendre, voir nettement leur ensemble, avant de porter les jugements tout faits, grotesques et odieux, qui circulent sur ma personne et sur mes

---

1. Zola s'est servi du *Dictionnaire de la langue verte* d'Alfred Delvau, Paris, Dentu, 1866, 2e édition 1867 et de *Question sociale. Le sublime ou le travailleur comme il est en 1870 et ce qu'il pourrait être* de Denis Poulot, Paris, Librairie internationale Lacroix et Verboeckhoven, 1870.
2. Zola répond ici aux attaques dont le roman a été l'objet dès sa parution en feuilleton (voir notre notice).

œuvres. Ah! si l'on savait combien mes amis
s'égayent de la légende stupéfiante dont on amuse
la foule! Si l'on savait combien le buveur de sang,
le romancier féroce, est un digne bourgeois, un
homme d'étude et d'art, vivant sagement dans son
coin, et dont l'unique ambition est de laisser une
œuvre aussi large et aussi vivante qu'il pourra! Je
ne démens aucun conte, je travaille, je m'en remets
au temps et à la bonne foi publique pour me découvrir enfin sous l'amas des sottises entassées.

Paris, le 1er janvier 1877.

Émile Zola.

Zola et l'*Assommoir* en 1877, caricature d'André Gill.

L'ASSOMMOIR

Gervaise attendant Lantier.

1

Gervaise avait attendu Lantier jusqu'à deux heures du matin. Puis, toute frissonnante d'être restée en camisole à l'air vif de la fenêtre, elle s'était assoupie, jetée en travers du lit, fiévreuse les joues trempées de larmes. Depuis huit jours, au sortir du Veau à Deux Têtes, où ils mangeaient, il l'envoyait se coucher avec les enfants et ne reparaissait que tard dans la nuit, en racontant qu'il cherchait du travail. Ce soir-là, pendant qu'elle guettait son retour, elle croyait l'avoir vu entrer au bal du Grand-Balcon [3], dont les dix fenêtres flambantes éclairaient d'une nappe d'incendie la coulée noire des boulevards extérieurs; et, derrière lui, elle avait aperçu la petite Adèle, une brunisseuse qui dînait à leur restaurant, marchant à cinq ou six pas, les mains ballantes comme si elle venait de lui quitter le bras pour ne pas passer ensemble sous la clarté crue des globes de la porte.

Quand Gervaise s'éveilla, vers cinq heures, raidie, les reins brisés, elle éclata en sanglots. Lantier n'était pas rentré. Pour la première fois, il découchait. Elle resta assise au bord du lit, sous le lambeau de perse déteinte qui tombait de la flèche attachée au plafond par une ficelle. Et, lentement, de ses yeux voilés de larmes, elle faisait le tour de la misérable chambre garnie, meublée d'une commode de noyer dont un tiroir manquait, de trois chaises de paille et d'une petite table graisseuse, sur laquelle traînait un pot à eau ébréché. On avait ajouté, pour les enfants, un lit de fer qui barrait la commode et emplissait les deux tiers de la pièce. La malle de Gervaise et de Lantier, grande ouverte dans un coin, montrait ses flancs vides, un vieux chapeau d'homme tout au fond, enfoui sous des chemises et des chaussettes sales; tandis que, le long des murs, sur le dossier des meubles, pendaient un châle troué, un pantalon mangé par la boue, les dernières nippes dont les marchands d'habits ne voulaient pas. Au milieu de la cheminée, entre deux flambeaux de zinc dépareillés, il y avait un paquet de reconnaissances du mont-de-piété, d'un rose tendre. C'était la belle chambre de l'hôtel, la chambre du premier, qui donnait sur le boulevard.

Cependant, couchés côte à côte sur le même oreiller, les deux enfants dormaient. Claude, qui avait huit ans, ses petites mains rejetées hors de la couverture, respirait d'une haleine lente, tandis

Coupeau, par André Gill, première édition illustrée.
« Prendre pour type l'ouvrier parisien... agréable quand il est jeune, gouailleur, noceur, d'un toupet infernal, pas méchant diable, chantant, gai, rigolo, puis très vite déformé par le métier, s'encanaillant rapidement. »

3. Bal situé à l'entrée du boulevard de la Chapelle.

qu'Étienne, âgé de quatre ans seulement, souriait, un bras passé au cou de son frère [4]. Lorsque le regard noyé de leur mère s'arrêta sur eux, elle eut une nouvelle crise de sanglots, elle tamponna un mouchoir sur sa bouche pour étouffer les légers cris qui lui échappaient. Et, pieds nus, sans songer à remettre ses savates tombées, elle retourna s'accouder à la fenêtre, elle reprit son attente de la nuit, interrogeant les trottoirs, au loin.

L'hôtel se trouvait sur le boulevard de la Chapelle, à gauche de la barrière Poissonnière [5]. C'était une masure de deux étages, peinte en rouge lie-de-vin jusqu'au second, avec des persiennes pourries par la pluie. Au-dessus d'une lanterne aux vitres étoilées, on parvenait à lire, entre les deux fenêtres : *Hôtel Boncœur, tenu par Marsoullier*, en grandes lettres jaunes, dont la moisissure du plâtre avait emporté des morceaux. Gervaise, que la lanterne gênait, se haussait, son mouchoir sur les lèvres. Elle regardait à droite, du côté du boulevard de Rochechouart, où des groupes de bouchers, devant les abattoirs, stationnaient en tabliers sanglants; et le vent frais apportait une puanteur par moments, une odeur fauve de bêtes massacrées. Elle regardait à gauche, enfilant un long ruban d'avenue, s'arrêtant, presque en face d'elle, à la masse blanche de l'hôpital de Lariboisière, alors en construction. Lentement, d'un bout à l'autre de l'horizon, elle suivait le mur de l'octroi, derrière lequel, la nuit, elle entendait parfois des cris d'assassinés; et elle fouillait les angles écartés, les coins sombres, noirs d'humidité et d'ordure, avec la peur d'y découvrir le corps de Lantier, le ventre troué de coups de couteau. Quand elle levait les yeux, au-delà de cette muraille grise et interminable qui entourait la ville d'une bande de désert, elle apercevait une grande lueur, une poussière de soleil, pleine déjà du grondement matinal de Paris. Mais c'était toujours à la barrière Poissonnière qu'elle revenait, le cou tendu, s'étourdissant à voir couler, entre les deux pavillons trapus de l'octroi, le flot ininterrompu d'hommes, de bêtes, de charrettes, qui descendait des hauteurs de Montmartre et de la Chapelle. Il y avait là un piétinement de troupeau, une foule que de brusques arrêts étalaient en mares sur la chaussée, un défilé sans fin d'ouvriers allant au travail, leurs outils sur le dos, leur pain sous le bras; et la cohue s'engouffrait dans

Paris où elle se noyait, continuellement. Lorsque Gervaise, parmi tout ce monde, croyait reconnaître Lantier, elle se penchait davantage, au risque de tomber; puis, elle appuyait plus fortement son mouchoir sur sa bouche, comme pour renfoncer sa douleur.

Une voix jeune et gaie lui fit quitter la fenêtre.

— Le bourgeois [6] n'est donc pas là, madame Lantier.

— Mais non, monsieur Coupeau, répondit-elle en tâchant de sourire.

C'était un ouvrier zingueur qui occupait, tout en haut de l'hôtel, un cabinet de dix francs. Il avait son sac passé à l'épaule. Ayant trouvé la clef sur la porte, il était entré, en ami.

— Vous savez, continua-t-il, maintenant, je travaille là, à l'hôpital... Hein! quel joli mois de mai! Ça pique dur, ce matin.

Et il regardait le visage de Gervaise, rougi par les larmes. Quand il vit que le lit n'était pas défait, il hocha doucement la tête; puis, il vint jusqu'à la couchette des enfants qui dormaient toujours avec leurs mines roses de chérubins; et, baissant la voix :

— Allons! le bourgeois n'est pas sage, n'est-ce pas ?... Ne vous désolez pas, madame Lantier. Il s'occupe beaucoup de politique; l'autre jour, quand on a voté pour Eugène Sue [7], un bon, paraît-il, il était comme un fou. Peut-être bien qu'il a passé la nuit avec des amis à dire du mal de cette crapule de Bonaparte.

— Non, non, murmura-t-elle avec effort, ce n'est pas ce que vous croyez. Je sais où est Lantier... Nous avons nos chagrins comme tout le monde, mon Dieu!

Coupeau cligna les yeux, pour montrer qu'il n'était pas dupe de ce mensonge. Et il partit, après lui avoir offert d'aller chercher son lait, si elle ne voulait pas sortir : elle était une belle et brave femme, elle pouvait compter sur lui, le jour où elle serait dans la peine. Gervaise, dès qu'il se fut éloigné, se remit à la fenêtre.

A la barrière, le piétinement de troupeau continuait, dans le froid du matin. On reconnaissait les serruriers à leurs bourgerons bleus, les maçons à leurs cottes blanches, les peintres à leurs paletots, sous lesquels de longues blouses passaient. Cette foule, de loin, gardait un effacement plâtreux, un ton neutre, où dominaient le bleu déteint et le gris sale. Par moments, un ouvrier s'arrêtait, rallumait sa pipe, tandis qu'autour de lui les autres mar-

---

4. Gervaise a ici deux fils, Claude et Étienne. Jacques sera « inventé » plus tard, sans autre justification, quand Zola écrira *la Bête humaine*.
5. La barrière Poissonnière se trouvait à l'angle du boulevard Rochechouart et du boulevard de la Chapelle.

6. « Patron, dans l'argot des ouvriers » (Delvau).
7. Romancier populaire, Eugène Sue (1804-1857) fut élu député de Paris le 28 avril 1850, ce qui situe le roman.

chaient toujours, sans un rire, sans une parole dite à un camarade, les joues terreuses, la face tendue vers Paris, qui, un à un, les dévorait, par la rue béante du Faubourg-Poissonnière. Cependant, aux deux coins de la rue des Poissonniers, à la porte des deux marchands de vin qui enlevaient leurs volets, des hommes ralentissaient le pas; et, avant d'entrer, ils restaient au bord du trottoir, avec des regards obliques sur Paris, les bras mous, déjà gagnés à une journée de flâne. Devant les comptoirs, des groupes s'offraient des tournées, s'oubliaient là, debout, emplissant les salles, crachant, toussant, s'éclaircissant la gorge à coups de petits verres.

Gervaise guettait, à gauche de la rue, la salle du père Colombe, où elle pensait avoir vu entrer Lantier, lorsqu'une grosse femme, nu-tête, en tablier, l'interpella du milieu de la chaussée.

— Dites donc, madame Lantier, vous êtes bien matinale!

Gervaise se pencha.

— Tiens! c'est vous, madame Boche!... Oh! j'ai un tas de besogne, aujourd'hui!

— Oui, n'est-ce pas? les choses ne se font pas toutes seules.

Et une conversation s'engagea, de la fenêtre au trottoir. Mme Boche était concierge de la maison dont le restaurant du Veau à Deux Têtes occupait le rez-de-chaussée. Plusieurs fois, Gervaise avait attendu Lantier dans sa loge, pour ne pas s'attabler seule avec tous les hommes qui mangeaient, à côté. La concierge raconta qu'elle allait à deux pas, rue de la Charbonnière, pour trouver au lit un employé, dont son mari ne pouvait pas tirer le raccommodage d'une redingote. Ensuite, elle parla d'un de ses locataires qui était rentré avec une femme, la veille, et qui avait empêché le monde de dormir, jusqu'à trois heures du matin. Mais, tout en bavardant, elle dévisageait la jeune femme, d'un air de curiosité aiguë; et elle semblait n'être venue là, se poser sous la fenêtre, que pour savoir.

— Monsieur Lantier est donc encore couché? demanda-t-elle brusquement.

— Oui, il dort, répondit Gervaise, qui ne put s'empêcher de rougir.

Mme Boche vit les larmes lui remonter aux yeux; et, satisfaite sans doute, elle s'éloignait en traitant les hommes de sacrés fainéants, lorsqu'elle revint, pour crier:

— C'est ce matin que vous allez au lavoir, n'est-ce pas?... J'ai quelque chose à laver, je vous garderai une place à côté de moi, et nous causerons.

Puis, comme prise d'une subite pitié:

— Ma pauvre petite, vous feriez bien mieux de ne pas rester là, vous prendrez du mal... Vous êtes violette.

Gervaise s'entêta encore à la fenêtre pendant deux mortelles heures, jusqu'à huit heures. Les boutiques s'étaient ouvertes. Le flot de blouses [8] descendant des hauteurs avait cessé; et seuls quelques retardataires franchissaient la barrière à grandes enjambées. Chez les marchands de vin, les mêmes hommes, debout, continuaient à boire, à tousser et à cracher. Aux ouvriers avaient succédé les ouvrières, les brunisseuses, les modistes, les fleuristes, se serrant dans leurs minces vêtements, trottant le long des boulevards extérieurs; elles allaient par bandes de trois ou quatre, causaient vivement, avec de légers rires et des regards luisants jetés autour d'elles; de loin en loin, une, toute seule, maigre, l'air pâle et sérieux, suivait le mur de l'octroi, en évitant les coulées d'ordures. Puis, les employés étaient passés, soufflant dans leurs doigts, mangeant leur pain d'un sou en marchant; des jeunes gens efflanqués, aux habits trop courts, aux yeux battus, tout brouillés de sommeil; de petits vieux qui roulaient sur leurs pieds, la face blême, usée par les longues heures du bureau, regardant leur montre pour régler leur marche à quelques secondes près. Et les boulevards avaient pris leur paix du matin; les rentiers du voisinage se promenaient au soleil; les mères, en cheveux, en jupes sales, berçaient dans leurs bras des enfants au maillot, qu'elles changeaient sur les bancs; toute une marmaille mal mouchée, débraillée, se bousculait, se traînait par terre, au milieu de piaulements, de rires et de pleurs. Alors, Gervaise se sentit étouffer, saisie d'un vertige d'angoisse, à bout d'espoir; il lui semblait que tout était fini, que les temps étaient finis, que Lantier ne rentrerait plus jamais. Elle allait, les regards perdus, des vieux abattoirs noirs de leur massacre et de leur puanteur, à l'hôpital neuf, blafard, montrant, par les trous encore béants de ses rangées de fenêtres, des salles nues où la mort devait faucher [9]. En face d'elle, derrière le mur de l'octroi, le ciel éclatant, le lever de soleil qui grandissait au-dessus du réveil énorme de Paris, l'éblouissait.

La jeune femme était assise sur une chaise, les mains abandonnées, ne pleurant plus, lorsque Lantier entra tranquillement.

8. Les blouses désignent les ouvriers par opposition aux paletots, qui désignent les bourgeois.
9. Il s'agit de l'hôpital Lariboisière.

Le peuple sur le boulevard extérieur

Beaucoup de femmes en cheveux, quelques unes en bonnet, beaucoup en filets; des caracos, des tabliers, des jupes molles, tombant droit. Une débandade d'enfants mal mouchés, quelques uns propres, beaucoup sales. Les jeux, la corde, etc. — Des femmes assises avec des enfants au bras, au sein. — Des ouvrières propres, presque coquettes qui ~~pas~~ rubans; les paniers, les ~~briques~~ ~~paquets~~, les crochets. — Des ouvriers en blouse, en bourgeron, en paletot. Les uns portent des outils, les autres les bras ballants, quelques uns portent des enfants — Les femmes en course pour le dîner. ~~Des voitures~~, des tapissières et des haquets rentrant à vide. Les omnibus et les fiacres, plus tard.

— C'est toi! c'est toi! cria-t-elle, en voulant se jeter à son cou.

— Oui, c'est moi. Après? répondit-il. Tu ne vas pas commencer tes bêtises, peut-être!

Il l'avait écartée. Puis, d'un geste de mauvaise humeur, il lança à la volée son chapeau de feutre noir sur la commode. C'était un garçon de vingt-six ans, petit, très brun, d'une jolie figure, avec de minces moustaches, qu'il frisait toujours d'un mouvement machinal de la main. Il portait une cotte d'ouvrier, une vieille redingote tachée, qu'il pinçait à la taille et avait en parlant un accent provençal très prononcé [10].

Gervaise, retombée sur la chaise, se plaignait doucement, par courtes phrases.

— Je n'ai pas pu fermer l'œil... Je croyais qu'on t'avait donné un mauvais coup... Où es-tu allé? où as-tu passé la nuit? Mon Dieu! ne recommence pas, je deviendrais folle... Dis, Auguste, où es-tu allé?

— Où j'avais affaire, parbleu! dit-il avec un haussement d'épaules. J'étais à huit heures à la Glacière, chez cet ami qui doit monter une fabrique de chapeaux. Je me suis attardé. Alors, j'ai préféré coucher... Puis, tu sais, je n'aime pas qu'on me moucharde [11]. Fiche-moi la paix!

La jeune femme se remit à sangloter. Les éclats de voix, les mouvements brusques de Lantier, qui culbutait les chaises, venaient de réveiller les enfants. Ils se dressèrent sur leur séant, demi-nus, débrouillant leurs cheveux de leurs petites mains; et, entendant pleurer leur mère, ils poussèrent des cris terribles, pleurant eux aussi de leurs yeux à peine ouverts.

— Ah! voilà la musique! s'écria Lantier furieux. Je vous avertis, je reprends la porte, moi! Et je file pour tout de bon, cette fois... Vous ne voulez pas vous taire? Bonsoir! je retourne d'où je viens.

Il avait déjà repris son chapeau sur la commode. Mais Gervaise se précipita, balbutiant:

— Non, non!

Et elle étouffa les larmes des petits sous des caresses. Elle baisait leurs cheveux, elle les recouchait avec des paroles tendres. Les petits, calmés tout d'un coup, riant sur l'oreiller, s'amusèrent à se pincer. Cependant, le père, sans même retirer ses bottes, s'était jeté sur le lit, l'air éreinté, la face marbrée par une nuit blanche. Il ne s'endormit pas, il resta les yeux grands ouverts, à faire le tour de la chambre.

— C'est propre, ici! murmura-t-il.

Puis, après avoir regardé un instant Gervaise, il ajouta méchamment:

— Tu ne te débarbouilles donc plus?

Gervaise n'avait que vingt-deux ans [12]. Elle était grande, un peu mince, avec des traits fins, déjà tirés par les rudesses de la vie. Dépeignée, en savates, grelottant sous sa camisole blanche où les meubles avaient laissé de leur poussière et de leur graisse, elle semblait vieillie de dix ans par les heures d'angoisse et de larmes qu'elle venait de passer. Le mot de Lantier la fit sortir de son attitude peureuse et résignée.

— Tu n'es pas juste, dit-elle en s'animant. Tu sais bien que je fais tout ce que je peux. Ce n'est pas ma faute, si nous sommes tombés ici... Je voudrais te voir, avec les deux enfants, dans une pièce où il n'y a pas même un fourneau pour avoir de l'eau chaude... Il fallait, en arrivant à Paris, au lieu de manger ton argent, nous établir tout de suite, comme tu l'avais promis.

— Dis donc! cria-t-il, tu as croqué le magot avec moi; ça ne te va pas, aujourd'hui, de cracher sur les bons morceaux!

Mais elle ne parut pas l'entendre, elle continua:

— Enfin, avec du courage, on pourra encore s'en tirer... J'ai vu, hier soir, madame Fauconnier, la blanchisseuse de la rue Neuve; elle me prendra lundi. Si tu te mets avec ton ami de la Glacière, nous reviendrons sur l'eau avant six mois, le temps de nous nipper et de louer un trou quelque part, où nous serons chez nous... Oh! il faudra travailler, travailler...

Lantier se tourna vers la ruelle, d'un air d'ennui. Gervaise alors s'emporta.

— Oui, c'est ça, on sait que l'amour du travail ne t'étouffe guère. Tu crèves d'ambition, tu voudrais être habillé comme un monsieur et promener des catins [13] en jupes de soie. N'est-ce pas? tu me trouves plus assez bien, depuis que tu m'as fait mettre toutes mes robes au mont-de-piété... Tiens! Auguste, je ne voulais pas t'en parler, j'aurais attendu encore, mais je sais où tu as passé la nuit; je t'ai vu entrer au Grand-Balcon avec cette traînée d'Adèle. Ah! tu les choisis bien! Elle est propre, celle-là! elle a raison de prendre des airs de princesse... Elle a couché avec tout le restaurant.

D'un saut, Lantier se jeta à bas du lit. Ses yeux étaient devenus d'un noir d'encre dans son visage

---

10. Ce détail rappelle les origines de Lantier qui a connu Gervaise à Plassans. Nous retrouverons de fréquentes allusions à ce passé qui explique le présent.

11. « Espionner la conduite de quelqu'un » (Delvau).

12. Gervaise est née en 1828, Claude en 1842, Étienne en 1846; Anna naîtra en 1852.

13. « Un nom charmant qui est devenu une injure, – dans l'argot du peuple, qui a bien le droit de s'en servir, après Voltaire, Diderot et Mme de Sévigné elle-même » (Delvau).

.lême. Chez ce petit homme, la colère soufflait une .empête.

— Oui, oui, avec tout le restaurant! répéta la .eune femme. Madame Boche va leur donner congé, . elle et à sa grande bringue [14] de sœur, parce qu'il ` a toujours une queue d'hommes dans l'escalier.

Lantier leva les deux poings; puis, résistant au .esoin de la battre, il lui saisit les bras, la secoua .iolemment, l'envoya tomber sur le lit des enfants, ʃui se mirent de nouveau à crier. Et il se recoucha, :n bégayant, de l'air farouche d'un homme qui .rend une résolution devant laquelle il hésitait .ncore :

— Tu ne sais pas ce que tu viens de faire, Ger-.aise... Tu as eu tort, tu verras.

Pendant un instant, les enfants sanglotèrent. .eur mère, restée ployée au bord du lit, les tenait .lans une même étreinte; et elle répétait cette .hrase, à vingt reprises, d'une voix monotone :

— Ah! si vous n'étiez pas là, mes pauvres .etits!... Si vous n'étiez pas là!... Si vous n'étiez .as là!...

Tranquillement allongé, les yeux levés au-dessus .le lui, sur le lambeau de perse déteinte, Lantier .n'écoutait plus, s'enfonçait dans une idée fixe. Il .resta ainsi près d'une heure, sans céder au sommeil, .malgré la fatigue qui appesantissait ses paupières. Quand il se retourna, s'appuyant sur le coude, la .face dure et déterminée, Gervaise achevait de ran-.ger la chambre. Elle faisait le lit des enfants, qu'elle .venait de lever et d'habiller. Il la regarda donner un .coup de balai, essuyer les meubles; la pièce restait .noire, lamentable, avec son plafond fumeux, son .papier décollé par l'humidité, ses trois chaises et sa .commode éclopées, où la crasse s'entêtait et s'étalait .sous le torchon. Puis, pendant qu'elle se lavait à grande eau, après avoir rattaché ses cheveux, .devant le petit miroir rond, pendu à l'espagnolette, qui lui servait pour se raser, il parut examiner ses bras nus, son cou nu, tout le nu qu'elle montrait, .comme si des comparaisons s'établissaient dans .son esprit. Et il eut une moue des lèvres. Gervaise boitait de la jambe droite; mais on ne s'en aperce-.vait guère que les jours de fatigue, quand elle s'abandonnait, les hanches brisées. Ce matin-là, .rompue par sa nuit, elle traînait sa jambe, elle .s'appuyait aux murs.

Le silence régnait, ils n'avaient plus échangé .une parole. Lui, semblait attendre. Elle, rongeant .sa douleur, s'efforçant d'avoir un visage indiffé-.rent, se hâtait. Comme elle faisait un paquet du linge sale jeté dans un coin, derrière la malle, il ouvrit enfin les lèvres, il demanda :

— Qu'est-ce que tu fais ?... Où vas-tu ?

Elle ne répondit pas d'abord. Puis, lorsqu'il répéta sa question, furieusement, elle se décida.

— Tu le vois bien, peut-être... Je vais laver tout ça... Les enfants ne peuvent pas vivre dans la crotte.

Il lui laissa ramasser deux ou trois mouchoirs. Et, au bout d'un nouveau silence, il reprit :

— Est-ce que tu as de l'argent ?

Du coup, elle se releva, le regarda en face, sans lâcher les chemises sales des petits qu'elle tenait à la main.

— De l'argent! où veux-tu donc que je l'aie volé ?... Tu sais bien que j'ai eu trois francs avant-hier sur ma jupe noire. Nous avons déjeuné deux fois là-dessus, et l'on va vite, avec la charcuterie... Non, sans doute, je n'ai pas d'argent. J'ai quatre sous pour le lavoir... Je n'en gagne pas comme certaines femmes.

Il ne s'arrêta pas à cette allusion. Il était des-cendu du lit, il passait en revue les quelques loques pendues autour de la chambre. Enfin il décrocha le pantalon et le châle, ouvrit la commode, ajouta au paquet une camisole et deux chemises de femme; puis, jetant le tout sur les bras de Gervaise :

— Tiens, porte ça au clou [15].

— Tu ne veux pas que je porte aussi les enfants ? demanda-t-elle. Hein! si l'on prêtait sur les enfants, ce serait un fameux débarras!

Elle alla au mont-de-piété, pourtant. Quand elle revint, au bout d'une demi-heure, elle posa une pièce de cent sous sur la cheminée, en joignant la reconnaissance aux autres, entre les deux flambeaux.

— Voilà ce qu'ils m'ont donné, dit-elle. Je vou-lais six francs, mais il n'y a pas eu moyen. Oh! ils ne se ruineront pas... Et l'on trouve toujours un monde, là-dedans!

Lantier ne prit pas tout de suite la pièce de cent sous. Il aurait voulu qu'elle fît de la monnaie, pour lui laisser quelque chose. Mais il se décida à la glisser dans la poche de son gilet, quand il vit, sur la commode, un reste de jambon dans un papier, avec un bout de pain.

— Je ne suis point allée chez la laitière, parce que nous lui devons huit jours, expliqua Gervaise. Mais je reviendrai de bonne heure, tu descendras chercher du pain et des côtelettes panées, pendant que je ne serai pas là, et nous déjeunerons... Monte aussi un litre de vin.

---

14. « Femme maigre, déhanchée... » « on dit aussi grande bringue » (Delvau).

15. « Le mont-de-piété — où l'on va souvent accrocher ses habits ou ses bijoux quand on a un besoin immédiat d'argent » (Delvau).

Il ne dit pas non. La paix semblait se faire. La jeune femme achevait de mettre en paquet le linge sale. Mais quand elle voulut prendre les chemises et les chaussettes de Lantier au fond de la malle, il lui cria de laisser ça.

— Laisse mon linge, entends-tu! Je ne veux pas!

— Qu'est-ce que tu ne veux pas ? demanda-t-elle en se redressant. Tu ne comptes pas, sans doute, remettre ces pourritures ? Il faut bien les laver.

Et elle l'examinait, inquiète, retrouvant sur son visage de joli garçon la même dureté, comme si rien, désormais, ne devait le fléchir. Il se fâcha, lui arracha des mains le linge qu'il rejeta dans la malle.

— Tonnerre de Dieu! obéis-moi donc une fois! Quand je te dis que je ne veux pas!

— Mais pourquoi ? reprit-elle, pâlissante, effleurée d'un soupçon terrible. Tu n'as pas besoin de tes chemises maintenant, tu ne vas pas partir... Qu'est-ce que ça peut te faire que je les emporte ?

Il hésita un instant, gêné par les yeux ardents qu'elle fixait sur lui.

— Pourquoi ? pourquoi ? bégayait-il... Parbleu! tu vas dire partout que je t'entretiens, que tu laves, que tu raccommodes. Eh bien! ça m'embête, là! Fais tes affaires, je ferai les miennes... Les blanchisseuses ne travaillent pas pour les chiens.

Elle le supplia, se défendit de s'être jamais plainte; mais il ferma la malle brutalement, s'assit dessus, lui cria : Non! dans la figure. Il était bien le maître de ce qui lui appartenait! Puis, pour échapper aux regards dont elle le poursuivait, il retourna s'étendre sur le lit, en disant qu'il avait sommeil, et qu'elle ne lui cassât pas la tête davantage. Cette fois, en effet, il parut s'endormir.

Gervaise resta un moment indécise. Elle était tentée de repousser du pied le paquet de linge, de s'asseoir là, à coudre. La respiration régulière de Lantier finit par la rassurer. Elle prit la boule de bleu et le morceau de savon qui lui restait de son dernier savonnage; et s'approchant des petits qui jouaient tranquillement avec de vieux bouchons, devant la fenêtre, elle les baisa, en leur disant à voix basse :

— Soyez bien sages, ne faites pas de bruit. Papa dort.

Quand elle quitta la chambre, les rires adoucis de Claude et d'Étienne sonnaient seuls dans le grand silence, sous le plafond noir. Il était dix heures. Une raie de soleil entrait par la fenêtre entrouverte.

Sur le boulevard, Gervaise tourna à gauche et suivit la rue Neuve-de-la-Goutte-d'Or. En passant devant la boutique de Mme Fauconnier, elle salua d'un petit signe de tête. Le lavoir était situé vers le milieu de la rue, à l'endroit où le pavé commençait à monter. Au-dessus d'un bâtiment plat, trois énormes réservoirs d'eau, des cylindres de zinc fortement boulonnés, montraient leurs rondeurs grises; tandis que, derrière, s'élevait le séchoir, un deuxième étage très haut, clos de tous les côtés par des persiennes à lames minces, au travers desquelles passait le grand air, et qui laissaient voir des pièces de linge séchant sur des fils de laiton. A droite des réservoirs, le tuyau étroit de la machine à vapeur soufflait, d'une haleine rude et régulière, des jets de fumée blanche. Gervaise, sans retrousser ses jupes, en femme habituée aux flaques, s'engagea sous la porte, encombrée de jarres d'eau de javelle [16]. Elle connaissait déjà la maîtresse du lavoir, une petite femme délicate, aux yeux malades, assise dans un cabinet vitré, avec des registres devant elle, des pains de savon sur des étagères, des boules de bleu dans des bocaux, des livres de bicarbonate de soude en paquets. Et, en passant, elle lui réclama son battoir et sa brosse, qu'elle lui avait donnés à garder, lors de son dernier savonnage. Puis, après avoir pris son numéro, elle entra.

C'était un immense hangar, à plafond plat, à poutres apparentes, monté sur des piliers de fonte, fermé par de larges fenêtres claires. Un plein jour blafard passait librement dans la buée chaude suspendue comme un brouillard laiteux. Des fumées montaient de certains coins, s'étalant, noyant les fonds d'un voile bleuâtre. Il pleuvait une humidité lourde, chargée d'une odeur savonneuse, une odeur fade, moite, continue; et, par moments, des souffles plus forts d'eau de javelle dominaient. Le long des batteries, aux deux côtés de l'allée centrale, il y avait des files de femmes, les bras nus jusqu'aux épaules, le cou nu, les jupes raccourcies montrant des bas de couleur et de gros souliers lacés. Elles tapaient furieusement, riaient, se renversaient pour crier un mot dans le vacarme, se penchaient au fond de leurs baquets, ordurières, brutales, dégingandées, trempées comme par une averse, les chairs rougies et fumantes. Autour d'elles, sous elles, coulait un grand ruissellement, les seaux d'eau chaude promenés et vidés d'un trait, les robinets d'eau froide ouverts, pissant de haut, les éclaboussements des battoirs, les égouttures des linges rincés, les mares où elles pataugeaient s'en allant par petits ruisseaux sur les dalles en pente. Et, au milieu des cris, des coups cadencés, du bruit murmurant de pluie, de cette clameur

16. L'orthographe habituelle est Javel.

d'orage s'étouffant sous le plafond mouillé, la machine à vapeur, à droite, toute blanche d'une rosée fine, haletait et ronflait sans relâche, avec la trépidation dansante de son volant qui semblait régler l'énormité du tapage.

Cependant, Gervaise, à petits pas, suivait l'allée, en jetant des regards à droite et à gauche. Elle portait son paquet de linge passé au bras, la hanche haute, boitant plus fort, dans le va-et-vient des laveuses qui la bousculaient.

— Eh! par ici, ma petite! cria la grosse voix de Mme Boche.

Puis, quand la jeune femme l'eut rejointe, à gauche, tout au bout, la concierge, qui frottait furieusement une chaussette, se mit à parler par courtes phrases, sans lâcher sa besogne.

— Mettez-vous là, je vous ai gardé votre place... Oh! je n'en ai pas pour longtemps. Boche ne salit presque pas son linge... Et vous ? ça ne va pas traîner non plus, hein ? Il est tout petit, votre paquet. Avant midi, nous aurons expédié ça, et nous pourrons aller déjeuner... Moi, je donnais mon linge à une blanchisseuse de la rue Poulet; mais elle m'emportait [17] tout, avec son chlore et ses brosses. Alors, je lave moi-même. C'est tout gagné. Ça ne coûte que le savon... Dites donc, voilà des chemises que vous auriez dû mettre à couler [18]. Ces gueux d'enfants, ma parole! ça a de la suie au derrière.

Gervaise défaisait son paquet, étalait les chemises des petits; et comme Mme Boche lui conseillait de prendre un seau d'eau de lessive, elle répondit :

— Oh! non, l'eau chaude suffira... Ça me connaît.

Elle avait trié le linge, mis à part les quelques pièces de couleur. Puis, après avoir empli son baquet de quatre seaux d'eau froide, pris au robinet, derrière elle, elle plongea le tas du linge blanc; et, relevant sa jupe, la tirant entre ses cuisses, elle entra dans une boîte posée debout, qui lui arrivait au ventre.

— Ça vous connaît, hein ? répétait Mme Boche. Vous étiez blanchisseuse dans votre pays, n'est-ce pas, ma petite ?

Gervaise, les manches retroussées, montrant ses beaux bras de blonde, jeunes encore, à peine rosés aux coudes, commençait à décrasser son linge. Elle venait d'étaler une chemise sur la planche

étroite de la batterie, mangée et blanchie par l'usure de l'eau; elle la frottait de savon, la retournait, la frottait de l'autre côté. Avant de répondre, elle empoigna son battoir, se mit à taper, criant ses phrases, les ponctuant à coups rudes et cadencés.

— Oui, oui, blanchisseuse... A dix ans... Il y a douze ans de ça... Nous allions à la rivière... Ça sentait meilleur qu'ici... Il fallait voir, il y avait un coin sous les arbres... avec de l'eau claire qui courait... Vous savez, à Plassans... Vous ne connaissez pas Plassans ?... près de Marseille ?

— C'est du chien, ça! s'écria Mme Boche, émerveillée de la rudesse des coups de battoir. Quelle mâtine! elle vous aplatirait du fer, avec ses petits bras de demoiselle!

La conversation continua, très haut. La concierge, parfois, était obligée de se pencher, n'entendant pas. Tout le linge blanc fut battu, et ferme! Gervaise le replongea dans le baquet, le reprit pièce par pièce pour le frotter de savon une seconde fois et le brosser. D'une main, elle fixait la pièce sur la batterie; de l'autre main, qui tenait la courte brosse de chiendent, elle tirait du linge une mousse salie, qui, par longues bavures, tombait. Alors, dans le petit bruit de la brosse, elles se rapprochèrent, elle causèrent d'une façon plus intime.

— Non, nous ne sommes pas mariés, reprit Gervaise. Moi, je ne m'en cache pas. Lantier n'est pas si gentil pour qu'on souhaite d'être sa femme. S'il n'y avait pas les enfants, allez!... J'avais quatorze ans et lui dix-huit, quand nous avons eu notre premier. L'autre est venu quatre ans plus tard... C'est arrivé comme ça arrive toujours, vous savez. Je n'étais pas heureuse chez nous; le père Macquart [19], pour un oui, pour un non, m'allongeait des coups de pied dans les reins. Alors, ma foi, on songe à s'amuser dehors... On nous aurait mariés, mais je ne sais plus, nos parents n'ont pas voulu.

Elle secoua ses mains, qui rougissaient sous la mousse blanche.

— L'eau est joliment dure à Paris, dit-elle.

Mme Boche ne lavait plus que mollement. Elle s'arrêtait, faisant durer son savonnage, pour rester là, à connaître cette histoire, qui torturait sa curiosité depuis quinze jours. Sa bouche était à demi ouverte dans sa grosse face; ses yeux, à fleur de tête, luisaient. Elle pensait, avec la satisfaction d'avoir deviné :

— C'est ça, la petite cause trop. Il y a eu du grabuge.

---

17. Dans la langue populaire : « user avec des produits qui abiment le tissu ou en frottant trop fort ».

18. « Jeter à plusieurs reprises de l'eau bouillante sur le linge entassé dans la cuve. »

19. Voir tome 1, *la Fortune des Rougon*.

Puis, tout haut :

— Il n'est pas gentil, alors ?

— Ne m'en parlez pas! répondit Gervaise, il était très bien pour moi, là-bas; mais, depuis que nous sommes à Paris, je ne peux plus en venir à bout... Il faut vous dire que sa mère est morte l'année dernière, en lui laissant quelque chose, dix-sept cents francs à peu près. Il voulait partir pour Paris. Alors, comme le père Macquart m'envoyait toujours des gifles sans crier gare, j'ai consenti à m'en aller avec lui; nous avons fait le voyage avec les deux enfants. Il devait m'établir blanchisseuse et travailler de son état de chapelier. Nous aurions été très heureux... Mais, voyez-vous, Lantier est un ambitieux, un dépensier, un homme qui ne songe qu'à son amusement. Il ne vaut pas grand-chose, enfin... Nous sommes donc descendus à l'hôtel Montmartre, rue Montmartre. Et ç'a été des dîners, des voitures, le théâtre, une montre pour lui, une robe de soie pour moi; car il n'a pas mauvais cœur, quand il a de l'argent. Vous comprenez, tout le tremblement, si bien qu'au bout de deux mois nous étions nettoyés. C'est à ce moment-là que nous sommes venus habiter l'hôtel Boncœur et que la sacrée vie a commencé...

Elle s'interrompit, serrée tout d'un coup à la gorge, rentrant ses larmes. Elle avait fini de brosser son linge.

— Il faut que j'aille chercher mon eau chaude, murmura-t-elle.

Mais Mme Boche, très contrariée de cet arrêt dans les confidences, appela le garçon du lavoir qui passait.

— Mon petit Charles, vous serez bien gentil, allez donc chercher un seau d'eau chaude à madame, qui est pressée.

Le garçon prit le seau et le rapporta plein. Gervaise paya, c'était un sou le seau. Elle versa l'eau chaude dans le baquet, et savonna le linge une dernière fois, avec les mains, se ployant au-dessus de la batterie, au milieu d'une vapeur qui accrochait des filets de fumée grise dans ses cheveux blonds.

— Tenez, mettez donc des cristaux, j'en ai là, dit obligeamment la concierge.

Et elle vida dans le baquet de Gervaise le fond d'un sac de carbonate de soude, qu'elle avait apporté. Elle lui offrit aussi de l'eau de javelle; mais la jeune femme refusa; c'était bon pour les taches de graisse et les taches de vin.

— Je le crois un peu coureur, reprit Mme Boche, en revenant à Lantier, sans le nommer.

Gervaise, les reins en deux, les mains enfoncées et crispées dans le linge, se contenta de hocher la tête.

— Oui, oui, continua l'autre, je me suis aperçue de plusieurs petites choses...

Mais elle se récria, devant le brusque mouvement de Gervaise qui s'était relevée, toute pâle, en la dévisageant.

— Oh! non, je ne sais rien!... Il aime à rire, je crois, voilà tout... Ainsi, les deux filles qui logent chez nous, Adèle et Virginie, vous les connaissez, eh bien! il plaisante avec elles, et ça ne va pas plus loin, j'en suis sûre.

La jeune femme, droite devant elle, la face en sueur, les bras ruisselants, la regardait toujours, d'un regard fixe et profond. Alors, la concierge se fâcha, s'appliqua un coup de poing sur la poitrine, en donnant sa parole d'honneur. Elle criait :

— Je ne sais rien, là, quand je vous le dis!

Puis, se calmant, elle ajouta d'une voix doucereuse, comme on parle à une personne à qui la vérité ne vaudrait rien :

— Moi, je trouve qu'il a les yeux francs... Il vous épousera, ma petite, je vous le promets!

Gervaise s'essuya le front de sa main mouillée. Puis, elle tira de l'eau une autre pièce de linge, en hochant de nouveau la tête. Un instant, toutes deux gardèrent le silence. Autour d'elles, le lavoir s'était apaisé. Onze heures sonnaient. La moitié des laveuses, assises d'une jambe au bord de leurs baquets, avec un litre de vin débouché à leurs pieds, mangeaient des saucisses dans des morceaux de pain fendus. Seules, les ménagères venues là pour laver leurs petits paquets de linge, se hâtaient, en regardant l'œil-de-bœuf accroché au-dessus du bureau. Quelques coups de battoir partaient encore, espacés, au milieu des rires adoucis, des conversations qui s'empâtaient dans un bruit glouton de mâchoires; tandis que la machine à vapeur, allant son train, sans repos ni trêve, semblait hausser la voix, vibrante, ronflante, emplissant l'immense salle. Mais pas une des femmes ne l'entendait; c'était comme la respiration même du lavoir, une haleine ardente amassant sous les poutres du plafond l'éternelle buée qui flottait. La chaleur devenait intolérable; des rais de soleil entraient à gauche, par les hautes fenêtres, allumant les vapeurs fumantes de nappes opalisées, d'un gris rose et d'un gris bleu très tendres. Et, comme des plaintes s'élevaient, le garçon Charles allait d'une fenêtre à l'autre, tirait des stores de grosse toile; ensuite, il passa de l'autre côté, du côté de l'ombre, et ouvrit des vasistas. On l'acclamait, on battait des mains; une gaieté formidable roulait. Bientôt, les derniers battoirs eux-mêmes se turent. Les laveuses, la bouche pleine, ne faisaient plus que des gestes vec les couteaux ouverts qu'elles tenaient au poing. .e silence devenait tel, qu'on entendait régulière- nent, tout au bout, le grincement de la pelle du hauffeur, prenant du charbon de terre et le jetant lans le fourneau de la machine.

Cependant, Gervaise lavait son linge de cou- eur dans l'eau chaude, grasse de savon, qu'elle vait conservée. Quand elle eut fini, elle approcha n tréteau, jeta en travers toutes les pièces, qui aisaient par terre des mares bleuâtres. Et elle com- nença à rincer. Derrière elle, le robinet d'eau roide coulait au-dessus d'un vaste baquet, fixé au ol, et que traversaient deux barres de bois, pour outenir le linge. Au-dessus, en l'air, deux autres arres passaient, où le linge achevait de s'égout- er.

— Voilà qui va être fini, ce n'est pas malheu- eux, dit Mme Boche. Je reste pour vous aider à ordre tout ça.

— Oh! ce n'est pas la peine, je vous remercie ien, répondit la jeune femme, qui pétrissait de ses oings et barbotait [20] les pièces de couleur dans 'eau claire. Si j'avais des draps, je ne dis pas.

Mais il lui fallut pourtant accepter l'aide de la oncierge. Elles tordaient toutes deux, chacune à n bout, une jupe, un petit lainage marron mau- ais teint, d'où sortait une eau jaunâtre, lorsque Mme Boche s'écria :

— Tiens! la grande Virginie!... Qu'est-ce qu'elle ient laver ici, celle-là, avec ses quatre guenilles lans un mouchoir ?

Gervaise avait vivement levé la tête. Virginie tait une fille de son âge, plus grande qu'elle, brune, olie malgré sa figure un peu longue. Elle avait une ieille robe noire à volants, un ruban rouge au cou; t elle était coiffée avec soin, le chignon pris dans n filet en chenille bleue. Un instant, au milieu de 'allée centrale, elle pinça les paupières, ayant l'air le chercher; puis, quand elle eut aperçu Gervaise, lle vint passer près d'elle, raide, insolente, balan- ant ses hanches, et s'installa sur la même rangée, cinq baquets de distance.

— En voilà un caprice! continuait Mme Boche, voix plus basse. Jamais elle ne savonne une paire le manches... Ah! une fameuse fainéante, je vous n réponds! Une couturière qui ne recoud pas seu- ement ses bottines! C'est comme sa sœur, la bru- isseuse, cette gredine d'Adèle, qui manque l'ate- ier deux jours sur trois! Ça n'a ni père ni mère onnus, ça vit d'on ne sait quoi, et si l'on voulait arler... Qu'est-ce qu'elle frotte donc là ? Hein ?

20. Synonyme populaire d' « agiter ».

c'est un jupon ? Il est joliment dégoûtant, il a dû en voir de propres, ce jupon!

Mme Boche, évidemment, voulait faire plaisir à Gervaise. La vérité était qu'elle prenait souvent le café avec Adèle et Virginie, quand les petites avaient de l'argent. Gervaise ne répondait pas, se dépêchait, les mains fiévreuses. Elle venait de faire son bleu, dans un petit baquet monté sur trois pieds. Elle trempait ses pièces de blanc, les agitait un instant au fond de l'eau teintée, dont le reflet prenait une pointe de laque; et, après les avoir tordues légè- rement, elle les alignait sur les barres de bois, en haut. Pendant toute cette besogne, elle affectait de tourner le dos à Virginie. Mais elle entendait ses ricanements, elle sentait sur elle ses regards obliques. Virginie semblait n'être venue que pour la provo- quer. Un instant, Gervaise s'étant retournée, elles se regardèrent toutes deux, fixement.

— Laissez-la donc, murmura Mme Boche. Vous n'allez peut-être pas vous prendre aux cheveux... Quand je vous dis qu'il n'y a rien! Ce n'est pas elle, là!

A ce moment, comme la jeune femme pendait sa dernière pièce de linge, il y eut des rires à la porte du lavoir.

— C'est deux gosses qui demandent maman! cria Charles.

Toutes les femmes se penchèrent. Gervaise recon- nut Claude et Étienne. Dès qu'ils l'aperçurent, ils coururent à elle, au milieu des flaques, tapant sur les dalles les talons de leurs souliers dénoués. Claude, l'aîné, donnait la main à son petit frère. Les laveuses, sur leur passage, avaient de légers cris de tendresse, à les voir un peu effrayés, sou- riant pourtant. Et ils restèrent là, devant leur mère, sans se lâcher, levant leurs têtes blondes.

— C'est papa qui vous envoie ? demanda Ger- vaise.

Mais comme elle se baissait pour rattacher les cordons des souliers d'Étienne, elle vit, à un doigt de Claude, la clef de la chambre avec son numéro de cuivre, qu'il balançait.

— Tiens! tu m'apportes la clef! dit-elle, très surprise. Pourquoi donc ?

L'enfant, en apercevant la clef qu'il avait oubliée à son doigt, parut se souvenir et cria de sa voix claire :

— Papa est parti.

— Il est allé acheter le déjeuner, il vous a dit de venir me chercher ici ?

Claude regarda son frère, hésita, ne sachant plus. Puis, il reprit d'un trait :

— Papa est parti... Il a sauté du lit, il a mis

toutes les affaires dans la malle, il a descendu la malle sur une voiture... Il est parti.

Gervaise, accroupie, se releva lentement, la figure blanche, portant les mains à ses joues et à ses tempes, comme si elle entendait sa tête craquer. Et elle ne put trouver qu'un mot, elle le répéta vingt fois sur le même ton :

— Ah! mon Dieu!... ah! mon Dieu!... ah! mon Dieu!...

Mme Boche, cependant, interrogeait l'enfant à son tour, tout allumée de se trouver dans cette histoire.

— Voyons, mon petit, il faut dire les choses... C'est lui qui a fermé la porte et qui vous a dit d'apporter la clef, n'est-ce pas ?

Et, baissant la voix, à l'oreille de Claude :

— Est-ce qu'il y avait une dame dans la voiture ?

L'enfant se troubla de nouveau. Il recommença son histoire, d'un air triomphant :

— Il a sauté du lit, il a mis toutes les affaires dans la malle, il est parti...

Alors, comme Mme Boche le laissait aller, il tira son frère devant le robinet. Ils s'amusèrent tous les deux à faire couler l'eau.

Gervaise ne pouvait pleurer. Elle étouffait, les reins appuyés contre son baquet, le visage toujours entre les mains. De courts frissons la secouaient. Par moments, un long soupir passait, tandis qu'elle s'enfonçait davantage les poings sur les yeux, comme pour s'anéantir dans le noir de son abandon. C'était un trou de ténèbres au fond duquel il lui semblait tomber.

— Allons, ma petite, que diable! murmurait Mme Boche.

— Si vous saviez! si vous saviez! dit-elle enfin tout bas. Il m'a envoyée ce matin porter mon châle et mes chemises au mont-de-piété pour payer cette voiture...

Et elle pleura. Le souvenir de sa course au mont-de-piété, en précisant un fait de la matinée, lui avait arraché les sanglots qui s'étranglaient dans sa gorge.

Cette course-là, c'était une abomination, la grosse douleur dans son désespoir. Les larmes coulaient sur son menton que ses mains avaient déjà mouillé, sans qu'elle songeât seulement à prendre son mouchoir.

— Soyez raisonnable, taisez-vous, on vous regarde, répétait Mme Boche qui s'empressait autour d'elle. Est-il possible de se faire tant de mal pour un homme!... Vous l'aimez donc toujours, hein ? ma pauvre chérie. Tout à l'heure, vous étiez

joliment montée contre lui. Et vous voilà, maintenant, à le pleurer, à vous crever le cœur... Mon Dieu, que nous sommes bêtes!

Puis, elle se montra maternelle.

— Une jolie petite femme comme vous! s'il est permis!... On peut tout vous raconter à présent, n'est-ce pas ? Eh bien! vous vous souvenez, quand je suis passée sous votre fenêtre, je me doutais déjà... Imaginez-vous que, cette nuit, lorsque Adèle est rentrée, j'ai entendu un pas d'homme avec le sien. Alors, j'ai voulu savoir, j'ai regardé dans l'escalier. Le particulier était déjà au deuxième étage, mais j'ai bien reconnu la redingote de monsieur Lantier. Boche, qui faisait le guet, ce matin, l'a vu redescendre tranquillement... C'était avec Adèle, vous entendez. Virginie a maintenant un monsieur chez lequel elle va deux fois par semaine. Seulement, ce n'est guère propre tout de même, car elles n'ont qu'une chambre et une alcôve, et je ne sais trop où Virginie a pu coucher.

Elle s'interrompit un instant, se retournant, reprenant de sa grosse voix étouffée :

— Elle rit de vous voir pleurer, cette sans-cœur, là-bas. Je mettrais ma main au feu que son savonnage est une frime[21]... Elle a emballé[22] les deux autres et elle est venue ici pour leur raconter la tête que vous feriez.

Gervaise ôta ses mains, regarda. Quand elle aperçut devant elle Virginie, au milieu de trois ou quatre femmes, parlant bas, la dévisageant, elle fut prise d'une colère folle. Les bras en avant, cherchant à terre, tournant sur elle-même, dans un tremblement de tous ses membres, elle marcha quelques pas, rencontra un seau plein, le saisit à deux mains, le vida à toute volée.

— Chameau[23], va! cria la grande Virginie.

Elle avait fait un saut en arrière, ses bottines seules étaient mouillées. Cependant, le lavoir, que les larmes de la jeune femme révolutionnaient depuis un instant, se bousculait pour voir la bataille. Des laveuses, qui achevaient leur pain, montèrent sur des baquets. D'autres accoururent, les mains pleines de savon. Un cercle se forma.

— Ah! le chameau! répétait la grande Virginie. Qu'est-ce qui lui prend, à cette enragée-là!

Gervaise en arrêt, le menton tendu, la face convulsée, ne répondait pas, n'ayant point encore le coup de gosier de Paris. L'autre continua :

— Va donc! C'est las de rouler[24] la province, ça

21. « Mensonge, hypocrisie » (Delvau).
22. « Arrêter » (Delvau).
23. « Fille ou femme qui a renoncé depuis longtemps au respect des hommes » (Delvau).
24. « Vagabonder, voyager – dans l'argot du peuple » (Delvau).

n'avait pas douze ans que ça servait de paillasse à soldats, ça a laissé une jambe dans son pays... Elle est tombée de pourriture, sa jambe...

Un rire courut. Virginie, voyant son succès, s'approcha de deux pas, redressant sa haute taille, criant plus fort :

— Hein! avance un peu, pour voir, que je te fasse ton affaire! Tu sais, il ne faut pas venir nous embêter, ici... Est-ce que je la connais, moi, cette peau [25]! Si elle m'avait attrapée, je lui aurais joliment retroussé ses jupons; vous auriez vu ça. Qu'elle dise seulement ce que je lui ai fait... Dis, rouchie [26], qu'est-ce qu'on t'a fait ?

— Ne causez pas tant, bégaya Gervaise. Vous savez bien... On a vu mon mari, hier soir... Et taisez-vous, parce que je vous étranglerais, bien sûr.

— Son mari! Ah! elle est bonne, celle-là!... Le mari à madame! comme si on avait des maris avec cette dégaine [27]!... Ce n'est pas ma faute s'il t'a lâchée. Je ne te l'ai pas volé, peut-être. On peut me fouiller... Veux-tu que je te dise, tu l'empoisonnais, cet homme! Il était trop gentil pour toi... Avait-il son collier, au moins ? Qui est-ce qui a trouvé le mari à madame ?... Il y aura récompense...

Les rires recommencèrent. Gervaise, à voix presque basse, se contentait toujours de murmurer :

— Vous savez bien, vous savez bien... C'est votre sœur, je l'étranglerai, votre sœur...

— Oui, va te frotter à ma sœur, reprit Virginie en ricanant. Ah! c'est ma sœur! C'est bien possible, ma sœur a un autre chic que toi... Mais est-ce que ça me regarde! est-ce qu'on ne peut plus laver son linge tranquillement! Flanque-moi la paix, entends-tu, parce qu'en voilà assez!

Et ce fut elle qui revint, après avoir donné cinq ou six coups de battoir, grisée par les injures, emportée. Elle se tut et recommença ainsi trois fois :

— Eh bien! oui, c'est ma sœur. Là, es-tu contente ?... Ils s'adorent tous les deux. Il faut les voir se bécoter!... Et il t'a lâchée avec tes bâtards! De jolis mômes qui ont des croûtes plein la figure! Il y en a un d'un gendarme, n'est-ce pas ? et tu en as fait crever trois autres, parce que tu ne voulais pas de surcroît de bagage pour venir... C'est ton Lantier qui nous a raconté ça. Ah! il en dit de belles, il en avait assez de ta carcasse!

— Salope! salope! salope! hurla Gervaise, hors d'elle, reprise par un tremblement furieux.

Elle tourna, chercha une fois encore par terre; et, ne trouvant que le petit baquet, elle le prit par les pieds, lança l'eau du bleu à la figure de Virginie.

— Rosse [28]! elle m'a perdu ma robe! cria celle-ci, qui avait toute une épaule mouillée et sa main gauche teinte en bleu. Attends, gadoue [29]!

A son tour, elle saisit un seau, le vida sur la jeune femme. Alors, une bataille formidable s'engagea. Elles couraient toutes deux le long des baquets, s'emparant des seaux pleins, revenant se les jeter à la tête. Et chaque déluge était accompagné d'un éclat de voix. Gervaise elle-même répondait, à présent.

— Tiens! saleté!... Tu l'as reçu celui-là. Ça te calmera le derrière.

— Ah! la carne! Voilà pour ta crasse. Débarbouille-toi une fois dans ta vie.

— Oui, oui, je vas te dessaler [30], grande morue!

— Encore un!... Rince-toi les dents, fais ta toilette pour ton quart [31] de ce soir, au coin de la rue Belhomme.

Elles finirent par emplir les seaux aux robinets. Et, en attendant qu'ils fussent pleins, elles continuaient leurs ordures. Les premiers seaux, mal lancés, les touchaient à peine. Mais elles se faisaient la main. Ce fut Virginie qui, la première, en reçut un en pleine figure; l'eau, entrant par son cou, coula dans son dos et dans sa gorge, pissa par-dessous sa robe. Elle était encore tout étourdie, quand un second la prit de biais, lui donna une forte claque contre l'oreille gauche, en trempant son chignon, qui se déroula comme une ficelle. Gervaise fut d'abord atteinte aux jambes; un seau lui emplit ses souliers, rejaillit jusqu'à ses cuisses; deux autres l'inondèrent aux hanches. Bientôt, d'ailleurs, il ne fut plus possible de juger les coups. Elles étaient l'une et l'autre ruisselantes de la tête aux pieds, les corsages plaqués aux épaules, les jupes collant sur les reins, maigries, raidies, grelottantes, s'égouttant de tous les côtés ainsi que des parapluies pendant une averse.

— Elles sont rien drôles! dit la voix enrouée d'une laveuse.

Le lavoir s'amusait énormément. On s'était reculé, pour ne pas recevoir les éclaboussures. Des

---

25. « Fille ou femme de très mauvaise vie – dans l'argot des faubouriens » (Delvau).
26. « Fille ou femme de mauvaise vie » (Delvau); « cocotte, grue » (Poulot).
27. « Allures du corps, fourreau de l'âme, – dans l'argot du peuple, qui n'emploie ordinairement ce mot qu'en mauvaise part » (Delvau).

28. « Homme sans consistance, femme sans pudeur » (Delvau).
29. « Fille ou femme de mauvaise vie, – dans l'argot des faubouriens sans pitié pour les ordures morales » (Delvau).
30. *Dessaler* est amené par *morue*, femme sale et de mauvaise vie. *Être dessalé* signifie « être au courant ».
31. *Faire le quart*, dans l'argot des filles publiques, signifie « prendre son service ». Le terme est emprunté à la marine.

applaudissements, des plaisanteries montaient, au milieu du bruit d'écluse des seaux vidés à toute volée. Par terre, des mares coulaient, les deux femmes pataugeaient jusqu'aux chevilles. Cependant, Virginie, ménageant une traîtrise, s'emparant brusquement d'un seau d'eau de lessive bouillante, qu'une de ses voisines avait demandé, le jeta. Il y eut un cri. On crut Gervaise ébouillantée. Mais elle n'avait que le pied gauche brûlé légèrement. Et, de toutes ses forces, exaspérée par la douleur, sans le remplir cette fois, elle envoya un seau dans les jambes de Virginie, qui tomba.

Toutes les laveuses parlaient ensemble.

— Elle lui a cassé une patte!

— Dame! l'autre a bien voulu la faire cuire!

— Elle a raison, après tout, la blonde, si on lui a pris son homme!

Mme Boche levait les bras au ciel, en s'exclamant. Elle s'était prudemment garée entre deux baquets; et les enfants, Claude et Étienne, pleurant, suffoquant, épouvantés, se pendaient à sa robe, avec ce cri continu : Maman! maman! qui se brisait dans leurs sanglots. Quand elle vit Virginie par terre, elle accourut, tirant Gervaise par ses jupes, répétant :

— Voyons, allez-vous-en! Soyez raisonnable...

J'ai les sangs tournés, ma parole! On n'a jamais vu une tuerie pareille.

Mais elle recula, elle retourna se réfugier entre les deux baquets, avec les enfants. Virginie venait de sauter à la gorge de Gervaise. Elle la serrait au cou, tâchait de l'étrangler. Alors, celle-ci, d'une violente secousse, se dégagea, se pendit à la queue de de son chignon, comme si elle avait voulu lui arracher la tête. La bataille recommença, muette, sans un cri, sans une injure. Elles ne se prenaient pas corps à corps, s'attaquaient à la figure, les mains ouvertes et crochues, pinçant, griffant ce qu'elles empoignaient. Le ruban rouge et le filet en chenille bleu de la grande brune furent arrachés; son corsage, craqué au cou, montra sa peau, tout un bout d'épaule; tandis que la blonde, déshabillée, une manche de camisole blanche ôtée sans qu'elle sût comment, avait un accroc à sa chemise qui découvrait le pli nu de sa taille. Des lambeaux d'étoffe volaient. D'abord, ce fut sur Gervaise que le sang parut, trois longues égratignures descendant de la bouche sous le menton; et elle garantissait ses yeux, les fermait à chaque claque, de peur d'être éborgnée. Virginie ne saignait pas encore. Gervaise visait ses oreilles, s'enrageait de ne pouvoir

La bataille de Gervaise et de Virginie au lavoir, une des gravures de Gaston Latouche sur *l'Assommoir*, 1879; et la même scène dans la série des assiettes à sujets tirés du roman (vers 1890), plus réaliste peut-être.

les prendre, quand elle saisit enfin l'une des boucles, une poire de verre jaune; elle tira, fendit l'oreille; le sang coula.

— Elles se tuent! séparez-les, ces guenons! dirent plusieurs voix.

Les laveuses s'étaient rapprochées. Il se formait deux camps: les unes excitaient les deux femmes comme des chiennes qui se battent; les autres, plus nerveuses, toutes tremblantes, tournaient la tête, en avaient assez, répétaient qu'elles en seraient malades, bien sûr. Et une bataille générale faillit avoir lieu; on se traitait de sans-cœur, de propre à rien; des bras nus se tendaient; trois gifles retentirent.

Mme Boche, pourtant, cherchait le garçon du lavoir.

— Charles! Charles!... Où est-il donc?

Et elle le trouva au premier rang, regardant, les bras croisés. C'était un grand gaillard, à cou énorme. Il riait, il jouissait des morceaux de peau que les deux femmes montraient. La petite blonde était grasse comme une caille. Ça serait farce [32], si sa chemise se fendait.

32. « Amusant. »

— Tiens! murmura-t-il en clignant un œil, elle a une fraise sous le bras.

— Comment! vous êtes là! cria Mme Boche en l'apercevant. Mais aidez-nous donc à les séparer!... Vous pouvez bien les séparer, vous!

— Ah bien! non, merci! s'il n'y a que moi! dit-il tranquillement. Pour me faire griffer l'œil comme l'autre jour, n'est-ce pas?... Je ne suis pas ici pour ça, j'aurais trop de besogne... N'ayez pas peur, allez! Ça leur fait du bien, une petite saignée. Ça les attendrit.

La concierge parla alors d'aller avertir les sergents de ville. Mais la maîtresse du lavoir, la jeune femme délicate, aux yeux malades, s'y opposa formellement. Elle répéta à plusieurs reprises:

— Non, non, je ne veux pas, ça compromet la maison.

Par terre, la lutte continuait. Tout d'un coup, Virginie se redressa sur les genoux. Elle venait de ramasser un battoir, elle le brandissait. Elle râlait, la voix changée:

— Voilà du chien, attends! Apprête ton linge sale!

Gervaise, vivement, allongea la main, prit également un battoir, le tint levé comme une

387

massue. Et elle avait, elle aussi, une voix rauque.

— Ah! tu veux la grande lessive... Donne ta peau, que j'en fasse des torchons!

Un moment, elles restèrent là, agenouillées, à se menacer. Les cheveux dans la face, la poitrine soufflante, boueuses, tuméfiées, elles se guettaient, attendant, reprenant haleine. Gervaise porta le premier coup; son battoir glissa sur l'épaule de Virginie. Et elle se jeta de côté pour éviter le battoir de celle-ci, qui lui effleura la hanche. Alors, mises en train, elles se tapèrent comme les laveuses tapent leur linge, rudement, en cadence. Quand elles se touchaient, le coup s'amortissait, on aurait dit une claque dans un baquet d'eau.

Autour d'elles, les blanchisseuses ne riaient plus; plusieurs s'en étaient allées, en disant que ça leur cassait l'estomac; les autres, celles qui restaient, allongeaient le cou, les yeux allumés d'une lueur de cruauté, trouvant ces gaillardes-là très crânes [33]. Mme Boche avait emmené Claude et Étienne; et l'on entendait, à l'autre bout, l'éclat de leurs sanglots mêlé aux heurts sonores des deux battoirs.

Mais Gervaise, brusquement, hurla. Virginie venait de l'atteindre à toute volée sur son bras nu, au-dessus du coude; une plaque rouge parut, la chair enfla tout de suite. Alors, elle se rua. On crut qu'elle voulait assommer l'autre.

— Assez! assez! cria-t-on.

Elle avait un visage si terrible, que personne n'osa approcher. Les forces décuplées, elle saisit Virginie par la taille, la plia, lui colla la figure sur les dalles, les reins en l'air; et, malgré les secousses, elle lui releva les jupes, largement. Dessous, il y avait un pantalon. Elle passa la main dans la fente, l'arracha, montra tout, les cuisses nues, les fesses nues. Puis, le battoir levé, elle se mit à battre, comme elle battait autrefois à Plassans, au bord de la Viorne, quand sa patronne lavait le linge de la garnison. Le bois mollissait dans les chairs avec un bruit mouillé. A chaque tape, une bande rouge marbrait la peau blanche.

— Oh! oh! murmurait le garçon Charles, émerveillé, les yeux agrandis.

Des rires, de nouveau, avaient couru. Mais bientôt le cri : Assez! assez! recommença. Gervaise n'entendait pas, ne se lassait pas. Elle regardait sa besogne, penchée, préoccupée de ne pas laisser une place sèche. Elle voulait toute cette peau battue, couverte de confusion. Et elle causait, prise d'une gaieté féroce, se rappelant une chanson de lavandière :

— Pan! pan! Margot au lavoir... Pan! pan! à coups de battoir... Pan! pan! va laver son cœur... Pan! pan! tout noir de douleur...

Et elle reprenait :

— Ça c'est pour toi, ça c'est pour ta sœur, ça c'est pour Lantier... Quand tu les verras, tu leur donneras ça... Attention! je recommence. Ça c'est pour Lantier, ça c'est pour ta sœur, ça c'est pour toi... Pan! pan! Margot au lavoir... Pan! pan! à coups de battoir...

On dut lui arracher Virginie des mains. La grande brune, la figure en larmes, pourpre, confuse, reprit son linge, se sauva; elle était vaincue. Cependant, Gervaise repassait la manche de sa camisole, rattachait ses jupes. Son bras la faisait souffrir, et elle pria Mme Boche de lui mettre son linge sur l'épaule. La concierge racontait la bataille, disait ses émotions et parlait de lui visiter le corps, pour voir.

— Vous avez peut-être bien quelque chose de cassé... J'ai entendu un coup...

Mais la jeune femme voulait s'en aller. Elle ne répondait pas aux apitoiements, à l'ovation bavarde des laveuses qui l'entouraient, droites dans leurs tabliers. Quand elle fut chargée, elle gagna la porte, où ses enfants l'attendaient.

— C'est deux heures, ça fait deux sous, lui dit en l'arrêtant la maîtresse du lavoir, déjà réinstallée dans son cabinet vitré.

Pourquoi deux sous ? Elle ne comprenait plus qu'on lui demandait le prix de sa place. Puis, elle donna ses deux sous. Et, boitant fortement sous le poids du linge mouillé pendu à son épaule, ruisselante, le coude bleu, la joue en sang, elle s'en alla, en traînant de ses bras nus Étienne et Claude, qui trottaient à ses côtés, secoués encore et barbouillés de leurs sanglots.

Derrière elle, le lavoir reprenait son bruit énorme d'écluse. Les laveuses avaient mangé leur pain, bu leur vin, et elles tapaient plus dur, les faces allumées, égayées par le coup de torchon de Gervaise et de Virginie. Le long des baquets, de nouveau, s'agitaient une fureur de bras, des profils anguleux de marionnettes aux reins cassés, aux épaules déjetées, se pliant violemment comme sur des charnières. Les conversations continuaient d'un bout à l'autre des allées. Les voix, les rires, les mots gras se mêlaient dans le grand gargouillement de l'eau. Les robinets crachaient, les seaux jetaient des flaquées, une rivière coulait sous les batteries. C'était le chien de l'après-midi, le linge pilé à coups de battoir. Dans l'immense salle, les fumées devenaient rousses, trouées seulement par des ronds de soleil, des balles d'or, que les déchi-

33. « Adj. superlatif de beau, de fort, d'éminent, de bon » (Delvau).

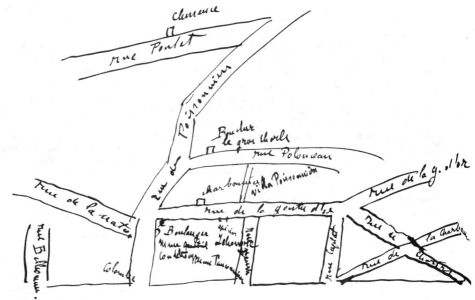

Plan du quartier de la Goutte-d'Or par Zola.

rures des rideaux laissaient passer. On respirait l'étouffement tiède des odeurs savonneuses. Tout d'un coup, le hangar s'emplit d'une buée blanche; l'énorme couvercle du cuvier où bouillait la lessive, montait mécaniquement le long d'une tige centrale à crémaillère; et le trou béant du cuivre, au fond de sa maçonnerie de briques, exhalait des tourbillons de vapeur, d'une saveur sucrée de potasse. Cependant, à côté, les essoreuses fonctionnaient; des paquets de linge, dans des cylindres de fonte, rendaient leur eau sous un tour de roue de la machine, haletante, fumante, secouant plus rudement le lavoir de la besogne continue de ses bras d'acier.

Quand Gervaise mit le pied dans l'allée de l'hôtel Boncœur, les larmes la reprirent. C'était une allée noire, étroite, avec un ruisseau longeant le mur, pour les eaux sales; et cette puanteur qu'elle retrouvait lui faisait songer aux quinze jours passés là avec Lantier, quinze jours de misère et de querelles, dont le souvenir, à cette heure, était un regret cuisant. Il lui sembla entrer dans son abandon.

En haut, la chambre était nue, pleine de soleil, la fenêtre ouverte. Ce coup de soleil, cette nappe de poussière d'or dansante, rendait lamentables le plafond noir, les murs au papier arraché. Il n'y avait plus, à un clou de la cheminée, qu'un petit fichu de femme, tordu comme une ficelle. Le lit des enfants, tiré au milieu de la pièce, découvrait la commode, dont les tiroirs laissés ouverts montraient leurs flancs vides. Lantier s'était lavé et avait achevé la pommade, deux sous de pommade dans une carte à jouer; l'eau grasse de ses mains emplissait la cuvette. Et il n'avait rien oublié, le coin occupé jusque-là par la malle paraissait à Gervaise faire un trou immense. Elle ne retrouva même pas le petit miroir rond, accroché à l'espagnolette. Alors, elle eut un pressentiment, elle regarda sur la cheminée : Lantier avait emporté les reconnaissances, le paquet rose tendre n'était plus là, entre les flambeaux de zinc dépareillés.

Elle pendit son linge au dossier d'une chaise, elle demeura debout, tournant, examinant les meubles, frappée d'une telle stupeur, que ses larmes ne coulaient plus. Il lui restait un sou sur les quatre sous gardés pour le lavoir. Puis, entendant rire à la fenêtre Étienne et Claude, déjà consolés, elle s'approcha, prit leurs têtes sous ses bras, s'oublia un instant devant cette chaussée grise, où elle avait vu, le matin, s'éveiller le peuple ouvrier, le travail géant de Paris. A cette heure, le pavé échauffé par les besognes du jour allumait une réverbération ardente au-dessus de la ville, derrière le mur de l'octroi. C'était sur ce pavé, dans cet air de fournaise, qu'on la jetait toute seule avec les petits ; et elle enfila d'un regard les boulevards extérieurs, à droite, à gauche, s'arrêtant aux deux bouts, prise d'une épouvante sourde, comme si sa vie, désormais, allait tenir là, entre un abattoir et un hôpital.

Coupeau et Gervaise à L'assommoir

2

Trois semaines plus tard, vers onze heures et demie, un jour de beau soleil, Gervaise et Coupeau, l'ouvrier zingueur, mangeaient ensemble une prune, à l'Assommoir du père Colombe. Coupeau, qui fumait une cigarette sur le trottoir, l'avait forcée à entrer, comme elle traversait la rue, revenant de porter du linge ; et son grand panier carré de blanchisseuse était par terre, près d'elle, derrière la petite table de zinc.

L'Assommoir du père Colombe se trouvait au coin de la rue des Poissonniers et du boulevard de Rochechouart [34]. L'enseigne portait, en longues lettres bleues, le seul mot : *Distillation*, d'un bout à l'autre. Il y avait à la porte, dans deux moitiés de futaille, des lauriers-roses poussiéreux. Le comptoir énorme, avec ses files de verres, sa fontaine et ses mesures d'étain, s'allongeait à gauche en entrant ; et la vaste salle, tout autour, était ornée de gros tonneaux peints en jaune clair, miroitants de vernis, dont les cercles et les cannelles [35] de cuivre luisaient. Plus haut, sur des étagères, des bouteilles de liqueurs, des bocaux de fruits, toutes sortes de fioles en bon ordre, cachaient les murs, reflétaient dans la glace, derrière le comptoir, leurs taches vives, vert pomme, or pâle, laque tendre. Mais la curiosité de la maison était, au fond, de l'autre côté d'une barrière de chêne, dans une cour vitrée, l'appareil à distiller que les consommateurs voyaient fonctionner, des alambics aux longs cols, des serpentins descendant sous terre, une cuisine du diable devant laquelle venaient rêver les ouvriers soûlards.

A cette heure du déjeuner, l'Assommoir restait vide. Un gros homme de quarante ans, le père Colombe, en gilet à manches, servait une petite fille d'une dizaine d'années, qui lui demandait quatre sous de goutte dans une tasse. Une nappe de soleil entrait par la porte, chauffait le parquet toujours humide des crachats des fumeurs. Et, du comptoir, des tonneaux, de toute la salle, montait une odeur liquoreuse, une fumée d'alcool qui semblait épaissir et griser les poussières volantes du soleil.

Cependant, Coupeau roulait une nouvelle ciga-

34. L'Assommoir du père Colombe se trouvait à l'embranchement actuel du boulevard Barbès et du boulevard Rochechouart. Delvau définit ainsi le mot : « Nom d'un cabaret de Belleville, qui est devenu celui de tous les cabarets de bas étage, où le peuple boit des liquides frelatés qui le tuent, – sans remarquer l'éloquence sinistre de cette métaphore, que les voleurs russes semblent lui avoir emprunté, en la retournant, pour désigner un gourdin, sous le nom de *vin de Champagne*. »
35. Robinet qu'on met à un tonneau.

rette. Il était très propre, avec un bourgeron et une petite casquette de toile bleue, riant, montrant ses dents blanches. La mâchoire inférieure saillante, le nez légèrement écrasé, il avait de beaux yeux marron, la face d'un chien joyeux et bon enfant. Sa grosse chevelure frisée se tenait tout debout. Il gardait la peau encore tendre de ses vingt-six ans. En face de lui, Gervaise, en caraco d'orléans noir, la tête nue, achevait de manger sa prune, qu'elle tenait par la queue, du bout des doigts. Ils étaient près de la rue, à la première des quatre tables rangées le long des tonneaux, devant le comptoir.

Lorsque le zingueur eut allumé sa cigarette, il posa les coudes sur la table, avança la face, regarda un instant sans parler la jeune femme, dont le joli visage de blonde avait, ce jour-là, une transparence laiteuse de fine porcelaine. Puis, faisant allusion à une affaire connue d'eux seuls, débattue déjà, il demanda simplement, à demi-voix :

— Alors, non ? vous dites non ?

— Oh! bien sûr, non, monsieur Coupeau, répondit tranquillement Gervaise souriante. Vous n'allez peut-être pas me parler de ça ici. Vous m'aviez promis pourtant d'être raisonnable... Si j'avais su, j'aurais refusé votre consommation.

Il ne reprit pas la parole, continua à la regarder, de tout près, avec une tendresse hardie et qui s'offrait, passionné surtout pour les coins de ses lèvres, de petits coins d'un rose pâle, un peu mouillé, laissant voir le rouge vif de la bouche, quand elle souriait. Elle, pourtant, ne se reculait pas, demeurait placide et affectueuse. Au bout d'un silence, elle dit encore :

— Vous n'y songez pas, vraiment. Je suis une vieille femme [36], moi; j'ai un grand garçon de huit ans... Qu'est-ce que nous ferions ensemble ?

— Pardi! murmura Coupeau en clignant les yeux, ce que font les autres!

Mais elle eut un geste d'ennui.

— Ah! si vous croyez que c'est toujours amusant ? On voit bien que vous n'avez pas été en ménage... Non, monsieur Coupeau, il faut que je pense aux choses sérieuses. La rigolade, ça ne mène à rien, entendez-vous! J'ai deux bouches à la maison, et qui avalent ferme, allez! Comment voulez-vous que j'arrive à élever mon petit monde, si je m'amuse à la bagatelle ?... Et puis, écoutez, mon malheur a été une fameuse leçon. Vous savez, les hommes maintenant, ça ne fait plus mon affaire. On ne me repincera pas de longtemps.

Elle s'expliqua sans colère, avec une grande sagesse, très froide, comme si elle avait traité une question d'ouvrage, les raisons qui l'empêchaient de passer un corps de fichu à l'empois. On voyait qu'elle avait arrêté ça dans sa tête, après de mûres réflexions.

Coupeau, attendri, répétait :

— Vous me causez bien de la peine, bien de la peine...

— Oui, c'est ce que je vois, reprit-elle, et j'en suis fâchée pour vous, monsieur Coupeau... Il ne faut pas que ça vous blesse. Si j'avais des idées de rire, mon Dieu! ce serait encore plutôt avec vous qu'avec un autre. Vous avez l'air bon garçon, vous êtes gentil. On se mettrait ensemble, n'est-ce pas ? et on irait tant qu'on irait. Je ne fais pas ma princesse, je ne dis point que ça n'aurait pas pu arriver... Seulement, à quoi bon, puisque je n'en ai pas envie ? Me voilà chez madame Fauconnier depuis quinze jours. Les petits vont à l'école. Je travaille, je suis contente... Hein, le mieux alors est de rester comme on est.

Elle se baissa pour prendre son panier.

— Vous me faites causer, on doit m'attendre chez la patronne... Vous en trouverez une autre, allez! monsieur Coupeau, plus jolie que moi, et qui n'aura pas deux marmots à traîner.

Il regardait l'œil-de-bœuf, encadré dans la glace. Il la fit rasseoir, en criant :

— Attendez donc! Il n'est que onze heures trente-cinq... J'ai encore vingt-cinq minutes... Vous ne craignez pourtant pas que je fasse des bêtises; il y a la table entre nous... Alors, vous me détestez, au point de ne pas vouloir faire un bout de causette ?

Elle posa de nouveau son panier, pour ne pas le désobliger; et ils parlèrent en bons amis. Elle avait mangé, avant d'aller porter son linge; lui, ce jour-là, s'était dépêché d'avaler sa soupe et son bœuf, pour venir la guetter. Gervaise, tout en répondant avec complaisance, regardait par les vitres, entre les bocaux de fruits à l'eau-de-vie, le mouvement de la rue, où l'heure du déjeuner mettait un écrasement de foule extraordinaire. Sur les deux trottoirs, dans l'étranglement étroit des maisons, c'était une hâte de pas, des bras ballants, un coudoiement sans fin. Les retardataires, des ouvriers retenus au travail, la mine maussade de faim, coupaient la chaussée à grandes enjambées, entraient en face chez un boulanger; et, lorsqu'ils reparaissaient, une livre de pain sous le bras, ils allaient trois portes plus haut, au Veau à Deux Têtes, manger un ordinaire [37] de six sous. Il y avait aussi,

36. Dans le peuple, les femmes vieillissaient vite en raison de la vie pénible qu'elles menaient.
37. « Soupe et bœuf, – dans l'argot des ouvriers » (Delvau).

à côté du boulanger, une fruitière qui vendait des pommes de terre frites et des moules au persil; un défilé continu d'ouvrières, en longs tabliers, emportaient des cornets de pommes de terre et des moules dans des tasses; d'autres, de jolies filles en cheveux, l'air délicat, achetaient des bottes de radis. Quand Gervaise se penchait, elle apercevait encore une boutique de charcutier, pleine de monde, d'où sortaient des enfants, tenant sur leur main, enveloppés d'un papier gras, une côtelette panée, une saucisse ou un bout de boudin tout chaud. Cependant, le long de la chaussée poissée d'une boue noire, même par les beaux temps, dans le piétinement de la foule en marche, quelques ouvriers quittaient déjà les gargotes, descendaient en bandes, flânant, les mains ouvertes battant les cuisses, lourds de nourriture, tranquilles et lents au milieu des bousculades de la cohue.

Un groupe s'était formé à la porte de l'Assommoir.

— Dis donc, Bibi-la-Grillade, demanda une voix enrouée, est-ce que tu payes une tournée de vitriol [38] ?

Cinq ouvriers entrèrent, se tinrent debout.

— Ah! ce voleur de père Colombe! reprit la voix. Vous savez, il nous faut de la vieille, et pas des coquilles de noix, de vrais verres!

Le père Colombe, paisiblement, servait. Une autre société de trois ouvriers arriva. Peu à peu, les blouses s'amassaient à l'angle du trottoir, faisaient là une courte station, finissaient par se pousser dans la salle, entre les deux lauriers-roses gris de poussière.

— Vous êtes bête! vous ne songez qu'à la saleté! disait Gervaise à Coupeau. Sans doute que je l'aimais... Seulement, après la façon dégoûtante dont il m'a lâchée...

Ils parlaient de Lantier. Gervaise ne l'avait pas revu; elle croyait qu'il vivait avec la sœur de Virginie, à la Glacière, chez cet ami qui devait monter une fabrique de chapeaux. D'ailleurs, elle ne songeait guère à courir après lui. Ça lui avait d'abord fait une grosse peine; elle voulait même aller se jeter à l'eau; mais, à présent, elle s'était raisonnée, tout se trouvait pour le mieux. Peut-être qu'avec Lantier elle n'aurait jamais pu élever les petits, tant il mangeait d'argent. Il pouvait venir embrasser Claude et Étienne, elle ne le flanquerait pas à la porte. Seulement, pour elle, elle se ferait hacher en morceaux avant de se laisser toucher du bout des doigts. Et elle disait ces choses en femme

résolue, ayant son plan de vie bien arrêté, tandis que Coupeau, qui ne lâchait pas son désir de l'avoir, plaisantait, tournait tout à l'ordure, lui faisait sur Lantier des questions très crues, si gaiement, avec des dents si blanches, qu'elle ne pensait pas à se blesser.

— C'est vous qui le battiez, dit-il enfin. Oh! vous n'êtes pas bonne! Vous donnez le fouet au monde.

Elle l'interrompit par un long rire. C'était vrai, pourtant, elle avait donné le fouet à cette grande carcasse de Virginie. Ce jour-là, elle aurait étranglé quelqu'un de bien bon cœur. Et elle se mit à rire plus fort, parce que Coupeau lui racontait que Virginie, désolée d'avoir tout montré, venait de quitter le quartier. Son visage, pourtant, gardait une douceur enfantine; elle avançait ses mains potelées, en répétant qu'elle n'écraserait pas une mouche; elle ne connaissait les coups que pour en avoir déjà joliment reçu dans sa vie. Alors, elle en vint à causer de sa jeunesse à Plassans. Elle n'était point coureuse du tout; les hommes l'ennuyaient; quand Lantier l'avait prise, à quatorze ans, elle trouvait ça gentil, parce qu'il se disait son mari et qu'elle croyait jouer au ménage. Son seul défaut, assurait-elle, était d'être très sensible, d'aimer tout le monde, de se passionner pour des gens qui lui faisaient ensuite mille misères. Ainsi, quand elle aimait un homme, elle ne songeait pas aux bêtises, elle rêvait uniquement de vivre toujours ensemble, très heureux. Et, comme Coupeau ricanait et lui parlait de ses deux enfants, qu'elle n'avait certainement pas mis couver sous le traversin, elle lui allongea des tapes sur les doigts, elle ajouta que, bien sûr, elle était bâtie sur le patron des autres femmes; seulement, on avait tort de croire les femmes toujours acharnées après ça; les femmes songeaient à leur ménage, se coupaient en quatre dans la maison, se couchaient trop lasses, le soir, pour ne pas dormir tout de suite. Elle, d'ailleurs, ressemblait à sa mère, une grosse travailleuse, morte à la peine, qui avait servi de bête de somme au père Macquart pendant plus de vingt ans [39]. Elle était encore toute mince, tandis que sa mère avait des épaules à démolir les portes en passant; mais ça n'empêchait pas, elle lui ressemblait par sa rage de s'attacher aux gens. Même, si elle boitait un peu, elle tenait ça de la pauvre femme, que le père Macquart rouait de coups. Cent fois, celle-ci lui avait raconté les nuits où le père, rentrant soûl, se montrait d'une galanterie si brutale, qu'il lui

---

38. « Eau-de-vie » (D. Poulot).

39. Voir tome 1, la Fortune des Rougon.

cassait les membres; et, sûrement, elle avait poussé une de ces nuits-là, avec sa jambe en retard.

— Oh! ce n'est presque rien, ça ne se voit pas, dit Coupeau pour faire sa cour.

Elle hocha le menton; elle savait bien que ça se voyait; à quarante ans, elle se casserait en deux. Puis, doucement, avec un léger rire :

— Vous avez un drôle de goût d'aimer une boiteuse.

Alors, lui, les coudes toujours sur la table, avançant la face davantage, la complimenta en risquant les mots, comme pour la griser. Mais elle disait toujours non de la tête, sans se laisser tenter, caressée pourtant par cette voix câline. Elle écoutait, les regards dehors, paraissant s'intéresser de nouveau à la foule croissante. Maintenant, dans les boutiques vides, on donnait un coup de balai; la fruitière retirait sa dernière poêlée de pommes de terre frites, tandis que le charcutier remettait en ordre les assiettes débandées de son comptoir. De tous les gargots [40], des bandes d'ouvriers sortaient; des gaillards barbus se poussaient d'une claque, jouaient comme des gamins, avec le tapage de leurs gros souliers ferrés, écorchant le pavé dans une glissade; d'autres, les deux mains au fond de leurs poches, fumaient d'un air réfléchi, les yeux au soleil, les paupières clignotantes. C'était un envahissement du trottoir, de la chaussée, des ruisseaux, un flot paresseux coulant des portes ouvertes, s'arrêtant au milieu des voitures, faisant une traînée de blouses, de bourgerons et de vieux paletots, toute pâlie et déteinte sous la nappe de lumière blonde qui enfilait la rue. Au loin, des cloches d'usine sonnaient; et les ouvriers ne se pressaient pas, rallumaient des pipes; puis, le dos arrondi, après s'être appelés d'un marchand de vin à l'autre, ils se décidaient à reprendre le chemin de l'atelier, en traînant les pieds. Gervaise s'amusa à suivre trois ouvriers, un grand et deux petits, qui se retournaient tous les dix pas; ils finirent par descendre la rue, ils vinrent droit à l'Assommoir du père Colombe.

— Ah bien! murmura-t-elle, en voilà trois qui ont un fameux poil dans la main!

— Tiens, dit Coupeau, je le connais, le grand; c'est Mes-Bottes, un camarade.

L'Assommoir s'était empli. On parlait très fort, avec des éclats de voix qui déchiraient le murmure gras des enrouements. Des coups de poing sur le comptoir, par moments, faisaient tinter les verres. Tous debout, les mains croisées sur le ventre ou rejetées derrière le dos, les buveurs formaient de petits groupes, serrés les uns contre les autres; il y avait des sociétés, près des tonneaux, qui devaient attendre un quart d'heure, avant de pouvoir commander leurs tournées au père Colombe.

— Comment! c'est cet aristo de Cadet-Cassis [41]! cria Mes-Bottes, en appliquant une rude tape sur l'épaule de Coupeau. Un joli monsieur qui fume du papier et qui a du linge!... On veut donc épater sa connaissance [42], on lui paye des douceurs!

— Hein! ne m'embête pas! répondit Coupeau, très contrarié.

Mais l'autre ricanait.

— Suffit! on est à la hauteur, mon bonhomme... Les mufes [43] sont des mufes, voilà!

Il tourna le dos, après avoir louché terriblement, en regardant Gervaise. Celle-ci se reculait, un peu effrayée. La fumée des pipes, l'odeur forte de tous ces hommes, montaient dans l'air chargé d'alcool; et elle étouffait, prise d'une petite toux.

— Oh! c'est vilain de boire! dit-elle à demi-voix.

Et elle raconta qu'autrefois, avec sa mère, elle buvait de l'anisette, à Plassans. Mais elle avait failli en mourir un jour, et ça l'avait dégoûtée; elle ne pouvait plus voir les liqueurs.

— Tenez, ajouta-t-elle en montrant son verre, j'ai mangé ma prune; seulement, je laisserai la sauce, parce que ça me ferait du mal.

Coupeau, lui aussi, ne comprenait pas qu'on pût avaler de pleins verres d'eau-de-vie. Une prune par-ci par-là, ça n'était pas mauvais. Quant au vitriol, à l'absinthe et aux autres cochonneries, bonsoir! il n'en fallait pas. Les camarades avaient beau le blaguer, il restait à la porte, lorsque ces cheulards-là [44] entraient à la mine à poivre. Le papa Coupeau, qui était zingueur comme lui, s'était écrabouillé la tête sur le pavé de la rue Coquenard, en tombant, un jour de ribote, de la gouttière du n° 25; et ce souvenir, dans la famille, les rendait tous sages. Lui, lorsqu'il passait rue Coquenard et qu'il voyait la place, il aurait plutôt bu l'eau du ruisseau que d'avaler un canon [45] gratis chez le marchand de vin. Il conclut par cette phrase :

— Dans notre métier, il faut des jambes solides.

Gervaise avait repris son panier. Elle ne se levait pourtant pas, le tenait sur ses genoux, les regards perdus, rêvant, comme si les paroles du jeune ouvrier éveillaient en elle des pensées lointaines

---

40. « Petit restaurant où l'on mange à bon marché et mal » (Delvau).

41. « Bourgeois » (Delvau). Cadet est un « synonyme de quidam ou de particulier ».
42. « Maîtresse, dans l'argot des ouvriers, qui veulent connaître une fille avant de l'épouser » (Delvau).
43. « Crétin, lâche, pignouf » (D. Poulot).
44. « Soûlard » (D. Poulot).
45. « Verre de vin » (D. Poulot).

d'existence. Et elle dit encore, lentement, sans transition apparente :

— Mon Dieu! je ne suis pas ambitieuse, je ne demande pas grand-chose... Mon idéal, ce serait de travailler tranquille, de manger toujours du pain, d'avoir un trou un peu propre pour dormir, vous savez, un lit, une table et deux chaises, pas davantage... Ah! je voudrais aussi élever mes enfants, en faire de bons sujets, si c'était possible... Il y a encore un idéal, ce serait de ne pas être battue, si je me remettais jamais en ménage; non, ça ne me plairait pas d'être battue... Et c'est tout, vous voyez, c'est tout...

Elle cherchait, interrogeait ses désirs, ne trouvait plus rien de sérieux qui la tentât. Cependant, elle reprit, après avoir hésité :

— Oui, on peut à la fin avoir le désir de mourir dans son lit... Moi, après avoir bien trimé toute ma vie, je mourrais volontiers dans mon lit, chez moi.

Et elle se leva. Coupeau, qui approuvait vivement ses souhaits, était déjà debout, s'inquiétant de l'heure. Mais ils ne sortirent pas tout de suite; elle eut la curiosité d'aller regarder, au fond, derrière la barrière de chêne, le grand alambic de cuivre rouge, qui fonctionnait sous le vitrage clair de la petite cour; et le zingueur, qui l'avait suivie, lui expliqua comment ça marchait, indiquant du doigt les différentes pièces de l'appareil, montrant l'énorme cornue d'où tombait un filet limpide d'alcool. L'alambic, avec ses récipients de forme étrange, ses enroulements sans fin de tuyaux, gardait une mine sombre; pas une fumée ne s'échappait; à peine entendait-on un souffle intérieur, un ronflement souterrain; c'était comme une besogne de nuit faite en plein jour, par un travailleur morne, puissant et muet. Cependant, Mes-Bottes, accompagné de ses deux camarades, était venu s'accouder sur la barrière, en attendant qu'un coin du comptoir fût libre. Il avait un rire de poulie mal graissée, hochant la tête, les yeux attendris, fixés sur la machine à soûler. Tonnerre de Dieu! elle était bien gentille! Il y avait, dans ce gros bedon [46] de cuivre, de quoi se tenir le gosier au frais pendant huit jours. Lui, aurait voulu qu'on lui soudât le bout du serpentin entre les dents, pour sentir le vitriol encore chaud, l'emplir, lui descendre jusqu'aux talons, toujours, toujours, comme un petit ruisseau. Dame! il ne se serait plus dérangé, ça aurait joliment remplacé les dés à coudre de ce

roussin [47] de père Colombe! Et les camarades ricanaient, disaient que cet animal de Mes-Bottes avait un fichu grelot [48], tout de même. L'alambic, sourdement, sans une flamme, sans une gaieté dans les reflets éteints de ses cuivres, continuait, laissait couler sa sueur d'alcool, pareil à une source lente et entêtée, qui à la longue devait envahir la salle, se répandre sur les boulevards extérieurs, inonder le trou immense de Paris. Alors, Gervaise, prise d'un frisson, recula; et elle tâchait de sourire, en murmurant :

— C'est bête, ça me fait froid, cette machine... la boisson me fait froid...

Puis, revenant sur l'idée qu'elle caressait d'un bonheur parfait :

— Hein? n'est-ce pas? ça vaudrait bien mieux : travailler, manger du pain, avoir un trou à soi, élever ses enfants, mourir dans son lit...

— Et ne pas être battue, ajouta Coupeau gaiement. Mais je ne vous battrais pas, moi, si vous vouliez, madame Gervaise... Il n'y a pas de crainte, je ne bois jamais, puis je vous aime trop... Voyons, c'est pour ce soir, nous nous chaufferons les petons.

Il avait baissé la voix, il lui parlait dans le cou, tandis qu'elle s'ouvrait un chemin, son panier en avant. Mais elle dit encore non, de la tête, à plusieurs reprises. Pourtant, elle se retournait, lui souriait, semblait heureuse de savoir qu'il ne buvait pas. Bien sûr, elle lui aurait dit oui, si elle ne s'était pas juré de ne point se remettre avec un homme. Enfin, ils gagnèrent la porte, ils sortirent. Derrière eux, l'Assommoir restait plein, soufflant jusqu'à la rue le bruit des voix enrouées et l'odeur liquoreuse des tournées de vitriol. On entendait Mes-Bottes traiter le père Colombe de fripouille, en l'accusant de n'avoir rempli son verre qu'à moitié. Lui, était un bon, un chouette, un d'attaque [49]. Ah! zut! le singe [50] pouvait se fouiller, il ne retournerait pas à la boîte [51], il avait la flemme. Et il proposait aux deux camarades d'aller au Petit bonhomme qui tousse, une mine à poivre de la barrière Saint-Denis, où l'on buvait du chien tout pur.

— Ah! on respire, dit Gervaise, sur le trottoir. Eh bien! adieu, et merci, monsieur Coupeau... Je rentre vite.

---

46. « Ventre. »
47. « Policier, agent de la police; injure plaisante » (D. Poulot). Delvau signale « rousse ».

48. « La voix humaine, dans l'argot des faubouriens », « Les sublimes disent d'un travailleur parlant bien : A-t-il un bon grelot! » (Delvau).
49. « C'était quelqu'un de bien, de solide, sur qui on pouvait compter. »
50. « Patron » (Delvau).
51. « Atelier » (D. Poulot).

Elle allait suivre le boulevard. Mais il lui avait pris la main, il ne la lâchait pas, répétant :

— Faites donc le tour avec moi, passez par la rue de la Goutte-d'Or, ça ne vous allonge guère... Il faut que j'aille chez ma sœur, avant de retourner au chantier... Nous nous accompagnerons.

Elle finit par accepter, et ils montèrent lentement la rue des Poissonniers, côte à côte, sans se donner le bras. Il lui parlait de sa famille. La mère, maman Coupeau, une ancienne giletière, faisait des ménages, à cause de ses yeux qui s'en allaient. Elle avait eu ses soixante-deux ans, le 3 du mois dernier. Lui, était le plus jeune. L'une de ses sœurs, madame Lerat, une veuve de trente-six ans, travaillait dans les fleurs et habitait la rue des Moines, aux Batignolles. L'autre, âgée de trente ans, avait épousé un chaîniste, ce pince-sans-rire de Lorilleux. C'était chez celle-là qu'il allait, rue de la Goutte-d'Or. Elle logeait dans la grande maison, à gauche. Le soir, il mangeait la pot-bouille [52] chez les Lorilleux; c'était une économie pour tous les trois. Même, il passait chez eux les avertir de ne pas l'attendre, parce qu'il était invité ce jour-là par un ami.

Gervaise, qui l'écoutait, lui coupa brusquement la parole pour lui demander en souriant :

— Vous vous appelez donc Cadet-Cassis, monsieur Coupeau ?

— Oh! répondit-il, c'est un surnom que les camarades m'ont donné, parce que je prends généralement du cassis, quand ils m'emmènent de force chez le marchand de vin... Autant s'appeler Cadet-Cassis que Mes-Bottes, n'est-ce pas ?

— Bien sûr, ce n'est pas vilain, Cadet-Cassis, déclara la jeune femme.

Et elle l'interrogea sur son travail. Il travaillait toujours là, derrière le mur de l'octroi, au nouvel hôpital. Oh! la besogne ne manquait pas, il ne quitterait certainement pas ce chantier de l'année. Il y en avait des mètres et des mètres de gouttières !

— Vous savez, dit-il, je vois l'hôtel Boncœur, quand je suis là-haut... Hier, vous étiez à la fenêtre, j'ai fait aller les bras, mais vous ne m'avez pas aperçu.

Cependant, ils s'étaient déjà engagés d'une centaine de pas dans la rue de la Goutte-d'Or, lorsqu'il s'arrêta, levant les yeux, disant :

— Voilà la maison... Moi, je suis né plus loin, au 22... Mais cette maison-là, tout de même, fait un joli tas de maçonnerie ! C'est grand comme une caserne, là-dedans !

Gervaise haussait le menton, examinait la façade. Sur la rue, la maison avait cinq étages, alignant chacun à la file quinze fenêtres, dont les persiennes noires, aux lames cassées, donnaient un air de ruine à cet immense pan de muraille. En bas, quatre boutiques occupaient le rez-de-chaussée : à droite de la porte, une vaste salle de gargote graisseuse; à gauche, un charbonnier, un mercier et une marchande de parapluies. La maison paraissait d'autant plus colossale qu'elle s'élevait entre deux petites constructions basses, chétives, collées contre elle; et, carrée, pareille à un bloc de mortier gâché grossièrement, se pourrissant et s'émiettant sous la pluie, elle profilait sur le ciel clair, au-dessus des toits voisins, son énorme cube brut, ses flancs non crépis, couleur de boue, d'une nudité interminable de murs de prison, où des rangées de pierres d'attente semblaient des mâchoires caduques, bâillant dans le vide. Mais Gervaise regardait surtout la porte, une immense porte ronde, s'élevant jusqu'au deuxième étage, creusant un porche profond, à l'autre bout duquel on voyait le coup de jour blafard d'une grande cour. Au milieu de ce porche, pavé comme la rue, un ruisseau coulait, roulant une eau rose très tendre.

— Entrez donc, dit Coupeau, on ne vous mangera pas.

Gervaise voulut l'attendre dans la rue. Cependant, elle ne put s'empêcher de s'enfoncer sous le porche, jusqu'à la loge du concierge, qui était à droite. Et là, au seuil, elle leva de nouveau les yeux. A l'intérieur, les façades avaient six étages, quatre façades régulières enfermant le vaste carré de la cour. C'étaient des murailles grises, mangées d'une lèpre jaune, rayées de bavures par l'égouttement des toits, qui montaient toutes plates du pavé aux ardoises, sans une moulure; seuls les tuyaux de descente se coudaient aux étages, où les caisses béantes des plombs mettaient la tache de leur fonte rouillée. Les fenêtres sans persienne montraient des vitres nues, d'un vert glauque d'eau trouble. Certaines, ouvertes, laissaient pendre des matelas à carreaux bleus, qui prenaient l'air; devant d'autres, sur des cordes tendues, des linges séchaient, toute la lessive d'un ménage, les chemises de l'homme, les camisoles de la femme, les culottes des gamins; il y en avait une, au troisième, où s'étalait une couche d'enfant, emplâtrée d'ordure. Du haut en bas, les logements trop petits crevaient au-dehors, lâchaient des bouts de leur misère par toutes les fentes. En bas, desservant chaque façade, une porte haute et étroite, sans boiserie, taillée dans le nu du plâtre, creusait un vesti-

---

52. « Cuisine — ou plutôt chose cuisinée. Argot des ouvriers » (Delvau).

bule lézardé, au fond duquel tournaient les marches boueuses d'un escalier à rampe de fer ; et l'on comptait ainsi quatre escaliers, indiqués par les quatre premières lettres de l'alphabet, peintes sur le mur. Les rez-de-chaussée étaient aménagés en immenses ateliers, fermés par des vitrages noirs de poussière : la forge d'un serrurier y flambait ; on entendait plus loin des coups de rabot d'un menuisier ; tandis que, près de la loge, un laboratoire de teinturier lâchait à gros bouillons ce ruisseau d'un rose tendre coulant sous le porche. Salie de flaques d'eau teintée, de copeaux, d'escarbilles de charbon, plantée d'herbe sur ses bords, entre ses pavés disjoints, la cour s'éclairait d'une clarté crue, comme coupée en deux par la ligne où le soleil s'arrêtait. Du côté de l'ombre, autour de la fontaine dont le robinet entretenait là une continuelle humidité, trois petites poules piquaient le sol, cherchaient des vers de terre, les pattes crottées. Et Gervaise lentement promenait son regard, l'abaissait du sixième étage au pavé, remontant, surprise de cette énormité, se sentant au milieu d'un organe vivant, au cœur même d'une ville, intéressée par la maison, comme si elle avait eu devant elle une personne géante.

— Est-ce que madame demande quelqu'un ? cria la concierge, intriguée, en paraissant à la porte de la loge.

Mais la jeune femme expliqua qu'elle attendait une personne. Elle retourna vers la rue ; puis, comme Coupeau tardait, elle revint, attirée, regardant encore. La maison ne lui semblait pas laide. Parmi les loques pendues aux fenêtres, des coins de gaieté riaient, une giroflée fleurie dans un pot, une cage de serins d'où tombait un gazouillement, des miroirs à barbe mettant au fond de l'ombre des éclats d'étoiles rondes. En bas, un menuisier chantait, accompagné par les sifflements réguliers de sa varlope ; pendant que, dans l'atelier de serrurerie, un tintamarre de marteaux battant en cadence faisait une grosse sonnerie argentine. Puis, à presque toutes les croisées ouvertes, sur le fond de la misère entrevue, des enfants montraient leurs têtes barbouillées et rieuses, des femmes cousaient, avec des profils calmes penchés sur l'ouvrage. C'était la reprise de la tâche après le déjeuner, les chambres vides des hommes travaillant au-dehors, la maison rentrant dans cette grande paix, coupée uniquement du bruit des métiers, du bercement d'un refrain, toujours le même, répété pendant des heures. La cour seulement était un peu humide. Si Gervaise avait demeuré là, elle aurait voulu un logement au fond, du côté du soleil. Elle avait fait

cinq ou six pas, elle respirait cette odeur fade des logis pauvres, une odeur de poussière ancienne, de saleté rance ; mais, comme l'âcreté des eaux de teinture dominait, elle trouvait que ça sentait beaucoup moins mauvais qu'à l'hôtel Boncœur. Et elle choisissait déjà sa fenêtre, une fenêtre dans l'encoignure de gauche, où il y avait une petite caisse, plantée de haricots d'Espagne, dont les tiges minces commençaient à s'enrouler autour d'un berceau de ficelles.

— Je vous ai fait attendre, hein ? dit Coupeau, qu'elle entendit tout d'un coup près d'elle. C'est une histoire, quand je ne dîne pas chez eux, d'autant plus qu'aujourd'hui ma sœur a acheté du veau.

Et comme elle avait eu un léger tressaillement de surprise, il continua, en promenant à son tour ses regards :

— Vous regardiez la maison. C'est toujours loué du haut en bas. Il y a trois cents locataires, je crois... Moi, si j'avais un des meubles, j'aurais guetté un cabinet. On serait bien ici, n'est-ce pas ?

— Oui, on serait bien, murmura Gervaise. A Plassans, ce n'était pas si peuplé, dans notre rue... Tenez, c'est gentil, cette fenêtre, au cinquième, avec des haricots.

Alors, avec son entêtement, il lui demanda encore si elle voulait. Dès qu'ils auraient un lit, ils loueraient là. Mais elle se sauvait, elle se hâtait sous le porche, en le priant de ne pas recommencer ses bêtises. La maison pouvait crouler, elle n'y coucherait bien sûr pas sous la même couverture que lui. Pourtant, Coupeau, en la quittant devant l'atelier de madame Fauconnier, put garder un instant dans la sienne sa main qu'elle lui abandonnait en toute amitié.

Pendant un mois, les bons rapports de la jeune femme et de l'ouvrier zingueur continuèrent. Il la trouvait joliment courageuse, quand il la voyait se tuer au travail, soigner les enfants, trouver encore le moyen de coudre le soir à toutes sortes de chiffons. Il y avait des femmes pas propres, noceuses, sur leur bouche ; mais, sacré mâtin ! elle ne leur ressemblait guère, elle prenait trop la vie au sérieux ! Alors, elle riait, elle se défendait modestement. Pour son malheur, elle n'avait pas été toujours aussi sage. Et elle faisait allusion à ses premières couches, dès quatorze ans ; elle revenait sur les litres d'anisette vidés avec sa mère, autrefois. L'expérience la corrigeait un peu, voilà tout. On avait tort de lui croire une grosse volonté ; elle était très faible, au contraire ; elle se laissait aller où on la poussait, par crainte de causer de la peine à quel-

La maison de la rue de la Goutte-d'Or, première édition illustrée.

qu'un [53]. Son rêve était de vivre dans une société honnête, parce que la mauvaise société, disait-elle, c'était comme un coup d'assommoir, ça vous cassait le crâne, ça vous aplatissait une femme en moins de rien. Elle se sentait prise d'une sueur devant l'avenir et se comparait à un sou lancé en l'air, retombant pile ou face, selon les hasards du pavé. Tout ce qu'elle avait déjà vu, les mauvais exemples étalés sous ses yeux d'enfant, lui donnaient une fière leçon. Mais Coupeau la plaisantait de ses idées noires, la ramenait à tout son courage, en essayant de lui pincer les hanches; elle le repoussait, lui allongeait des claques sur les mains, pendant qu'il criait en riant que, pour une femme faible, elle n'était pas d'un assaut commode. Lui, rigoleur [54], ne s'embarrassait pas de l'avenir. Les jours amenaient les jours, pardi! On aurait toujours bien la niche et la pâtée. Le quartier lui semblait propre, à part une bonne moitié des soûlards dont on aurait pu débarrasser les ruisseaux. Il n'était pas méchant diable, tenait parfois des discours très sensés, avait même un brin de coquetterie, une raie soignée sur le côté de la tête, de jolies cravates, une paire de souliers vernis pour le dimanche. Avec cela, une adresse et une effronterie de singe, une drôlerie gouailleuse d'ouvrier parisien, pleine de bagou, charmante encore sur son museau jeune.

Tous deux avaient fini par se rendre une foule de services, à l'hôtel Boncœur. Coupeau allait lui chercher son lait, se chargeait de ses commissions, portait ses paquets de linge; souvent, le soir, comme il revenait du travail le premier, il promenait les enfants, sur le boulevard extérieur. Gervaise, pour lui rendre ses politesses, montait dans l'étroit cabinet où il couchait, sous les toits; et elle visitait ses vêtements, mettant des boutons aux cottes, reprisant les vestes de toile. Une grande familiarité s'établissait entre eux. Elle ne s'ennuyait pas, quand il était là, amusée des chansons qu'il apportait, de cette continuelle blague des faubourgs de Paris, toute nouvelle encore pour elle. Lui, à se frotter toujours contre ses jupes, s'allumait de plus en plus. Il était pincé, et ferme! Ça finissait par le gêner. Il riait toujours, mais l'estomac si mal à l'aise, si serré, qu'il ne trouvait plus ça drôle. Les bêtises continuaient, il ne pouvait la rencontrer sans lui crier : « Quand est-ce ? » Elle savait ce qu'il voulait dire, et elle lui promettait la chose pour la semaine des quatre jeudis. Alors, il la taquinait,

se rendait chez elle avec ses pantoufles à la main, comme pour emménager. Elle en plaisantait, passait très bien sa journée sans une rougeur dans les continuelles allusions polissonnes, au milieu desquelles il la faisait vivre. Pourvu qu'il ne fût pas brutal, elle lui tolérait tout. Elle se fâcha seulement un jour où, voulant lui prendre un baiser de force, il lui avait arraché des cheveux.

Vers les derniers jours de juin, Coupeau perdit sa gaieté. Il devenait tout chose. Gervaise, inquiète de certains regards, se barricadait la nuit. Puis, après une bouderie qui avait duré du dimanche au mardi, tout d'un coup, un mardi soir, il vint frapper chez elle, vers onze heures. Elle ne voulait pas lui ouvrir; mais il avait la voix si douce et si tremblante, qu'elle finit par retirer la commode poussée contre la porte. Quand il fut entré, elle le crut malade, tant il lui parut pâle, les yeux rougis, le visage marbré. Et il restait debout, bégayant, hochant la tête. Non, non, il n'était pas malade. Il pleurait depuis deux heures, en haut, dans sa chambre; il pleurait comme un enfant, en mordant son oreiller, pour ne pas être entendu des voisins. Voilà trois nuits qu'il ne dormait plus. Ça ne pouvait pas continuer comme ça.

— Ecoutez, madame Gervaise, dit-il la gorge serrée, sur le point d'être repris par les larmes, il faut en finir, n'est-ce pas ?... Nous allons nous marier ensemble. Moi je veux bien, je suis décidé.

Gervaise montrait une grande surprise. Elle était très grave.

— Oh! monsieur Coupeau, murmura-t-elle, qu'est-ce que vous allez chercher là! Je ne vous ai jamais demandé cette chose, vous le savez bien... Ça ne me convenait pas, voilà tout... Oh! non, non, c'est sérieux, maintenant, réfléchissez, je vous en prie.

Mais il continuait à hocher la tête, d'un air de résolution inébranlable. C'était tout réfléchi. Il était descendu, parce qu'il avait besoin de passer une bonne nuit. Elle n'allait pas le laisser remonter pleurer, peut-être! Dès qu'elle aurait dit oui, il ne la tourmenterait plus, elle pourrait se coucher tranquille. Il voulait simplement lui entendre dire oui. On causerait le lendemain.

— Bien sûr, je ne dirai pas oui comme ça, reprit Gervaise. Je ne tiens pas à ce que, plus tard, vous m'accusiez de vous avoir poussé à faire une bêtise... Voyez-vous, monsieur Coupeau, vous avez tort de vous entêter. Vous ignorez vous-même ce que vous éprouvez pour moi. Si vous ne me rencontriez pas de huit jours, ça vous passerait, je parie. Les hommes, souvent, se marient pour une nuit, la première, et

53. Cet aspect « bonne fille » de Gervaise, que Zola souligne souvent, est en partie cause de ses successives démissions.
54. « Ami de la joie et de la bouteille » (Delvau).

puis les nuits se suivent, les jours s'allongent, toute la vie, et ils sont joliment embêtés... Asseyez-vous là, je veux bien causer tout de suite.

Alors, jusqu'à une heure du matin, dans la chambre noire, à la clarté fumeuse d'une chandelle qu'ils oubliaient de moucher, ils discutèrent leur mariage, baissant la voix, afin de ne pas réveiller les deux enfants, Claude et Étienne, qui dormaient avec leur petit souffle, la tête sur le même oreiller. Et Gervaise revenait toujours à eux, les montrait à Coupeau ; c'était là une drôle de dot qu'elle lui apportait, elle ne pouvait vraiment pas l'encombrer de deux mioches. Puis, elle était prise de honte pour lui. Qu'est-ce qu'on dirait dans le quartier ? On l'avait connue avec son amant on savait son histoire ; ce ne serait guère propre, quand on les verrait s'épouser, au bout de deux mois à peine. A toutes ces bonnes raisons, Coupeau répondait par des haussements d'épaules. Il se moquait bien du quartier ! Il ne mettait pas son nez dans les affaires des autres ; il aurait eu trop peur de le salir, d'abord ! Eh bien ! oui, elle avait eu Lantier avant lui. Où était le mal ? Elle ne faisait pas la vie, elle n'amènerait pas des hommes dans son ménage, comme tant de femmes, et des plus riches. Quant aux enfants, ils grandiraient, on les élèverait, parbleu ! Jamais il ne trouverait une femme aussi courageuse, aussi bonne, remplie de plus de qualités. D'ailleurs, ce n'était pas tout ça, elle aurait pu rouler sur les trottoirs, être laide, fainéante, dégoûtante, avoir une séquelle d'enfants crottés, ça n'aurait pas compté à ses yeux : il la voulait.

— Oui, je vous veux, répétait-il, en tapant son poing sur son genou d'un martèlement continu. Vous entendez bien, je vous veux... Il n'y a rien à dire à ça, je pense ?

Gervaise, peu à peu, s'attendrissait. Une lâcheté du cœur et des sens la prenait, au milieu de ce désir brutal dont elle se sentait enveloppée. Elle ne hasardait plus que des objections timides, les mains tombées sur ses jupes, la face noyée de douceur. Du dehors, par la fenêtre entrouverte, la belle nuit de juin envoyait des souffles chauds, qui effaraient la chandelle, dont la haute mèche rougeâtre charbonnait ; dans le grand silence du quartier endormi, on entendait seulement les sanglots d'enfant d'un ivrogne, couché sur le dos, au milieu du boulevard ; tandis que, très loin, au fond de quelque restaurant, un violon jouait un quadrille canaille à quelque noce attardée, une petite musique cristalline, nette et déliée comme une phrase d'harmonica. Coupeau, voyant la jeune femme à bout d'arguments, silencieuse et vaguement

souriante, avait saisi ses mains, l'attirait vers lui. Elle était dans une de ces heures d'abandon dont elle se méfiait tant, gagnée, trop émue pour rien refuser et faire de la peine à quelqu'un. Mais le zingueur ne comprit pas qu'elle se donnait ; il se contenta de lui serrer les poignets à les broyer, pour prendre possession d'elle ; et ils eurent tous les deux un soupir, à cette légère douleur, dans laquelle se satisfaisait un peu de leur tendresse.

— Vous dites oui, n'est-ce pas ? demanda-t-il.

— Comme vous me tourmentez, murmura-t-elle. Vous le voulez ? eh bien, oui... Mon Dieu, nous faisons là une grande folie, peut-être.

Il s'était levé, l'avait empoignée par la taille, lui appliquait un rude baiser sur la figure, au hasard. Puis, comme cette caresse faisait un gros bruit, il s'inquiéta le premier, regardant Claude et Étienne, marchant à pas de loup, baissant la voix.

— Chut ! soyons sages, dit-il, il ne faut pas réveiller les gosses... A demain.

Et il remonta à sa chambre. Gervaise, toute tremblante, resta près d'une heure assise au bord de son lit, sans songer à se déshabiller. Elle était touchée, elle trouvait Coupeau très honnête ; car elle avait bien cru un moment que c'était fini, qu'il allait coucher là. L'ivrogne, en bas, sous la fenêtre, avait une plainte plus rauque de bête perdue. Au loin, le violon à la ronde canaille se taisait.

Les jours suivants, Coupeau voulut décider Gervaise à monter un soir chez sa sœur, rue de la Goutte-d'Or. Mais la jeune femme, très timide, montrait un grand effroi de cette visite aux Lorilleux. Elle remarquait parfaitement que le zingueur avait une peur sourde du ménage. Sans doute il ne dépendait pas de sa sœur, qui n'était même pas l'aînée. Maman Coupeau donnerait son consentement des deux mains, car jamais elle ne contrariait son fils. Seulement, dans la famille, les Lorilleux passaient pour gagner jusqu'à dix francs par jour ; et ils tiraient de là une véritable autorité. Coupeau n'aurait pas osé se marier, sans qu'ils eussent avant tout accepté sa femme.

— Je leur ai parlé de vous, ils connaissent nos projets, expliquait-il à Gervaise. Mon Dieu ! que vous êtes enfant ! Venez ce soir... Je vous ai avertie, n'est-ce pas ? Vous trouverez ma sœur un peu raide. Lorilleux non plus n'est pas toujours aimable. Au fond, ils sont très vexés, parce que, si je me marie, je ne mangerai plus chez eux, et ce sera une économie de moins. Mais ça ne fait rien, ils ne vous mettront pas à la porte... Faites ça pour moi, c'est absolument nécessaire.

Ces paroles effrayaient Gervaise davantage. Un

samedi soir, pourtant, elle céda. Coupeau vint la chercher à huit heures et demie. Elle s'était habillée : une robe noire, avec un châle à palmes jaunes en mousseline de laine imprimée, et un bonnet blanc garni d'une petite dentelle. Depuis six semaines qu'elle travaillait, elle avait économisé les sept francs du châle et les deux francs cinquante du bonnet ; la robe était une vieille robe nettoyée et refaite.

— Ils vous attendent, lui dit Coupeau, pendant qu'ils faisaient le tour par la rue des Poissonniers. Oh ! ils commencent à s'habituer à l'idée de me voir marié. Ce soir, ils ont l'air très gentil... Et puis, si vous n'avez jamais vu faire des chaînes d'or, ça vous amusera à regarder. Ils ont justement une commande pressée pour lundi.

— Ils ont de l'or chez eux ? demanda Gervaise.

— Je crois bien ! il y en a sur les murs, il y en a par terre, il y en a partout.

Cependant, ils s'étaient engagés sous la porte ronde et avaient traversé la cour. Les Lorilleux demeuraient au sixième, escalier B. Coupeau lui cria en riant d'empoigner ferme la rampe et de ne plus la lâcher. Elle leva les yeux, cligna des paupières, en apercevant la haute tour creuse de la cage de l'escalier, éclairée par trois becs de gaz, de deux étages en deux étages ; le dernier, tout en haut, avait l'air d'une étoile tremblotante dans un ciel noir, tandis que les deux autres jetaient de longues clartés, étrangement découpées, le long de la spirale interminable des marches.

— Hein ? dit le zingueur en arrivant au palier du premier étage, ça sent joliment la soupe à l'oignon. On a mangé de la soupe à l'oignon pour sûr.

En effet, l'escalier B, gris, sale, la rampe et les marches graisseuses, les murs éraflés montrant le plâtre, était encore plein d'une violente odeur de cuisine. Sur chaque palier, les couloirs s'enfonçaient, sonores de vacarme, des portes s'ouvraient, peintes en jaune, noircies à la serrure par la crasse des mains ; et, au ras de la fenêtre, le plomb soufflait une humidité fétide, dont la puanteur se mêlait à l'âcreté de l'oignon cuit. On entendait, du rez-de-chaussée au sixième, des bruits de vaisselle, des poêlons qu'on barbotait, des casseroles qu'on grattait avec des cuillers pour les récurer. Au premier étage, Gervaise aperçut, dans l'entrebâillement d'une porte, sur laquelle le mot : *Dessinateur*, était écrit en grosses lettres, deux hommes attablés devant une toile cirée desservie, causant furieusement, au milieu de la fumée de leurs pipes. Le second étage et le troisième, plus tranquilles, laissaient passer seulement par les fentes des boiseries la cadence d'un berceau, les pleurs étouffés d'un enfant, la grosse voix d'une femme coulant avec un sourd murmure d'eau courante, sans paroles distinctes ; et elle put lire des pancartes clouées, portant des noms : *Madame Gaudron, cardeuse*, et plus loin : *Monsieur Madinier, atelier de cartonnage*. On se battait au quatrième : un piétinement dont le plancher tremblait, des meubles culbutés, un effroyable tapage de jurons et de coups ; ce qui n'empêchait pas les voisins d'en face de jouer aux cartes, la porte ouverte, pour avoir de l'air. Mais, quand elle fut au cinquième, Gervaise dut souffler, elle n'avait pas l'habitude de monter ; ce mur qui tournait toujours, ces logements entrevus qui défilaient, lui cassaient la tête. Une famille, d'ailleurs, barrait le palier ; le père lavait des assiettes sur un petit fourneau de terre, près du plomb, tandis que la mère, adossée à la rampe, nettoyait le bambin, avant d'aller le coucher. Cependant, Coupeau encourageait la jeune femme. Ils arrivaient. Et, lorsqu'il fut enfin au sixième, il se retourna pour l'aider d'un sourire. Elle, la tête levée, cherchait d'où venait un filet de voix, qu'elle écoutait depuis la première marche, clair et perçant, dominant les autres bruits. C'était, sous les toits, une petite vieille qui chantait en habillant des poupées à treize sous. Gervaise vit encore, au moment où une grande fille rentrait avec un seau dans une chambre voisine, un lit défait, où un homme en manches de chemise attendait, vautré, les yeux en l'air ; sur la porte refermée, une carte de visite écrite à la main indiquait : *Mademoiselle Clémence, repasseuse*. Alors, tout en haut, les jambes cassées, l'haleine courte, elle eut la curiosité de se pencher au-dessus de la rampe ; maintenant, c'était le bec de gaz d'en bas qui semblait une étoile, au fond du puits étroit des six étages ; et les odeurs, la vie énorme et grondante de la maison, lui arrivaient dans une seule haleine, battaient d'un coup de chaleur son visage inquiet, se hasardant là comme au bord d'un gouffre.

— Nous ne sommes pas arrivés, dit Coupeau. Oh ! c'est un voyage !

Il avait pris, à gauche, un long corridor. Il tourna deux fois, la première encore à gauche, la seconde à droite. Le corridor s'allongeait toujours, se bifurquait, resserré, lézardé, décrépi, de loin en loin éclairé par une mince flamme de gaz ; et les portes uniformes, à la file comme des portes de prison ou de couvent, continuaient à montrer, presque toutes grandes ouvertes, des intérieurs de misère et de travail, que la chaude soirée de juin emplissait d'une buée rousse. Enfin, ils arrivèrent à un bout de couloir complètement sombre.

— Nous y sommes, reprit le zingueur. Attention! tenez-vous au mur; il y a trois marches.

Et Gervaise fit encore une dizaine de pas, dans l'obscurité, prudemment. Elle buta, compta les trois marches. Mais, au fond du couloir, Coupeau venait de pousser une porte, sans frapper. Une vive clarté s'étala sur le carreau. Ils entrèrent.

C'était une pièce étranglée, une sorte de boyau, qui semblait le prolongement même du corridor. Un rideau de laine déteinte, en ce moment relevé par une ficelle, coupait le boyau en deux. Le premier compartiment contenait un lit, poussé sous un angle du plafond mansardé, un poêle de fonte encore tiède du dîner, deux chaises, une table et une armoire dont il avait fallu scier la corniche pour qu'elle pût tenir entre le lit et la porte. Dans le second compartiment se trouvait installé l'atelier : au fond, une étroite forge avec son soufflet; à droite, un étau scellé au mur, sous une étagère où traînaient des ferrailles; à gauche, auprès de la fenêtre, un établi tout petit, encombré de pinces, de cisailles, de scies microscopiques, grasses et très sales.

— C'est nous! cria Coupeau, en s'avançant jusqu'au rideau de laine.

Mais on ne répondit pas tout de suite. Gervaise, fort émotionnée, remuée surtout par cette idée, qu'elle allait entrer dans un lieu plein d'or, se tenait derrière l'ouvrier, balbutiant, hasardant des hochements de tête, pour saluer. La grande clarté, une lampe brûlant sur l'établi, un brasier de charbon flambant dans la forge, accroissait encore son trouble. Elle finit pourtant par voir Mme Lorilleux, petite, rousse, assez forte, tirant de toute la vigueur de ses bras courts, à l'aide d'une grosse tenaille, un fil de métal noir, qu'elle passait dans les trous d'une filière, fixée à l'étau. Devant l'établi, Lorilleux, aussi petit de taille, mais d'épaules plus grêles, travaillait, du bout de ses pinces, avec une vivacité de singe, à un travail si menu, qu'il se perdait entre ses doigts noueux. Ce fut le mari qui leva le premier la tête, une tête aux cheveux rares, d'une pâleur jaune de vieille cire, longue et souffrante.

— Ah! c'est vous, bien, bien! murmura-t-il. Nous sommes pressés, vous savez... N'entrez pas dans l'atelier, ça nous gênerait. Restez dans la chambre.

Et il reprit son travail menu, la face de nouveau dans le reflet verdâtre d'une boule d'eau, à travers laquelle la lampe envoyait sur son ouvrage un rond de vive lumière.

— Prends les chaises! cria à son tour Mme Lorilleux. C'est cette dame, n'est-ce pas ? Très bien, très bien!

Elle avait roulé le fil; elle le porta à la forge, et là, activant le brasier avec un large éventail de bois, elle le mit à recuire, avant de le passer dans les derniers trous de la filière.

Coupeau avança les chaises, fit asseoir Gervaise au bord du rideau. La pièce était si étroite, qu'il ne put se caser à côté d'elle. Il s'assit en arrière, et il se penchait pour lui donner, dans le cou, des explications sur le travail. La jeune femme, interdite par l'étrange accueil des Lorilleux, mal à l'aise sous leurs regards obliques, avait un bourdonnement aux oreilles qui l'empêchait d'entendre. Elle trouvait la femme très vieille pour ses trente ans, l'air revêche, malpropre avec ses cheveux queue de vache, roulés sur sa camisole défaite. Le mari, d'une année plus âgé seulement, lui semblait un vieillard, aux minces lèvres méchantes, en manches de chemise, les pieds nus dans des pantoufles éculées. Et ce qui la consternait surtout, c'était la petitesse de l'atelier, les murs barbouillés, la ferraille ternie des outils, toute la saleté noire traînant là dans un bric-à-brac de marchand de vieux clous. Il faisait terriblement chaud. Des gouttes de sueur perlaient sur la face verdie de Lorilleux; tandis que Mme Lorilleux se décidait à retirer sa camisole, les bras nus, la chemise plaquant sur les seins tombés.

— Et l'or ? demanda Gervaise à demi-voix.

Ses regards inquiets fouillaient les coins, cherchaient, parmi toute cette crasse, le resplendissement qu'elle avait rêvé.

Mais Coupeau s'était mis à rire.

— L'or ? dit-il; tenez, en voilà, en voilà encore, et en voilà à vos pieds!

Il avait indiqué successivement le fil aminci que travaillait sa sœur, et un autre paquet de fil, pareil à une liasse de fil de fer, accroché au mur, près de l'étau; puis, se mettant à quatre pattes, il venait de ramasser par terre, sous la claie de bois qui recouvrait le carreau de l'atelier, un déchet, un brin semblable à la pointe d'une aiguille rouillée. Gervaise se récriait. Ce n'était pas de l'or, peut-être, ce métal noirâtre, vilain comme du fer! Il dut mordre le déchet, lui montrer l'entaille luisante de ses dents. Et il reprenait ses explications : les patrons fournissaient l'or en fil, tout allié; les ouvriers le passaient d'abord par la filière pour l'obtenir à la grosseur voulue, en ayant soin de le faire recuire cinq ou six fois pendant l'opération, afin qu'il ne cassât pas. Oh! il fallait une bonne poigne et de l'habitude ! Sa sœur empêchait son mari de toucher aux filières, parce qu'il toussait. Elle avait de fameux bras, il lui avait vu tirer l'or aussi mince qu'un cheveu.

Cependant, Lorilleux, pris d'un accès de toux, se pliait sur son tabouret. Au milieu de la quinte, il parla, il dit d'une voix suffoquée, toujours sans regarder Gervaise, comme s'il eût constaté la chose uniquement pour lui :

— Moi, je fais la colonne.

Coupeau força Gervaise à se lever. Elle pouvait bien s'approcher, elle verrait. Le chaîniste consentit d'un grognement. Il enroulait le fil préparé par sa femme autour d'un mandrin, une baguette d'acier très mince. Puis, il donna un léger coup de scie, qui tout le long du mandrin coupa le fil, dont chaque tour forma un maillon. Ensuite, il souda. Les maillons étaient posés sur un gros morceau de charbon de bois. Il les mouillait d'une goutte de borax[55], prise dans le cul d'un verre cassé, à côté de lui ; et, rapidement, il les rougissait à la lampe, sous la flamme horizontale du chalumeau. Alors, quand il eut une centaine de maillons il se remit une fois encore à son travail menu, appuyé au bord de la cheville, un bout de planchette que le frottement de ses mains avait poli. Il ployait la maille à la pince, la serrait d'un côté, l'introduisait dans la maille supérieure déjà en place, la rouvrait à l'aide d'une pointe ; cela avec une régularité continue, les mailles succédant aux mailles, si vivement, que la chaîne s'allongeait peu à peu sous les yeux de Gervaise, sans lui permettre de suivre et de bien comprendre.

— C'est la colonne, dit Coupeau. Il y a le jaseron[56], le forçat, la gourmette, la corde. Mais ça, c'est la colonne. Lorilleux ne fait que la colonne.

Celui-ci eut un ricanement de satisfaction. Il cria, tout en continuant à pincer les mailles, invisibles entre ses ongles noirs :

— Écoute donc, Cadet-Cassis !... J'établissais un calcul, ce matin. J'ai commencé à douze ans, n'est-ce pas ? Eh bien ! sais-tu quel bout de colonne j'ai dû faire au jour d'aujourd'hui ?

Il leva sa face pâle, cligna ses paupières rougies :

— Huit mille mètres, entends-tu ! Deux lieues !... Hein ! un bout de colonne de deux lieues ! Il y a de quoi entortiller le cou à toutes les femelles du quartier... Et, tu sais, le bout s'allonge toujours. J'espère bien aller de Paris à Versailles.

Gervaise était retournée s'asseoir, désillusionnée, trouvant tout très laid. Elle sourit pour faire plaisir aux Lorilleux. Ce qui la gênait surtout, c'était le silence gardé sur son mariage, sur cette affaire si grosse pour elle, sans laquelle elle ne serait certainement pas venue. Les Lorilleux continuaient à la traiter en curieuse importune amenée par Coupeau. Et une conversation s'étant enfin engagée, elle roula uniquement sur les locataires de la maison. Mme Lorilleux demanda à son frère s'il n'avait pas entendu en montant les gens du quatrième se battre. Ces Bénard s'assommaient tous les jours ; le mari rentrait soûl comme un cochon ; la femme aussi avait bien des torts, elle criait des choses dégoûtantes. Puis, on parla du dessinateur du premier, ce grand escogriffe de Baudequin, un poseur criblé de dettes, toujours fumant, toujours gueulant avec des camarades. L'atelier de cartonnage de M. Madinier n'allait plus que d'une patte ; le patron avait encore congédié deux ouvrières la veille ; ce serait pain bénit s'il faisait la culbute, car il mangeait tout, il laissait ses enfants le derrière nu. Mme Gaudron cardait drôlement ses matelas : elle se trouvait encore enceinte, ce qui finissait par n'être guère propre, à son âge. Le propriétaire venait de donner congé aux Coquet, au cinquième ; ils devaient trois termes ; puis, ils s'entêtaient à allumer leur fourneau sur le carré ; même que, le samedi d'auparavant, Mlle Remanjou, la vieille du sixième, en reportant ses poupées, était descendue à temps pour empêcher le petit Linguerlot d'avoir le corps tout brûlé. Quant à Mlle Clémence, la repasseuse, elle se conduisait comme elle l'entendait, mais on ne pouvait pas dire, elle adorait les animaux, elle possédait un cœur d'or. Hein ! quel dommage, une belle fille pareille aller avec tous les hommes ! On la rencontrerait une nuit sur un trottoir, pour sûr.

— Tiens, en voilà une, dit Lorilleux à sa femme, en lui donnant le bout de chaîne auquel il travaillait depuis le déjeuner. Tu peux la dresser.

Et il ajouta, avec l'insistance d'un homme qui ne lâche pas aisément une plaisanterie :

— Encore quatre pieds et demi... Ça me rapproche de Versailles.

Cependant, Mme Lorilleux, après l'avoir fait recuire, dressait la colonne, en la passant à la filière de réglage. Elle la mit ensuite dans une petite casserole de cuivre à long manche, pleine d'eau seconde, et la dérocha[57], au feu de la forge. Gervaise, de nouveau poussée par Coupeau, dut suivre

---

55. Zola a emprunté ce procédé au manuel Roret où il a trouvé sa documentation sur le métier de chaîniste. Le borax est employé pour le décapage des métaux et c'est un sel de sodium dérivant d'un acide borique condensé.

56. Chaîne d'or à mailles très fines.

57. Le dérochage consiste à décrasser un métal avec un acide.

cette dernière opération. Quand la chaîne fut dérochée, elle devint d'un rouge sombre. Elle était finie, prête à livrer.

— On livre en blanc, expliqua encore le zingueur. Ce sont les polisseuses qui frottent ça avec du drap.

Mais Gervaise se sentait à bout de courage. La chaleur, de plus en plus forte, la suffoquait. On laissait la porte fermée, parce que le moindre courant d'air enrhumait Lorilleux. Alors, comme on ne parlait toujours pas de leur mariage, elle voulut s'en aller, elle tira légèrement la veste de Coupeau. Celui-ci comprit. Il commençait, d'ailleurs, à être également embarrassé et vexé de cette affectation de silence.

— Eh bien, nous partons, dit-il. Nous vous laissons travailler.

Il piétina un instant, il attendit, espérant un mot, une allusion quelconque. Enfin, il se décida à entamer les choses lui-même.

— Dites donc, Lorilleux, nous comptons sur vous, vous serez le témoin de ma femme.

Le chaîniste leva la tête, joua la surprise, avec un ricanement; tandis que sa femme, lâchant les filières, se plantait au milieu de l'atelier.

— C'est donc sérieux, murmura-t-il. Ce sacré Cadet-Cassis, on ne sait jamais s'il veut rire.

— Ah! oui, madame est la personne, dit à son tour la femme en dévisageant Gervaise. Mon Dieu! nous n'avons pas de conseil à vous donner, nous autres... C'est une drôle d'idée de se marier tout de même. Enfin, si ça vous va à l'un et à l'autre. Quand ça ne réussit pas, on s'en prend à soi, voilà tout. Et ça ne réussit pas souvent, pas souvent, pas souvent...

La voix ralentie sur ces derniers mots, elle hochait la tête, passant de la figure de la jeune femme à ses mains, à ses pieds, comme si elle avait voulu la déshabiller, pour lui voir les grains de la peau. Elle dut la trouver mieux qu'elle ne comptait.

— Mon frère est bien libre, continua-t-elle d'un ton plus pincé. Sans doute, la famille aurait peut-être désiré... On fait toujours des projets. Mais les choses tournent si drôlement... Moi, d'abord, je ne veux pas me disputer. Il nous aurait amené la dernière des dernières, je lui aurais dit : Épouse-la et fiche-moi la paix... Il n'était pourtant pas mal ici, avec nous. Il est assez gras, on voit bien qu'il ne jeûnait guère. Et toujours sa soupe chaude, juste à la minute... Dis donc, Lorilleux, tu ne trouves pas que madame ressemble à Thérèse, tu sais bien, cette femme d'en face qui est morte de la poitrine ?

— Oui, il y a un faux air, répondit le chaîniste.

— Et vous avez deux enfants, madame. Ah! ça, par exemple, je l'ai dit à mon frère : Je ne comprends pas comment tu épouses une femme qui a deux enfants... Il ne faut pas vous fâcher, si je prends ses intérêts; c'est bien naturel... Vous n'avez pas l'air fort, avec ça... N'est-ce pas, Lorilleux, madame n'a pas l'air fort ?

— Non, non, elle n'est pas forte.

Ils ne parlèrent pas de sa jambe. Mais Gervaise comprenait, à leurs regards obliques et au pincement de leurs lèvres, qu'ils y faisaient allusion. Elle restait devant eux, serrée dans son mince châle à palmes jaunes, répondant par des monosyllabes, comme devant des juges. Coupeau, la voyant souffrir, finit par crier :

— Ce n'est pas tout ça... Ce que vous dites et rien, c'est la même chose. La noce aura lieu le samedi 29 juillet. J'ai calculé sur l'almanach. Est-ce convenu ? ça vous va-t-il ?

— Oh! ça nous va toujours, dit sa sœur. Tu n'avais pas besoin de nous consulter... Je n'empêcherai pas Lorilleux d'être témoin. Je veux avoir la paix.

Gervaise, la tête basse, ne sachant plus à quoi s'occuper, avait fourré le bout de son pied dans un losange de la claie de bois, dont le carreau de l'atelier était couvert; puis, de peur d'avoir dérangé quelque chose en le retirant, elle s'était baissée, tâtant avec la main. Lorilleux, vivement, approcha la lampe. Et il lui examinait les doigts avec méfiance.

— Il faut prendre garde, dit-il, les petits morceaux d'or, ça se colle sous les souliers, et ça s'emporte, sans qu'on le sache.

Ce fut toute une affaire. Les patrons n'accordaient pas un milligramme de déchet. Et il montra la patte de lièvre, avec laquelle il brossait les parcelles d'or restées sur la cheville, et la peau étalée sur ses genoux, mise là pour les recevoir. Deux fois par semaine, on balayait soigneusement l'atelier; on gardait les ordures, on les brûlait, on passait les cendres, dans lesquelles on trouvait par mois jusqu'à vingt-cinq et trente francs d'or.

Mme Lorilleux ne quittait pas du regard les souliers de Gervaise.

— Mais il n'y a pas à se fâcher, murmura-t-elle, avec un sourire aimable. Madame peut regarder ses semelles.

Et Gervaise, très rouge, se rassit, leva les pieds, fit voir qu'il n'y avait rien. Coupeau avait ouvert la porte en criant : Bonsoir! d'une voix brusque. Il l'appela, du corridor. Alors, elle sortit à son tour, après avoir balbutié une phrase de politesse : elle espérait bien qu'on se reverrait et qu'on s'entendrait tous ensemble. Mais les Lorilleux s'étaient déjà remis à l'ouvrage, au fond du trou noir de l'atelier, où la petite forge luisait, comme un dernier charbon blanchissant dans la grosse chaleur d'un four. La femme, un coin de la chemise glissé sur l'épaule, la peau rougie par le reflet du brasier, tirait un nouveau fil, gonflait à chaque effort son cou, dont les muscles se roulaient, pareils à des ficelles. Le mari, courbé sous la lueur verte de la boule d'eau, recommençant un bout de chaîne, ployait la maille à la pince, la serrait d'un côté, l'introduisait dans la maille supérieure, la rouvrait à l'aide d'une pointe, continuellement, mécaniquement, sans perdre un geste pour essuyer la sueur de sa face.

Quand Gervaise déboucha des corridors sur le palier du sixième, elle ne put retenir cette parole, des larmes aux yeux :

— Ça ne promet pas beaucoup de bonheur.

Coupeau branla furieusement la tête. Lorilleux lui revaudrait cette soirée-là. Avait-on jamais vu un pareil grigou! croire qu'on allait lui emporter trois grains de sa poussière d'or! Toutes ces histoires, c'était de l'avarice pure. Sa sœur avait peut-être cru qu'il ne se marierait jamais, pour lui économiser quatre sous sur son pot-au-feu? Enfin, ça se ferait quand même le 29 juillet. Il se moquait pas mal d'eux!

Mais Gervaise, en descendant l'escalier, se sentait toujours le cœur gros, tourmentée d'une bête de peur, qui lui faisait fouiller avec inquiétude les ombres grandies de la rampe. A cette heure, l'escalier dormait, désert, éclairé seulement par le bec de gaz du second étage, dont la flamme rapetissée mettait, au fond de ce puits de ténèbres, la goutte de clarté d'une veilleuse. Derrière les portes fermées, on entendait le gros silence, le sommeil écrasé des ouvriers couchés au sortir de table. Pourtant, un rire adouci sortait de la chambre de la repasseuse, tandis qu'un filet de lumière glissait par la serrure de Mlle Remanjou, taillant encore, avec un petit bruit de ciseaux, les robes de gaze des poupées à treize sous. En bas, chez Mme Gaudron, un enfant continuait à pleurer. Et les plombs soufflaient une puanteur plus forte, au milieu de la grande paix, noire et muette.

Puis, dans la cour, pendant que Coupeau demandait le cordon d'une voix chantante, Gervaise se retourna, regarda une dernière fois la maison. Elle paraissait grandie sous le ciel sans lune. Les façades grises, comme nettoyées de leur lèpre et badigeonnées d'ombre, s'étendaient, montaient; et elles étaient plus nues encore, toutes plates, déshabillées des loques séchant le jour au soleil. Les fenêtres closes dormaient. Quelques-unes, éparses, vivement allumées, ouvraient des yeux, semblaient faire loucher certains coins. Au-dessus de chaque vestibule, de bas en haut, à la file, les vitres des six paliers, blanches d'une lueur pâle, dressaient une tour étroite de lumière. Un rayon de lampe, tombé de l'atelier de cartonnage, au second, mettait une traînée jaune sur le pavé de la cour, trouant les ténèbres qui noyaient les ateliers du rez-de-chaussée. Et, du fond de ces ténèbres, dans le coin humide, des gouttes d'eau, sonores au milieu du silence, tombaient une à une du robinet mal tourné de la fontaine. Alors, il sembla à Gervaise que la maison était sur elle, écrasante, glaciale à ses épaules. C'était toujours sa bête de peur, un enfantillage dont elle souriait ensuite.

— Prenez garde! cria Coupeau.

Et elle dut, pour sortir, sauter par-dessus une grande mare, qui avait coulé de la teinturerie. Ce jour-là, la mare était bleue, d'un azur profond de ciel d'été, où la petite lampe de nuit du concierge allumait des étoiles.

3

Gervaise ne voulait pas de noce. A quoi bon dépenser de l'argent? Puis, elle restait un peu honteuse; il lui semblait inutile d'étaler le mariage devant tout le quartier. Mais Coupeau se récriait : on ne pouvait pas se marier comme ça, sans manger un morceau ensemble. Lui, se battait joliment l'œil [58] du quartier! Oh! quelque chose de tout simple, un petit tour de balade l'après-midi, en attendant d'aller tordre le cou à un lapin, au premier gargot venu. Et pas de musique au dessert, bien sûr, pas de clarinette pour secouer le panier aux crottes des dames. Histoire de trinquer seulement, avant de revenir faire dodo chacun chez soi.

Le zingueur, plaisantant, rigolant, décida la jeune femme, lorsqu'il lui eut juré qu'on ne s'amuserait pas. Il aurait l'œil sur les verres, pour empêcher les coups de soleil [59]. Alors, il organisa un pique-nique à cent sous par tête, chez Auguste, au Moulin d'Argent, boulevard de la Chapelle. C'était un petit marchand de vin dans les prix doux,

---

58. « Se moquer d'une chose, dans l'argot des faubouriens » (Delvau).
59. Ivresse légère.

lui avait un bastringue [60] au fond de son arrière-boutique, sous les trois acacias de sa cour. Au premier, on serait parfaitement bien. Pendant dix jours, il racola des convives, dans la maison de sa sœur, rue de la Goutte-d'Or : M. Madinier, Mlle Remanjou, Mme Gaudron et son mari. Il finit même par faire accepter à Gervaise deux camarades, Bibi-la-Grillade et Mes-Bottes; sans doute Mes-Bottes levait le coude, mais il avait un appétit si farce, qu'on l'invitait toujours dans les pique-niques, à cause de la tête du marchand de soupe en voyant ce sacré trou-là avaler ses douze livres de pain. La jeune femme, de son côté, promit d'amener sa patronne, Mme Fauconnier, et les Boche, de très braves gens. Tout compte fait, on se trouverait quinze à table, c'était assez. Quand on est trop de monde, ça se termine toujours par des disputes.

Cependant, Coupeau n'avait pas le sou. Sans chercher à crâner, il entendait agir en homme propre. Il emprunta cinquante francs à son patron. Là-dessus, il acheta d'abord l'alliance, une alliance d'or de douze francs, que Lorilleux lui procura en fabrique pour neuf francs. Il se commanda ensuite une redingote, un pantalon et un gilet, chez un tailleur de la rue Myrrha, auquel il donna seulement un acompte de vingt-cinq francs; ses souliers vernis et son bolivar [61] pouvaient encore marcher. Quand il eut mis de côté les dix francs du pique-nique, son écot et celui de Gervaise, les enfants devant passer par-dessus le marché, il lui resta tout juste six francs, le prix d'une messe à l'autel des pauvres. Certes, il n'aimait pas les corbeaux, ça lui crevait le cœur de porter ses six francs à ces galfatres-là [62], qui n'en avaient pas besoin pour se tenir le gosier frais. Mais un mariage sans messe, on avait beau dire, ce n'était pas un mariage. Il alla lui-même à l'église marchander; et, pendant une heure, il s'attrapa avec un vieux petit prêtre, en soutane sale, voleur comme une fruitière. Il avait envie de lui ficher des calottes. Puis, par blague, il lui demanda s'il ne trouverait pas, dans sa boutique, une messe d'occasion, point trop détériorée, et dont un couple bon enfant ferait encore son beurre [63]. Le vieux petit prêtre, tout en grognant que Dieu n'aurait aucun plaisir à bénir son union, finit par lui laisser sa messe à cinq francs.

C'était toujours vingt sous d'économie. Il lui restait vingt sous.

Gervaise, elle aussi, tenait à être propre. Dès que le mariage fut décidé, elle s'arrangea, fit des heures en plus, le soir, arriva à mettre trente francs de côté. Elle avait une grosse envie d'un petit mantelet de soie, affiché treize francs, rue du Faubourg-Poissonnière. Elle se le paya, puis racheta pour dix francs au mari d'une blanchisseuse, morte dans la maison de Mme Fauconnier, une robe de laine gros bleu, qu'elle refit complètement à sa taille. Avec les sept francs qui restaient, elle eut une paire de gants de coton, une rose pour son bonnet et des souliers pour son aîné Claude. Heureusement les petits avaient des blouses possibles. Elle passa quatre nuits, nettoyant tout, visitant jusqu'aux plus petits trous de ses bas et de sa chemise.

Enfin, le vendredi soir, la veille du grand jour, Gervaise et Coupeau, en rentrant du travail, eurent encore à trimer jusqu'à onze heures. Puis, avant de se coucher chacun chez soi, ils passèrent une heure ensemble, dans la chambre de la jeune femme, bien contents d'être au bout de cet embarras. Malgré leur résolution de ne pas se casser les côtes pour le quartier, ils avaient fini par prendre les choses à cœur et par s'éreinter. Quand ils se dirent bonsoir, ils dormaient debout. Mais, tout de même, ils poussaient un gros soupir de soulagement. Maintenant, c'était réglé. Coupeau avait pour témoins M. Madinier et Bibi-la-Grillade; Gervaise comptait sur Lorilleux et sur Boche. On devait aller tranquillement à la mairie et à l'église, tous les six, sans traîner derrière soi une queue de monde. Les deux sœurs du marié avaient même déclaré qu'elles resteraient chez elles, leur présence n'étant pas nécessaire. Seule maman Coupeau s'était mise à pleurer, en disant qu'elle partirait plutôt en avant pour se cacher dans un coin; et on avait promis de l'emmener. Quant au rendez-vous de toute la société, il était fixé à une heure, au Moulin d'Argent. De là, on irait gagner la faim dans la plaine Saint-Denis; on prendrait le chemin de fer et on retournerait à pattes, le long de la grande route. La partie s'annonçait très bien, pas une bosse [64] à tout avaler, mais un brin de rigolade, quelque chose de gentil et d'honnête.

Le samedi matin en s'habillant, Coupeau fut pris d'inquiétude, devant sa pièce de vingt sous. Il venait de songer que, par politesse, il lui faudrait offrir un verre de vin et une tranche de jambon aux témoins, en attendant le dîner. Puis, il y aurait

60. « Guinguette de barrière, où le populaire va boire et danser les dimanches et les lundis » (Delvau).

61. « Chapeau, dans l'argot du peuple » (Delvau).

62. « Goinfre, dans l'argot du peuple. Signifie aussi idiot, abruti » (Delvau).

63. « Gagner beaucoup d'argent, retirer beaucoup de profit dans une affaire quelconque » (Delvau).

64. « Excès de plaisir ou de débauche. *Se donner une bosse.* Manger et boire avec excès » (Delvau).

peut-être des frais imprévus. Décidément, vingt sous, ça ne suffisait pas. Alors, après s'être chargé de conduire Claude et Étienne chez Mme Boche, qui devait les amener le soir au dîner, il courut rue de la Goutte-d'Or et monta carrément emprunter dix francs à Lorilleux. Par exemple, ça lui écorchait le gosier, car il s'attendait à la grimace de son beau-frère. Celui-ci grogna, ricana d'un air de mauvaise bête, et finalement prêta les deux pièces de cent sous. Mais Coupeau entendit sa sœur qui disait entre ses dents que « ça commençait bien ».

Le mariage à la mairie était pour dix heures et demie. Il faisait très beau, un soleil du tonnerre, rôtissant les rues. Pour ne pas être regardés, les mariés, la maman et les quatre témoins se séparèrent en deux bandes. En avant, Gervaise marchait au bras de Lorilleux, tandis que M. Madinier conduisait maman Coupeau; puis, à vingt pas, sur l'autre trottoir, venaient Coupeau, Boche et Bibi-la-Grillade. Ces trois-là étaient en redingote noire, le dos rond, les bras ballants; Boche avait un pantalon jaune; Bibi-la-Grillade, boutonné jusqu'au cou, sans gilet, laissait passer seulement un coin de cravate roulé en corde. Seul, M. Madinier portait un habit, un grand habit à queue carrée; et les passants s'arrêtaient pour voir ce monsieur promenant la grosse mère Coupeau, en châle vert, en bonnet noir, avec des rubans rouges. Gervaise, très douce, gaie, dans sa robe d'un bleu dur, les épaules serrées sous un étroit mantelet, écoutait complaisamment les ricanements de Lorilleux, perdu au fond d'un immense paletot sac, malgré la chaleur; puis, de temps à autre, au coude des rues, elle tournait un peu la tête, jetait un fin sourire à Coupeau, que ses vêtements neufs, luisant au soleil, gênaient.

Tout en marchant très lentement, ils arrivèrent à la mairie une grande demi-heure trop tôt. Et, comme le maire fut en retard, leur tour vint seulement vers onze heures. Ils attendirent sur des chaises, dans un coin de la salle, regardant le haut plafond et la sévérité des murs, parlant bas, reculant leurs sièges par excès de politesse, chaque fois qu'un garçon de bureau passait. Pourtant, à demi-voix, ils traitaient le maire de fainéant; il devait être pour sûr chez sa blonde, à frictionner sa goutte; peut-être bien aussi qu'il avait avalé son écharpe. Mais, quand le magistrat parut, ils se levèrent respectueusement. On les fit rasseoir. Alors, ils assistèrent à trois mariages, perdus dans trois noces bourgeoises, avec des mariées en blanc, des fillettes frisées, des demoiselles à ceintures roses, des cortèges interminables de messieurs et de dames sur leur trente-et-un, l'air très comme il faut. Puis, quand on les appela, ils faillirent ne pas être mariés, Bibi-la-Grillade ayant disparu. Boche le retrouva en bas, sur la place, fumant une pipe. Aussi, ils étaient encore de jolis cocos dans cette boîte, de se ficher du monde, parce qu'on n'avait pas de gant beurre frais à leur mettre sous le nez! Et les formalités, la lecture du Code, les questions posées, la signature des pièces, furent expédiées si rondement qu'ils se regardèrent, se croyant volés d'une bonne moitié de la cérémonie. Gervaise, étourdie, le cœur gonflé, appuyait son mouchoir sur ses lèvres. Maman Coupeau pleurait à chaudes larmes. Tous s'étaient appliqués sur le registre, dessinant leurs noms en grosses lettres boiteuses, sauf le marié qui avait tracé une croix, ne sachant pas écrire. Ils donnèrent chacun quatre sous pour les pauvres [65]. Lorsque le garçon remit à Coupeau le certificat de mariage, celui-ci, le coude poussé par Gervaise, se décida à sortir encore cinq sous.

La trotte était bonne de la mairie à l'église. En chemin, les hommes prirent de la bière, maman Coupeau et Gervaise du cassis avec de l'eau. Et ils eurent à suivre une longue rue, où le soleil tombait d'aplomb, sans un filet d'ombre. Le bedeau les attendait au milieu de l'église vide; il les poussa vers une petite chapelle, en leur demandant furieusement si c'était pour se moquer de la religion qu'ils arrivaient en retard. Un prêtre vint à grandes enjambées, l'air maussade, la face pâle de faim, précédé par un clerc en surplis sale qui trottinait. Il dépêcha sa messe, mangeant les phrases latines, se tournant, se baissant, élargissant les bras, en hâte, avec des regards obliques sur les mariés et sur les témoins. Les mariés, devant l'autel, très embarrassés, ne sachant pas quand il fallait s'agenouiller se lever, s'asseoir, attendaient un geste du clerc. Les témoins, pour être convenables, se tenaient debout tout le temps; tandis que maman Coupeau, reprise par les larmes, pleurait dans le livre de messe qu'elle avait emprunté à une voisine. Cependant, midi avait sonné, la dernière messe était dite, l'église s'emplissait du piétinement des sacristains, du vacarme des chaises remises en place. On devait préparer le maître-autel pour quelque fête, car on entendait le marteau des tapissiers clouant des tentures. Et, au fond de la chapelle perdue, dans la poussière d'un coup de balai donné par le bedeau, le prêtre à l'air maussade promenait vivement ses mains sèches sur les têtes inclinées de Gervaise et de Coupeau, et semblait les unir

---

65. Dans les mairies, à l'occasion des mariages, il y a une quête pour le Bureau de bienfaisance.

au milieu d'un déménagement, pendant une absence du bon Dieu, entre deux messes sérieuses. Quand la noce eut de nouveau signé sur un registre, à la sacristie, et qu'elle se retrouva en plein soleil, sous le porche, elle resta un instant là, ahurie, essoufflée d'avoir été menée au galop.

— Voilà! dit Coupeau, avec un rire gêné.

Il se dandinait, il ne trouvait rien là de rigolo. Pourtant, il ajouta :

— Ah bien! ça ne traîne pas. Ils vous envoient ça en quatre mouvements... C'est comme chez les dentistes : on n'a pas le temps de crier ouf! ils marient sans douleur.

— Oui, oui, de la belle ouvrage, murmura Lorilleux en ricanant. Ça se bâcle en cinq minutes et ça tient toute la vie... Ah! ce pauvre Cadet-Cassis, va!

Et les quatre témoins donnèrent des tapes sur les épaules du zingueur qui faisait le gros dos. Pendant ce temps, Gervaise embrassait maman Coupeau, souriante, les yeux humides pourtant. Elle répondait aux paroles entrecoupées de la vieille femme :

— N'ayez pas peur, je ferai mon possible. Si ça tournait mal, ce ne serait pas de ma faute. Non, bien sûr, j'ai trop envie d'être heureuse... Enfin, c'est fait, n'est-ce pas ? C'est à lui et à moi de nous entendre et d'y mettre du nôtre.

Alors, on alla droit au Moulin d'Argent. Coupeau avait pris le bras de sa femme. Ils marchaient vite, riant, comme emportés, à deux cents pas devant les autres, sans voir les maisons, ni les passants, ni les voitures. Les bruits assourdissants du faubourg sonnaient des cloches à leurs oreilles. Quand ils arrivèrent chez le marchand de vin, Coupeau commanda tout de suite deux litres, du pain et des tranches de jambon, dans le petit cabinet vitré du rez-de-chaussée, sans assiettes ni nappe, simplement pour casser une croûte. Puis, voyant Boche et Bibi-la-Grillade montrer un appétit sérieux, il fit venir un troisième litre et un morceau de brie. Maman Coupeau n'avait pas faim, était trop suffoquée pour manger. Gervaise, qui mourait de soif, buvait de grands verres d'eau à peine rougie.

— Ça me regarde, dit Coupeau, en passant immédiatement au comptoir, où il paya quatre francs cinq sous.

Cependant, il était une heure, les invités arrivaient. Mme Fauconnier, une femme grasse, belle encore, parut la première; elle avait une robe écrue, à fleurs imprimées, avec une cravate rose et un bonnet très chargé de fleurs. Ensuite vinrent ensemble Mlle Remanjou, toute fluette dans l'éternelle robe noire qu'elle semblait garder même pour se coucher, et le ménage Gaudron, le mari, d'une lourdeur de brute, faisant craquer sa veste brune au moindre geste, la femme, énorme, étalant son ventre de femme enceinte, dont sa jupe, d'un violet cru, élargissait encore la rondeur. Coupeau expliqua qu'il ne faudrait pas attendre Mes-Bottes; le camarade devait retrouver la noce sur la route de Saint-Denis.

— Ah bien! s'écria Mme Lerat en entrant, nous allons avoir une jolie saucée! Ça va être drôle!

Et elle appela la société sur la porte du marchand de vin, pour voir les nuages, un orage d'un noir d'encre qui montait rapidement au sud de Paris. Mme Lerat, l'aînée des Coupeau, était une grande femme, sèche, masculine, parlant du nez, fagotée dans une robe puce trop large, dont les longs effilés la faisaient ressembler à un caniche maigre sortant de l'eau. Elle jouait avec une ombrelle comme avec un bâton. Quand elle eut embrassé Gervaise, elle reprit :

— Vous n'avez pas idée, on reçoit un soufflet dans la rue... On dirait qu'on vous jette du feu à la figure.

Tout le monde déclara alors sentir l'orage depuis longtemps. Quand on était sorti de l'église, M. Madinier avait bien vu ce dont il retournait. Lorilleux racontait que ses cors l'avaient empêché de dormir, à partir de trois heures du matin. D'ailleurs, ça ne pouvait pas finir autrement; voilà trois jours qu'il faisait vraiment trop chaud.

— Oh! ça va peut-être couler, répétait Coupeau, debout à la porte, interrogeant le ciel d'un regard inquiet. On n'attend plus que ma sœur, on pourrait tout de même partir, si elle arrivait.

Mme Lorilleux, en effet, était en retard. Mme Lerat venait de passer chez elle, pour la prendre; mais comme elle l'avait trouvée en train de mettre son corset, elles s'étaient disputées toutes les deux. La grande veuve ajouta à l'oreille de son frère :

— Je l'ai plantée là. Elle est d'une humeur!... Tu verras quelle tête!

Et la noce dut patienter un quart d'heure encore, piétinant dans la boutique du marchand de vin, coudoyée, bousculée, au milieu des hommes qui entraient boire un canon sur le comptoir. Par moments, Boche, ou Mme Fauconnier, ou Bibi-la-Grillade, se détachaient, s'avançaient au bord du trottoir, les yeux en l'air. Ça ne coulait pas du tout; le jour baissait, des souffles de vent, rasant le sol, enlevaient de petits tourbillons de poussière blanche. Au premier coup de tonnerre, Mlle Remanjou se signa. Tous les regards se portaient avec anxiété sur l'œil-de-bœuf, au-dessus de la glace : il était déjà deux heures moins vingt.

— Allez-y! cria Coupeau. Voilà les anges qui pleurent.

Une rafale de pluie balayait la chaussée, où des femmes fuyaient, en tenant leurs jupes à deux mains. Et ce fut sous cette première ondée que Mme Lorilleux arriva enfin, essoufflée, furibonde, se battant sur le seuil avec son parapluie qui ne voulait pas se fermer.

— A-t-on jamais vu! bégayait-elle. Ça m'a pris juste à la porte. J'avais envie de remonter et de me déshabiller. J'aurais rudement bien fait... Ah! elle est jolie, la noce! Je le disais, je voulais tout renvoyer à samedi prochain. Et il pleut parce qu'on ne m'a pas écoutée! Tant mieux! tant mieux! que le ciel crève!

Coupeau essaya de la calmer. Mais elle l'envoya coucher. Ce ne serait pas lui qui payerait sa robe, si elle était perdue. Elle avait une robe de soie noire, dans laquelle elle étouffait; le corsage, trop étroit, tirait sur les boutonnières, la coupait aux épaules; et la jupe, taillée en fourreau, lui serrait si fort les cuisses, qu'elle devait marcher à tout petits pas. Pourtant, les dames de la société la regardaient, les lèvres pincées, l'air ému de sa toilette. Elle ne parut même pas voir Gervaise, assise à côté de maman Coupeau. Elle appela Lorilleux, lui demanda son mouchoir; puis, dans un coin de la boutique, soigneusement, elle essuya une à une les gouttes de pluie roulées sur la soie.

Cependant, l'ondée avait brusquement cessé. Le jour baissait encore, il faisait presque nuit, une nuit livide traversée par de larges éclairs. Bibi-la-Grillade répétait en riant qu'il allait tomber des curés, bien sûr. Alors, l'orage éclata avec une extrême violence. Pendant une demi-heure, l'eau tomba à seaux, la foudre gronda sans relâche. Les hommes, debout devant la porte, contemplaient le voile gris de l'averse, les ruisseaux grossis, la poussière d'eau volante montant du clapotement des flaques. Les femmes s'étaient assises, effrayées, les mains aux yeux. On ne causait plus, la gorge un peu serrée. Une plaisanterie risquée sur le tonnerre par Boche, disant que saint Pierre éternuait là-haut, ne fit sourire personne. Mais, quand la foudre espaça ses coups, se perdit au loin, la société recommença à s'impatienter, se fâcha contre l'orage, jurant et montrant le poing aux nuées. Maintenant, du ciel couleur de cendre, une pluie fine tombait, interminable.

— Il est deux heures passées, cria Mme Lorilleux. Nous ne pouvons pourtant pas coucher ici!

Mlle Remanjou ayant parlé d'aller à la campagne tout de même, quand on devrait s'arrêter dans le fossé des fortifications, la noce se récria : les chemins devaient être jolis, on ne pourrait seulement pas s'asseoir sur l'herbe; puis, ça ne paraissait pas fini, il reviendrait peut-être une saucée. Coupeau, qui suivait des yeux un ouvrier trempé marchant tranquillement sous la pluie, murmura :

— Si cet animal de Mes-Bottes nous attend sur la route de Saint-Denis, il n'attrapera pas un coup de soleil.

Cela fit rire. Mais la mauvaise humeur grandissait. Ça devenait crevant à la fin. Il fallait décider quelque chose. On ne comptait pas sans doute se regarder comme ça le blanc des yeux jusqu'au dîner. Alors, pendant un quart d'heure, en face de l'averse entêtée, on se creusa le cerveau. Bibi-la-Grillade proposait de jouer aux cartes; Boche, de tempérament polisson et sournois, savait un petit jeu bien drôle, le jeu du confesseur; Mme Gaudron parlait d'aller manger de la tarte aux oignons, chaussée Clignancourt; Mme Lerat aurait souhaité qu'on racontât des histoires; Gaudron ne s'embêtait pas, se trouvait bien là, offrait seulement de se mettre à table tout de suite. Et, à chaque proposition, on discutait, on se fâchait : c'était bête, ça endormirait tout le monde, on les prendrait pour des moutards. Puis, comme Lorilleux, voulant dire son mot, trouvait quelque chose de bien simple, une promenade sur les boulevards extérieurs jusqu'au Père-Lachaise, où l'on pourrait voir le tombeau d'Héloïse et d'Abélard [66], si l'on avait le temps, Mme Lorilleux, ne se contenant plus, éclata. Elle fichait le camp, elle! Voilà ce qu'elle faisait! Est-ce qu'on se moquait du monde ? Elle s'habillait, elle recevait la pluie, et c'était pour s'enfermer chez un marchand de vin! Non, non, elle en avait assez d'une noce comme ça, elle préférait son chez elle. Coupeau et Lorilleux durent barrer la porte. Elle répétait :

— Otez-vous de là! Je vous dis que je m'en vais!

Son mari ayant réussi à la calmer, Coupeau s'approcha de Gervaise, toujours tranquille dans son coin, causant avec sa belle-mère et Mme Fauconnier.

— Mais vous ne proposez rien, vous! dit-il, sans oser encore la tutoyer.

— Oh! tout ce qu'on voudra, répondit-elle en riant. Je ne suis pas difficile. Sortons, ne sortons

---

66. Héloïse (1101-1164), nièce du chanoine Fulbert, épousa secrètement Abélard (1079-1142), théologien et philosophe, son professeur. Fulbert le fit châtrer par des tortionnaires à sa solde et il entra au couvent.

...as, ça m'est égal. Je me sens très bien, je n'en ...emande pas plus.

Et elle avait, en effet, la figure tout éclairée d'une ...oie paisible. Depuis que les invités se trouvaient là, ...lle parlait à chacun d'une voix un peu basse et ...mue, l'air raisonnable, sans se mêler aux disputes. ...endant l'orage, elle était restée les yeux fixes, ...egardant les éclairs, comme voyant des choses ...raves, très loin, dans l'avenir, à ces lueurs brusques. M. Madinier, pourtant, n'avait encore rien pro-...osé. Il était appuyé contre le comptoir, les pans ...e son habit écartés, gardant son importance de ...atron. Il cracha longuement, roula ses gros yeux.

— Mon Dieu! dit-il, on pourrait aller au musée...

Et il se caressa le menton, en consultant la ...ociété d'un clignement des paupières.

— Il y a des antiquités, des images, des tableaux, ...n tas de choses. C'est très instructif... Peut-être ...ien que vous ne connaissez pas ça. Oh! c'est à ...oir, au moins une fois.

La noce se regardait, se tâtait. Non, Gervaise ne ...onnaissait pas ça; Mme Fauconnier non plus, ...i Boche, ni les autres. Coupeau croyait bien être ...onté un dimanche, mais il ne se souvenait plus ...ien. On hésitait cependant, lorsque Mme Loril-...eux, sur laquelle l'importance de M. Madinier ...roduisait une grande impression, trouva l'offre ...rès comme il faut, très honnête. Puisqu'on sacri-...ait la journée, et qu'on était habillé, autant valait-...l visiter quelque chose pour son instruction. Tout ...e monde approuva. Alors, comme la pluie tom-...ait encore un peu, on emprunta au marchand de ...in des parapluies, de vieux parapluies, bleus, verts, ...narron, oubliés par les clients; et l'on partit pour ...e musée.

La noce tourna à droite, descendit dans Paris ...ar le faubourg Saint-Denis. Coupeau et Gervaise ...narchaient de nouveau en tête, courant, devançant ...es autres. M. Madinier donnait maintenant le bras ...à Mme Lorilleux, maman Coupeau étant restée ...hez le marchand de vin, à cause de ses jambes. ...uis venaient Lorilleux et Mme Lerat, Boche et ...Mme Fauconnier, Bibi-la-Grillade et Mlle Reman-...ou, enfin le ménage Gaudron. On était douze. Ça ...aisait encore une jolie queue sur le trottoir.

— Oh! nous n'y sommes pour rien, je vous jure, ...xpliquait Mme Lorilleux à M. Madinier. Nous ne ...savons pas où il l'a prise, ou plutôt nous ne le ...savons que trop; mais ce n'est pas à nous de par-...ler, n'est-ce pas?... Mon mari a dû acheter l'al-...liance. Ce matin, au saut du lit, il a fallu leur prê-...ter dix francs, sans quoi rien ne se faisait plus... Une mariée qui n'amène seulement pas un parent

à sa noce! Elle dit avoir à Paris une sœur charcu-tière[67]. Pourquoi ne l'a-t-elle pas invitée, alors?

Elle s'interrompit, pour montrer Gervaise, que la pente du trottoir faisait fortement boiter.

— Regardez-la! S'il est permis!... Oh! la ban-ban[68]!

Et ce mot : la Banban, courut dans la société. Lorilleux ricanait, disait qu'il fallait l'appeler comme ça. Mais Mme Fauconnier prenait la défense de Gervaise; on avait tort de se moquer d'elle, elle était propre comme un sou et abattait fièrement l'ouvrage, quand il le fallait. Mme Lerat, toujours pleine d'allusions polissonnes, appelait la jambe de la petite « une quille d'amour »; et elle ajoutait que beaucoup d'hommes aimaient ça, sans vouloir s'expliquer davantage.

La noce, débouchant de la rue Saint-Denis, tra-versa le boulevard. Elle attendit un moment, devant le flot des voitures; puis, elle se risqua sur la chaus-sée, changée par l'orage en une mare de boue cou-lante. L'ondée reprenait, la noce venait d'ouvrir les parapluies; et, sous les riflards lamentables, balan-cés à la main des hommes, les femmes se retrous-saient, le défilé s'espaçait dans la crotte, tenant d'un trottoir à l'autre. Alors, deux voyous crièrent à la chienlit[69]; des promeneurs accoururent; des boutiquiers, l'air amusé, se haussèrent derrière leurs vitrines. Au milieu du grouillement de la foule, sur les fonds gris et mouillés du boulevard, les couples en procession mettaient des taches violentes, la robe gros bleu de Gervaise, la robe écrue à fleurs impri-mées de Mme Fauconnier, le pantalon jaune canari de Boche; une raideur de gens endimanchés don-nait des drôleries de carnaval à la redingote lui-sante de Coupeau et à l'habit carré de M. Madi-nier; tandis que la belle toilette de Mme Lorilleux, les effilés de Mme Lerat, les jupes fripées de Mlle Remanjou, mêlaient les modes, traînaient à la file les décrochez-moi-ça du luxe des pauvres. Mais c'étaient surtout les chapeaux des messieurs qui égayaient, de vieux chapeaux conservés, ternis par l'obscurité de l'armoire, avec des formes pleines de comique, hautes, évasées, en pointe, des ailes extraordinaires, retroussées, plates, trop larges ou trop étroites. Et les sourires augmentaient encore, quand, tout au bout, pour clore le spectacle, Mme Gaudron, la cardeuse, s'avançait dans sa robe d'un violet cru, avec son ventre de femme enceinte, qu'elle portait énorme, très en avant. La

67. Lisa, dans *le Ventre de Paris*.
68. « Boiteux, bancal, dans l'argot des bourgeois » (Delvau).
69. « Exclamation injurieuse dont le voyou et les faubouriens poursuivent les masques, dans les jours de carnaval – que ces masques soient élégants ou grotesques, propres ou malpropres » (Delvau).

noce, cependant, ne hâtait point sa marche, bonne enfant, heureuse d'être regardée, s'amusant des plaisanteries.

— Tiens! la mariée! cria l'un des voyous, en montrant Mme Gaudron. Ah! malheur! elle a avalé un rude pépin[70]!

Toute la société éclata de rire. Bibi-la-Grillade, se tournant, dit que le gosse avait bien envoyé ça. La cardeuse riait le plus fort, s'étalait; ça n'était pas déshonorant, au contraire; il y avait plus d'une dame qui louchait en passant et qui aurait voulu être comme elle.

On s'était engagé dans la rue de Cléry. Ensuite, on prit la rue du Mail. Sur la place des Victoires, il y eut un arrêt. La mariée avait le cordon de son soulier gauche dénoué; et, comme elle le rattachait, au pied de la statue de Louis XIV, les couples se serrèrent derrière elle, attendant, plaisantant sur le bout de mollet qu'elle montrait. Enfin, après avoir descendu la rue Croix-des-Petits-Champs, on arriva au Louvre.

M. Madinier, poliment, demanda à prendre la tête du cortège.

C'était très grand, on pouvait se perdre; et lui, d'ailleurs, connaissait les beaux endroits, parce qu'il était souvent venu avec un artiste, un garçon bien intelligent, auquel une grande maison de cartonnage achetait des dessins, pour les mettre sur des boîtes. En bas, quand la noce se fut engagée dans le musée assyrien, elle eut un petit frisson. Fichtre! il ne faisait pas chaud; la salle aurait fait une fameuse cave. Et, lentement, les couples avançaient, le menton levé, les paupières battantes, entre les colosses de pierre, les dieux de marbre noir muets dans leur raideur hiératique, les bêtes monstrueuses, moitié chattes et moitié femmes, avec des figures de mortes, le nez aminci, les lèvres gonflées. Ils trouvaient tout ça très vilain. On travaillait joliment mieux la pierre au jour d'aujourd'hui. Une inscription en caractères phéniciens les stupéfia. Ce n'était pas possible, personne n'avait jamais lu ce grimoire. Mais M. Madinier, déjà sur le premier palier avec Mme Lorilleux, les appelait, criant sous les voûtes:

— Venez donc. Ce n'est rien, ces machines... C'est au premier qu'il faut voir.

La nudité sévère de l'escalier les rendit graves. Un huissier superbe, en gilet rouge, la livrée galonnée d'or, qui semblait les attendre sur le palier, redoubla leur émotion. Ce fut avec respect, marchant le plus doucement possible, qu'ils entrèrent dans la galerie française.

Alors, sans s'arrêter, les yeux emplis de l'or des cadres, ils suivirent l'enfilade des petits salons, regardant passer les images, trop nombreuses pour être bien vues. Il aurait fallu une heure devant chacune, si l'on avait voulu comprendre. Que de tableaux, sacredié! ça ne finissait pas. Il devait y en avoir pour de l'argent. Puis, au bout, M. Madinier les arrêta brusquement devant *le Radeau de la Méduse*[71]; et il leur expliqua le sujet. Tous, saisis, immobiles, se taisaient. Quand on se remit à marcher, Boche résuma le sentiment général: c'était tapé[72].

Dans la galerie d'Apollon, le parquet surtout émerveilla la société, un parquet luisant, clair comme un miroir, où les pieds des banquettes se reflétaient. Mlle Remanjou fermait les yeux, parce qu'elle croyait marcher sur de l'eau. On criait à Mme Gaudron de poser ses souliers à plat, à cause de sa position. M. Madinier voulait leur montrer les dorures et les peintures du plafond; mais ça leur cassait le cou, et ils ne distinguaient rien. Alors, avant d'entrer dans le salon carré, il indiqua une fenêtre du geste, en disant:

— Voilà le balcon d'où Charles IX a tiré sur le peuple[73].

Cependant, il surveillait la queue du cortège. D'un geste, il commanda une halte, au milieu du salon carré. Il n'y avait là que des chefs-d'œuvre, murmurait-il à demi-voix, comme dans une église. On fit le tour du salon. Gervaise demanda le sujet des *Noces de Cana*[74]; c'était bête de ne pas écrire les sujets sur les cadres. Coupeau s'arrêta devant *la Joconde*[75], à laquelle il trouva une ressemblance avec une de ses tantes. Boche et Bibi-la-Grillade ricanaient, en se montrant du coin de l'œil les femmes nues; les cuisses de *l'Antiope*[76] surtout leur causèrent un saisissement. Et, tout au bout, le ménage Gaudron, l'homme la bouche ouverte, la femme les mains sur son ventre, restaient béants, attendris et stupides, en face de la *Vierge* de Murillo[77].

70. « Être enceinte, – par allusion à la fameuse pomme dans laquelle on prétend que notre mère Ève a mordu » (Delvau). Cette explication nous paraît peu convaincante...

71. Tableau célèbre de Géricault.

72. « Réussi; émouvant, éloquent – c'est-à-dire bourré de grosses phrases sonores et d'hyperboles de mauvais goût, comme le peuple les aime dans les discours de ses orateurs, dans les livres de ses romanciers et dans les pièces de ses dramaturges » (Delvau).

73. A l'occasion de la Saint-Barthélemy (24 août 1572). La participation directe de Charles IX est controversée.

74. Tableau de Véronèse.

75. Le tableau de Léonard de Vinci était, en réalité, dans la grande galerie, à la suite du salon carré.

76. Henri Mitterand suppose qu'il s'agit du *Sommeil d'Antiope*, du Corrège.

77. Murillo (1618-1682) a peint un grand nombre de têtes de Madones: le texte manque donc de précision.

Le tour du salon terminé, M. Madinier voulut qu'on recommençât; ça en valait la peine. Il s'occupait beaucoup de Mme Lorilleux, à cause de sa robe de soie; et, chaque fois qu'elle l'interrogeait, il répondait gravement, avec un grand aplomb. Comme elle s'intéressait à la maîtresse du Titien [78], dont elle trouvait la chevelure jaune pareille à la sienne, il la lui donna pour la Belle Ferronnière, une maîtresse d'Henri IV, sur laquelle on avait joué un drame, à l'Ambigu [79].

Puis, la noce se lança dans la longue galerie où sont les écoles italiennes et flamandes. Encore des tableaux, toujours des tableaux, des saints, des hommes et des femmes avec des figures qu'on ne comprenait pas, des paysages tout noirs, des bêtes devenues jaunes, une débandade de gens et de choses dont le violent tapage de couleurs commençait à leur causer un gros mal de tête. M. Madinier ne parlait plus, menait lentement le cortège, qui le suivait en ordre, tous les cous tordus et les yeux en l'air. Des siècles d'art passaient devant leur ignorance ahurie, la sécheresse fine des primitifs, les splendeurs des Vénitiens, la vie grasse et belle de lumière des Hollandais [80]. Mais ce qui les intéressait le plus, c'étaient encore les copistes, avec leurs chevalets installés parmi le monde, peignant sans gêne; une vieille dame, montée sur une grande échelle, promenant un pinceau à badigeon dans le ciel tendre d'une immense toile, les frappa d'une façon particulière. Peu à peu, pourtant, le bruit avait dû se répandre qu'une noce visitait le Louvre; des peintres accoururent, la bouche fendue d'un rire; des curieux s'asseyaient à l'avance sur les banquettes, pour assister commodément au défilé; tandis que les gardiens, les lèvres pincées, retenaient des mots d'esprit. Et la noce, déjà lasse, perdant de son respect, traînait ses souliers à clous, tapait les talons sur les parquets sonores, avec le piétinement d'un troupeau débandé, lâché au milieu de la propreté nue et recueillie des salles.

M. Madinier se taisait pour ménager un effet. Il alla droit à la *Kermesse* de Rubens [81]. Là, il ne dit toujours rien, il se contenta d'indiquer la toile, d'un coup d'œil égrillard. Les dames, quand elles eurent le nez sur la peinture, poussèrent de petits cris; puis, elles se détournèrent, très rouges. Les hommes les retinrent, rigolant, cherchant les détails orduriers.

— Voyez donc! répétait Boche, ça vaut l'argent. En voilà un qui dégobille. Et celui-là, il arrose les pissenlits. Et celui-là, oh! celui-là... Ah bien! ils sont propres, ici!

— Allons-nous-en, dit M. Madinier, ravi de son succès. Il n'y a plus rien à voir de ce côté.

La noce retourna sur ses pas, traversa de nouveau le salon carré et la galerie d'Apollon. Mme Lerat et Mlle Remanjou se plaignaient, déclarant que les jambes leur rentraient dans le corps. Mais le cartonnier voulait montrer à Lorilleux les bijoux anciens. Ça se trouvait à côté, au fond d'une petite pièce, où il serait allé les yeux fermés. Pourtant, il se trompa, égara la noce le long de sept ou huit salles, désertes, froides, garnies seulement de vitrines sévères où s'alignaient une quantité innombrable de pots cassés et de bonshommes très laids. La noce frissonnait, s'ennuyait ferme. Puis, comme elle cherchait une porte, elle tomba dans les dessins. Ce fut une nouvelle course immense; les dessins n'en finissaient pas, les salons succédaient aux salons, sans rien de drôle, avec des feuilles de papier gribouillées, sous des vitres, contre les murs. M. Madinier, perdant la tête, ne voulant point avouer qu'il était perdu, enfila un escalier, fit monter un étage à la noce. Cette fois, elle voyageait au milieu du musée de la marine, parmi les modèles d'instruments et de canons, des plans en relief, des vaisseaux grands comme des joujoux. Un autre escalier se rencontra, très loin, au bout d'un quart d'heure de marche. Et, l'ayant descendu, elle se retrouva en plein dans les dessins. Alors, le désespoir la prit, elle roula au hasard des salles, les couples toujours à la file, suivant M. Madinier qui s'épongeait le front, hors de lui, furieux contre l'administration, qu'il accusait d'avoir changé les portes de place. Les gardiens et les visiteurs la regardaient passer, pleins d'étonnement. En moins de vingt minutes, on la revit au salon carré, dans la galerie française, le long des vitrines où dorment les petits dieux de l'Orient. Jamais plus elle ne sortirait. Les jambes cassées, s'abandonnant, la noce faisait un vacarme énorme, laissant dans sa course le ventre de Mme Gaudron en arrière.

— On ferme! on ferme! crièrent les voix puissantes des gardiens.

---

78. Dans son tableau *la Belle Ferronnière*, Léonard de Vinci a peint le portrait de Lucrezia Crivelli, maîtresse de Ludovico Sforza. Pour certains, il eût représenté la « Belle Ferronnière », femme d'un bourgeois ou d'un avocat au Parlement nommé Le Ferron, et qui fut la maîtresse de François Ier. Il y a donc évidente confusion de la part de Madinier, puisqu'il ne s'agit ni du Titien ni d'une maîtresse d'Henri IV.

79. Théâtre de l'Ambigu-Comique, situé boulevard Saint-Martin. Il avait remplacé le théâtre de l'Ambigu, établi sur les boulevards, où s'était illustré Frédérick Lemaître.

80. Zola se souvient vraisemblablement dans cette page des promenades qu'il fit lui-même au Louvre avec ses amis peintres, au moment de son combat pour l'impressionnisme.

81. Ce grand tableau de 2 m 61 sur 1 m 49 est célèbre par son mouvement, sa couleur et son réalisme gaillard.

Et elle faillit se laisser enfermer. Il fallut qu'un gardien se mît à sa tête, la reconduisît jusqu'à une porte. Puis, dans la cour du Louvre, lorsqu'elle eut repris ses parapluies au vestiaire, elle respira. M. Madinier retrouvait son aplomb; il avait eu tort de ne pas tourner à gauche; maintenant, il se souvenait que les bijoux étaient à gauche. Toute la société, d'ailleurs, affectait d'être contente d'avoir vu ça.

Quatre heures sonnaient. On avait encore deux heures à employer avant le dîner. On résolut de faire un tour, pour tuer le temps. Les dames, très lasses, auraient bien voulu s'asseoir; mais, comme personne n'offrait des consommations, on se remit en marche, on suivit le quai. Là, une nouvelle averse arriva, si dure, que, malgré les parapluies, les toilettes des dames s'abîmaient. Mme Lorilleux, le cœur noyé à chaque goutte qui mouillait sa robe, proposa de se réfugier sous le Pont-Royal; d'ailleurs, si on ne la suivait pas, elle menaçait d'y descendre toute seule. Et le cortège alla sous le Pont-Royal. On y était joliment bien. Par exemple, on pouvait appeler ça une idée chouette! Les dames étalèrent leurs mouchoirs sur les pavés, se reposèrent là, les genoux écartés, arrachant des deux mains les brins d'herbe poussés entre les pierres, regardant couler l'eau noire, comme si elles se trouvaient à la campagne. Les hommes s'amusèrent à crier très fort, pour éveiller l'écho de l'arche, en face d'eux; Boche et Bibi-la-Grillade, l'un après l'autre, injuriaient le vide, lui lançaient à toute volée : « Cochon! » et riaient beaucoup, quand l'écho leur renvoyait le mot; puis, la gorge enrouée, ils prirent des cailloux plats et jouèrent à faire des ricochets. L'averse avait cessé, mais la société se trouvait si bien, qu'elle ne songeait plus à s'en aller. La Seine charriait des nappes grasses, de vieux bouchons et des épluchures de légumes, un tas d'ordures qu'un tourbillon retenait un instant, dans l'eau inquiétante, tout assombrie par l'ombre de la voûte; tandis que, sur le pont, passait le roulement des omnibus et des fiacres, la cohue de Paris, dont on apercevait seulement les toits, à droite et à gauche, comme du fond d'un trou. Mlle Remanjou soupirait; s'il y avait eu des feuilles, ça lui aurait rappelé, disait-elle, un coin de la Marne, où elle allait, vers 1817, avec un jeune homme qu'elle pleurait encore.

Cependant, M. Madinier donna le signal du départ. On traversa le jardin des Tuileries, au milieu d'un petit peuple d'enfants dont les cerceaux et les ballons dérangèrent le bel ordre des couples. Puis, comme la noce, arrivée sur la place Vendôme,

regardait la colonne, M. Madinier songea à fair une galanterie aux dames; il leur offrit de monte dans la colonne, pour voir Paris. Son offre paru très farce. Oui, oui, il fallait monter, on en rira longtemps. D'ailleurs, ça ne manquait pas d'inté rêt pour les personnes qui n'avaient jamais quitt le plancher aux vaches.

— Si vous croyez que la Banban va se risque là-dedans, avec sa quille! murmurait Mme Loril leux.

— Moi, je monterais volontiers, disait Mme Lerat mais je ne veux pas qu'il y ait d'homme derrièr moi.

Et la noce monta. Dans l'étroite spirale de l's calier, les douze grimpaient à la file, butant contr les marches usées, se tenant aux murs. Puis, quan l'obscurité devint complète, ce fut une bosse d rires. Les dames poussaient de petits cris. Les mes sieurs les chatouillaient, leur pinçaient les jambes Mais elles étaient bien bêtes de causer! on a l'ai de croire que ce sont des souris. D'ailleurs, ç restait sans conséquence; ils savaient s'arrêter où i fallait, pour l'honnêteté. Puis, Boche trouva un plaisanterie que toute la société répéta. On appe lait Mme Gaudron, comme si elle était restée e chemin, et on lui demandait si son ventre passait Songez donc! si elle s'était trouvée prise là, san pouvoir monter ni descendre, elle aurait bouché l trou, on n'aurait jamais su comment s'en aller. E l'on riait de ce ventre de femme enceinte, avec un gaieté formidable qui secouait la colonne. Ensuite Boche, tout à fait lancé, déclara qu'on se faisai vieux, dans ce tuyau de cheminée; ça ne finissai donc pas, on allait donc au ciel? Et il cherchait effrayer les dames, en criant que ça remuait. Cepen dant, Coupeau ne disait rien; il venait derrièr Gervaise, la tenait à la taille, la sentait s'aban donner. Lorsque, brusquement, on rentra dans l jour, il était juste en train de lui embrasser l cou.

— Eh bien! vous êtes propres, ne vous gênez pas tous les deux! dit Mme Lorilleux d'un air scanda lisé.

Bibi-la-Grillade paraissait furieux. Il répétait entre ses dents :

— Vous en avez fait un bruit! Je n'ai pas seule ment pu compter les marches.

Mais M. Madinier, sur la plate-forme, montrait déjà les monuments. Jamais Mme Fauconnier ni Mlle Remanjou ne voulurent sortir de l'escalier; la pensée seule du pavé, en bas, leur tournait les sangs; et elles se contentaient de risquer des coups d'œil par la petite porte. Mme Lerat, plus crâne, faisait le tour de l'étroite terrasse, en se collant contre le bronze du dôme. Mais c'était tout de même rudement émotionnant, quand on songeait qu'il aurait suffi de passer une jambe. Quelle culbute, sacré Dieu! Les hommes, un peu pâles, regardaient la place. On se serait cru en l'air, séparé de tout. Non, décidément, ça vous faisait froid aux boyaux. M. Madinier, pourtant, recommandait de lever les yeux, de les diriger devant soi, très loin; ça empêchait le vertige. Et il continuait à indiquer du doigt les Invalides, le Panthéon, Notre-Dame, la tour Saint-Jacques, les buttes Montmartre. Puis, Mme Lorilleux eut l'idée de demander si l'on apercevait, sur le boulevard de la Chapelle, le marchand de vin où l'on allait manger, au Moulin d'Argent. Alors, pendant dix minutes, on chercha, on se disputa même; chacun plaçait le marchand de vin à un endroit. Paris, autour d'eux, étendait son immensité grise, aux lointains bleuâtres, ses vallées profondes, où roulait une houle de toitures; toute la rive droite était dans l'ombre, sous un grand haillon de nuage cuivré; et, du bord de ce nuage, frangé d'or, un large rayon coulait, qui allumait les milliers de vitres de la rive gauche d'un pétillement d'étincelles, détachant en lumière ce coin de la ville sur un ciel très pur, lavé par l'orage.

— Ce n'était pas la peine de monter pour nous manger le nez, dit Boche, furieux, en reprenant l'escalier.

La noce descendit, muette, boudeuse, avec la seule dégringolade des souliers sur les marches. En bas, M. Madinier voulait payer. Mais Coupeau se récria, se hâta de mettre dans la main du gardien vingt-quatre sous, deux sous par personne. Il était près de cinq heures et demie; on avait tout juste le temps de rentrer. Alors, on revint par les boulevards et par le faubourg Poissonnière. Coupeau, pourtant, trouvait que la promenade ne pouvait pas se terminer comme ça; il poussa tout le monde au fond d'un marchand de vin, où l'on prit du vermouth.

Le repas était commandé pour six heures. On attendait la noce depuis vingt minutes, au Moulin d'Argent. Mme Boche, qui avait confié sa loge à une dame de la maison, causait avec maman Coupeau, dans le salon du premier, en face de la table servie; et les deux gamins, Claude et Étienne, amenés par elle, jouaient à courir sous la table, au milieu d'une débandade de chaises. Lorsque Gervaise, en entrant, aperçut les petits, qu'elle n'avait pas vus de la journée, elle les prit sur ses genoux, les caressa avec de gros baisers.

— Ont-ils été sages? demanda-t-elle à Mme Bo-

che. Ils ne vous ont pas trop fait endêver [82], au moins?

Et, comme celle-ci lui racontait les mots à mourir de rire de ces vermines-là, pendant l'après-midi, elle les enleva de nouveau, les serra contre elle, prise d'une rage de tendresse.

— C'est drôle pour Coupeau tout de même, disait Mme Lorilleux aux autres dames, dans le fond du salon.

Gervaise avait gardé sa tranquillité souriante de la matinée. Depuis la promenade pourtant, elle devenait par moments toute triste, elle regardait son mari et les Lorilleux de son air pensif et raisonnable. Elle trouvait Coupeau lâche devant sa sœur. La veille encore, il criait fort, il jurait de les remettre à leur place, ces langues de vipères, s'ils lui manquaient. Mais en face d'eux, elle le voyait bien, il faisait le chien couchant, guettait sortir leurs paroles, était aux cent coups quand il les croyait fâchés. Et cela, simplement, inquiétait la jeune femme pour l'avenir.

Cependant, on n'attendait plus que Mes-Bottes, qui n'avait pas encore paru.

— Ah! zut! cria Coupeau, mettons-nous à table. Vous allez le voir abouler [83]; il a le nez creux, il sent la boustifaille de loin... Dites donc, il doit rire, s'il est toujours à faire le poireau sur la route de Saint-Denis!

Alors, la noce, très égayée, s'attabla avec un grand bruit de chaises. Gervaise était entre Lorilleux et M. Madinier, et Coupeau, entre Mme Fauconnier et Mme Lorilleux. Les autres convives se placèrent à leur goût parce que ça finissait toujours par des jalousies et des disputes, lorsqu'on indiquait les couverts. Boche se glissa près de Mme Lerat. Bibi-la-Grillade eut pour voisines Mlle Remanjou et Mme Gaudron. Quant à Mme Boche et à maman Coupeau, tout au bout, elles gardèrent les enfants, elles se chargèrent de couper leur viande, de leur verser à boire, surtout pas beaucoup de vin.

— Personne ne dit le bénédicité? demanda Boche, pendant que les dames arrangeaient leurs jupes sous la nappe, par peur des taches.

Mais Mme Lorilleux n'aimait pas ces plaisanteries-là. Et le potage au vermicelle, presque froid, fut mangé très vite, avec des sifflements de lèvres dans les cuillers. Deux garçons servaient, en petites vestes graisseuses, en tabliers d'un blanc douteux.

82. « *Faire endêver quelqu'un*. Le taquiner, l'importuner de coups d'épingles. Caillières prétend que le mot est « du dernier bourgeois ». C'est possible, mais en attendant Rabelais et J.-J. Rousseau s'en sont servis » (Delvau).

83. « *Venir*, arriver sans délai, précipitamment, comme une *boule* » (Delvau).

Par les quatre fenêtres ouvertes sur les acacias de la cour, le plein jour entrait, une fin de journée d'orage, lavée et chaude encore. Le reflet des arbres, dans ce coin humide, verdissait la salle enfumée, faisait danser des ombres de feuilles au-dessus de la nappe, mouillée d'une odeur vague de moisi. Il y avait deux glaces, pleines de chiures de mouches, une à chaque bout, qui allongeait la table à l'infini, couverte de sa vaisselle épaisse, tournant au jaune, où le gras des eaux de l'évier restait en noir dans les égratignures des couteaux. Au fond, chaque fois qu'un garçon remontait de la cuisine, la porte battait, soufflait une odeur forte de graillon.

— Ne parlons pas tous à la fois, dit Boche, comme chacun se taisait, le nez sur son assiette.

Et l'on buvait le premier verre de vin, en suivant des yeux deux tourtes aux godiveaux, servies par les garçons, lorsque Mes-Bottes entra.

Mes-Bottes, par André Gill (édition illustrée).

— Eh bien! vous êtes de la jolie fripouille, vous autres! cria-t-il. J'ai usé mes plantes pendant trois heures sur la route, même qu'un gendarme m'a demandé mes papiers... Est-ce qu'on fait de ces cochonneries-là à un ami! Fallait au moins m'envoyer un sapin[84] par un commissionnaire. Ah! non, vous savez, blague dans le coin, je la trouve raide. Avec ça, il pleuvait si fort, que j'avais de l'eau dans mes poches... Vrai, on y pêcherait encore une friture.

La société riait, se tordait. Cet animal de Mes-Bottes était allumé; il avait bien déjà ses deux litres; histoire seulement de ne pas se laisser embêter par tout ce sirop de grenouille que l'orage avait craché sur ses abattis.

— Eh! le comte de Gigot-Fin! dit Coupeau, va t'asseoir là-bas, à côté de madame Gaudron. Tu vois, on t'attendait.

Oh! ça ne l'embarrassait pas, il rattraperait les autres; et il redemanda trois fois du potage, des assiettes de vermicelle, dans lesquelles il coupait d'énormes tranches de pain. Alors, quand on eut attaqué les tourtes, il devint la profonde admiration de toute la table. Comme il bâfrait! Les garçons effarés faisaient la chaîne pour lui passer du pain, des morceaux finement coupés qu'il avalait d'une bouchée. Il finit par se fâcher; il voulait un pain à côté de lui. Le marchand de vin, très inquiet, se montra un instant sur le seuil de la salle. La société, qui l'attendait, se tordit de nouveau. Ça le lui coupait au gargotier! Quel sacré zig tout de même, ce Mes-Bottes! Est-ce qu'un jour il n'avait pas mangé douze œufs durs et bu douze verres de vin, pendant que les douze coups de midi sonnaient! On n'en rencontre pas beaucoup de cette force-là. Et Mlle Remanjou, attendrie, regardait Mes-Bottes mâcher, tandis que M. Madinier, cherchant un mot pour exprimer son étonnement presque respectueux, déclara une telle capacité extraordinaire.

Il y eut un silence. Un garçon venait de poser sur la table une gibelotte de lapin, dans un vaste plat creux comme un saladier. Coupeau, très blagueur, en lança une bonne.

— Dites donc, garçon, c'est du lapin de gouttière, ça... Il miaule encore.

En effet, un léger miaulement, parfaitement imité, semblait sortir du plat. C'était Coupeau, qui faisait ça avec la gorge, sans remuer les lèvres; un talent de société d'un succès certain, si bien qu'il ne mangeait jamais dehors sans commander une gibelotte. Ensuite, il ronronna. Les dames se tam-

84. « Fiacre, dans l'argot du peuple, qui sait que ces voitures-là ne sont pas construites en chêne » (Delvau).

L'ASSOMMOIR

Repas de noce de Coupeau et de Gervaise.

...onnaient la figure avec leurs serviettes, parce qu'elles riaient trop.

Mme Fauconnier demanda la tête; elle n'aimait que la tête. Mlle Remanjou adorait les lardons. Et, comme Boche disait préférer les petits oignons, quand ils étaient bien revenus, Mme Lerat pinça les lèvres, en murmurant :

— Je comprends ça.

Elle était sèche comme un échalas, menait une vie d'ouvrière cloîtrée dans son train-train, n'avait pas vu le nez d'un homme chez elle depuis son veuvage, tout en montrant une préoccupation continuelle de l'ordure, une manie de mots à double entente et d'allusions polissonnes, d'une telle profondeur, qu'elle seule se comprenait. Boche, se penchant en réclamant une explication, tout bas, à l'oreille, elle reprit :

— Sans doute les petits oignons... Ça suffit, je pense.

Mais la conversation devenait sérieuse. Chacun parlait de son métier. M. Madinier exaltait le cartonnage; il y avait de vrais artistes, dans la partie; ainsi, il citait des boîtes d'étrennes, dont il connaissait les modèles, des merveilles de luxe. Lorilleux, pourtant, ricanait; il était très vaniteux de travailler l'or, il en voyait comme un reflet sur ses doigts et sur toute sa personne. Enfin, disait-il souvent, les bijoutiers, au temps jadis, portaient l'épée; et il citait Bernard Palissy [85], sans savoir. Coupeau, lui, racontait une girouette, un chef-d'œuvre d'un de

ses camarades; ça se composait d'une colonne, puis d'une gerbe, puis d'une corbeille de fruits, puis d'un drapeau; le tout, très bien reproduit, fait rien qu'avec des morceaux de zinc découpés et soudés. Mme Lerat montrait à Bibi-la-Grillade comment on tournait une queue de rose, en roulant le manche de son couteau entre ses doigts osseux. Cependant, les voix montaient, se croisaient; on entendait, dans le bruit, des mots lancés très haut par Mme Fauconnier, en train de se plaindre de ses ouvrières, d'un petit chausson [86] d'apprentie qui lui avait encore brûlé, la veille, une paire de draps.

— Vous avez beau dire, cria Lorilleux en donnant un coup de poing sur la table, l'or, c'est de l'or.

Et, au milieu du silence causé par cette vérité, il n'y eut plus que la voix fluette de Mlle Remanjou, continuant :

— Alors, je leur relève la jupe, je couds en dedans... Je leur plante une épingle dans la tête pour tenir le bonnet... Et c'est fait, on les vend treize sous.

Elle expliquait ses poupées à Mes-Bottes, dont les mâchoires, lentement, roulaient comme des meules. Il n'écoutait pas, il hochait la tête, guettant les garçons, pour ne pas leur laisser emporter les plats sans les avoir torchés. On avait mangé un fricandeau au jus et des haricots verts. On apportait le rôti, deux poulets maigres, couchés sur un lit de cresson, fané et cuit par le four. Au dehors, le soleil se mourait sur les branches hautes des acacias. Dans la salle, le reflet verdâtre s'épaississait des buées montant de la table, tachée de vin et de sauce, encombrée de la débâcle du couvert; et, le long du mur, des assiettes sales, des litres vides, posés là par les garçons, semblaient les ordures balayées et culbutées de la nappe. Il faisait très chaud. Les hommes retirèrent leurs redingotes et continuèrent à manger en manches de chemise.

— Madame Boche, je vous en prie, ne les bourrez pas tant, dit Gervaise, qui parlait peu, surveillant de loin Claude et Étienne.

Elle se leva, alla causer un instant, debout derrière les chaises des petits. Les enfants, ça n'avait pas de raison, ça mangeait une journée sans refuser les morceaux; et elle leur servit elle-même du poulet, un peu de blanc. Mais maman Coupeau dit qu'ils pouvaient bien, pour une fois, se donner une indigestion. Mme Boche, à voix basse, accusa Boche de pincer les genoux de Mme Lerat. Oh! c'était un sournois, il godaillait [87]. Elle avait bien vu

85. Palissy (1510-1589) n'a jamais travaillé l'or, mais il fut à la fois potier, peintre-verrier, émailleur et écrivain. Autodidacte, il a toujours joui d'une très grande célébrité.

86. « Femme ou fille qu'une vie déréglée a avachie, éculée » (Delvau).
87. « Courir les cabarets. Ce verbe est un souvenir de l'occupation de Paris par les Anglais, amateurs de *good ale* » (Delvau).

sa main disparaître. S'il recommençait, jour de Dieu! elle était femme à lui flanquer une carafe à la tête.

Dans le silence, M. Madinier causait politique.

— Leur loi du 31 mai est une abomination. Maintenant, il faut deux ans de domicile. Trois millions de citoyens sont rayés des listes [88]... On m'a dit que Bonaparte, au fond, est très vexé, car il aime le peuple, il en a donné des preuves.

Lui, était républicain; mais il admirait le prince à cause de son oncle, un homme comme il n'en reviendrait jamais plus. Bibi-la-Grillade se fâcha: il avait travaillé à l'Élysée, il avait vu le Bonaparte comme il voyait Mes-Bottes, là, en face de lui; eh bien! ce mufe [89] de président ressemblait à un roussin, voilà! On disait qu'il allait faire un tour du côté de Lyon; ce serait un fameux débarras, s'il se cassait le cou dans un fossé. Et, comme la discussion tournait au vilain, Coupeau dut intervenir.

— Ah bien! vous êtes encore innocents de vous attraper pour la politique!... En voilà une blague, la politique! Est-ce que ça existe pour nous?... On peut bien mettre ce qu'on voudra, un roi, un empereur, rien du tout, ça ne m'empêchera pas de gagner mes cinq francs, de manger et de dormir, pas vrai?... Non, c'est trop bête!

Lorilleux hochait la tête. Il était né le même jour que le comte de Chambord, le 29 septembre 1820. Cette coïncidence le frappait beaucoup, l'occupait d'un rêve vague, dans lequel il établissait une relation entre le retour en France du roi et sa fortune personnelle. Il ne disait pas nettement ce qu'il espérait, mais il donnait à entendre qu'il lui arriverait alors quelque chose d'extraordinairement agréable. Aussi, à chacun de ses désirs trop gros pour être contenté, il renvoyait ça à plus tard, « quand le roi reviendrait ».

— D'ailleurs, raconta-t-il, j'ai vu un soir le comte de Chambord...

Tous les visages se tournèrent vers lui.

— Parfaitement. Un gros homme, en paletot, l'air bon garçon... J'étais chez Péquignot, un de mes amis, qui vend des meubles, Grande-Rue de la Chapelle. Le comte de Chambord avait la veille laissé là un parapluie. Alors, il est entré, il a dit comme ça, tout simplement: « Voulez-vous bien me rendre mon parapluie? » Mon Dieu! oui, c'était lui, Péquignot m'a donné sa parole d'honneur.

Aucun des convives n'émit le moindre doute. On était au dessert. Les garçons débarrassaient la table avec un grand bruit de vaisselle. Et Mme Lorilleux, jusque-là très convenable, très dame, laissa échapper un: Sacré salaud! parce que l'un des garçons, en enlevant un plat, lui avait fait couler quelque chose de mouillé dans le cou. Pour sûr, sa robe de soie était tachée. M. Madinier dut lui regarder le dos, mais il n'y avait rien, il le jurait. Maintenant, au milieu de la nappe, s'étalaient des œufs à la neige dans un saladier, flanqués de deux assiettes de fromage et de deux assiettes de fruits. Les œufs à la neige, les blancs trop cuits nageant sur la crème jaune, causèrent un recueillement; on ne les attendait pas, on trouva ça distingué. Mes-Bottes mangeait toujours. Il avait redemandé un pain. Il acheva les deux fromages; et, comme il restait de la crème, il se fit passer le saladier, au fond duquel il tailla de larges tranches, comme pour une soupe.

— Monsieur est vraiment bien remarquable, dit M. Madinier retombé dans son admiration.

Alors, les hommes se levèrent pour prendre leurs pipes. Ils restèrent un instant derrière Mes-Bottes, à lui donner des tapes sur les épaules, en lui demandant si ça allait mieux. Bibi-la-Grillade le souleva avec la chaise; mais, tonnerre de Dieu! l'animal avait doublé de poids. Coupeau, par blague, racontait que le camarade commençait seulement à se mettre en train, qu'il allait à présent manger comme ça du pain toute la nuit. Les garçons, épouvantés, disparurent. Boche, descendu depuis un instant, remonta en racontant la bonne tête du marchand de vin, en bas; il était tout blanc dans son comptoir, la bourgeoise consternée venait d'envoyer voir si les boulangers restaient ouverts, jusqu'au chat de la maison qui avait l'air ruiné. Vrai, c'était trop cocasse, ça valait l'argent du dîner, il ne pouvait pas y avoir de pique-nique sans cet avale-tout de Mes-Bottes. Et les hommes, leurs pipes allumées, le couvaient d'un regard jaloux; car enfin, pour tant manger, il fallait être solidement bâti!

— Je ne voudrais pas être chargée de vous nourrir, dit Mme Gaudron. Ah! non, par exemple!

— Dites donc, la petite mère, faut pas blaguer, répondit Mes-Bottes, avec un regard oblique sur le ventre de sa voisine. Vous en avez avalé plus long que moi.

On applaudit, on cria bravo: c'était envoyé. Il faisait nuit noire, trois becs de gaz flambaient dans la salle, remuant de grandes clartés troubles, au milieu de la fumée des pipes. Les garçons, après avoir servi le café et le cognac, venaient d'emporter les dernières piles d'assiettes sales. En bas, sous les trois acacias, le bastringue commençait, un

---

88. La loi du 31 mai 1850 exigeait que, pour être électeur, on fût domicilié depuis trois ans dans le canton, ce qui écartait des urnes un certain nombre d'électeurs et particulièrement des ouvriers, traditionnellement peu stables.

89. « Crétin, lâche, pignouf » (D. Poulot).

cornet à pistons et deux violons jouant très fort, avec des rires de femme, un peu rauques dans la nuit chaude.

— Faut faire un brûlot [90]! cria Mes-Bottes; deux litres de casse-poitrine [91], beaucoup de citron et pas beaucoup de sucre!

Mais Coupeau, voyant en face de lui le visage inquiet de Gervaise, se leva en déclarant qu'on ne boirait pas davantage. On avait vidé vingt-cinq litres, chacun son litre et demi, en comptant les enfants comme des grandes personnes; c'était déjà trop raisonnable. On venait de manger un morceau ensemble, en bonne amitié, sans flafla [92], parce qu'on avait de l'estime les uns pour les autres et qu'on désirait célébrer entre soi une fête de famille. Tout se passait très gentiment, on était gai, il ne fallait pas maintenant se cocarder [93] cochonnément, si l'on voulait respecter les dames. En un mot, et comme fin finale, on s'était réuni pour porter une santé au conjungo [94], et non pour se mettre des brindezingues [95]. Ce petit discours, débité d'une voix convaincue par le zingueur, qui posait la main sur sa poitrine à la chute de chaque phrase, eut la vive approbation de Lorilleux et de M. Madinier. Mais les autres, Boche, Gaudron, Bibi-la-Grillade, surtout Mes-Bottes, très allumés tous les quatre, ricanèrent, la langue épaissie, ayant une sacrée coquine de soif, qu'il fallait pourtant arroser.

— Ceux qui ont soif, ont soif, et ceux qui n'ont pas soif, n'ont pas soif, fit remarquer Mes-Bottes. Pour lors, on va commander le brûlot... On n'esbrouffe [96] personne. Les aristos feront monter de l'eau sucrée.

Et comme le zingueur recommençait à prêcher, l'autre, qui s'était mis debout, se donna une claque sur la fesse, en criant:

— Ah! tu sais, baise cadet [97]!... Garçon, deux litres de vieille!

Alors, Coupeau dit que c'était très bien, qu'on allait seulement régler le repas tout de suite. Ça éviterait des disputes. Les gens bien élevés n'avaient pas besoin de payer pour les soûlards. Et, justement,

Mes-Bottes, après s'être fouillé longtemps, ne trouva que trois francs sept sous. Aussi pourquoi l'avait-on laissé droguer [98] sur la route de Saint-Denis? Il ne pouvait pas se laisser nayer [99], il avait cassé la pièce de cent sous. Les autres étaient fautifs, voilà! Enfin, il donna trois francs, gardant les sept sous pour son tabac du lendemain. Coupeau, furieux, aurait cogné, si Gervaise ne l'avait tiré par sa redingote, très effrayée, suppliante. Il se décida à emprunter deux francs à Lorilleux, qui, après les avoir refusés, se cacha pour les prêter, car sa femme, bien sûr, n'aurait jamais voulu.

Cependant, M. Madinier avait pris une assiette. Les demoiselles et les dames seules, Mme Lerat, Mme Fauconnier, Mlle Remanjou, déposèrent leur pièce de cent sous les premières, discrètement. Ensuite, les messieurs s'isolèrent à l'autre bout de la salle, firent les comptes. On était quinze; ça montait donc à soixante-quinze francs. Lorsque les soixante-quinze francs furent dans l'assiette, chaque homme ajouta cinq sous pour les garçons. Il fallut un quart d'heure de calculs laborieux, avant de tout régler à la satisfaction de chacun.

Mais quand M. Madinier, qui voulait avoir affaire au patron, eut demandé le marchand de vin, la société resta saisie, en entendant celui-ci dire avec un sourire que ça ne faisait pas du tout son compte. Il y avait des suppléments. Et, comme ce mot de « supplément » était accueilli par des exclamations furibondes, il donna le détail: vingt-cinq litres, au lieu de vingt, nombre convenu à l'avance; les œufs à la neige, qu'il avait ajoutés, en voyant le dessert un peu maigre; enfin un carafon de rhum, servi avec le café, dans le cas où des personnes aimeraient le rhum. Alors, une querelle formidable s'engagea. Coupeau, pris à partie, se débattait: jamais il n'avait parlé de vingt litres; quant aux œufs à la neige, ils rentraient dans le dessert, tant pis si le gargotier les avait ajoutés de son plein gré; restait le carafon de rhum, une frime, une façon de grossir la note, en glissant sur la table des liqueurs dont on se méfiait pas.

— Il était sur le plateau au café, criait-il; eh bien! il doit être compté avec le café... Fichez-nous la paix. Emportez votre argent, et du tonnerre si nous remettons jamais les pieds dans votre baraque!

— C'est six francs de plus, répétait le marchand de vin. Donnez-moi mes six francs... Et je ne compte pas les trois pains de monsieur, encore!

Toute la société, serrée autour de lui, l'entourait

90. « Petit punch à l'eau-de-vie » (Delvau).
91. « Eau-de-vie poivrée, dans l'argot du peuple » (Delvau).
92. « Étalage pompeux, en paroles ou en actions, dans l'argot du peuple » (Delvau).
93. « Avoir sa cocarde; être en état d'ivresse » (D. Poulot).
94. « Mariage, dans l'argot du peuple » (Delvau).
95. « Être complètement ivre. Argot des faubouriens » (Delvau).
96. « En imposer; faire des embarras, des manières, intimider par un étalage de luxe ou d'esprit » (Delvau).
97. « Cadet: les parties basses de l'homme, « la cible aux coups de pied ». Argot du peuple. *Baiser Cadet*. Faire des actions viles, plates. Faubouriens et commères disent fréquemment, pour témoigner leur mépris à quelqu'un ou pour clore une discussion qui leur déplaît: « Tiens, baise Cadet! » (Delvau).

98. « Attendre, faire le pied de grue, dans l'argot du peuple » (Delvau).
99. Forme d'origine paysanne plutôt qu'argotique.

d'une rage de gestes, d'un glapissement de voix que la colère étranglait. Les femmes, surtout, sortaient de leur réserve, refusaient d'ajouter un centime. Ah bien! merci, elle était jolie, la noce! C'était Mlle Remanjou, qui ne se fourrerait plus dans un de ces dîners-là! Mme Fauconnier avait très mal mangé; chez elle, pour ses quarante sous, elle aurait eu un petit plat à se lécher les doigts. Mme Gaudron se plaignait amèrement d'avoir été poussée au mauvais bout de la table, à côté de Mes-Bottes, qui n'avait pas montré le moindre égard. Enfin, ces parties tournaient toujours mal. Quand on voulait avoir du monde à son mariage, on invitait les personnes, parbleu! Et Gervaise, réfugiée auprès de maman Coupeau, devant une des fenêtres, ne disait rien, honteuse, sentant que toutes ces récriminations retombaient sur elle.

M. Madinier finit par descendre avec le marchand de vin. On les entendit discuter en bas. Puis, au bout d'une demi-heure, le cartonnier remonta; il avait réglé, en donnant trois francs. Mais la société restait vexée, exaspérée, revenant sans cesse sur la question des suppléments. Et le vacarme s'accrut d'un acte de vigueur de Mme Boche. Elle guettait toujours Boche, elle le vit, dans un coin, pincer la taille de Mme Lerat. Alors, à toute volée, elle lança une carafe qui s'écrasa contre le mur.

— On voit bien que votre mari est tailleur, madame, dit la grande veuve, avec un pincement de lèvres plein de sous-entendu. C'est un juponnier numéro un... Je lui ai pourtant allongé de fameux coups de pied, sous la table.

La soirée était gâtée. On devint de plus en plus aigre. M. Madinier proposa de chanter; mais Bibi-la-Grillade, qui avait une belle voix, venait de disparaître; et Mlle Remanjou, accoudée à une fenêtre, l'aperçut, sous les acacias, faisant sauter une grosse fille en cheveux. Le cornet à pistons et les deux violons jouaient, *le Marchand de moutarde*, un quadrille où l'on tapait dans ses mains, à la pastourelle. Alors, il y eut une débandade : Mes-Bottes et le ménage Gaudron descendirent; Boche lui-même fila. Des fenêtres, on voyait les couples tourner, entre les feuilles, auxquelles les lanternes pendues aux branches donnaient un vert peint et cru de décor. La nuit dormait, sans une haleine, pâmée par la grosse chaleur. Dans la salle, une conversation sérieuse s'était engagée entre Lorilleux et M. Madinier, pendant que les dames, ne sachant plus comment soulager leur besoin de colère, regardaient leurs robes, cherchant si elles n'avaient pas attrapé des taches.

Les effilés de Mme Lerat devaient avoir trempé dans le café. La robe écrue de Mme Fauconnier était pleine de sauce. Le châle vert de maman Coupeau, tombé d'une chaise, venait d'être retrouvé dans un coin, roulé et piétiné. Mais c'était surtout Mme Lorilleux qui ne décolérait pas. Elle avait une tache dans le dos, on avait beau lui jurer que non, elle la sentait. Et elle finit, en se tordant devant une glace, par l'apercevoir.

— Qu'est-ce que je disais ? cria-t-elle. C'est du jus de poulet. Le garçon payera la robe. Je lui ferai plutôt un procès... Ah! la journée est complète. J'aurais mieux fait de rester couchée... Je m'en vais, d'abord. J'en ai assez, de leur fichue noce!

Elle partit rageusement, en faisant trembler l'escalier sous les coups de ses talons. Lorilleux courut derrière elle. Mais tout ce qu'il put obtenir, ce fut qu'elle attendrait cinq minutes sur le trottoir, si l'on voulait partir ensemble. Elle aurait dû s'en aller après l'orage, comme elle en avait eu l'envie. Coupeau lui revaudrait cette journée-là. Quand ce dernier la sut si furieuse, il parut consterné; et Gervaise, pour lui éviter des ennuis, consentit à rentrer tout de suite. Alors, on s'embrassa rapidement. M. Madinier se chargea de reconduire maman Coupeau. Mme Boche devait, pour la première nuit, emmener Claude et Étienne coucher chez elle; leur mère pouvait être sans crainte, les petits dormaient sur des chaises, alourdis par une grosse indigestion d'œufs à la neige. Enfin, les mariés se sauvaient avec Lorilleux, laissant le reste de la noce chez le marchand de vin, lorsqu'une bataille s'engagea en bas, dans la bastringue, entre leur société et une autre société; Boche et Mes-Bottes, qui avaient embrassé une dame, ne voulaient pas la rendre à deux militaires auxquels elle appartenait, et menaçaient de nettoyer tout le tremblement, dans le tapage enragé du cornet à pistons et des deux violons, jouant la polka des *Perles*.

Il était à peine onze heures. Sur le boulevard de la Chapelle, et dans tout le quartier de la Goutte-d'Or, la paye de grande quinzaine, qui tombait ce samedi-là, mettait un vacarme énorme de soûlerie. Mme Lorilleux attendait à vingt pas du Moulin d'Argent, debout sous un bec de gaz. Elle prit le bras de Lorilleux, marcha devant, sans se retourner, d'un tel pas que Gervaise et Coupeau s'essoufflaient à les suivre. Par moments, ils descendaient du trottoir, pour laisser la place à un ivrogne, tombé là, les quatre fers en l'air. Lorilleux se retourna, cherchant à raccommoder les choses.

— Nous allons vous conduire à votre porte, dit-il.

Mais Mme Lorilleux, élevant la voix, trouvait

ça drôle de passer sa nuit de noces dans ce trou infect de l'hôtel Boncœur. Est-ce qu'ils n'auraient pas dû remettre le mariage, économiser quatre sous et acheter des meubles, pour rentrer chez eux, le premier soir ? Ah! ils allaient être bien, sous les toits, empilés tous les deux dans un cabinet de dix francs, où il n'y avait seulement pas d'air.

— J'ai donné congé, nous ne restons pas en haut, objecta Coupeau timidement. Nous gardons la chambre de Gervaise, qui est plus grande.

Mme Lorilleux s'oublia, se tourna d'un mouvement brusque.

— Ça, c'est plus fort! cria-t-elle. Tu vas coucher dans la chambre à la Banban!

Gervaise devint toute pâle. Ce surnom, qu'elle recevait à la face pour la première fois, la frappait comme un soufflet. Puis, elle entendait bien l'exclamation de sa belle-sœur : la chambre à la Banban, c'était la chambre où elle avait vécu un mois avec Lantier, où les loques de sa vie passée traînaient encore. Coupeau ne comprit pas, fut seulement blessé du surnom.

— Tu as tort de baptiser les autres, répondit-il avec humeur. Tu ne sais pas, toi, qu'on t'appelle Queue-de-Vache, dans le quartier, à cause de tes cheveux. Là, ça ne te fait pas plaisir, n'est-ce pas ?... Pourquoi ne garderions-nous pas la chambre du premier ? Ce soir, les enfants n'y couchent pas, nous y serons très bien.

Mme Lorilleux n'ajouta rien, se renfermant dans sa dignité, horriblement vexée de s'appeler Queue-de-Vache. Coupeau, pour consoler Gervaise, lui serrait doucement le bras; et il réussit même à l'égayer, en lui racontant à l'oreille qu'ils entraient en ménage avec la somme de sept sous toute ronde, trois gros sous et un petit sou, qu'il faisait sonner de la main dans la poche de son pantalon. Quand on fut arrivé à l'hôtel Boncœur, on se dit bonsoir d'un air fâché. Et au moment où Coupeau poussait les deux femmes au cou l'une de l'autre, en les traitant de bêtes, un pochard, qui semblait vouloir passer à droite, eut un brusque crochet à gauche, et vint se jeter entre elles.

— Tiens! c'est le père Bazouge! dit Lorilleux. Il a son compte, aujourd'hui.

Gervaise, effrayée, se collait contre la porte de l'hôtel. Le père Bazouge, un croque-mort d'une cinquantaine d'années, avait son pantalon noir taché de boue, son manteau noir agrafé sur l'épaule, son chapeau de cuir noir cabossé, aplati dans quelque chute.

— N'ayez pas peur, il n'est pas méchant, continuait Lorilleux. C'est un voisin; la troisième chambre dans le corridor, avant d'arriver chez nous... Il serait propre, si son administration le voyait comme ça!

Cependant, le père Bazouge s'offusquait de la terreur de la jeune femme.

— Eh bien, quoi! bégaya-t-il, on ne mange personne dans notre partie... J'en vaux un autre, allez, ma petite... Sans doute que j'ai bu un coup! Quand l'ouvrage donne, faut bien se graisser les roues. Ce n'est pas vous, ni la compagnie, qui auriez descendu le particulier de six cents livres que nous avons amené à deux du quatrième sur le trottoir, et sans le casser encore... Moi, j'aime les gens rigolos.

Mais Gervaise se rentrait davantage dans l'angle de la porte, prise d'une grosse envie de pleurer, qui lui gâtait toute sa journée de joie raisonnable. Elle ne songeait plus à embrasser sa belle-sœur, elle suppliait Coupeau d'éloigner l'ivrogne. Alors, Bazouge, en chancelant, eut un geste plein de dédain philosophique.

— Ça ne vous empêchera pas d'y passer, ma petite... Vous serez peut-être bien contente d'y passer, un jour... Oui, j'en connais des femmes, qui diraient merci, si on les emportait.

Et, comme les Lorilleux se décidaient à l'emmener, il se retourna, il balbutia une dernière phrase, entre deux hoquets :

— Quand on est mort... écoutez ça... quand on est mort, c'est pour longtemps.

4

Ce furent quatre années de dur travail. Dans le quartier, Gervaise et Coupeau étaient un bon ménage, vivant à l'écart, sans batteries [100], avec un tour de promenade régulier le dimanche, du côté de Saint-Ouen. La femme faisait des journées de douze heures chez Mme Fauconnier, et trouvait le moyen de tenir son chez elle propre comme un sou, de donner la pâtée à tout son monde, matin et soir. L'homme ne se soûlait pas, rapportait ses quinzaines, fumait une pipe à sa fenêtre avant de se coucher, pour prendre l'air. On les citait, à cause de leur gentillesse. Et, comme ils gagnaient à eux deux près de neuf francs par jour, on calculait qu'ils devaient mettre de côté pas mal d'argent [101].

100. « Coups échangés, dans l'argot des faubouriens » (Delvau).
101. D'après les statistiques sur les salaires à l'époque de *l'Assommoir*, il semble que le ménage aurait pu gagner au mieux 8 F ou 8 F 50. En insistant sur son aisance, Zola souligne son sérieux.

Mais, dans les premiers temps surtout, il leur fallut joliment trimer, pour joindre les deux bouts. Leur mariage leur avait mis sur le dos une dette de deux cents francs. Puis, ils s'abominaient [102], à l'hôtel Boncœur; ils trouvaient ça dégoûtant, plein de sales fréquentations; et ils rêvaient d'être chez eux, avec des meubles à eux, qu'ils soigneraient. Vingt fois, ils calculèrent la somme nécessaire; ça montait, en chiffre rond, à trois cent cinquante francs, s'ils voulaient tout de suite n'être pas embarrassés pour serrer leurs affaires et avoir sous la main une casserole ou un poêlon, quand ils en auraient besoin. Ils désespéraient d'économiser une si grosse somme en moins de deux années, lorsqu'il leur arriva une bonne chance : un vieux monsieur de Plassans leur demanda Claude, l'aîné des petits, pour le placer là-bas au collège; une toquade généreuse d'un original, amateur de tableaux, que des bonshommes barbouillés autrefois par le mioche avaient vivement frappé [103]. Claude leur coûtait déjà les yeux de la tête. Quand ils n'eurent plus à leur charge que le cadet, Étienne, ils amassèrent les trois cent cinquante francs en sept mois et demi. Le jour où ils achetèrent leurs meubles, chez un revendeur de la rue Belhomme, ils firent, avant de rentrer, une promenade sur les boulevards extérieurs, le cœur gonflé d'une grosse joie. Il y avait un lit, une table de nuit, une commode à dessus de marbre, une armoire, une table ronde avec sa toile cirée, six chaises, le tout en vieil acajou; sans compter la literie, du linge, des ustensiles de cuisine presque neufs. C'était pour eux comme une entrée sérieuse et définitive dans la vie, quelque chose qui, en les faisant propriétaires, leur donnait de l'importance au milieu des gens bien posés du quartier.

Le choix d'un logement, depuis deux mois, les occupait. Ils voulurent, avant tout, en louer un dans la grande maison, rue de la Goutte-d'Or. Mais pas une chambre n'y était libre, ils durent renoncer à leur ancien rêve. Pour dire la vérité, Gervaise ne fût pas fâchée, au fond : le voisinage des Lorilleux, porte à porte, l'effrayait beaucoup. Alors, ils cherchèrent ailleurs. Coupeau, très justement, tenait à ne pas s'éloigner de l'atelier de Mme Fauconnier, pour que Gervaise pût, d'un saut, être chez elle à toutes les heures du jour. Et ils eurent enfin une trouvaille, une grande chambre, avec un cabinet et une cuisine, rue Neuve-de-la-Goutte-d'Or, presque en face de la blanchisseuse. C'était une petite maison à un seul étage, un escalier très raide,

en haut duquel il y avait seulement deux logements, l'un à droite, l'autre à gauche; le bas se trouvait habité par un loueur de voitures, dont le matériel occupait des hangars dans une vaste cour, le long de la rue. La jeune femme, charmée, croyait retourner en province; pas de voisines, pas de cancans à craindre, un coin de tranquillité qui lui rappelait une ruelle de Plassans, derrière les remparts; et, pour comble de chance, elle pouvait voir sa fenêtre, de son établi, sans quitter ses fers, en allongeant la tête.

L'emménagement eut lieu au terme d'avril. Gervaise était alors enceinte de huit mois. Mais elle montrait une belle vaillance, disant avec un rire que l'enfant l'aidait, lorsqu'elle travaillait; elle sentait, en elle, ses petites menottes pousser et lui donner des forces. Ah bien! elle recevait joliment Coupeau, les jours où il voulait la faire coucher pour se dorloter un peu! Elle se coucherait aux grosses douleurs. Ce serait toujours assez tôt; car, maintenant, avec une bouche de plus, il allait falloir donner un rude coup de collier. Et ce fut elle qui nettoya le logement, avant d'aider son mari à mettre les meubles en place. Elle eut une religion pour ces meubles, les essuyant avec des soins maternels, le cœur crevé à la vue de la moindre égratignure. Elle s'arrêtait, saisie, comme si elle se fût tapée elle-même, quand elle les cognait en balayant. La commode surtout lui était chère; elle la trouvait belle, solide, l'air sérieux. Un rêve, dont elle n'osait parler, était d'avoir une pendule pour la mettre au beau milieu du marbre, où elle aurait produit un effet magnifique. Sans le bébé qui venait, elle se serait peut-être risquée à acheter sa pendule. Enfin, elle renvoyait ça à plus tard, avec un soupir.

Le ménage vécut dans l'enchantement de sa nouvelle demeure. Le lit d'Étienne occupait le cabinet, où l'on pouvait encore installer une autre couchette d'enfant. La cuisine était grande comme la main et toute noire; mais, en laissant la porte ouverte, on y voyait assez clair; puis, Gervaise n'avait pas à faire des repas de trente personnes, il suffisait qu'elle y trouvât la place de son pot-au-feu. Quant à la grande chambre, elle était leur orgueil. Dès le matin, ils fermaient les rideaux de l'alcôve, des rideaux de calicot blanc; et la chambre se trouvait transformée en salle à manger, avec la table au milieu, l'armoire et la commode en face l'une de l'autre. Comme la cheminée brûlait jusqu'à quinze sous de charbon de terre par jour, ils l'avaient bouchée; un petit poêle de fonte, posé sur la plaque de marbre, les chauffait pour sept sous pendant les grands froids. Ensuite, Coupeau avait

---

102. « Abominer : avoir de l'aversion pour quelque chose et de l'antipathie pour quelqu'un » (Delvau).
103. Zola prépare dès maintenant *l'Œuvre*.

orné les murs de son mieux, en se promettant des embellissements : une haute gravure représentant un maréchal de France, caracolant avec son bâton à la main, entre un canon et un tas de boulets, tenait lieu de glace; au-dessus de la commode, les photographies de la famille étaient rangées sur deux lignes, à droite et à gauche d'un ancien bénitier de porcelaine dorée, dans lequel on mettait les allumettes; sur la corniche de l'armoire, un buste de Pascal [104] faisait pendant à un buste de Béranger, l'un grave, l'autre souriant, près du coucou, dont ils semblaient écouter le tic-tac. C'était vraiment une belle chambre.

— Devinez combien nous payons ici ? demandait Gervaise à chaque visiteur.

Et quand on estimait son loyer trop haut, elle triomphait, elle criait, ravie d'être si bien pour si peu d'argent :

— Cent cinquante francs, pas un liard de plus!... Hein! c'est donné!

La rue Neuve-de-la-Goutte-d'Or elle-même entrait pour une bonne part dans leur contentement. Gervaise y vivait, allant sans cesse de chez elle chez Mme Fauconnier. Coupeau, le soir, descendait maintenant, fumait sa pipe sur le pas de la porte. La rue, sans trottoir, le pavé défoncé, montait. En haut, du côté de la rue de la Goutte-d'Or, il y avait des boutiques sombres, aux carreaux sales, des cordonniers, des tonneliers, une épicerie borgne, un marchand de vin en faillite, dont les volets fermés depuis des semaines se couvraient d'affiches. A l'autre bout, vers Paris, des maisons de quatre étages barraient le ciel, occupées à leur rez-de-chaussée par des blanchisseuses, les unes près des autres, en tas; seule, une devanture de perruquier de petite ville, peinte en vert, toute pleine de flacons aux couleurs tendres, égayait ce coin d'ombre du vif éclair de ses plats de cuivre, tenus très propres. Mais la gaieté de la rue se trouvait au milieu, à l'endroit où les constructions, en devenant plus rares et plus basses, laissaient descendre l'air et le soleil. Les hangars du loueur de voitures, l'établissement voisin où l'on fabriquait de l'eau de Seltz, le lavoir, en face, élargissaient un vaste espace libre, silencieux, dans lequel les voix étouffées des laveuses et l'haleine régulière de la machine à vapeur semblaient grandir encore le recueillement. Des terrains profonds, des allées s'enfonçant entre des murs noirs, mettaient là un village. Et Coupeau, amusé par les rares passants qui enjambaient

le ruissellement continu des eaux savonneuses, disait se souvenir d'un pays où l'avait conduit un de ses oncles, à l'âge de cinq ans. La joie de Gervaise était, à gauche de sa fenêtre, un arbre planté dans une cour, un acacia allongeant une seule de ses branches, et dont la maigre verdure suffisait au charme de toute la rue.

Ce fut le dernier jour d'avril [105] que la jeune femme accoucha. Les douleurs la prirent l'après-midi, vers quatre heures, comme elle repassait une paire de rideaux chez Mme Fauconnier. Elle ne voulut pas s'en aller tout de suite, restant là à se tortiller sur une chaise, donnant un coup de fer quand ça se calmait un peu; les rideaux pressaient, elle s'entêtait à les finir; puis, ça n'était peut-être qu'une colique, il ne fallait pas s'écouter pour un mal de ventre. Mais, comme elle parlait de se mettre à des chemises d'homme, elle devint blanche. Elle dut quitter l'atelier, traverser la rue, courbée en deux, se tenant aux murs. Une ouvrière offrait de l'accompagner; elle refusa, elle la pria seulement de passer chez la sage-femme, à côté, rue de la Charbonnière. Le feu n'était pas à la maison, bien sûr. Elle en avait sans doute pour toute la nuit. Ça n'allait pas l'empêcher en rentrant de préparer le dîner de Coupeau; ensuite, elle verrait à se jeter un instant sur le lit, sans même se déshabiller. Dans l'escalier, elle fut prise d'une telle crise, qu'elle dut s'asseoir au beau milieu des marches; et elle serrait ses deux poings sur sa bouche, pour ne pas crier, parce qu'elle éprouvait une honte à être trouvée là par des hommes, s'il en montait. La douleur passa, elle put ouvrir la porte, soulagée, pensant décidément s'être trompée. Elle faisait, ce soir-là, un ragoût de mouton avec des hauts de côtelettes. Tout marcha encore bien, pendant qu'elle pelurait ses pommes de terre. Les hauts de côtelettes revenaient dans un poêlon, quand les sueurs et les tranchées reparurent. Elle tourna son roux, en piétinant devant le fourneau, aveuglée par de grosses larmes. Si elle accouchait, n'est-ce pas ? ce n'était point une raison pour laisser Coupeau sans manger. Enfin le ragoût mijota sur un feu couvert de cendre. Elle revint dans la chambre, crut avoir le temps de mettre un couvert à un bout de la table. Et il lui fallut reposer bien vite le litre de vin; elle n'eut plus la force d'arriver au lit, elle tomba et accoucha par terre, sur un paillasson. Lorsque la sage-femme arriva, un quart d'heure plus tard, ce fut là qu'elle la délivra.

Le zingueur travaillait toujours à l'hôpital. Ger-

---

104. C'est intentionnellement que Zola fait ainsi voisiner le philosophe chrétien du XVIIᵉ siècle et le chansonnier politique et grivois du XVIIIᵉ siècle révolutionnaire.

105. Avril 1851.

vaise défendit d'aller le déranger. Quand il rentra, à sept heures, il la trouva couchée, bien enveloppée, très pâle sur l'oreiller. L'enfant pleurait, emmailloté dans un châle, aux pieds de la mère.

— Ah! ma pauvre femme! dit Coupeau en embrassant Gervaise. Et moi qui rigolais, il n'y a pas une heure, pendant que tu criais aux petits pâtés [106]!... Dis donc, tu n'es pas embarrassée, tu vous lâches ça, le temps d'éternuer.

Elle eut un faible sourire; puis, elle murmura :

— C'est une fille.

— Juste! reprit le zingueur, blaguant pour la remettre, j'avais commandé une fille!... Hein! me voilà servi! Tu fais donc tout ce que je veux ?

Et, prenant l'enfant, il continua :

— Qu'on vous voie un peu, mademoiselle Souillon!... Vous avez une petite frimousse bien noire. Ça blanchira, n'ayez pas peur. Il faudra être sage, ne pas faire la gourgandine [107], grandir raisonnable, comme papa et maman.

Gervaise, très sérieuse, regardait sa fille, les yeux grands ouverts, lentement assombris d'une tristesse. Elle hocha la tête; elle aurait voulu un garçon, parce que les garçons se débrouillent toujours et ne courent pas tant de risques, dans ce Paris. La sage-femme dut enlever le poupon des mains de Coupeau. Elle défendit aussi à Gervaise de parler; c'était déjà mauvais qu'on fît tant de bruit autour d'elle. Alors, le zingueur dit qu'il fallait prévenir maman Coupeau et les Lorilleux; mais il crevait de faim, il voulait dîner auparavant. Ce fut un gros ennui pour l'accouchée de le voir se servir lui-même, courir à la cuisine chercher le ragoût, manger dans une assiette creuse, ne pas trouver le pain. Malgré la défense, elle se lamentait, se tournait entre les draps. Aussi, c'était bien bête de n'avoir pas pu mettre la table; la colique l'avait assise par terre comme un coup de bâton. Son pauvre homme lui en voudrait, d'être là à se dorloter, quand il mangeait si mal. Les pommes de terre étaient-elles assez cuites au moins ? Elle ne se rappelait plus si elle les avait salées.

— Taisez-vous donc! cria la sage-femme.

— Ah! quand vous l'empêcherez de se miner, par exemple! dit Coupeau la bouche pleine. Si vous n'étiez pas là, je parie qu'elle se lèverait pour me couper mon pain... Tiens-toi donc sur le dos, grosse dinde! Faut pas te démolir, autrement tu en as pour quinze jours à te remettre sur tes pattes... Il est

très bon ton ragoût. Madame va en manger avec moi. N'est-ce pas, madame ?

La sage-femme refusa; mais elle voulut bien boire un verre de vin, parce que ça l'avait émotionnée, disait-elle, de trouver la malheureuse femme avec le bébé sur le paillasson. Coupeau partit enfin, pour annoncer la nouvelle à la famille. Une demi-heure plus tard, il revint avec tout le monde, maman Coupeau, les Lorilleux, Mme Lerat, qu'il avait justement rencontrée chez ces derniers. Les Lorilleux, devant la prospérité du ménage, étaient devenus très aimables, faisaient un éloge outré de Gervaise, en laissant échapper de petits gestes restrictifs, des hochements de menton, des battements de paupières, comme pour ajourner leur vrai jugement. Enfin, ils savaient ce qu'ils savaient; seulement, ils ne voulaient pas aller contre l'opinion de tout le quartier.

— Je t'amène la séquelle [108]! cria Coupeau. Tant pis! ils ont voulu te voir... N'ouvre pas le bec, ça t'est défendu. Ils resteront là, à te regarder tranquillement, sans se formaliser, n'est-ce pas ?... Moi, je vais leur faire du café, et du chouette!

Il disparut dans la cuisine. Maman Coupeau, après avoir embrassé Gervaise, s'émerveillait de la grosseur de l'enfant. Les deux autres femmes avaient également appliqué de gros baisers sur les joues de l'accouchée. Et toutes trois, debout devant le lit, commentaient, en s'exclamant, les détails des couches, de drôles de couches, une dent à arracher, pas davantage. Mme Lerat examinait la petite partout, la déclarait bien conformée, ajoutait même avec intention, que ça ferait une fameuse femme, et, comme elle lui trouvait la tête pointue, elle pétrissait légèrement, malgré ses cris, afin de l'arrondir [109]. Mme Lorilleux lui arracha le bébé en se fâchant : ça suffisait pour donner tous les vices à une créature, de la tripoter ainsi, quand elle avait le crâne si tendre. Puis, elle chercha la ressemblance. On manqua se disputer. Lorilleux, qui allongeait le cou derrière les femmes, répétait que la petite n'avait rien de Coupeau; un peu le nez peut-être, et encore! C'était tout sa mère, avec des yeux d'ailleurs; pour sûr, ces yeux-là ne venaient pas de la famille.

Cependant, Coupeau ne reparaissait plus. On l'entendait, dans la cuisine, se battre avec le four-

---

106. « *Crier aux petits pâtés* se dit d'une femme en mal d'enfant » (Delvau).

107. Ce souhait, qui devait être si mal exaucé, annonce *Nana*.

108. « Grand nombre de gens ou de choses, dans l'argot du peuple, qui n'emploie ce mot que péjorativement. *Toute la séquelle.* Tous les membres de la famille, et surtout les enfants » (Delvau).

109. Cette habitude de modeler le crâne des nouveau-nés était alors courante et la tradition rapporte que le médecin l'ait fait pour Maupassant, ce qui, disait-on à tort, n'aurait pas été étranger à sa folie!

neau et la cafetière. Gervaise se tournait les sangs ; ce n'était pas l'occupation d'un homme, de faire du café ; et elle lui criait comment il devait s'y prendre, sans écouter les chut ! énergiques de la sage-femme.

— Enlevez le baluchon ! dit Coupeau, qui rentra, la cafetière à la main. Hein ! est-elle assez canulante [110] ! Il faut qu'elle se cauchemarde... Nous allons boire ça dans des verres, n'est-ce pas ? parce que, voyez-vous, les tasses sont restées chez le marchand.

On s'assit autour de la table, et le zingueur voulut verser le café lui-même. Il sentait joliment fort, ce n'était pas de la roupie de sansonnet. Quand la sage-femme eut siroté son verre, elle s'en alla : tout marchait bien, on n'avait plus besoin d'elle ; si la nuit n'était pas bonne, on l'enverrait chercher le lendemain. Elle descendait encore l'escalier, que Mme Lorilleux la traita de licheuse [111] et de propre à rien. Ça se mettait quatre morceaux de sucre dans son café, ça se faisait donner des quinze francs, pour vous laisser accoucher toute seule. Mais Coupeau la défendait ; il allongerait les quinze francs de bon cœur ; après tout, ces femmes-là passaient leur jeunesse à étudier, elles avaient raison de demander cher. Ensuite, Lorilleux se disputa avec Mme Lerat ; lui, prétendait que, pour avoir un garçon, il fallait tourner la tête de son lit vers le nord ; tandis qu'elle haussait les épaules, traitant ça d'enfantillage, donnant une autre recette, qui consistait à cacher sous le matelas, sans le dire à sa femme, une poignée d'orties fraîches, cueillies au soleil. On avait poussé la table près du lit. Jusqu'à dix heures, Gervaise, prise peu à peu d'une fatigue immense, resta souriante et stupide, la tête tournée sur l'oreiller ; elle voyait, elle entendait, mais elle ne trouvait plus la force de hasarder un geste ni une parole ; il lui semblait être morte, d'une mort très douce, du fond de laquelle elle était heureuse de regarder les autres vivre. Par moments, un vagissement de la petite montait, au milieu des grosses voix, des réflexions interminables sur un assassinat, commis la veille rue du Bon-Puits, à l'autre bout de la Chapelle.

Puis, comme la société songeait au départ, on parla du baptême. Les Lorilleux avaient accepté d'être parrain et marraine ; en arrière, ils rechignaient ; pourtant, si le ménage ne s'était pas adressé à eux, ils auraient fait une drôle de figure. Coupeau ne voyait guère la nécessité de baptiser la petite ; ça ne lui donnerait pas dix mille livres de rente, bien sûr ; et encore ça risquait de l'enrhumer. Moins on avait affaire aux curés, mieux ça valait. Mais maman Coupeau le traitait de païen. Les Lorilleux, sans aller manger le bon Dieu dans les églises, se piquaient d'avoir de la religion.

— Ce sera pour dimanche, si vous voulez, dit le chaîniste.

Et Gervaise, ayant consenti d'un signe de tête, tout le monde l'embrassa en lui recommandant de se bien porter. On dit adieu aussi au bébé. Chacun vint se pencher sur ce pauvre petit corps frissonnant, avec des risettes, des mots de tendresse, comme s'il avait pu comprendre. On l'appelait Nana, la caresse du nom d'Anna que portait sa marraine.

— Bonsoir, Nana... Allons, Nana, soyez belle fille...

Quand ils furent enfin partis, Coupeau mit sa chaise tout contre le lit, et acheva sa pipe, en tenant dans la sienne la main de Gervaise. Il fumait lentement, lâchant des phrases entre deux bouffées, très ému.

— Hein ? ma vieille, ils t'ont cassé la tête ? Tu comprends, je n'ai pas pu les empêcher de venir. Après tout, ça prouve leur amitié... Mais, n'est-ce pas ? on est mieux seul. Moi, j'avais besoin d'être un peu seul, comme ça, avec toi. La soirée m'a paru d'un long !... Cette pauvre poule ! elle a eu bien du bobo ! Ces crapoussins-là [112], quand ça vient au monde, ça ne se doute guère du mal que ça fait. Vrai, ça doit être comme si on vous ouvrait les reins... Où est-il le bobo, que je l'embrasse ?

Il lui avait glissé délicatement sous le dos une de ses grosses mains, et il l'attirait, il lui baisait le ventre à travers le drap, pris d'un attendrissement d'homme rude pour cette fécondité endolorie encore. Il demandait s'il ne lui faisait pas du mal, il aurait voulu la guérir en soufflant dessus. Et Gervaise était bien heureuse. Elle lui jurait qu'elle ne souffrait plus du tout. Elle songeait seulement à se relever le plus tôt possible, parce qu'il ne fallait pas se croiser les bras, maintenant. Mais lui, la rassurait. Est-ce qu'il ne se chargeait pas de gagner la pâtée de la petite ? Il serait un grand lâche, si jamais il lui laissait cette gamine sur le dos. Ça ne lui semblait pas malin de savoir faire un enfant ; le mérite, pas vrai ? c'était de le nourrir.

Coupeau, cette nuit-là, ne dormit guère. Il avait couvert le feu du poêle. Toutes les heures, il dut se relever pour donner au bébé des cuillerées d'eau

---

110. « Ennuyeux, importun, insupportable » (Delvau).
111. « Femme qui aime à boire et à manger » (Delvau).

112. « Homme de petite taille et de peu d'apparence » (Delvau). Ici, emploi affectif.

sucrée tiède. Ça ne l'empêcha pas de partir le matin au travail comme à son habitude. Il profita même de l'heure de son déjeuner, alla à la mairie faire sa déclaration. Pendant ce temps, Mme Boche, prévenue, était accourue passer la journée auprès de Gervaise. Mais celle-ci, après dix heures de profond sommeil, se lamentait, disait déjà se sentir toute courbaturée de garder le lit. Elle tomberait malade, si on ne la laissait pas se lever. Le soir, quand Coupeau revint, elle lui conta ses tourments : sans doute elle avait confiance en Mme Boche; seulement ça la mettait hors d'elle de voir une étrangère s'installer dans sa chambre, ouvrir les tiroirs, toucher ses affaires. Le lendemain, la concierge, en revenant d'une commission, la trouva debout, habillée, balayant et s'occupant du dîner de son mari. Et jamais elle ne voulut se recoucher. On se moquait d'elle, peut-être! C'était bon pour les dames d'avoir l'air d'être cassée. Lorsqu'on n'était pas riche, on n'avait pas le temps. Trois jours après ses couches, elle repassait des jupons chez Mme Fauconnier, tapant ses fers, mise en sueur par la grosse chaleur du fourneau.

Dès le samedi soir, Mme Lorilleux apporta ses cadeaux de marraine : un bonnet de trente-cinq sous et une robe de baptême, plissée et garnie d'une petite dentelle, qu'elle avait eue pour six francs, parce qu'elle était défraîchie. Le lendemain, Lorilleux, comme parrain, donna à l'accouchée six livres de sucre. Ils faisaient les choses proprement. Même le soir, au repas qui eut lieu chez les Coupeau, ils ne se présentèrent point les mains vides. Le mari arriva avec un litre de vin cacheté sous chaque bras, tandis que la femme tenait un large flan acheté chez un pâtissier de la chaussée Clignancourt, très en renom. Seulement, les Lorilleux allèrent raconter leurs largesses dans tout le quartier; ils avaient dépensé près de vingt francs. Gervaise, en apprenant leurs commérages, resta suffoquée et ne leur tint plus aucun compte de leurs bonnes manières.

Ce fut à ce dîner de baptême que les Coupeau achevèrent de se lier étroitement avec les voisins du palier. L'autre logement de la petite maison était occupé par deux personnes, la mère et le fils, les Goujet, comme on les appelait. Jusque-là, on s'était salué dans l'escalier et dans la rue, rien de plus; les voisins semblaient un peu ours. Puis, la mère lui ayant monté un seau d'eau, le lendemain de ses couches, Gervaise avait jugé convenable de les inviter au repas, d'autant plus qu'elle les trouvait très bien. Et là, naturellement, on avait fait connaissance.

Les Goujet étaient du département du Nord. La mère raccommodait les dentelles; le fils, forgeron de son état, travaillait dans une fabrique de boulons. Ils occupaient l'autre logement du palier depuis cinq ans. Derrière la paix muette de leur vie, se cachait tout un chagrin ancien : le père Goujet, un jour d'ivresse furieuse, à Lille, avait assommé un camarade à coups de barre de fer, puis s'était étranglé dans sa prison, avec son mouchoir. La veuve et l'enfant, venus à Paris après leur malheur, sentaient toujours ce drame sur leurs têtes, le rachetaient par une honnêteté stricte, une douceur et un courage inaltérables. Même il se mêlait un peu de fierté dans leur cas, car ils finissaient par se voir meilleurs que les autres. Mme Goujet, toujours vêtue de noir, le front encadré d'une coiffe monacale, avait une face blanche et reposée de matrone, comme si la pâleur des dentelles, le travail minutieux de ses doigts, lui eussent donné un reflet de sérénité. Goujet était un colosse de vingt-trois ans, superbe, le visage rose, les yeux bleus, d'une force herculéenne. A l'atelier, les camarades l'appelaient la Gueule-d'Or, à cause de sa belle barbe jaune.

Gervaise se sentit tout de suite prise d'une grande amitié pour ces gens. Quand elle pénétra la première fois chez eux, elle resta émerveillée de la propreté du logis. Il n'y avait pas à dire, on pouvait souffler partout, pas un grain de poussière ne s'envolait. Et le carreau luisait, d'une clarté de glace. Mme Goujet la fit entrer dans la chambre de son fils, pour voir. C'était gentil et blanc comme dans la chambre d'une fille : un petit lit de fer garni de rideaux de mousseline, une table, une toilette, une étroite bibliothèque pendue au mur; puis des images du haut en bas, des bonshommes découpés, des gravures coloriées fixées à l'aide de quatre clous, des portraits de toutes sortes de personnages, détachés des journaux illustrés. Mme Goujet disait, avec un sourire, que son fils était un grand enfant; le soir, la lecture le fatiguait; alors, il s'amusait à regarder ses images. Gervaise s'oublia une heure près de sa voisine, qui s'était remise à son tambour, devant une fenêtre. Elle s'intéressait aux centaines d'épingles attachant la dentelle, heureuse d'être là, respirant la bonne odeur de propreté du logement, où cette besogne délicate mettait un silence recueilli.

Les Goujet gagnaient encore à être fréquentés. Ils faisaient de grosses journées et plaçaient plus du quart de leur quinzaine à la Caisse d'épargne. Dans le quartier, on les saluait, on parlait de leurs économies. Goujet n'avait jamais un trou, sortait avec des bourgerons propres, sans une tache. Il était très poli, même un peu timide, malgré ses larges épaules.

Les blanchisseuses du bout de la rue s'égayaient à le voir baisser le nez, quand il passait. Il n'aimait pas leurs gros mots, trouvait ça dégoûtant que des femmes eussent sans cesse des saletés à la bouche. Un jour pourtant, il était rentré gris. Alors, Mme Goujet, pour tout reproche, l'avait mis en face d'un portrait de son père, une mauvaise peinture cachée pieusement au fond de la commode. Et, depuis cette leçon, Goujet ne buvait plus qu'à sa suffisance, sans haine pourtant contre le vin, car le vin est nécessaire à l'ouvrier. Le dimanche, il sortait avec sa mère, à laquelle il donnait le bras; le plus souvent, il la menait du côté de Vincennes; d'autres fois, il la conduisait au théâtre. Sa mère restait sa passion. Il lui parlait encore comme s'il était tout petit. La tête carrée, la chair alourdie par le rude travail du marteau, il tenait des grosses bêtes : dur d'intelligence, bon tout de même.

Les premiers jours, Gervaise le gêna beaucoup. Puis, en quelques semaines, il s'habitua à elle. Il la guettait pour lui monter ses paquets, la traitait en sœur, avec une brusque familiarité, découpant des images à son intention. Cependant, un matin, ayant tourné la clef sans frapper, il la surprit à moitié nue, se lavant le cou; et, de huit jours, il ne la regarda pas en face, si bien qu'il finissait par la faire rougir elle-même.

Cadet-Cassis, avec son bagou parisien, trouvait la Gueule-d'Or bêta. C'était bien de ne pas licher, de ne pas souffler dans le nez des filles, sur les trottoirs; mais il fallait pourtant qu'un homme fût un homme, sans quoi autant valait-il tout de suite porter des jupons. Il la blaguait devant Gervaise, en l'accusant de faire de l'œil à toutes les femmes du quartier; et ce tambour-major de Goujet se défendait violemment. Ça n'empêchait pas les deux ouvriers d'être camarades. Ils s'appelaient le matin, partaient ensemble, buvaient parfois un verre de bière avant de rentrer. Depuis le dîner du baptême, ils se tutoyaient, parce que dire toujours « vous », ça allonge les phrases. Leur amitié en restait là, quand la Gueule-d'Or rendit à Cadet-Cassis un fier service, un de ces services signalés dont on se souvient la vie entière. C'était au 2 Décembre. Le zingueur, par rigolade, avait eu la belle idée de descendre voir l'émeute; il se fichait pas mal de la République, du Bonaparte et de tout le tremblement; seulement, il adorait la poudre, les coups de fusil lui semblaient drôles. Et il allait très bien être pincé derrière une barricade, si le forgeron ne s'était rencontré là, juste à point pour le protéger de son grand corps et l'aider à filer. Goujet, en remontant la rue du Faubourg-Poissonnière, marchait vite, la figure grave. Lui, s'occupait de politique, était républicain, sagement, au nom de la justice et du bonheur de tous. Cependant, il n'avait pas fait le coup de fusil. Et il donnait ses raisons : le peuple se lassait de payer aux bourgeois les marrons qu'il tirait des cendres, en se brûlant les pattes; Février et Juin [113] étaient de fameuses leçons; aussi, désormais, les faubourgs laisseraient-ils la ville s'arranger comme elle l'entendrait. Puis, arrivé sur la hauteur, rue des Poissonniers, il avait tourné la tête, regardant Paris; on bâclait tout de même là-bas de la fichue besogne, le peuple un jour pourrait se repentir de s'être croisé les bras. Mais Coupeau ricanait, appelait trop bêtes les ânes qui risquaient leur peau, à la seule fin de conserver leurs vingt-cinq francs aux sacrés fainéants de la Chambre. Le soir, les Coupeau invitèrent les Goujet à dîner. Au dessert, Cadet-Cassis et la Gueule-d'Or se posèrent chacun deux gros baisers sur les joues. Maintenant, c'était à la vie à la mort.

Pendant trois années, la vie des deux familles coula, aux deux côtés du palier, sans un événement. Gervaise avait élevé la petite, en trouvant moyen de perdre, au plus, deux jours de travail par semaine. Elle devenait une bonne ouvrière de fin, gagnait jusqu'à trois francs. Aussi s'était-elle décidée à mettre Étienne, qui allait sur ses huit ans, dans une petite pension de la rue de Chartres, où elle payait cent sous. Le ménage, malgré la charge des deux enfants, plaçait des vingt francs et des trente francs chaque mois à la Caisse d'épargne. Quand leurs économies atteignirent la somme de six cents francs, la jeune femme ne dormit plus, obsédée d'un rêve d'ambition : elle voulait s'établir, louer une petite boutique, prendre à son tour des ouvrières. Elle avait tout calculé. Au bout de vingt ans, si le travail marchait, ils pouvaient avoir une rente, qu'ils iraient manger quelque part, à la campagne. Pourtant, elle n'osait se risquer. Elle disait chercher une boutique, pour se donner le temps de la réflexion. L'argent ne craignait rien à la Caisse d'épargne; au contraire, il faisait des petits. En trois années, elle n'avait contenté une seule de ses envies, elle s'était acheté une pendule; encore cette pendule, une pendule de palissandre, à colonnes torses, à balancier de cuivre doré, devait-elle être payée en un an, par acomptes de vingt sous tous les lundis. Elle se fâchait, lorsque Coupeau parlait de la monter; elle seule enlevait le globe, essuyait les colonnes avec religion, comme si le marbre de sa commode se fût transformé en chapelle. Sous le globe, derrière la pendule, elle cachait le livret de la Caisse d'épargne. Et souvent, quand elle rêvait à sa boutique, elle s'oubliait là, devant le cadran, à regarder fixement tourner les aiguilles, ayant l'air d'attendre quelque minute particulière et solennelle pour se décider.

Les Coupeau sortaient presque tous les dimanches avec les Goujet. C'étaient des parties gentilles, une friture à Saint-Ouen ou un lapin à Vincennes, mangés sans épate, sous le bosquet d'un traiteur. Les hommes buvaient à leur soif, revenaient sains comme l'œil, en donnant le bras aux dames. Le soir, avant de se coucher, les deux ménages comptaient, partageaient la dépense par moitié; et jamais un sou en plus ou en moins ne soulevait une discussion. Les Lorilleux étaient jaloux des Goujet. Ça leur paraissait drôle, tout de même, de voir Cadet-Cassis et la Banban aller sans cesse avec des étrangers, quand ils avaient une famille. Ah bien! oui! ils s'en souciaient comme d'une guigne, de leur famille! Depuis qu'ils avaient quatre sous de côté, ils faisaient joliment leur tête. Mme Lorilleux, très vexée de voir son frère lui échapper, recommençait à vomir des injures contre Gervaise. Mme Lerat, au contraire, prenait parti pour la jeune femme, la défendait en racontant des contes extraordinaires, des tentatives de séduction, le soir, sur le boulevard, dont elle la montrait sortant en héroïne de drame, flanquant une paire de claques à ses agresseurs. Quant à maman Coupeau, elle tâchait de raccommoder tout le monde, de se faire bien venir de tous ses enfants : sa vue baissait de plus en plus, elle n'avait plus qu'un ménage, elle était contente de trouver cent sous chez les uns et chez les autres.

Le jour même où Nana prenait ses trois ans, Coupeau, en rentrant le soir, trouva Gervaise bouleversée. Elle refusait de parler, elle n'avait rien du tout, disait-elle. Mais, comme elle mettait la table à l'envers, s'arrêtant avec les assiettes pour tomber dans de grosses réflexions, son mari voulut absolument savoir.

— Eh bien! voilà, finit-elle par avouer, la boutique du petit mercier, rue de la Goutte-d'Or, est à louer... J'ai vu ça, il y a une heure, en allant acheter du fil. Ça m'a donné un coup.

C'était une boutique très propre, juste dans la grande maison où ils rêvaient d'habiter autrefois. Il y avait la boutique, une arrière-boutique, avec deux autres chambres, à droite et à gauche; enfin, ce qu'il leur fallait, les pièces un peu petites, mais bien distribuées. Seulement, elle trouvait ça trop cher : le propriétaire parlait de cinq cents francs.

— Tu as donc visité et demandé le prix ? dit Coupeau.

— Oh! tu sais, par curiosité! répondit-elle, en affectant un air d'indifférence. On cherche, on entre à tous les écriteaux, ça n'engage à rien... Mais celle-là est trop chère, décidément. Puis, ce serait peut-être une bêtise de m'établir.

Cependant, après le dîner, elle revint à la boutique du mercier. Elle dessina les lieux, sur la marge d'un journal. Et, peu à peu, elle en causait, mesurait les coins, arrangeait les pièces, comme si elle avait dû, dès le lendemain, y caser ses meubles. Alors, Coupeau la poussa à louer, en voyant sa grande envie; pour sûr, elle ne trouverait rien de propre, à moins de cinq cents francs; d'ailleurs, on obtiendrait peut-être une diminution. La seule chose ennuyeuse, c'était d'aller habiter la maison des Lorilleux, qu'elle ne pouvait pas souffrir. Mais elle se fâcha, elle ne détestait personne; dans le feu de son désir, elle défendit même les Lorilleux; ils n'étaient pas

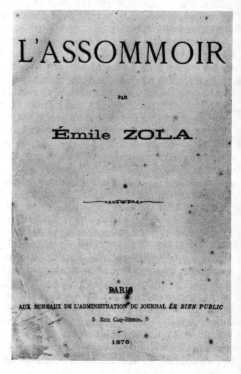

L'Assommoir parut en feuilleton dans *le Bien public* en 1876, avant d'être édité chez Charpentier en 1877.

méchants au fond, on s'entendrait très bien. Et, quand ils furent couchés, Coupeau dormait déjà qu'elle continuait ses aménagements intérieurs, sana avoir pourtant, d'une façon nette, consenti à louer.

Le lendemain, restée seule, elle ne put résister au besoin d'enlever le globe de la pendule et de regarder le livret de la Caisse d'épargne. Dire que sa boutique était là-dedans dans ces feuillets salis de vilaines écritures ! Avant d'aller au travail, elle consulta Mme Goujet, qui approuva beaucoup son projet de s'établir ; avec un homme comme le sien, bon sujet, ne buvant pas, elle était certaine de faire ses affaires et de ne pas être mangée. Au déjeuner, elle monta même chez les Lorilleux pour avoir leur avis ; elle désirait ne pas paraître se cacher de la famille. Mme Lorilleux resta saisie. Comment ! la Banban allait avoir une boutique, à cette heure ! Et, le cœur crevé, elle balbutia, elle dut se montrer très contente : sans doute, la boutique était commode, Gervaise avait raison de la prendre. Pourtant, lorsqu'elle se fut un peu remise, elle et son mari parlèrent de l'humidité de la cour, du jour triste des pièces du rez-de-chaussée. Oh ! c'était un bon coin pour les rhumatismes. Enfin, si elle était décidée à louer, n'est-ce pas ? leurs observations, bien certainement, ne l'empêcheraient pas de louer.

Le soir, Gervaise avouait franchement en riant qu'elle en serait tombée malade, si on l'avait empêchée d'avoir la boutique. Toutefois, avant de dire : C'est fait ! elle voulait emmener Coupeau voir les lieux et tâcher d'obtenir une diminution sur le loyer.

— Alors, demain, si ça te plaît, dit son mari. Tu viendras me prendre vers six heures à la maison où je travaille, rue de la Nation, et nous passerons rue de la Goutte-d'Or, en rentrant.

Coupeau terminait alors la toiture d'une maison neuve, à trois étages. Ce jour-là, il devait justement poser les dernières feuilles de zinc. Comme le toit était presque plat, il y avait installé son établi, un large volet sur deux tréteaux. Un beau soleil de mai se couchait, dorant les cheminées. Et, tout là-haut, dans le ciel clair, l'ouvrier taillait tranquillement son zinc à coups de cisaille, penché sur l'établi, pareil à un tailleur coupant chez lui une paire de culottes. Contre le mur de la maison voisine, son aide, un gamin de dix-sept ans, fluet et blond, entretenait le feu du réchaud en manœuvrant un énorme soufflet, dont chaque haleine faisait envoler un pétillement d'étincelles.

— Hé ! Zidore, mets les fers ! cria Coupeau.

L'aide enfonça les fers à souder au milieu de la braise, d'un rose pâle dans le plein jour. Puis, il se remit à souffler. Coupeau tenait la dernière feuille de zinc. Elle restait à poser au bord du toit, près de la gouttière ; là, il y avait une brusque pente, et le trou béant de la rue se creusait. Le zingueur, comme chez lui, en chaussons de lisières, s'avança, traînant les pieds, sifflotant l'air d'*Ohé ! les p'tits agneaux.* Arrivé devant le trou, il se laissa couler, s'arc-bouta d'un genou contre la maçonnerie d'une cheminée, resta à moitié chemin du pavé. Une de ses jambes pendait. Quand il se renversait pour appeler cette couleuvre de Zidore, il se rattrapait à un coin de la maçonnerie à cause du trottoir, là-bas, sous lui.

— Sacré lambin, va !... Donne donc les fers ! Quand tu regarderas en l'air, bougre d'efflanqué ! les alouettes ne te tomberont pas toutes rôties !

Mais Zidore ne se pressait pas. Il s'intéressait aux toits voisins, à une grosse fumée qui montait au fond de Paris, du côté de Grenelle ; ça pouvait bien être un incendie. Pourtant, il vint se mettre à plat ventre, la tête au-dessus du trou ; et il passa les fers à Coupeau. Alors, celui-ci commença à souder la feuille. Il s'accroupissait, s'allongeait, trouvant toujours son équilibre, assis d'une fesse, perché sur la pointe d'un pied, retenu par un doigt. Il avait un sacré aplomb, un toupet du tonnerre, familier, bravant le danger. Ça le connaissait. C'était la rue qui avait peur de lui. Comme il ne lâchait pas sa pipe, il se tournait de temps à autre, il crachait paisiblement dans la rue.

— Tiens ! madame Boche ! cria-t-il tout d'un coup. Ohé ! madame Boche !

Il venait d'apercevoir la concierge traversant la chaussée. Elle leva la tête, le reconnut. Et une conversation s'engagea du toit au trottoir. Elle cachait ses mains sous son tablier, le nez en l'air. Lui, debout maintenant, son bras gauche passé autour d'un tuyau, se penchait.

— Vous n'avez pas vu ma femme ? demanda-t-il.

— Non, bien sûr, répondit la concierge. Elle est par ici ?

— Elle doit venir me prendre... Et l'on se porte bien chez vous ?

— Mais oui, merci, c'est moi la plus malade, vous voyez... Je vais chaussée Clignancourt chercher un petit gigot. Le boucher, près du Moulin-Rouge, ne le vend que seize sous.

Ils haussaient la voix, parce qu'une voiture passait. Dans la rue de la Nation, large, déserte, leurs paroles, lancées à toute volée, avaient seulement fait mettre à sa fenêtre une petite vieille ; et cette vieille restait là, accoudée, se donnant la distraction d'une grosse émotion, à regarder cet homme, sur la toiture d'en face, comme si elle espérait le voir tomber d'une minute à l'autre.

— Eh bien! bonsoir, cria encore Mme Boche. Je ne veux pas vous déranger.

Coupeau se tourna, reprit le fer que Zidore lui tendait. Mais au moment où la concierge s'éloignait, elle aperçut sur l'autre trottoir Gervaise, tenant Nana par la main. Elle relevait déjà la tête pour avertir le zingueur, lorsque la jeune femme lui ferma la bouche d'un geste énergique. Et, à demi-voix, afin de n'être pas entendue là-haut, elle dit sa crainte : elle redoutait, en se montrant tout d'un coup, de donner à son mari une secousse, qui le précipiterait. En quatre ans, elle était allée le chercher une seule fois à son travail. Ce jour-là, c'était la seconde fois. Elle ne pouvait pas assister à ça, son sang ne faisait qu'un tour, quand elle voyait son homme entre ciel et terre, à des endroits où les moineaux eux-mêmes ne se risquaient pas.

— Sans doute, ce n'est pas agréable, murmurait Mme Boche. Moi, le mien est tailleur, je n'ai pas ces tremblements.

— Si vous saviez, dans les premiers temps, dit encore Gervaise, j'avais des frayeurs du matin au soir. Je le voyais toujours, la tête cassée, sur une civière... Maintenant, je n'y pense plus autant. On s'habitue à tout. Il faut bien que le pain se gagne... N'importe, c'est un pain joliment cher, car on y risque ses os plus souvent qu'à son tour.

Elle se tut, cachant Nana dans sa jupe, craignant un cri de la petite. Malgré elle, toute pâle, elle regardait. Justement, Coupeau soudait le bord extrême de la feuille, près de la gouttière; il se coulait le plus possible, ne pouvait atteindre le bout. Alors, il se risqua, avec ces mouvements ralentis des ouvriers, pleins d'aisance et de lourdeur. Un moment, il fut au-dessus du pavé, ne se tenant plus, tranquille, à son affaire; et, d'en bas, sous le fer promené d'une main soigneuse, on voyait grésiller la petite flamme blanche de la soudure. Gervaise, muette, la gorge étranglée par l'angoisse, avait serré les mains, les élevait d'un geste machinal de supplication. Mais elle respira bruyamment, Coupeau venait de remonter sur le toit, sans se presser, prenant le temps de cracher une dernière fois dans la rue.

— On moucharde donc! cria-t-il gaiement en l'apercevant. Elle a fait la bête, n'est-ce pas? madame Boche; elle n'a pas voulu appeler... Attends-moi, j'en ai encore pour dix minutes.

Il lui restait à poser un chapiteau de cheminée, une bricole de rien du tout. La blanchisseuse et la concierge demeurèrent sur le trottoir, causant du quartier, surveillant Nana, pour l'empêcher de barboter dans le ruisseau, où elle cherchait des petits poissons; et les deux femmes revenaient toujours à la toiture, avec des sourires, des hochements de tête, comme pour dire qu'elles ne s'impatientaient pas. En face, la vieille n'avait pas quitté sa fenêtre, regardant l'homme, attendant.

— Qu'est-ce qu'elle a donc à espionner, cette bique! dit Mme Boche. Une fichue mine!

Là-haut, on entendait la voix forte du zingueur chantant : *Ah! qu'il fait bon cueillir la fraise!* Maintenant, penché sur son établi, il coupait son zinc en artiste. D'un tour de compas, il avait tracé une ligne, et il détachait un large éventail, à l'aide d'une paire de cisailles cintrées; puis, légèrement, au marteau, il ployait cet éventail en forme de champignon pointu. Zidore s'était remis à souffler la braise du réchaud. Le soleil se couchait derrière la maison, dans une grande clarté rose, lentement pâlie, tournant au lilas tendre. Et, en plein ciel, à cette heure recueillie du jour, les silhouettes des deux ouvriers, grandies démesurément, se découpaient sur le fond limpide de l'air, avec la barre sombre de l'établi et l'étrange profil du soufflet.

Quand le chapiteau fut taillé, Coupeau jeta son appel :

— Zidore! les fers!

Mais Zidore venait de disparaître. Le zingueur, en jurant, le chercha du regard, l'appela par la lucarne du grenier restée ouverte. Enfin, il le découvrit sur un toit voisin, à deux maisons de distance. Le galopin se promenait, explorait les environs, ses maigres cheveux blonds s'envolant au grand air, clignant les yeux en face de l'immensité de Paris.

— Dis donc, la flâne! est-ce que tu te crois à la campagne! dit Coupeau furieux. Tu es comme monsieur Béranger, tu composes des vers, peut-être!... Veux-tu bien me donner les fers! A-t-on jamais vu! se balader sur les toits! Amène-z-y ta connaissance tout de suite, pour lui chanter des mamours... Veux-tu me donner les fers, sacrée andouille!

Il souda, il cria à Gervaise :

— Voilà, c'est fini... Je descends.

Le tuyau auquel il devait adapter le chapiteau, se trouvait au milieu du toit. Gervaise, tranquillisée, continuait à sourire en suivant ses mouvements. Nana, amusée tout d'un coup par la vue de son père, tapait dans ses petites mains. Elle s'était assise sur le trottoir, pour mieux voir là-haut.

— Papa! papa! criait-elle de toute sa force; papa! regarde donc!

Le zingueur voulut se pencher, mais son pied glissa. Alors, brusquement, bêtement, comme un chat dont les pattes s'embrouillent, il roula, il descendit la pente légère de la toiture, sans pouvoir se rattraper.

— Nom de Dieu! dit-il d'une voix étouffée.

Et il tomba. Son corps décrivit une courbe molle, tourna deux fois sur lui-même, vint s'écraser au milieu de la rue avec le coup sourd d'un paquet de linge jeté de haut.

Gervaise, stupide, la gorge déchirée d'un grand cri, resta les bras en l'air. Des passants accoururent, un attroupement se forma. Mme Boche, bouleversée, fléchissant sur les jambes, prit Nana entre les bras, pour lui cacher la tête et l'empêcher de voir. Cependant, en face, la petite vieille, comme satisfaite, fermait tranquillement sa fenêtre.

Quatre hommes finirent par transporter Coupeau chez un pharmacien, au coin de la rue des Poissonniers; et il demeura là près d'une heure, au milieu de la boutique, sur une couverture, pendant qu'on était allé chercher un brancard à l'hôpital Lariboisière. Il respirait encore, mais le pharmacien avait des petits hochements de la tête. Maintenant, Gervaise, à genoux par terre, sanglotait d'une façon continue, barbouillée de ses larmes, aveuglée, hébétée. D'un mouvement machinal, elle avançait les mains, tâtait les membres de son mari, très doucement. Puis, elle les retirait, en regardant le pharmacien qui lui avait défendu de toucher; et elle recommençait quelques secondes plus tard, ne pouvant s'empêcher de s'assurer s'il restait chaud, croyant lui faire du bien. Quand le brancard arriva enfin, et qu'on parla de partir pour l'hôpital, elle se releva, en disant violemment:

— Non, non, pas à l'hôpital!... Nous demeurons rue Neuve-de-la-Goutte-d'Or.

On eut beau lui expliquer que la maladie lui coûterait très cher, si elle prenait son mari chez elle. Elle répétait avec entêtement:

— Rue Neuve-de-la-Goutte-d'Or, je montrerai la porte... Qu'est-ce que ça vous fait? J'ai de l'argent... C'est mon mari, n'est-ce pas? Il est à moi, je le veux.

Et l'on dut rapporter Coupeau chez lui. Lorsque le brancard traversa la foule qui s'écrasait devant la boutique du pharmacien, les femmes du quartier parlaient de Gervaise avec animation: elle boitait, la mâtine, mais elle avait tout de même du chien; bien sûr, elle sauverait son homme, tandis qu'à l'hôpital les médecins faisaient passer l'arme à gauche [114] aux malades trop détériorés, histoire de

114. Faire mourir.

ne pas se donner l'embêtement de les guérir. Mme Boche, après avoir emmené Nana chez elle, était revenue et racontait l'accident avec des détails interminables, toute secouée encore d'émotion.

— J'allais chercher un gigot, j'étais là, je l'ai vu tomber, répétait-elle. C'est à cause de sa petite, il a voulu la regarder, et patatras! Ah! Dieu de Dieu! je ne demande pas à en voir tomber un second... Il faut pourtant que j'aille chercher mon gigot.

Pendant huit jours, Coupeau fut très bas. La famille, les voisins, tout le monde, s'attendaient à le voir tourner de l'œil d'un instant à l'autre. Le médecin, un médecin très cher qui se faisait payer cent sous la visite, craignait des lésions intérieures; et ce mot effrayait beaucoup, on disait dans le quartier que le zingueur avait eu le cœur décroché par la secousse. Seule, Gervaise, pâlie par les veilles, sérieuse, résolue, haussait les épaules. Son homme avait la jambe droite cassée; ça, tout le monde le savait; on la lui remettrait, voilà tout. Quant au reste, au cœur décroché, ce n'était rien. Elle le lui raccrocherait, son cœur. Elle savait comment les cœurs se raccrochent, avec des soins, de la propreté, une amitié solide. Et elle montrait une conviction superbe, certaine de le guérir, rien qu'à rester autour de lui et à le toucher de ses mains, dans les heures de fièvre. Elle ne douta pas une minute. Toute une semaine, on la vit sur ses pieds, parlant peu, recueillie dans son entêtement de le sauver, oubliant les enfants, la rue, la ville entière. Le neuvième jour, le soir où le médecin répondit enfin du malade, elle tomba sur une chaise, les jambes molles, l'échine

L'accident de Coupeau

brisée, toute en larmes. Cette nuit-là, elle consentit à dormir deux heures, la tête posée sur le pied du lit.

L'accident de Coupeau avait mis la famille en l'air. Maman Coupeau passait les nuits avec Gervaise; mais, dès neuf heures, elle s'endormait sur sa chaise. Chaque soir, en rentrant du travail, Mme Lerat faisait un grand détour pour prendre des nouvelles. Les Lorilleux étaient d'abord venus deux et trois fois par jour, offrant de veiller, apportant même un fauteuil pour Gervaise. Puis, des querelles n'avaient pas tardé à s'élever sur la façon de soigner les malades. Mme Lorilleux prétendait avoir sauvé assez de gens dans sa vie pour savoir comment il fallait s'y prendre. Elle accusait aussi la jeune femme de la bousculer, de l'écarter du lit de son frère. Bien sûr, la Banban avait raison de vouloir quand même guérir Coupeau; car, enfin, si elle n'était pas allée le déranger rue de la Nation, il ne serait pas tombé. Seulement, de la manière dont elle l'accommodait, elle était certaine de l'achever.

Lorsqu'elle vit Coupeau hors de danger, Gervaise cessa de garder son lit avec autant de rudesse jalouse. Maintenant, on ne pouvait plus le lui tuer, et elle laissait approcher les gens sans méfiance. La famille s'étalait dans la chambre. La convalescence devait être très longue; le médecin avait parlé de quatre mois. Alors, pendant les longs sommeils du zingueur, les Lorilleux traitèrent Gervaise de bête. Ça l'avançait beaucoup d'avoir son mari chez elle. A l'hôpital, il se serait remis sur pied deux fois plus vite. Lorilleux aurait voulu être malade, attraper un bobo quelconque, pour lui montrer s'il hésiterait une seconde à entrer à Lariboisière. Mme Lorilleux connaissait une dame qui en sortait; eh bien! elle avait mangé du poulet matin et soir. Et tous deux, pour la vingtième fois, refaisaient le calcul de ce que coûteraient au ménage les quatre mois de convalescence : d'abord les journées de travail perdues, puis le médecin, les remèdes, et plus tard le bon vin, la viande saignante. Si les Coupeau croquaient seulement leurs quatre sous d'économies, ils devraient s'estimer fièrement heureux. Mais ils s'endetteraient, c'était à croire. Oh! ça les regardait. Surtout, ils n'avaient pas à compter sur la famille, qui n'était pas assez riche, pour entretenir un malade chez lui. Tant pis pour la Banban, n'est-ce pas? elle pouvait bien faire comme les autres, laisser porter son homme à l'hôpital. Ça la complétait, d'être une orgueilleuse.

Un soir, Mme Lorilleux eut la méchanceté de lui demander brusquement :

— Eh bien! et votre boutique, quand la louez-vous?

— Oui, ricana Lorilleux, le concierge vous attend encore.

Gervaise resta suffoquée. Elle avait complètement oublié la boutique. Mais elle voyait la joie mauvaise de ces gens, à la pensée que désormais la boutique était flambée. Dès ce soir-là, en effet, ils guettèrent les occasions pour la plaisanter sur son rêve tombé à l'eau. Quand on parlait d'un espoir irréalisable, ils renvoyaient la chose au jour où elle serait patronne, dans un beau magasin, donnant sur la rue. Et, derrière elle, c'étaient des gorges chaudes. Elle ne voulait pas faire d'aussi vilaines suppositions; mais, en vérité, les Lorilleux avaient l'air maintenant d'être très contents de l'accident de Coupeau, qui l'empêchait de s'établir blanchisseuse, rue de la Goutte-d'Or.

Alors, elle-même voulut rire et leur montrer combien elle sacrifiait volontiers l'argent pour la guérison de son mari. Chaque fois qu'elle prenait en leur présence le livret de la Caisse d'épargne, sous le globe de la pendule, elle disait gaiement :

— Je sors, je vais louer ma boutique.

Elle n'avait pas voulu retirer l'argent tout d'une fois. Elle le redemandait par cent francs, pour ne pas garder un si gros tas de pièces dans sa commode; puis, elle espérait vaguement quelque miracle, un rétablissement brusque, qui leur permettrait de ne pas déplacer la somme entière. A chaque course à la Caisse d'épargne, quand elle rentrait, elle additionnait sur un bout de papier l'argent qu'ils avaient encore là-bas. C'était uniquement pour le bon ordre. Le trou avait beau se creuser dans la monnaie, elle tenait, de son air raisonnable, avec son tranquille sourire, les comptes de cette débâcle de leurs économies. N'était-ce pas déjà une consolation d'employer si bien cet argent, de l'avoir eu sous la main, au moment de leur malheur? Et, sans un regret, d'une main soigneuse, elle replaçait le livret derrière la pendule, sous le globe.

Les Goujet se montrèrent très gentils pour Gervaise pendant la maladie de Coupeau. Mme Goujet était à son entière disposition; elle ne descendait pas une fois sans lui demander si elle avait besoin de sucre, de beurre, de sel; elle lui offrait toujours le premier bouillon, les soirs où elle mettait un pot-au-feu; même, si elle la voyait trop occupée, elle soignait sa cuisine, lui donnait un coup de main pour la vaisselle. Goujet, chaque matin, prenait les seaux de la jeune femme, allait les emplir à la fontaine de la rue des Poissonniers;

c'était une économie de deux sous. Puis, après le dîner, quand la famille n'envahissait pas la chambre, les Goujet venaient tenir compagnie aux Coupeau. Pendant deux heures, jusqu'à dix heures, le forgeron fumait sa pipe, en regardant Gervaise tourner autour du malade. Il ne disait pas dix paroles de la soirée. Sa grande face blonde enfoncée entre ses épaules de colosse, il s'attendrissait à la voir verser de la tisane dans une tasse, remuer le sucre sans faire de bruit avec la cuiller. Lorsqu'elle bordait le lit et qu'elle encourageait Coupeau d'une voix douce, il restait tout secoué. Jamais il n'avait rencontré une aussi brave femme. Ça ne lui allait même pas mal de boiter, car elle en avait plus de mérite encore à se décarcasser tout le long de la journée auprès de son mari. On ne pouvait pas dire, elle ne s'asseyait pas un quart d'heure, le temps de manger. Elle courait sans cesse chez le pharmacien, mettait son nez dans des choses pas propres, se donnait un mal du tonnerre pour tenir en ordre cette chambre où l'on faisait tout; avec ça, pas une plainte, toujours aimable, même les soirs où elle dormait debout, les yeux ouverts, tant elle était lasse. Et le forgeron, dans cet air de dévouement, au milieu des drogues traînant sur les meubles, se prenait d'une grande affection pour Gervaise, à la regarder ainsi aimer et soigner Coupeau de tout son cœur.

— Hein ? mon vieux, te voilà recollé, dit-il un jour au convalescent. Je n'étais pas en peine, ta femme est le bon Dieu!

Lui, devait se marier. Du moins, sa mère avait trouvé une jeune fille très convenable, une dentellière comme elle, qu'elle désirait vivement lui voir épouser. Pour ne pas la chagriner, il disait oui, et la noce était même fixée aux premiers jours de septembre. L'argent de l'entrée en ménage dormait depuis longtemps à la Caisse d'épargne. Mais il hochait la tête quand Gervaise lui parlait de ce mariage, il murmurait de sa voix lente :

— Toutes les femmes ne sont pas comme vous, madame Coupeau. Si toutes les femmes étaient comme vous, on en épouserait dix.

Cependant, Coupeau, au bout de deux mois, put commencer à se lever. Il ne se promenait pas loin, du lit à la fenêtre et encore soutenu par Gervaise. Là, il s'asseyait dans le fauteuil des Lorilleux, la jambe droite allongée sur un tabouret. Ce blagueur, qui allait rigoler des pattes cassées, les jours de verglas, était très vexé de son accident. Il manquait de philosophie. Il avait passé ces deux mois dans le lit, à jurer, à faire enrager le monde. Ce n'était pas une existence, vraiment, de vivre sur le dos, avec une quille ficelée et raide comme un saucisson. Ah! il connaîtrait le plafond, par exemple; il y avait une fente, au coin de l'alcôve, qu'il aurait dessinée les yeux fermés. Puis, quand il s'installa dans le fauteuil, ce fut une autre histoire. Est-ce qu'il resterait longtemps cloué là, pareil à une momie ? La rue n'était pas si drôle, il n'y passait personne, ça puait l'eau de javelle toute la journée. Non, vrai, il se faisait trop vieux, il aurait donné dix ans de sa vie pour savoir seulement comment se portaient les fortifications. Et il revenait toujours à des accusations violentes contre le sort. Ça n'était pas juste, son accident; ça n'aurait pas dû lui arriver, à lui, un bon ouvrier, pas fainéant, pas soûlard. A d'autres peut-être, il aurait compris.

— Le papa Coupeau, disait-il, s'est cassé le cou, un jour de ribote. Je ne puis pas dire que c'était mérité, mais enfin la chose s'expliquait... Moi, j'étais à jeun, tranquille comme Baptiste, sans une goutte de liquide dans le corps, et voilà que je dégringole en voulant me tourner pour faire une risette à Nana!... Vous ne trouvez pas ça trop fort ? S'il y a un bon Dieu, il arrange drôlement les choses. Jamais je n'avalerai ça.

Et, quand les jambes lui revinrent, il garda une sourde rancune contre le travail. C'était un métier de malheur, de passer ses journées comme les chats, le long des gouttières. Eux pas bêtes, les bourgeois! ils vous envoyaient à la mort, bien trop poltrons pour se risquer sur une échelle, s'installant solidement au coin de leur feu et se fichant du pauvre monde. Et il en arrivait à dire que chacun aurait dû poser son zinc sur sa maison. Dame! en bonne justice, on devait en venir là : si tu ne veux pas être mouillé, mets-toi à couvert. Puis, il regrettait de ne pas avoir appris un autre métier, plus joli et moins dangereux, celui d'ébéniste, par exemple. Ça, c'était encore la faute du père Coupeau; les pères avaient cette bête d'habitude de fourrer quand même les enfants dans leur partie.

Pendant deux mois encore, Coupeau marcha avec des béquilles. Il avait d'abord pu descendre dans la rue, fumer une pipe devant la porte. Ensuite, il était allé jusqu'au boulevard extérieur, se traînant au soleil, restant des heures assis sur un banc. La gaieté lui revenait, son bagou d'enfer s'aiguisait dans ses longues flâneries. Et il prenait là, avec le plaisir de vivre, une joie à ne rien faire, les membres abandonnés, les muscles glissant à un sommeil très doux; c'était comme une lente conquête de la paresse, qui profitait de sa convalescence pour entrer dans sa peau et l'engourdir, en le chatouillant. Il revenait bien portant, goguenard, trouvant la vie belle, ne voyant pas pourquoi ça ne durerait pas toujours. Lorsqu'il put se passer de béquilles, il poussa ses promenades plus loin, courut les chantiers pour revoir les camarades. Il restait les bras croisés en face des maisons en construction, avec des ricanements, des hochements de tête; et il blaguait les ouvriers qui trimaient, il allongeait sa jambe, pour leur montrer où ça menait de s'esquinter le tempérament. Ces stations gouailleuses devant la besogne des autres satisfaisaient sa rancune contre le travail. Sans doute, il s'y remettrait, il le fallait bien; mais ce serait le plus tard possible. Oh! il était payé pour manquer d'enthousiasme. Puis, ça lui semblait si bon de faire un peu la vache [115]!

Les après-midi où Coupeau s'ennuyait, il montait chez les Lorilleux. Ceux-ci le plaignaient beaucoup, l'attiraient par toutes sortes de prévenances aimables. Dans les premières années de son mariage, il leur avait échappé, grâce à l'influence de Gervaise. Maintenant, ils le reprenaient, en le plaisantant sur la peur que lui causait sa femme. Il n'était donc pas un homme! Pourtant, les Lorilleux montraient une grande discrétion, célébraient d'une façon outrée les mérites de la blanchisseuse. Coupeau, sans se disputer encore, jurait à celle-ci que sa sœur l'adorait, et lui demandait d'être moins mauvaise pour elle. La première querelle du ménage, un soir, était venue au sujet d'Étienne. Le zingueur avait passé l'après-midi chez les Lorilleux. En rentrant, comme le dîner se faisait attendre et que les enfants criaient après la soupe, il s'en était pris brusquement à Étienne, lui envoyant une paire de calottes soignées. Et, pendant une heure, il avait ronchonné: ce mioche n'était pas à lui, il ne savait pas pourquoi il le tolérait dans la maison; il finirait par le flanquer à la porte. Jusque-là, il avait accepté le gamin sans tant d'histoires. Le lendemain, il parlait de sa dignité. Trois jours après, il lançait des coups de pied au derrière du petit, matin et soir, si bien que l'enfant, quand il l'entendait monter, se sauvait chez les Goujet, où la vieille dentellière lui gardait un coin de la table pour faire ses devoirs.

Gervaise, depuis longtemps, s'était remise au travail. Elle n'avait plus la peine d'enlever et de replacer le globe de la pendule; toutes les économies se trouvaient mangées; et il fallait piocher dur, piocher pour quatre, car ils étaient quatre bouches à table. Elle seule nourrissait tout ce monde. Quand elle entendait les gens la plaindre, elle excusait vite Coupeau. Pensez donc! il avait tant souffert, ce

n'était pas étonnant, si son caractère prenait de l'aigreur! Mais ça passerait avec la santé. Et si on lui laissait entendre que Coupeau semblait solide à présent, qu'il pouvait bien retourner au chantier, elle se récriait. Non, non, pas encore! Elle ne voulait pas l'avoir de nouveau au lit. Elle savait bien ce que le médecin lui disait, peut-être! C'était elle qui l'empêchait de travailler, en lui répétant chaque matin de prendre son temps, de ne pas se forcer. Elle lui glissait même des pièces de vingt sous dans la poche de son gilet. Coupeau acceptait ça comme une chose naturelle; il se plaignait de toutes sortes de douleurs pour se faire dorloter; au bout de six mois, sa convalescence durait toujours. Maintenant, les jours où il allait regarder travailler les autres, il entrait volontiers boire un canon avec les camarades. Tout de même, on n'était pas mal chez le marchand de vin; on rigolait, on restait là cinq minutes. Ça ne déshonorait personne. Les poseurs seuls affectaient de crever de soif à la porte. Autrefois, on avait bien raison de les blaguer, attendu qu'un verre de vin n'a jamais tué un homme. Mais il se tapait la poitrine en se faisant un honneur de ne boire que du vin; toujours du vin, jamais de l'eau-de-vie; le vin prolongeait l'existence, n'indisposait pas, ne soûlait pas. Pourtant, à plusieurs reprises, après des journées de désœuvrement, passées de chantier en chantier, de cabaret en cabaret, il était rentré éméché. Gervaise, ces jours-là, avait fermé sa porte, en prétextant elle-même un gros mal de tête, pour empêcher les Goujet d'entendre les bêtises de Coupeau.

Peu à peu, cependant, la jeune femme s'attrista. Matin et soir, elle allait, rue de la Goutte-d'Or, voir la boutique, qui était toujours à louer; et elle se cachait, comme si elle eût commis un enfantillage indigne d'une grande personne. Cette boutique recommençait à lui tourner la tête; la nuit, quand la lumière était éteinte, elle trouvait à y songer, les yeux ouverts, le charme d'un plaisir défendu. Elle faisait de nouveau ses calculs, deux cent cinquante francs pour le loyer, cent cinquante francs d'outils et d'installation, cent francs d'avance afin de vivre quinze jours, en tout cinq cents francs, au chiffre le plus bas. Si elle n'en parlait pas tout haut, continuellement, c'était de crainte de paraître regretter les économies mangées par la maladie de Coupeau. Elle devenait toute pâle souvent, ayant failli laisser échapper son envie, rattrapant sa phrase avec la confusion d'une vilaine pensée. Maintenant, il faudrait travailler quatre ou cinq années, avant d'avoir mis de côté une si grosse somme. Sa désolation était justement de ne pou-

115. Se reposer. On employait également le verbe *vacher.*

voir s'établir tout de suite; elle aurait fourni aux besoins du ménage, sans compter sur Coupeau, en lui laissant des mois pour reprendre goût au travail; elle se serait tranquillisée, certaine de l'avenir, débarrassée des peurs secrètes dont elle se sentait prise parfois, lorsqu'il revenait très gai, chantant, racontant quelque bonne farce de cet animal de Mes-Bottes, auquel il avait payé un litre.

Un soir, Gervaise se trouvant seule chez elle, Goujet entra et ne se sauva pas, comme à son habitude. Il s'était assis, il fumait en la regardant. Il devait avoir une phrase grave à prononcer; il la retournait, la mûrissait, sans pouvoir lui donner une forme convenable. Enfin, après un gros silence, il se décida, il retira sa pipe de la bouche, pour dire tout d'un trait :

— Madame Gervaise, voudriez-vous me permettre de vous prêter de l'argent ?

Elle était penchée sur un tiroir de sa commode, cherchant des torchons. Elle se releva, très rouge. Il l'avait donc vue, le matin, rester en extase devant la boutique, pendant près de dix minutes ? Lui, souriait d'un air gêné, comme s'il avait fait là une proposition blessante. Mais elle refusa vivement; jamais elle n'accepterait de l'argent sans savoir quand elle pourrait le rendre. Puis, il s'agissait vraiment d'une trop forte somme. Et comme il insistait, consterné, elle finit par crier :

— Mais votre mariage ? Je ne puis pas prendre l'argent de votre mariage, bien sûr !

— Oh! ne vous gênez pas, répondit-il en rougissant à son tour. Je ne me marie plus. Vous savez, une idée... Vrai, j'aime mieux vous prêter l'argent.

Alors, tous deux baissèrent la tête. Il y avait entre eux quelque chose de très doux qu'ils ne disaient pas. Et Gervaise accepta. Goujet avait prévenu sa mère. Ils traversèrent le palier, allèrent la voir tout de suite. La dentellière était grave, un peu triste, son calme visage penché sur son tambour. Elle ne voulait pas contrarier son fils, mais elle n'approuvait plus le projet de Gervaise; et elle dit nettement pourquoi : Coupeau tournait mal, Coupeau lui mangerait sa boutique. Elle ne pardonnait surtout point au zingueur d'avoir refusé d'apprendre à lire, pendant sa convalescence; le forgeron s'était offert pour lui montrer, mais l'autre l'avait envoyé dinguer, en accusant la science de maigrir le monde. Cela avait presque fâché les deux ouvriers; ils allaient chacun de son côté. D'ailleurs, Mme Goujet, en voyant les regards suppliants de son grand enfant, se montra très bonne pour Gervaise. Il fut convenu qu'on prêterait cinq cents francs aux voisins; ils les rembourseraient en

donnant chaque mois un acompte de vingt francs; ça durerait ce que ça durerait.

— Dis donc! le forgeron te fait de l'œil, s'écria Coupeau en riant, quand il apprit l'histoire. Oh! je suis bien tranquille, il est trop godiche... On le lui rendra, son argent. Mais, vrai, s'il avait affaire à de la fripouille, il serait joliment jobardé [116].

Dès le lendemain, les Coupeau louèrent la boutique. Gervaise courut toute la journée, de la rue Neuve à la rue de la Goutte-d'Or. Dans le quartier, à la voir passer ainsi, légère, ravie au point de ne plus boiter, on racontait qu'elle avait dû se laisser faire une opération.

5

Justement, les Boche, depuis le terme d'avril, avaient quitté la rue des Poissonniers et tenaient la loge de la grande maison, rue de la Goutte-d'Or. Comme ça se rencontrait, tout de même! Un des ennuis de Gervaise, qui avait vécu si tranquille sans concierge dans son trou de la rue Neuve, était de retomber sous la sujétion de quelque mauvaise bête, avec laquelle il faudrait se disputer pour un peu d'eau répandue, ou pour la porte refermée trop fort, le soir. Les concierges sont une si sale espèce! Mais, avec les Boche, ce serait un plaisir. On se connaissait, on s'entendrait toujours. Enfin, ça se passerait en famille.

Le jour de la location, quand les Coupeau vinrent signer le bail, Gervaise se sentit le cœur tout gros, en passant sous la haute porte. Elle allait donc habiter cette maison vaste comme une petite ville, allongeant et entrecroisant les rues interminables de ses escaliers et de ses corridors. Les façades grises avec les loques des fenêtres séchant au soleil, la cour blafarde aux pavés défoncés de place publique, le ronflement de travail qui sortait des murs, lui causaient un grand trouble, une joie d'être enfin près de contenter son ambition, une peur de ne pas réussir et de se trouver écrasée dans cette lutte énorme contre la faim, dont elle entendait le souffle. Il lui semblait faire quelque chose de très hardi, se jeter au beau milieu d'une machine en branle, pendant que les marteaux du serrurier et les rabots de l'ébéniste tapaient et sifflaient, au fond des ateliers du rez-de-chaussée. Ce jour-là, les eaux de la teinturerie coulant sous le porche,

116. « *Se faire jobarder*, faire rire à ses dépens » (Delvau).

étaient d'un vert pomme très tendre. Elle les enjamba, en souriant; elle voyait dans cette couleur un heureux présage.

Le rendez-vous avec le propriétaire était dans la loge même des Boche. M. Marescot, un grand coutelier de la rue de la Paix, avait jadis tourné la meule, le long des trottoirs. On le disait riche aujourd'hui à plusieurs millions. C'était un homme de cinquante-cinq ans, fort, osseux, décoré, étalant ses mains immenses d'ancien ouvrier; et un de ses bonheurs était d'emporter les couteaux et les ciseaux de ses locataires, qu'il aiguisait lui-même, par plaisir. Il passait pour n'être pas fier, parce qu'il restait des heures chez ses concierges, caché dans l'ombre de la loge, à demander des comptes. Il traitait là toutes ses affaires. Les Coupeau le trouvèrent devant la table graisseuse de Mme Boche, écoutant comment la couturière du second, dans l'escalier A, avait refusé de payer, d'un mot dégoûtant. Puis, quand on eut signé le bail, il donna une poignée de main au zingueur. Lui, aimait les ouvriers. Autrefois, il avait eu joliment du tirage. Mais le travail menait à tout. Et, après avoir compté les deux cent cinquante francs du premier semestre, qu'il engloutit dans sa vaste poche, il dit sa vie, il montra sa décoration.

Gervaise, cependant, demeurait un peu gênée en voyant l'attitude des Boche. Ils affectaient de ne pas la connaître. Ils s'empressaient autour du propriétaire, courbés en deux, guettant ses paroles, les approuvant de la tête. Mme Boche sortit vivement, alla chasser une bande d'enfants qui pataugeaient devant la fontaine, dont le robinet grand ouvert inondait le pavé; et quand elle revint, droite et sévère dans ses jupes, traversant la cour avec de lents regards à toutes les fenêtres, comme pour s'assurer du bon ordre de la maison, elle eut un pincement de lèvres disant de quelle autorité elle était investie, maintenant qu'elle avait sous elle les trois cents locataires. Boche, de nouveau, parlait de la couturière du second; il était d'avis de l'expulser; il calculait les termes en retard, avec une importance d'intendant dont la gestion pouvait être compromise. M. Marescot approuva l'idée de l'expulsion; mais il voulait attendre jusqu'au demi-terme. C'était dur de jeter les gens à la rue, d'autant plus que ça ne mettait pas un sou dans la poche du propriétaire. Et Gervaise, avec un léger frisson, se demandait si on la jetterait à la rue, elle aussi, le jour où un malheur l'empêcherait de payer. La loge, enfumée, emplie de meubles noirs, avait une humidité et un jour livide de cave; devant la fenêtre, toute la lumière tombait sur l'établi du tailleur, où traînait une vieille redingote à retourner; tandis que Pauline, la petite des Boche, une enfant rousse de quatre ans, assise par terre, regardait sagement cuire un morceau de veau, baignée et ravie dans l'odeur forte de cuisine montant du poêlon.

M. Marescot tendait de nouveau la main au zingueur, lorsque celui-ci parla des réparations, en lui rappelant sa promesse verbale de causer de cela plus tard. Mais le propriétaire se fâcha; il ne s'était engagé à rien; jamais, d'ailleurs, on ne faisait de réparations dans une boutique. Pourtant, il consentit à aller voir les lieux, suivi des Coupeau et de Boche. Le petit mercier était parti en emportant son agencement de casiers et de comptoirs; la boutique, toute nue, montrait son plafond noir, ses murs crevés, où des lambeaux d'un ancien papier jaune pendaient. Là, dans le vide sonore des pièces, une discussion furieuse s'engagea. M. Marescot criait que c'était aux commerçants à embellir leurs magasins, car enfin un commerçant pouvait vouloir de l'or partout, et lui, propriétaire, ne pouvait pas mettre de l'or; puis, il raconta sa propre installation, rue de la Paix, où il avait dépensé plus de vingt mille francs. Gervaise, avec son entêtement de femme, répétait un raisonnement qui lui semblait irréfutable : dans un logement n'est-ce pas, il ferait coller du papier ? alors, pourquoi ne considérait-il pas la boutique comme un logement ? Elle ne lui demandait pas autre chose, blanchir le plafond et remettre du papier.

Boche, cependant, restait impénétrable et digne; il tournait, regardait en l'air, sans se prononcer. Coupeau avait beau lui adresser des clignements d'yeux, il affectait de ne pas vouloir abuser de sa grande influence sur le propriétaire. Il finit pourtant par laisser échapper un jeu de physionomie, un petit sourire mince accompagné d'un hochement de tête. Justement, M. Marescot, exaspéré, l'air malheureux, écartant ses dix doigts dans une crampe d'avare auquel on arrache son or, cédait à Gervaise, promettait le plafond et le papier, à la condition qu'elle paierait la moitié du papier. Et il se sauva vite, ne voulant plus entendre parler de rien.

Alors, quand Boche fut seul avec les Coupeau, il leur donna des claques sur les épaules, très expansif. Hein ? c'était enlevé! Sans lui, jamais ils n'auraient eu leur papier ni leur plafond. Avaient-ils remarqué comme le propriétaire l'avait consulté du coin de l'œil et s'était brusquement décidé en le voyant sourire ? Puis, en confidence, il avoua être le vrai maître de la maison : il décidait des congés, louait si les gens lui plaisaient, touchait les termes qu'il gardait des quinze jours dans sa commode. Le soir, les Coupeau, pour remercier les Boche, crurent poli de leur envoyer deux litres de vin. Ça méritait un cadeau.

Dès le lundi suivant, les ouvriers se mirent à la boutique. L'achat du papier fut surtout une grosse affaire. Gervaise voulait un papier gris à fleurs bleues, pour éclairer et égayer les murs. Boche lui offrit de l'emmener; elle choisirait. Mais il avait des ordres formels du propriétaire, il ne devait pas dépasser le prix de quinze sous le rouleau. Ils restèrent une heure chez le marchand, la blanchisseuse revenait toujours à une perse très gentille de dix-huit sous, désespérée, trouvant les autres papiers affreux. Enfin, le concierge céda; il arrangerait la chose, il compterait un rouleau de plus, s'il le fallait. Et Gervaise, en rentrant, acheta des gâteaux pour Pauline. Elle n'aimait pas rester en arrière, il y avait tout bénéfice avec elle à se montrer complaisant.

En quatre jours, la boutique devait être prête. Les travaux durèrent trois semaines. D'abord, on avait parlé de lessiver simplement les peintures. Mais ces peintures, anciennement lie-de-vin, étaient si sales et si tristes, que Gervaise se laissa entraîner à faire remettre toute la devanture en bleu clair, avec des filets jaunes. Alors, les réparations s'éternisèrent. Coupeau, qui ne travaillait toujours pas, arrivait dès le matin, pour voir si ça marchait. Boche lâchait la redingote ou le pantalon dont il refaisait les boutonnières, venait de son côté surveiller ses hommes. Et tous deux, debout en face des ouvriers, les mains derrière le dos, fumant, crachant, passaient la journée à juger chaque coup de pinceau. C'étaient des réflexions interminables, des rêveries profondes pour un clou à arracher. Les peintres, deux grands diables bons enfants, quittaient à chaque instant leurs échelles, se plantaient, eux aussi, au milieu de la boutique, se mêlant à la discussion, hochant la tête pendant des heures, en regardant leur besogne commencée. Le plafond se trouva badigeonné assez rapidement. Ce furent les peintures dont on faillit ne jamais sortir. Ça ne voulait pas sécher. Vers neuf heures, les peintres se montraient avec leurs pots à couleur, les posaient dans un coin, donnaient un coup d'œil, puis disparaissaient; et on ne les revoyait plus. Ils étaient allés déjeuner, ou bien ils avaient dû finir une bricole, à côté, rue Myrrha. D'autres fois, Coupeau emmenait toute la coterie boire un canon, Boche, les peintres, avec les camarades qui passaient; c'était encore une après-midi flambée. Gervaise se mangeait les sangs.

Brusquement, en deux jours, tout fut terminé, les peintures vernies, le papier collé, les saletés jetées au tombereau. Les ouvriers avaient bâclé ça comme en se jouant, sifflant sur leurs échelles, chantant à étourdir le quartier.

L'emménagement eut lieu tout de suite. Gervaise, les premiers jours, éprouvait des joies d'enfant, quand elle traversait la rue, en rentrant d'une commission. Elle s'attardait, souriait à son chez elle. De loin, au milieu de la file noire des autres devantures, sa boutique lui apparaissait toute claire, d'une gaieté neuve, avec son enseigne bleu tendre, où les mots: *Blanchisseuse de fin*, étaient peints en grandes lettres jaunes. Dans la vitrine, fermée au fond par de petits rideaux de mousseline, tapissée de papier bleu pour faire valoir la blancheur du linge, des chemises d'homme restaient en montre, des bonnets de femme pendaient, les brides nouées à des fils de laiton. Et elle trouvait sa boutique jolie, couleur du ciel. Dedans, on entrait encore dans du bleu; le papier qui imitait une perse Pompadour, représentait une treille où couraient des liserons; l'établi, une immense table tenant les deux tiers de la pièce, garni d'une épaisse couverture, se drapait d'un bout de cretonne à grands ramages bleuâtres, pour cacher les tréteaux. Gervaise s'asseyait sur un tabouret, soufflait un peu de contentement, heureuse de cette belle propreté, couvant des yeux ses outils neufs. Mais son premier regard allait toujours à sa mécanique, un poêle de fonte, où dix fers pouvaient chauffer à la fois, rangés autour du foyer, sur des plaques obliques. Elle venait se mettre à genoux, regardait avec la continuelle peur que sa petite bête d'apprentie ne fît éclater la fonte, en fourrant trop de coke.

Derrière la boutique, le logement était très convenable. Les Coupeau couchaient dans la première chambre, où l'on faisait la cuisine et où l'on mangeait; une porte, au fond, ouvrait sur la cour de la maison. Le lit de Nana se trouvait dans la chambre de droite, un grand cabinet, qui recevait le jour par une lucarne ronde, près du plafond. Quant à Étienne, il partageait la chambre de gauche avec le linge sale, dont d'énormes tas traînaient toujours sur le plancher. Pourtant, il y avait un inconvénient, les Coupeau ne voulaient pas en convenir d'abord; mais les murs pissaient l'humidité, et on ne voyait plus clair dès trois heures de l'après-midi.

Dans le quartier, la nouvelle boutique produisit une grosse émotion. On accusa les Coupeau d'aller trop vite et de faire des embarras. Ils avaient, en effet, dépensé les cinq cents francs des Goujet en installation, sans garder même de quoi vivre une quinzaine, comme ils se l'étaient promis. Le matin où Gervaise enleva les volets pour la première fois, elle avait juste six francs dans son porte-monnaie. Mais elle n'était pas en peine, les pratiques arrivaient, ses affaires s'annonçaient très bien. Huit jours plus tard, le samedi, avant de se coucher, elle resta deux heures à calculer, sur un bout de papier; et elle réveilla Coupeau, la mine luisante, pour lui dire qu'il y avait des mille et des cents à gagner, si l'on était raisonnable.

— Ah bien! criait Mme Lorilleux dans toute la rue de la Goutte-d'Or, mon imbécile de frère en voit de drôles!... Il ne manquait plus à la Banban que de faire la vie. Ça lui va bien, n'est-ce pas ?

Les Lorilleux s'étaient brouillés à mort avec Gervaise. D'abord, pendant les réparations de la boutique, ils avaient failli crever de rage; rien qu'à voir les peintres de loin, ils passaient sur l'autre trottoir, ils remontaient chez eux les dents serrées. Une boutique bleue à cette rien-du-tout, si ce n'était pas fait pour casser les bras des honnêtes gens! Aussi, dès le second jour, comme l'apprentie vidait à la volée un bol d'amidon, juste au moment où Mme Lorilleux sortait, celle-ci avait-elle ameuté la rue en accusant sa belle-sœur de la faire insulter par ses ouvrières. Et tous rapports étaient rompus, on n'échangeait plus que des regards terribles, quand on se rencontrait.

— Oui, une jolie vie! répétait Mme Lorilleux. On sait d'où il lui vient, l'argent de sa baraque! Elle a gagné ça avec le forgeron... Encore du propre monde, de ce côté-là! Le père ne s'est-il pas coupé la tête avec un couteau, pour éviter la peine à la guillotine ? Enfin, quelque sale histoire dans ce genre!

Elle accusait très carrément Gervaise de coucher avec Goujet. Elle mentait, elle prétendait les avoir surpris un soir ensemble, sur un banc du boulevard extérieur. La pensée de cette liaison, des plaisirs que devait goûter sa belle-sœur, l'exaspérait davantage, dans son honnêteté de femme laide. Chaque jour, le cri de son cœur lui revenait aux lèvres :

— Mais qu'a-t-elle donc sur elle, cette infirme, pour se faire aimer! Est-ce qu'on m'aime, moi!

Puis, c'étaient des potins interminables avec les voisines. Elle racontait toute l'histoire. Allez, le jour du mariage, elle avait fait une drôle de tête! Oh! elle avait le nez creux, elle sentait déjà comment ça devait tourner. Plus tard, mon Dieu! la Banban s'était montrée si douce, si hypocrite, qu'elle et son mari, par égard pour Coupeau, avaient consenti à être parrain et marraine de Nana; même que ça coûtait bon, un baptême comme celui-là. Mais maintenant, voyez-vous! la Banban pouvait être à l'article de la mort et avoir besoin d'un verre d'eau, ce ne serait pas elle, bien sûr, qui le lui donnerait. Elle n'aimait pas les insolentes, ni les coquines, ni les dévergondées. Quant à Nana, elle serait toujours bien reçue, si elle montait voir son parrain et sa marraine; la petite, n'est-ce pas ? n'était point coupable des crimes de la mère. Coupeau, lui, n'avait pas besoin de conseil; à sa place, tout homme aurait trempé le derrière de sa femme dans un baquet, en lui allongeant une paire de claques; enfin, ça le regardait, on lui demandait seulement d'exiger du respect pour sa famille. Jour de Dieu! si Lorilleux l'avait trouvée, elle, Mme Lorilleux, en flagrant délit! ça ne se serait pas passé tranquillement, il lui aurait planté ses cisailles dans le ventre.

Les Boche, pourtant, juges sévères des querelles de la maison, donnaient tort aux Lorilleux. Sans doute, les Lorilleux étaient des personnes comme il faut, tranquilles, travaillant toute la sainte journée, payant leur terme recta. Mais là, franchement, la jalousie les enrageait. Avec ça, ils auraient tondu un œuf. Des pingres, quoi! des gens qui cachaient leur litre, quand on montait, pour ne pas offrir un verre de vin; enfin, du monde pas propre. Un jour, Gervaise venait de payer aux Boche du cassis avec de l'eau de Seltz, qu'on buvait dans la loge, quand Mme Lorilleux était passée, très raide, en affectant de cracher devant la porte des concierges. Et, depuis lors, chaque samedi, Mme Boche, lorsqu'elle balayait les escaliers et les couloirs, laissait les ordures devant la porte des Lorilleux.

— Parbleu! criait Mme Lorilleux, la Banban les gorge, ces goinfres! Ah! ils sont bien tous les mêmes!... Mais qu'ils ne m'embêtent pas! J'irais me plaindre au propriétaire... Hier encore, j'ai vu ce sournois de Boche se frotter aux jupes de madame Gaudron. S'attaquer à une femme de cet âge, qui a une demi-douzaine d'enfants, hein ? c'est de la cochonnerie pure!... Encore une saleté de leur part, et je préviens la mère Boche, pour qu'elle flanque une tripotée à son homme... Dame! on rirait un peu.

Maman Coupeau voyait toujours les deux ménages, disant comme tout le monde, arrivant même à se faire retenir plus souvent à dîner, en écoutant complaisamment sa fille et sa belle-fille, un soir chacune. Mme Lerat, pour le moment, n'allait plus chez les Coupeau, parce qu'elle s'était disputée avec la Banban, au sujet d'un zouave qui venait de couper le nez de sa maîtresse d'un coup de rasoir; elle soutenait le zouave, elle trouvait le coup de rasoir très amoureux, sans donner ses raisons. Et elle avait encore exaspéré les colères de Mme Loril-

La blanchisseuse, dessin de Toulouse-Lautrec, 1888.

leux, en lui affirmant que la Banban, dans la conversation, devant des quinze et des vingt personnes, l'appelait Queue-de-Vache sans se gêner. Mon Dieu! oui, les Boche, les voisins maintenant l'appelaient Queue-de-Vache.

Au milieu de ces cancans, Gervaise, tranquille, souriante, sur le seuil de sa boutique, saluait les amis d'un petit signe de tête affectueux. Elle se plaisait à venir là, une minute, entre deux coups de fer, pour rire à la rue, avec le gonflement de vanité d'une commerçante, qui a un bout de trottoir à elle. La rue de la Goutte-d'Or lui appartenait, et les rues voisines, et le quartier tout entier. Quand elle allongeait la tête, en camisole blanche, les bras nus, ses cheveux blonds envolés dans le feu du travail, elle jetait un regard à gauche, un regard à droite, aux deux bouts, pour prendre d'un trait les passants, les maisons, le pavé et le ciel : à gauche, la rue de la Goutte-d'Or s'enfonçait, paisible, déserte, dans un coin de province, où des femmes causaient bas sur les portes; à droite, à quelques pas, la rue des Poissonniers mettait un vacarme de voitures, un continuel piétinement de foule, qui refluait et faisait de ce bout un carrefour de cohue populaire. Gervaise aimait la rue, les cahots des camions dans les trous du gros pavé bossué, les bousculades des gens le long des minces trottoirs, interrompus par des cailloutis en pente raide; ses trois mètres de ruisseau, devant sa boutique, prenaient une importance énorme, un fleuve large, qu'elle voulait très propre, un fleuve étrange et vivant, dont la teinturerie de la maison colorait les eaux des caprices les plus tendres, au milieu de la boue noire. Puis, elle s'intéressait à des magasins, une vaste épicerie, avec un étalage de fruits secs garanti par des filets à petites mailles, une lingerie et bonneterie d'ouvriers, balançant au moindre souffle des cottes et des blouses bleues, pendues les jambes et les bras écartés. Chez la fruitière, chez la tripière, elle apercevait des angles de comptoir, où des chats superbes et tranquilles ronronnaient. Sa voisine, Mme Vigouroux, la charbonnière, lui rendait son salut, une petite femme grasse, la face noire, les yeux luisants, fainéantant à rire avec des hommes, adossée contre sa devanture, que des bûches peintes sur un fond lie-de-vin décoraient d'un dessin compliqué de chalet rustique. Mmes Cudorge, la mère et la fille, ses autres voisines qui tenaient la boutique de parapluies, ne se montraient jamais, leur vitrine assombrie, leur porte close, ornée de deux petites ombrelles de zinc enduites d'une épaisse couche de vermillon vif. Mais Gervaise, avant de rentrer, donnait toujours un coup d'œil, en face d'elle, à un grand mur blanc sans une fenêtre, percé d'une immense porte cochère, par laquelle on voyait le flamboiement d'une forge, dans une cour encombrée de charrettes et de carrioles, les brancards en l'air. Sur le mur, le mot : *Maréchalerie*, était écrit en grandes lettres, encadré d'un éventail de fers à cheval. Toute la journée, les marteaux sonnaient sur l'enclume, des incendies d'étincelles éclairaient l'ombre blafarde de la cour. Et, au bas de ce mur, au fond d'un trou, grand comme une armoire, entre une marchande de ferraille et une marchande de pommes de terre frites, il y avait un horloger, un monsieur en redingote, l'air propre, qui fouillait continuellement des montres avec des outils mignons, devant un établi où des choses délicates dormaient sous des verres; tandis que, derrière lui, les balanciers de deux ou trois douzaines de coucous tout petits battaient à la fois, dans la misère noire de la rue et le vacarme cadencé de la maréchalerie.

Le quartier trouvait Gervaise bien gentille. Sans doute, on clabaudait sur son compte, mais il n'y avait qu'une voix pour lui reconnaître de grands yeux, une bouche pas plus longue que ça, avec des dents très blanches. Enfin, c'était une jolie blonde, et elle aurait pu se mettre parmi les plus belles, sans le malheur de sa jambe. Elle était dans ses vingt-huit ans, elle avait engraissé. Ses traits fins s'empâtaient, ses gestes prenaient une lenteur heureuse. Maintenant, elle s'oubliait parfois sur le bord d'une chaise, le temps d'attendre son fer, avec un sourire vague, la face noyée d'une joie gourmande. Elle devenait gourmande ; ça, tout le monde le disait; mais ce n'était pas un vilain défaut, au contraire. Quand on gagne de quoi se payer de fins morceaux, n'est-ce pas ? on serait bien bête de manger des pelures de pommes de terre. D'autant plus qu'elle travaillait toujours dur, se mettant en quatre pour ses pratiques, passant elle-même les nuits, les volets fermés, lorsque la besogne était pressée. Comme on disait dans le quartier, elle avait la veine; tout lui prospérait. Elle blanchissait la maison, M. Madinier, Mlle Remanjou, les Boche; elle enlevait même à son ancienne patronne, Mme Fauconnier, des dames de Paris logées rue du Faubourg-Poissonnière. Dès la seconde quinzaine, elle avait dû prendre deux ouvrières, Mme Putois et la grande Clémence, cette fille qui habitait autrefois au sixième; ça lui faisait trois personnes chez elle, avec son apprentie, ce petit louchon d'Augustine, laide comme un derrière de pauvre homme. D'autres auraient pour sûr perdu la tête dans ce coup de fortune. Elle était bien pardonnable de fricoter [117] un peu le lundi, après avoir trimé la semaine entière. D'ailleurs, il lui fallait ça; elle serait restée gnangnan [118], à regarder les chemises se repasser toutes seules, si elle ne s'était pas collé un velours sur la poitrine, quelque chose de bon dont l'envie lui chatouillait le jabot.

Jamais Gervaise n'avait encore montré tant de complaisance. Elle était douce comme un mouton, bonne comme du pain. A part Mme Lorilleux, qu'elle appelait Queue-de-Vache pour se venger, elle ne détestait personne, elle excusait tout le monde. Dans le léger abandon de sa gueulardise [119], quand elle avait bien déjeuné et pris son café, elle cédait au besoin d'une indulgence générale. Son mot était : « On doit se pardonner entre soi, n'est-ce pas ? si l'on ne veut pas vivre comme des sauvages. » Quand on lui parlait de sa bonté, elle riait. Il n'aurait plus manqué qu'elle fût méchante! Elle se défendait, elle disait n'avoir aucun mérite à être bonne. Est-ce que tous ses rêves n'étaient pas réalisés, est-ce qu'il lui restait à ambitionner quelque chose dans l'existence ? Elle rappelait son idéal d'autrefois, lorsqu'elle se trouvait sur le pavé : travailler, manger du pain, avoir un trou à soi, élever ses enfants, ne pas être battue, mourir dans son lit. Et maintenant son idéal était dépassé; elle avait tout, et en plus beau. Quant à mourir dans son lit, ajoutait-elle en plaisantant, elle y comptait, mais le plus tard possible, bien entendu.

C'était surtout pour Coupeau que Gervaise se montrait gentille. Jamais une mauvaise parole, jamais une plainte, derrière le dos de son mari. Le zingueur avait fini par se remettre au travail; et, comme son chantier était alors à l'autre bout de Paris, elle lui donnait tous les matins quarante sous pour son déjeuner, sa goutte et son tabac. Seulement, deux jours sur six, Coupeau s'arrêtait en route, buvait les quarante sous avec un ami, et revenait déjeuner en racontant une histoire. Une fois même, il n'était pas allé loin, il s'était payé avec Mes-Bottes et trois autres un gueuleton soigné, des escargots, du rôti et du vin cacheté au Capucin, barrière de la Chapelle; puis, comme ses quarante sous ne suffisaient pas, il avait envoyé la note à sa femme par un garçon, en lui faisant dire qu'il était au clou. Celle-ci riait, haussait les épaules. Où était le mal, si son homme s'amusait un peu ? Il fallait laisser aux hommes la corde longue, quand on voulait vivre en paix dans son ménage. D'un

mot à un autre, on en arrivait vite aux coups. Mon Dieu! on devait tout comprendre, Coupeau souffrait encore de sa jambe, puis il se trouvait entraîné, il était bien forcé de faire comme les autres, sous peine de passer pour un mufle. D'ailleurs, ça ne tirait pas à conséquence; s'il rentrait éméché, il se couchait, et deux heures après il n'y paraissait plus.

Cependant, les fortes chaleurs étaient venues. Une après-midi de juin, un samedi que l'ouvrage pressait, Gervaise avait elle-même bourré de coke la mécanique, autour de laquelle dix fers chauffaient, dans le ronflement du tuyau. A cette heure, le soleil tombait d'aplomb sur la devanture, le trottoir renvoyait une réverbération ardente, dont les grandes moires dansaient au plafond de la boutique; et ce coup de lumière, bleui par le reflet du papier des étagères et de la vitrine, mettait au-dessus de l'établi un jour aveuglant, comme une poussière de soleil tamisée dans les linges fins. Il faisait là une température à crever. On avait laissé ouverte la porte de la rue, mais pas un souffle de vent ne venait; les pièces qui séchaient en l'air, pendues aux fils de laiton, fumaient, étaient raides comme des copeaux en moins de trois quarts d'heure. Depuis un instant, sous cette lourdeur de fournaise, un gros silence régnait, au milieu duquel les fers seuls tapaient sourdement, étouffés par l'épaisse couverture garnie de calicot.

— Ah bien! dit Gervaise, si nous ne fondons pas, aujourd'hui! On retirerait sa chemise!

Elle était accroupie par terre, devant une terrine, occupée à passer du linge à l'amidon. En jupon blanc, la camisole retroussée aux manches et glissée des épaules, elle avait les bras nus, le cou nu, toute rose, si suante, que les petites mèches blondes de ses cheveux ébouriffés se collaient à sa peau. Soigneusement, elle trempait dans l'eau laiteuse des bonnets, des devants de chemises d'homme, des jupons entiers, des garnitures de pantalons de femme. Puis, elle roulait les pièces et les posait au fond d'un panier carré, après avoir plongé dans un seau et secoué sa main sur les corps des chemises et des pantalons qui n'étaient pas amidonnés.

— C'est pour vous ce panier, madame Putois, reprit-elle. Dépêchez-vous, n'est-ce pas ? Ça sèche tout de suite, il faudrait recommencer dans une heure.

Mme Putois, une femme de quarante-cinq ans, maigre, petite, repassait sans une goutte de sueur, boutonnée dans un vieux caraco marron. Elle n'avait pas même retiré son bonnet, un bonnet noir garni de rubans verts tournés au jaune. Elle restait raide devant l'établi, trop haut pour elle, les coudes

---

117. « Dépenser de l'argent, le boire ou le manger; faire la noce; se régaler » (Delvau).
118. « Mou, paresseux, sans courage » (Delvau).
119. « Gourmandise, dans l'argot du peuple »(Delvau).

en l'air, poussant son fer avec des gestes cassés de marionnette. Tout d'un coup elle s'écria :

— Ah! non, mademoiselle Clémence, remettez votre camisole. Vous savez, je n'aime pas les indécences. Pendant que vous y êtes, montrez toute votre boutique. Il y a déjà trois hommes arrêtés en face.

La grande Clémence la traita de vieille bête, entre ses dents. Elle suffoquait, elle pouvait bien se mettre à l'aise; tout le monde n'avait pas une peau d'amadou. D'ailleurs, est-ce qu'on voyait quelque chose ? Et elle levait les bras, sa gorge puissante de belle fille crevait sa chemise, ses épaules faisaient craquer les courtes manches. Clémence s'en donnait à se faire vider les moelles avant trente ans; le lendemain des noces sérieuses, elle ne sentait plus le carreau sous ses pieds, elle dormait sur la besogne, la tête et le ventre comme bourrés de chiffons. Mais on la gardait quand même, car pas une ouvrière ne pouvait se flatter de repasser une chemise d'homme avec son chic. Elle avait la spécialité des chemises d'homme.

— C'est à moi, allez, finit-elle par déclarer, en se donnant des claques sur la gorge. Et ça ne mord pas, ça ne fait bobo à personne.

— Clémence, remettez votre camisole, dit Gervaise. Madame Putois a raison, ce n'est pas convenable... On prendrait ma maison pour ce qu'elle n'est pas.

Alors, la grande Clémence se rhabilla en bougonnant. En voilà des giries [120]! Avec ça que les passants n'avaient jamais vu des nénais [121]! Et elle soulagea sa colère sur l'apprentie, ce louchon d'Augustine, qui repassait à côté d'elle du linge plat, des bas et des mouchoirs; elle la bouscula, la poussa avec son coude. Mais Augustine, hargneuse, d'une méchanceté sournoise de monstre et de souffre-douleur, cracha par derrière sur sa robe, sans qu'on la vît, pour se venger.

Gervaise pourtant venait de commencer un bonnet appartenant à Mme Boche, qu'elle voulait soigner. Elle avait préparé de l'amidon cuit pour le remettre à neuf. Elle promenait doucement, dans le fond de la coiffe, le polonais, un petit fer arrondi des deux bouts, lorsqu'une femme entra, osseuse, la face tachée de plaques rouges, les jupes trempées. C'était une maîtresse laveuse qui employait trois ouvrières au lavoir de la Goutte-d'Or.

— Vous arrivez trop tôt, madame Bijard! cria

Gervaise. Je vous avais dit ce soir... Vous me dérangez joliment, à cette heure-ci!

Mais comme la laveuse se lamentait, craignant de ne pouvoir mettre couler le jour même, elle voulut bien lui donner le linge sale tout de suite. Elles allèrent chercher les paquets dans la pièce de gauche où couchait Étienne, et revinrent avec des brassées énormes, qu'elles empilèrent sur le carreau, au fond de la boutique. Le triage dura une grosse demi-heure. Gervaise faisait des tas autour d'elle, jetait ensemble les chemises d'homme, les chemises de femme, les mouchoirs, les chaussettes, les torchons. Quand une pièce d'un nouveau client lui passait entre les mains, elle la marquait d'une croix au fil rouge, pour la reconnaître. Dans l'air chaud, une puanteur fade montait de tout ce linge sale remué.

— Oh! là là, ça gazouille! dit Clémence, en se bouchant le nez.

— Pardi! si c'était propre, on ne nous le donnerait pas, expliqua tranquillement Gervaise. Ça sent son fruit, quoi !... Nous disions quatorze chemises de femme, n'est-ce pas, madame Bijard ?... quinze, seize, dix-sept...

Elle continua à compter tout haut. Elle n'avait aucun dégoût, habituée à l'ordure; elle enfonçait ses bras nus et roses au milieu des chemises jaunes de crasse, des torchons raidis par la graisse des eaux de vaisselle, des chaussettes mangées et pourries de sueur. Pourtant, dans l'odeur forte qui battait son visage penché au-dessus des tas, une nonchalance la prenait. Elle s'était assise au bord d'un tabouret, se courbant en deux, allongeant les mains à droite, à gauche, avec des gestes ralentis, comme si elle se grisait de cette puanteur humaine, vaguement souriante, les yeux noyés. Et il semblait que ses premières paresses vinssent de là, de l'asphyxie des vieux linges empoisonnant l'air autour d'elle.

Juste au moment où elle secouait une couche d'enfant, qu'elle ne reconnaissait pas, tant elle était pisseuse, Coupeau entra.

— Cré coquin! bégaya-t-il, quel coup de soleil !... Ça vous tape dans la tête!

Le zingueur se retint à l'établi pour ne pas tomber. C'était la première fois qu'il prenait une pareille cuite. Jusque-là, il était rentré pompette, rien de plus. Mais, cette fois, il avait un gnon sur l'œil, une claque amicale égarée dans une bousculade. Ses cheveux frisés, où des fils blancs se montraient déjà, devaient avoir épousseté une encoignure de quelque salle louche de marchand de vin, car une toile d'araignée pendait à une mèche, sur la nuque.

---

120. « *Faiseuse de giries* : fausse Agnès, fausse prude, – et vraie femme » (Delvau).

121. « *Seins,* – dans l'argot des grisettes » (Delvau). On écrit aussi *nénés.*

Il restait rigolo d'ailleurs, les traits un peu tirés et vieillis, la mâchoire inférieure saillant davantage, mais toujours bon enfant, disait-il, et la peau encore assez tendre pour faire envie à une duchesse.

— Je vais t'expliquer, reprit-il en s'adressant à Gervaise. C'est Pied-de-Céleri, tu le connais bien, celui qui a une quille de bois... Alors, il part pour son pays, il a voulu nous régaler... Oh! nous étions d'aplomb, sans ce gueux de soleil... Dans la rue, le monde était malade. Vrai! le monde festonne[122]...

Et comme la grande Clémence s'égayait de ce qu'il avait vu la rue soûle, il fut pris lui-même d'une joie énorme dont il faillit étrangler. Il criait :

— Hein! les sacrés pochards! Ils sont d'un farce!... Mais ce n'est pas leur faute, c'est le soleil...

Toute la boutique riait, même Mme Putois qui n'aimait pas les ivrognes. Ce louchon d'Augustine avait un chant de poule, la bouche ouverte, suffoquant. Cependant, Gervaise soupçonnait Coupeau de n'être pas rentré tout droit, d'avoir passé une heure chez les Lorilleux, où il recevait de mauvais conseils. Quand il lui eut juré que non, elle rit à son tour, pleine d'indulgence, ne lui reprochant même pas d'avoir encore perdu une journée de travail.

— Dit-il des bêtises, mon Dieu! murmura-t-elle. Peut-on dire des bêtises pareilles!

Puis, d'une voix maternelle :

— Va te coucher n'est-ce pas ? Tu vois, nous sommes occupées; tu nous gênes... Ça fait trente-deux mouchoirs, madame Bijard; et deux autres, trente-quatre...

Mais Coupeau n'avait pas sommeil. Il resta là, à se dandiner, avec un mouvement de balancier d'horloge, ricanant d'un air entêté et taquin. Gervaise, qui voulait se débarrasser de Mme Bijard, appela Clémence, lui fit compter le linge pendant qu'elle l'inscrivait. Alors, à chaque pièce, cette grande vaurienne lâcha un mot cru, une saleté; elle étalait les misères des clients, les aventures des alcôves, elle avait des plaisanteries d'atelier sur tous les trous et toutes les taches qui lui passaient par les mains. Augustine faisait celle qui ne comprend pas, ouvrait de grandes oreilles de petite fille vicieuse. Mme Putois pinçait les lèvres, trouvait ça bête, de dire ces choses devant Coupeau; un homme n'a pas besoin de voir le linge; c'est un de ces déballages qu'on évite chez les gens comme il faut. Quant à Gervaise, sérieuse, à son affaire, elle semblait ne pas entendre. Tout en écrivant, elle suivait

les pièces d'un regard attentif, pour les reconnaître au passage; et elle ne se trompait jamais, elle mettait un nom sur chacune, au flair, à la couleur. Ces serviettes-là appartenaient aux Goujet; ça sautait aux yeux, elles n'avaient pas servi à essuyer le cul des poêlons. Voilà une taie d'oreiller qui venait certainement des Boche, à cause de la pommade dont Mme Boche emplâtrait tout son linge. Il n'y avait pas besoin non plus de mettre son nez sur les gilets de flanelle de M. Madinier, pour savoir qu'ils étaient à lui; il teignait la laine, cet homme, tant il avait la peau grasse. Et elle savait d'autres particularités, les secrets de la propreté de chacun, les dessous des voisines qui traversaient la rue en jupes de soie, le nombre de bas, de mouchoirs, de chemises qu'on salissait par semaine, la façon dont les gens déchiraient certaines pièces, toujours au même endroit. Aussi était-elle pleine d'anecdotes. Les chemises de Mlle Remanjou, par exemple, fournissaient des commentaires interminables; elles s'usaient par le haut, la vieille fille devait avoir les os des épaules pointus; et jamais elles n'étaient sales, les eût-elle portées quinze jours, ce qui prouvait qu'à cet âge-là on est quasiment comme un morceau de bois, dont on serait bien en peine de tirer une larme de quelque chose. Dans la boutique, à chaque triage, on déshabillait ainsi tout le quartier de la Goutte-d'Or.

— Ça, c'est du nanan[123]! cria Clémence, en ouvrant un nouveau paquet.

Gervaise, prise brusquement d'une grande répugnance, s'était reculée.

— Le paquet de madame Gaudron, dit-elle. Je ne veux plus la blanchir, je cherche un prétexte... Non, je ne suis pas plus difficile qu'une autre, j'ai touché à du linge bien dégoûtant dans ma vie; mais, vrai, celui-là, je ne peux pas. Ça me ferait jeter du cœur sur du carreau... Qu'est-ce qu'elle fait donc, cette femme, pour mettre son linge dans un état pareil!

Et elle pria Clémence de se dépêcher. Mais l'ouvrière continuait ses remarques, fourrait ses doigts dans les trous, avec des allusions sur les pièces, qu'elle agitait comme les drapeaux de l'ordure triomphante. Cependant, les tas avaient monté autour de Gervaise. Maintenant, toujours assise au bord du tabouret, elle disparaissait entre les chemises et les jupons; elle avait devant elle les draps, les pantalons, les nappes, une débâcle de malpropreté; et, là-dedans, au milieu de cette mare grandis-

---

122. « Être en état d'ivresse et décrire en marchant des zigzags dont s'amusent les gamins, et dont rougissent les hommes au nom de la Raison et de la Dignité humaine outragées » (Delvau).

123. « Chose exquise, curieuse, rare, – dans l'argot des grandes personnes. *C'est du nanan!* C'est un elzévir, ou un manuscrit de Rabelais, ou une anecdote scandaleuse, ou n'importe quoi » (Delvau).

sante, elle gardait ses bras nus, son cou nu, avec ses mèches de petits cheveux blonds collés à ses tempes, plus rose et alanguie. Elle retrouvait son air posé, son sourire de patronne attentive et soigneuse, oubliant le linge de Mme Gaudron, ne le sentant plus, fouillant d'une main dans les tas pour voir s'il n'y avait pas d'erreur. Ce louchon d'Augustine, qui adorait jeter des pelletées de coke dans la mécanique, venait de la bourrer à un tel point, que les plaques de fonte rougissaient. Le soleil oblique battait la devanture, la boutique flambait. Alors, Coupeau, que la grosse chaleur grisait davantage, fut pris d'une soudaine tendresse. Il s'avança vers Gervaise, les bras ouverts, très ému.

— T'es une bonne femme, bégayait-il. Faut que je t'embrasse.

Mais il s'emberlificota dans les jupons, qui lui barraient le chemin, et faillit tomber.

— Es-tu bassin [124] ! dit Gervaise sans se fâcher. Reste tranquille, nous avons fini.

Non, il voulait l'embrasser, il avait besoin de ça, parce qu'il l'aimait bien. Tout en balbutiant, il tournait le tas de jupons, il butait dans le tas de chemises ; puis, comme il s'entêtait, ses pieds s'accrochèrent, il s'étala, le nez au beau milieu des torchons. Gervaise, prise d'un commencement d'impatience, le bouscula, en criant qu'il allait tout mélanger. Mais Clémence, Mme Putois elle-même, lui donnèrent tort. Il était gentil, après tout. Il voulait l'embrasser. Elle pouvait bien se laisser embrasser.

— Vous êtes heureuse, allez ! madame Coupeau, dit Mme Bijard, que son soûlard de mari, un serrurier, tuait de coups chaque soir en rentrant. Si le mien était comme ça, quand il s'est piqué le nez, ça serait un plaisir !

Gervaise, calmée, regrettait déjà sa vivacité. Elle aida Coupeau à se remettre debout. Puis, elle tendit la joue en souriant. Mais le zingueur, sans se gêner devant le monde, lui prit les seins.

— Ce n'est pas pour dire, murmura-t-il, il chelingue [125] rudement, ton linge ! Mais je t'aime tout de même, vois-tu !

— Laisse-moi, tu me chatouilles, cria-t-elle en riant plus fort. Quelle grosse bête ! On n'est pas bête comme ça !

Il l'avait empoignée, il ne la lâchait pas. Elle s'abandonnait, étourdie par le léger vertige qui lui venait du tas de linge, sans dégoût pour l'haleine

vineuse de Coupeau. Et le gros baiser qu'ils échangèrent à pleine bouche, au milieu des saletés du métier, était comme une première chute, dans le lent avachissement de leur vie.

Cependant, Mme Bijard nouait le linge en paquets. Elle parlait de sa petite, âgée de deux ans, une enfant nommée Eulalie, qui avait déjà de la raison comme une femme. On pouvait la laisser seule ; elle ne pleurait jamais, elle ne jouait pas avec les allumettes. Enfin, elle emporta les paquets de linge un à un, sa grande taille cassée sous le poids, sa face se marbrant de taches violettes.

— Ce n'est plus tenable, nous grillons, dit Gervaise en s'essuyant la figure, avant de se remettre au bonnet de Mme Boche.

Et l'on parla de ficher des claques à Augustine, quand on s'aperçut que la mécanique était rouge. Les fers, eux aussi, rougissaient. Elle avait donc le diable dans le corps ! On ne pouvait pas tourner le dos sans qu'elle fît quelque mauvais coup. Maintenant, il fallait attendre un quart d'heure pour se servir des fers. Gervaise couvrit le feu de deux pelletées de cendre. Elle imagina en outre de tendre une paire de draps sur les fils de laiton du plafond, en manière de stores, afin d'amortir le soleil. Alors, on fut très bien dans la boutique. La température y était encore joliment douce ; mais on se serait cru dans une alcôve, avec un jour blanc, enfermé comme chez soi, loin du monde, bien qu'on entendît, derrière les draps, les gens marchant vite sur le trottoir ; et l'on avait la liberté de se mettre à son aise. Clémence retira sa camisole. Coupeau refusant toujours d'aller se coucher, on lui permit de rester, mais il dut promettre de se tenir tranquille dans un coin, car il s'agissait à cette heure de ne pas s'endormir sur le rôti.

— Qu'est-ce que cette vermine a encore fait du polonais ? murmurait Gervaise, en parlant d'Augustine.

On cherchait toujours le petit fer, que l'on retrouvait dans des endroits singuliers, où l'apprentie, disait-on, le cachait par malice. Gervaise acheva enfin la coiffe du bonnet de Mme Boche. Elle en avait ébauché les dentelles, les détirant à la main, les redressant d'un léger coup de fer. C'était un bonnet dont la passe, très ornée, se composait d'étroits bouillonnés alternant avec des entre-deux brodés. Aussi s'appliquait-elle, muette, soigneuse, repassant les bouillonnés et les entre-deux au coq, un œuf de fer fiché par une tige dans un pied de bois.

Alors, un silence régna. On n'entendit plus, pendant un instant, que les coups sourds, étouffés sur

---

124. « Homme ennuyeux, – dans l'argot des filles et des faubouriens, qui n'aiment pas à être ennuyés, les premières surtout. On dit aussi *bassinoire* » (Delvau).

125. « Puer, – dans l'argot des faubouriens » (Delvau).

a couverture. Aux deux côtés de la vaste table carrée, la patronne, les deux ouvrières et l'apprentie, debout, se penchaient, toutes à leur besogne, es épaules arrondies, les bras promenés dans un va-et-vient continu. Chacune, à sa droite, avait son carreau, une brique plate, brûlée par les fers trop chauds. Au milieu de la table, au bord d'une assiette creuse pleine d'eau claire, trempaient un chiffon et une petite brosse. Un bouquet de grands lis, dans un ancien bocal de cerises à l'eau-de-vie, s'épanouissait, mettait là un coin de jardin royal, avec a touffe de ses larges fleurs de neige. Mme Putois avait attaqué le panier de linge préparé par Gervaise, des serviettes, des pantalons, des camisoles, des paires de manches. Augustine faisait traîner ses bas et ses torchons, le nez en l'air, intéressée par une grosse mouche qui volait. Quant à a grande Clémence, elle en était, depuis le matin, à sa trente-cinquième chemise d'homme.

— Toujours du vin, jamais de casse-poitrine! dit tout d'un coup le zingueur, qui éprouva le besoin de faire cette déclaration. Le casse-poitrine me fait du mal, n'en faut pas!

Clémence prenait un fer à la mécanique, avec sa poignée de cuir garnie de tôle, et l'approchait de sa joue, pour s'assurer s'il était assez chaud. Elle e frotta sur son carreau, l'essuya sur un linge pendu à sa ceinture, et attaqua sa trente-cinquième chemise, en repassant d'abord l'empiècement et les deux manches.

— Bah! monsieur Coupeau, dit-elle, au bout d'une minute, un petit verre de cric [126], ce n'est pas mauvais. Moi, ça me donne du chien... Puis, vous savez, plus vite on est tortillé, plus c'est drôle. Oh! je ne me monte pas le bourrichon [127], je sais que je ne ferai pas de vieux os.

— Êtes-vous tannante avec vos idées d'enterrement! interrompit Mme Putois, qui n'aimait pas les conversations tristes.

Coupeau s'était levé, et se fâchait, en croyant qu'on l'accusait d'avoir bu de l'eau-de-vie. Il le jurait sur sa tête, sur celles de sa femme et de son enfant, il n'avait pas une goutte d'eau-de-vie dans le corps. Et il s'approchait de Clémence, lui soufflant dans la figure pour qu'elle le sentît. Puis, quand il eut le nez sur ses épaules nues, il se mit à ricaner. Il voulait voir. Clémence, après avoir plié le dos de la chemise et donné un coup de fer des deux côtés, en était aux poignets et au col. Mais, comme il se

poussait toujours contre elle, il lui fit faire un faux pli; et elle dut prendre la brosse, au bord de l'assiette creuse, pour lisser l'amidon.

— Madame! dit-elle, empêchez-le donc d'être comme ça après moi!

— Laisse-la, tu n'es pas raisonnable, déclara tranquillement Gervaise. Nous sommes pressées, entends-tu!

Elles étaient pressées, eh bien! quoi? ce n'était pas sa faute. Il ne faisait rien de mal. Il ne touchait pas, il regardait seulement. Est-ce qu'il n'était plus permis de regarder les belles choses que le bon Dieu a faites? Elle avait tout de même de sacrés ailerons, cette dessalée de Clémence! Elle pouvait se montrer pour deux sous et laisser tâter, personne ne regretterait son argent. L'ouvrière, cependant, ne se défendait plus, riait de ces compliments tout crus d'homme en ribote. Et elle en venait à plaisanter avec lui. Il la blaguait sur les chemises d'homme. Alors, elle était toujours dans les chemises d'homme. Mais oui, elle vivait là-dedans. Ah! Dieu de Dieu! elle les connaissait joliment, elle savait comment c'était fait. Il lui en avait passé par les mains, et des centaines, et des centaines! Tous les blonds et tous les bruns du quartier portaient de son ouvrage sur le corps. Pourtant, elle continuait, les épaules secouées de son rire; elle avait marqué cinq grands plis à plat dans le dos, en introduisant le fer par l'ouverture du plastron; elle rabattait le pan de devant et le plissait également à larges coups.

— Ça, c'est la bannière! dit-elle en riant plus fort.

Ce louchon d'Augustine éclata, tant le mot lui parut drôle. On la gronda. En voilà une morveuse qui riait des mots qu'elle ne devait pas comprendre! Clémence lui passa son fer; l'apprentie finissait les fers sur ses torchons et sur ses bas, quand ils n'étaient plus assez chauds pour les pièces amidonnées. Mais elle empoigna celui-là si maladroitement, qu'elle se fit une manchette, une longue brûlure au poignet. Et elle sanglota, elle accusa Clémence de l'avoir brûlée exprès. L'ouvrière, qui était allée chercher un fer très chaud pour le devant de la chemise, la consola tout de suite en la menaçant de lui repasser les deux oreilles, si elle continuait. Cependant, elle avait fourré une laine sous le plastron, elle poussait lentement le fer, laissant à l'amidon le temps de ressortir et de sécher. Le devant de chemise prenait une raideur et un luisant de papier fort.

— Sacré mâtin! jura Coupeau, qui piétinait derrière elle, avec une obstination d'ivrogne.

Il se haussait, riant d'un rire de poulie mal grais-

126. « Eau-de-vie de qualité inférieure, – dans l'argot des faubouriens » (Delvau).
127. « Se faire une fausse idée de la vie, s'exagérer les bonheurs qu'on doit y rencontrer, et s'exposer ainsi, de gaieté de cœur, à de cruels mécomptes et à d'amers désenchantements » (Delvau).

sée. Clémence, appuyée fortement sur l'établi, les poignets retournés, les coudes en l'air et écartés, ₁pliait le cou, dans un effort; et toute sa chair nue avait un gonflement, ses épaules remontaient avec le jeu lent des muscles mettant des battements sous la peau fine, la gorge s'enflait, moite de sueur, dans l'ombre rose de la chemise béante. Alors, il envoya les mains, il voulut toucher.

— Madame! madame! cria Clémence, faites-le tenir tranquille, à la fin!... Je m'en vais, si ça continue. Je ne veux pas être insultée.

Gervaise venait de poser le bonnet de Mme Boche sur un champignon garni d'un linge, et en tuyautait les dentelles minutieusement au petit fer. Elle leva les yeux juste au moment où le zingueur envoyait encore les mains, fouillant dans la chemise.

— Décidément, Coupeau, tu n'es pas raisonnable, dit-elle d'un air d'ennui, comme si elle avait grondé un enfant s'entêtant à manger des confitures sans pain. Tu vas venir te coucher.

— Oui, allez vous coucher, monsieur Coupeau, ça vaudra mieux, déclara Mme Putois.

— Ah bien! bégaya-t-il sans cesser de ricaner, vous êtes encore joliment toc [128]!... On ne peut plus rigoler, alors? Les femmes, ça me connaît, je ne leur ai jamais rien cassé. On pince une dame, n'est-ce pas? mais on ne va pas plus loin; on honore simplement le sexe... Et puis, quand on étale sa marchandise, c'est pour qu'on fasse son choix, pas vrai? Pourquoi la grande blonde montre-t-elle tout ce qu'elle a? Non, ce n'est pas propre...

Et, se tournant vers Clémence:

— Tu sais, ma biche, tu as tort de faire ta poire... Si c'est parce qu'il y a du monde...

Mais il ne put continuer. Gervaise, sans violence, l'empoignait d'une main et lui posait l'autre main sur la bouche. Il se débattit, par manière de blague, pendant qu'elle le poussait au fond de la boutique, vers la chambre. Il dégagea sa bouche, il dit qu'il voulait bien se coucher, mais que la grande blonde allait venir lui chauffer les petons. Puis, on entendit Gervaise lui ôter ses souliers. Elle le déshabillait, en le bourrant un peu, maternellement. Lorsqu'elle tira sur sa culotte, il creva de rire, s'abandonnant, renversé, vautré au beau milieu du lit; et il gigotait, il racontait qu'elle lui faisait des chatouilles. Enfin, elle l'emmaillota avec soin, comme un enfant. Était-il bien, au moins? Mais il ne répondit pas, il cria à Clémence:

— Dis donc, ma biche, j'y suis, je t'attends.

Quand Gervaise retourna dans la boutique, ce louchon d'Augustine recevait décidément une claque de Clémence. C'était venu à propos d'un fer sale, trouvé sur la mécanique par Mme Putois; celle-ci, ne se méfiant pas, avait noirci toute une camisole; et comme Clémence, pour se défendre de ne pas avoir nettoyé son fer, accusait Augustine, jurait ses grands dieux que le fer n'était pas à elle, malgré la plaque d'amidon brûlé restée dessous, l'apprentie lui avait craché sur la robe, sans se cacher, par-devant, outrée d'une pareille injustice. De là, une calotte soignée. Le louchon rentra ses larmes, nettoya le fer, avec un bout de bougie; mais, chaque fois qu'elle devait passer derrière Clémence, elle gardait de la salive, elle crachait, riant en dedans, quand ça dégoulinait le long de la jupe.

Gervaise se remit à tuyauter les dentelles du bonnet. Et, dans le calme brusque qui se fit, on distingua, au fond de l'arrière-boutique, la voix épaisse de Coupeau. Il restait bon enfant, il riait tout seul, en lâchant des bouts de phrase.

— Est-elle bête, ma femme!... Est-elle bête de me coucher!... Hein! c'est trop bête, en plein midi, quand on n'a pas dodo!

Mais, tout d'un coup, il ronfla. Alors, Gervaise eut un soupir de soulagement, heureuse de le savoir enfin en repos, cuvant sa soulographie sur deux bons matelas. Et elle parla dans le silence, d'une voix lente et continue, sans quitter des yeux le petit fer à tuyauter, qu'elle maniait vivement.

— Que voulez-vous, il n'a pas sa raison, on ne peut pas se fâcher. Quand je le bousculerais, ça n'avancerait à rien. J'aime mieux dire comme lui et le coucher; au moins, c'est fini tout de suite et je suis tranquille... Puis, il n'est pas méchant, il m'aime bien. Vous avez vu tout à l'heure, il serait fait hacher pour m'embrasser. C'est encore très gentil, ça; car il y en a joliment, lorsqu'ils ont bu, qui vont voir les femmes... Lui, rentre tout droit ici. Il plaisante bien avec les ouvrières, mais ça ne va pas plus loin. Entendez-vous, Clémence, il ne faut pas vous blesser. Vous savez ce que c'est, un homme soûl; ça tuerait père et mère, et ça ne s'en souviendrait seulement pas... Oh! je lui pardonne de bon cœur. Il est comme tous les autres, pardi!

Elle disait ces choses mollement, sans passion, habituée déjà aux bordées de Coupeau, raisonnant encore ses complaisances pour lui, mais ne voyant déjà plus de mal à ce qu'il pinçât, chez elle, les hanches des filles. Quand elle se tut, le silence retomba, ne fut pas troublé. Mme Putois, à chaque pièce qu'elle prenait, tirait la corbeille, enfoncée sous la tenture de cretonne qui garnissait l'établi; puis, la pièce repassée, elle haussait ses petits bras

128. « Laid; mauvais – en parlant des gens et des choses. Argot des petites dames et des bohèmes » (Delvau).

444

et la posait sur une étagère. Clémence achevait de plisser au fer sa trente-cinquième chemise d'homme. L'ouvrage débordait; on avait calculé qu'il faudrait veiller jusqu'à onze heures, en se dépêchant. Tout l'atelier, maintenant, n'ayant plus de distraction, bûchait ferme, tapait dur. Les bras nus allaient, venaient, éclairaient de leurs taches roses la blancheur des linges. On avait encore empli de coke la mécanique, et comme le soleil, glissant entre les draps, frappait en plein sur le fourneau, on voyait la grosse chaleur monter dans le rayon, une flamme invisible dont le frisson secouait l'air. L'étouffement devenait tel, sous les jupes et les nappes séchant au plafond, que ce louchon d'Augustine, à bout de salive, laissait passer un coin de langue au bord des lèvres. Ça sentait la fonte surchauffée, l'eau d'amidon aigrie, le roussi des fers, une fadeur tiède de baignoire où les quatre ouvrières, se démanchant les épaules, mettaient l'odeur plus rude de leurs chignons et de leurs nuques trempées; tandis que le bouquet de grands lis, dans l'eau verdie de son bocal, se fanait, en exhalant un parfum très pur, très fort. Et, par moments, au milieu du bruit des fers et du tisonnier grattant la mécanique, un ronflement de Coupeau roulait, avec la régularité d'un tic-tac énorme d'horloge, réglant la grosse besogne de l'atelier.

Les lendemains de culotte [129], le zingueur avait mal aux cheveux, un mal aux cheveux terrible qui le tenait tout le jour les crins défrisés, le bec empesté, la margoulette [130] enflée et de travers. Il se levait tard, secouait ses puces sur les huit heures seulement; et il crachait, traînaillait dans la boutique, ne se décidait pas à partir pour le chantier. La journée était encore perdue. Le matin, il se plaignait d'avoir des guibolles de coton, il s'appelait trop bête de gueuletonner comme ça, puisque ça vous démantibulait le tempérament. Aussi, on rencontrait un tas de gouapes [131], qui ne voulaient pas vous lâcher le coude; on gobelottait malgré soi, on se trouvait dans toutes sortes de fourbis, on finissait par se laisser pincer, et raide! Ah! fichtre non! ça ne lui arriverait plus; il n'entendait pas laisser ses bottes chez le mastroquet, à la fleur de l'âge. Mais, après le déjeuner, il se requinquait, poussant des hum! hum! pour se prouver qu'il avait encore un bon creux. Il commençait à nier la noce de la veille, un peu d'allumage peut-être. On

n'en faisait plus de comme lui, solide au poste, une poigne du diable, buvant tout ce qu'il voulait sans cligner un œil. Alors, l'après-midi entière, il flânochait dans le quartier. Quand il avait bien embêté les ouvrières, sa femme lui donnait vingt sous pour qu'il débarrassât le plancher. Il filait, il allait acheter son tabac à la Petite Civette, rue des Poissonniers, où il prenait généralement une prune, lorsqu'il rencontrait un ami. Puis, il achevait de casser la pièce de vingt sous chez François, au coin de la rue de la Goutte-d'Or, où il y avait un joli vin, tout jeune, chatouillant le gosier. C'était un mannezingue [132] de l'ancien jeu, une boutique noire, sous un plafond bas, avec une salle enfumée, à côté, dans laquelle on vendait de la soupe. Et il restait là jusqu'au soir, à jouer des canons au tourniquet; il avait l'œil [133] chez François, qui promettait formellement de ne jamais présenter la note à la bourgeoise. N'est-ce pas? il fallait bien se rincer un peu la dalle [134], pour la débarrasser des crasses de la veille. Un verre de vin en pousse un autre. Lui, d'ailleurs, toujours bon zigue, ne donnant pas une chiquenaude au sexe, aimant la rigolade, bien sûr, et se piquant le nez à son tour, mais gentiment, plein de mépris pour ces saloperies d'hommes tombés dans l'alcool, qu'on ne voit pas dessoûler! Il rentrait gai et galant comme un pinson.

— Est-ce que ton amoureux est venu? demandait-il parfois à Gervaise pour la taquiner. On ne l'aperçoit plus, il faudra que j'aille le chercher.

L'amoureux, c'était Goujet. Il évitait, en effet, de venir trop souvent, par peur de gêner et de faire causer. Pourtant, il saisissait les prétextes, apportait le linge, passait vingt fois sur le trottoir. Il y avait un coin dans la boutique, au fond, où il aimait à rester des heures, assis sans bouger, fumant sa courte pipe. Le soir, après son dîner, une fois tous les dix jours, il se risquait, s'installait; et il n'était guère causeur, la bouche cousue, les yeux sur Gervaise, ôtant seulement sa pipe de la bouche pour rire de tout ce qu'elle disait. Quand l'atelier veillait le samedi, il s'oubliait, paraissait s'amuser là plus que s'il était allé au spectacle. Des fois, les ouvrières repassaient jusqu'à trois heures du matin. Une lampe pendait du plafond, à un fil de fer; l'abat-jour jetait un grand rond de clarté vive, dans lequel les linges prenaient des blancheurs molles de neige. L'apprentie mettait les volets de la bou-

---

129. « Culotte (avoir une) : être complètement ivre, – dans l'argot des faubouriens, qui, par cette expression, font certainement une allusion scatologique, car l'ivrogne ne sait pas toujours ce qu'il fait... » (Delvau).
130. « La bouche considérée comme avaloir » (Delvau).
131. « Filou, – dans l'argot des faubouriens (Delvau).

132. « Cabaret; marchand de vin, – dans l'argot des faubouriens, qui n'emploient ce mot que depuis une trentaine d'années » (Delvau).
133. « Faire bonne garde autour d'une personne ou d'une chose » (Delvau). « Avoir du crédit » (D. Poulot).
134. La *dalle* est le gosier. On dit couramment, en argot, « se faire rincer la dalle » pour « se faire inviter à boire ».

tique; mais, comme les nuits de juillet étaient brûlantes, on laissait la porte ouverte sur la rue. Et, à mesure que l'heure avançait, les ouvrières se dégrafaient, pour être à l'aise. Elles avaient une peau fine, toute dorée dans le coup de lumière de la lampe, Gervaise surtout, devenue grasse, les épaules blondes, luisantes comme une soie, avec un pli de bébé au cou, dont il aurait dessiné de souvenir la petite fossette, tant il le connaissait. Alors, il était pris par la grosse chaleur de la mécanique, par l'odeur des linges fumant sous les fers; et il glissait à un léger étourdissement, la pensée ralentie, les yeux occupés de ces femmes qui se hâtaient, balançant leurs bras nus, passant la nuit à endimancher le quartier. Autour de la boutique, les maisons voisines s'endormaient, le grand silence du sommeil tombait lentement. Minuit sonnait, puis une heure, puis deux heures. Les voitures, les passants s'en étaient allés. Maintenant, dans la rue déserte et noire, la porte envoyait seule une raie de jour, pareille à un bout d'étoffe jaune déroulé à terre. Par moments, un pas sonnait au loin, un homme approchait; et, lorsqu'il traversait la raie de jour, il allongeait la tête, surpris des coups de fer qu'il entendait, emportant la vision rapide des ouvrières dépoitraillées, dans une buée rousse.

Goujet, voyant Gervaise embarrassée d'Étienne, et voulant le sauver des coups de pied au derrière de Coupeau, l'avait embauché pour tirer le soufflet, à sa fabrique de boulons. L'état de cloutier, s'il n'avait rien de flatteur en lui-même, à cause de la saleté de la forge et de l'embêtement de toujours taper sur les mêmes morceaux de fer, était un riche état, où l'on gagnait des dix et des douze francs par jour. Le petit, alors âgé de douze ans, pourrait s'y mettre bientôt, si le métier lui allait. Et Étienne était ainsi devenu un lien de plus entre la blanchisseuse et le forgeron. Celui-ci ramenait l'enfant, donnait des nouvelles de sa bonne conduite. Tout le monde disait en riant à Gervaise que Goujet avait un béguin pour elle. Elle le savait bien, elle rougissait comme une jeune fille, avec une fleur de pudeur qui lui mettait aux joues des tons vifs de pomme d'api. Ah! le pauvre cher garçon, il n'était pas gênant! Jamais il ne lui avait parlé de ça; jamais un geste sale, jamais un mot polisson. On n'en rencontrait pas beaucoup de cette honnête pâte. Et, sans vouloir l'avouer, elle goûtait une grande joie à être aimée ainsi, pareillement à une sainte vierge. Quand il lui arrivait quelque ennui sérieux, elle songeait au forgeron; ça la consolait. Ensemble, s'ils restaient seuls, ils n'étaient pas gênés du tout; ils se regardaient avec des sourires, bien en face, sans se raconter ce qu'ils éprouvaient. C'était une tendresse raisonnable, ne songeant pas aux vilaines choses, parce qu'il vaut encore mieux garder la tranquillité, quand on peut s'arranger pour être heureux, tout en restant tranquille.

Cependant, Nana, vers la fin de l'été, bouleversa la maison. Elle avait six ans, elle s'annonçait comme une vaurienne finie. Sa mère la menait chaque matin, pour ne pas la rencontrer toujours sous ses pieds, dans une petite pension de la rue Polonceau, chez Mlle Josse. Elle y attachait par-derrière les robes de ses camarades, elle emplissait de cendre la tabatière de la maîtresse, trouvait des inventions moins propres encore, qu'on ne pouvait pas raconter. Deux fois, Mlle Josse la mit à la porte, puis la reprit, pour ne pas perdre les six francs, chaque mois. Dès la sortie de la classe, Nana se vengeait d'avoir été enfermée, en faisant une vie d'enfer sous le porche et dans la cour, où les repasseuses, les oreilles cassées, lui disaient d'aller jouer. Elle retrouvait là Pauline, la fille des Boche, et le fils de l'ancienne patronne de Gervaise, Victor, un grand dadais de dix ans, qui adorait galopiner en compagnie des toutes petites filles. Mme Fauconnier, qui ne s'était pas fâchée avec les Coupeau, envoyait elle-même son fils. D'ailleurs, dans la maison, il y avait un pullulement extraordinaire de mioches, des volées d'enfants qui dégringolaient les quatre escaliers à toutes les heures du jour, et s'abattaient sur le pavé, comme des bandes de moineaux criards et pillards. Mme Gaudron, à elle seule, en lâchait neuf, des blonds, des bruns, mal peignés, mal mouchés, avec des culottes jusqu'aux yeux, des bas tombés sur les souliers, des vestes fendues, montrant leur peau blanche sous la crasse. Une autre femme, une porteuse de pain, au cinquième, en lâchait sept. Il en sortait des tapées de toutes les chambres. Et, dans ce grouillement de vermines aux museaux roses, débarbouillés chaque fois qu'il pleuvait, on en voyait de grands, l'air ficelle, de gros, ventrus déjà comme des hommes, de petits, petits, échappés du berceau, mal d'aplomb encore, tout bêtes, marchant à quatre pattes quand ils voulaient courir. Nana régnait sur ce tas de crapauds; elle faisait sa mademoiselle jordonne avec des filles deux fois plus grandes qu'elle, et daignait seulement abandonner un peu de son pouvoir à Pauline et à Victor, des confidents intimes qui appuyaient ses volontés. Cette fichue gamine parlait sans cesse de jouer à la maman, déshabillait les plus petits pour les rhabiller, voulait visiter les autres partout, les tripotait, exerçait un despotisme fantasque de grande personne ayant du vice.

C'était, sous sa conduite, des jeux à se faire gifler. La bande pataugeait dans les eaux de couleur de la teinturerie, sortait de là les jambes teintes en bleu ou en rouge, jusqu'aux genoux; puis, elle s'envolait chez le serrurier, où elle chipait des clous et de la limaille, et repartait pour aller s'abattre au milieu des copeaux de menuisier, des tas de copeaux énormes, amusants tout plein, dans lesquels on se roulait en montrant son derrière. La cour lui appartenait, retentissait du tapage des petits souliers se culbutant à la débandade, du cri perçant des voix qui s'enflaient chaque fois que la bande reprenait son vol. Certains jours même, la cour ne suffisait pas. Alors, la bande se jetait dans les caves, remontait, grimpait le long d'un escalier, enfilait un corridor, redescendait, reprenait un escalier, suivait un autre corridor, et cela sans se lasser, pendant des heures, gueulant toujours, ébranlant la maison géante d'un galop de bêtes nuisibles lâchées au fond de tous les coins.

— Sont-ils indignes, ces crapules-là! criait Mme Boche. Vraiment, il faut que les gens aient bien peu de chose à faire, pour faire tant d'enfants... Et ça se plaint encore de n'avoir pas de pain!

Boche disait que les enfants poussaient sur la misère comme des champignons sur le fumier. La portière criait toute la journée, les menaçait de son balai. Elle finit par fermer la porte des caves, parce qu'elle apprit par Pauline, à laquelle elle allongea une paire de calottes, que Nana avait imaginé de jouer au médecin, là-bas dans l'obscurité; cette vicieuse donnait des remèdes aux autres, avec des bâtons.

Or, une après-midi, il y eut une scène affreuse. Ça devait arriver, d'ailleurs. Nana s'avisa d'un petit jeu bien drôle. Elle avait volé, devant la loge, un sabot à Mme Boche. Elle l'attacha avec une ficelle, se mit à le traîner, comme une voiture. De son côté, Victor eut l'idée d'emplir le sabot de pelures de pomme. Alors, un cortège s'organisa. Nana marchait la première, tirant le sabot. Pauline et Victor s'avançaient à sa droite et à sa gauche. Puis, toute la flopée des mioches suivait en ordre, les grands d'abord, les petits ensuite, se bousculant; un bébé en jupe, haut comme une botte, portant sur l'oreille un bourrelet défoncé, venait le dernier. Et le cortège chantait quelque chose de triste, des oh! et des ah! Nana avait dit qu'on allait jouer à l'enterrement; les pelures de pomme, c'était le mort. Quand on eut fait le tour de la cour, on recommença. On trouvait ça joliment amusant.

— Qu'est-ce qu'ils font donc? murmura Mme Boche, qui sortit de la loge pour voir, toujours méfiante et aux aguets.

Et lorsqu'elle eut compris:

— Mais c'est mon sabot! cria-t-elle furieuse. Ah! les gredins!

Elle distribua des taloches, souffleta Nana sur les deux joues, flanqua un coup de pied à Pauline, cette grande dinde qui laissait prendre le sabot de sa mère. Justement, Gervaise emplissait un seau, à la fontaine. Quand elle aperçut Nana le nez en sang, étranglée de sanglots, elle faillit sauter au chignon de la concierge. Est-ce qu'on tapait sur un enfant comme sur un bœuf? Il fallait manquer de cœur, être la dernière des dernières. Naturellement, Mme Boche répliqua. Lorsqu'on avait une saloperie de fille pareille, on la tenait sous clef. Enfin, Boche lui-même parut sur le seuil de la loge, pour crier à sa femme de rentrer et de ne pas avoir tant d'explications avec de la saleté. Ce fut une brouille complète.

A la vérité, ça n'allait plus du tout bien entre les Boche et les Coupeau depuis un mois. Gervaise, très donnante de sa nature, lâchait à chaque instant des litres de vin, des tasses de bouillon, des oranges, des parts de gâteau. Un soir, elle avait porté à la loge un fond de saladier, de la barbe de capucin avec de la betterave, sachant que la concierge aurait fait des bassesses pour la salade. Mais, le lendemain, elle devint toute blanche en entendant Mlle Remanjou raconter comment Mme Boche avait jeté la barbe de capucin devant du monde, d'un air dégoûté, sous prétexte que, Dieu merci! elle n'en était pas encore réduite à se nourrir de choses où les autres avaient pataugé. Et, dès lors, Gervaise coupa net à tous les cadeaux: plus de litres de vin, plus de tasses de bouillon, plus d'oranges, plus de parts de gâteau, plus rien. Il fallait voir le nez des Boche! Ça leur semblait comme un vol que les Coupeau leur faisaient. Gervaise comprenait sa faute; car enfin, si elle n'avait point eu la bêtise de tant leur fourrer, ils n'auraient pas pris de mauvaises habitudes et seraient restés gentils. Maintenant, la concierge disait d'elle pis que pendre. Au terme d'octobre, elle fit des ragots à n'en plus finir au propriétaire, M. Marescot, parce que la blanchisseuse, qui mangeait son saint-frusquin en gueulardises, se trouvait en retard d'un jour sur son loyer; et même M. Marescot, pas très poli non plus celui-là, entra dans la boutique, le chapeau sur la tête, demandant son argent, qu'on lui allongea tout de suite d'ailleurs. Naturellement, les Boche avaient tendu la main aux Lorilleux. C'était à présent avec les Lorilleux qu'on godaillait dans la loge, au milieu des attendrissements de la réconciliation. Jamais on ne se serait fâché sans cette Banban, qui aurait fait battre des montagnes. Ah! les Boche la connaissaient à cette heure, ils comprenaient combien les Lorilleux devaient souffrir. Et, quand elle passait, tous affectaient de ricaner, sous la porte.

Gervaise pourtant monta un jour chez les Lorilleux. Il s'agissait de maman Coupeau, qui avait alors soixante-sept ans. Les yeux de maman Coupeau étaient complètement perdus. Ses jambes non plus n'allaient pas du tout. Elle venait de renoncer à son dernier ménage par force, et menaçait de crever de faim, si on ne la secourait pas. Gervaise trouvait honteux qu'une femme de cet âge, ayant trois enfants, fût ainsi abandonnée du ciel et de la terre. Et comme Coupeau refusait de parler aux Lorilleux, en disant à Gervaise qu'elle pouvait bien monter, elle, celle-ci monta sous le coup d'une indignation, dont tout son cœur était gonflé.

En haut, elle entra sans frapper, comme une tempête. Rien n'était changé depuis le soir où les Lorilleux, pour la première fois, lui avaient fait un accueil si peu engageant. Le même lambeau de laine déteinte séparait la chambre de l'atelier, un logement en coup de fusil qui semblait bâti pour une anguille. Au fond, Lorilleux, penché sur son établi, pinçait un à un les maillons d'un bout de colonne, tandis que Mme Lorilleux tirait un fil d'or à la filière, debout devant l'étau. La petite forge, sous le plein jour, avait un reflet rose.

— Oui, c'est moi! dit Gervaise. Ça vous étonne, parce que nous sommes à couteaux tirés? Mais je ne viens pas pour moi ni pour vous, vous pensez bien... C'est pour maman Coupeau que je viens. Oui, je viens voir si nous la laisserons attendre un morceau de pain de la charité des autres.

— Ah bien! en voilà une entrée! murmura Mme Lorilleux. Il faut avoir un fier toupet.

Et elle tourna le dos, elle se remit à tirer son fil d'or, en affectant d'ignorer la présence de sa belle-sœur. Mais Lorilleux avait levé sa face blême, criant :

— Qu'est-ce que vous dites?

Puis, comme il avait parfaitement entendu, il continua :

— Encore des potins, n'est-ce pas? Elle est gentille, maman Coupeau, de pleurer misère partout!... Avant-hier, pourtant, elle a mangé ici. Nous faisons ce que nous pouvons, nous autres. Nous n'avons pas le Pérou... Seulement, si elle va bavarder chez les autres, elle peut y rester, parce que nous n'aimons pas les espions.

Il reprit le bout de chaîne, tourna le dos à son tour, en ajoutant comme à regret :

— Quand tout le monde donnera cent sous par mois, nous donnerons cent sous.

Gervaise s'était calmée, toute refroidie par les figures en coin de rue des Lorilleux. Elle n'avait jamais mis les pieds chez eux sans éprouver un malaise. Les yeux à terre, sur les losanges de la claie de bois, où tombaient les déchets d'or, elle s'expliquait maintenant d'un air raisonnable. Maman Coupeau avait trois enfants; si chacun donnait cent sous, ça ne ferait que quinze francs, et vraiment ce n'était pas assez, on ne pouvait pas vivre avec ça; il fallait au moins tripler la somme. Mais Lorilleux se récriait. Où voulait-on qu'il volât quinze francs par mois? Les gens étaient drôles, on le croyait riche parce qu'il avait de l'or chez lui. Puis, il tapait sur maman Coupeau : elle ne voulait pas se passer de café le matin, elle buvait la goutte, elle montrait les exigences d'une personne qui aurait eu de la fortune. Parbleu! tout le monde aimait ses aises; mais, n'est-ce pas? quand on n'avait pas su mettre un sou de côté, on faisait comme les camarades, on se serrait le ventre. D'ailleurs, maman Coupeau n'était pas d'un âge à ne plus travailler; elle y voyait encore joliment clair quand il s'agissait de piquer un bon morceau au fond du plat; enfin, c'était une vieille rouée, elle rêvait de se dorloter. Même s'il en avait eu les moyens, il aurait cru mal agir en entretenant quelqu'un dans la paresse.

Cependant, Gervaise restait conciliante, discutait paisiblement ces mauvaises raisons. Elle tâchait d'attendrir les Lorilleux. Mais le mari finit par ne plus lui répondre. La femme maintenant était devant la forge, en train de dérocher un bout de chaîne, dans la petite casserole de cuivre à long manche, pleine d'eau seconde [135]. Elle affectait toujours de tourner le dos, comme à cent lieues. Et Gervaise parlait encore, les regardant s'entêter au travail, au milieu de la poussière noire de l'atelier, le corps déjeté, les vêtements rapiécés et graisseux, devenus d'une dureté abêtie de vieux outils, dans leur besogne étroite de machine. Alors, brusquement, la colère remonta sa gorge, elle cria :

— C'est ça, j'aime mieux ça, gardez votre argent!... Je prends maman Coupeau, entendez-vous! J'ai ramassé un chat l'autre soir, je peux bien ramasser votre mère. Et elle ne manquera de rien, et elle aura son café et sa goutte!... Mon Dieu! quelle sale famille!

Mme Lorilleux, du coup, s'était retournée. Elle brandissait la casserole, comme si elle allait jeter

---

135. L'eau seconde, appelée aussi « eau des savonniers », est l'acide nitrique étendu d'eau.

'eau seconde à la figure de sa belle-sœur. Elle bre-
douillait :

— Fichez le camp, ou je fais un malheur!... Et
ne comptez pas sur les cent sous, parce que je ne
donnerai pas un radis! non pas un radis!... Ah
bien! oui, cent sous! Maman vous servirait de
domestique, et vous vous gobergeriez avec mes
cent sous! Si elle va chez vous, dites-lui ça, elle
peut crever, je ne lui enverrai pas un verre d'eau...
Allons, houp! débarrassez le plancher!

— Quel monstre de femme! dit Gervaise en
refermant la porte avec violence.

Dès le lendemain, elle prit maman Coupeau chez
elle. Elle mit son lit dans le grand cabinet où couchait Nana, et qui recevait le jour par une lucarne
ronde, près du plafond. Le déménagement ne fut
pas long, car maman Coupeau, pour tout mobilier,
avait ce lit, une vieille armoire de noyer qu'on
plaça dans la chambre au linge sale, une table et
deux chaises; on vendit la table, on fit rempailler
les deux chaises. Et la vieille femme, le soir même
de son installation, donnait un coup de balai, lavait
la vaisselle, enfin se rendait utile, bien contente de
se tirer d'affaire. Les Lorilleux rageaient à crever,
d'autant plus que Mme Lerat venait de se remettre
avec les Coupeau. Un beau jour, les deux sœurs,
la fleuriste et la chaîniste, avaient échangé des torgnoles, au sujet de Gervaise; la première s'était
risquée à approuver la conduite de celle-ci, vis-à-vis
de leur mère; puis, par un besoin de taquinerie,
voyant l'autre exaspérée, elle en était arrivée à trouver les yeux de la blanchisseuse magnifiques, des
yeux auxquels on aurait allumé des bouts de papier;
et là-dessus toutes deux, après s'être giflées, avaient
juré de ne plus se revoir. Maintenant, Mme Lerat
passait ses soirées dans la boutique, où elle s'amusait en dedans des cochonneries de la grande Clémence.

Trois années se passèrent. On se fâcha et on se
raccommoda encore plusieurs fois. Gervaise se
moquait pas mal des Lorilleux, des Boche et de
tous ceux qui ne disaient point comme elle. S'ils
n'étaient pas contents, n'est-ce pas? ils pouvaient
aller s'asseoir. Elle gagnait ce qu'elle voulait, c'était
le principal. Dans le quartier, on avait fini par
avoir pour elle beaucoup de considération, parce
que, en somme, on ne trouvait pas des masses de
pratiques aussi bonnes, payant recta, pas chipo-
teuse, pas râleuse. Elle prenait son pain chez
Mme Coudeloup, rue des Poissonniers, sa viande
chez le gros Charles, un boucher de la rue Polonceau, son épicerie chez Lehongre, rue de la Goutte-
d'Or, presque en face de sa boutique. François, le
marchand de vin du coin de la rue, lui apportait
son vin par paniers de cinquante litres. Le voisin
Vigouroux, dont la femme devait avoir les hanches
bleues, tant les hommes la pinçaient, lui vendait
son coke au prix de la Compagnie du gaz. Et, l'on
pouvait le dire, ses fournisseurs la servaient en conscience, sachant bien qu'il y avait tout à gagner avec
elle, en se montrant gentil. Aussi, quand elle sortait
dans le quartier, en savates et en cheveux, rece-
vait-elle des bonjours de tous les côtés; elle restait
là chez elle, les rues voisines étaient comme les
dépendances naturelles de son logement, ouvert de
plain-pied sur le trottoir. Il lui arrivait maintenant
de faire traîner une commission, heureuse d'être
dehors, au milieu de ses connaissances. Les jours
où elle n'avait pas le temps de mettre quelque chose
au feu, elle allait chercher des portions, elle bavar-
dait chez le traiteur, qui occupait la boutique de
l'autre côté de la maison, une vaste salle avec de
grands vitrages poussiéreux, à travers la saleté desquels on apercevait le jour terni de la cour, au
fond. Ou bien, elle s'arrêtait et causait, les mains
chargées d'assiettes et de bols, devant quelque
fenêtre du rez-de-chaussée, un intérieur de savetier
entrevu, le lit défait, le plancher encombré de
loques, de deux berceaux éclopés et de la terrine
à la poix pleine d'eau noire. Mais le voisin qu'elle
respectait le plus était encore, en face, l'horloger,
le monsieur en redingote, l'air propre, fouillant
continuellement les montres avec des outils mignons; et souvent elle traversait la rue pour le
saluer, riant d'aise à regarder, dans la boutique
étroite comme une armoire, la gaieté des petits coucous dont les balanciers se dépêchaient, battant
l'heure à contretemps, tous à la fois.

6

Une après-midi d'automne [136], Gervaise, qui
venait de reporter du linge chez une pratique, rue
des Portes-Blanches, se trouva dans le bas de la
rue des Poissonniers comme le jour tombait. Il
avait plu le matin, le temps était très doux, une
odeur s'exhalait du pavé gras; et la blanchisseuse,
embarrassée de son grand panier, étouffait un peu,
la marche ralentie, le corps abandonné, remontant
la rue avec la vague préoccupation d'un désir sensuel, grandi dans sa lassitude. Elle aurait volon-

136. En 1858.

Le forgeron, dessin illustrant une lettre de Cézanne à Zola (1866).

— Ça me fait plaisir de vous savoir sa femme, répétait-il. Il mérite d'avoir une belle femme. N'est-ce pas ? la Gueule-d'Or, madame est une belle femme ?

Il se montrait galant, se poussait contre la blanchisseuse, qui reprit son panier et le garda devant elle, afin de le tenir à distance. Goujet, contrarié, comprenant que le camarade blaguait, à cause de sa bonne amitié pour Gervaise, lui cria :

— Dis donc, feignant ! pour quand les quarante millimètres ?... Es-tu d'attaque, maintenant que tu as le sac plein, sacré soiffard ?

Le forgeron voulait parler d'une commande de gros boulons qui nécessitaient deux frappeurs à l'enclume.

— Pour tout de suite, si tu veux, grand bébé ! répondit Bec-Salé, dit Boit-sans-Soif. Ça tète son pouce et ça fait l'homme ! T'as beau être gros, j'en ai mangé d'autres !

— Oui, c'est ça, tout de suite. Arrive, et à nous deux !

— On y est, malin !

Ils se défiaient, allumés par la présence de Gervaise. Goujet mit au feu les bouts de fer coupés à l'avance ; puis, il fixa sur une enclume une clouière de fort calibre. Le camarade avait pris contre le mur deux masses de vingt livres, les deux grandes sœurs de l'atelier, que les ouvriers nommaient Fifine et Dédèle. Et il continuait à crâner, il parlait d'une demi-grosse de rivets qu'il avait forgés pour le phare de Dunkerque, des bijoux, des choses à placer dans un musée, tant c'était fignolé. Sacristi, non ! il ne craignait pas la concurrence ; avant de rencontrer un cadet comme lui, on pouvait fouiller toutes les boîtes de la capitale. On allait rire, on allait voir ce qu'on allait voir.

— Madame jugera, dit-il en se tournant vers la jeune femme.

— Assez causé ! cria Goujet. Zouzou, du nerf ! Ça ne chauffe pas, mon garçon.

Mais Bec-Salé, dit Boit-sans-Soif, demanda encore :

— Alors, nous frappons ensemble ?

— Pas du tout ! chacun son boulon, mon brave !

La proposition jeta un froid, et du coup le camarade, malgré son bagou, resta sans salive. Des boulons de quarante millimètres établis par un seul homme, ça ne s'était jamais vu ; d'autant plus que les boulons devaient être à tête ronde, un ouvrage d'une fichue difficulté, un vrai chef-d'œuvre à faire. Les trois autres ouvriers de l'atelier avaient quitté leur travail pour voir ; un grand sec pariait un litre que Goujet serait battu. Cependant, les deux for-

gerons prirent chacun une masse, les yeux fermés, parce que Fifine pesait une demi-livre de plus que Dédèle. Bec-Salé, dit Boit-sans-Soif, eut la chance de mettre la main sur Dédèle ; la Gueule-d'Or tomba sur Fifine. Et, en attendant que le fer blanchît, le premier, redevenu crâne, posa devant l'enclume en roulant des yeux tendres du côté de la blanchisseuse ; il se campait, tapait des appels du pied comme un monsieur qui va se battre, dessinait déjà le geste de balancer Dédèle à toute volée. Ah ! tonnerre de Dieu ! il était bon là ; il aurait fait une galette de la colonne Vendôme !

— Allons, commence ! dit Goujet, en plaçant lui-même dans la clouière un des morceaux de fer, de la grosseur d'un poignet de fille.

Bec-Salé, dit Boit-sans-Soif, se renversa, donna le branle à Dédèle, des deux mains. Petit, desséché, avec sa barbe de bouc et ses yeux de loup, luisant sous sa tignasse mal peignée, il se cassait à chaque volée du marteau, sautait du sol comme emporté par son élan. C'était un rageur, qui se battait avec son fer, par embêtement de le trouver si dur ; et même il poussait un grognement, quand il croyait lui avoir appliqué une claque soignée. Peut-être bien que l'eau-de-vie amollissait les bras des autres, mais lui avait besoin d'eau-de-vie dans les veines, au lieu de sang ; la goutte de tout à l'heure lui chauffait la carcasse comme une chaudière, il se sentait une sacrée force de machine à vapeur. Aussi, le fer avait-il peur de lui, ce soir-là ; il l'aplatissait plus mou qu'une chique. Et Dédèle valsait, il fallait voir ! Elle exécutait le grand entrechat, les petons en l'air, comme une baladeuse de l'Élysée-Montmartre [137], qui montre son linge ; car il s'agissait de ne pas flâner, le fer est si canaille, qu'il se refroidit tout de suite, à la seule fin de se ficher du marteau. En trente coups, Bec-Salé, dit Boit-sans-Soif, avait façonné la tête de son boulon. Mais il soufflait, les yeux hors de leurs trous, et il était pris d'une colère furieuse en entendant ses bras craquer. Alors, emballé, dansant et gueulant, il allongea encore deux coups, uniquement pour se venger de sa peine. Lorsqu'il le retira de la clouière, le boulon, déformé, avait la tête mal plantée d'un bossu.

— Hein ! est-ce torché ? dit-il tout de même, avec son aplomb, en présentant son travail à Gervaise.

— Moi, je ne m'y connais pas, monsieur, répondit la blanchisseuse d'un air de réserve.

Mais elle voyait bien, sur le boulon, les deux der-

---

137. L'Élysée-Montmartre était un café-concert, situé à l'entrée du boulevard de la Chapelle, très fréquenté par les baladeuses « fille ou femme qui préfère l'oisiveté au travail et se faire suivre que se faire respecter » (Delvau).

niers coups de talon de Dédèle, et elle était joliment contente, elle se pinçait les lèvres pour ne pas rire, parce que Goujet à présent avait toutes les chances.

C'était le tour de la Gueule-d'Or. Avant de commencer, il jeta à la blanchisseuse un regard plein d'une tendresse confiante. Puis, il ne se pressa pas, il prit sa distance, lança le marteau de haut, à grandes volées régulières. Il avait le jeu classique, correct, balancé et souple. Fifine, dans ses deux mains, ne dansait pas un chahut de bastringue, les guibolles emportées par-dessus les jupes; elle s'enlevait, retombait en cadence, comme une dame noble, l'air sérieux, conduisant quelque menuet ancien. Les talons de Fifine tapaient la mesure, gravement; et ils s'enfonçaient dans le fer rouge, sur la tête du boulon, avec une science réfléchie, d'abord écrasant le métal au milieu, puis le modelant par une série de coups d'une précision rythmée. Bien sûr, ce n'était pas de l'eau-de-vie que la Gueule-d'Or avait dans les veines, c'était du sang, du sang pur, qui battait puissamment jusque dans son marteau, et qui réglait la besogne. Un homme magnifique au travail, ce gaillard-là! Il recevait en plein la grande flamme de la forge. Ses cheveux courts, frisant sur son front bas, sa belle barbe jaune, aux anneaux tombants, s'allumaient, lui éclairaient toute la figure de leurs fils d'or, une vraie figure d'or, sans mentir. Avec ça, un cou pareil à une colonne, blanc comme un cou d'enfant; une poitrine vaste, large à y coucher une femme en travers; des épaules et des bras sculptés qui paraissaient copiés sur ceux d'un géant, dans un musée. Quand il prenait son élan, on voyait ses muscles se gonfler, des montagnes de chair roulant et durcissant sous la peau; ses épaules, sa poitrine, son cou enflaient; il faisait de la clarté autour de lui, il devenait beau, tout-puissant, comme un bon Dieu. Vingt fois déjà, il avait abattu Fifine, les yeux sur le fer, respirant à chaque coup, ayant seulement à ses tempes deux grosses gouttes de sueur qui coulaient. Il comptait : vingt et un, vingt-deux, vingt-trois. Fifine continuait tranquillement ses révérences de grande dame.

— Quel poseur! murmura en ricanant Bec-salé, dit Boit-sans-Soif.

Et Gervaise, en face de la Gueule-d'Or, regardait avec un sourire attendri. Mon Dieu! que les hommes étaient donc bêtes! Est-ce que ces deux-là ne tapaient pas sur leurs boulons pour lui faire la cour! Oh! elle comprenait bien, ils se la disputaient à coups de marteau, ils étaient comme deux grands coqs rouges qui font les gaillards devant une petite poule blanche. Faut-il avoir des inventions, n'est-ce pas? Le cœur a tout de même, parfois, des façons drôles de se déclarer. Oui, c'était pour elle, ce tonnerre de Dédèle et de Fifine sur l'enclume; c'était pour elle, tout ce fer écrasé; c'était pour elle, cette forge en branle, flambante d'un incendie, emplie d'un pétillement d'étincelles vives. Ils forgeaient là un amour, ils se la disputaient, à qui forgerait le mieux. Et, vrai, cela lui faisait plaisir au fond; car enfin les femmes aiment les compliments. Les coups de marteau de la Gueule-d'Or surtout lui répondaient dans le cœur; ils y sonnaient, comme sur l'enclume, une musique claire, qui accompagnait les gros battements de son sang. Ça semble une bêtise, mais elle sentait que ça lui enfonçait quelque chose là, quelque chose de solide, un peu de fer du boulon. Au crépuscule, avant d'entrer, elle avait eu, le long des trottoirs humides, un désir vague, un besoin de manger un bon morceau; maintenant, elle se trouvait satisfaite, comme si les coups de marteau de la Gueule-d'Or l'avaient nourrie. Oh! elle ne doutait pas de sa victoire. C'était à lui qu'elle appartiendrait. Bec-salé, dit Boit-sans-Soif, était trop laid, dans sa cotte et son bourgeron sales, sautant d'un air de singe échappé. Et elle attendait. très rouge, heureuse de la grosse chaleur pourtant, prenant une jouissance à être secouée des pieds à la tête par les dernières volées de Fifine.

Goujet comptait toujours.

— Et vingt-huit! cria-t-il enfin, en posant le marteau à terre. C'est fait, vous pouvez voir.

La tête du boulon était polie, nette, sans une bavure, un vrai travail de bijouterie, une rondeur de bille faite au moule. Les ouvriers la regardèrent en hochant le menton; il n'y avait pas à dire, c'était à se mettre à genoux devant. Bec-salé, dit Boit-sans-Soif, essaya bien de blaguer; mais il barbota, finit par retourner à son enclume, le nez pincé. Cependant, Gervaise s'était serrée contre Goujet, comme pour mieux voir. Étienne avait lâché le soufflet, la forge de nouveau s'emplissait d'ombre, d'un coucher d'astre rouge, qui tombait tout d'un coup à une grande nuit. Et le forgeron et la blanchisseuse éprouvaient une douceur en sentant cette nuit les envelopper, dans ce hangar noir de suie et de limaille, où des odeurs de vieux fers montaient; ils ne se seraient pas crus plus seuls dans le bois de Vincennes, s'ils s'étaient donné un rendez-vous au fond d'un trou d'herbe. Il lui prit la main comme s'il l'avait conquise.

Puis, dehors, ils n'échangèrent pas un mot. Il ne trouva rien; il dit seulement qu'elle aurait pu emmener Étienne, s'il n'y avait pas eu encore une demi-heure de travail. Elle s'en allait enfin, quand il la rappela, cherchant à la garder quelques minutes de plus.

— Venez donc, vous n'avez pas tout vu... Non, vrai, c'est très curieux.

Il la conduisit à droite, dans un autre hangar, où son patron installait toute une fabrication mécanique. Sur le seuil, elle hésita, prise d'une peur instinctive. La vaste salle, secouée par les machines, tremblait ; et de grandes ombres flottaient, tachées de feux rouges. Mais lui la rassura en souriant, jura qu'il n'y avait rien à craindre ; elle devait seulement avoir bien soin de ne pas laisser traîner ses jupes trop près des engrenages. Il marcha le premier, elle le suivit, dans ce vacarme assourdissant où toutes sortes de bruits sifflaient et ronflaient, au milieu de ces fumées peuplées d'êtres vagues, des hommes noirs affairés, des machines agitant leurs bras, qu'elle ne distinguait pas les uns des autres. Les passages étaient très étroits, il fallait enjamber des obstacles, éviter des trous, se ranger pour se garer d'un chariot. On ne s'entendait pas parler. Elle ne voyait rien encore, tout dansait. Puis, comme elle éprouvait au-dessus de sa tête la sensation d'un grand frôlement d'ailes, elle leva les yeux, elle s'arrêta à regarder les courroies, les longs rubans qui tendaient au plafond une gigantesque toile d'araignée, dont chaque fil se dévidait sans fin ; le moteur à vapeur se cachait dans un coin, derrière un petit mur de briques ; les courroies semblaient filer toutes seules, apporter le branle du fond de l'ombre, avec leur glissement continu, régulier, doux comme le vol d'un oiseau de nuit. Mais elle faillit tomber, en se heurtant à un des tuyaux du ventilateur, qui se ramifiait sur le sol battu, distribuant son souffle de vent aigre aux petites forges, près des machines. Et il commença par lui faire voir ça, il lâcha le vent sur un fourneau ; de larges flammes s'étalèrent des quatre côtés en éventail, une collerette de feu dentelée, éblouissante, à peine teintée d'une pointe de laque ; la lumière était si vive, que les petites lampes des ouvriers paraissaient des gouttes d'ombre dans du soleil. Ensuite, il haussa la voix pour donner des explications, il passa aux machines : les cisailles mécaniques qui mangeaient des barres de fer, croquant un bout à chaque coup de dents, crachant les bouts par derrière, un à un ; les machines à boulons et à rivets, hautes, compliquées, forgeant les têtes d'une seule pesée de leur vis puissante ; les ébarbeuses, au volant de fonte, une boule de fonte qui battait l'air furieusement à chaque pièce dont elles enlevaient les bavures ; les taraudeuses, manœuvrées par des femmes, taraudant les boulons et leurs écrous, avec le tic-tac de leurs rouages d'acier luisant sous la graisse des huiles. Elle pouvait suivre ainsi tout le travail, depuis le fer en barre, dressé contre les murs, jusqu'aux boulons et aux rivets fabriqués, dont des caisses pleines encombraient les coins. Alors, elle comprit, elle eut un sourire en hochant le menton ; mais elle restait tout de même un peu serrée à la gorge, inquiète d'être si petite et si tendre parmi ces rudes travailleurs de métal, se retournant parfois, les sangs glacés, au coup sourd d'une ébarbeuse. Elle s'accoutumait à l'ombre, voyait des enfoncements où des hommes immobiles réglaient la danse haletante des volants, quand un fourneau lâchait brusquement le coup de lumière de sa collerette de flamme. Et malgré elle, c'était toujours au plafond qu'elle revenait, à la vie, au sang même des machines, au vol souple des courroies, dont elle regardait, les yeux levés, la force énorme et muette passer dans la nuit vague des charpentes.

Cependant, Goujet s'était arrêté devant une des machines à rivets. Il restait là, songeur, la tête basse, les regards fixes. La machine forgeait des rivets de quarante millimètres, avec une aisance tranquille de géante. Et rien n'était plus simple en vérité. Le chauffeur prenait le bout de fer dans le fourneau ; le frappeur le plaçait dans la clouière, qu'un filet d'eau continu arrosait pour éviter d'en détremper l'acier ; et c'était fait, la vis s'abaissait, le boulon sautait à terre, avec sa tête ronde comme coulée au moule. En douze heures, cette sacrée mécanique en fabriquait des centaines de kilogrammes. Goujet n'avait pas de méchanceté ; mais, à certains moments, il aurait volontiers pris Fifine pour taper dans toute cette ferraille, par colère de lui voir des bras plus solides que les siens. Ça lui causait un gros chagrin, même quand il se raisonnait, en se disant que la chair ne pouvait pas lutter contre le fer. Un jour, bien sûr, la machine tuerait l'ouvrier ; déjà leurs journées étaient tombées de douze francs à neuf francs, et on parlait de les diminuer encore ; enfin, elles n'avaient rien de gai, ces grosses bêtes, qui faisaient des rivets et des boulons comme elles auraient fait de la saucisse. Il regarda celle-là trois bonnes minutes sans rien dire ; ses sourcils se fronçaient, sa belle barbe jaune avait un hérissement de menace. Puis, un air de douceur et de résignation amollit peu à peu ses traits. Il se tourna vers Gervaise qui se serrait contre lui, il dit avec un sourire triste :

— Hein ! ça nous dégotte [138] joliment ! Mais

---

138. « Surpasser, faire mieux ou pis ; étonner par sa force ou par son esprit, des gens malingres ou niais » (Delvau).

peut-être que plus tard ça servira au bonheur de tous.

Gervaise se moquait du bonheur de tous. Elle trouva les boulons à la mécanique mal faits.

— Vous me comprenez, s'écria-t-elle avec feu, ils sont trop bien faits... J'aime mieux les vôtres. On sent la main d'un artiste, au moins.

Elle lui causa un bien grand contentement en parlant ainsi, parce qu'un moment il avait eu peur qu'elle ne le méprisât, après avoir vu les machines. Dame! s'il était plus fort que Bec-salé, dit Boit-sans-Soif, les machines étaient plus fortes que lui. Lorsqu'il la quitta enfin dans la cour, il lui serra les poignets à les briser, à cause de sa grosse joie.

La blanchisseuse allait tous les samedis chez les Goujet pour reporter leur linge. Ils habitaient toujours la petite maison de la rue Neuve-de-la-Goutte-d'Or. La première année, elle leur avait rendu régulièrement vingt francs par mois, sur les cinq cents francs; afin de ne pas embrouiller les comptes, on additionnait le livre à la fin du mois seulement, et elle ajoutait l'appoint nécessaire pour compléter les vingt francs, car le blanchissage des Goujet, chaque mois, ne dépassait guère sept ou huit francs. Elle venait donc de s'acquitter de la moitié de la somme environ, lorsque, un jour de terme, ne sachant plus par où passer, des pratiques lui ayant manqué de parole, elle avait dû courir chez les Goujet et leur emprunter son loyer. Deux autres fois, pour payer ses ouvrières, elle s'était adressée également à eux, si bien que la dette se trouvait remontée à quatre cent vingt-cinq francs. Maintenant, elle ne donnait plus un sou, elle se libérait par le blanchissage, uniquement. Ce n'était pas qu'elle travaillât moins ni que ses affaires devinssent mauvaises. Au contraire. Mais il se faisait des trous chez elle, l'argent avait l'air de fondre, et elle était contente, quand elle pouvait joindre les deux bouts. Mon Dieu! pourvu qu'on vive, n'est-ce pas? on n'a point trop à se plaindre. Elle engraissait, elle cédait à tous les petits abandons de son embonpoint naissant, n'ayant plus la force de s'effrayer en songeant à l'avenir. Tant pis! l'argent viendrait toujours, ça le rouillait de le mettre de côté. Mme Goujet cependant restait maternelle pour Gervaise. Elle la chapitrait parfois avec douceur, non pas à cause de son argent, mais parce qu'elle l'aimait et qu'elle craignait de lui voir faire le saut. Elle n'en parlait seulement pas, de son argent. Enfin, elle y mettait beaucoup de délicatesse.

Le lendemain de la visite de Gervaise à la forge était justement le dernier samedi du mois. Lorsqu'elle arriva chez les Goujet, où elle tenait à aller elle-même, son panier lui avait tellement cassé les bras, qu'elle étouffa pendant deux bonnes minutes. On ne sait pas comme le linge pèse, surtout quand il y a des draps.

— Vous apportez bien tout? demanda Mme Goujet.

Elle était très sévère là-dessus. Elle voulait qu'on lui rapportât son linge, sans qu'une pièce manquât, pour le bon ordre, disait-elle. Une autre de ses exigences était que la blanchisseuse vînt exactement le jour fixé et chaque fois à la même heure; comme ça, personne ne perdait son temps.

— Oh! il y a bien tout, répondit Gervaise en souriant. Vous savez que je ne laisse rien en arrière.

— C'est vrai, confessa Mme Goujet, vous prenez des défauts, mais vous n'avez pas encore celui-là.

Et, pendant que la blanchisseuse vidait son panier, posant le linge sur le lit, la vieille femme fit son éloge : elle ne brûlait pas les pièces, ne les déchirait pas comme tant d'autres, n'arrachait pas les boutons avec le fer; seulement elle mettait trop de bleu et amidonnait trop les devants de chemise.

— Tenez, c'est du carton, reprit-elle en faisant craquer un devant de chemise. Mon fils ne se plaint pas, mais ça lui coupe le cou... Demain, il aura le cou en sang, quand nous reviendrons de Vincennes.

— Non, ne dites pas ça! s'écria Gervaise désolée. Les chemises pour s'habiller doivent être un peu raides, si l'on ne veut pas avoir un chiffon sur le corps. Voyez les messieurs... C'est moi qui fais tout votre linge. Jamais une ouvrière n'y touche, et je le soigne, je vous assure, je le recommencerais plutôt dix fois, parce que c'est pour vous, vous comprenez.

Elle avait rougi légèrement, en balbutiant la fin de la phrase. Elle craignait de laisser voir le plaisir qu'elle prenait à repasser elle-même les chemises de Goujet. Bien sûr, elle n'avait pas de pensées sales; mais elle n'en était pas moins un peu honteuse.

— Oh! je n'attaque pas votre travail, vous travaillez dans la perfection, je le sais, dit Mme Goujet. Ainsi, voilà un bonnet qui est perlé. Il n'y a que vous pour faire ressortir les broderies comme ça. Et les tuyautés sont d'un suivi! Allez, je reconnais votre main tout de suite. Quand vous donnez seulement un torchon à une ouvrière, ça se voit... N'est-ce pas? vous mettrez un peu moins d'amidon, voilà tout! Goujet ne tient pas à avoir l'air d'un monsieur.

Cependant, elle avait pris le livre et effaçait les pièces d'un trait de plume. Tout y était bien. Quand elles réglèrent, elle vit que Gervaise lui comptait un bonnet six sous; elle se récria, mais elle dut convenir qu'elle n'était vraiment pas chère pour le courant; non, les chemises d'homme cinq sous, les pantalons de femme quatre sous, les taies d'oreiller un sou et demi, les tabliers un sou, ce n'était pas cher, attendu que bien des blanchisseuses prenaient deux liards ou même un sou de plus pour toutes ces pièces. Puis, lorsque Gervaise eut appelé le linge sale, que la vieille femme inscrivait, elle le fourra dans son panier, elle ne s'en alla pas, embarrassée, ayant aux lèvres une demande qui la gênait beaucoup.

— Madame Goujet, dit-elle enfin, si ça ne vous faisait rien, je prendrais l'argent du blanchissage, ce mois-ci.

Justement, le mois était très fort, le compte qu'elles venaient d'arrêter ensemble, se montait à dix francs sept sous. Mme Goujet la regarda un moment d'un air sérieux. Puis, elle répondit :

— Mon enfant, ce sera comme il vous plaira. Je ne veux pas vous refuser cet argent, du moment où vous en avez besoin... Seulement, ce n'est guère le chemin de vous acquitter; je dis cela pour vous, vous entendez. Vrai, vous devriez prendre garde.

Gervaise, la tête basse, reçut la leçon en bégayant. Les dix francs devaient compléter l'argent d'un billet qu'elle avait souscrit à son marchand de coke. Mais Mme Goujet devint plus sévère au mot de billet. Elle s'offrit en exemple : elle réduisait sa dépense, depuis qu'on avait baissé les journées de Goujet de douze francs à neuf francs. Quand on manquait de sagesse en étant jeune, on crevait la faim dans sa vieillesse. Pourtant, elle se retint, elle ne dit pas à Gervaise qu'elle lui donnait son linge uniquement pour lui permettre de payer sa dette; autrefois, elle lavait tout, et elle recommencerait à tout laver, si le blanchissage devait encore lui faire sortir de pareilles sommes de la poche. Quand Gervaise eut les dix francs sept sous, elle remercia, elle se sauva vite. Et, sur le palier, elle se sentit à l'aise, elle eut envie de danser, car elle s'accoutumait déjà aux ennuis et aux saletés de l'argent, ne gardant de ces embêtements-là que le bonheur d'en être sortie jusqu'à la prochaine fois.

Ce fut précisément ce samedi que Gervaise fit une drôle de rencontre, comme elle descendait l'escalier des Goujet. Elle dut se ranger contre la rampe, avec son panier, pour laisser passer une grande femme en cheveux qui montait, en portant sur la main, dans un bout de papier, un maquereau très frais, les ouïes saignantes. Et voilà qu'elle reconnut Virginie, la fille dont elle avait retroussé les jupes au lavoir. Toutes deux se regardèrent bien en face. Gervaise ferma les yeux, car elle crut un instant

qu'elle allait recevoir le maquereau par la figure. Mais non, Virginie eut un mince sourire. Alors, la blanchisseuse, dont le panier bouchait l'escalier, voulut se montrer polie.

— Je vous demande pardon, dit-elle.

— Vous êtes toute pardonnée, répondit la grande brune.

Et elles restèrent au milieu des marches, elles causèrent, raccommodées du coup, sans avoir risqué une seule allusion au passé. Virginie, alors âgée de vingt-neuf ans, était devenue une femme superbe, découplée, la face un peu longue entre ses deux bandeaux d'un noir de jais. Elle raconta tout de suite son histoire pour se poser : elle était mariée maintenant, elle avait épousé au printemps un ancien ouvrier ébéniste qui sortait du service et qui sollicitait une place de sergent de ville, parce qu'une place, c'est plus sûr et plus comme il faut. Justement, elle venait d'acheter un maquereau pour lui.

— Il adore le maquereau, dit-elle. Il faut bien les gâter, ces vilains hommes, n'est-ce pas ?... Mais, montez donc. Vous verrez notre chez nous... Nous sommes ici dans un courant d'air.

Quand Gervaise, après lui avoir à son tour conté son mariage, lui apprit qu'elle avait habité le logement, où elle était même accouchée d'une fille, Virginie la pressa de monter plus vivement encore. Ça fait toujours plaisir de revoir les endroits où l'on a été heureux. Elle, pendant cinq ans, avait demeuré de l'autre côté de l'eau, au Gros-Caillou. C'était là qu'elle avait connu son mari, quand il était au service. Mais elle s'ennuyait, elle rêvait de revenir dans le quartier de la Goutte-d'Or, où elle connaissait tout le monde. Et, depuis quinze jours, elle occupait la chambre en face des Goujet. Oh! toutes ses affaires étaient encore bien en désordre; ça s'arrangerait petit à petit.

Puis, sur le palier, elles se dirent enfin leurs noms.

— Madame Coupeau.

— Madame Poisson.

Et, dès lors, elles s'appelèrent gros comme le bras madame Poisson et madame Coupeau, uniquement pour le plaisir d'être des dames, elles qui s'étaient connues autrefois dans des situations peu catholiques. Cependant, Gervaise conservait un fond de méfiance. Peut-être bien que la grande brune se raccommodait pour se mieux venger de la fessée du lavoir, en roulant quelque plan de mauvaise bête hypocrite. Gervaise se promettait de rester sur ses gardes. Pour le quart d'heure, Virginie se montrait trop gentille, il fallait bien être gentille aussi.

En haut, dans la chambre, Poisson, le mari, un

homme de trente-cinq ans à la face terreuse, avec des moustaches et une impériale rouges, travaillait, assis devant une table, près de la fenêtre. Il faisait des petites boîtes. Il avait pour seuls outils un canif, une scie grande comme une lime à ongles, un pot à colle. Le bois qu'il employait provenait de vieilles boîtes à cigares, de minces planchettes d'acajou brut sur lesquelles il se livrait à des découpages et à des enjolivements d'une délicatesse extraordinaire. Tout le long de la journée, d'un bout de l'année à l'autre, il refaisait la même boîte, huit centimètres sur six. Seulement, il la marquetait, inventait des formes de couvercles, introduisait des compartiments. C'était pour s'amuser, une façon de tuer le temps, en attendant sa nomination de sergent de ville. De son ancien métier d'ébéniste, il n'avait gardé que la passion des petites boîtes. Il ne vendait pas son travail, il le donnait en cadeau aux personnes de sa connaissance.

Poisson se leva, salua poliment Gervaise, que sa femme lui présenta comme une ancienne amie. Mais il n'était pas causeur, il reprit tout de suite sa petite scie. De temps à autre, il lançait seulement un regard sur le maquereau, posé au bord de la commode. Gervaise fut très contente de revoir son ancien logement; elle dit où les meubles étaient placés, et elle montra l'endroit où elle avait accouché, par terre. Comme ça se rencontrait, pourtant! Quand elles s'étaient perdues de vue toutes deux, autrefois, elles n'auraient jamais cru se retrouver ainsi, en habitant l'une après l'autre la même chambre. Virginie ajouta de nouveaux détails sur elle et son mari : il avait fait un petit héritage, d'une tante; il l'établirait sans doute plus tard; pour le moment, elle continuait à s'occuper de couture, elle bâclait une robe par-ci par-là. Enfin, au bout d'une grosse demi-heure, la blanchisseuse voulut partir. Poisson tourna à peine le dos. Virginie, qui l'accompagna, promit de lui rendre sa visite; d'ailleurs, elle lui donnait sa pratique, c'était une chose entendue. Et, comme elle la gardait sur le palier, Gervaise s'imagina qu'elle désirait lui parler de Lantier et de sa sœur Adèle, la brunisseuse. Elle en était toute révolutionnée à l'intérieur. Mais pas un mot ne fut échangé sur ces choses ennuyeuses, elles se quittèrent en se disant au revoir, d'un air très aimable.

— Au revoir, madame Coupeau.

— Au revoir, madame Poisson.

Ce fut là le point de départ d'une grande amitié. Huit jours plus tard, Virginie ne passait plus devant la boutique de Gervaise sans entrer; et elle y taillait des bavettes de deux ou trois heures, si bien que Poisson, inquiet, la croyant écrasée, venait la chercher, avec sa figure muette de déterré. Gervaise, à voir ainsi journellement la couturière, éprouva bientôt une singulière préoccupation; elle ne pouvait lui entendre commencer une phrase, sans croire qu'elle allait causer de Lantier; elle songeait invinciblement à Lantier, tout le temps qu'elle restait là. C'était bête comme tout, car enfin elle se moquait de Lantier, et d'Adèle, et de ce qu'ils étaient devenus l'un et l'autre; jamais elle ne posait une question; même elle ne se sentait pas curieuse d'avoir de leurs nouvelles. Non, ça la prenait en dehors de sa volonté. Elle avait leur idée dans la tête comme on a dans la bouche un refrain embêtant, qui ne veut pas vous lâcher. D'ailleurs, elle n'en gardait nulle rancune à Virginie, dont ce n'était point la faute, bien sûr. Elle se plaisait beaucoup avec elle, et la retenait dix fois avant de la laisser partir.

Cependant, l'hiver était venu, le quatrième hiver que les Coupeau passaient rue de la Goutte-d'Or. Cette année-là, décembre et janvier furent particulièrement durs. Il gelait à pierre fendre. Après le jour de l'an, la neige resta trois semaines dans la rue sans se fondre. Ça n'empêchait pas le travail, au contraire, car l'hiver est la belle saison des repasseuses. Il faisait joliment bon dans la boutique! On n'y voyait jamais de glaçons aux vitres, comme chez l'épicier et le bonnetier d'en face. La mécanique, bourrée de coke, entretenait là une chaleur de baignoire; les linges fumaient, on se serait cru en plein été; et l'on était bien, les portes fermées, ayant chaud partout, tellement chaud, qu'on aurait fini par dormir, les yeux ouverts. Gervaise disait en riant qu'elle s'imaginait être à la campagne. En effet, les voitures ne faisaient plus de bruit en roulant sur la neige; c'était à peine si l'on entendait le piétinement des passants; dans le grand silence du froid, des voix d'enfants seules montaient, le tapage d'une bande de gamins, qui avaient établi une grande glissade, le long du ruisseau de la maréchalerie. Elle allait parfois à un des carreaux de la porte, enlevait de la main la buée, regardait ce que devenait le quartier par cette sacrée température; mais pas un nez ne s'allongeait hors des boutiques voisines, le quartier, emmitouflé de neige, semblait faire le gros dos; et elle échangeait seulement un petit signe de tête avec la charbonnière d'à côté, qui se promenait tête nue, la bouche fendue d'une oreille à l'autre, depuis qu'il gelait si fort.

Ce qui était bon surtout, par ces temps de chien, c'était de prendre, à midi, son café bien chaud. Les ouvrières n'avaient pas à se plaindre; la patronne le faisait très fort et n'y mettait pas quatre grains de chicorée; il ne ressemblait guère au café de Mme Fauconnier, qui était une vraie lavasse. Seulement, quand maman Coupeau se chargeait de passer l'eau sur le marc, ça n'en finissait plus, parce qu'elle s'endormait devant la bouillotte. Alors, les ouvrières, après le déjeuner, attendaient le café en donnant un coup de fer.

Justement, le lendemain des Rois, midi et demi sonnait, que le café n'était pas prêt. Ce jour-là, il s'entêtait à ne pas vouloir passer. Maman Coupeau tapait sur le filtre avec une petite cuiller; et l'on entendait les gouttes tomber une à une, lentement, sans se presser davantage.

— Laissez-le donc, dit la grande Clémence. Ça le rend trouble... Aujourd'hui, bien sûr, il y aura de quoi boire et manger.

La grande Clémence mettait à neuf une chemise d'homme, dont elle détachait les plis du bout de l'ongle. Elle avait un rhume à crever, les yeux enflés, la gorge arrachée par des quintes de toux qui la pliaient en deux, au bord de l'établi. Avec ça, elle ne portait pas même un foulard au cou, vêtue d'un petit lainage à dix-huit sous, dans lequel elle grelottait. Près d'elle, Mme Putois, enveloppée de flanelle, matelassée jusqu'aux oreilles, repassait un jupon, qu'elle tournait autour de la planche à robe, dont le petit bout était posé sur le dossier d'une chaise; et, par terre, un drap jeté empêchait le jupon de se salir, en frôlant le carreau. Gervaise occupait à elle seule la moitié de l'établi, avec des rideaux de mousseline brodée, sur lesquels elle poussait son fer tout droit, les bras allongés, pour éviter les faux plis. Tout d'un coup, le café qui se mit à couler bruyamment lui fit lever la tête. C'était ce louchon d'Augustine qui venait de pratiquer un trou au milieu du marc, en enfonçant une cuiller dans le filtre.

— Veux-tu te tenir tranquille! cria Gervaise. Qu'est-ce que tu as donc dans le corps? Nous allons boire de la boue, maintenant.

Maman Coupeau avait aligné cinq verres sur un coin libre de l'établi. Alors, les ouvrières lâchèrent leur travail. La patronne versait toujours le café elle-même, après avoir mis deux morceaux de sucre dans chaque verre. C'était l'heure attendue de la journée. Ce jour-là, comme chacune prenait son verre et s'accroupissait sur un petit banc, devant la mécanique, la porte de la rue s'ouvrit, Virginie entra, toute frissonnante.

— Ah! mes enfants, dit-elle, ça vous coupe en deux! Je ne sens plus mes oreilles. Quel gredin de froid!

— Tiens! c'est madame Poisson! s'écria Ger-

vaise. Ah bien! vous arrivez à propos... Vous allez prendre du café avec nous.

— Ma foi! ce n'est pas de refus... Rien que pour traverser la rue, on a l'hiver dans les os.

Il restait du café, heureusement. Mme Coupeau alla chercher un sixième verre, et Gervaise laissa Virginie se sucrer, par politesse. Les ouvrières s'écartèrent, firent à celle-ci une petite place près de la mécanique. Elle grelotta un instant, le nez rouge, serrant ses mains raidies autour de son verre, pour se réchauffer. Elle venait de chez l'épicier, où l'on gelait, rien qu'à attendre un quart de gruyère. Et elle s'exclamait sur la grosse chaleur de la boutique : vrai, on aurait cru entrer dans un four, ça aurait suffi pour réveiller un mort, tant ça vous chatouillait agréablement la peau. Puis, dégourdie, elle allongea ses grandes jambes. Alors, toutes les six, elles sirotèrent lentement leur café, au milieu de la besogne interrompue, dans l'étouffement moite des linges qui fumaient. Maman Coupeau et Virginie seules étaient assises sur des chaises; les autres, sur leurs petits bancs, semblaient par terre; même ce louchon d'Augustine avait tiré un coin de drap, sous le jupon, pour s'étendre. On ne parla pas tout de suite, les nez dans les verres, goûtant le café.

— Il est tout de même bon, déclara Clémence.

Mais elle faillit étrangler, prise d'une quinte. Elle appuyait sa tête contre le mur pour tousser plus fort.

— Vous êtes joliment pincée, dit Virginie. Où avez-vous donc empoigné ça?

— Est-ce qu'on sait! reprit Clémence, en s'essuyant la figure avec sa manche. Ça doit être l'autre soir. Il y en avait deux qui se dépiautaient, à la sortie du Grand-Balcon. J'ai voulu voir, je suis restée là, sous la neige. Ah! quelle roulée! c'était à mourir de rire. L'une avait le nez arraché; le sang giclait par terre. Lorsque l'autre a vu le sang, un grand échalas comme moi, elle a pris ses cliques et ses claques... Alors, la nuit, j'ai commencé à tousser. Il faut dire aussi que ces hommes sont d'un bête, quand ils couchent avec une femme, ils vous découvrent toute la nuit...

— Une jolie conduite, murmura Mme Putois. Vous vous crevez, ma petite.

— Et si ça m'amuse de me crever, moi!... Avec ça que la vie est drôle. S'escrimer toute la sainte journée pour gagner cinquante-cinq sous, se brûler le sang du matin au soir devant la mécanique, non, vous savez, j'en ai par-dessus la tête!... Allez, ce rhume-là ne me rendra pas le service de m'emporter; il s'en ira comme il est venu.

Il y eut un silence. Cette vaurienne de Clémence, qui dans les bastringues, menait le chahut [139] avec des cris de merluche [140], attristait toujours le monde par ses idées de crevaison, quand elle était à l'atelier. Gervaise la connaissait bien et se contenta de dire :

— Vous n'êtes pas gaie, les lendemains de noce, vous !

Le vrai était que Gervaise aurait mieux aimé qu'on ne parlât pas de batteries de femmes. Ça l'ennuyait, à cause de la fessée du lavoir, quand on causait devant elle et Virginie de coups de sabot dans les quilles et de giroflées à cinq feuilles. Justement, Virginie la regardait en souriant.

— Oh ! murmura-t-elle, j'ai vu un crêpage de chignons, hier. Elles s'écharpillaient [141]...

— Qui donc ? demanda Mme Putois.

— L'accoucheuse du bout de la rue et sa bonne, vous savez, une petite blonde... Une gale, cette fille ! Elle criait à l'autre : « Oui, oui, t'as décroché un enfant à la fruitière, même que je vais aller chez le commissaire, si tu ne me payes pas. » Et elle en débagoulait, fallait voir ! L'accoucheuse, là-dessus, lui a lâché une baffre, v'lan ! en plein museau. Voilà alors que ma sacrée gouine [142] saute aux yeux de sa bourgeoise, et qu'elle la graffigne, et qu'elle la déplume, oh ! mais aux petits oignons ! Il a fallu que le charcutier la lui retirât des pattes.

Les ouvrières eurent un rire de complaisance. Puis, toutes burent une petite gorgée de café, d'un air gueulard [143].

— Vous croyez ça, vous, qu'elle a décroché un enfant ? reprit Clémence.

— Dame ! le bruit a couru dans le quartier, répondit Virginie. Vous comprenez, je n'y étais pas... C'est dans le métier, d'ailleurs. Toutes en décrochent.

— Ah bien ! dit Mme Putois, on est trop bête de se confier à elles. Merci, pour se faire estropier !... Voyez-vous, il y a un moyen souverain. Tous les soirs on avale un verre d'eau bénite en se traçant sur le ventre trois signes de croix avec le pouce. Ça s'en va comme un vent.

Maman Coupeau, qu'on croyait endormie, hocha la tête pour protester. Elle connaissait un autre moyen, infaillible celui-là. Il fallait manger un œuf dur toutes les heures et s'appliquer des feuilles d'épinard sur les reins. Les quatre autres femmes restèrent graves. Mais ce louchon d'Augustine, dont les gaietés partaient toutes seules, sans qu'on sût jamais pourquoi, lâcha le gloussement de poule qui était son rire à elle. On l'avait oubliée. Gervaise releva le jupon, l'aperçut sur le drap qui se roulait comme un goret, les jambes en l'air. Et elle la tira de là-dessous, la mit debout d'une claque. Qu'est-ce qu'elle avait à rire, cette dinde ? Est-ce qu'elle devait écouter, quand les grandes personnes causaient ! D'abord, elle allait reporter le linge d'une amie de Mme Lerat, aux Batignolles. Tout en parlant, la patronne lui enfilait le panier au bras et la poussait vers la porte. Le louchon, rechignant, sanglotant, s'éloigna en traînant les pieds dans la neige.

Cependant, maman Coupeau, Mme Putois et Clémence discutaient l'efficacité des œufs durs et des feuilles d'épinard. Alors, Virginie, qui restait rêveuse, son verre de café à la main, dit tout bas :

— Mon Dieu ! on se cogne, on s'embrasse, ça va toujours quand on a bon cœur...

Et, se penchant vers Gervaise, avec un sourire :

— Non, bien sûr, je ne vous en veux pas... L'affaire du lavoir, vous vous souvenez ?

La blanchisseuse demeura toute gênée. Voilà ce qu'elle craignait. Maintenant, elle devinait qu'il allait être question de Lantier et d'Adèle. La mécanique ronflait, un redoublement de chaleur rayonnait du tuyau rouge. Dans cet assoupissement, les ouvrières, qui faisaient durer leur café pour se remettre à l'ouvrage le plus tard possible, regardaient la neige de la rue, avec des mines gourmandes et alanguies. Elles en étaient aux confidences ; elles disaient ce qu'elles auraient fait, si elles avaient eu dix mille francs de rente ; elles n'auraient rien fait du tout, elles seraient restées comme ça des après-midi à se chauffer, en crachant de loin sur la besogne. Virginie s'était rapprochée de Gervaise, de façon à ne pas être entendue des autres. Et Gervaise se sentait toute lâche, à cause sans doute de la trop grande chaleur, si molle et si lâche, qu'elle ne trouvait pas la force de détourner la conversation ; même elle attendait les paroles de la grande brune, le cœur gros d'une émotion dont elle jouissait sans se l'avouer.

— Je ne vous fais pas de la peine, au moins ? reprit la couturière. Vingt fois déjà, ça m'est venu

<hr />

139. « Danse lascive, analogue au cancan » (Delvau). Dans la nouvelle édition du Delvau, postérieure à *l'Assommoir*, on trouve cette définition plus complète : « Cordace lascive fort en honneur dans les bals publics à la fin de la Restauration, et remplacée depuis par le cancan, – qui a été lui-même remplacé par d'autres cordaces de la même lasciveté. » Le bal du Grand Balcon était situé à l'entrée du boulevard de la Chapelle, en venant de la rue des Poissonniers.

140. L'expression étonne, puisque la merluche est un poisson. Zola n'aurait-il pas voulu écrire « perruche » ?

141. « *Se faire écharpiller* : se faire accabler de coups » (Delvau).

142. « Coureuse, – dans l'argot du peuple, qui a un arsenal d'injures à sa disposition pour foudroyer les drôlesses, ses filles » (Delvau). Le mot désigne plutôt les lesbiennes, qui tirent ce nom de Nelly Gwin, maîtresse de Charles II, qui était atteinte de ce vice.

143. « Gourmand » (Delvau).

sur la langue. Enfin, puisque nous sommes là-dessus... C'est pour causer, n'est-ce pas ?... Ah! bien sûr, non, je ne vous en veux pas de ce qui s'est passé. Parole d'honneur! je n'ai pas gardé ça de rancune contre vous.

Elle tourna le fond de son café dans le verre, pour avoir tout le sucre, puis elle but trois gouttes, avec un petit sifflement des lèvres. Gervaise, la gorge serrée, attendait toujours, elle se demandait si réellement Virginie lui avait pardonné sa fessée tant que ça; car elle voyait, dans ses yeux noirs, des étincelles jaunes s'allumer. Cette grande diablesse devait avoir mis sa rancune dans sa poche avec son mouchoir par-dessus.

— Vous aviez une excuse, continua-t-elle. On venait de vous faire une saleté, une abomination... Oh! je suis juste, allez! Moi, j'aurais pris un couteau.

Elle but encore trois gouttes, sifflant au bord du verre. Et elle quitta sa voix traînante, elle ajouta rapidement, sans s'arrêter :

— Aussi ça ne leur a pas porté bonheur, ah! Dieu de Dieu! non, pas bonheur du tout!... Ils étaient allés demeurer au diable, du côté de la Glacière, dans une sale rue où il y a toujours de la boue jusqu'aux genoux. Moi, deux jours après, je suis partie un matin pour déjeuner avec eux; une fière course d'omnibus, je vous assure! Eh bien! ma chère, je les ai trouvés en train de se houspiller déjà. Vrai, comme j'entrais, ils s'allongeaient des calottes. Hein! en voilà des amoureux!... Vous savez qu'Adèle ne vaut pas la corde pour la pendre. C'est ma sœur, mais ça ne m'empêche pas de dire qu'elle est dans la peau d'une fière salope. Elle m'a fait un tas de cochonneries; ça serait trop long à conter, puis ce sont des affaires à régler entre nous... Quant à Lantier, dame! vous le connaissez, il n'est pas bon non plus. Un petit monsieur, n'est-ce pas ? qui vous enlève le derrière pour un oui, pour un non! Et il ferme le poing, lorsqu'il tape... Alors donc ils se sont échignés en conscience. Quand on montait l'escalier, on les entendait se bûcher [144]. Un jour même, la police est venue. Lantier avait voulu une soupe à l'huile, une horreur qu'ils mangent dans le midi; et, comme Adèle trouvait ça infect, ils se sont jeté la bouteille d'huile à la figure, la casserole, la soupière, tout le tremblement; enfin, une scène à révolutionner un quartier.

Elle raconta d'autres tueries, elle ne tarissait pas

sur le ménage, savait des choses à faire dresser les cheveux sur la tête. Gervaise écoutait toute cette histoire, sans un mot, la face pâle, avec un pli nerveux aux coins des lèvres qui ressemblait à un petit sourire. Depuis bientôt sept ans, elle n'avait plus entendu parler de Lantier. Jamais elle n'aurait cru que le nom de Lantier, ainsi murmuré à son oreille, lui causerait une pareille chaleur au creux de l'estomac [145]. Non, elle ne se savait pas une telle curiosité de ce que devenait ce malheureux, qui s'était si mal conduit avec elle. Elle ne pouvait plus être jalouse d'Adèle, maintenant; mais elle riait tout de même en dedans des raclées du ménage, elle voyait le corps de cette fille plein de bleus, et ça la vengeait, ça l'amusait. Aussi serait-elle restée là jusqu'au lendemain matin, à écouter les rapports de Virginie. Elle ne posait pas de questions, parce qu'elle ne voulait pas paraître intéressée tant que ça. C'était comme si, brusquement, on comblait un trou pour elle; son passé, à cette heure, allait droit à son présent.

Cependant, Virginie finit par remettre son nez dans son verre; elle suçait le sucre, les yeux à demi fermés. Alors, Gervaise, comprenant qu'elle devait dire quelque chose, prit un air indifférent, demanda :

— Et ils demeurent toujours à la Glacière ?

— Mais non! répondit l'autre; je ne vous ai donc pas raconté ?... Voici huit jours qu'ils ne sont plus ensemble. Adèle, un beau matin, a emporté ses frusques, et Lantier n'a pas couru après, je vous assure.

La blanchisseuse laissa échapper un léger cri, répétant tout haut :

— Ils ne sont plus ensemble!

— Qui donc ? demanda Clémence, en interrompant sa conversation avec maman Coupeau et Mme Putois.

— Personne, dit Virginie; des gens que vous ne connaissez pas.

Mais elle examinait Gervaise, elle la trouvait joliment émue. Elle se rapprocha, sembla prendre un mauvais plaisir à recommencer ses histoires. Puis, tout d'un coup, elle lui demanda ce qu'elle ferait, si Lantier venait rôder autour d'elle; car, enfin, les hommes sont si drôles, Lantier était bien capable de retourner à ses premières amours. Gervaise se redressa, se montra très nette, très digne. Elle était mariée, elle mettrait Lantier dehors, voilà tout. Il ne pouvait plus y avoir rien entre eux, même pas une poignée de main. Vraiment, elle manquerait tout à fait de cœur, si elle regardait un jour cet homme en face.

---

144. *S'échigner* et *se bûcher* ont le même sens : « se battre ».
145. Zola, une fois de plus, laisse, par une notation discrète, entrevoir l'avenir.

— Je sais bien, dit-elle, Étienne est de lui, il y a un lien que je ne peux pas rompre. Si Lantier a le désir d'embrasser Étienne, je le lui enverrai, parce qu'il est impossible d'empêcher un père d'aimer son enfant... Mais quant à moi, voyez-vous, madame Poisson, je me laisserais plutôt hacher en petits morceaux que de lui permettre de me toucher du bout du doigt. C'est fini.

En prononçant ces derniers mots, elle traça en l'air une croix, comme pour sceller à jamais son serment. Et, désireuse de rompre la conversation, elle parut s'éveiller en sursaut, elle cria aux ouvrières :

— Dites donc, vous autres! est-ce que vous croyez que le linge se repasse tout seul ?... En voilà des flemmes!... Houp! à l'ouvrage!

Les ouvrières ne se pressèrent pas, engourdies d'une torpeur de paresse, les bras abandonnés sur leurs jupes, tenant toujours d'une main leurs verres vides, où un peu de marc de café restait. Elles continuèrent de causer.

— C'était la petite Célestine, disait Clémence. Je l'ai connue. Elle avait la folie des poils de chat... Vous savez, elle voyait des poils de chat partout, elle tournait toujours la langue comme ça, parce qu'elle croyait avoir des poils de chat plein la bouche.

— Moi, reprenait Mme Putois, j'ai eu pour amie une femme qui avait un ver... Oh! ces animaux-là ont des caprices!... Il lui tortillait le ventre, quand elle ne lui donnait pas du poulet. Vous pensez, le mari gagnait sept francs, ça passait en gourmandises pour le ver...

— Je l'aurais guérie tout de suite, moi, interrompait maman Coupeau. Mon Dieu! oui, on avale une souris grillée. Ça empoisonne le ver du coup.

Gervaise elle-même avait glissé de nouveau à une fainéantise heureuse. Mais elle se secoua, elle se mit debout. Ah bien! en voilà une après-midi passée à faire les rosses! C'était ça qui n'emplissait pas la bourse! Elle retourna la première à ses rideaux; mais elle les trouva salis d'une tache de café, et elle dut, avant de reprendre le fer, frotter la tache avec un linge mouillé. Les ouvrières s'étiraient devant la mécanique, cherchaient leurs poignées en rechignant. Dès que Clémence se remua, elle eut un accès de toux, à cracher sa langue; puis, elle acheva sa chemise d'homme, dont elle épingla les manchettes et le col. Mme Putois s'était remise à son jupon.

— Eh bien! au revoir, dit Virginie. J'étais descendue chercher un quart de gruyère. Poisson doit croire que le froid m'a gelée en route.

Mais, comme elle avait déjà fait trois pas sur le trottoir, elle rouvrit la porte pour crier qu'elle voyait Augustine au bout de la rue, en train de glisser sur la glace avec des gamins. Cette gredine-là était partie depuis deux grandes heures. Elle accourut rouge, essoufflée, son panier au bras, le chignon emplâtré par une boule de neige; et elle se laissa gronder d'un air sournois, en racontant qu'on ne pouvait pas marcher, à cause du verglas. Quelque voyou avait dû, par blague, lui fourrer des morceaux de glace dans les poches; car, au bout d'un quart d'heure, ses poches se mirent à arroser la boutique comme des entonnoirs.

Maintenant, les après-midi se passaient toutes ainsi. La boutique, dans le quartier, était le refuge des gens frileux. Toute la rue de la Goutte-d'Or savait qu'il y faisait chaud. Il y avait sans cesse là des femmes bavardes qui prenaient un air de feu devant la mécanique, leurs jupes troussées jusqu'aux genoux, faisant la petite chapelle. Gervaise avait l'orgueil de cette bonne chaleur, et elle attirait le monde, elle tenait salon, comme disaient méchamment les Lorilleux et les Boche. Le vrai était qu'elle restait obligeante et secourable, au point de faire entrer les pauvres, quand elle les voyait grelotter dehors. Elle se prit surtout d'amitié pour un ancien ouvrier peintre, un vieillard de soixante-dix ans, qui habitait dans la maison une soupente, où il crevait de faim et de froid; il avait perdu ses trois fils en Crimée, il vivait au petit bonheur, depuis deux ans qu'il ne pouvait plus tenir un pinceau. Dès que Gervaise apercevait le père Bru, piétinant dans la neige pour se réchauffer, elle l'appelait, elle lui ménageait une place près du poêle; souvent même elle le forçait à manger un morceau de pain avec du fromage. Le père Bru, le corps voûté, la barbe blanche, la face ridée comme une vieille pomme, demeurait des heures sans rien dire, à écouter le grésillement du coke. Peut-être évoquait-il ses cinquante années de travail sur des échelles, le demi-siècle passé à peindre des portes et à blanchir des plafonds aux quatre coins de Paris.

— Eh bien! père Bru, lui demandait parfois la blanchisseuse, à quoi pensez-vous ?

— A rien, à toutes sortes de choses, répondait-il d'un air hébété.

Les ouvrières plaisantaient, racontaient qu'il avait des peines de cœur. Mais lui, sans les entendre, retombait dans son silence, dans son attitude morne et réfléchie.

A partir de cette époque, Virginie reparla souvent de Lantier à Gervaise. Elle semblait se plaire à l'occuper de son ancien amant, pour le plaisir de l'embarrasser, en faisant des suppositions. Un jour, elle dit l'avoir rencontré; et, comme la blanchisseuse restait muette, elle n'ajouta rien, puis le lendemain seulement laissa entendre qu'il lui avait longuement parlé d'elle, avec beaucoup de tendresse. Gervaise était très troublée par ces conversations chuchotées à voix basse dans un angle de la boutique. Le nom de Lantier lui causait toujours une brûlure au creux de l'estomac, comme si cet homme eût laissé là, sous la peau, quelque chose de lui. Certes, elle se croyait bien solide, elle voulait vivre en honnête femme, parce que l'honnêteté est la moitié du bonheur. Aussi ne songeait-elle pas à Coupeau, dans cette affaire, n'ayant rien à se reprocher contre son mari, pas même en pensée. Elle songeait au forgeron, le cœur tout hésitant et malade. Il lui semblait que le retour du souvenir de Lantier en elle, cette lente possession dont elle était reprise, la rendait infidèle à Goujet, à leur amour inavoué, d'une douceur d'amitié. Elle vivait des journées tristes, lorsqu'elle se croyait coupable envers son bon ami. Elle aurait voulu n'avoir de l'affection que pour lui, en dehors de son ménage. Cela se passait très haut en elle, au-dessus de toutes les saletés, dont Virginie guettait le feu sur son visage.

Quand le printemps fut venu, Gervaise alla se réfugier auprès de Goujet. Elle ne pouvait plus ne réfléchir à rien, sur une chaise, sans penser aussitôt à son premier amant; elle le voyait quitter Adèle, remettre son linge au fond de leur ancienne malle, revenir chez elle, avec la malle sur la voiture. Les jours où elle sortait, elle était prise tout d'un coup de peurs bêtes, dans la rue; elle croyait entendre le pas de Lantier derrière elle, elle n'osait pas se retourner, tremblante, s'imaginant sentir ses mains la saisir à la taille. Bien sûr, il devait l'espionner; il tomberait sur elle une après-midi; et cette idée lui donnait des sueurs froides, parce qu'il l'embrasserait certainement dans l'oreille, comme il le faisait par taquinerie, autrefois. C'était ce baiser qui l'épouvantait; à l'avance, il la rendait sourde, il l'emplissait d'un bourdonnement, dans lequel elle ne distinguait plus que le bruit de son cœur battant à grands coups. Alors, dès que ces peurs la prenaient, la forge était son seul asile; elle y redevenait tranquille et souriante, sous la protection de Goujet, dont le marteau sonore mettait en fuite ses mauvais rêves.

Quelle heureuse saison! La blanchisseuse soignait d'une façon particulière sa pratique de la rue des Portes-Blanches; elle lui reportait toujours son linge elle-même, parce que cette course, chaque vendredi,

était un prétexte tout trouvé pour passer rue Marcadet et entrer à la forge. Dès qu'elle tournait le coin de la rue, elle se sentait légère, gaie, comme si elle faisait une partie de campagne, au milieu de ces terrains vagues, bordés d'usines grises; la chaussée noire de charbon, les panaches de vapeur sur les toits, l'amusaient autant qu'un sentier de mousse dans un bois de banlieue, s'enfonçant entre de grands bouquets de verdure; et elle aimait l'horizon blafard, rayé par les hautes cheminées des fabriques, la butte Montmartre qui bouchait le ciel, avec ses maisons crayeuses, percées des trous réguliers de leurs fenêtres. Puis, elle ralentissait le pas en arrivant, sautant les flaques d'eau, prenant plaisir à traverser les coins déserts et embrouillés du chantier de démolitions. Au fond, la forge luisait, même en plein midi. Son cœur sautait à la danse des marteaux. Quand elle entrait, elle était toute rouge, les petits cheveux blonds de sa nuque envolés comme ceux d'une femme qui arrive à un rendez-vous. Goujet l'attendait, les bras nus, la poitrine nue, tapant plus fort sur l'enclume, ces jours-là, pour se faire entendre de plus loin. Il la devinait, l'accueillait d'un bon rire silencieux, dans sa barbe jaune. Mais elle ne voulait pas qu'il se dérangeât de son travail, elle le suppliait de reprendre le marteau, parce qu'elle l'aimait davantage, lorsqu'il le brandissait de ses gros bras, bossués de muscles. Elle allait donner une légère claque sur la joue d'Étienne pendu au soufflet, et elle restait une heure, à regarder les boulons. Ils n'échangeaient pas dix paroles. Ils n'auraient pas mieux satisfait leur tendresse dans une chambre, enfermés à double tour. Les ricanements de Bec-Salé, dit Boit-sans-Soif, ne les gênaient guère, car ils ne les entendaient même plus. Au bout d'un quart d'heure, elle commençait à étouffer un peu; la chaleur, l'odeur forte, les fumées qui montaient, l'étourdissaient, tandis que les coups sourds la secouaient des talons à la gorge. Elle ne désirait plus rien alors, c'était son plaisir. Goujet l'aurait serrée dans ses bras que ça ne lui aurait pas donné une émotion si grosse. Elle se rapprochait de lui, pour sentir le vent de son marteau sur sa joue, pour être dans le coup qu'il tapait. Quand des étincelles piquaient ses mains tendres, elle ne les retirait pas, elle jouissait au contraire de cette pluie de feu qui lui cinglait la peau. Lui, bien sûr, devinait le bonheur qu'elle goûtait là; il réservait pour le vendredi les ouvrages difficiles, afin de lui faire la cour avec toute sa force et toute son adresse; il ne se ménageait plus, au risque de fendre les enclumes en deux, haletant, les reins vibrant de la joie qu'il lui donnait. Pendant un printemps, leurs amours emplirent ainsi la forge d'un grondement d'orage. Ce fut une idylle dans une besogne de géant, au milieu du flamboiement de la houille, de l'ébranlement du hangar, dont la carcasse noire de suie craquait. Tout ce fer écrasé, pétri comme de la cire rouge, gardait les marques rudes de leurs tendresses. Le vendredi, quand la blanchisseuse quittait la Gueule-d'Or, elle remontait lentement la rue des Poissonniers, contentée, lassée, l'esprit et la chair tranquilles.

Peu à peu, sa peur de Lantier diminua, elle redevint raisonnable. A cette époque, elle aurait encore vécu très heureuse, sans Coupeau, qui tournait mal, décidément. Un jour, elle revenait justement de la forge, lorsqu'elle crut reconnaître Coupeau dans l'Assommoir du père Colombe, en train de se payer des tournées de vitriol, avec Mes-Bottes, Bibi-la-Grillade et Bec-Salé, dit Boit-sans-Soif. Elle passa vite, pour ne pas avoir l'air de les moucharder. Mais elle se retourna : c'était bien Coupeau qui se jetait son petit verre de schnick dans le gosier, d'un geste familier déjà. Il mentait donc, il en était donc à l'eau-de-vie, maintenant! Elle rentra désespérée; toute son épouvante de l'eau-de-vie la reprenait. Le vin, elle le pardonnait, parce que le vin nourrit l'ouvrier; les alcools, au contraire, étaient des saletés, des poisons qui ôtaient à l'ouvrier le goût du pain. Ah! le gouvernement aurait bien dû empêcher la fabrication de ces cochonneries!

En arrivant rue de la Goutte-d'Or, elle trouva toute la maison bouleversée. Ses ouvrières avaient quitté l'établi, et étaient dans la cour, à regarder en l'air. Elle interrogea Clémence.

— C'est le père Bijard qui flanque une roulée à sa femme, répondit la repasseuse. Il était sous la porte, gris comme un Polonais, à la guetter revenir du lavoir... Il lui a fait grimper l'escalier à coups de poing, et maintenant il l'assomme là-haut, dans leur chambre... Tenez, entendez-vous les cris?

Gervaise monta rapidement. Elle avait de l'amitié pour Mme Bijard, sa laveuse, qui était une femme d'un grand courage. Elle espérait mettre le holà. En haut, au sixième, la porte de la chambre était restée ouverte, quelques locataires s'exclamaient sur le carré, tandis que Mme Boche, devant la porte, criait :

— Voulez-vous bien finir!... On va aller chercher les sergents de ville, entendez-vous!

Personne n'osait se risquer dans la chambre, parce qu'on connaissait Bijard, une bête brute quand il était soûl. Il ne dessoûlait jamais, d'ailleurs. Les rares jours où il travaillait, il posait un litre d'eau-de-vie près de son étau de serrurier, buvant au goulot toutes les demi-heures. Il ne se soutenait plus autrement, il aurait pris feu comme une torche, si l'on avait approché une allumette de sa bouche.

— Mais on ne peut pas la laisser massacrer! dit Gervaise toute tremblante.

Et elle entra. La chambre, mansardée, très propre, était nue et froide, vidée par l'ivrognerie de l'homme, qui enlevait les draps du lit pour les boire. Dans la lutte, la table avait roulé jusqu'à la fenêtre, les deux chaises culbutées étaient tombées, les pieds en l'air. Sur le carreau, au milieu, Mme Bijard, les jupes encore trempées par l'eau du lavoir et collées à ses cuisses, les cheveux arrachés, saignante, râlait d'un souffle fort, avec des oh! oh! prolongés, à chaque coup de talon de Bijard. Il l'avait d'abord abattue de ses deux poings; maintenant, il la piétinait.

— Ah! garce!... ah! garce!... ah! garce!... grognait-il d'une voix étouffée, accompagnant de ce mot chaque coup, s'affolant à le répéter, frappant plus fort à mesure qu'il s'étranglait davantage.

Puis, la voix lui manqua, il continua de taper sourdement, follement, raidi dans sa cotte et son bourgeron déguenillés, la face bleuie sous sa barbe sale, avec son front chauve taché de grandes plaques rouges. Sur le carré, les voisins disaient qu'il la battait parce qu'elle lui avait refusé vingt sous, le matin. On entendit la voix de Boche, au bas de l'escalier. Il appelait Mme Boche, il lui criait :

— Descends, laisse-les se tuer, ça fera de la canaille de moins!

Cependant, le père Bru avait suivi Gervaise dans la chambre. A eux deux, ils tâchaient de raisonner le serrurier, de le pousser vers la porte. Mais il se retournait, muet, une écume aux lèvres; et, dans ses yeux pâles, l'alcool flambait, allumait une flamme de meurtre. La blanchisseuse eut le poignet meurtri; le vieil ouvrier alla tomber sur la table. Par terre, Mme Bijard soufflait plus fort, la bouche grande ouverte, les paupières closes. A présent, Bijard la manquait; il revenait, s'acharnait, frappait à côté, enragé, aveuglé, s'attrapant lui-même avec les claques qu'il envoyait dans le vide. Et, pendant toute cette tuerie, Gervaise voyait, dans un coin de la chambre, la petite Lalie, alors âgée de quatre ans, qui regardait son père assommer sa mère. L'enfant tenait entre ses bras, comme pour la protéger, sa sœur Henriette, sevrée de la veille. Elle était debout, la tête serrée dans une coiffe d'indienne, très pâle, l'air sérieux. Elle avait un large regard noir, d'une fixité pleine de pensées, sans une larme.

Quand Bijard eut rencontré une chaise et se fut étalé sur le carreau, où on le laissa ronfler, le père Bru aida Gervaise à relever Mme Bijard. Maintenant, celle-ci pleurait à gros sanglots; et Lalie, qui s'était approchée, la regardait pleurer, habituée à ces choses, résignée déjà. La blanchisseuse, en redescendant, au milieu de la maison calmée, voyait toujours devant elle ce regard d'enfant de quatre ans, grave et courageux comme un regard de femme.

— Monsieur Coupeau est sur le trottoir d'en face, lui cria Clémence, dès qu'elle l'aperçut. Il a l'air joliment poivre [146]!

Coupeau traversait justement la rue. Il faillit enfoncer un carreau d'un coup d'épaule, en manquant la porte. Il avait une ivresse blanche, les dents serrées, le nez pincé. Et Gervaise reconnut tout de suite le vitriol de l'Assommoir, dans le sang empoisonné qui lui blêmissait la peau. Elle voulut rire, le coucher, comme elle faisait les jours où il avait le vin bon enfant. Mais il la bouscula, sans desserrer les lèvres; et, en passant, en gagnant de lui-même son lit, il leva le poing sur elle. Il ressemblait à l'autre, au soûlard qui ronflait là-haut, las d'avoir tapé. Alors, elle resta toute froide, elle pensait aux hommes, à son mari, à Goujet, à Lantier, le cœur coupé, désespérant d'être jamais heureuse.

7

La fête de Gervaise tombait le 19 juin. Les jours de fête, chez les Coupeau, on mettait les petits plats dans les grands; c'étaient des noces dont on sortait ronds comme des balles, le ventre plein pour la semaine. Il y avait un nettoyage général de la monnaie. Dès qu'on avait quatre sous, dans le ménage, on les bouffait. On inventait des saints sur l'almanach, histoire de se donner des prétextes de gueuletons. Virginie approuvait joliment Gervaise de se fourrer de bons morceaux sous le nez. Lorsqu'on a un homme qui boit tout, n'est-ce pas? c'est pain bénit de ne pas laisser la maison s'en aller en liquides et de se garnir d'abord l'estomac. Puisque l'argent filait quand même, autant valait-il faire gagner au boucher qu'au marchand de vin. Et Gervaise, agourmandie [147], s'abandonnait à cette excuse. Tant pis! ça venait de Coupeau, s'ils n'économisaient plus un rouge liard. Elle avait encore engraissé, elle boitait davantage, parce que sa jambe, qui s'enflait de graisse, semblait se raccourcir à mesure.

Cette année-là, un mois à l'avance, on causa de la fête. On cherchait des plats, on s'en léchait les lèvres. Toute la boutique avait une sacrée envie de nocer. Il fallait une rigolade à mort, quelque chose de pas ordinaire et de réussi. Mon Dieu! on ne prenait pas tous les jours du bon temps. La grosse préoccupation de la blanchisseuse était de savoir qui elle inviterait; elle désirait douze personnes à table, pas plus, pas moins. Elle, son mari, maman Coupeau, Mme Lerat, ça faisait déjà quatre personnes de la famille. Elle aurait aussi les Goujet et les Poisson. D'abord, elle s'était bien promis de ne pas inviter ses ouvrières, Mme Putois et Clémence, pour ne pas les rendre trop familières; mais, comme on parlait toujours de la fête devant elles et que leurs nez s'allongeaient, elle finit par leur dire de venir. Quatre et quatre, huit, et deux, dix. Alors, voulant absolument compléter les douze, elle se réconcilia avec les Lorilleux, qui tournaient autour d'elle depuis quelque temps; du moins, il fut convenu que les Lorilleux descendraient dîner et qu'on ferait la paix, le verre à la main. Bien sûr, on ne peut pas toujours rester brouillé dans les familles. Puis, l'idée de la fête attendrissait tous les cœurs. C'était une occasion impossible à refuser. Seulement, quand les Boche connurent le raccommodement projeté, ils se rapprochèrent aussitôt de Gervaise, avec des politesses, des sourires obligeants; et il fallut les prier aussi d'être du repas. Voilà! on serait quatorze, sans compter les enfants. Jamais elle n'avait donné un dîner pareil, elle en était tout effarée et glorieuse.

La fête tombait justement un lundi. C'était une chance: Gervaise comptait sur l'après-midi du dimanche pour commencer la cuisine. Le samedi, comme les repasseuses bâclaient leur besogne, il eut une longue discussion dans la boutique, afin de savoir ce qu'on mangerait, décidément. Une seule pièce était adoptée depuis trois semaines: une oie grasse rôtie. On en causait avec des yeux gourmands. Même, l'oie était achetée. Maman Coupeau alla la chercher pour la faire soupeser à Clémence et à Mme Putois. Et il y eut des exclamations, tant la bête parut énorme, avec sa peau rude, ballonnée de graisse jaune.

— Avant ça, le pot-au-feu, n'est-ce pas? dit Gervaise. Le potage et un petit morceau de bouilli, c'est toujours bon... Puis, il faudrait un plat à la sauce.

---

146. « Complètement ivre » (Delvau).
147. Néologisme qui traduit peut-être une certaine tendresse de Zola pour Gervaise.

La grande Clémence proposa du lapin; mais on ne mangeait que de ça; tout le monde en avait pardessus la tête. Gervaise rêvait quelque chose de plus distingué. Mme Putois ayant parlé d'une blanquette de veau, elles se regardèrent toutes avec un sourire qui grandissait. C'était une idée; rien ne ferait l'effet d'une blanquette de veau.

— Après, reprit Gervaise, il faudrait encore un plat à la sauce.

Maman Coupeau songea à du poisson. Mais les autres eurent une grimace, en tapant leurs fers plus fort. Personne n'aimait le poisson, ça ne tenait pas à l'estomac, et c'était plein d'arêtes. Ce louchon d'Augustine ayant osé dire qu'elle aimait la raie, Clémence lui ferma le bec d'une bourrade. Enfin, la patronne venait de trouver une épinée de cochon aux pommes de terre, qui avait de nouveau épanoui les visages, lorsque Virginie entra comme un coup de vent, la figure allumée.

— Vous arrivez bien! cria Gervaise. Maman Coupeau, montrez-lui donc la bête.

Et maman Coupeau alla chercher une seconde fois l'oie grasse, que Virginie dut prendre sur ses mains. Elle s'exclama. Sacredié! qu'elle était lourde! Mais elle la posa tout de suite au bord de l'établi, entre un jupon et un paquet de chemises. Elle avait la cervelle ailleurs; elle emmena Gervaise dans la chambre du fond.

— Dites donc, ma petite, murmura-t-elle rapidement, je veux vous avertir... Vous ne devineriez jamais qui j'ai rencontré au bout de la rue ? Lantier, ma chère! Il est là à rôder, à guetter... Alors, je suis accourue. Ça m'a effrayée pour vous, vous comprenez.

La blanchisseuse était devenue toute pâle. Que lui voulait-il donc, ce malheureux ? Et justement il tombait en plein dans les préparatifs de la fête. Jamais elle n'avait eu de chance; on ne pouvait pas lui laisser prendre un plaisir tranquillement. Mais Virginie lui répondait qu'elle était bien bonne de se tourner la bile. Pardi! si Lantier s'avisait de la suivre, elle appellerait un agent et le ferait coffrer. Depuis un mois que son mari avait obtenu sa place de sergent de ville, la grande brune prenait des allures cavalières et parlait d'arrêter tout le monde. Comme elle élevait la voix, en souhaitant d'être pincée dans la rue, à la seule fin d'emmener elle-même l'insolent au poste et de le livrer à Poisson, Gervaise, d'un geste, la supplia de se taire, parce que les ouvrières écoutaient. Elle rentra la première dans la boutique; elle reprit, en affectant beaucoup de calme :

— Maintenant, il faudrait un légume ?

— Hein ? des petits pois au lard, dit Virginie. Moi, je ne mangerais que de ça.

— Oui, oui, des petits pois au lard! approuvèrent toutes les autres, pendant qu'Augustine, enthousiasmée, enfonçait de grands coups de tisonnier dans la mécanique.

Le lendemain dimanche, dès trois heures, maman Coupeau alluma les deux fourneaux de la maison et un troisième fourneau en terre emprunté aux Boche. A trois heures et demie, le pot-au-feu bouillait dans une grosse marmite, prêtée par le restaurant d'à-côté, la marmite du ménage ayant semblé trop petite. On avait décidé d'accommoder la veille la blanquette de veau et l'épinée de cochon, parce que ces plats-là sont meilleurs réchauffés; seulement, on ne lierait la sauce de la blanquette qu'au moment de se mettre à table. Il resterait encore bien assez de besogne pour le lundi, le potage, les pois au lard, l'oie rôtie. La chambre du fond était tout éclairée par les trois brasiers; des roux graillonnaient dans les poêlons, avec une fumée forte de farine brûlée; tandis que la grosse marmite soufflait des jets de vapeur comme une chaudière, les flancs secoués par des glouglous graves et profonds. Maman Coupeau et Gervaise, un tablier blanc noué devant elles, emplissaient la pièce de leur hâte à éplucher du persil, à courir après le poivre et le sel, à tourner la viande avec la mouvette de bois. Elles avaient mis Coupeau dehors pour débarrasser le plancher. Mais elles eurent quand même du monde sur le dos toute l'après-midi. Ça sentait si bon la cuisine, dans la maison, que les voisines descendirent les unes après les autres, entrèrent sous des prétextes, uniquement pour savoir ce qui cuisait; et elles se plantaient là, en attendant que la blanchisseuse fût forcée de lever les couvercles. Puis, vers cinq heures, Virginie parut; elle avait encore vu Lantier; décidément, on ne mettait plus les pieds dans la rue sans le rencontrer. Mme Boche, elle aussi, venait de l'apercevoir au coin du trottoir, avançant la tête d'un air sournois. Alors, Gervaise, qui justement allait acheter un sou d'oignons brûlés pour le pot-au-feu, fut prise d'un tremblement et n'osa plus sortir; d'autant plus que la concierge et la couturière l'effrayaient beaucoup en racontant des histoires terribles, des hommes attendant des femmes avec des couteaux et des pistolets cachés sous leur redingote. Dame, oui! on lisait ça tous les jours dans les journaux; quand un de ces gredins-là enrage de retrouver une ancienne heureuse, il devient capable de tout. Virginie offrit obligeamment de courir chercher les oignons brûlés. Il fallait s'aider entre femmes, on ne pouvait pas laisser massacrer cette pauvre petite. Lorsqu'elle revint, elle dit que Lantier n'était plus là; il avait dû filer, en se sachant découvert. La conversation, autour des poêlons, n'en roula pas moins sur lui jusqu'au soir. Mme Boche ayant conseillé d'instruire Coupeau, Gervaise montra une grande frayeur et la supplia de ne jamais lâcher un mot de ces choses. Ah bien! ce serait du propre! Son mari devait déjà se douter de l'affaire, car depuis quelques jours, en se couchant, il jurait et donnait des coups de poing dans le mur. Elle en restait les mains tremblantes, à l'idée que deux hommes se mangeraient pour elle; elle connaissait Coupeau, il était jaloux à tomber sur Lantier avec ses cisailles. Et, pendant que, toutes quatre, elles s'enfonçaient dans ce drame, les sauces, sur les fourneaux garnis de cendre, mijotaient doucement; la blanquette et l'épinée, quand maman Coupeau les découvrait, avaient un petit bruit, un frémissement discret; le pot-au-feu gardait son ronflement de chantre endormi le ventre au soleil. Elles finirent par se tremper chacune une soupe, dans une tasse, pour goûter le bouillon.

Enfin, le lundi arriva. Maintenant que Gervaise allait avoir quatorze personnes à dîner, elle craignait de ne pas pouvoir caser tout ce monde. Elle se décida à mettre le couvert dans la boutique; et encore, dès le matin, mesura-t-elle avec un mètre, pour savoir dans quel sens elle placerait la table. Ensuite, il fallut déménager le linge, démonter l'établi; c'était l'établi, posé sur d'autres tréteaux, qui devait servir de table. Mais, juste au milieu de tout ce remue-ménage, une cliente se présenta et fit une scène, parce qu'elle attendait son linge depuis vendredi; on se fichait d'elle, elle voulait son linge immédiatement. Alors, Gervaise s'excusa, mentit avec aplomb; il n'y avait pas de sa faute, elle nettoyait sa boutique, les ouvrières reviendraient seulement le lendemain; et elle renvoya la cliente calmée, en lui promettant de s'occuper d'elle à la première heure. Puis, lorsque l'autre fut partie, elle éclata en mauvaises paroles. C'est vrai, si l'on écoutait les pratiques, on ne prendrait pas même le temps de manger, on se tuerait la vie entière pour leurs beaux yeux! On n'était pas des chiens à l'attache, pourtant! Ah bien! quand le Grand Turc en personne serait venu lui apporter un faux-col, quand il se serait agi de gagner cent mille francs, elle n'aurait pas donné un coup de fer ce lundi-là, parce qu'à la fin c'était son tour de jouir un peu.

La matinée entière fut employée à terminer les achats. Trois fois, Gervaise sortit et rentra chargée comme un mulet. Mais, au moment où elle repar-tait pour commander le vin, elle s'aperçut qu'elle n'avait plus assez d'argent. Elle aurait bien pris le vin à crédit; seulement, la maison ne pouvait pas rester sans le sou, à cause des mille petites dépenses auxquelles on ne pense pas. Et, dans la chambre du fond, maman Coupeau et elle se désolèrent, calculèrent qu'il leur fallait au moins vingt francs. Où les trouver, ces quatre pièces de cent sous? Maman Coupeau, qui autrefois avait fait le ménage d'une petite actrice du théâtre des Batignolles, parla la première du mont-de-piété. Gervaise eut un rire de soulagement. Était-elle bête! elle n'y songeait plus. Elle plia vivement sa robe de soie noire dans une serviette, qu'elle épingla. Puis, elle cacha elle-même le paquet sous le tablier de maman Coupeau, en lui recommandant de le tenir bien aplati sur son ventre, à cause des voisins, qui n'avaient pas besoin de savoir; et elle vint guetter sur la porte, pour voir si on ne suivait pas la vieille femme. Mais celle-ci n'était pas devant le charbonnier qu'elle la rappela.

— Maman! maman!

Elle la fit rentrer dans la boutique, ôta de son doigt son alliance, en disant:

— Tenez, mettez ça avec. Nous aurons davantage.

Et quand maman Coupeau lui eut rapporté vingt-cinq francs, elle dansa de joie. Elle allait commander en plus six bouteilles de vin cacheté pour boire avec le rôti. Les Lorilleux seraient écrasés.

Depuis quinze jours, c'était le rêve des Coupeau: écraser les Lorilleux. Est-ce que ces sournois, l'homme et la femme, une jolie paire vraiment, ne s'enfermaient pas quand ils mangeaient un bon morceau, comme s'ils l'avaient volé? Oui, ils bouchaient la fenêtre avec une couverture pour cacher la lumière et faire croire qu'ils dormaient. Naturellement, ça empêchait les gens de monter; et ils bâfraient seuls, ils se dépêchaient de s'empiffrer, sans lâcher un mot tout haut. Même, le lendemain, ils se gardaient de jeter leurs os sur les ordures, parce qu'on aurait su alors ce qu'ils avaient mangé; Mme Lorilleux allait, au bout de la rue, les lancer dans une bouche d'égout; un matin, Gervaise l'avait surprise vidant là son panier plein d'écailles d'huîtres. Ah! non, pour sûr, ces rapiats n'étaient pas larges des épaules, et toutes ces manigances venaient de leur rage à vouloir paraître pauvres. Eh bien! on leur donnerait une leçon, on leur prouverait qu'on n'était pas chien. Gervaise aurait mis sa table en travers de la rue, si elle avait pu, histoire d'inviter chaque passant. L'argent, n'est-ce pas? n'a pas été inventé pour moisir. Il est joli, quand il luit tout neuf au soleil. Elle leur ressemblait si peu maintenant, que, les jours où elle avait vingt sous, elle s'arrangeait de façon à laisser croire qu'elle en avait quarante.

Maman Coupeau et Gervaise parlèrent des Lorilleux, en mettant la table, dès trois heures. Elles avaient accroché de grands rideaux dans la vitrine; mais, comme il faisait chaud, la porte restait ouverte, la rue entière passait devant la table. Les deux femmes ne posaient pas une carafe, une bouteille, une salière, sans chercher à y glisser une intention vexatoire pour les Lorilleux. Elles avaient placés de manière à ce qu'ils pussent voir le développement superbe du couvert, et elles leur réservaient la belle vaisselle, sachant bien que les assiettes de porcelaine leur porteraient un coup.

— Non, non, maman, cria Gervaise, ne leur donnez pas ces serviettes-là! J'en ai deux qui sont damassées.

— Ah bien! murmura la vieille femme, ils en crèveront, c'est sûr.

Et elles se sourirent, debout aux deux côtés de cette grande table blanche, où les quatorze couverts alignés leur causaient un gonflement d'orgueil. Ça faisait comme une chapelle, au milieu de la boutique.

— Aussi, reprit Gervaise, pourquoi sont-ils si rats!... vous savez, ils ont menti, le mois dernier, quand la femme a raconté partout qu'elle avait perdu un bout de chaîne d'or, en allant reporter l'ouvrage. Vrai! si celle-là perd jamais quelque chose!... C'était simplement une façon de pleurer misère et de ne pas vous donner vos cent sous.

— Je ne les ai encore vus que deux fois, mes cent sous, dit maman Coupeau.

— Voulez-vous parier! le mois prochain, ils inventeront une autre histoire... Ça explique pourquoi ils bouchent leur fenêtre, quand ils mangent un lapin. N'est-ce pas? on serait en droit de leur dire : « Puisque vous mangez un lapin, vous pouvez bien donner cent sous à votre mère. » Oh! ils ont du vice!... Qu'est-ce que vous seriez devenue, si je ne vous avais pas prise avec nous ?

Maman Coupeau hocha la tête. Ce jour-là, elle était tout à fait contre les Lorilleux, à cause du grand repas que les Coupeau donnaient. Elle aimait la cuisine, les bavardages autour des casseroles, les maisons mises en l'air par les noces des jours de fête. D'ailleurs, elle s'entendait d'ordinaire assez bien avec Gervaise. Les autres jours, quand elles s'asticotaient ensemble, comme ça arrive dans tous les ménages, la vieille femme bougonnait, se disait horriblement malheureuse d'être ainsi à la merci de sa belle-fille. Au fond, elle devait garder une tendresse pour Mme Lorilleux; c'était sa fille, après tout.

— Hein ? répéta Gervaise, vous ne seriez pas si grasse, chez eux ? Et pas de café, pas de tabac, aucune douceur!... Dites, est-ce qu'ils vous auraient mis deux matelas à votre lit ?

— Non, bien sûr, répondit maman Coupeau. Lorsqu'ils vont entrer, je me placerai en face de la porte pour voir leur nez.

Le nez des Lorilleux les égayait à l'avance. Mais il s'agissait de ne pas rester planté là, à regarder la table. Les Coupeau avaient déjeuné très tard, vers une heure, avec un peu de charcuterie, parce que les trois fourneaux étaient déjà occupés, et qu'ils ne voulaient pas salir la vaisselle lavée pour le soir. A quatre heures, les deux femmes furent dans leur coup de feu. L'oie rôtissait devant une coquille placée par terre, contre le mur, à côté de la fenêtre ouverte; et la bête était si grosse, qu'il avait fallu l'enfoncer de force dans la rôtissoire. Ce louchon d'Augustine, assise sur un petit banc, recevant en plein le reflet d'incendie de la coquille, arrosait l'oie gravement avec une cuiller à long manche. Gervaise s'occupait des pois au lard. Maman Coupeau, la tête perdue au milieu de tous ces plats, tournait, attendait le moment de mettre réchauffer l'épinée et la blanquette. Vers cinq heures, les invités commencèrent à arriver. Ce furent d'abord les deux ouvrières, Clémence et Mme Putois, toutes deux endimanchées, la première en bleu, la seconde en noir; Clémence tenait un géranium, Mme Putois, un héliotrope; et Gervaise, qui justement avait les mains blanches de farine, dut leur appliquer à chacune deux gros baisers, les mains rejetées en arrière. Puis, sur leurs talons, Virginie entra, mise comme une dame, en robe de mousseline imprimée, avec une écharpe et un chapeau, bien qu'elle eût seulement la rue à traverser. Celle-là apportait un pot d'œillets rouges. Elle prit elle-même la blanchisseuse dans ses grands bras et la serra fortement. Enfin, parurent Boche avec un pot de pensées, Mme Boche avec un pot de réséda, Mme Lerat avec une citronnelle, un pot dont la terre avait sali sa robe de mérinos violet. Tout ce monde s'embrassait, s'entassait dans la chambre, au milieu des trois fourneaux et de la coquille, d'où montait une chaleur d'asphyxie. Les bruits de friture des poêlons couvraient les voix. Une robe qui accrocha la rôtissoire, causa une émotion. Ça sentait l'oie si fort, que les nez s'agrandissaient. Et Gervaise était très aimable, remerciait chacun de son bouquet, sans cesser pour cela de préparer la liaison de la blanquette, au fond d'une assiette

:reuse. Elle avait posé les pots dans la boutique, au bout de la table, sans leur enlever leur haute :ollerette de papier blanc. Un parfum doux de fleurs se mêlait à l'odeur de la cuisine.

— Voulez-vous qu'on vous aide ? dit Virginie. Quand je pense que vous travaillez depuis trois jours à toute cette nourriture, et qu'on va rafler ça en un rien de temps!

— Dame! répondit Gervaise, ça ne se ferait pas tout seul... Non, ne vous salissez pas les mains. Vous voyez, tout est prêt. Il n'y a plus que le potage...

Alors, on se mit à l'aise. Les dames posèrent sur le lit leurs châles et leurs bonnets, puis relevèrent leurs jupes avec des épingles, pour ne pas les salir. Boche, qui avait renvoyé sa femme garder la loge jusqu'à l'heure du dîner, poussait déjà Clémence dans le coin de la mécanique, en lui demandant si elle était chatouilleuse; et Clémence haletait, se tordait, pelotonnée et les seins crevant son corsage, car l'idée seule de chatouilles lui faisait courir un frisson partout. Les autres dames, afin de ne pas gêner les cuisinières, venaient également de passer dans la boutique, où elles se tenaient contre les murs, en face de la table; mais, comme la conversation continuait par la porte ouverte, et qu'on ne s'entendait pas, à tous moments elles retournaient au fond, envahissant la pièce avec de brusques éclats de voix, entourant Gervaise qui s'oubliait à leur répondre, sa cuiller fumante au poing. On riait, on en lâchait de fortes. Virginie ayant dit qu'elle ne mangeait plus depuis deux jours, pour se faire un trou, cette grande sale de Clémence en raconta une plus raide : elle s'était creusée, en prenant le matin un bouillon pointu [148], comme les Anglais. Alors, Boche donna un moyen de digérer tout de suite, qui consistait à se serrer dans une porte, après chaque plat; ça se pratiquait aussi chez les Anglais, ça permettait de manger douze heures à la file, sans se fatiguer l'estomac. N'est-ce pas ? la politesse veut qu'on mange, lorsqu'on est invité à dîner. On ne met pas du veau, et du cochon, et de l'oie, pour les chats. Oh! la patronne pouvait être tranquille : on allait lui nettoyer ça si proprement, qu'elle n'aurait même pas besoin de laver la vaisselle le lendemain. Et la société semblait s'ouvrir l'appétit en venant renifler au-dessus des poêlons et de la rôtissoire. Les dames finirent par faire les jeunes filles; elles jouaient à se pousser, elles couraient d'une pièce à l'autre, ébranlant le plancher, remuant et développant les odeurs de cuisine avec

148. « Lavement » (Delvau).

leurs jupons, dans un vacarme assourdissant, où les rires se mêlaient au bruit du couperet de maman Coupeau, hachant du lard.

Justement, Goujet se présenta au moment où tout le monde sautait en criant, pour la rigolade. Il n'osait pas entrer, intimidé, avec un grand rosier blanc entre ses bras, une plante magnifique dont la tige montait jusqu'à sa figure et mêlait des fleurs dans sa barbe jaune. Gervaise courut à lui, les joues enflammées par le feu des fourneaux. Mais il ne savait pas se débarrasser de son pot; et, quand elle le lui eut pris des mains, il bégaya, n'osant l'embrasser. Ce fut elle qui dut se hausser, poser la joue contre ses lèvres; même il était si troublé, qu'il l'embrassa sur l'œil, rudement, à l'éborgner. Tous deux restèrent tremblants.

— Oh! monsieur Goujet, c'est trop beau! dit-elle en plaçant le rosier à côté des autres fleurs, qu'il dépassait de tout son panache de feuillage.

— Mais non, mais non, répétait-il sans trouver autre chose.

Et, quand il eut poussé un gros soupir, un peu remis, il annonça qu'il ne fallait pas compter sur sa mère; elle avait sa sciatique. Gervaise fut désolée; elle parla de mettre un morceau d'oie de côté, car elle tenait absolument à ce que Mme Goujet mangeât de la bête. Cependant, on n'attendait plus personne. Coupeau devait flâner par là, dans le quartier, avec Poisson, qu'il était allé prendre chez lui, après le déjeuner; ils ne tarderaient pas à rentrer, ils avaient promis d'être exacts pour six heures. Alors, comme le potage était presque cuit, Gervaise appela Mme Lerat, en disant que le moment lui semblait venu de monter chercher les Lorilleux. Mme Lerat, aussitôt, devint très grave : c'était elle qui avait mené toute la négociation et réglé entre les deux ménages comment les choses se passeraient. Elle remit son châle et son bonnet; elle monta, raide dans ses jupes, l'air important. En bas, la blanchisseuse continua à tourner son potage, des pâtes d'Italie, sans dire un mot. La société, brusquement sérieuse, attendait avec solennité.

Ce fut Mme Lerat qui reparut la première. Elle avait fait le tour par la rue, pour donner plus de pompe à la réconciliation. Elle tint de la main la porte de la boutique grande ouverte, tandis que Mme Lorilleux, en robe de soie, s'arrêtait sur le seuil. Tous les invités s'étaient levés, Gervaise s'avança, embrassa sa belle-sœur, comme il était convenu, en disant :

— Allons, entrez. C'est fini, n'est-ce pas ?... Nous serons gentilles toutes les deux.

Et Mme Lorilleux répondit :

— Je ne demande pas mieux que ça dure toujours.

Quand elle fut entrée, Lorilleux s'arrêta également sur le seuil, et il attendit aussi d'être embrassé, avant de pénétrer dans la boutique. Ni l'un ni l'autre n'avait apporté de bouquet; ils s'y étaient refusés, ils trouvaient qu'ils auraient trop l'air de se soumettre à la Banban, s'ils arrivaient chez elle avec des fleurs, la première fois. Cependant, Gervaise criait à Augustine de donner deux litres. Puis, sur un bout de la table, elle versa des verres de vin, appela tout le monde. Et chacun prit un verre, on trinqua à la bonne amitié de la famille. Il y eut un silence, la société buvait, les dames levaient le coude, d'un trait, jusqu'à la dernière goutte.

— Rien n'est meilleur avant la soupe, déclara Boche, avec un claquement de langue. Ça vaut mieux qu'un coup de pied au derrière.

Maman Coupeau s'était placée en face de la porte, pour voir le nez des Lorilleux. Elle tirait Gervaise par la jupe, elle l'emmena dans la pièce du fond. Et, toutes deux penchées au-dessus du potage, elles causèrent vivement, à voix basse.

— Hein? quel pif! dit la vieille femme. Vous n'avez pas pu les voir, vous. Mais moi, je les guettais... Quand elle a aperçu la table, tenez! sa figure s'est tortillée comme ça, les coins de sa bouche sont montés toucher ses yeux; et lui, ça l'a étranglé, il s'est mis à tousser... Maintenant, regardez-les, là-bas; ils n'ont plus de salive, ils se mangent les lèvres.

— Ça fait de la peine, des gens jaloux à ce point, murmura Gervaise.

Vrai, les Lorilleux avaient une drôle de tête. Personne, bien sûr, n'aime à être écrasé; dans les familles surtout, quand les uns réussissent, les autres ragent, c'est naturel. Seulement, on se contient, n'est-ce pas? on ne se donne pas en spectacle. Eh bien! les Lorilleux ne pouvaient pas se contenir. C'était plus fort qu'eux, ils louchaient, ils avaient le bec de travers. Enfin, ça se voyait si clairement, que les autres invités les regardaient et leur demandaient s'ils n'étaient pas indisposés. Jamais ils n'avaleraient la table avec ses quatorze couverts, son linge blanc, ses morceaux de pain coupés à l'avance. On se serait cru dans un restaurant des boulevards. Mme Lorilleux fit le tour, baissa le nez pour ne pas voir les fleurs; et, sournoisement, elle tâta la grande nappe, tourmentée par l'idée qu'elle devait être neuve.

— Nous y sommes! cria Gervaise, en reparaissant, souriante, les bras nus, ses petits cheveux blonds envolés sur les tempes.

Les invités piétinaient autour de la table. Tou[s] avaient faim, bâillaient légèrement, l'air embêté.

— Si le patron arrivait, reprit la blanchisseuse nous pourrions commencer.

— Ah bien! dit Mme Lorilleux, la soupe a le temps de refroidir... Coupeau oublie toujours. I[l] ne fallait pas le laisser filer.

Il était déjà six heures et demie. Tout brûlait maintenant; l'oie serait trop cuite. Alors, Gervaise désolée, parla d'envoyer quelqu'un dans le quartie[r] voir, chez les marchands de vin, si l'on n'aperce[-] vrait pas Coupeau. Puis, comme Goujet s'offrait elle voulut aller avec lui; Virginie, inquiète de so[n] mari, les accompagna. Tous les trois, en cheveux barraient le trottoir. Le forgeron, qui avait s[a] redingote, tenait Gervaise à son bras gauche e[t] Virginie à son bras droit : il faisait le panier [à] deux anses, disait-il; et le mot leur parut si drôle qu'ils s'arrêtèrent, les jambes cassées par le rire Ils se regardèrent dans la glace du charcutier, il[s] rirent plus fort. A Goujet tout noir, les deux femme[s] semblaient deux cocottes mouchetées, la couturière avec sa toilette de mousseline semée de bouquet[s] roses, la blanchisseuse en robe de percale blanch[e] à pois bleus, les poignets nus, une petite cravate d[e] soie grise nouée au cou. Le monde se retournai[t] pour les voir passer, si gais, si frais, endimanché[s] un jour de semaine, bousculant la foule qui encombrait la rue des Poissonniers, dans la tiède soiré[e] de juin. Mais il ne s'agissait pas de rigoler. Il[s] allaient droit à la porte de chaque marchand d[e] vin, allongeaient la tête, cherchaient devant l[e] comptoir. Est-ce que cet animal de Coupeau étai[t] parti boire la goutte à l'Arc de triomphe? Déj[à] ils avaient battu tout le haut de la rue, regardan[t] aux bons endroits : à la Petite-Civette, renommé[e] pour les prunes; chez la mère Baquet, qui vendai[t] du vin d'Orléans à huit sous; au Papillon, le rendez-vous de messieurs les cochers, des gens difficiles Pas de Coupeau. Alors, comme ils descendaien[t] vers le boulevard, Gervaise, en passant devan[t] François, le mastroquet du coin, poussa un lége[r] cri.

— Quoi donc? demanda Goujet.

La blanchisseuse ne riait plus. Elle était trè[s] blanche, et si émotionnée, qu'elle avait failli tomber. Virginie comprit tout d'un coup, en voyant chez François, assis à une table, Lantier qui dînai[t] tranquillement. Les deux femmes entraînèrent l[e] forgeron.

— Le pied m'a tourné, dit Gervaise, quand ell[e] put parler.

Enfin, au bas de la rue, ils découvrirent Coupeau

et Poisson dans l'Assommoir du père Colombe. Ils se tenaient debout, au milieu d'un tas d'hommes; Coupeau, en blouse grise, criait, avec des gestes furieux et 'des coups de poing sur le comptoir; Poisson, qui n'était pas de service ce jour-là, serré dans un vieux paletot marron, l'écoutait, la mine terne et silencieuse, hérissant son impériale et ses moustaches rouges. Goujet laissa les femmes au bord du trottoir, vint poser la main sur l'épaule du zingueur. Mais quand ce dernier aperçut Gervaise et Virginie dehors, il se fâcha. Qui est-ce qui lui avait fichu des femelles de cette espèce? Voilà que les jupons le relançaient maintenant! Eh bien! il ne bougerait pas, elles pouvaient manger leur saloperie de dîner toutes seules. Pour l'apaiser, il fallut que Goujet acceptât une tournée de quelque chose; encore mit-il de la méchanceté à traîner cinq grandes minutes devant le comptoir. Lorsqu'il sortit enfin, il dit à sa femme :

— Ça ne me va pas... Je reste où j'ai affaire, entends-tu!

Elle ne répondit rien. Elle était toute tremblante. Elle avait dû causer de Lantier avec Virginie, car celle-ci poussa son mari et Goujet, en leur criant de marcher les premiers. Les deux femmes se mirent ensuite aux côtés du zingueur, pour l'occuper et l'empêcher de voir. Il était à peine allumé, plutôt étourdi d'avoir gueulé que d'avoir bu. Par taquinerie, comme elles semblaient vouloir suivre le trottoir de gauche, il les bouscula, il passa sur le trottoir de droite. Elles coururent, effrayées, et tâchèrent de masquer la porte de François. Mais Coupeau devait savoir que Lantier était là. Gervaise demeura stupide, en l'entendant grogner :

— Oui, n'est-ce pas! ma biche, il y a là un cadet de notre connaissance. Faut pas me prendre pour un jobard... Que je te pince à te balader encore, avec tes yeux en coulisse!

Et il lâcha des mots crus. Ce n'était pas lui qu'elle cherchait, les coudes à l'air, la margoulette enfarinée; c'était son ancien marlou. Puis, brusquement, il fut pris d'une rage folle contre Lantier. Ah! le brigand, ah! la crapule! Il fallait que l'un des deux restât sur le trottoir, vidé comme un lapin. Cependant, Lantier paraissait ne pas comprendre, mangeait lentement du veau à l'oseille. On commençait à s'attrouper. Virginie emmena enfin Coupeau, qui se calma subitement, dès qu'il eut tourné le coin de la rue. N'importe, on revint à la boutique moins gaiement qu'on n'en était sorti.

Autour de la table, les invités attendaient avec des mines longues. Le zingueur donna des poignées de main, en se dandinant devant les dames. Ger-

vaise, un peu oppressée, parlait à demi-voix, faisait placer le monde. Mais, brusquement, elle s'aperçut que, Mme Goujet n'étant pas venue, une place allait rester vide, la place à côté de Mme Lorilleux.

— Nous sommes treize! dit-elle, très émue, voyant là une nouvelle preuve du malheur dont elle se sentait menacée depuis quelque temps.

Les dames, déjà assises, se levèrent d'un air inquiet et fâché. Mme Putois offrit de se retirer, parce que, selon elle, il ne fallait pas jouer avec ça; d'ailleurs, elle ne toucherait à rien, les morceaux ne lui profiteraient pas. Quant à Boche, il ricanait : il aimait mieux être treize que quatorze; les parts seraient plus grosses, voilà tout.

— Attendez! reprit Gervaise. Ça va s'arranger.

Et, sortant sur le trottoir, elle appela le père Bru qui traversait justement la chaussée. Le vieil ouvrier entra, courbé, roidi, la face muette.

— Asseyez-vous là, mon brave homme, dit la blanchisseuse. Vous voulez bien manger avec nous, n'est-ce pas ?

Il hocha simplement la tête. Il voulait bien, ça lui était égal.

— Hein! autant lui qu'un autre, continua-t-elle, baissant la voix. Il ne mange pas souvent à sa faim. Au moins, il se régalera encore une fois... Nous n'aurons pas de remords à nous emplir, maintenant.

Goujet avait les yeux humides, tant il était touché. Les autres s'apitoyèrent, trouvèrent ça très bien, en ajoutant que ça leur porterait bonheur à tous. Cependant, Mme Lorilleux ne semblait pas contente d'être près du vieux; elle s'écartait, elle jetait des coups d'œil dégoûtés sur ses mains durcies, sur sa blouse rapiécée et déteinte. Le père Bru restait la tête basse, gêné surtout par la serviette qui cachait l'assiette, devant lui. Il finit par l'enlever et la posa doucement au bord de la table, sans songer à la mettre sur ses genoux.

Enfin, Gervaise servait le potage aux pâtes d'Italie, les invités prenaient leurs cuillers, lorsque Virginie fit remarquer que Coupeau avait encore disparu. Il était peut-être bien retourné chez le père Colombe. Mais la société se fâcha. Cette fois, tant pis! on ne courrait pas après lui, il pouvait rester dans la rue, s'il n'avait pas faim. Et, comme les cuillers tapaient au fond des assiettes, Coupeau reparut, avec deux pots, un sous chaque bras, une giroflée et une balsamine. Toute la table battit des mains. Lui, galant, alla poser ses pots, l'un à droite, l'autre à gauche du verre de Gervaise; puis, il se pencha, et, l'embrassant :

— Je t'avais oubliée, ma biche... Ça n'empêche

pas, on s'aime tout de même, dans un jour comme le jour d'aujourd'hui.

— Il est très bien, monsieur Coupeau, ce soir, murmura Clémence à l'oreille de Boche. Il a tout ce qu'il lui faut, juste assez pour être aimable.

La bonne manière du patron rétablit la gaieté, un moment compromise. Gervaise, tranquillisée, était redevenue toute souriante. Les convives achevaient le potage. Puis les litres circulèrent, et l'on but le premier verre de vin, quatre doigts de vin pur, pour faire couler les pâtes. Dans la pièce voisine, on entendait les enfants se disputer. Il y avait là Étienne, Nana, Pauline et le petit Victor Fauconnier. On s'était décidé à leur installer une table pour eux quatre, en leur recommandant d'être bien sages. Ce louchon d'Augustine, qui surveillait les fourneaux, devait manger sur ses genoux.

— Maman! maman! s'écria brusquement Nana, c'est Augustine qui laisse tomber son pain dans la rôtissoire!

La blanchisseuse accourut et surprit le louchon en train de se brûler le gosier, pour avaler plus vite une tartine toute trempée de graisse d'oie bouillante. Elle la calotta, parce que cette satanée gamine criait que ce n'était pas vrai.

Après le bœuf, quand la blanquette apparut, servie dans un saladier, le ménage n'ayant pas de plat assez grand, un rire courut parmi les convives.

— Ça va devenir sérieux, déclara Poisson, qui parlait rarement.

Il était sept heures et demie. Ils avaient fermé la porte de la boutique, afin de ne pas être mouchardés par le quartier; en face surtout, le petit horloger ouvrait des yeux comme des tasses, et leur ôtait les morceaux de la bouche, d'un regard si glouton, que ça les empêchait de manger. Les rideaux pendus devant les vitres laissaient tomber une grande lumière blanche, égale, sans une ombre, dans laquelle baignait la table, avec ses couverts encore symétriques, ses pots de fleurs habillés de hautes collerettes de papier; et cette clarté pâle, ce lent crépuscule donnait à la société un air distingué. Virginie trouva le mot : elle regarda la pièce, close et tendue de mousseline, et déclara que c'était gentil. Quand une charrette passait dans la rue, les verres sautaient sur la nappe, les dames étaient obligées de crier aussi fort que les hommes. Mais on causait peu, on se tenait bien, on se faisait des politesses : Coupeau seul était en blouse, parce que, disait-il, on n'a pas besoin de se gêner avec des amis, et que la blouse est du reste le vêtement d'honneur de l'ouvrier. Les dames, sanglées dans leur corsage, avaient des bandeaux empâtés de pommade, où le jour se reflétait; tandis que les messieurs, assis loin de la table, bombaient la poitrine et écartaient les coudes, par crainte de tacher leur redingote.

Ah! tonnerre! quel trou dans la blanquette! Si l'on ne parlait guère, on mastiquait ferme. Le saladier se creusait, une cuiller plantée dans la sauce épaisse, une bonne sauce jaune qui tremblait comme une gelée. Là-dedans, on pêchait les morceaux de veau; et il y en avait toujours, le saladier voyageait de main en main, les visages se penchaient et cherchaient des champignons. Les grands pains, posés contre le mur, derrière les convives, avaient l'air de fondre. Entre les bouchées, on entendait les culs des verres retomber sur la table. La sauce était un peu trop salée, il fallut quatre litres pour noyer cette bougresse de blanquette, qui s'avalait comme une crème et qui vous mettait un incendie dans le ventre. Et l'on n'eut pas le temps de souffler, l'épinée de cochon, montée sur un plat creux, flanquée de grosses pommes de terre rondes, arrivait au milieu d'un nuage. Il y eut un cri. Sacré nom! c'était trouvé! Tout le monde aimait ça. Pour le coup, on allait se mettre en appétit; et chacun suivait le plat d'un œil oblique, en essuyant son couteau sur son pain, afin d'être prêt. Puis, lorsqu'on se fut servi, on se poussa du coude, on parla, la bouche pleine. Hein ? quel beurre, cette épinée! quelque chose de doux et de solide qu'on sentait couler le long de son boyau, jusque dans ses bottes. Les pommes de terre étaient un sucre. Ça n'était pas salé; mais, juste à cause des pommes de terre, ça demandait un coup d'arrosoir toutes les minutes. On cassa le goulot à quatre nouveaux litres. Les assiettes furent si proprement torchées, qu'on n'en changea pas pour manger les pois au lard. Oh! les légumes ne tiraient pas à conséquence. On gobait ça à pleine cuiller, en s'amusant. De la vraie gourmandise enfin, comme qui dirait le plaisir des dames. Le meilleur, dans les pois, c'étaient les lardons, grillés à point, puant le sabot de cheval. Deux litres suffirent.

— Maman! maman! cria tout à coup Nana, c'est Augustine qui met ses mains dans mon assiette!

— Tu m'embêtes! fiche-lui une claque! répondit Gervaise, en train de se bourrer de petits pois.

Dans la pièce voisine, à la table des enfants, Nana faisait la maîtresse de maison. Elle s'était assise à côté de Victor et avait placé son frère Étienne près de la petite Pauline; comme ça, ils jouaient au ménage, ils étaient des mariés en partie de plaisir. D'abord, Nana avait servi ses invités très gentiment, avec des mines souriantes de grande personne; mais elle venait de céder à son amour des lardons, elle les avait tous gardés pour elle. Ce louchon d'Augustine, qui rôdait sournoisement autour des enfants, profitait de ça pour prendre les lardons à pleine main, sous prétexte de refaire le partage. Nana, furieuse, la mordit au poignet.

— Ah! tu sais, murmura Augustine, je vais rapporter à ta mère qu'après la blanquette tu as dit à Victor de t'embrasser.

Mais tout rentra dans l'ordre, Gervaise et maman Coupeau arrivaient pour débrocher l'oie. A la grande table, on respirait, renversé sur les dossiers des chaises. Les hommes déboutonnaient leur gilet, les dames s'essuyaient la figure avec leur serviette. Le repas fut comme interrompu; seuls, quelques convives, les mâchoires en branle, continuaient à avaler de grosses bouchées de pain, sans même s'en apercevoir. On laissait la nourriture se tasser, on attendait. La nuit, lentement, était tombée; un jour sale, d'un gris de cendre, s'épaississait derrière les rideaux. Quand Augustine posa deux lampes allumées, une à chaque bout de la table, la débandade du couvert apparut sous la vive clarté, les assiettes et les fourchettes grasses, la nappe tachée de vin, couverte de miettes. On étouffait dans l'odeur forte qui montait. Cependant, les nez se tournaient vers la cuisine, à certaines bouffées chaudes.

— Peut-on vous donner un coup de main? cria Virginie.

Elle quitta sa chaise, passa dans la pièce voisine. Toutes les femmes, une à une, la suivirent. Elles entourèrent la rôtissoire, elles regardèrent avec un intérêt profond Gervaise et maman Coupeau qui tiraient sur la bête. Puis, une clameur s'éleva, où l'on distinguait les voix aiguës et les sauts de joie des enfants. Et il y eut une rentrée triomphale: Gervaise portait l'oie, les bras raidis, la face suante, épanouie dans un large rire silencieux; les femmes marchaient derrière elle, riaient comme elle; tandis que Nana, tout au bout, les yeux démesurément ouverts, se haussait pour voir. Quand l'oie fut sur la table, énorme, dorée, ruisselante de jus, on ne l'attaqua pas tout de suite. C'était un étonnement, une surprise respectueuse, qui avait coupé la voix à la société. On se la montrait avec des clignements d'yeux et des hochements de menton. Sacré mâtin! quelle dame! quelles cuisses et quel ventre!

— Elle ne s'est pas engraissée à lécher les murs, celle-là! dit Boche.

Alors, on entra dans des détails sur la bête. Gervaise précisa des faits: la bête était la plus belle pièce qu'elle eût trouvée chez le marchand de volailles du faubourg Poissonnière; elle pesait douze livres et demie à la balance du charbonnier; on avait brûlé un boisseau de charbon pour la faire cuire, et elle venait de rendre trois bols de graisse. Virginie l'interrompit pour se vanter d'avoir vu la bête crue: on l'aurait mangée comme ça, disait-elle, tant la peau était fine et blanche, une peau de blonde, quoi! Tous les hommes riaient avec une gueulardise polissonne, qui leur gonflait les lèvres. Cependant, Lorilleux et Mme Lorilleux pinçaient le nez, suffoqués de voir une oie pareille sur la table de la Banban.

— Eh bien! voyons, on ne va pas la manger entière, finit par dire la blanchisseuse. Qui est-ce qui coupe?... Non, non, pas moi! C'est trop gros, ça me fait peur.

Coupeau s'offrait. Mon Dieu! c'était bien simple: on empoignait les membres, on tirait dessus; les morceaux restaient bons tout de même. Mais on se récria, on reprit de force le couteau de cuisine au zingueur; quand il découpait, il faisait un vrai cimetière dans le plat. Pendant un moment, on chercha un homme de bonne volonté. Enfin, Mme Lerat dit d'une voix aimable:

— Écoutez, c'est à monsieur Poisson... certainement, à monsieur Poisson...

Et, comme la société semblait ne pas comprendre, elle ajouta avec une intention plus flatteuse encore:

— Bien sûr, c'est à monsieur Poisson qui a l'usage des armes.

Et elle passa au sergent de ville le couteau de cuisine qu'elle tenait à la main. Toute la table eut un rire d'aise et d'approbation. Poisson inclina la tête avec une raideur militaire et prit l'oie devant lui. Ses voisines, Gervaise et Mme Boche, s'écartèrent, firent de la place à ses coudes. Il découpait lentement, les gestes élargis, les yeux fixés sur la bête, comme pour la clouer au fond du plat. Quand il enfonça le couteau dans la carcasse, qui craqua, Lorilleux eut un élan de patriotisme. Il cria:

— Hein! si c'était un Cosaque!

— Est-ce que vous vous êtes battu avec des Cosaques, monsieur Poisson? demanda Mme Boche.

— Non, avec des Bédouins [149], répondit le sergent de ville, qui détachait une aile. Il n'y a plus de Cosaques.

Mais un gros silence se fit. Les têtes s'allongeaient, les regards suivaient le couteau. Poisson ménageait une surprise. Brusquement, il donna un

---

149. Le mot est employé dans son sens le plus vague et fait vraisemblablement allusion à la conquête de l'Algérie.

dernier coup; l'arrière-train de la bête se sépara et se tint debout, le croupion en l'air : c'était le bonnet d'évêque. Alors l'admiration éclata. Il n'y avait que les anciens militaires pour être aimables en société. Cependant, l'oie venait de laisser échapper un flot de jus par le trou béant de son derrière; et Boche rigolait.

— Moi, je m'abonne, murmura-t-il, pour qu'on me fasse comme ça pipi dans la bouche.

— Oh, le sale! crièrent les dames. Faut-il être sale!

— Non, je ne connais pas d'homme aussi dégoûtant! dit Mme Boche, plus furieuse que les autres. Tais-toi, entends-tu! Tu dégoûterais une armée... Vous savez que c'est pour tout manger!

A ce moment, Clémence répétait, au milieu du bruit, avec insistance :

— Monsieur Poisson, écoutez, monsieur Poisson... Vous me garderez le croupion, n'est-ce pas!

— Ma chère, le croupion vous revient de droit, dit Mme Lerat, de son air discrètement égrillard.

Pourtant, l'oie était découpée. Le sergent de ville, après avoir laissé la société admirer le bonnet d'évêque pendant quelques minutes, venait d'abattre les morceaux et de les ranger autour du plat. On pouvait se servir. Mais les dames, qui dégrafaient leur robe, se plaignaient de la chaleur. Coupeau cria qu'on était chez soi, qu'il emmiellait les voisins; et il ouvrit toute grande la porte de la rue, la noce continua au milieu du roulement des fiacres et de la bousculade des passants sur les trottoirs. Alors, les mâchoires reposées, un nouveau trou dans l'estomac, on recommença à dîner, on tomba sur l'oie furieusement. Rien qu'à attendre et à regarder découper la bête, disait ce farceur de Boche, ça lui avait fait descendre la blanquette et l'épinée dans les mollets.

Par exemple, il y eut là un fameux coup de fourchette; c'est-à-dire que personne de la société ne se souvenait de s'être jamais collé une pareille indigestion sur la conscience. Gervaise, énorme, tassée sur les coudes, mangeait de gros morceaux de blanc, ne parlant pas, de peur de perdre une bouchée; et elle était seulement un peu honteuse devant Goujet, ennuyée de se montrer ainsi, gloutonne comme une chatte. Goujet, d'ailleurs, s'emplissait trop lui-même, à la voir toute rose de nourriture. Puis, dans sa gourmandise, elle restait si gentille et si bonne! Elle ne parlait pas, mais elle se dérangeait à chaque instant, pour soigner le père Bru et lui passer quelque chose de délicat sur son assiette. C'était même touchant de regarder cette gourmande s'enlever un bout d'aile de la bouche, pour le

donner au vieux, qui ne semblait pas connaisseur et qui avalait tout, la tête basse, abêti de tant bâfrer, lui dont le gésier avait perdu le goût du pain. Les Lorilleux passaient leur rage sur le rôti; ils en prenaient pour trois jours, ils auraient englouti le plat, la table et la boutique, afin de ruiner la Banban du coup. Toutes les dames avaient voulu de la carcasse; la carcasse, c'est le morceau des dames. Mme Lerat, Mme Boche, Mme Putois grattaient des os, tandis que maman Coupeau, qui adorait le cou, en arrachait la viande avec ses deux dernières dents. Virginie, elle, aimait la peau, quand elle était rissolée, et chaque convive lui passait sa peau, par galanterie, si bien que Poisson jetait à sa femme des regards sévères, en lui ordonnant de s'arrêter, parce qu'elle en avait assez comme ça : une fois déjà, pour avoir trop mangé d'oie rôtie, elle était restée quinze jours au lit, le ventre enflé. Mais Coupeau se fâcha et servit un haut de cuisse à Virginie, criant que, tonnerre de Dieu! si elle ne le décrottait pas, elle n'était pas une femme. Est-ce que l'oie avait jamais fait du mal à quelqu'un ? Au contraire, l'oie guérissait les maladies de rate. On croquait ça sans pain, comme un dessert. Lui, en aurait bouffé toute la nuit, sans être incommodé; et, pour crâner, il s'enfonçait un pilon entier dans la bouche. Cependant, Clémence achevait son croupion, le suçait avec un gloussement des lèvres, en se tordant de rire sur sa chaise, à cause de Boche qui lui disait tout bas des indécences. Ah! nom de Dieu! oui, on s'en flanqua une bosse! Quand on y est, on y est, n'est-ce pas ? et si l'on ne se paie qu'un gueuleton par-ci par-là, on serait joliment godiche de ne pas s'en fourrer jusqu'aux oreilles. Vrai, on voyait les bedons se gonfler à mesure. Les dames étaient grosses. Ils pétaient dans leur peau, les sacrés goinfres! La bouche ouverte, le menton barbouillé de graisse, ils avaient des faces pareilles à des derrières, et si rouges, qu'on aurait dit des derrières de gens riches, crevant de prospérité.

Et le vin donc, mes enfants! ça coulait autour de la table comme l'eau coule à la Seine. Un vrai ruisseau, lorsqu'il a plu et que la terre a soif. Coupeau versait de haut, pour voir le jet rouge écumer; et, quand un litre était vide, il faisait la blague de retourner le goulot et de le presser, du geste familier aux femmes qui traient les vaches. Encore une négresse qui avait la gueule cassée! Dans un coin de la boutique, le tas des négresses mortes grandissait, un cimetière de bouteilles sur lequel on poussait les ordures de la nappe. Mme Putois ayant demandé de l'eau, le zingueur indigné venait d'enlever lui-même les carafes. Est-ce que les honêtes gens buvaient de l'eau ? Elle voulait donc avoir des grenouilles dans l'estomac ? Et les verres se vidaient d'une lampée, on entendait le liquide jeté d'un trait tomber dans la gorge, avec le bruit des eaux de pluie le long des tuyaux de descente, les jours d'orage. Il pleuvait du piqueton, quoi! un piqueton qui avait d'abord un goût de vieux tonneau, mais auquel on s'habituait joliment à ce point qu'il finissait par sentir la noisette. Ah! Dieu de Dieu! les jésuites avaient beau dire, le jus de la treille était tout de même une fameuse invention! La société riait, approuvait; car, enfin, l'ouvrier n'aurait pas pu vivre sans le vin, le papa Noé devait avoir planté la vigne pour les zingueurs, les tailleurs et les forgerons. Le vin décrassait et reposait du travail, mettait le feu au ventre des fainéants; puis, lorsque le farceur vous jouait des tours, eh bien! le roi n'était pas votre oncle, Paris vous appartenait. Avec ça que l'ouvrier, échiné, sans le sou, méprisé par les bourgeois, avait tant de sujets de gaieté, et qu'on était bien venu de lui reprocher une cocarde de temps à autre, prise à la seule fin de voir la vie en rose! Hein! à cette heure, justement, est-ce qu'on ne se fichait pas de l'empereur ? Peut-être bien que l'empereur lui aussi était rond, mais ça n'empêchait pas, on se fichait de lui, on le défiait bien d'être plus rond et de rigoler davantage. Zut pour les aristos! Coupeau envoyait le monde à la balançoire. Il trouvait les femmes chouettes, il tapait sur sa poche où trois sous se battaient, en riant comme s'il avait remué des pièces de cent sous à la pelle. Goujet lui-même, si sobre d'habitude, se piquait le nez. Les yeux de Boche se rapetissaient, ceux de Lorilleux devenaient pâles, tandis que Poisson roulait des regards de plus en plus sévères dans sa face bronzée d'ancien soldat. Ils étaient déjà soûls comme des tiques. Et les dames avaient leur pointe, oh! une culotte encore légère, le vin pur aux joues, avec un besoin de se déshabiller qui leur faisait enlever leur fichu; seule, Clémence commençait à n'être plus convenable. Mais, brusquement, Gervaise se souvint des dix bouteilles de vin cacheté; elle avait oublié de les servir avec l'oie; elle les apporta, on emplit les verres. Alors, Poisson se souleva et dit, son verre à la main :

— Je bois à la santé de la patronne.

Toute la société, avec un fracas de chaises remuées, se mit debout; les bras se tendirent, les verres se choquèrent, au milieu d'une clameur.

— Dans cinquante ans d'ici! cria Virginie.

— Non, non, répondit Gervaise émue et souriante, je serais trop vieille. Allez, il vient un jour où l'on est content de partir.

Cependant, par la porte grande ouverte, le quartier regardait et était de la noce. Des passants s'arrêtaient dans le coup de lumière élargi sur les pavés, et riaient d'aise, à voir ces gens avaler de si bon cœur. Les cochers, penchés sur leurs sièges, fouettant leurs rosses, jetaient un regard, lâchaient une rigolade : « Dis donc, tu ne paies rien ?... Ohé! la grosse mère, je vas chercher l'accoucheuse!... » Et l'odeur de l'oie réjouissait et épanouissait la rue; les garçons de l'épicier croyaient manger de la bête, sur le trottoir d'en face; la fruitière et la tripière, à chaque instant, venaient se planter devant leur boutique, pour renifler l'air en se léchant les lèvres. Positivement, la rue crevait d'indigestion. Mmes Cudorge, la mère et la fille, les marchandes de parapluies d'à-côté qu'on n'apercevait jamais, traversèrent la chaussée l'une derrière l'autre, les yeux en coulisse, rouges comme si elles avaient fait des crêpes. Le petit bijoutier, assis à son établi, ne pouvait plus travailler, soûl d'avoir compté les litres, très excité au milieu de ses coucous joyeux. Oui, les voisins en fumaient! criait Coupeau. Pourquoi donc se serait-on caché ? La société, lancée, n'avait plus honte de se montrer à table; au contraire, ça la flattait et l'échauffait, ce monde attroupé, béant de gourmandise; elle aurait voulu enfoncer la devanture, pousser le couvert jusqu'à la chaussée, se payer là le dessert, sous le nez du public, dans le branle du pavé. On n'était pas dégoûtant à voir, n'est-ce pas ? Alors, on n'avait pas besoin de s'enfermer comme des égoïstes. Coupeau, voyant le petit horloger cracher là-bas des pièces de dix sous, lui montra de loin une bouteille; et, l'autre ayant accepté de la tête, il lui porta la bouteille et un verre. Une fraternité s'établissait avec la rue. On trinquait à ceux qui passaient. On appelait les camarades qui avaient l'air bon zig. Le gueuleton s'étalait, gagnait de proche en proche, tellement que le quartier de la Goutte-d'Or entier sentait la boustifaille et se tenait le ventre, dans un bacchanal [150] de tous les diables.

Depuis un instant, Mme Vigouroux, la charbonnière, passait et repassait devant la porte.

— Eh! madame Vigouroux! madame Vigouroux! hurla la société.

Elle entra, avec un rire de bête, débarbouillée, grasse à crever son corsage. Les hommes aimaient à la pincer, parce qu'ils pouvaient la pincer partout, sans jamais rencontrer un os. Boche la fit

---

150. « Vacarme, tapage fait le plus souvent dans les cabarets, lieux consacrés à Bacchus. Argot du peuple » (Delvau). Huysmans a introduit le mot dans la langue littéraire et le terme correct est *bacchanales* au féminin pluriel.

asseoir près de lui ; et, tout de suite, sournoisement, il prit son genou, sous la table. Mais elle, habituée à ça, vidait tranquillement un verre de vin, en racontant que les voisins étaient aux fenêtres, et que des gens, dans la maison, commençaient à se fâcher.

— Oh ! ça, c'est notre affaire, dit Mme Boche. Nous sommes les concierges, n'est-ce pas ? Eh bien, nous répondons de la tranquillité... Qu'ils viennent se plaindre, nous les recevrons joliment.

Dans la pièce du fond, il venait d'y avoir une bataille furieuse entre Nana et Augustine, à propos de la rôtissoire, que toutes les deux voulaient torcher. Pendant un quart d'heure, la rôtissoire avait rebondi sur le carreau, avec un bruit de vieille casserole. Maintenant, Nana soignait le petit Victor, qui avait un os d'oie dans le gosier ; elle lui fourrait les doigts sous le menton, en le forçant à avaler de gros morceaux de sucre, comme médicament. Ça ne l'empêchait pas de surveiller la grande table. Elle venait à chaque instant demander du vin, du pain, de la viande, pour Étienne et Pauline.

— Tiens ! crève ! lui disait sa mère. Tu me ficheras la paix, peut-être !

Les enfants ne pouvaient plus avaler, mais ils mangeaient tout de même, en tapant leur fourchette sur un air de cantique, afin de s'exciter.

Au milieu du bruit, cependant, une conversation s'était engagée entre le père Bru et maman Coupeau. Le vieux, que la nourriture et le vin laissaient blême, parlait de ses fils morts en Crimée [151]. Ah ! si les petits avaient vécu, il aurait eu du pain tous les jours. Mais maman Coupeau, la langue un peu épaisse, se penchant, lui disait :

— On a bien du tourment avec les enfants, allez ! Ainsi, moi, j'ai l'air d'être heureuse ici, n'est-ce pas ? eh bien ! je pleure plus d'une fois... Non, ne souhaitez pas d'avoir des enfants.

Le père Bru hochait la tête.

— On ne veut plus de moi nulle part pour travailler, murmura-t-il. Je suis trop vieux. Quand j'entre dans un atelier, les jeunes rigolent et me demandent si c'est moi qui ai verni les bottes d'Henri IV... L'année dernière, j'ai encore gagné trente sous par jour à peindre un pont ; il fallait rester sur le dos, avec la rivière qui coulait en bas. Je tousse depuis ce temps... Aujourd'hui, c'est fini, on m'a mis à la porte de partout.

Il regarda ses pauvres mains raidies et ajouta :

151. La guerre de Crimée (1854-1856), toute récente, avait laissé des souvenirs très vifs dans les esprits.

— Ça se comprend, puisque je ne suis bon à rien. Ils ont raison, je ferais comme eux... Voyez-vous, le malheur, c'est que je ne sois pas mort. Oui, c'est ma faute. On doit se coucher et crever, quand on ne peut plus travailler.

— Vraiment, dit Lorilleux qui écoutait, je ne comprends pas comment le gouvernement ne vient pas au secours des invalides du travail... Je lisais ça l'autre jour dans un journal...

Mais Poisson crut devoir défendre le gouvernement.

— Les ouvriers ne sont pas des soldats, déclara-t-il. Les Invalides sont pour les soldats... Il ne faut pas demander des choses impossibles.

Le dessert était servi. Au milieu, il y avait un gâteau de Savoie, en forme de temple, avec un dôme à côtes de melon ; et, sur le dôme, se trouvait plantée une rose artificielle, près de laquelle se balançait un papillon en papier d'argent, au bout d'un fil de fer. Deux gouttes de gomme, au cœur de la fleur, imitaient deux gouttes de rosée. Puis, à gauche, un morceau de fromage blanc nageait dans un plat creux tandis que, dans un autre plat, à droite, s'entassaient de grosses fraises meurtries dont le jus coulait. Pourtant, il restait de la salade, de larges feuilles de romaine trempées d'huile.

— Voyons, madame Boche, dit obligeamment Gervaise, encore un peu de salade. C'est votre passion, je le sais.

— Non, non, merci ! j'en ai jusque-là, répondit la concierge.

La blanchisseuse s'étant tournée du côté de Virginie, celle-ci fourra son doigt dans sa bouche comme pour toucher la nourriture.

— Vrai, je suis pleine, murmura-t-elle. Il n'y a plus de place. Une bouchée n'entrerait pas.

— Oh ! en vous forçant un peu, reprit Gervaise qui souriait. On a toujours un petit trou. La salade, ça se mange sans faim... Vous n'allez pas laisser perdre de la romaine ?

— Vous la mangerez confite demain, dit Mme Lerat. C'est meilleur confit.

Ces dames soufflaient, en regardant d'un air de regret le saladier. Clémence raconta qu'elle avait un jour avalé trois bottes de cresson à son déjeuner. Mme Putois était plus forte encore, elle prenait des têtes de romaine sans les éplucher ; elle les broutait comme ça, à la croque-au-sel. Toutes auraient vécu de salade, s'en seraient payé des baquets. Et, cette conversation aidant, ces dames finirent le saladier.

— Moi, je me mettrais à quatre pattes dans un pré, répétait la concierge, la bouche pleine.

Alors, on ricana devant le dessert. Ça ne comptait pas, le dessert. Il arrivait un peu tard, mais ça ne faisait rien, on allait tout de même le caresser. Quand on aurait dû éclater comme des bombes, on ne pouvait pas se laisser embêter par des fraises et du gâteau. D'ailleurs, rien ne pressait, on avait le temps, la nuit entière si l'on voulait. En attendant, on emplit les assiettes de fraises et de fromage blanc. Les hommes allumaient des pipes; et, comme les bouteilles cachetées étaient vides, ils revenaient aux litres, ils buvaient du vin en fumant. Mais on voulut que Gervaise coupât tout de suite le gâteau de Savoie. Poisson, très galant, se leva pour prendre la rose, qu'il offrit à la patronne, aux applaudissements de la société. Elle dut l'attacher avec une épingle, sur le sein gauche, du côté du cœur. A chacun de ses mouvements, le papillon voltigeait.

— Dites donc! s'écria Lorilleux, qui venait de faire une découverte, mais c'est sur votre établi que nous mangeons!... Ah bien! on n'a peut-être jamais autant travaillé dessus!

Cette plaisanterie méchante eut un grand succès. Les allusions spirituelles se mirent à pleuvoir : Clémence n'avalait plus une cuillerée de fraises, sans dire qu'elle donnait un coup de fer; Mme Lerat prétendait que le fromage blanc sentait l'amidon; tandis que Mme Lorilleux, entre ses dents, répétait que c'était trouvé, bouffer si vite l'argent, sur les planches où l'on avait eu tant de peine à le gagner. Une tempête de rires et de cris montait.

Mais, brusquement, une voix forte imposa silence à tout le monde. C'était Boche, debout, prenant un air débauché et canaille, qui chantait *le Volcan d'amour, ou le Troupier séduisant.*

C'est moi, Blavin, que je séduis les belles...

Un tonnerre de bravos accueillit le premier couplet. Oui, oui, on allait chanter! Chacun dirait la sienne. C'était plus amusant que tout. Et la société s'accouda sur la table, se renversa contre les dossiers des chaises, hochant le menton aux bons endroits, buvant un coup aux refrains. Cet animal de Boche avait la spécialité des chansons comiques. Il aurait fait rire des carafes, quand il imitait le tourlourou, les doigts écartés, le chapeau en arrière. Tout de suite après *le Volcan d'amour*, il entama *la Baronne de Follebiche*, un de ses succès. Lorsqu'il arriva au troisième couplet, il se retourna vers Clémence, il murmura d'une voix ralentie et voluptueuse :

La baronne avait du monde,
Mais c'étaient ses quatre sœurs,
Dont trois brunes, l'autre blonde,
Qu'avaient huit-z-yeux ravisseurs.

Alors, la société, enlevée, alla au refrain. Les hommes marquaient la mesure à coups de talons. Les dames avaient pris leur couteau et tapaient en cadence sur leur verre. Tous gueulaient :

Sapristi! qu'est-ce qui paiera
La goutte à la pa..., à la pa... pa...,
Sapristi! qu'est-ce qui paiera
La goutte à la pa..., à la patrou...ou...ouille!

Les vitres de la boutique sonnaient, le grand souffle des chanteurs faisait envoler les rideaux de mousseline. Cependant, Virginie avait déjà disparu deux fois, et s'était, en rentrant, penchée à l'oreille de Gervaise, pour lui donner tout bas un renseignement. La troisième fois, lorsqu'elle revint, au milieu du tapage, elle lui dit :

— Ma chère, il est toujours chez François, il fait semblant de lire le journal... Bien sûr, il y a quelque coup de mistoufle [152].

Elle parlait de Lantier. C'était lui qu'elle allait ainsi guetter. A chaque nouveau rapport, Gervaise devenait grave.

— Est-ce qu'il est soûl? demanda-t-elle à Virginie.

— Non, répondit la grande brune. Il a l'air rassis. C'est ça surtout qui est inquiétant. Hein! pourquoi reste-t-il chez le marchand de vin, s'il est rassis?... Mon Dieu! mon Dieu! pourvu qu'il n'arrive rien!

La blanchisseuse, très inquiète, la supplia de se taire. Un profond silence, tout d'un coup, s'était fait. Mme Putois venait de se lever et chantait : *A l'abordage!* Les convives, muets et recueillis, la regardaient; même Poisson avait posé sa pipe au bord de la table, pour mieux l'entendre. Elle se tenait raide, petite et rageuse, la face blême sous son bonnet noir; elle lançait son poing gauche en avant avec une fierté convaincue, en grondant d'une voix plus grosse qu'elle :

Qu'un forban téméraire
Nous chasse vent arrière!
Malheur au flibustier!
Pour lui point de quartier!
Enfants, aux caronades!
Rhum à pleines rasades!
Pirates et forbans
Sont gibiers de haubans!

Ça, c'était du sérieux. Mais, sacré mâtin! ça donnait une vraie idée de la chose. Poisson, qui avait voyagé sur mer, dodelinait de la tête pour approuver les détails. On sentait bien, d'ailleurs, que cette chanson-là était dans le sentiment de Mme Putois. Coupeau se pencha pour raconter

152. « Farce; méchanceté; trahison » (Delvau).

comment Mme Putois avait un soir, rue Poulet, souffleté quatre hommes qui voulaient la déshonorer.

Cependant, Gervaise, aidée de maman Coupeau, servit le café, bien qu'on mangeât encore du gâteau de Savoie. On ne la laissa pas se rasseoir ; on lui criait que c'était son tour. Elle se défendit, la figure blanche, l'air mal à son aise ; même on lui demanda si l'oie ne l'incommodait pas, par hasard. Alors, elle dit : *Ah ! laissez-moi dormir !* d'une voix faible et douce ; quand elle arrivait au refrain, à ce souhait d'un sommeil peuplé de beaux rêves, ses paupières se fermaient un peu, son regard noyé se perdait dans le noir, du côté de la rue. Tout de suite après, Poisson salua les dames d'un brusque signe de tête et entonna une chanson à boire, *les Vins de France ;* mais il chantait comme une seringue ; le dernier couplet seul, le couplet patriotique, eut du succès, parce qu'en parlant du drapeau tricolore, il leva son verre très haut, le balança et finit par le vider au fond de sa bouche grande ouverte. Puis, des romances se succédèrent ; il fut question de Venise et des gondoliers dans la barcarolle de Mme Boche, de Séville et des Andalouses, dans le boléro de Mme Lorilleux, tandis que Lorilleux alla jusqu'à parler des parfums de l'Arabie, à propos des amours de Fatma la danseuse. Autour de la table grasse, dans l'air épaissi d'un souffle d'indigestion, s'ouvraient des horizons d'or, passaient des cous d'ivoire, des chevelures d'ébène, des baisers sous la lune aux sons des guitares, des bayadères semant sous leurs pas une pluie de perles et de pierreries ; et les hommes fumaient béatement leurs pipes, les dames gardaient un sourire inconscient de jouissance, tous croyaient être là-bas, en train de respirer de bonnes odeurs. Lorsque Clémence se mit à roucouler : *Faites un nid*, avec un tremblement de la gorge, ça causa aussi beaucoup de plaisir ; car ça rappelait la campagne, les oiseaux légers, les danses sous la feuillée, les fleurs au calice de miel, enfin ce qu'on voyait au bois de Vincennes, les jours où l'on allait tordre le cou à un lapin. Mais Virginie ramena la rigolade avec *Mon petit riquiqui ;* elle imitait la vivandière, une main repliée sur la hanche, le coude arrondi ; elle versait la goutte de l'autre main, dans le vide, en tournant le poignet. Si bien que la société supplia alors maman Coupeau de chanter *la Souris*. La vieille femme refusait, jurant qu'elle ne savait pas cette polissonnerie-là. Pourtant, elle commença de son filet de voix cassée ; et son visage ridé, aux petits yeux vifs, soulignait les allusions, les terreurs de Mlle Lise serrant ses jupes à la vue de la souris. Toute la

table riait ; les femmes ne pouvaient pas tenir leur sérieux, jetaient à leurs voisins des regards luisants ; ce n'était pas sale, après tout, il n'y avait pas de mots crus. Boche, pour dire vrai, faisait la souris le long des mollets de la charbonnière. Ça aurait pu devenir du vilain, si Goujet, sur un coup d'œil de Gervaise, n'avait ramené le silence et le respect avec *les Adieux d'Abd-el-Kader*, qu'il grondait de sa voix de basse. Celui-là possédait un creux solide, par exemple ! Ça sortait de sa belle barbe jaune étalée, comme d'une trompette en cuivre. Quand il lança le cri : « O ma noble compagne ! » en parlant de la noire jument du guerrier, les cœurs battirent, on l'applaudit sans attendre la fin, tant il avait crié fort.

— A vous, père Bru, à vous ! dit maman Coupeau. Chantez la vôtre. Les anciennes sont les plus jolies, allez !

Et la société se tourna vers le vieux, insistant, l'encourageant. Lui, engourdi, avec son masque immobile de peau tannée, regardait le monde, sans paraître comprendre. On lui demanda s'il connaissait *les Cinq Voyelles*. Il baissa le menton ; il ne se rappelait plus ; toutes les chansons du bon temps se mêlaient dans sa caboche. Comme on se décidait à le laisser tranquille, il parut se souvenir, et bégaya d'une voix caverneuse :

> Trou la la, trou la la,
> Trou la, trou la, trou la la !

Sa face s'animait, ce refrain devait éveiller en lui de lointaines gaietés, qu'il goûtait seul, écoutant sa voix de plus en plus sourde, avec un ravissement d'enfant.

> Trou la la, trou la la,
> Trou la, trou la, trou la la !

— Dites donc, ma chère, vint murmurer Virginie à l'oreille de Gervaise, vous savez que j'en arrive encore. Ça me taquinait... Eh bien ! Lantier a filé de chez François.

— Vous ne l'avez pas rencontré dehors ? demanda la blanchisseuse.

— Non, j'ai marché vite, je n'ai pas eu l'idée de voir.

Mais Virginie, qui levait les yeux, s'interrompit et poussa un soupir étouffé.

— Ah ! mon Dieu !... Il est là, sur le trottoir d'en face ; il regarde ici.

Gervaise, toute saisie, hasarda un coup d'œil. Du monde s'était amassé dans la rue, pour entendre la société chanter. Les garçons épiciers, la tripière, le petit horloger faisaient un groupe, semblaient être au spectacle. Il y avait des militaires, des bourgeois en redingote, trois petites filles de cinq ou six ans, se tenant par la main, très graves, émerveillées. Et Lantier, en effet, se trouvait planté là, au premier rang, écoutant et regardant d'un air tranquille. Pour le coup, c'était du toupet. Gervaise sentit un froid lui monter des jambes au cœur, et elle n'osait plus bouger, pendant que le père Bru continuait :

> Trou la la, trou la la,
> Trou la, trou la, trou la la!

— Ah bien! non, mon vieux, il y en a assez! dit Coupeau. Est-ce que vous la savez tout entière ?... Vous nous la chanterez un autre jour, hein! quand nous serons trop gais.

Il y eut des rires. Le vieux resta court, fit de ses yeux pâles le tour de la table, et reprit son air de brute songeuse. Le café était bu, le zingueur avait redemandé du vin. Clémence venait de se remettre à manger des fraises. Pendant un instant, les chansons cessèrent, on parlait d'une femme qu'on avait trouvée pendue le matin, dans la maison d'à côté. C'était le tour de Mme Lerat, mais il lui fallait des préparatifs. Elle trempa le coin de sa serviette dans un verre d'eau et se l'appliqua sur les tempes, parce qu'elle avait trop chaud. Ensuite, elle demanda une larme d'eau-de-vie, la but, s'essuya longuement les lèvres.

— *L'Enfant du bon Dieu*, n'est-ce pas ? murmura-t-elle, *l'Enfant du bon Dieu*...

Et, grande, masculine, avec son nez osseux et ses épaules carrées de gendarme, elle commença :

> L'enfant perdu que sa mère abandonne,
> Trouve toujours un asile au saint lieu.
> Dieu qui le voit le défend de son trône.
> L'enfant perdu, c'est l'enfant du bon Dieu.

Sa voix tremblait sur certains mots, traînait en notes mouillées; elle levait en coin ses yeux vers le ciel, pendant que sa main droite se balançait devant sa poitrine et s'appuyait sur son cœur, d'un geste pénétré. Alors, Gervaise, torturée par la présence de Lantier, ne put retenir ses pleurs; il lui semblait que la chanson disait son tourment, qu'elle était cette enfant perdue, abandonnée, dont le bon Dieu allait prendre la défense. Clémence, très soûle, éclata brusquement en sanglots; et, la tête tombée au bord de la table, elle étouffait ses hoquets dans la nappe. Un silence frissonnant régnait. Les dames avaient tiré leur mouchoir, s'essuyaient les yeux, la face droite, en s'honorant de leur émotion. Les hommes, le front penché, regardaient fixement devant eux, les paupières battantes. Poisson, étranglant et serrant les dents, cassa à deux reprises des bouts de sa pipe, et les cracha par terre, sans cesser

de fumer. Boche, qui avait laissé sa main sur le genou de la charbonnière, ne la pinçait plus, pris d'un remords et d'un respect vagues; tandis que deux grosses larmes descendaient le long de ses joues. Ces noceurs-là étaient raides comme la justice et tendres comme des agneaux. Le vin leur sortait par les yeux, quoi! Quand le refrain recommença, plus ralenti et plus larmoyant, tous se lâchèrent, tous viaupèrent dans leurs assiettes, se déboutonnant le ventre, crevant d'attendrissement.

Mais Gervaise et Virginie, malgré elles, ne quittaient plus du regard le trottoir d'en face. Mme Boche, à son tour, aperçut Lantier, et laissa échapper un léger cri, sans cesser de se barbouiller de ses larmes. Alors, toutes trois eurent des figures anxieuses, en échangeant d'involontaires signes de tête. Mon Dieu! si Coupeau se retournait, si Coupeau voyait l'autre! quelle tuerie! quel carnage! Et elles firent si bien, que le zingueur leur demanda :

— Qu'est-ce que vous regardez donc ?

Il se pencha, il reconnut Lantier.

— Non de Dieu! c'est trop fort, murmura-t-il. Ah! le sale mufe, ah! le sale mufe... Non, c'est trop fort, ça va finir...

Et, comme il se levait en bégayant des menaces atroces, Gervaise le supplia à voix basse.

— Écoute, je t'en supplie... Laisse le couteau... Reste à ta place, ne fais pas un malheur.

Virginie dut lui enlever le couteau qu'il avait pris sur la table. Mais elle ne put l'empêcher de sortir et de s'approcher de Lantier. La société, dans son émotion croissante, ne voyait rien, pleurait plus fort, pendant que Mme Lerat chantait, avec une expression déchirante :

> Orpheline on l'avait perdue,
> Et sa voix n'était entendue
> Que des grands arbres et du vent.

Le dernier vers passa comme un souffle lamentable de tempête. Mme Putois, en train de boire, fut si touchée, qu'elle renversa son vin sur la nappe. Cependant, Gervaise demeurait glacée, un poing serré contre la bouche pour ne pas crier, clignant les paupières d'épouvante, s'attendant à voir, d'une seconde à l'autre, l'un des deux hommes, là-bas, tomber assommé au milieu de la rue. Virginie et Mme Boche suivaient aussi la scène, profondément intéressées. Coupeau, surpris par le grand air, avait failli s'asseoir dans le ruisseau, en voulant se jeter sur Lantier. Celui-ci, les mains dans les poches, s'était simplement écarté. Et les deux hommes maintenant s'engueulaient, le zingueur surtout habillait l'autre proprement, le traitait de cochon malade, parlait de lui manger les tripes. On entendait le bruit enragé des voix, on distinguait des gestes furieux, comme s'ils allaient se dévisser les bras, à force de claques. Gervaise défaillait, fermait les yeux, parce que ça durait trop longtemps et qu'elle les croyait toujours sur le point de s'avaler le nez, tant ils se rapprochaient, la figure dans la figure. Puis, comme elle n'entendait plus rien, elle rouvrit les yeux, elle resta toute bête, en les voyant causer tranquillement.

La voix de Mme Lerat s'élevait, roucoulante et pleurarde, commençant un couplet :

> Le lendemain, à demi morte,
> On recueillit la pauvre enfant...

— Y a-t-il des femmes qui sont garces, tout de même! dit Mme Lorilleux, au milieu de l'approbation générale.

Gervaise avait échangé un regard avec Mme Boche et Virginie. Ça s'arrangeait donc? Coupeau et Lantier continuaient à causer au bord du trottoir. Ils s'adressaient encore des injures, mais amicalement. Ils s'appelaient « sacré animal », d'un ton où perçait une pointe de tendresse. Comme on les regardait, ils finirent par se promener doucement côte à côte, le long des maisons, tournant sur eux-mêmes tous les dix pas. Une conversation très vive s'était engagée. Brusquement, Coupeau parut se fâcher de nouveau, tandis que l'autre refusait, se faisait prier. Et ce fut le zingueur qui poussa Lantier et le força à traverser la rue, pour entrer dans la boutique.

— Je vous dis que c'est de bon cœur! criait-il. Vous boirez un verre de vin... Les hommes sont des hommes, n'est-ce pas? On est fait pour se comprendre...

Mme Lerat achevait le dernier refrain. Les dames répétaient toutes ensemble, en roulant leurs mouchoirs :

> L'enfant perdu, c'est l'enfant du bon Dieu.

On complimenta beaucoup la chanteuse, qui s'assit en affectant d'être brisée. Elle demanda à boire quelque chose, parce qu'elle mettait trop de sentiment dans cette chanson-là, et qu'elle avait toujours peur de se décrocher un nerf. Toute la table, cependant, fixait les yeux sur Lantier, assis paisiblement à côté de Coupeau, mangeant déjà la dernière part du gâteau de Savoie, qu'il trempait dans un verre de vin. En dehors de Virginie et de Mme Boche, personne ne le connaissait. Les Lorilleux flairaient bien quelque micmac; mais ils ne savaient pas, ils avaient pris un air pincé. Goujet, qui s'était aperçu de l'émotion de Gervaise, regar-

dait le nouveau venu de travers. Comme un silence gêné se faisait, Coupeau dit simplement :

— C'est un ami.

Et, s'adressant à sa femme :

— Voyons, remue-toi donc!... Peut-être qu'il y a encore du café chaud.

Gervaise les contemplait l'un après l'autre, douce et stupide. D'abord, quand son mari avait poussé son ancien amant dans la boutique, elle s'était pris la tête entre les deux poings, du même geste instinctif que les jours de gros orage, à chaque coup de tonnerre. Ça ne lui semblait pas possible; les murs allaient tomber et écraser tout le monde. Puis, en voyant les deux hommes assis, sans que même les rideaux de mousseline eussent bougé, elle avait subitement trouvé ces choses naturelles. L'oie la gênait un peu; elle en avait trop mangé, décidément, et ça l'empêchait de penser. Une paresse heureuse l'engourdissait, la tenait tassée au bord de la table, avec le seul besoin de n'être pas embêtée. Mon Dieu! à quoi bon se faire de la bile, lorsque les autres ne s'en font pas, et que les histoires paraissent s'arranger d'elles-mêmes, à la satisfaction générale? Elle se leva pour aller voir s'il restait du café.

Dans la pièce du fond, les enfants dormaient. Ce louchon d'Augustine les avait terrorisés pendant tout le dessert, leur chipant leurs fraises, les intimidant par des menaces abominables. Maintenant, elle était très malade, accroupie sur un petit banc, la figure blanche, sans rien dire. La grosse Pauline avait laissé tomber sa tête contre l'épaule d'Étienne, endormi lui-même au bord de la table. Nana se trouvait assise sur la descente de lit, auprès de Victor, qu'elle tenait contre elle, un bras passé autour de son cou; et, ensommeillée, les yeux fermés, elle répétait d'une voix faible et continue :

— Oh! maman, j'ai bobo... oh! maman, j'ai bobo...

— Pardi! murmura Augustine, dont la tête roulait sur les épaules, ils sont paf; ils ont chanté comme les grandes personnes.

Gervaise reçut un nouveau coup, à la vue d'Étienne. Elle se sentit étouffer, en songeant que le père de ce gamin était là, à côté, en train de manger du gâteau, sans qu'il eût seulement témoigné le désir d'embrasser le petit. Elle fut sur le point de réveiller Étienne, de l'apporter dans ses bras. Puis, une fois encore, elle trouva très bien la façon tranquille dont s'arrangeaient les choses. Il n'aurait pas été convenable, sûrement, de troubler la fin du dîner. Elle revint avec la cafetière et servit

Coupeau fait entrer Lantier chez Gervaise, par Maurice Leloir (édition illustrée).

un verre de café à Lantier, qui d'ailleurs ne semblait pas s'occuper d'elle.

— Alors, c'est mon tour, bégayait Coupeau d'une voix pâteuse. Hein! on me garde pour la bonne bouche... Eh bien! je vais vous dire *Qué cochon d'enfant.*

— Oui, oui, *Qué cochon d'enfant!* criait toute la table.

Le vacarme reprenait, Lantier était oublié. Les dames apprêtèrent leurs verres et leurs couteaux, pour accompagner le refrain. On riait à l'avance, en regardant le zingueur, qui se calait sur les jambes d'un air canaille. Il prit une voix enrouée de vieille femme.

> Tous les matins, quand je m'lève,
> J'ai l'cœur sens sus d'sous;
> J'l'envoi' chercher contr' la Grève
> Un poisson d' quatr' sous.
> Il rest' trois quarts d'heure en route,
> Et puis, en r'montant,
> I' m' lich' la moitié d' ma goutte :
> Qué cochon d'enfant!

Et les dames, tapant sur leur verre, reprirent en chœur, au milieu d'une gaieté formidable :

> Qué cochon d'enfant!
> Qué cochon d'enfant!

La rue de la Goutte-d'Or elle-même, maintenant, s'en mêlait. Le quartier chantait *Qué cochon d'enfant!* En face, le petit horloger, les garçons épiciers, la tripière, la fruitière, qui savaient la chanson, allaient au refrain, en s'allongeant des claques pour rire. Vrai, la rue finissait par être soûle; rien que l'odeur de noce qui sortait de chez les Coupeau, faisait festonner les gens sur les trottoirs. Il faut dire qu'à cette heure ils étaient joliment soûls, là-dedans. Ça grandissait petit à petit, depuis le premier coup de vin pur, après le potage. A présent, c'était le bouquet, tous braillant, tous éclatant de nourriture, dans la buée rousse des deux lampes qui charbonnaient. La clameur de cette rigolade énorme couvrait le roulement des dernières voitures. Deux sergents de ville, croyant à une émeute, accoururent; mais, en apercevant Poisson, ils eurent un petit salut d'intelligence. Ils s'éloignèrent lentement, côte à côte, le long des maisons noires.

Coupeau en était à ce couplet :

> L' dimanche, à la P'tit'-Villette,
> Après la chaleur,
> J'allons chez mon oncl' Tinette,
> Qu'est maîtr' vidangeur.
> Pour avoir des noyaux d' c'rise,
> En nous en r'tournant,
> I' s'roul' dans la marchandise :
> Qué cochon d'enfant!
> Qué cochon d'enfant!

Alors, la maison craqua, un tel gueulement monta dans l'air tiède et calme de la nuit, que ces gueulards-là s'applaudirent eux-mêmes, car il ne fallait pas espérer de pouvoir gueuler plus fort.

Personne de la société ne parvint jamais à se rappeler au juste comment la noce se termina. Il devait être très tard, voilà tout, parce qu'il ne passait plus un chat dans la rue. Peut-être bien, tout de même, qu'on avait dansé autour de la table, en se tenant par les mains. Ça se noyait dans un brouillard jaune, avec des figures rouges qui sautaient, la bouche fendue d'une oreille à l'autre. Pour sûr, on s'était payé du vin à la française vers la fin; seulement, on ne savait plus si quelqu'un n'avait pas fait la farce de mettre du sel dans les verres. Les enfants devaient s'être déshabillés et couchés seuls. Le lendemain, Mme Boche se vantait d'avoir allongé deux calottes à Boche, dans un coin, où il causait de trop près avec la charbonnière; mais Boche, qui ne se souvenait de rien, traitait ça de blague. Ce que chacun déclarait peu propre, c'était la conduite de Clémence, une fille à ne pas inviter, décidément; elle avait fini par montrer tout ce qu'elle possédait, et s'était trouvée prise de mal au cœur, au point d'abîmer entièrement un des rideaux de mousseline. Les hommes au moins, sortaient dans la rue; Lorilleux et Poisson, l'estomac dérangé, avaient filé raide jusqu'à la boutique du charcutier. Quand on a été bien élevé, ça se voit toujours. Ainsi, ces dames, Mme Putois, Mme Lerat et Virginie, incommodées par la chaleur, étaient simplement allées dans la pièce du fond ôter leur corset; même Virginie avait voulu s'étendre sur le lit, l'affaire d'un instant, pour empêcher les mauvaises suites. Puis, la société semblait avoir fondu, les uns s'effaçant derrière les autres, tous s'accompagnant, se noyant au fond du quartier noir, dans un dernier vacarme, une dispute enragée des Lorilleux, un « trou la la, trou la la », entêté et lugubre du père Bru. Gervaise croyait bien que Goujet s'était mis à sangloter en partant; Coupeau chantait toujours; quant à Lantier, il avait dû rester jusqu'à la fin, elle sentait même encore un souffle dans ses cheveux, à un moment, mais elle ne pouvait pas dire si ce souffle venait de Lantier ou de la nuit chaude.

Cependant, comme Mme Lerat refusait de retourner aux Batignolles à cette heure, on enleva du lit un matelas, qu'on étendit pour elle dans un coin de la boutique, après avoir poussé la table. Elle dormit là, au milieu des miettes du dîner. Et, toute la nuit, dans le sommeil écrasé des Coupeau, cuvant la fête, le chat d'une voisine qui avait profité d'une fenêtre ouverte, croqua des os de l'oie, acheva d'enterrer la bête, avec le petit bruit de ses dents fines.

8

Le samedi suivant [153], Coupeau, qui n'était pas rentré dîner, amena Lantier vers dix heures. Ils avaient mangé ensemble des pieds de mouton, chez Thomas, à Montmartre.

— Faut pas gronder, la bourgeoise, dit le zingueur. Nous sommes sages, tu vois... Oh! il n'y a pas de danger avec lui; il vous met droit dans le bon chemin.

Et il raconta comment ils s'étaient rencontrés rue Rochechouart. Après le dîner, Lantier avait refusé une consommation au café de la Boule noire, en disant que, lorsqu'on était marié avec une femme gentille et honnête, on ne devait pas gouaper [154] dans tous les bastringues. Gervaise écoutait avec un petit sourire. Bien sûr, non, elle ne songeait pas à gronder; elle se sentait trop gênée. Depuis la fête, elle s'attendait à revoir son ancien amant un jour ou l'autre; mais, à pareille heure, au moment de se mettre au lit, l'arrivée brusque des deux hommes l'avait surprise; et, les mains tremblantes, elle rattachait son chignon roulé dans son cou.

— Tu ne sais pas, reprit Coupeau, puisqu'il a eu la délicatesse de refuser dehors une consommation, tu vas nous payer la goutte... Ah! tu nous dois bien ça!

Les ouvrières étaient parties depuis longtemps. Maman Coupeau et Nana venaient de se coucher. Alors, Gervaise, qui tenait déjà un volet quand ils avaient paru, laissa la boutique ouverte, apporta sur un coin de l'établi des verres et le fond d'une bouteille de cognac. Lantier restait debout, évitant de lui adresser directement la parole. Pourtant, quand elle le servit, il s'écria :

— Une larme seulement, madame, je vous prie.

Coupeau les regarda, s'expliqua très carrément. Ils n'allaient pas faire les dindes, peut-être! Le passé était le passé, n'est-ce pas ? Si on conservait de la rancune après des neuf ans et des dix ans, on finirait par ne plus voir personne. Non, non, il avait le cœur sur la main, lui! D'abord, il savait à qui il avait affaire, à une brave femme et à un brave

homme, à deux amis, quoi! Il était tranquille, il connaissait leur honnêteté.

— Oh! bien sûr... bien sûr... répétait Gervaise, les paupières baissées, sans comprendre ce qu'elle disait.

— C'est une sœur, maintenant, rien qu'une sœur! murmura à son tour Lantier.

— Donnez-vous la main, nom de Dieu! cria Coupeau, et foutons-nous des bourgeois! Quand on a de ça dans le coco, voyez-vous, on est plus chouette que les millionnaires. Moi, je mets l'amitié avant tout, parce que l'amitié, c'est l'amitié, et qu'il n'y a rien au-dessus.

Il s'enfonçait de grands coups de poing dans l'estomac, l'air si ému qu'ils durent le calmer. Tous trois, en silence, trinquèrent et burent leur goutte. Gervaise put alors regarder Lantier à son aise; car, le soir de la fête, elle l'avait vu dans un brouillard. Il s'était épaissi, gras et rond, les jambes et les bras lourds, à cause de sa petite taille. Mais sa figure gardait de jolis traits sous la bouffissure de sa vie de fainéantise; et comme il soignait toujours beaucoup ses minces moustaches, on lui aurait donné juste son âge, trente-cinq ans. Ce jour-là, il portait un pantalon gris et un paletot gros bleu comme un monsieur, avec un chapeau rond; même il avait une montre et une chaîne d'argent, à laquelle pendait une bague, un souvenir.

— Je m'en vais, dit-il. Je reste au diable.

Il était déjà sur le trottoir, lorsque le zingueur le rappela pour lui faire promettre de ne plus passer devant la porte sans leur dire un petit bonjour. Cependant, Gervaise qui venait de disparaître doucement, rentra en poussant devant elle Étienne, en manches de chemise, la face déjà endormie. L'enfant souriait, se frottait les yeux. Mais quand il aperçut Lantier, il resta tremblant et gêné, coulant des regards inquiets du côté de sa mère et de Coupeau.

— Tu ne reconnais pas ce monsieur ? demanda celui-ci.

L'enfant baissa la tête sans répondre. Puis, il eut un léger signe pour dire qu'il reconnaissait le monsieur.

— Eh bien! ne fais pas la tête, va l'embrasser.

Lantier, grave et tranquille, attendait. Lorsque Étienne se décida à s'approcher, il se courba, tendit les deux joues, puis posa lui-même un gros baiser sur le front du gamin. Alors, celui-ci osa regarder son père. Mais tout d'un coup, il éclata en sanglots, se sauva comme un fou, débraillé, grondé par Coupeau qui le traitait de sauvage.

— C'est l'émotion, dit Gervaise, pâle et secouée elle-même.

153. Le chapitre porte sur les années 1859 et 1860.
154. « Flâner, chercher aventure » (Delvau).

— Oh! il est très doux, très gentil d'habitude, expliquait Coupeau. Je l'ai crânement élevé, vous verrez... Il s'habituera à vous. Il faut qu'il connaisse les gens.... Enfin, quand il n'y aurait eu que ce petit, on ne pouvait pas rester toujours brouillé, n'est-ce pas ? Nous aurions dû faire ça pour lui il y a beaux jours, car je donnerais plutôt ma tête à couper que d'empêcher un père de voir son enfant.

Là-dessus, il parla d'achever la bouteille de cognac. Tous trois trinquèrent de nouveau. Lantier ne s'étonnait pas, avait un beau calme. Avant de s'en aller, pour rendre ses politesses au zingueur, il voulut absolument fermer la boutique avec lui. Puis, tapant dans ses mains par propreté, il souhaita une bonne nuit au ménage.

— Dormez bien. Je vais tâcher de pincer l'omnibus... Je vous promets de revenir bientôt.

A partir de cette soirée, Lantier se montra souvent rue de la Goutte-d'Or. Il se présentait quand le zingueur était là, demandant de ses nouvelles dès la porte, affectant d'entrer uniquement pour lui. Puis, assis contre la vitrine, toujours en paletot, rasé et peigné, il causait poliment, avec les manières d'un homme qui aurait reçu de l'instruction. C'est ainsi que les Coupeau apprirent peu à peu des détails sur sa vie. Pendant les huit dernières années, il avait un moment dirigé une fabrique de chapeaux ; et quand on lui demandait pourquoi il s'était retiré, il se contentait de parler de la coquinerie d'un associé, un compatriote, une canaille qui avait mangé la maison avec les femmes. Mais son ancien titre de patron restait sur sa personne comme une noblesse à laquelle il ne pouvait plus déroger. Il se disait sans cesse près de conclure une affaire superbe, des maisons de chapellerie devaient l'établir, lui confier des intérêts énormes. En attendant il ne faisait absolument rien, se promenait au soleil, les mains dans les poches, ainsi qu'un bourgeois. Les jours où il se plaignait, si l'on se risquait à lui indiquer une manufacture demandant des ouvriers, il semblait pris d'une pitié souriante, il n'avait pas envie de crever la faim, en s'échinant pour les autres. Ce gaillard-là, toutefois, comme disait Coupeau, ne vivait pas de l'air du temps. Oh ! c'était un malin, il savait s'arranger, il bibelotait quelque commerce, car enfin il montrait une figure de prospérité, il lui fallait bien de l'argent pour se payer du linge blanc et des cravates de fils de famille. Un matin, le zingueur l'avait vu se faire cirer, boulevard Montmartre. La vraie vérité était que Lantier, très bavard sur les autres, se taisait ou mentait quand il s'agissait de lui. Il ne voulait même pas dire où il demeurait. Non, il logeait chez un ami, là-bas, au diable, le temps de trouver une belle situation ; et il défendait aux gens de venir le voir, parce qu'il n'y était jamais.

— On rencontre dix positions pour une, expliquait-il souvent. Seulement, ce n'est pas la peine d'entrer dans des boîtes où l'on ne restera pas vingt-quatre heures... Ainsi, j'arrive un lundi chez Champion, à Montrouge. Le soir, Champion m'embête sur la politique ; il n'avait pas les mêmes idées que moi. Eh bien ! le mardi matin, je filais, attendu que nous ne sommes plus au temps des esclaves et que je ne veux pas me vendre pour sept francs par jour.

On était alors dans les premiers jours de novembre. Lantier apporta galamment des bouquets de violettes, qu'il distribuait à Gervaise et aux deux ouvrières. Peu à peu, il multiplia ses visites, il vint presque tous les jours. Il paraissait vouloir faire la conquête de la maison, du quartier entier ; et il commença par séduire Clémence et Mme Putois, auxquelles il témoignait, sans distinction d'âge, les attentions les plus empressées. Au bout d'un mois, les deux ouvrières l'adoraient. Les Boche, qu'il flattait beaucoup en allant les saluer dans leur loge, s'extasiaient sur sa politesse. Quant aux Lorilleux, lorsqu'ils surent quel était ce monsieur, arrivé au dessert, le jour de la fête, ils vomirent d'abord mille horreurs contre Gervaise, qui osait introduire ainsi son ancien individu dans son ménage. Mais, un jour, Lantier monta chez eux, se présenta si bien en leur commandant une chaîne pour une dame de sa connaissance, qu'ils lui dirent de s'asseoir et le gardèrent une heure, charmés de sa conversation ; même, ils se demandaient comment un homme si distingué avait pu vivre avec la Banban. Enfin, les visites du chapelier chez les Coupeau n'indignaient plus personne et semblaient naturelles, tant il avait réussi à se mettre dans les bonnes grâces de toute la rue de la Goutte-d'Or. Goujet seul restait sombre. S'il se trouvait là, quand l'autre arrivait, il prenait la porte, pour ne pas être obligé de lier connaissance avec ce particulier.

Cependant, au milieu de cette coqueluche de tendresse pour Lantier, Gervaise, les premières semaines, vécut dans un grand trouble. Elle éprouvait au creux de l'estomac cette chaleur dont elle s'était sentie brûlée, le jour des confidences de Virginie. Sa grande peur venait de ce qu'elle redoutait d'être sans force, s'il la surprenait un soir toute seule et s'il s'avisait de l'embrasser. Elle pensait trop à lui, elle restait trop pleine de lui. Mais, lentement, elle se calma, en le voyant si convenable, ne la regardant pas en face, ne la touchant pas du bout des doigts, quand les autres avaient le dos tourné. Puis,

Virginie, qui semblait lire en elle, lui faisait honte de ses vilaines pensées. Pourquoi tremblait-elle ? On ne pouvait pas rencontrer un homme plus gentil. Bien sûr, elle n'avait plus rien à craindre. Et la grande brune manœuvra un jour de façon à les pousser tous deux dans un coin et à mettre la conversation sur le sentiment. Lantier déclara d'une voix grave, en choisissant les termes, que son cœur était mort, qu'il voulait désormais se consacrer uniquement au bonheur de son fils. Il ne parlait jamais de Claude, qui était toujours dans le Midi. Il embrassait Étienne sur le front tous les soirs, ne savait que lui dire si l'enfant restait là, l'oubliait pour entrer en compliments avec Clémence. Alors, Gervaise, tranquillisée, sentit mourir en elle le passé. La présence de Lantier usait ses souvenirs de Plassans et de l'hôtel Boncœur. A le voir sans cesse, elle ne le rêvait plus. Même elle se trouvait prise d'une répugnance à la pensée de leurs anciens rapports. Oh! c'était fini, bien fini. S'il osait un jour lui demander ça, elle lui répondrait par une paire de claques, elle instruirait plutôt son mari. Et, de nouveau, elle songeait sans remords, avec une douceur extraordinaire, à la bonne amitié de Goujet.

En arrivant un matin à l'atelier, Clémence raconta qu'elle avait rencontré la veille, vers onze heures, M. Lantier donnant le bras à une femme. Elle disait cela en mots très sales, avec de la méchanceté par-dessous, pour voir la tête de la patronne. Oui, M. Lantier grimpait la rue Notre-Dame-de-Lorette ; la femme était blonde, un de ces chameaux du boulevard à moitié crevés, le derrière nu sous leur robe de soie. Et elle les avait suivis, par blague. Le chameau était entré chez un charcutier acheter des crevettes et du jambon. Puis, rue de La Rochefoucauld, M. Lantier avait posé sur le trottoir, devant la maison, le nez en l'air, en attendant que la petite, montée toute seule, lui eût fait par la fenêtre le signe de la rejoindre. Mais Clémence eut beau ajouter des commentaires dégoûtants, Gervaise continuait à repasser tranquillement une robe blanche. Par moments, l'histoire lui mettait aux lèvres un petit sourire. Ces Provençaux, disait-elle, étaient tous enragés après les femmes ; il leur en fallait quand même ; ils en auraient ramassé sur une pelle dans un tas d'ordures. Et, le soir, quand le chapelier arriva, elle s'amusa des taquineries de Clémence, qui l'intriguait avec sa blonde. D'ailleurs, il semblait flatté d'avoir été aperçu. Mon Dieu! c'était une ancienne amie, qu'il voyait encore de temps à autre, lorsque ça ne devait déranger personne ; une fille très chic, meublée en palissandre ;

et il citait d'anciens amants à elle, un vicomte, un grand marchand de faïence, le fils d'un notaire. Lui, aimait les femmes qui embaument. Il poussait sous le nez de Clémence son mouchoir, que la petite lui avait parfumé, lorsque Étienne rentra. Alors, il prit son air grave, il baisa l'enfant, en ajoutant que la rigolade ne tirait pas à conséquence et que son cœur était mort. Gervaise, penchée sur son ouvrage, hocha la tête d'un air d'approbation. Et ce fut encore Clémence qui porta la peine de sa méchanceté, car elle avait bien senti Lantier la pincer déjà deux ou trois fois, sans en avoir l'air, et elle crevait de jalousie de ne pas puer le musc comme le chameau du boulevard.

Quand le printemps revint, Lantier, tout à fait de la maison, parla d'habiter le quartier, afin d'être plus près de ses amis. Il voulait une chambre meublée dans une maison propre. Mme Boche, Gervaise elle-même, se mirent en quatre pour lui trouver ça. On fouilla les rues voisines. Mais il était trop difficile, il désirait une grande cour, il demandait un rez-de-chaussée, enfin toutes les commodités imaginables. Et maintenant, chaque soir, chez les Coupeau, il semblait mesurer la hauteur des plafonds, étudier la distribution des pièces, convoiter un logement pareil. Oh! il n'aurait pas demandé autre chose, il se serait volontiers creusé un trou dans un coin tranquille et chaud. Puis, il terminait chaque fois son examen par cette phrase :

— Sapristi, vous êtes joliment bien, tout de même!

Un soir, comme il avait dîné là et qu'il lâchait sa phrase au dessert, Coupeau, qui s'était mis à le tutoyer, lui cria brusquement :

— Faut rester ici, ma vieille, si le cœur t'en dit... On s'arrangera...

Et il expliqua que la chambre au linge sale, nettoyée, ferait une jolie pièce. Étienne coucherait dans la boutique, sur un matelas jeté par terre, voilà tout.

— Non, non, dit Lantier, je ne puis pas accepter. Ça vous gênerait trop. Je sais que c'est de bon cœur, mais on aurait trop chaud les uns sur les autres... Puis, vous savez, chacun sa liberté. Il me faudrait traverser votre chambre, et ça ne serait pas toujours drôle.

— Ah! l'animal! reprit le zingueur étranglant de rire, tapant sur la table pour s'éclaircir la voix, il songe toujours aux bêtises!... Mais, bougre de serin, on est inventif! Pas vrai ? il y a deux fenêtres, dans la pièce. Eh bien! on en colle une par terre, on en fait une porte. Alors, comprends-tu, tu entres par la cour, nous bouchons même cette porte de communication, si ça nous plaît. Ni vu ni connu, tu es chez toi, nous sommes chez nous.

Il y eut un silence. Le chapelier murmurait :

— Ah! oui, de cette façon, je ne dis pas... Et encore non, je serais trop sur votre dos.

Il évitait de regarder Gervaise. Mais il attendait évidemment un mot de sa part pour accepter. Celle-ci était très contrariée de l'idée de son mari; non pas que la pensée de voir Lantier demeurer chez eux la blessât ni l'inquiétât beaucoup; mais elle se demandait où elle mettrait son linge sale. Cependant, le zingueur faisait valoir les avantages de l'arrangement. Le loyer de cinq cents francs avait toujours été un peu fort. Eh bien! le camarade leur paierait la chambre toute meublée vingt francs par mois; ce ne serait pas cher pour lui, et ça les aiderait au moment du terme. Il ajouta qu'il se chargeait de manigancer, sous leur lit, une grande caisse où tout le linge sale du quartier pourrait tenir. Alors, Gervaise hésita, parut consulter du regard maman Coupeau, que Lantier avait conquise depuis des mois, en lui apportant des boules de gomme pour son catarrhe.

— Vous ne nous gêneriez pas, bien sûr, finit-elle par dire. Il y aurait moyen de s'organiser...

— Non, non, merci, répéta le chapelier. Vous êtes trop gentils, ce serait abuser.

Coupeau, cette fois, éclata. Est-ce qu'il allait faire son andouille encore longtemps ? Quand on lui disait que c'était de bon cœur ! Il leur rendrait service, comprenait-il ! Puis, d'une voix furibonde, il gueula :

— Étienne, Étienne!

Le gamin s'était endormi sur la table. Il leva la tête en sursaut.

— Écoute, dis-lui que tu le veux... Oui, à ce monsieur-là... Dis-lui bien fort : je le veux!

— Je le veux! bégaya Étienne, la bouche empâtée de sommeil.

Tout le monde se mit à rire. Mais Lantier reprit bientôt son air grave et pénétré. Il serra la main de Coupeau, par-dessus la table, en disant :

— J'accepte... C'est de bonne amitié de part et d'autre, n'est-ce pas ? Oui, j'accepte pour l'enfant.

Dès le lendemain, le propriétaire, M. Marescot, étant venu passer une heure dans la loge des Boche, Gervaise lui parla de l'affaire. Il se montra d'abord inquiet, refusant, se fâchant, comme si elle lui avait demandé d'abattre toute une aile de sa maison. Puis, après une inspection minutieuse des lieux, lorsqu'il eut regardé en l'air pour voir si les étages supérieurs n'allaient pas être ébranlés, il finit par donner l'autorisation, mais à la condition de ne supporter aucun frais; et les Coupeau durent lui signer un papier, dans lequel ils s'engageaient à rétablir les choses en l'état, à l'expiration de leur bail. Le soir même, le zingueur amena des camarades, un maçon, un menuisier, un peintre, de bons zigs qui feraient cette bricole-là après leur journée, histoire de rendre service. La pose de la nouvelle porte, le nettoyage de la pièce, n'en coûtèrent pas moins une centaine de francs, sans compter les litres dont on arrosa la besogne. Le zingueur dit aux camarades qu'il leur paierait ça avec le premier argent de son locataire. Ensuite, il fut question de meubler la pièce. Gervaise y laissa l'armoire de maman Coupeau; elle ajouta une table et deux chaises, prises dans sa propre chambre; il lui fallut enfin acheter une table-toilette et un lit, avec la literie complète, en tout cent francs, qu'elle devait payer à raison de dix francs par mois. Si, pendant une dizaine de mois, les vingt francs de Lantier se trouvaient mangés à l'avance par les dettes contractées, plus tard il y aurait un joli bénéfice.

Ce fut dans les premiers jours de juin que l'installation du chapelier eut lieu. La veille, Coupeau avait offert d'aller chez lui chercher sa malle, pour lui éviter les trente sous d'un fiacre. Mais l'autre était resté gêné, disant que sa malle pesait trop lourd, comme s'il avait voulu cacher jusqu'au dernier moment l'endroit où il logeait. Il arriva dans l'après-midi, vers trois heures. Coupeau ne se trouvait pas là. Et Gervaise, à la porte de la boutique, devint toute pâle, en reconnaissant la malle sur le fiacre. C'était leur ancienne malle, celle avec laquelle elle avait fait le voyage de Plassans, aujourd'hui écorchée, cassée, tenue par des cordes. Elle la voyait revenir comme souvent elle l'avait rêvé, et elle pouvait s'imaginer que le même fiacre, le fiacre où cette garce de brunisseuse s'était fichue d'elle, la lui rapportait. Cependant, Boche donnait un coup de main à Lantier. La blanchisseuse les suivit, un peu étourdie. Quand ils eurent déposé leur fardeau au milieu de la chambre, elle dit pour parler :

— Hein ? voilà une bonne affaire de faite ?

Puis, se remettant, voyant que Lantier, occupé à dénouer les cordes, ne la regardait seulement pas, elle ajouta :

— Monsieur Boche, vous allez boire un coup.

Et elle alla chercher un litre et des verres. Justement, Poisson, en tenue, passait sur le trottoir. Elle lui adressa un petit signe, clignant les yeux, avec un sourire. Le sergent de ville comprit parfaitement. Quand il était de service, et qu'on battait de l'œil, ça voulait dire qu'on lui offrait un verre de vin. Même, il se promenait des heures devant la blanchisseuse, à attendre qu'elle battît de l'œil. Alors, pour ne pas être vu, il passait par la cour, il sifflait son verre en se cachant.

— Ah! ah! dit Lantier, quand il le vit entrer, c'est vous, Badingue [155]!

Il l'appelait Badingue par blague, pour se ficher de l'empereur. Poisson acceptait ça de son air raide, sans qu'on pût savoir si ça l'embêtait au fond. D'ailleurs, les deux hommes, quoique séparés par leurs convictions politiques, étaient devenus très bons amis.

— Vous savez que l'empereur a été sergent de ville à Londres, dit à son tour Boche. Oui, ma parole! il ramassait les femmes soûles.

Gervaise pourtant avait rempli trois verres sur la table. Elle, ne voulait pas boire, se sentait le cœur tout barbouillé. Mais elle restait, regardant Lantier enlever les dernières cordes, prise du besoin de savoir ce que contenait la malle. Elle se souvenait, dans un coin, d'un tas de chaussettes, de deux chemises sales, d'un vieux chapeau. Est-ce que ces choses étaient encore là ? est-ce qu'elle allait retrouver les loques du passé ? Lantier, avant de soulever le couvercle, prit son verre et trinqua.

— A votre santé.

— A la vôtre, répondirent Boche et Poisson.

La blanchisseuse remplit de nouveau les verres. Les trois hommes s'essuyaient les lèvres de la main. Enfin, le chapelier ouvrit la malle. Elle était pleine d'un pêle-mêle de journaux, de livres, de vieux vêtements, de linge en paquets. Il en tira successivement une casserole, une paire de bottes, un buste de Ledru-Rollin avec le nez cassé, une chemise brodée, un pantalon de travail. Et Gervaise, penchée, sentait monter une odeur de tabac, une odeur d'homme malpropre, qui soigne seulement le dessus, ce qu'on voit de sa personne. Non, le vieux chapeau n'était plus dans le coin de gauche. Il y avait là une pelote qu'elle ne connaissait pas, quelque cadeau de femme. Alors, elle se calma, elle éprouva une vague tristesse, continuant à suivre les objets, en se demandant s'ils étaient de son temps ou du temps des autres.

— Dites donc, Badingue, vous ne connaissez pas ça ? reprit Lantier.

Il lui mettait sous le nez un petit livre imprimé à Bruxelles : *les Amours de Napoléon III*, orné de gravures. On y racontait, entre autres anecdotes,

comment l'empereur avait séduit la fille d'un cuisinier, âgée de treize ans; et l'image représentait Napoléon III, les jambes nues, ayant gardé seulement le grand cordon de la Légion d'honneur, poursuivant une gamine qui se dérobait à sa luxure.

— Ah! c'est bien ça! s'écria Boche, dont les instincts sournoisement voluptueux étaient flattés. Ça arrive toujours comme ça!

Poisson restait saisi, consterné; et il ne trouvait pas un mot pour défendre l'empereur. C'était dans un livre, il ne pouvait pas dire non. Alors, Lantier lui poussant toujours l'image sous le nez d'un air goguenard, il laissa échapper ce cri, en arrondissant les bras :

— Eh bien, après ? Est-ce que ce n'est pas dans la nature ?

Lantier eut le bec cloué par cette réponse. Il rangea ses livres et ses journaux sur une planche de l'armoire; et comme il paraissait désolé de ne pas avoir une petite bibliothèque, pendue au-dessus de la table, Gervaise promit de lui en procurer une. Il possédait l'*Histoire de dix ans*, de Louis Blanc [156], moins le premier volume, qu'il n'avait jamais eu d'ailleurs, les *Girondins*, de Lamartine [157], en livraisons à deux sous, *les Mystères de Paris* et *le Juif errant*, d'Eugène Sue [158], sans compter un tas de bouquins philosophiques et humanitaires, ramassés chez les marchands de vieux clous. Mais il couvait surtout ses journaux d'un regard attendri et respectueux. C'était une collection faite par lui, depuis des années. Chaque fois qu'au café il lisait dans un journal un article réussi et selon ses idées, il achetait le journal, il le gardait. Il en avait ainsi un paquet énorme, de toutes les dates et de tous les titres, empilés sans ordre aucun. Quand il eut sorti ce paquet du fond de la malle, il donna dessus des tapes amicales, en disant aux deux autres :

— Vous voyez ça ? eh bien, c'est à papa, personne ne peut se flatter d'avoir quelque chose d'aussi chouette... Ce qu'il y a là-dedans, vous ne vous l'imaginez pas. C'est-à-dire que, si on appliquait la moitié de ces idées, ça nettoierait du coup la société. Oui, votre empereur et tous ses roussins boiraient un bouillon...

Mais il fut interrompu par le sergent de ville,

---

155. Surnom donné à Napoléon III, tiré du nom d'un maçon qui lui avait prêté son costume quand il s'était enfui du fort de Ham.

156. Louis Blanc (1811-1882) contribua par ses écrits à la chute de la monarchie de Juillet. Exilé en juin 1848, il rentra en France en 1870 et fut élu député d'extrême gauche.

157. Lamartine écrivit l'*Histoire des Girondins* en 1847.

158. Eugène Sue (1804-1857), romancier populaire aux idées humanitaires. *Les Mystères de Paris* sont de 1842-1843 et *le Juif errant* de 1844-1845.

dont les moustaches et l'impériale rouges remuaient dans sa face blême.

— Et l'armée, dites donc, qu'est-ce que vous en faites ?

Alors, Lantier s'emporta. Il criait en donnant des coups de poing sur ses journaux :

— Je veux la suppression du militarisme, la fraternité des peuples... Je veux l'abolition des privilèges, des titres et des monopoles... Je veux l'égalité des salaires, la répartition des bénéfices, la glorification du prolétariat... Toutes les libertés, entendez-vous ! toutes !... Et le divorce !

— Oui, oui, le divorce, pour la morale ! appuya Boche.

Poisson avait pris un air majestueux. Il répondit :

— Pourtant, si je n'en veux pas de vos libertés, je suis bien libre.

— Si vous n'en voulez pas, si vous n'en voulez pas... bégaya Lantier, que la passion étranglait. Non, vous n'êtes pas libre !... Si vous n'en voulez pas, je vous foutrai à Cayenne, moi ! oui, à Cayenne, avec votre empereur et tous les cochons de sa bande !

Ils s'empoignaient ainsi, à chacune de leurs rencontres. Gervaise, qui n'aimait pas les discussions, intervenait d'ordinaire. Elle sortit de la torpeur où la plongeait la vue de la malle, toute pleine du parfum gâté de son ancien amour ; et elle montra les verres aux trois hommes.

— C'est vrai, dit Lantier, subitement calmé, prenant son verre. A la vôtre.

— A la vôtre, répondirent Boche et Poisson, qui trinquèrent avec lui.

Cependant, Boche se dandinait, travaillé par une inquiétude, regardant le sergent de ville du coin de l'œil.

— Tout ça entre nous, n'est-ce pas, monsieur Poisson ? murmura-t-il enfin. On vous montre et on vous dit des choses...

Mais Poisson ne le laissa pas achever. Il mit la main sur son cœur, comme pour expliquer que tout restait là. Il n'allait pas moucharder des amis, bien sûr. Coupeau étant arrivé, on vida un second litre. Le sergent de ville fila ensuite par la cour, reprit sur le trottoir sa marche raide et sévère, à pas comptés.

Dans les premiers temps, tout fut en l'air chez la blanchisseuse. Lantier avait bien sa chambre séparée, son entrée, sa clef ; mais, comme au dernier moment, on s'était décidé à ne pas condamner la porte de communication, il arrivait que, le plus souvent, il passait par la boutique. Le linge sale aussi embarrassait beaucoup Gervaise, car son mari ne s'occupait pas de la grande caisse dont il avait parlé ; et elle se trouvait réduite à fourrer le linge un peu partout, dans les coins, principalement sous son lit, ce qui manquait d'agrément pendant les nuits d'été. Enfin, elle était très ennuyée d'avoir chaque soir à faire le lit d'Étienne au beau milieu de la boutique ; lorsque les ouvrières veillaient, l'enfant dormait sur une chaise, en attendant. Aussi Goujet lui ayant parlé d'envoyer Étienne à Lille, où son ancien patron, un mécanicien, demandait des apprentis, elle fut séduite par ce projet, d'autant plus que le gamin, peu heureux à la maison, désireux d'être son maître, la suppliait de consentir. Seulement, elle craignait un refus net de la part de Lantier. Il était venu habiter chez eux, uniquement pour se rapprocher de son fils ; il n'allait pas vouloir le perdre juste quinze jours après son installation. Pourtant, quand elle lui parla en tremblant de l'affaire, il approuva beaucoup l'idée, disant que les jeunes ouvriers ont besoin de voir du pays. Le matin où Étienne partit, il lui fit un discours sur ses droits, puis il l'embrassa, il déclama :

— Souviens-toi que le producteur n'est pas un esclave, mais que quiconque n'est pas producteur est un frelon.

Alors, le train-train de la maison reprit, tout se calma et s'assoupit dans de nouvelles habitudes. Gervaise s'était accoutumée à la débandade du linge sale, aux allées et venues de Lantier. Celui-ci parlait toujours de ses grandes affaires ; il sortait parfois, bien peigné, avec du linge blanc, disparaissait, découchait même, puis rentrait en affectant d'être éreinté, d'avoir la tête cassée, comme s'il venait de discuter, vingt-quatre heures durant, les plus graves intérêts. La vérité était qu'il la coulait douce. Oh ! il n'y avait pas de danger qu'il empoignât des durillons aux mains ! Il se levait d'ordinaire vers dix heures, faisait une promenade l'après-midi, si la couleur du soleil lui plaisait, ou bien, les jours de pluie, restait dans la boutique où il parcourait son journal. C'était son milieu, il crevait d'aise parmi les jupes, se fourrait au plus épais des femmes, adorant leurs gros mots, les poussant à en dire, tout en gardant lui-même un langage choisi ; et ça expliquait pourquoi il aimait tant à se frotter aux blanchisseuses, des filles pas bégueules. Lorsque Clémence lui dévidait son chapelet, il demeurait tendre et souriant, en tordant ses minces moustaches. L'odeur de l'atelier, ces ouvrières en sueur qui tapaient les fers de leurs bras nus, tout ce coin pareil à une alcôve où traînait le déballage des dames du quartier, semblait être pour lui le trou rêvé, un refuge longtemps cherché de paresse et de jouissance.

Dans les premiers temps, Lantier mangeait chez François, au coin de la rue des Poissonniers. Mais, sur les sept jours de la semaine, il dînait avec les Coupeau trois et quatre fois; si bien qu'il finit par leur offrir de prendre pension chez eux : il leur donnerait quinze francs chaque samedi. Alors, il ne quitta plus la maison, il s'installa tout à fait. On le voyait du matin au soir aller de la boutique à la chambre du fond, en bras de chemise, haussant la voix, ordonnant; il répondait même aux pratiques, il menait la baraque. Le vin de François lui ayant déplu, il persuada à Gervaise d'acheter désormais son vin chez Vigouroux, le charbonnier d'à-côté, dont il allait pincer la femme avec Boche, en faisant les commandes. Puis, ce fut le pain de Coudeloup qu'il trouva mal cuit; et il envoya Augustine chercher le pain à la boulangerie viennoise du faubourg Poissonnière, chez Meyer. Il changea aussi Lehongre, l'épicier, et ne garda que le boucher de la rue Polonceau, le gros Charles, à cause de ses opinions politiques. Au bout d'un mois, il voulut mettre toute la cuisine à l'huile. Comme disait Clémence, en le blaguant, la tache d'huile reparaissait quand même chez ce sacré Provençal. Il faisait lui-même les omelettes, des omelettes retournées des deux côtés, plus rissolées que des crêpes, si fermes qu'on aurait dit des galettes. Il surveillait maman Coupeau, exigeant les biftecks très cuits, pareils à des semelles de soulier, ajoutant de l'ail partout, se fâchant si l'on coupait de la fourniture dans la salade, des mauvaises herbes, criait-il, parmi lesquelles pouvait bien se glisser du poison. Mais son grand régal était un certain potage, du vermicelle cuit à l'eau, très épais, où il versait la moitié d'une bouteille d'huile. Lui seul en mangeait avec Gervaise, parce que les autres, les Parisiens, pour s'être un jour risqués à y goûter, avaient failli rendre tripes et boyaux.

Peu à peu, Lantier en était venu également à s'occuper des affaires de la famille. Comme les Lorilleux rechignaient toujours pour sortir de leur poche les cent sous de la maman Coupeau, il avait expliqué qu'on pouvait leur intenter un procès. Est-ce qu'ils se fichaient du monde! c'étaient dix francs qu'ils devaient donner par mois! Et il montait lui-même chercher les dix francs, d'un air si hardi et si aimable que la chaîniste n'osait pas les refuser. Maintenant Mme Lerat, elle aussi, donnait deux pièces de cent sous. Maman Coupeau aurait baisé les mains de Lantier, qui jouait en outre le

rôle de grand arbitre, dans les querelles de la vieille femme et de Gervaise. Quand la blanchisseuse, prise d'impatience, rudoyait sa belle-mère, et que celle-ci allait pleurer dans son lit, il les bousculait toutes les deux, les forçait à s'embrasser, en leur demandant si elles croyaient amuser le monde avec leurs bons caractères. C'était comme Nana : on l'élevait joliment mal, à son avis. En cela, il n'avait pas tort, car lorsque le père tapait dessus, la mère soutenait la gamine, et lorsque la mère à son tour cognait, le père faisait une scène. Nana, ravie de voir ses parents se manger, se sentant excusée à l'avance, commettait les cent dix-neuf coups. A présent, elle avait inventé d'aller jouer dans la maréchalerie en face; elle se balançait la journée entière aux brancards des charrettes; elle se cachait avec des bandes de voyous au fond de la cour blafarde, éclairée du feu rouge de la forge; et, brusquement, elle reparaissait, courant, criant, dépeignée et barbouillée, suivie de la queue des voyous, comme si une volée de marteaux venait de mettre ces saloperies d'enfants en fuite. Lantier seul pouvait la gronder; et encore elle savait joliment le prendre. Cette merdeuse de dix ans marchait comme une dame devant lui, se balançait, le regardait de côté, les yeux déjà pleins de vice. Il avait fini par se charger de son éducation : il lui apprenait à danser et à parler patois.

Une année s'écoula de la sorte. Dans le quartier, on croyait que Lantier avait des rentes, car c'était la seule façon de s'expliquer le grand train des Coupeau. Sans doute, Gervaise continuait à gagner de l'argent; mais maintenant qu'elle nourrissait deux hommes à ne rien faire, la boutique pour sûr ne pouvait suffire; d'autant plus que la boutique devenait moins bonne, des pratiques s'en allaient, les ouvrières godaillaient du matin au soir. La vérité était que Lantier ne payait rien, ni loyer ni nourriture. Les premiers mois, il avait donné des acomptes; puis, il s'était contenté de parler d'une grosse somme qu'il devait toucher, grâce à laquelle il s'acquitterait plus tard, en un coup. Gervaise n'osait plus demander un centime. Elle prenait le pain, le vin, la viande à crédit. Les notes montaient partout, ça marchait par des trois francs et des quatre francs chaque jour. Elle n'avait pas allongé un sou au marchand de meubles ni aux trois camarades, le maçon, le menuisier et le peintre. Tout ce monde commençait à grogner, on devenait moins poli pour elle dans les magasins. Mais elle était comme grisée par la fureur de la dette; elle s'étourdissait, choisissait les choses les plus chères, se lâchait dans sa gourmandise depuis qu'elle ne payait plus; et elle restait très honnête au fond, rêvant de gagner du matin au soir des centaines de francs, elle ne savait pas trop de quelle façon, pour distribuer des poignées de pièces de cent sous à ses fournisseurs. Enfin, elle s'enfonçait et à mesure qu'elle dégringolait, elle parlait d'élargir ses affaires. Pourtant, vers le milieu de l'été, la grande Clémence était partie, parce qu'il n'y avait pas assez de travail pour deux ouvrières et qu'elle attendait son argent pendant des semaines. Au milieu de cette débâcle, Coupeau et Lantier se faisaient des joues. Les gaillards, attablés jusqu'au menton, bouffaient la boutique, s'engraissaient de la ruine de l'établissement; et ils s'excitaient l'un et l'autre à mettre les morceaux doubles, et ils se tapaient sur le ventre en rigolant, au dessert, histoire de digérer plus vite.

Dans le quartier, le grand sujet de conversation était de savoir si réellement Lantier s'était remis avec Gervaise. Là-dessus, les avis se partageaient. A entendre les Lorilleux, la Banban faisait tout pour repincer le chapelier, mais lui ne voulait plus d'elle, la trouvait trop décatie, avait en ville des petites filles d'une frimousse autrement torchée. Selon les Boche, au contraire, la blanchisseuse, dès la première nuit, s'en était allée retrouver son ancien époux, aussitôt que ce jeanjean de Coupeau avait ronflé. Tout ça, d'une façon comme d'une autre, ne semblait guère propre; mais il y a tant de saletés dans la vie, et de plus grosses, que les gens finissaient par trouver ce ménage à trois naturel, gentil même, car on ne s'y battait jamais et les convenances étaient gardées. Certainement, si l'on avait mis le nez dans d'autres intérieurs du quartier, on se serait empoisonné davantage. Au moins, chez les Coupeau, ça sentait les bons enfants. Tous les trois se livraient à leur petite cuisine, se culottaient et couchotaient ensemble à la papa, sans empêcher les voisins de dormir. Puis le quartier restait conquis par les bonnes manières de Lantier. Cet enjôleur fermait le bec à toutes les bavardes. Même, dans le doute où l'on se trouvait sur les rapports avec Gervaise, quand la fruitière niait les rapports devant la tripière, celle-ci semblait dire que c'était vraiment dommage, parce qu'enfin ça rendait les Coupeau moins intéressants.

Cependant, Gervaise vivait tranquille de ce côté, ne pensait guère à ces ordures. Les choses en vinrent au point qu'on l'accusa de manquer de cœur. Dans la famille, on ne comprenait pas sa rancune contre le chapelier. Mme Lerat, qui adorait se fourrer entre les amoureux, venait tous les soirs; et elle traitait Lantier d'homme irrésistible, dans

les bras duquel les dames les plus huppées devaient tomber. Mme Boche n'aurait pas répondu de sa vertu, si elle avait eu dix ans de moins. Une conspiration sourde, continue, grandissait, poussait lentement Gervaise, comme si toutes les femmes, autour d'elle, avaient dû se satisfaire, en lui donnant un amant. Mais Gervaise s'étonnait, ne découvrait pas chez Lantier tant de séductions. Sans doute, il était changé à son avantage : il portait toujours un paletot, il avait pris de l'éducation dans les cafés et dans les réunions politiques. Seulement, elle qui le connaissait bien, lui voyait jusqu'à l'âme par les deux trous de ses yeux, et retrouvait là un tas de choses, dont elle gardait un léger frisson. Enfin, si ça plaisait tant aux autres, pourquoi les autres ne se risquaient-elles pas à tâter du monsieur ? Ce fut ce qu'elle laissa entendre un jour à Virginie, qui se montrait la plus chaude. Alors, Mme Lerat et Virginie, pour lui monter la tête, lui racontèrent les amours de Lantier et de la grande Clémence. Oui, elle ne s'était aperçue de rien; mais, dès qu'elle sortait pour une course, le chapelier emmenait l'ouvrière dans sa chambre. Maintenant, on les rencontrait ensemble, il devait l'aller voir chez elle.

— Eh bien ? dit la blanchisseuse, la voix un peu tremblante, qu'est-ce que ça peut me faire ?

Et elle regardait les yeux jaunes de Virginie, où des étincelles d'or luisaient, comme dans ceux des chats. Cette femme lui en voulait donc, qu'elle tâchait de la rendre jalouse ? Mais la couturière prit son air bête en répondant :

— Ça ne peut rien vous faire bien sûr... Seulement, vous devriez lui conseiller de lâcher cette fille avec laquelle il aura du désagrément.

Le pis était que Lantier se sentait soutenu et changeait de manières à l'égard de Gervaise. Maintenant, quand il lui donnait une poignée de main, il lui gardait un instant les doigts entre les siens. Il la fatiguait de son regard, fixait sur elle des yeux hardis, où elle lisait nettement ce qu'il lui demandait. S'il passait derrière elle, il enfonçait les genoux dans ses jupes, soufflait sur son cou, comme pour l'endormir. Pourtant, il attendit encore, avant d'être brutal et de se déclarer. Mais, un soir, se trouvant seul avec elle, il la poussa devant lui sans dire une parole, l'accula tremblante contre le mur, au fond de la boutique, et là voulut l'embrasser. Le hasard fit que Goujet entra juste à ce moment. Alors, elle se débattit, s'échappa. Et tous trois échangèrent quelques mots, comme si de rien n'était. Goujet, la face toute blanche, avait baissé le nez, en s'imaginant qu'il les dérangeait, qu'elle venait de se débattre pour ne pas être embrassée devant le monde.

Le lendemain, Gervaise piétina dans la boutique, très malheureuse, incapable de repasser un mouchoir; elle avait besoin de voir Goujet, de lui expliquer comment Lantier la tenait contre le mur. Mais, depuis qu'Étienne était à Lille, elle n'osait plus entrer à la forge, où Bec-Salé, dit Boit-sans-Soif, l'accueillait avec des rires sournois. Pourtant, l'après-midi, cédant à son envie, elle prit un panier vide, elle partit sous le prétexte d'aller prendre des jupons chez sa pratique de la rue des Portes-Blanches. Puis, quand elle fut rue Marcadet, devant la fabrique de boulons, elle se promena à petits pas, comptant sur une bonne rencontre. Sans doute, de son côté, Goujet devait l'attendre, car elle n'était pas là depuis cinq minutes, qu'il sortit comme par hasard.

— Tiens! vous êtes en course, dit-il en souriant faiblement; vous rentrez chez vous...

Il disait ça pour parler. Gervaise tournait justement le dos à la rue des Poissonniers. Et ils montèrent vers Montmartre, côte à côte, sans se prendre le bras. Ils devaient avoir la seule idée de s'éloigner de la fabrique, pour ne pas paraître se donner des rendez-vous devant la porte. La tête basse, ils suivaient la chaussée défoncée, au milieu du ronflement des usines. Puis à deux cents pas, naturellement, comme s'ils avaient connu l'endroit, ils filèrent à gauche, toujours silencieux, et s'engagèrent dans un terrain vague. C'était entre une scierie mécanique et une manufacture de boutons, une bande de prairie restée verte, avec des plaques jaunes d'herbe grillée ; une chèvre, attachée à un piquet, tournait en bêlant; au fond, un arbre mort s'émiettait au grand soleil.

— Vrai! murmura Gervaise, on se croirait à la campagne.

Ils allèrent s'asseoir sous l'arbre mort. La blanchisseuse mit son panier à ses pieds. En face d'eux, la butte Montmartre étageait ses rangées de hautes maisons jaunes et grises, dans des touffes de maigre verdure; et, quand ils renversaient la tête davantage, ils apercevaient le large ciel d'une pureté ardente sur la ville, traversé au nord par un vol de petits nuages blancs. Mais la vive lumière les éblouissait, ils regardaient au ras de l'horizon plat les lointains crayeux des faubourgs, ils suivaient surtout la respiration du mince tuyau de la scierie mécanique, qui soufflait des jets de vapeur. Ces gros soupirs semblaient soulager leur poitrine oppressée.

— Oui, reprit Gervaise embarrassée par leur silence, je me trouvais en course, j'étais sortie...

Après avoir tant souhaité une explication, tout d'un coup elle n'osait plus parler. Elle était prise d'une grande honte. Et elle sentait bien, cependant, qu'ils étaient venus là d'eux-mêmes, pour causer de ça; même ils en causaient sans avoir besoin de prononcer une parole. L'affaire de la veille restait entre eux comme un poids qui les gênait.

Alors, prise d'une tristesse atroce, les larmes aux yeux, elle raconta l'agonie de Mme Bijard, sa laveuse, morte le matin, après d'épouvantables douleurs.

— Ça venait d'un coup de pied que lui avait allongé Bijard, disait-elle d'une voix douce et monotone. Le ventre a enflé. Sans doute, il lui avait cassé quelque chose à l'intérieur. Mon Dieu! en trois jours, elle a été tortillée... Ah! il y a, aux galères, des gredins qui n'en ont pas tant fait. Mais la justice aurait trop de besogne, si elle s'occupait des femmes crevées par leurs maris. Un coup de pied de plus ou de moins, n'est-ce pas ? ça ne compte pas, quand on en reçoit tous les jours. D'autant plus que la pauvre femme voulait sauver son homme de l'échafaud et expliquait qu'elle s'était abîmé le ventre en tombant sur un baquet... Elle a hurlé toute la nuit avant de passer.

Le forgeron se taisait, arrachait des herbes dans ses poings crispés.

— Il n'y a pas quinze jours, continua Gervaise, elle avait sevré son dernier, le petit Jules; et c'est encore une chance, car l'enfant ne pâtira pas... N'importe, voilà cette gamine de Lalie chargée de deux mioches. Elle n'a pas huit ans, mais elle est sérieuse et raisonnable comme une vraie mère. Avec ça, son père la roue de coups... Ah bien! on rencontre des êtres qui sont nés pour souffrir.

Goujet la regarda et dit brusquement, les lèvres tremblantes :

— Vous m'avez fait de la peine, hier, oh! oui, beaucoup de peine...

Gervaise, pâlissant, avait joint les mains. Mais lui, continuait :

— Je sais, ça devait arriver... Seulement, vous auriez dû vous confier à moi, m'avouer ce qu'il en était, pour ne pas me laisser dans des idées...

Il ne put achever. Elle s'était levée, en comprenant que Goujet la croyait remise avec Lantier, comme le quartier l'affirmait. Et, les bras tendus, elle cria :

— Non, non, je vous jure... Il me poussait, il allait m'embrasser, c'est vrai; mais sa figure n'a pas même touché la mienne, et c'était la première fois qu'il essayait... Oh! tenez, sur ma vie, sur celle de mes enfants, sur tout ce que j'ai de plus sacré!

L'ASSOMMOIR

Duel de Gouet et de Hec... ...le

Gervaise : « Une bête de somme au travail, puis une nature te...
un fond de femme excellent, que l'éducation aurait pu développer,
qui se perd. Chacune de ses qualités tourne contre elle. Le tr...
l'abrutit, sa tendresse la conduit à des faiblesses extraordinai...
(notes de Zola).

Jardins et moulins sur la butte Montmartre, par Van Gogh (1887).

Terrains vagues à Montmartre, gravure de Buhot, d'après Maincent.

L'ASSOMMOIR

La fête de Gervaise

Gervaise et la Gueule d'Or : « Cette singulière idylle entre eux, mêlée au travail, à l'effort musculaire. Quand il lui parle doucement, lui qui aplatit le fer, elle est contente. Ne pas pourtant la montrer amoureuse. Faire quelque chose de très délicat et d'épuré. Très haut, quoique *matériel*. »

Cependant, le forgeron hochait la tête. Il se méfiait, parce que les femmes disent toujours non. Gervaise alors devint très grave, reprit lentement :

— Vous me connaissez, monsieur Goujet, je ne suis guère menteuse... Eh bien! non, ça n'est pas, ma parole d'honneur!... Jamais ça ne sera, entendez-vous ? jamais! Le jour où ça arriverait, je deviendrais la dernière des dernières, je ne mériterais plus l'amitié d'un honnête homme comme vous.

Et elle avait, en parlant, une si belle figure, toute pleine de franchise, qu'il lui prit la main et la fit rasseoir. Maintenant, il respirait à l'aise, il riait en dedans. C'était la première fois qu'il lui tenait ainsi la main et qu'il la serrait dans la sienne. Tous deux restèrent muets. Au ciel, le vol de nuages blancs nageait avec une lenteur de cygne. Dans le coin du champ, la chèvre, tournée vers eux, les regardait en poussant à de longs intervalles réguliers un bêlement très doux. Et, sans se lâcher les doigts, les yeux noyés d'attendrissement, ils se perdaient au loin, sur la pente de Montmartre blafard, au milieu de la haute futaie des cheminées d'usine rayant l'horizon, dans cette banlieue plâtreuse et désolée, où les bosquets verts des cabarets borgnes les touchaient jusqu'aux larmes.

— Votre mère m'en veut, je le sais, reprit Gervaise à voix basse. Ne dites pas non... Nous vous devons tant d'argent.

Mais lui, se montra brutal, pour la faire taire. Il lui secoua la main, à la briser. Il ne voulait pas qu'elle parlât de l'argent. Puis, il hésita, il bégaya enfin :

— Écoutez, il y a longtemps que je songe à vous proposer une chose... Vous n'êtes pas heureuse. Ma mère assure que la vie tourne mal pour vous...

Il s'arrêta, un peu étouffé.

— Eh bien! il faut nous en aller ensemble.

Elle le regarda, ne comprenant pas nettement d'abord, surprise par cette rude déclaration d'un amour dont il n'avait jamais ouvert les lèvres.

— Comment ça ? demanda-t-elle.

— Oui, continua-t-il la tête basse, nous nous en irions, nous vivrions quelque part, en Belgique si vous voulez... C'est presque mon pays... En travaillant tous les deux, nous serions vite à notre aise.

Alors, elle devint très rouge. Il l'aurait prise contre lui pour l'embrasser, qu'elle aurait eu moins de honte. C'était un drôle de garçon tout de même, de lui proposer un enlèvement, comme cela se passe dans les romans et dans la haute société. Ah bien! autour d'elle, elle voyait des ouvriers faire la cour à des femmes mariées; mais ils ne les menaient pas même à Saint-Denis, ça se passait sur place, et carrément.

— Ah! monsieur Goujet, monsieur Goujet... murmurait-elle, sans trouver autre chose.

— Enfin, voilà, nous ne serions que tous les deux, reprit-il. Les autres me gênent, vous comprenez ?... Quand j'ai de l'amitié pour une personne, je ne peux pas voir cette personne avec d'autres.

Mais elle se remettait, elle refusait maintenant, d'un air raisonnable.

— Ce n'est pas possible, monsieur Goujet. Ce serait très mal... Je suis mariée, n'est-ce pas ? j'ai des enfants... Je sais bien que vous avez de l'amitié pour moi et que je vous fais de la peine. Seulement, nous aurions des remords, nous ne goûterions pas de plaisir... Moi aussi, j'éprouve de l'amitié pour vous, j'en éprouve trop pour vous laisser commettre des bêtises. Et ce seraient des bêtises, bien sûr... Non, voyez-vous, il vaut mieux demeurer comme nous sommes. Nous nous estimons, nous nous trouvons d'accord de sentiment. C'est beaucoup, ça m'a soutenue plus d'une fois. Quand on reste honnête, dans notre position, on est joliment récompensé.

Il hochait la tête, en l'écoutant. Il l'approuvait, il ne pouvait pas dire le contraire. Brusquement, dans le grand jour, il la prit entre ses bras, la serra à l'écraser, lui posa un baiser furieux sur le cou, comme s'il avait voulu lui manger la peau. Puis, il la lâcha, sans demander autre chose; et il ne parla plus de leur amour. Elle se secouait, elle ne se fâchait pas, comprenant que tous deux avaient bien gagné ce petit plaisir.

Le forgeron, cependant, secoué de la tête aux pieds par un grand frisson, s'écartait d'elle, pour ne pas céder à l'envie de la reprendre; et il se traînait sur les genoux, ne sachant à quoi occuper ses mains, cueillant des fleurs de pissenlits, qu'il jetait de loin dans son panier. Il y avait là, au milieu de la nappe d'herbe brûlée, des pissenlits jaunes superbes. Peu à peu, ce jeu le calma, l'amusa. De ses doigts raidis par le travail du marteau, il cassait délicatement les fleurs, les lançait une à une, et ses yeux de bon chien riaient, lorsqu'il ne manquait pas la corbeille. La blanchisseuse s'était adossée à l'arbre mort, gaie et reposée, haussant la voix pour se faire entendre, dans l'haleine forte de la scierie mécanique. Quand ils quittèrent le terrain vague, côte à côte, en causant d'Étienne, qui se plaisait beaucoup à Lille, elle emporta son panier plein de fleurs de pissenlits.

Au fond, Gervaise ne se sentait pas devant Lantier si courageuse qu'elle le disait. Certes, elle était bien résolue à ne pas lui permettre de la toucher seulement du bout des doigts; mais elle avait peur, s'il la touchait jamais, de sa lâcheté ancienne, de cette mollesse et de cette complaisance auxquelles elle se laissait aller, pour faire plaisir au monde. Lantier, pourtant, ne recommença pas sa tentative. Il se trouva plusieurs fois seul avec elle et se tint tranquille. Il semblait maintenant occupé de la tripière, une femme de quarante-cinq ans, très bien conservée. Gervaise, devant Goujet, parlait de la tripière, afin de le rassurer. Elle répondait à Virginie et à Mme Lerat, quand celles-ci faisaient l'éloge du chapelier, qu'il pouvait bien se passer de son admiration, puisque toutes les voisines avaient des béguins pour lui.

Coupeau, dans le quartier, gueulait que Lantier était un ami, un vrai. On pouvait baver sur leur compte, lui savait ce qu'il savait, se fichait du bavardage, du moment où il avait l'honnêteté de son côté. Quand ils sortaient tous les trois, le dimanche, il obligeait sa femme et le chapelier à marcher devant lui, bras dessus, bras dessous, histoire de crâner dans la rue; et il regardait les gens, tout prêt à leur administrer un va-te-laver [159], s'ils s'étaient permis la moindre rigolade. Sans doute, il trouvait Lantier un peu fiérot, l'accusait de faire sa Sophie [160] devant le vitriol, le blaguait parce qu'il savait lire et qu'il parlait comme un avocat. Mais, à part ça, il le déclarait un bougre à poils. On n'en aurait pas trouvé deux aussi solides dans la Chapelle. Enfin, ils se comprenaient, ils étaient bâtis l'un pour l'autre. L'amitié avec un homme, c'est plus solide que l'amour avec une femme.

Il faut dire une chose, Coupeau et Lantier se payaient ensemble des noces à tout casser. Lantier, maintenant, empruntait de l'argent à Gervaise, des dix francs, des vingt francs, quand il sentait de la monnaie dans la maison. C'était toujours pour ses grandes affaires. Puis, ces jours-là, il débauchait Coupeau, parlait d'une longue course, l'emmenait; et, attablés nez à nez au fond d'un restaurant voisin, ils se flanquaient par le coco des plats qu'on ne peut manger chez soi, arrosés de vin cacheté. Le zingueur aurait préféré des ribotes dans le chic bon enfant; mais il était impressionné par les goûts d'aristo du chapelier, qui trouvait sur la carte des noms de sauces extraordinaires. On n'avait pas l'idée d'un homme si douillet, si difficile. Ils sont tous comme ça, paraît-il, dans le Midi. Ainsi, il ne voulait rien d'échauffant, il discutait chaque fri-

cot, au point de vue de la santé, faisant remporter la viande lorsqu'elle lui semblait trop salée ou trop poivrée. C'était encore pis pour les courants d'air, il en avait une peur bleue, il engueulait tout l'établissement, si une porte restait entrouverte. Avec ça, très chien, donnant deux sous au garçon pour des repas de sept et huit francs. N'importe, on tremblait devant lui, on les connaissait bien sur les boulevards extérieurs, des Batignolles à Belleville. Ils allaient, Grande-Rue des Batignolles, manger des tripes à la mode de Caen, qu'on leur servait sur de petits réchauds. En bas de Montmartre, ils trouvaient les meilleures huîtres du quartier, à la Ville de Bar-le-Duc [161]. Quand ils se risquaient en haut de la butte, jusqu'au Moulin de la Galette, on leur faisait sauter un lapin. Rue des Martyrs, les Lilas avaient la spécialité de la tête de veau; tandis que, chaussée Clignancourt, les restaurants du Lion d'Or et des Deux Marronniers leur donnaient des rognons sautés à se lécher les doigts. Mais ils tournaient plus souvent à gauche, du côté de Belleville, avaient leur table gardée aux Vendanges de Bourgogne, au Cadran bleu, au Capucin, des maisons de confiance, où l'on pouvait demander de tout, les yeux fermés. C'étaient des parties sournoises, dont ils parlaient le lendemain matin à mots couverts, en chipotant les pommes de terre de Gervaise. Même un jour, dans un bosquet du Moulin de la Galette, Lantier amena une femme, avec laquelle Coupeau le laissa au dessert.

Naturellement, on ne peut pas nocer et travailler. Aussi, depuis l'entrée du chapelier dans le ménage, le zingueur, qui fainéantait déjà pas mal, en était arrivé à ne plus toucher un outil. Quand il se laissait encore embaucher, las de traîner ses savates, le camarade le relançait au chantier, le blaguait à mort en le trouvant pendu au bout de sa corde à nœuds comme un jambon fumé; et il lui criait de descendre prendre un canon. C'était réglé, le zingueur lâchait l'ouvrage, commençait une bordée qui durait des journées et des semaines. Oh! par exemple, des bordées fameuses, une revue générale de tous les mastroquets du quartier, la soûlerie du matin cuvée à midi et repincée le soir, les tournées de casse-poitrine se succédant, se perdant dans la nuit, pareilles aux lampions d'une fête, jusqu'à ce que la dernière chandelle s'éteignît avec le dernier verre! Cet animal de chapelier n'allait jamais jusqu'au bout. Il laissait l'autre s'allu-

---

159. « Soufflet aller et retour » (Delvau).
160. « Se scandaliser à propos d'une conversation un peu libre, montrer plus de sagesse qu'il ne convient » (Delvau).

161. On a identifié la plupart de ces cabarets : *la Ville de Bar-le-Duc*, rue de l'Empereur, *le Moulin de la Galette*, à l'angle de la rue Tholozé et de la rue Lepic, *le Lion d'Or* et *les Deux Marronniers* sur l'actuel boulevard de Clignancourt, *les Vendanges de Bourgogne*, rue Jessaint, *le Cadran bleu* et *le Capucin* rue de La Chapelle.

mer, le lâchait, rentrait en souriant de son air aimable. Lui, se piquait le nez proprement, sans qu'on s'en aperçût. Quand on le connaissait bien, ça se voyait seulement à ses yeux plus minces et à ses manières plus entreprenantes auprès des femmes. Le zingueur, au contraire, devenait dégoûtant, ne pouvait plus boire sans se mettre dans un état ignoble.

Ainsi, vers les premiers jours de novembre, Coupeau tira une bordée qui finit d'une façon tout à fait sale pour lui et pour les autres. La veille, il avait trouvé de l'ouvrage. Lantier, cette fois-là, était plein de beaux sentiments; il prêchait le travail, attendu que le travail ennoblit l'homme. Même, le matin, il se leva à la lampe, il voulut accompagner son ami au chantier, gravement, honorant en lui l'ouvrier digne de ce nom. Mais, arrivés devant la Petite Civette qui ouvrait, ils entrèrent prendre une prune, rien qu'une, dans le seul but d'arroser ensemble la ferme résolution d'une bonne conduite. En face du comptoir, sur un banc, Bibi-la-Grillade, le dos contre le mur, fumait sa pipe d'un air maussade.

— Tiens! Bibi qui fait sa panthère, dit Coupeau. On a donc la flemme, ma vieille?

— Non, non, répondit le camarade en s'étirant les bras. Ce sont les patrons qui vous dégoûtent... J'ai lâché le mien hier... Tous de la crapule, de la canaille...

Et Bibi-la-Grillade accepta une prune. Il devait être là, sur le banc, à attendre une tournée. Cependant, Lantier défendait les patrons; ils avaient parfois joliment du mal, il en savait quelque chose, lui qui sortait des affaires. De la jolie fripouille, les ouvriers! toujours en noce, se fichant de l'ouvrage, vous lâchant au beau milieu d'une commande, reparaissant quand leur monnaie est nettoyée. Ainsi, il avait eu un petit Picard, dont la toquade était de se trimbaler en voiture; oui, dès qu'il touchait sa semaine, il prenait des fiacres pendant des journées. Est-ce que c'était là un goût de travailleur? Puis, brusquement, Lantier se mit à attaquer aussi les patrons. Oh! il voyait clair, il disait ses vérités à chacun. Une sale race après tout, des exploiteurs sans vergogne, des mangeurs de monde. Lui, Dieu merci! pouvait dormir la conscience tranquille, car il s'était toujours conduit en ami avec ses hommes, et avait préféré ne pas gagner des millions comme les autres.

— Filons, mon petit, dit-il en s'adressant à Coupeau. Il faut être sage, nous serions en retard.

Bibi-la-Grillade, les bras ballants, sortit avec eux. Dehors, le jour se levait à peine, un petit jour sali par le reflet boueux du pavé; il avait plu la veille, il faisait très doux. On venait d'éteindre les becs de gaz; la rue des Poissonniers, où des lambeaux de nuit étranglés par les maisons flottaient encore, s'emplissait du sourd piétinement des ouvriers descendant vers Paris. Coupeau, son sac de zingueur passé à l'épaule, marchait de l'air esbrouffeur[162] d'un citoyen qui est d'attaque, une fois par hasard. Il se tourna, il demanda:

— Bibi, veux-tu qu'on t'embauche? le patron m'a dit d'amener un camarade, si je pouvais.

— Merci, répondit Bibi-la-Grillade, je me purge... Faut proposer ça à Mes-Bottes, qui cherchait hier une baraque... Attends, Mes-Bottes est bien sûr là-dedans.

Et, comme ils arrivaient au bas de la rue, ils aperçurent en effet Mes-Bottes chez le père Colombe. Malgré l'heure matinale, l'Assommoir flambait, les volets enlevés, le gaz allumé. Lantier resta sur la porte, en recommandant à Coupeau de se dépêcher, parce qu'ils avaient tout juste dix minutes.

— Comment! tu vas chez ce roussin de Bourguignon! cria Mes-Bottes, quand le zingueur lui eut parlé. Plus souvent qu'on me pince dans cette boîte! Non, j'aimerais mieux tirer la langue jusqu'à l'année prochaine... Mais, mon vieux, tu ne resteras pas là trois jours, c'est moi qui te le dis!

— Vrai, une sale boîte? demanda Coupeau inquiet.

— Oh! tout ce qu'il y a de plus sale... On ne peut pas bouger. Le singe est sans cesse sur votre dos. Et avec ça des manières, une bourgeoise qui vous traite de soûlard, une boutique où il est défendu de cracher... Je les ai envoyés dinguer le premier soir, tu comprends.

— Bon! me voilà prévenu. Je ne mangerai pas chez eux un boisseau de sel... J'en vais tâter ce matin; mais si le patron m'embête, je te le ramasse et je t'assois sur sa bourgeoise, tu sais, collés comme une paire de soles!

Le zingueur secouait la main du camarade, pour le remercier de son bon renseignement; et il s'en allait, quand Mes-Bottes se fâcha. Tonnerre de Dieu! est-ce que le Bourguignon allait les empêcher de boire la goutte? Les hommes n'étaient plus des hommes, alors? Le singe pouvait bien attendre cinq minutes. Et Lantier entra pour accepter la tournée, les quatre ouvriers se tinrent debout devant le comptoir. Cependant, Mes-Bottes, avec ses sou-

---

162. « Gascon de Paris, qui vante sa noblesse apocryphe, ses millions improbables, ses maîtresses imaginaires, pour escroquer du crédit chez les fournisseurs et de l'admiration chez les imbéciles » (Delvau).

liers éculés, sa blouse noire d'ordures, sa casquette aplatie sur le sommet du crâne, gueulait fort et roulait des yeux de maître dans l'Assommoir. Il venait d'être proclamé empereur des pochards et roi des cochons, pour avoir mangé une salade de hannetons vivants et mordu dans un chat crevé.

— Dites donc, espèce de Borgia [163]! cria-t-il au père Colombe, donnez-moi de la jaune, de votre pissat d'âne premier numéro.

Et quand le père Colombe, blême et tranquille dans son tricot bleu, eut empli les quatre verres, ces messieurs les vidèrent d'une lampée, histoire de ne pas laisser le liquide s'éventer.

— Ça fait tout de même du bien où ça passe, murmura Bibi-la-Grillade.

Mais cet animal de Mes-Bottes en racontait une comique. Le vendredi, il était si soûl, que les camarades lui avaient scellé sa pipe dans le bec avec une poignée de plâtre. Un autre en serait crevé, lui gonflait le dos et se pavanait [164].

— Ces messieurs ne renouvellent pas ? demanda le père Colombe de sa voix grasse.

— Si, redoublez-nous ça, dit Lantier. C'est mon tour.

Maintenant, on causait des femmes. Bibi-la-Grillade, le dernier dimanche, avait mené sa scie [165] à Montrouge, chez une tante. Coupeau demanda des nouvelles de la *Malle des Indes*, une blanchisseuse de Chaillot, connue dans l'établissement. On allait boire, quand Mes-Bottes, violemment, appela Goujet et Lorilleux qui passaient. Ceux-ci vinrent jusqu'à la porte et refusèrent d'entrer. Le forgeron ne sentait pas le besoin de prendre quelque chose. Le chaîniste, blafard, grelottant, serrait dans sa poche les chaînes d'or qu'il reportait; et il toussait, il s'excusait, en disant qu'une goutte d'eau-de-vie le mettait sur le flanc.

— En voilà des cafards! grogna Mes-Bottes. Ça doit licher dans les coins.

Et quand il eut mis le nez dans son verre, il attrapa le père Colombe.

— Vieille drogue, tu as changé de litre!... Tu sais, ce n'est pas avec moi qu'il faut maquiller ton vitriol!

Le jour avait grandi, une clarté louche éclairait l'Assommoir, dont le patron éteignait le gaz. Coupeau, pourtant, excusait son beau-frère, qui ne pouvait pas boire, ce dont, après tout, on n'avait pas à lui faire un crime. Il approuvait même Gou-

jet, attendu que c'était un bonheur de ne jamais avoir soif. Et il parlait d'aller travailler, lorsque Lantier, avec son grand air d'homme comme il faut, lui infligea une leçon : on payait sa tournée, au moins, avant de se cavaler; on ne lâchait pas des amis comme un pleutre, même pour se rendre à son devoir.

— Est-ce qu'il va nous bassiner longtemps avec son travail! cria Mes-Bottes.

— Alors, c'est la tournée de monsieur ? demanda le père Colombe à Coupeau.

Celui-ci paya sa tournée. Mais, quand vint le tour de Bibi-la-Grillade, il se pencha à l'oreille du patron, qui refusa d'un lent signe de tête. Mes-Bottes comprit et se remit à invectiver cet entortillé de père Colombe. Comment! une bride de son espèce se permettait de mauvaises manières à l'égard d'un camarade! Tous les marchands de coco [166] faisaient l'œil [167]! Il fallait venir dans les mines à poivre pour être insulté! Le patron restait calme, se balançait sur ses gros poings, au bord du comptoir, en répétant poliment :

— Prêtez de l'argent à monsieur, ce sera plus simple.

— Nom de Dieu! oui, je lui en prêterai, hurla Mes-Bottes. Tiens! Bibi, jette-lui sa monnaie à travers la gueule, à ce vendu!

Puis, lancé, agacé par le sac que Coupeau avait gardé à son épaule, il continua, en s'adressant au zingueur :

— T'as l'air d'une nourrice. Lâche ton poupon. Ça rend bossu.

Coupeau hésita un instant; et, paisiblement, comme s'il s'était décidé après de mûres réflexions, il posa son sac par terre, en disant :

— Il est trop tard, à cette heure. J'irai chez Bourguignon après le déjeuner. Je dirai que ma bourgeoise a eu des coliques... Écoutez, père Colombe, je laisse mes outils sous cette banquette, je les reprendrai à midi.

Lantier, d'un hochement de tête, approuva cet arrangement. On doit travailler, ça ne fait pas un doute; seulement, quand on se trouve avec des amis, la politesse passe avant tout. Un désir de godaille les avait peu à peu chatouillés et engourdis tous les quatre, les mains lourdes, se tâtant du regard. Et, dès qu'ils eurent cinq heures de flâne devant eux, ils furent pris brusquement d'une joie bruyante, ils s'allongèrent des claques, se gueulèrent des mots de tendresse dans la figure, Coupeau surtout, soulagé, rajeuni, qui appelait les

163. Synonyme d'empoisonneur en raison de la fâcheuse réputation des Borgia.
164. Anecdote empruntée au *Sublime* de Denis Poulot.
165. « Femme légitime. *Porter sa scie.* Se promener avec sa femme au bras » (Delvau).

166. « Eau-de-vie » (Delvau).
167. « Œil : crédit, dans l'argot des bohèmes » (Delvau).

autres « ma vieille branche! » On se mouilla encore d'une tournée générale; puis, on alla à la Puce qui renifle, un petit bousingot où il y avait un billard. Le chapelier fit un instant son nez, parce que c'était une maison pas très propre : le schnick y valait un franc le litre, dix sous une chopine en deux verres, et la société de l'endroit avait commis tant de saletés sur le billard, que les billes y restaient collées. Mais, la partie une fois engagée, Lantier qui avait un coup de queue extraordinaire, retrouva sa grâce et sa belle humeur, développant son torse, accompagnant d'un effet de hanches chaque carambolage.

Lorsque vint l'heure du déjeuner, Coupeau eut une idée. Il tapa des pieds, en criant :

— Faut aller prendre Bec-Salé. Je sais où il travaille... Nous l'emmènerons manger des pieds à la poulette chez la mère Louis.

L'idée fut acclamée. Oui, Bec-Salé, dit Boit-sans-Soif, devait avoir besoin de manger des pieds à la poulette. Ils partirent. Les rues étaient jaunes, une petite pluie tombait; mais ils avaient déjà trop chaud à l'intérieur pour sentir ce léger arrosage sur leurs abattis. Coupeau les mena rue Marcadet, à la fabrique de boulons. Comme ils arrivaient une grosse demi-heure avant la sortie, le zingueur donna deux sous à un gamin pour entrer dire à Bec-Salé que sa bourgeoise se trouvait mal et le demandait tout de suite. Le forgeron parut aussitôt, en se dandinant, l'air bien calme, le nez flairant un gueuleton.

— Ah! les cheulards! dit-il, dès qu'il les aperçut cachés sous une porte. J'ai senti ça... Hein? qu'est-ce qu'on mange?

Chez la mère Louis, tout en suçant les petits os des pieds, on tapa de nouveau sur les patrons. Bec-Salé, dit Boit-sans-Soif, racontait qu'il y avait une commande pressée dans sa boîte. Oh! le singe était coulant pour le quart d'heure; on pouvait manquer à l'appel, il restait gentil, il devait s'estimer encore bien heureux quand on revenait. D'abord, il n'y avait pas de danger qu'un patron osât jamais flanquer dehors Bec-Salé, dit Boit-sans-Soif, parce qu'on n'en trouvait plus, des cadets de sa capacité. Après les pieds, on mangea une omelette. Chacun but son litre. La mère Louis faisait venir son vin de l'Auvergne, un vin couleur de sang qu'on aurait coupé au couteau. Ça commençait à être drôle, la bordée s'allumait.

— Qu'est-ce qu'il a, à m'emmoutarder, cet encloué de singe? cria Bec-Salé au dessert. Est-ce qu'il ne vient pas d'avoir l'idée d'accrocher une cloche dans sa baraque? Une cloche, c'est bon pour des esclaves... Ah bien! elle peut sonner, aujourd'hui! Du tonnerre si l'on me repince à l'enclume! Voilà cinq jours que je me la foule, je puis bien le balancer... S'il me fiche un abattage [168], je l'envoie à Chaillot [169].

— Moi, dit Coupeau d'un air important, je suis obligé de vous lâcher, je vais travailler. Oui, j'ai juré à ma femme... Amusez-vous, je reste de cœur avec les camaros, vous savez.

Les autres blaguaient. Mais lui, semblait si décidé, que tous l'accompagnèrent, quand il parla d'aller chercher ses outils chez le père Colombe. Il prit son sac sous la banquette, le posa devant lui, pendant qu'on buvait une dernière goutte. A une heure, la société s'offrait encore des tournées. Alors, Coupeau, d'un geste d'ennui, reporta les outils sous la banquette; ils le gênaient, il ne pouvait pas s'approcher du comptoir sans buter dedans. C'était trop bête, il irait le lendemain chez Bourguignon. Les quatre autres, qui se disputaient à propos de la question des salaires, ne s'étonnèrent pas, lorsque le zingueur, sans explication, leur proposa un petit tour sur le boulevard, pour se dérouiller les jambes. La pluie avait cessé. Le petit tour se borna à faire deux cents pas sur une même file, les bras ballants; et ils ne trouvaient plus un mot, surpris par l'air, ennuyés d'être dehors. Lentement, sans avoir seulement à se consulter du coude, ils remontèrent d'instinct la rue des Poissonniers, où ils entrèrent chez François prendre un canon de la bouteille. Vrai, ils avaient besoin de ça pour se remettre. On tournait trop à la tristesse dans la rue, il y avait une boue à ne pas flanquer un sergent de ville à la porte. Lantier poussa les camarades dans le cabinet, un coin étroit occupé par une seule table, et qu'une cloison aux vitres dépolies séparait de la salle commune. Lui, d'ordinaire, se piquait le nez dans les cabinets, parce que c'était plus convenable. Est-ce que les camarades n'étaient pas bien là? On se serait cru chez soi, on y aurait fait dodo sans se gêner. Il demanda le journal, l'étala tout grand, le parcourut, les sourcils froncés. Coupeau et Mes-Bottes avaient commencé un piquet. Deux litres et cinq verres traînaient sur la table.

— Eh bien? qu'est-ce qu'ils chantent, dans ce papier-là? demanda Bibi-la-Grillade au chapelier.

Il ne répondit pas tout de suite. Puis, sans lever les yeux :

— Je tiens la Chambre. En voilà des républicains de quatre sous, ces sacrés fainéants de la gauche! Est-ce que le peuple les nomme pour baver leur eau

168. « Reproches » (D. Poulot).
169. « Envoyer promener, se débarrasser de... » (D. Poulot).

sucrée!... Il croit en Dieu, celui-là, et il fait des mamours à ces canailles de ministres! Moi, si j'étais nommé, je monterais à la tribune et je dirais : Merde! Oui, pas davantage, c'est mon opinion!

— Vous savez que Badinguet s'est fichu des claques avec sa bourgeoise, l'autre soir, devant toute sa cour, raconta Bec-Salé, dit Boit-sans-Soif. Ma parole d'honneur! Et à propos de rien, en s'asticotant. Badinguet était éméché.

— Lâchez-nous donc le coude, avec votre politique! cria le zingueur. Lisez les assassinats, c'est plus rigolo.

Et revenant à son jeu, annonçant une tierce au neuf et trois dames :

— J'ai une tierce à l'égout et trois colombes... Les crinolines ne me quittent pas [170].

On vida les verres. Lantier se mit à lire tout haut : « Un crime épouvantable vient de jeter l'effroi dans la commune de Gaillon (Seine-et-Marne). Un fils a tué son père à coups de bêche, pour lui voler trente sous... »

Tous poussèrent un cri d'horreur. En voilà un, par exemple, qu'ils seraient allés voir raccourcir avec plaisir! Non, la guillotine, ce n'était pas assez; il aurait fallu le couper en petits morceaux. Une histoire d'infanticide les révolta également; mais le chapelier, très moral, excusa la femme en mettant tous les torts du côté de son séducteur; car, enfin, si une crapule d'homme n'avait pas fait un gosse à cette malheureuse, elle n'aurait pas pu en jeter un dans les lieux d'aisances. Mais ce qui les enthousiasma, ce furent les exploits du marquis de T....., sortant d'un bal à deux heures du matin et se défendant contre trois mauvaises gouapes, boulevard des Invalides; sans même retirer ses gants, il s'était débarrassé des deux premiers scélérats avec des coups de tête dans le ventre, et avait conduit le troisième au poste, par une oreille. Hein ? quelle poigne! C'était embêtant qu'il fût noble.

— Écoutez ça maintenant, continua Lantier. Je passe aux nouvelles de la haute. « La comtesse de Brétigny marie sa fille aînée au jeune baron de Valançay, aide de camp de Sa Majesté. Il y a, dans la corbeille, pour plus de trois cent mille francs de dentelle... »

— Qu'est-ce que ça nous fiche! interrompit Bibi-la-Grillade. On ne leur demande pas la couleur de leur chemise... La petite a beau avoir de la dentelle,

elle n'en verra pas moins la lune par le même trou que les autres.

Comme Lantier faisait mine d'achever sa lecture, Bec-Salé, dit Boit-sans-Soif, lui enleva le journal et s'assit dessus, en disant :

— Ah! non, assez!... Le voilà au chaud... Le papier, ce n'est bon qu'à ça.

Cependant, Mes-Bottes, qui regardait son jeu, donnait un coup de poing triomphant sur la table. Il faisait quatre-vingt-treize.

— J'ai la Révolution, cria-t-il. Quinte mangeuse, portant son point dans l'herbe à la vache... Vingt, n'est-ce pas ?... Ensuite, tierce major dans les vitriers, vingt-trois; trois bœufs, vingt-six; trois larbins, vingt-neuf; trois borgnes, quatre-vingt-douze... Et je joue an I de la République, quatre-vingt-treize.

— T'es rincé, mon vieux, crièrent les autres à Coupeau.

On commanda deux nouveaux litres. Les verres ne désemplissaient plus, la soûlerie montait. Vers cinq heures, ça commençait à devenir dégoûtant, si bien que Lantier se taisait et songeait à filer; du moment où l'on gueulait et où l'on fichait le vin par terre, ce n'était plus son genre. Justement, Coupeau se leva pour faire le signe de croix des pochards. Sur la tête il prononça Montpernasse, à l'épaule droite Menilmonte, à l'épaule gauche la Courtille, au milieu du ventre Bagnolet, et dans le creux de l'estomac trois fois Lapin sauté. Alors, le chapelier, profitant de la clameur soulevée par cet exercice, prit tranquillement la porte. Les camarades ne s'aperçurent même pas de son départ. Lui, avait déjà un joli coup de sirop. Mais, dehors, il se secoua, il retrouva son aplomb; et il regagna tranquillement la boutique, où il raconta à Gervaise que Coupeau était avec des amis.

Deux jours se passèrent. Le zingueur n'avait pas reparu. Il roulait dans le quartier, on ne savait pas bien où. Des gens, pourtant, disaient l'avoir vu chez la mère Baquet, au Papillon, au Petit Bonhomme qui tousse. Seulement, les uns assuraient qu'il était seul, tandis que les autres l'avaient rencontré en compagnie de sept ou huit soûlards de son espèce. Gervaise haussait les épaules d'un air résigné. Mon Dieu! c'était une habitude à prendre. Elle ne courait pas après son homme; même, si elle l'apercevait chez un marchand de vin, elle faisait un détour, pour ne pas le mettre en colère; et elle attendait qu'il rentrât, écoutant la nuit s'il ne ronflait pas à la porte. Il couchait sur un tas d'ordures, sur un banc, dans un terrain vague, en travers d'un ruisseau. Le lendemain, avec son ivresse mal cuvée

---

170. Cet argot des joueurs de piquet est emprunté au *Sublime* de D. Poulot : *l'herbe à vaches*, le trèfle, *les vitriers*, le carreau, *les bœufs*, les rois, *les colombes*, les dames, etc. D'après le même ouvrage, nous retrouvons les termes cités plus bas : *quatre-vingt-treize* est la révolution, *un borgne* un as, *le larbin* le valet.

de la veille, il repartait, tapait aux volets des consolations [171], se lâchait de nouveau dans une course
furieuse, au milieu des petits verres, des canons et
des litres, perdant et retrouvant ses amis, poussant
des voyages dont il revenait plein de stupeur,
voyant danser les rues, tomber la nuit et naître le
jour, sans autre idée que de boire et de cuver sur
place. Lorsqu'il cuvait, c'était fini. Gervaise alla
pourtant, le second jour, à l'Assommoir du père
Colombe, pour savoir; on l'y avait revu cinq fois,
on ne pouvait pas lui en dire davantage. Elle dut
se contenter d'emporter les outils, restés sous la
banquette.

Lantier, le soir, voyant la blanchisseuse ennuyée,
lui proposa de la conduire au café-concert, histoire
de passer un moment agréable. Elle refusa d'abord,
elle n'était pas en train de rire. Sans cela, elle n'aurait pas dit non, car le chapelier lui faisait son
offre d'un air trop honnête pour qu'elle se méfiât
de quelque traîtrise. Il semblait s'intéresser à son
malheur et se montrait vraiment paternel. Jamais
Coupeau n'avait découché deux nuits. Aussi, malgré elle, toutes les dix minutes, venait-elle se planter
sur la porte, sans lâcher son fer, regardant aux
deux bouts de la rue si son homme n'arrivait pas.
Ça la tenait dans les jambes, à ce qu'elle disait, des
picotements qui l'empêchaient de rester en place.
Bien sûr, Coupeau pouvait se démolir un membre,
tomber sous une voiture et y rester : elle serait joliment débarrassée, elle se défendait de garder dans
le cœur la moindre amitié pour un sale personnage
de cette espèce. Mais, à la fin, c'était agaçant de
toujours se demander s'il rentrerait ou s'il ne rentrerait pas. Et, lorsqu'on alluma le gaz, comme
Lantier lui parlait de nouveau du café-concert, elle
accepta. Après tout, elle se trouvait trop bête de
refuser un plaisir, lorsque son mari, depuis
trois jours, menait une vie de polichinelle. Puisqu'il
ne rentrait pas, elle aussi allait sortir. La cambuse
brûlerait, si elle voulait. Elle aurait fichu en personne le feu au bazar, tant l'embêtement de la vie
commençait à lui monter au nez.

On dîna vite. En partant au bras du chapelier,
à huit heures, Gervaise pria maman Coupeau et
Nana de se mettre au lit tout de suite. La boutique
était fermée. Elle s'en alla par la porte de la cour
et donna la clef à Mme Boche, en lui disant que si
son cochon rentrait, elle eût l'obligeance de le
coucher. Le chapelier l'attendait sous la porte, bien
mis, sifflant un air. Elle avait sa robe de soie. Ils
suivirent doucement le trottoir, serrés l'un contre
l'autre, éclairés par les coups de lumière des boutiques, qui les montraient se parlant à demi-voix
avec un sourire.

Le café-concert était boulevard de Rochechouart,
un ancien petit café qu'on avait agrandi sur une
cour, par une baraque en planches. A la porte, un
cordon de boules de verre dessinait un portique
lumineux. De longues affiches, collées sur des panneaux de bois, se trouvaient posées par terre, au
ras du ruisseau.

— Nous y sommes, dit Lantier. Ce soir, débuts
de mademoiselle Amanda, chanteuse de genre.

Mais il aperçut Bibi-la-Grillade, qui lisait également l'affiche. Bibi avait un œil au beurre noir,
quelque coup de poing attrapé la veille.

— Eh bien! et Coupeau ? demanda le chapelier,
en cherchant autour de lui, vous avez donc perdu
Coupeau ?

— Oh! il y a beau temps, depuis hier, répondit
l'autre. On s'est allongé un coup de tampon, en
sortant de chez la mère Baquet. Moi, je n'aime pas
les jeux de mains... Vous savez, c'est avec le garçon
de la mère Baquet qu'on a eu des raisons, par rapport à un litre qu'il voulait nous faire payer
deux fois... Alors, j'ai filé, je suis allé schloffer [172]
un brin.

Il bâillait encore, il avait dormi dix-huit heures.
D'ailleurs, il était complètement dégrisé, l'air abêti,
sa vieille veste pleine de duvet; car il devait s'être
couché dans son lit tout habillé.

— Et vous ne savez pas où est mon mari, monsieur ? interrogea la blanchisseuse.

— Mais non, pas du tout... Il était cinq heures,
quand nous avons quitté la mère Baquet. Voilà!...
Il a peut-être bien descendu la rue. Oui, même je
crois l'avoir vu entrer au Papillon avec un cocher...
Oh! que c'est bête! Vrai, on est bon à tuer!

Lantier et Gervaise passèrent une très agréable
soirée au café-concert. A onze heures, lorsqu'on
ferma les portes, ils revinrent en se baladant, sans
se presser. Le froid piquait un peu, le monde se
retirait par bandes; et il y avait des filles qui crevaient de rire, sous les arbres, dans l'ombre, parce
que les hommes rigolaient de trop près. Lantier
chantait entre ses dents une des chansons de
Mlle Amanda : *C'est dans l'nez qu'ça me chatouille.*
Gervaise, étourdie, comme grise, reprenait le refrain.
Elle avait eu très chaud. Puis, les deux consommations qu'elle avait bues lui tournaient sur le cœur,
avec la fumée des pipes et l'odeur de toute cette

---

171. « *Débit de consolations :* liquoriste, cabaret » (Delvau).

172. « *Dormir, se coucher* — dans l'argot des faubouriens, qui
ont appris cette expression dans la fréquentation d'ouvriers alsaciens
ou allemands *(schlafen)* » (Delvau).

société entassée. Mais elle emportait surtout une vive impression de Mlle Amanda. Jamais elle n'aurait osé se mettre nue comme ça devant le public. Il fallait être juste, cette dame avait une peau à faire envie. Et elle écoutait, avec une curiosité sensuelle, Lantier donner des détails sur la personne en question, de l'air d'un monsieur qui lui aurait compté les côtes en particulier.

— Tout le monde dort, dit Gervaise, après avoir sonné trois fois, sans que les Boche eussent tiré le cordon.

La porte s'ouvrit, mais le porche était noir, et quand elle frappa à la vitre de la loge pour demander sa clef, la concierge ensommeillée lui cria une histoire, à laquelle elle n'entendit rien d'abord. Enfin, elle comprit que le sergent de ville Poisson avait ramené Coupeau dans un drôle d'état, et que la clef devait être sur la serrure.

— Fichtre! murmura Lantier, quand ils furent entrés, qu'est-ce qu'il a donc fait ici? C'est une vraie infection.

En effet, ça puait ferme. Gervaise, qui cherchait des allumettes, marchait dans du mouillé. Lorsqu'elle fut parvenue à allumer une bougie, ils eurent devant eux un joli spectacle. Coupeau avait rendu tripes et boyaux; il y en avait plein la chambre; le lit en était emplâtré, le tapis également, et jusqu'à la commode qui se trouvait éclaboussée. Avec ça, Coupeau, tombé du lit où Poisson devait l'avoir jeté, ronflait là-dedans, au milieu de son ordure. Il s'y étalait, vautré comme un porc, une joue barbouillée, soufflant son haleine empestée par sa bouche ouverte, balayant de ses cheveux déjà gris la mare élargie autour de sa tête.

— Oh! le cochon! le cochon! répétait Gervaise indignée, exaspérée. Il a tout sali... Non, un chien n'aurait pas fait ça, un chien crevé est plus propre.

Tous deux n'osaient bouger, ne savaient où poser le pied. Jamais le zingueur n'était revenu avec une telle culotte et n'avait mis la chambre dans une ignominie pareille. Aussi, cette vue-là portait un rude coup au sentiment que sa femme pouvait encore éprouver pour lui. Autrefois, quand il rentrait éméché ou poivré, elle se montrait complaisante et pas dégoûtée. Mais, à cette heure, c'était trop, son cœur se soulevait. Elle ne l'aurait pas pris avec des pincettes. L'idée seule que la peau de ce goujat chercherait sa peau, lui causait une répugnance, comme si on lui avait demandé de s'allonger à côté d'un mort, abîmé par une vilaine maladie.

— Il faut pourtant que je me couche, murmurait-elle. Je ne puis pas retourner coucher dans la rue... Oh! je lui passerai plutôt sur le corps.

Elle tâcha d'enjamber l'ivrogne et dut se retenir à un coin de la commode, pour ne pas glisser dans la saleté. Coupeau barrait complètement le lit. Alors, Lantier, qui avait un petit rire en voyant bien qu'elle ne ferait pas dodo sur son oreiller cette nuit-là, lui prit une main, en disant d'une voix basse et ardente :

— Gervaise... écoute, Gervaise...

Mais elle avait compris, elle se dégagea, éperdue, le tutoyant à son tour, comme jadis.

— Non, laisse-moi... Je t'en supplie, Auguste, rentre dans ta chambre... Je vais m'arranger, je monterai dans le lit par les pieds...

— Gervaise, voyons, ne fais pas la bête, répétait-il. Ça sent trop mauvais, tu ne peux pas rester... Viens. Qu'est-ce que tu crains ? Il ne nous entend pas, va!

Elle luttait, elle disait non de la tête, énergiquement. Dans son trouble, comme pour montrer qu'elle resterait là, elle se déshabillait, jetait sa robe de soie sur une chaise, se mettait violemment en chemise et en jupon, toute blanche, le cou et les bras nus. Son lit était à elle, n'est-ce pas ? Elle voulait coucher dans son lit. A deux reprises, elle tenta encore de trouver un coin propre et de passer. Mais Lantier ne se lassait pas, la prenait à la taille, en disant des choses pour lui mettre le feu dans le sang. Ah! elle était bien plantée, avec un loupiat[173] de mari par-devant, qui l'empêchait de se fourrer honnêtement sous sa couverture, avec un sacré salaud d'homme par-derrière, qui songeait uniquement à profiter de son malheur pour la ravoir! Comme le chapelier haussait la voix, elle le supplia de se taire. Et elle écouta, l'oreille tendue vers le cabinet où couchaient Nana et maman Coupeau. La petite et la vieille devaient dormir, on entendait une respiration forte.

— Auguste, laisse-moi, tu vas les réveiller, reprit-elle, les mains jointes. Sois raisonnable. Un autre jour, ailleurs... Pas ici, pas devant ma fille...

Il ne parlait plus, il restait souriant; et, lentement, il la baisa sur l'oreille, ainsi qu'il la baisait autrefois pour la taquiner, et l'étourdir. Alors, elle fut sans force, elle sentit un grand bourdonnement, un grand frisson descendre dans sa chair. Pourtant, elle fit de nouveau un pas. Et elle dut reculer. Ce n'était pas possible, la dégoûtation était si grande, l'odeur devenait telle, qu'elle se serait elle-même mal conduite dans ses draps. Coupeau, comme sur de la plume, assommé par l'ivresse, cuvait sa bordée, les membres morts, la gueule de travers. Toute

---

173. « Fainéant, *loupeur* » (Delvau).

La taverne du Bagne et la fête de Montmartre, par Félix Buhot.

la rue aurait bien pu entrer embrasser sa femme, sans qu'un poil de son corps en remuât.

— Tant pis, bégayait-elle, c'est sa faute, je ne puis pas... Ah! mon Dieu! ah! mon Dieu! il me renvoie de mon lit, je n'ai plus de lit... Non, je ne puis pas, c'est sa faute.

Elle tremblait, elle perdait la tête. Et, pendant que Lantier la poussait dans sa chambre, le visage de Nana apparut à la porte vitrée du cabinet, derrière un carreau. La petite venait de se réveiller et de se lever doucement, en chemise, pâle de sommeil. Elle regarda son père roulé dans son vomissement; puis, la figure collée contre la vitre, elle resta là, à attendre que le jupon de sa mère eût disparu chez l'autre homme, en face. Elle était toute grave. Elle avait de grands yeux d'enfant vicieuse, allumés d'une curiosité sensuelle.

L'ASSOMMOIR

Gervaise venant chercher Coupeau à l'Assommoir

9

Cet hiver-là [174], maman Coupeau faillit passer, dans une crise d'étouffement. Chaque année, au mois de décembre, elle était sûre que son asthme la collait sur le dos pour des deux et trois semaines. Elle n'avait plus quinze ans, elle devait en avoir soixante-treize à la Saint-Antoine. Avec ça, très patraque, râlant pour un rien, quoique grosse et grasse. Le médecin annonçait qu'elle s'en irait en toussant, le temps de crier : Bonsoir, Jeanneton, la chandelle est éteinte !

Quand elle était dans son lit, maman Coupeau devenait mauvaise comme la gale. Il faut dire que le cabinet où elle couchait avec Nana n'avait rien de gai. Entre le lit de la petite et le sien, se trouvait juste la place de deux chaises. Le papier des murs, un vieux papier gris déteint, pendait en lambeaux. La lucarne ronde, près du plafond, laissait tomber un jour louche et pâle de cave. On se faisait joliment vieux là-dedans, surtout une personne qui ne pouvait pas respirer. La nuit encore, lorsque l'insomnie la prenait, elle écoutait dormir la petite, et c'était une distraction. Mais, dans le jour, comme on ne lui tenait pas compagnie du matin au soir, elle grognait, elle pleurait, elle répétait toute seule pendant des heures, en roulant sa tête sur l'oreiller :

— Mon Dieu ! que je suis malheureuse !... Mon Dieu que je suis malheureuse !... En prison, oui, c'est en prison qu'ils me feront mourir !

174. Le chapitre se passe en 1860-1861.

Et dès qu'une visite lui arrivait, Virginie ou Mme Boche, pour lui demander comment allait la santé, elle ne répondait pas, elle entamait tout de suite le chapitre de ses plaintes.

— Ah ! il est cher, le pain que je mange ici ! Non, je ne souffrirais pas autant chez des étrangers !... Tenez, j'ai voulu avoir une tasse de tisane, eh bien ! on m'en a apporté plein un pot à eau, une manière de me reprocher d'en trop boire... C'est comme Nana, cette enfant que j'ai élevée, elle se sauve nu-pieds, le matin, et je ne la revois plus. On croirait que je sens mauvais. Pourtant, la nuit, elle dort joliment, elle ne se réveillerait pas une seule fois pour me demander si je souffre... Enfin, je les embarrasse, ils attendent que je crève. Oh ! ce sera bientôt fait. Je n'ai plus de fils, cette coquine de blanchisseuse me l'a pris. Elle me battrait, elle m'achèverait, si elle n'avait pas peur de la justice.

Gervaise, en effet, se montrait un peu rude par moments. La baraque tournait mal, tout le monde s'y aigrissait et s'envoyait promener au premier mot. Coupeau, un matin qu'il avait les cheveux malades, s'était écrié : « La vieille dit toujours qu'elle va mourir, et elle ne meurt jamais ! » parole qui avait frappé maman Coupeau au cœur. On lui reprochait ce qu'elle coûtait, on disait tranquillement que, si elle n'était plus là, il y aurait une grosse économie. A la vérité, elle ne se conduisait pas non plus comme elle aurait dû. Ainsi, quand elle voyait sa fille aînée, Mme Lerat, elle pleurait misère, accusait son fils et sa belle-fille de la laisser mourir de faim, tout ça pour lui tirer une pièce de vingt sous, qu'elle dépensait en gourmandises. Elle faisait aussi des cancans abominables avec les Lorilleux, en leur racontant à quoi passaient leurs dix francs, aux fantaisies de la blanchisseuse, des bonnets neufs, des gâteaux mangés dans les coins, des choses plus sales même qu'on n'osait pas dire. A deux ou trois reprises, elle faillit faire battre toute la famille. Tantôt elle était avec les uns, tantôt elle était avec les autres ; enfin, ça devenait un vrai gâchis.

Au plus fort de sa crise, cet hiver-là, une après-midi que Mme Lorilleux et Mme Lerat s'étaient rencontrées devant son lit, maman Coupeau cligna les yeux, pour leur dire de se pencher. Elle pouvait à peine parler. Elle souffla, à voix basse :

— C'est du propre !... Je les ai entendus cette nuit. Oui, oui, la Banban et le chapelier... Et ils menaient un train ! Coupeau est joli. C'est du propre !

Elle raconta, par phrases courtes, toussant et

étouffant, que son fils avait dû rentrer ivre mort, la veille. Alors, comme elle ne dormait pas, elle s'était très bien rendu compte de tous les bruits, les pieds nus de la Banban trottant sur le carreau, la voix sifflante du chapelier qui l'appelait, la porte de communication poussée doucement, et le reste. Ça devait avoir duré jusqu'au jour, elle ne savait pas l'heure au juste, parce que, malgré ses efforts, elle avait fini par s'assoupir.

— Ce qu'il y a de plus dégoûtant, c'est que Nana aurait pu entendre, continua-t-elle. Justement, elle a été agitée toute la nuit, elle qui d'habitude dort à poings fermés; elle sautait, elle se retournait, comme s'il y avait eu de la braise dans son lit.

Les deux femmes ne parurent pas surprises.

— Pardi! murmura Mme Lorilleux, ça doit avoir commencé le premier jour... Du moment où ça plaît à Coupeau, nous n'avons pas à nous en mêler. N'importe! ce n'est guère honorable pour la famille.

— Moi, si j'étais là, expliqua Mme Lerat en pinçant les lèvres, je lui ferais une peur, je lui crierais quelque chose, n'importe quoi : Je te vois! ou bien : V'là les gendarmes!... La domestique d'un médecin m'a dit que son maître lui avait dit que ça pouvait tuer raide une femme, dans un certain moment. Et si elle restait sur la place, n'est-ce pas ? ce serait bien fait, elle se trouverait punie par où elle aurait péché.

Tout le quartier sut bientôt que, chaque nuit, Gervaise allait retrouver Lantier. Mme Lorilleux, devant les voisines, avait une indignation bruyante; elle plaignait son frère, ce jeanjean que sa femme peignait en jaune de la tête aux pieds; et, à l'entendre, si elle entrait encore dans un pareil bazar, c'était uniquement pour sa pauvre mère, qui se trouvait forcée de vivre au milieu de ces abominations. Alors, le quartier tomba sur Gervaise. Ça devait être elle qui avait débauché le chapelier. On voyait ça dans ses yeux. Oui, malgré les vilains bruits, ce sacré sournois de Lantier restait gobé, parce qu'il continuait ses airs d'homme comme il faut avec tout le monde, marchant sur les trottoirs en lisant le journal, prévenant et galant auprès des dames, ayant toujours à donner des pastilles et des fleurs. Mon Dieu! lui, faisait son métier de coq; un homme est un homme, on ne peut pas lui demander de résister aux femmes qui se jettent à son cou. Mais elle, n'avait pas d'excuse; elle déshonorait la rue de la Goutte-d'Or. Et les Lorilleux, comme parrain et marraine, attiraient Nana chez eux pour avoir des détails. Quand ils la questionnaient d'une façon détournée, la petite prenait son air bêta, répondait

en éteignant la flamme de ses yeux sous ses longue paupières molles.

Au milieu de cette indignation publique, Gervaise vivait tranquille, lasse et un peu endormie. Dan les commencements, elle s'était trouvée bien coupable, bien sale, et elle avait eu un dégoût d'elle même. Quand elle sortait de la chambre de Lantier elle se lavait les mains, elle mouillait un torchon e se frottait les épaules à les écorcher, comme pou enlever son ordure. Si Coupeau cherchait alors à plaisanter, elle se fâchait, courait en grelottant s'ha biller au fond de la boutique; et elle ne tolérait pas davantage que le chapelier la touchât, lorsque son mari venait de l'embrasser. Elle aurait voulu chan ger de peau en changeant d'homme. Mais, lente ment, elle s'accoutumait. C'était trop fatigant de se débarbouiller chaque fois. Ses paresses l'amollis saient, son besoin d'être heureuse lui faisait tirer tout le bonheur possible de ses embêtements. Elle était complaisante pour elle et pour les autres, tâ chait uniquement d'arranger les choses de façon à ce que personne n'eût trop d'ennui. N'est-ce pas ? pourvu que son mari et son amant fussent contents, que la maison marchât son petit train-train régulier, qu'on rigolât du matin au soir, tous gras, tous sa tisfaits de la vie et se la coulant douce, il n'y avait vraiment pas de quoi se plaindre. Puis, après tout, elle ne devait pas tant faire de mal, puisque ça s'arrangeait si bien, à la satisfaction d'un chacun; on est puni d'ordinaire, quand on fait le mal. Alors, son dévergondage avait tourné à l'habitude. Main tenant, c'était réglé comme le boire et le manger; chaque fois que Coupeau rentrait soûl, elle passait chez Lantier, ce qui arrivait au moins le lundi, le mardi et le mercredi de la semaine. Elle partageait ses nuits. Même, elle avait fini, lorsque le zingueur simplement ronflait trop fort, par le lâcher au beau milieu du sommeil, et allait continuer son dodo tranquille sur l'oreiller du voisin. Ce n'était pas qu'elle éprouvât plus d'amitié pour le chapelier. Non, elle le trouvait seulement plus propre, elle se reposait mieux dans sa chambre, où elle croyait prendre un bain. Enfin, elle ressemblait aux chattes qui aiment à se coucher en rond sur le linge blanc.

Maman Coupeau n'osa jamais parler de ça net tement. Mais, après une dispute, quand la blanchis seuse l'avait secouée, la vieille ne ménageait pas les allusions. Elle disait connaître des hommes joli ment bêtes et des femmes joliment coquines; et elle mâchait d'autres mots plus vifs, avec la verdeur de parole d'une ancienne giletière. Les premières fois, Gervaise l'avait regardée fixement, sans répondre. Puis, tout en évitant elle aussi de préciser, elle se léfendit par des raisons dites en général. Quand ne femme avait pour homme un soûlard, un saligaud qui vivait dans la pourriture, cette femme était bien excusable de chercher de la propreté ailleurs. Elle allait plus loin, elle laissait entendre que Lantier était son mari autant que Coupeau, peut-être même davantage. Est-ce qu'elle ne l'avait pas connu à quatorze ans ? est-ce qu'elle n'avait pas deux enfants de lui ? Eh bien! dans ces conditions, tout se pardonnait, personne ne pouvait lui jeter la pierre. Elle se disait dans la loi de la nature. Puis, il ne fallait pas qu'on l'ennuyât. Elle aurait vite fait d'envoyer à chacun son paquet. La rue de la Goutte-d'Or n'était pas si propre! La petite Mme Vigouroux faisait la cabriole du matin au soir dans son charbon. Mme Lehongre, la femme de l'épicier, couchait avec son beau-frère, un grand baveux qu'on n'aurait pas ramassé sur une pelle. L'horloger d'en face, ce monsieur pincé, avait failli passer aux assises, pour une abomination : il allait avec sa propre fille, une effrontée qui roulait les boulevards. Et, le geste élargi, elle indiquait le quartier entier, elle en avait pour une heure rien qu'à étaler le linge sale de tout ce peuple, les gens couchés comme des bêtes, en tas, pères, mères, enfants, se roulant dans leur ordure. Ah! elle en savait, la cochonnerie pissait de partout, ça empoisonnait les maisons d'alentour! Oui, oui, quelque chose de propre que l'homme et la femme, dans ce coin de Paris, où l'on est les uns sur les autres, à cause de la misère! On aurait mis les deux sexes dans un mortier, qu'on en aurait tiré pour toute marchandise de quoi fumer les cerisiers de la plaine Saint-Denis.

— Ils feraient mieux de ne pas cracher en l'air, ça leur retombe sur le nez, criait-elle, quand on la poussait à bout. Chacun dans son trou, n'est-ce pas ? Qu'ils laissent vivre les braves gens à leur façon, s'ils veulent vivre à la leur... Moi, je trouve que tout est bien, mais à la condition de ne pas être traînée dans le ruisseau par des gens qui s'y promènent, la tête la première.

Et, maman Coupeau s'étant un jour montrée plus claire, elle lui avait dit, les dents serrées :

— Vous êtes dans votre lit, vous profitez de ça... Écoutez, vous avez tort, vous voyez bien que je suis gentille, car jamais je ne vous ai jeté à la figure votre vie, à vous! Oh! je sais, une jolie vie, des deux ou trois hommes, du vivant du père Coupeau... Non, ne toussez pas, j'ai fini de causer. C'est seulement pour vous demander de me ficher la paix, voilà tout!

La vieille femme avait manqué étouffer. Le

lendemain, Goujet étant venu réclamer le linge de sa mère pendant une absence de Gervaise, maman Coupeau l'appela et le garda longtemps assis devant son lit. Elle connaissait bien l'amitié du forgeron, elle le voyait sombre et malheureux depuis quelque temps, avec le soupçon des vilaines choses qui se passaient. Et, pour bavarder, pour se venger de la dispute de la veille, elle lui apprit la vérité crûment, en pleurant, en se plaignant, comme si la mauvaise conduite de Gervaise lui faisait surtout du tort. Lorsque Goujet sortit du cabinet, il s'appuyait aux murs, suffoquant de chagrin. Puis, au retour de la blanchisseuse, maman Coupeau lui cria qu'on la demandait tout de suite chez Mme Goujet, avec le linge repassé ou non; et elle était si animée, que Gervaise flaira les cancans, devina la triste scène et le crève-cœur dont elle se trouvait menacée.

Très pâle, les membres cassés à l'avance, elle mit le linge dans un panier, elle partit. Depuis des années, elle n'avait pas rendu un sou aux Goujet. La dette montait toujours à quatre cent vingt-cinq francs. Chaque fois, elle prenait l'argent du blanchissage, en parlant de sa gêne, C'était une grande honte pour elle, parce qu'elle avait l'air de profiter de l'amitié du forgeron pour le jobarder. Coupeau, moins scrupuleux maintenant, ricanait, disait qu'il avait bien dû lui pincer la taille dans les coins, et qu'alors il était payé. Mais elle, malgré le commerce où elle était tombée avec Lantier, se révoltait, demandait à son mari s'il voulait déjà manger de ce pain-là. Il ne fallait pas mal parler de Goujet devant elle; sa tendresse pour le forgeron lui restait comme un coin de son honneur. Aussi, toutes les fois qu'elle reportait le linge chez ces braves gens, se trouvait-elle prise d'un serrement de cœur, dès la première marche de l'escalier.

— Ah! c'est vous enfin! lui dit sèchement Mme Goujet, en lui ouvrant la porte. Quand j'aurai besoin de la mort, je vous l'enverrai chercher.

Gervaise entra, embarrassée, sans oser même balbutier une excuse. Elle n'était plus exacte, ne venait jamais à l'heure, se faisait attendre des huit jours. Peu à peu, elle s'abandonnait à un grand désordre.

— Voilà une semaine que je compte sur vous, continua la dentellière. Et vous mentez avec ça, vous m'envoyez votre apprentie me raconter des histoires : on est après mon linge, on va me le livrer le soir même, ou bien c'est un accident, le paquet qui est tombé dans un seau, Moi, pendant ce temps-là, je perds ma journée, je ne vois rien arriver et je me tourmente l'esprit. Non, vous n'êtes pas raisonnable... Voyons, qu'est-ce que vous avez, dans ce panier! Est-ce tout, au moins! M'apportez-vous la paire de draps que vous me gardez depuis un mois, et la chemise qui est restée en arrière, au dernier blanchissage?

— Oui, oui, murmura Gervaise, la chemise y est, la voici.

Mais Mme Goujet se récria. Cette chemise n'était pas à elle, elle n'en voulait pas. On lui changeait son linge, c'était le comble! Déjà, l'autre semaine, elle avait eu deux mouchoirs qui ne portaient pas sa marque. Ça ne la ragoûtait guère, du linge venu elle ne savait d'où. Puis, enfin, elle tenait à ses affaires.

— Et les draps? reprit-elle. Ils sont perdus, n'est-ce pas?... Eh bien! ma petite, il faudra vous arranger, mais je les veux quand même demain matin, entendez-vous!

Il y eut un silence. Ce qui achevait de troubler Gervaise, c'était de sentir, derrière elle, la porte de la chambre de Goujet entrouverte. Le forgeron devait être là, elle le devinait; et quel ennui, s'il écoutait tous ces reproches mérités, auxquels elle ne pouvait rien répondre! Elle se faisait très souple, très douce, courbant la tête, posant le linge sur le lit le plus vivement possible. Mais ça se gâta encore, quand Mme Goujet se mit à examiner les pièces une à une. Elle les prenait, les rejetait, en disant:

— Ah! vous perdez joliment la main. On ne peut plus vous faire des compliments tous les jours... Oui, vous salopez, vous cochonnez l'ouvrage, à cette heure... Tenez, regardez-moi ce devant de chemise, il est brûlé, le fer a marqué sur les plis. Et les boutons, ils sont tous arrachés. Je ne sais pas comment vous vous arrangez, il ne reste jamais un bouton... Oh! par exemple, voilà une camisole que je ne vous paierai pas. Voyez donc ça? La crasse y est, vous l'avez étalée simplement. Merci! si le linge n'est même plus propre...

Elle s'arrêta, comptant les pièces. Puis, elle s'écria:

— Comment! c'est ce que vous apportez?... Il manque deux paires de bas, six serviettes, une nappe, des torchons... Vous vous moquez de moi, alors! Je vous ai fait dire de tout me rendre, repassé ou non. Si dans une heure votre apprentie n'est pas ici avec le reste, nous nous fâcherons, madame Coupeau, je vous en préviens.

A ce moment, Goujet toussa dans sa chambre. Gervaise eut un léger tressaillement. Comme on la traitait devant lui, mon Dieu! Et elle resta au milieu de la chambre, gênée, confuse, attendant le linge sale. Mais, après avoir arrêté le compte,

Mme Goujet avait tranquillement repris sa place près de la fenêtre, travaillant au raccommodage d'un châle de dentelle.

— Et le linge? demanda timidement la blanchisseuse.

— Non, merci, répondit la vieille femme, il n'y a rien cette semaine.

Gervaise pâlit. On lui retirait la pratique. Alors elle perdit complètement la tête, elle dut s'asseoir sur une chaise, parce que ses jambes s'en allaient sous elle. Et elle ne chercha pas à se défendre, elle trouva seulement cette phrase:

— Monsieur Goujet est donc malade?

Oui, il était souffrant, il avait dû rentrer au lieu de se rendre à la forge, et il venait de s'étendre sur son lit pour se reposer. Mme Goujet causait gravement, en robe noire comme toujours, sa face blanche encadrée dans sa coiffe monacale. On avait encore baissé la journée des boulonniers; de neuf francs, elle était tombée à sept francs, à cause des machines qui, maintenant, faisaient toute la besogne. Et elle expliquait qu'ils économisaient sur tout; elle voulait de nouveau laver son linge elle-même. Naturellement, ce serait bien tombé, si les Coupeau lui avaient rendu l'argent prêté par son fils. Mais ce n'était pas elle qui leur enverrait les huissiers, puisqu'ils ne pouvaient pas payer. Depuis qu'elle parlait de la dette, Gervaise, la tête basse, semblait suivre le jeu agile de son aiguille reformant les mailles une à une.

— Pourtant, continuait la dentellière, en vous gênant un peu, vous arriveriez à vous acquitter. Car, enfin, vous mangez très bien, vous dépensez beaucoup, j'en suis sûre... Quand vous nous donneriez seulement dix francs chaque mois...

Elle fut interrompue par la voix de Goujet qui l'appelait.

— Maman! maman!

Et, lorsqu'elle revint s'asseoir, presque tout de suite, elle changea de conversation. Le forgeron l'avait sans doute suppliée de ne pas demander de l'argent à Gervaise. Mais, malgré elle, au bout de cinq minutes, elle parlait de nouveau de la dette. Oh! elle avait prévu ce qui arrivait, le zingueur buvait la boutique, et il mènerait sa femme loin. Aussi jamais son fils n'aurait prêté les cinq cents francs, s'il l'avait écoutée. Aujourd'hui, il serait marié, il ne crèverait pas de tristesse, avec la perspective d'être malheureux toute sa vie. Elle s'animait, elle devenait très dure, accusant clairement Gervaise de s'être entendue avec Coupeau pour abuser de son bêta d'enfant. Oui, il y avait des femmes qui jouaient l'hypocrisie pendant des années, t dont la mauvaise conduite finissait par éclater au rand jour.

— Maman! maman! appela une seconde fois la oix de Goujet, plus violemment.

Elle se leva, et quand elle reparut, elle dit, en se emettant à sa dentelle :

— Entrez, il veut vous voir.

Gervaise, tremblante, laissa la porte ouverte. Cette scène l'émotionnait, parce que c'était comme un aveu de leur tendresse devant Mme Goujet. Elle retrouva la petite chambre tranquille, tapissée d'images, avec son lit de fer étroit, pareille à la chambre d'un garçon de quinze ans. Ce grand corps de Goujet, les membres cassés par la confidence de maman Coupeau, était allongé sur le lit, les yeux rouges, sa belle barbe jaune encore mouillée. Il devait avoir défoncé son oreiller de ses poings terribles, dans le premier moment de rage, car la toile fendue laissait couler la plume.

— Écoutez, maman a tort, dit-il à la blanchisseuse d'une voix presque basse. Vous ne me devez rien, je ne veux pas qu'on parle de ça.

Il s'était soulevé, il la regardait. De grosses larmes aussitôt remontèrent à ses yeux.

— Vous souffrez, monsieur Goujet ? murmura-t-elle. Qu'est-ce que vous avez, je vous en prie!

— Rien, merci. Je me suis trop fatigué hier. Je vais dormir un peu.

Puis, son cœur se brisa, il ne put retenir ce cri :

— Ah! mon Dieu! mon Dieu! jamais ça ne devait être, jamais! Vous aviez juré. Et ça est, maintenant, ça est!... Ah! mon Dieu! ça me fait trop de mal, allez-vous-en!

Et, de la main, il la renvoyait, avec une douceur suppliante. Elle n'approcha pas du lit, elle s'en alla, comme il le demandait, stupide, n'ayant rien à lui dire pour le soulager. Dans la pièce d'à côté, elle reprit son panier; et elle ne sortait toujours pas, elle aurait voulu trouver un mot. Mme Goujet continuait son raccommodage, sans lever la tête. Ce fut elle qui dit enfin :

— Eh bien! bonsoir, renvoyez-moi mon linge, nous compterons plus tard.

— Oui, c'est ça, bonsoir, balbutia Gervaise.

Elle referma la porte lentement, avec un dernier coup d'œil dans ce ménage propre, rangé, où il lui semblait laisser quelque chose de son honnêteté. Elle revint à la boutique de l'air bête des vaches qui rentrent chez elles, sans s'inquiéter du chemin. Maman Coupeau, sur une chaise, près de la mécanique, quittait son lit pour la première fois. Mais la blanchisseuse ne lui fit pas même un reproche; elle était trop fatiguée, les os malades comme si on l'avait battue; elle pensait que la vie était trop dure à la fin, et qu'à moins de crever tout de suite, on ne pouvait pourtant pas s'arracher le cœur soi-même.

Maintenant, Gervaise se moquait de tout. Elle avait un geste vague de la main pour envoyer coucher le monde. A chaque nouvel ennui, elle s'enfonçait dans le seul plaisir de faire ses trois repas par jour. La boutique aurait pu crouler; pourvu qu'elle ne fût pas dessous, elle s'en serait allée volontiers, sans une chemise. Et la boutique croulait, pas tout d'un coup, mais un peu matin et soir. Une à une, les pratiques se fâchaient et portaient leur linge ailleurs. M. Madinier, Mlle Remanjou, les Boche eux-mêmes, étaient retournés chez Mme Fauconnier, où ils trouvaient plus d'exactitude. On finit par se lasser de réclamer une paire de bas pendant trois semaines et de remettre des chemises avec les taches de graisse de l'autre dimanche. Gervaise, sans perdre un coup de dent, leur criait bon voyage, les arrangeait d'une propre manière, en se disant joliment contente de ne plus avoir à fouiller dans leur infection. Ah bien! tout le quartier pouvait la lâcher, ça la débarrasserait d'un beau tas d'ordures; puis, ce serait toujours de l'ouvrage de moins. En attendant, elle gardait seulement les mauvaises payes, les rouleuses, les femmes comme Mme Gaudron, dont pas une blanchisseuse de la rue Neuve ne voulait laver le linge, tant il puait. La boutique était perdue, elle avait dû renvoyer sa dernière ouvrière, Mme Putois; elle restait seule avec son apprentie, ce louchon d'Augustine, qui bêtissait en grandissant; et encore, à elles deux, elles n'avaient pas toujours de l'ouvrage, elles traînaient leur derrière sur les tabourets durant des après-midi entières. Enfin, un plongeon complet. Ça sentait la ruine.

Naturellement, à mesure que la paresse et la misère entraient, la malpropreté entrait aussi. On n'aurait pas reconnu cette belle boutique bleue, couleur du ciel, qui était jadis l'orgueil de Gervaise. Les boiseries et les carreaux de la vitrine, qu'on oubliait de laver, restaient du haut en bas éclaboussés par la crotte des voitures. Sur les planches, à la tringle de laiton, s'étalaient trois guenilles grises, laissées par des clientes mortes à l'hôpital. Et c'était plus minable encore à l'intérieur : l'humidité des linges séchant au plafond avait décollé le papier; la perse pompadour étalait des lambeaux qui pendaient pareils à des toiles d'araignée lourdes de poussière; la mécanique, cassée, trouée à coups de tisonnier, mettait dans son coin les débris de vieille fonte d'un marchand de bric-à-brac; l'établi semblait avoir servi de table à toute une garnison, taché de café et de vin, emplâtré de confiture, gras des lichades [175] du lundi. Avec ça, une odeur d'amidon aigre, une puanteur faite de moisi, de graillon et de crasse. Mais Gervaise se trouvait très bien là-dedans. Elle n'avait pas vu la boutique se salir; elle s'y abandonnait et s'habituait au papier déchiré, aux boiseries graisseuses, comme elle en arrivait à porter des jupes fendues et à ne plus se laver les oreilles. Même la saleté était un nid chaud où elle jouissait de s'accroupir. Laisser les choses à la débandade, attendre que la poussière bouchât les trous et mît un velours partout, sentir la maison s'alourdir autour de soi dans un engourdissement de fainéantise, cela était une vraie volupté dont elle se grisait. Sa tranquillité d'abord; le reste, elle s'en battait l'œil. Ses dettes, toujours croissantes pourtant, ne la tourmentaient plus. Elle perdait de sa probité; on paierait ou on ne paierait pas, la chose restait vague, et elle préférait ne pas savoir. Quand on lui fermait un crédit dans une maison, elle en ouvrait un autre dans la maison d'à côté. Elle brûlait le quartier, elle avait des poufs [176] tous les dix pas. Rien que dans la rue de la Goutte-d'Or, elle n'osait plus passer devant le charbonnier, ni devant l'épicier, ni devant la fruitière; ce qui lui faisait faire le tour par la rue des Poissonniers, quand elle allait au lavoir, une trotte de dix bonnes minutes. Les fournisseurs venaient la traiter de coquine. Un soir, l'homme qui avait vendu les meubles de Lantier, ameuta les voisins; il gueulait qu'il la trousserait et se paierait sur la bête, si elle ne lui allongeait pas sa monnaie. Bien sûr, de pareilles scènes la laissaient tremblante; seulement, elle se secouait comme un chien battu, et c'était fini, elle n'en dînait pas plus mal, le soir. En voilà des insolents qui l'embêtaient! elle n'avait point d'argent, elle ne pouvait pas en fabriquer, peut-être! Puis, les marchands volaient assez, ils étaient faits pour attendre. Et elle se rendormait dans son trou, en évitant de songer à ce qui arriverait forcément un jour. Elle ferait le saut, parbleu! mais, jusque-là, elle entendait ne pas être taquinée.

Pourtant, maman Coupeau était remise. Pendant une année encore, la maison boulotta [177]. L'été, naturellement, il y avait un peu plus de travail, les jupons blancs et les robes de percale des baladeuses du boulevard extérieur. Ça tournait à la dégringo-

lade lente, le nez davantage dans la crotte chaque semaine, avec des hauts et des bas cependant, des soirs où l'on se frottait le ventre devant le buffet vide, et d'autres où l'on mangeait du veau à crever. On ne voyait plus que maman Coupeau sur les trottoirs, cachant des paquets sous son tablier, allant d'un pas de promenade au mont-de-piété de la rue Polonceau. Elle arrondissait le dos, avait la mine confite et gourmande d'une dévote qui va à la messe : car elle ne détestait pas ça, les tripotages d'argent l'amusaient, ce bibelotage de marchande à la toilette chatouillait ses passions de vieille commère. Les employés de la rue Polonceau la connaissaient bien; ils l'appelaient la mère « Quatre Francs » parce qu'elle demandait toujours quatre francs quand ils lui en offraient trois, sur ses paquets gros comme deux sous de beurre. Gervaise aurait bazardé la maison; elle était prise de la rage du clou, elle se serait tondu la tête, si on avait voulu lui prêter sur ses cheveux. C'était trop commode, on ne pouvait pas s'empêcher d'aller chercher là de la monnaie, lorsqu'on attendait après un pain de quatre livres. Tout le saint-frusquin y passait, le linge, les habits, jusqu'aux outils et aux meubles. Dans les commencements, elle profitait des bonnes semaines, pour dégager, quitte à rengager la semaine suivante. Puis, elle se moqua de ses affaires, les laissa perdre, vendit les reconnaissances. Une seule chose lui fendit le cœur, ce fut de mettre sa pendule en plan [178], pour payer un billet de vingt francs à un huissier qui venait la saisir. Jusque-là, elle avait juré de mourir plutôt de faim que de toucher à sa pendule. Quand maman Coupeau l'emporta, dans une petite caisse à chapeau, elle tomba sur une chaise, les bras mous, les yeux mouillés, comme si on lui enlevait sa fortune. Mais, lorsque maman Coupeau reparut avec vingt-cinq francs, ce prêt inespéré, ces cinq francs de bénéfice la consolèrent; elle renvoya tout de suite la vieille femme chercher quatre sous de goutte dans un verre, à la seule fin de fêter la pièce de cent sous. Souvent maintenant, lorsqu'elles s'entendaient bien ensemble, elles lichaient ainsi la goutte, sur un coin de l'établi, un mêlé, moitié eau-de-vie et moitié cassis [179]. Maman Coupeau avait un chic pour rapporter le verre plein dans la poche de son tablier, sans renverser une larme. Les voisins n'avaient pas besoin de savoir, n'est-ce pas ? La vérité était que les voisins savaient parfaitement. La fruitière, la tripière, les garçons épiciers

---

175. Zola comprend le mot comme un dérivé de licher : manger et boire, alors qu'il signifie d'ordinaire des embrassads.

176. « Dette qu'on ne paye pas; crédit qu'on demande et auquel on ne fait pas honneur. Argot du peuple » (Delvau).

177. « Aller doucement. Faire de petites affaires – argot du peuple » (Delvau).

178. « Porter au mont-de-piété » (Delvau). Équivalent de « aller chez ma tante ».

179. On dit couramment « un mêlé-cass ».

Les habitués du mont-de-piété.

disaient : « Tiens! la vieille va chez ma tante », ou bien : « Tiens! la vieille rapporte son riquiqui dans sa poche. » Et, comme de juste, ça montait encore le quartier contre Gervaise. Elle bouffait tout, elle aurait bientôt fait d'achever sa baraque. Oui, oui, plus que trois ou quatre bouchées, la place serait nette comme torchette.

Au milieu de ce démolissement général, Coupeau prospérait. Ce sacré soiffard se portait comme un charme. Le pichenet [180] et le vitriol l'engraissaient, positivement. Il mangeait beaucoup, se fichait de cet efflanqué de Lorilleux qui accusait la boisson de tuer les gens, lui répondait en se tapant sur le ventre, la peau tendue par la graisse, pareille à la peau d'un tambour. Il lui exécutait là-dessus une musique, les vêpres de la gueule, des roulements et des battements de grosse caisse à faire la fortune d'un arracheur de dents. Mais Lorilleux, vexé de ne pas avoir de ventre, disait que c'était de la graisse jaune, de la mauvaise graisse. N'importe, Coupeau se soûlait davantage, pour sa santé. Ses cheveux poivre et sel, en coup de vent, flambaient comme un brûlot. Sa face d'ivrogne, avec sa mâchoire de singe, se culottait, prenait des tons de vin bleu. Et il restait un enfant de la gaieté; il bousculait sa femme, quand elle s'avisait de lui conter ses embarras. Est-ce que les hommes sont faits pour descendre dans ces embêtements ? La cambuse pouvait manquer de pain, ça ne le regardait pas. Il lui fallait sa pâtée matin et soir, et il ne s'inquiétait jamais d'où elle lui tombait. Lorsqu'il passait des semaines sans travailler, il devenait plus exigeant encore. D'ailleurs, il allongeait toujours des claques amicales sur les épaules de Lantier. Bien sûr, il ignorait l'inconduite de sa femme; du moins des personnes, les Boche, les Poisson, juraient leurs grands dieux qu'il ne se doutait de rien, et que ce serait un grand malheur, s'il apprenait jamais la chose. Mais Mme Lerat, sa propre sœur, hochait la tête, racontait qu'elle connaissait des maris auxquels ça ne déplaisait pas. Une nuit, Gervaise elle-même, qui revenait de la chambre du chapelier, était restée toute froide en recevant, dans l'obscurité, une tape sur le derrière; puis, elle avait fini par se rassurer, elle croyait s'être cognée contre le bateau du lit. Vrai, la situation était trop terrible; son mari ne pouvait pas s'amuser à lui faire des blagues.

Lantier, lui non plus, ne dépérissait pas. Il se soignait beaucoup, mesurait son ventre à la ceinture de son pantalon, avec la continuelle crainte d'avoir

à resserrer ou à desserrer la boucle; il se trouvait très bien, il ne voulait ni grossir ni mincir, par coquetterie. Cela le rendait difficile sur la nourriture, car il calculait tous les plats de façon à ne pas changer sa taille. Même quand il n'y avait pas un sou à la maison, il lui fallait des œufs, des côtelettes, des choses nourrissantes et légères. Depuis qu'il partageait la patronne avec le mari, il se considérait comme tout à fait de moitié dans le ménage : il ramassait les pièces de vingt sous qui traînaient, menait Gervaise au doigt et à l'œil, grognait, gueulait, avait l'air plus chez lui que le zingueur. Enfin, c'était une baraque qui avait deux bourgeois. Et le bourgeois d'occasion, plus malin, tirait à lui la couverture, prenait le dessus du panier de tout, de la femme, de la table et du reste. Il écrémait les Coupeau, quoi! Il ne se gênait plus pour battre son beurre en public. Nana restait sa préférée, parce qu'il aimait les petites filles gentilles. Il s'occupait de moins en moins d'Étienne, les garçons, selon lui, devant savoir se débrouiller. Lorsqu'on venait demander Coupeau, on le trouvait toujours là, en pantoufles, en manches de chemise, sortant de l'arrière-boutique avec la tête ennuyée d'un mari qu'on dérange; et il répondait pour Coupeau, il disait que c'était la même chose.

Entre ces deux messieurs, Gervaise ne riait pas tous les jours. Elle n'avait pas à se plaindre de sa santé, Dieu merci! Elle aussi devenait trop grasse. Mais deux hommes sur le dos, à soigner et à contenter, ça dépassait ses forces, souvent. Ah! Dieu de Dieu! un seul mari vous esquinte déjà assez le tempérament! Le pis était qu'ils s'entendaient très bien, ces mâtins-là. Jamais ils ne se disputaient; ils se ricanaient dans la figure, le soir, après le dîner, les coudes posés au bord de la table; ils se frottaient l'un contre l'autre toute la journée, comme les chats qui cherchent et cultivent leur plaisir. Les jours où ils rentraient furieux, c'était sur elle qu'ils tombaient. Allez-y! tapez sur la bête! Elle avait bon dos; ça les rendait meilleurs camarades de gueuler ensemble. Et il ne fallait pas qu'elle s'avisât de se rebéquer. Dans les commencements, quand l'un criait, elle suppliait l'autre du coin de l'œil, pour en tirer une parole de bonne amitié. Seulement, ça ne réussissait guère. Elle filait doux maintenant, elle pliait ses grosses épaules, ayant compris qu'ils s'amusaient à la bousculer, tant elle était ronde, une vraie boule. Coupeau, très mal embouché, la traitait avec des mots abominables. Lantier, au contraire, choisissait ses sottises, allait chercher les mots que personne ne dit et qui la blessaient plus encore. Heureusement, on s'accou-

180. « Petit vin de barrière agréable – dans l'argot des ouvriers » (Delvau).

ume à tout; les mauvaises paroles, les injustices des deux hommes finissaient par glisser sur sa peau fine comme sur une toile cirée. Elle en était même arrivée à les préférer en colère, parce que, les fois où ils faisaient les gentils, ils l'assommaient davantage, toujours après elle, ne lui laissant plus repasser un bonnet tranquillement. Alors, ils lui demandaient des petits plats, elle devait saler et ne pas saler, dire blanc et dire noir, les dorloter, les coucher l'un après l'autre dans du coton. Au bout de la semaine, elle avait la tête et les membres cassés, elle restait hébétée, avec des yeux de folle. Ça use une femme, un métier pareil.

Oui, Coupeau et Lantier l'usaient, c'était le mot; ils la brûlaient par les deux bouts, comme on dit de la chandelle. Bien sûr, le zingueur manquait d'instruction; mais le chapelier en avait trop, ou du moins il avait une instruction comme les gens pas propres ont une chemise blanche, avec de la crasse par-dessous. Une nuit, elle rêva qu'elle était au bord d'un puits; Coupeau la poussait d'un coup de poing, tandis que Lantier lui chatouillait les reins pour la faire sauter plus vite. Eh bien! ça ressemblait à sa vie. Ah! elle était à bonne école, ça n'avait rien d'étonnant, si elle s'avachissait. Les gens du quartier ne se montraient guère justes, quand ils lui reprochaient les vilaines façons qu'elle prenait, car son malheur ne venait pas d'elle. Parfois, lorsqu'elle réfléchissait, un frisson lui courait sur la peau. Puis, elle pensait que les choses auraient pu tourner plus mal encore. Il valait mieux avoir deux hommes, par exemple, que de perdre les deux bras. Et elle trouvait sa position naturelle, une position comme il y en a tant; elle tâchait de s'arranger là-dedans un petit bonheur. Ce qui prouvait combien ça devenait popote et bonhomme, c'était qu'elle ne détestait pas plus Coupeau que Lantier. Dans une pièce, à la Gaîté, elle avait vu une garce qui abominait son mari et l'empoisonnait, à cause de son amant; et elle s'était fâchée, parce qu'elle ne sentait rien de pareil dans son cœur. Est-ce qu'il n'était pas plus raisonnable de vivre en bon accord tous les trois? Non, non, pas de ces bêtises-là; ça dérangeait la vie, qui n'avait déjà rien de bien drôle. Enfin, malgré les dettes, malgré la misère qui les menaçait, elle se serait déclarée très tranquille, très contente, si le zingueur et le chapelier l'avaient moins échinée et moins engueulée.

Vers l'automne, malheureusement, le ménage se gâta encore. Lantier prétendait maigrir, faisait un nez qui s'allongeait chaque jour. Il renaudait à propos de tout, renâclait sur les potées de pommes de terre, une ratatouille dont il ne pouvait pas manger, disait-il, sans avoir des coliques. Les moindres bisbilles, maintenant, finissaient par des attrapages, où l'on se jetait la débine de la maison à la tête; et c'était le diable pour se rabibocher, avant d'aller pioncer chacun dans son dodo. Quand il n'y a plus de son, les ânes se battent, n'est-ce pas? Lantier flairait la panne [181]; ça l'exaspérait de sentir la maison déjà mangée, si bien nettoyée, qu'il voyait le jour où il lui faudrait prendre son chapeau et chercher ailleurs la niche et la pâtée. Il était bien accoutumé à son trou, ayant pris là ses petites habitudes, dorloté par tout le monde; un vrai pays de cocagne, dont il ne remplacerait jamais les douceurs. Dame! on ne peut pas s'être empli jusqu'aux oreilles et avoir encore les morceaux sur son assiette. Il se mettait en colère contre son ventre, après tout, puisque la maison à cette heure était dans son ventre. Mais il ne raisonnait point ainsi; il gardait aux autres une fière rancune de s'être laissé rafaler en deux ans. Vrai, les Coupeau n'étaient guère râblés. Alors, il cria que Gervaise manquait d'économie. Tonnerre de Dieu! qu'est-ce qu'on allait devenir? Juste les amis le lâchaient, lorsqu'il était sur le point de conclure une affaire superbe, six mille francs d'appointements dans une fabrique, de quoi mettre toute la petite famille dans le luxe.

En décembre, un soir, on dîna par cœur. Il n'y avait plus un radis. Lantier, très sombre, sortait de bonne heure, battait le pavé pour trouver une autre cambuse, où l'odeur de la cuisine déridât les visages. Il restait des heures à réfléchir, près de la mécanique. Puis, tout d'un coup, il montra une grande amitié pour les Poisson. Il ne blaguait plus le sergent de ville en l'appelant Badingue, allait jusqu'à lui concéder que l'empereur était un bon garçon, peut-être. Il paraissait surtout estimer Virginie, une femme de tête, disait-il, et qui saurait joliment mener sa barque. C'était visible, il les pelotait. Même on pouvait croire qu'il voulait prendre pension chez eux. Mais il avait une caboche à double fond, beaucoup plus compliquée que ça. Virginie lui ayant dit son désir de s'établir marchande de quelque chose, il se roulait devant elle, il déclarait ce projet-là très fort. Oui, elle devait être bâtie pour le commerce, grande, avenante, active. Oh! elle gagnerait ce qu'elle voudrait. Puisque l'argent était prêt depuis longtemps, l'héritage d'une tante, elle avait joliment raison de lâcher les quatre robes qu'elle bâclait par saison, pour se

---

181. « Misère, gêne momentanée – dans l'argot des bohèmes et des ouvriers, qui savent mieux que personne combien il est dur de manquer de pain » (Delvau).

Les repasseuses, par Degas, vers 1882.

lancer dans les affaires; et il citait des gens en train de réaliser des fortunes, la fruitière du coin de la rue, une petite marchande de faïence du boulevard extérieur; car le moment était superbe, on aurait vendu les balayures des comptoirs. Cependant, Virginie hésitait; elle cherchait une boutique à louer, elle désirait ne pas quitter le quartier. Alors, Lantier l'emmena dans les coins, causa tout bas avec elle pendant des dix minutes. Il semblait lui pousser quelque chose de force, et elle ne disait plus non, elle avait l'air de l'autoriser à agir. C'était comme un secret entre eux, avec des clignements d'yeux, des mots rapides, une sourde machination qui se trahissait jusque dans leurs poignées de main. Dès ce moment, le chapelier, en mangeant son pain sec, guetta les Coupeau de son regard en dessous, redevenu très parleur, les étourdissant de ses jérémiades continues. Toute la journée, Gervaise marchait dans cette misère qu'il étalait complaisamment. Il ne parlait pas pour lui, grand Dieu! Il crèverait la faim avec les amis tant qu'on voudrait. Seulement, la prudence exigeait qu'on se rendît compte au juste de la situation. On devait pour le moins cinq cents francs dans le quartier, au boulanger, au charbonnier, à l'épicier et aux autres. De plus, on se trouvait en retard de deux termes, soit encore deux cent cinquante francs; le propriétaire, M. Marescot, parlait même de les expulser, s'ils ne les payaient pas avant le 1er janvier. Enfin, le mont-de-piété avait tout pris, on n'aurait pas pu y porter pour trois francs de bibelots, tellement le lavage du logement était sérieux; les clous restaient aux murs, pas davantage, et il y en avait bien deux livres de trois sous. Gervaise, empêtrée là-dedans, les bras cassés par cette addition, se fâchait, donnait des coups de poing sur la table, ou bien finissait par pleurer comme une bête. Un soir, elle cria :

— Je file demain, moi!... J'aime mieux mettre la clef sous la porte et coucher sur le trottoir, que de continuer à vivre dans des transes pareilles.

— Il serait plus sage, dit sournoisement Lantier, de céder le bail, si l'on trouvait quelqu'un... Lorsque vous serez décidés tous les deux à lâcher la boutique...

Elle l'interrompit, avec plus de violence :

— Mais tout de suite, tout de suite!... Ah! je serais joliment débarrassée!

Alors, le chapelier se montra très pratique. En cédant le bail, on obtiendrait sans doute du nouveau locataire les deux termes en retard. Et il se risqua à parler des Poisson, il rappela que Virginie cherchait un magasin; la boutique lui conviendrait peut-être. Il se souvenait à présent de lui en avoir entendu souhaiter une toute semblable. Mais la blanchisseuse, au nom de Virginie, avait subitement repris son calme. On verrait; on parlait toujours de planter là son chez soi dans la colère, seulement la chose ne semblait pas si facile, quand on réfléchissait.

Les jours suivants, Lantier eut beau recommencer ses litanies, Gervaise répondait qu'elle s'était vue plus bas et qu'elle s'en était tirée. La belle avance, lorsqu'elle n'aurait plus sa boutique! Ça ne lui donnerait pas du pain. Elle allait, au contraire, reprendre des ouvrières et se faire une nouvelle clientèle. Elle disait cela pour se débattre contre les bonnes raisons du chapelier, qui la montrait par terre, écrasée sous les frais, sans le moindre espoir de remonter sur sa bête. Mais il eut la maladresse de prononcer encore le nom de Virginie, et elle s'entêta alors furieusement. Non, non, jamais! Elle avait toujours douté du cœur de Virginie; si Virginie ambitionnait la boutique, c'était pour l'humilier. Elle l'aurait cédée peut-être à la première femme dans la rue, mais pas à cette grande hypocrite qui attendait certainement depuis des années de lui voir faire le saut. Oh! ça expliquerait tout. Elle comprenait à présent pourquoi des étincelles jaunes s'allumaient dans les yeux de chat de cette margot. Oui, Virginie gardait sur la conscience la fessée du lavoir, elle mijotait sa rancune dans la cendre. Eh bien! elle agirait prudemment en mettant sa fessée sous verre, si elle ne voulait pas en recevoir une seconde. Et ça ne serait pas long, elle pouvait apprêter son pétard. Lantier, devant ce débordement de mauvaises paroles, remoucha d'abord Gervaise; il l'appela tête de pioche, boîte à ragots, madame Pétesec, et s'emballa au point de traiter Coupeau lui-même de pedzouille, en l'accusant de ne pas savoir faire respecter un ami par sa femme. Puis, comprenant que la colère allait tout compromettre, il jura qu'il ne s'occuperait jamais plus des histoires des autres, car on en est trop mal récompensé; et il parut, en effet, ne pas pousser davantage à la cession du bail, guettant une occasion pour reparler de l'affaire et décider la blanchisseuse.

Janvier était arrivé, un sale temps, humide et froid. Maman Coupeau, qui avait toussé et étouffé tout décembre, dut se coller dans le lit, après les Rois. C'était sa rente; chaque hiver, elle attendait ça. Mais, cet hiver, autour d'elle, on disait qu'elle ne sortirait plus de sa chambre que les pieds en avant; et elle avait, à la vérité, un fichu râle qui sonnait joliment le sapin, grosse et grasse pourtant, avec un œil déjà mort et la moitié de la figure tordue. Bien sûr, ses enfants ne l'auraient pas achevée; seulement, elle traînait depuis si longtemps, elle était si encombrante qu'on souhaitait sa mort, au fond, comme une délivrance pour tout le monde. Elle-même serait beaucoup plus heureuse, car elle avait fait son temps, n'est-ce pas? et quand on a fait son temps, on n'a rien à regretter. Le médecin, appelé une fois, n'était même pas revenu. On lui donnait de la tisane, histoire de ne pas l'abandonner complètement. Toutes les heures, on entrait voir si elle vivait encore. Elle ne parlait plus, tant elle suffoquait; mais, de son œil resté bon, vivant et clair, elle regardait fixement les personnes; et il y avait bien des choses dans cet œil-là, des regrets du bel âge, des tristesses à voir les siens si pressés de se débarrasser d'elle, des colères contre cette vicieuse de Nana qui ne se gênait plus, la nuit, pour aller guetter en chemise par la porte vitrée.

Un lundi soir, Coupeau rentra paf. Depuis que sa mère était en danger, il vivait dans un attendrissement continu. Quand il fut couché, ronflant à poings fermés, Gervaise tourna encore un instant. Elle veillait maman Coupeau une partie de la nuit. D'ailleurs, Nana se montrait très brave, couchait toujours auprès de la vieille, en disant que si elle l'entendait mourir, elle avertirait bien tout le monde. Cette nuit-là, comme la petite dormait et que la malade semblait sommeiller paisiblement, la blanchisseuse finit par céder à Lantier, qui l'appelait de sa chambre, où il lui conseillait de venir se reposer un peu. Ils gardèrent seulement une bougie allumée, posée à terre, derrière l'armoire. Mais, vers trois heures, Gervaise sauta brusquement du lit, grelottante, prise d'une angoisse. Elle avait cru sentir un souffle froid lui passer sur le corps. Le bout de bougie était brûlé, elle renouait ses jupons dans l'obscurité, étourdie, les mains fiévreuses. Ce fut seulement dans le cabinet, après s'être cognée aux meubles, qu'elle put allumer une petite lampe. Au milieu du silence écrasé des ténèbres, les ronflements du zingueur mettaient seuls deux notes graves. Nana, étalée sur le dos, avait un petit souffle, entre ses lèvres gonflées. Et Gervaise, ayant baissé la lampe qui faisait danser de grandes ombres, éclaira le visage de maman Coupeau, la vit toute blanche, la tête roulée sur l'épaule, avec les yeux ouverts. Maman Coupeau était morte.

Doucement, sans pousser un cri, glacée et prudente, la blanchisseuse revint dans la chambre de Lantier. Il s'était rendormi. Elle se pencha, en murmurant:

— Dis donc, c'est fini, elle est morte.

Tout appesanti de sommeil, mal éveillé, il grogna d'abord:

— Fiche-moi la paix, couche-toi... Nous pouvons rien lui faire, si elle est morte.

Puis, il se leva sur un coude, demandant:

— Quelle heure est-il?

— Trois heures.

— Trois heures seulement! Couche-toi donc. Tu vas prendre du mal... Lorsqu'il fera jour, on verra.

Mais elle ne l'écoutait pas, elle s'habillait complètement. Lui, alors, se recolla sous la couverture, le nez contre la muraille, en parlant de la sacrée tête des femmes. Est-ce que c'était pressé d'annoncer au monde qu'il y avait un mort dans le logement? Ça manquait de gaieté au milieu de la nuit; et il était exaspéré de voir son sommeil gâté par des idées noires. Cependant, quand elle eut reporté dans sa chambre ses affaires, jusqu'à ses épingles à cheveux, elle s'assit chez elle, sanglotant à son aise, ne craignant plus d'être surprise avec le chapelier. Au fond, elle aimait bien maman Coupeau, elle éprouvait un gros chagrin, après n'avoir ressenti, dans le premier moment, que de la peur et de l'ennui, en lui voyant choisir si mal son heure pour s'en aller. Et elle pleurait toute seule, très fort dans le silence, sans que le zingueur cessât de ronfler; il n'entendait rien, elle l'avait appelé et secoué, puis elle s'était décidée à le laisser tranquille, en réfléchissant que ce serait un nouvel embarras, s'il se réveillait. Comme elle retournait auprès du corps, elle trouva Nana sur son séant, qui se frottait les yeux. La petite comprit, allongea le menton pour mieux voir sa grand-mère, avec sa curiosité de gamine vicieuse; elle ne disait rien, elle était un peu tremblante, étonnée et satisfaite en face de cette mort qu'elle se promettait depuis deux jours, comme une vilaine chose, cachée et défendue aux enfants; et, devant ce masque blanc, aminci au dernier hoquet par la passion de la vie, ses prunelles de jeune chatte s'agrandissaient, elle avait cet engourdissement de l'échine dont elle était clouée derrière les vitres de la porte, quand elle allait moucharder là ce qui ne regarde pas les morveuses.

— Allons, lève-toi, lui dit sa mère à voix basse. Je ne veux pas que tu restes.

Elle se laissa couler du lit à regret, tournant la tête, ne quittant pas la morte du regard. Gervaise était fort embarrassée d'elle, ne sachant où la mettre, en attendant le jour. Elle se décidait à la faire habiller, lorsque Lantier, en pantalon et en pantoufles, vint la rejoindre; il ne pouvait plus dormir, il avait un peu honte de sa conduite. Alors, tout s'arrangea.

— Qu'elle se couche dans mon lit, murmura-t-il. Elle aura de la place.

Nana leva sur sa mère et sur Lantier ses grands yeux clairs, en prenant son air bête, son air du jour de l'an, quand on lui donnait des pastilles de chocolat. Et on n'eut pas besoin de la pousser, bien sûr; elle trotta en chemise, ses petons nus effleurant à peine le carreau; elle se glissa comme une couleuvre dans le lit, qui était encore tout chaud, et s'y tint allongée, enfoncée, son corps fluet bossuant à peine la couverture. Chaque fois que sa mère entra, elle la vit les yeux luisants dans sa face muette, ne dormant pas, ne bougeant pas, très rouge et paraissant réfléchir à des affaires.

Cependant, Lantier avait aidé Gervaise à habiller maman Coupeau; et ce n'était pas une petite besogne, car la morte pesait son poids. Jamais on n'aurait cru que cette vieille-là était si grasse et si blanche. Ils lui avaient mis des bas, un jupon blanc, une camisole, un bonnet; enfin son linge le meilleur. Coupeau ronflait toujours, deux notes, l'une grave, qui descendait, l'autre sèche, qui remontait; on aurait dit de la musique d'église, accompagnant les cérémonies du vendredi saint. Aussi, quand la morte fut habillée et proprement étendue sur son lit, Lantier se versa-t-il un verre de vin, pour se remettre, car il avait le cœur à l'envers. Gervaise fouillait dans la commode, cherchant un petit crucifix en cuivre, apporté par elle de Plassans; mais elle se rappela que maman Coupeau elle-même devait l'avoir vendu. Ils avaient allumé le poêle. Ils passèrent le reste de la nuit, à moitié endormis sur des chaises, achevant le litre entamé, embêtés et se boudant, comme si c'était de leur faute.

Vers sept heures, avant le jour, Coupeau se réveilla enfin. Quand il apprit le malheur, il resta l'œil sec d'abord, bégayant, croyant vaguement qu'on lui faisait une farce. Puis, il se jeta par terre, il alla tomber devant la morte; et il l'embrassait, il pleurait comme un veau, avec de si grosses larmes, qu'il mouillait le drap en s'essuyant les joues. Gervaise s'était remise à sangloter, très touchée de la douleur de son mari, raccommodée avec lui; oui, il avait le fond meilleur qu'elle ne le croyait. Le désespoir de Coupeau se mêlait à un violent mal aux cheveux. Il se passait les doigts dans les crins, il avait la bouche pâteuse des lendemains de culotte, encore un peu allumé malgré ses dix heures de sommeil. Et il se plaignait, les poings serrés. Nom de Dieu! sa pauvre mère qu'il aimait tant, la voilà qui était partie! Ah! qu'il avait mal au crâne, ça l'achèverait! Une vraie perruque de braise sur sa tête, et son

cœur avec ça qu'on lui arrachait maintenant! Non, le sort n'était pas juste de s'acharner ainsi après un homme!

— Allons, du courage, mon vieux, dit Lantier en le relevant. Il faut se remettre.

Il lui versait un verre de vin, mais Coupeau refusa de boire.

— Qu'est-ce que j'ai donc? j'ai du cuivre dans le coco... C'est maman, c'est quand je l'ai vue, j'ai eu le goût du cuivre... Maman, mon Dieu! maman, maman...

Et il recommença à pleurer comme un enfant. Il but tout de même le verre de vin, pour éteindre le feu qui lui brûlait la poitrine. Lantier fila bientôt, sous le prétexte d'aller prévenir la famille et de passer à la mairie faire la déclaration. Il avait besoin de prendre l'air. Aussi ne se pressa-t-il pas, fumant des cigarettes, goûtant le froid vif de la matinée. En sortant de chez Mme Lerat, il entra même dans une crémerie des Batignolles prendre une tasse de café bien chaud. Et il resta là une bonne heure, à réfléchir.

Cependant, dès neuf heures, la famille se trouva réunie dans la boutique, dont on laissait les volets fermés. Lorilleux ne pleura pas; d'ailleurs, il avait de l'ouvrage pressé, il remonta presque tout de suite à son atelier, après s'être dandiné un instant avec une figure de circonstance. Mme Lorilleux et Mme Lerat avaient embrassé les Coupeau et se tamponnaient les yeux, où de petites larmes roulaient. Mais la première, quand elle eut jeté un coup d'œil rapide autour de la morte, haussa brusquement la voix pour dire que ça n'avait pas de bon sens, que jamais on ne laissait auprès d'un corps une lampe allumée; il fallait de la chandelle, et l'on envoya Nana acheter un paquet de chandelles, des grandes. Ah bien! on pouvait mourir chez la Banban, elle vous arrangerait d'une drôle de façon! Quelle cruche, ne pas savoir seulement se conduire avec un mort! Elle n'avait donc enterré personne dans sa vie? Mme Lerat dut monter chez les voisines pour emprunter un crucifix; elle en rapporta un trop grand, une croix de bois noir où était cloué un christ de carton peint, qui barra toute la poitrine de maman Coupeau, et dont le poids semblait l'écraser. Ensuite, on chercha de l'eau bénite; mais personne n'en avait, ce fut Nana qui courut de nouveau jusqu'à l'église en prendre une bouteille. En un tour de main, le cabinet eut une autre tournure; sur une petite table, une chandelle brûlait, à côté d'un verre plein d'eau bénite, dans lequel trempait une branche de buis. Maintenant, si du monde venait, ce serait propre au moins. Et l'on disposa les chaises en rond, dans la boutique, pour recevoir.

Lantier rentra seulement à onze heures. Il avait demandé des renseignements au bureau des pompes funèbres.

— La bière est de douze francs, dit-il. Si vous voulez avoir une messe, ce sera dix francs de plus. Enfin, il y a le corbillard, qui se paie suivant les ornements...

— Oh! c'est bien inutile, murmura Mme Lorilleux, en levant la tête d'un air surpris et inquiet. On ne ferait pas revenir maman, n'est-ce pas?... Il faut aller selon sa bourse.

— Sans doute, c'est ce que je pense, reprit le chapelier. J'ai seulement pris les chiffres pour votre gouverne... Dites-moi ce que vous désirez; après le déjeuner, j'irai commander.

On parlait à demi-voix, dans le petit jour qui éclairait la pièce par les fentes des volets. La porte du cabinet restait grande ouverte; et, de cette ouverture béante, sortait le gros silence de la mort. Des rires d'enfants montaient dans la cour, une ronde de gamines tournait, au pâle soleil d'hiver. Tout à coup, on entendit Nana, qui s'était échappée de chez les Boche, où on l'avait envoyée. Elle commandait de sa voix aiguë, et les talons battaient les pavés tandis que ces paroles chantées s'envolaient avec un tapage d'oiseaux braillards :

> Notre âne, notre âne,
> Il a mal à la patte.
> Madame lui a fait faire
> Un joli patatoire,
> Et des souliers lilas, la, la,
> Et des souliers lilas!

Gervaise attendit pour dire à son tour :

— Nous ne sommes pas riches, bien sûr; mais nous voulons encore nous conduire proprement... Si maman Coupeau ne nous a rien laissé, ce n'est pas une raison pour la jeter dans la terre comme un chien... Non, il faut une messe, avec un corbillard assez gentil...

— Et qui est-ce qui paiera? demanda violemment Mme Lorilleux. Pas nous, qui avons perdu de l'argent la semaine dernière; pas vous non plus, puisque vous êtes ratissés... Ah! vous devriez voir pourtant où ça vous a conduits, de chercher à épater le monde!

Coupeau, consulté, bégaya, avec un geste de profonde indifférence; il se rendormait sur sa chaise. Mme Lerat dit qu'elle paierait sa part. Elle était de l'avis de Gervaise, on devait se montrer propre. Alors, toutes deux, sur un bout de papier, elles calculèrent : en tout, ça monterait à quatre-vingt-

dix francs environ, parce qu'elles se décidèrent, après une longue explication, pour un corbillard orné d'un étroit lambrequin.

— Nous sommes trois, conclut la blanchisseuse. Nous donnerons chacune trente francs. Ce n'est pas la ruine.

Mais Mme Lorilleux éclata, furieuse.

— Eh bien! moi, je refuse, oui je refuse!... Ce n'est pas pour les trente francs. J'en donnerais cent mille, si je les avais, et s'ils devaient ressusciter maman... Seulement, je n'aime pas les orgueilleux. Vous avez une boutique, vous rêvez de crâner devant le quartier. Mais nous n'entrons pas là-dedans, nous autres. Nous ne posons pas... Oh! vous vous arrangerez. Mettez des plumes sur le corbillard, si ça vous amuse.

— On ne vous demande rien, finit par répondre Gervaise. Lorsque je devrais me vendre moi-même, je ne veux avoir aucun reproche à me faire. J'ai nourri maman Coupeau sans vous, je l'enterrerai bien sans vous... Déjà une fois, je ne vous l'ai pas mâché : je ramasse les chats perdus, ce n'est pas pour laisser votre mère dans la crotte.

Alors, Mme Lorilleux pleura, et Lantier dut l'empêcher de partir. La querelle devenait si bruyante, que Mme Lerat, poussant des chut! énergiques, crut devoir aller doucement dans le cabinet, et jeta sur la morte un regard fâché et inquiet, comme si elle craignait de la trouver éveillée, écoutant ce qu'on discutait à côté d'elle. A ce moment, la ronde des petites filles reprenait dans la cour, le filet de voix perçant de Nana dominait les autres.

> Notre âne, notre âne,
> Il a bien mal au ventre,
> Madame lui a fait faire
> Un joli ventrouilloire,
> Et des souliers lilas, la, la,
> Et des souliers lilas!

— Mon Dieu! que ces enfants sont énervants, avec leur chanson! dit à Lantier Gervaise toute secouée et près de sangloter d'impatience et de tristesse. Faites-les donc taire, et reconduisez Nana chez la concierge à coups de pied quelque part!

Mme Lerat et Mme Lorilleux s'en allèrent déjeuner en promettant de revenir. Les Coupeau se mirent à table, mangèrent de la charcuterie, mais sans faim, et n'osant seulement pas taper leur fourchette. Ils étaient très ennuyés, hébétés, avec cette pauvre maman Coupeau qui leur pesait sur les épaules et leur paraissait emplir toutes les pièces. Leur vie se trouvait dérangée. Dans le premier moment, ils piétinaient sans trouver les objets, ils avaient une courbature, comme au lendemain d'une noce.

Lantier reprit tout de suite la porte pour retourner aux pompes funèbres, emportant les trente francs de Mme Lerat et soixante francs que Gervaise était allée emprunter à Goujet, en cheveux, pareille à une folle. L'après-midi, quelques visites arrivèrent, des voisines mordues de curiosité, qui se présentaient soupirant, roulant des yeux éplorés; elles entraient dans le cabinet dévisageaient la morte, en faisant un signe de croix et en secouant le brin de buis trempé d'eau bénite; puis, elles s'asseyaient dans la boutique, où elles parlaient de la chère femme, interminablement, sans se lasser de répéter la même phrase pendant des heures. Mlle Remanjou avait remarqué que son œil droit était resté ouvert, Mme Gaudron s'entêtait à lui trouver une belle carnation pour son âge, et Mme Fauconnier restait stupéfaite de lui avoir vu manger son café, trois jours auparavant. Vrai, on claquait vite, chacun pouvait graisser ses bottes. Vers le soir, les Coupeau commençaient à en avoir assez. C'était une trop grande affliction pour une famille, de garder un corps si longtemps. Le gouvernement aurait bien dû faire une autre loi là-dessus. Encore toute une soirée, toute une nuit et toute une matinée, non! ça ne finirait jamais. Quand on ne pleure plus, n'est-ce pas? le chagrin tourne à l'agacement, on finirait par mal se conduire. Maman Coupeau, muette et raide au fond de l'étroit cabinet, se répandait de plus en plus dans le logement, devenait d'un poids qui crevait le monde. Et la famille, malgré elle, reprenait son train-train, perdait de son respect.

— Vous mangerez un morceau avec nous, dit Gervaise à Mme Lerat et à Mme Lorilleux, lorsqu'elles reparurent. Nous sommes trop tristes, nous ne nous quitterons pas.

On mit le couvert sur l'établi. Chacun, en voyant les assiettes, songeait aux gueuletons qu'on avait faits là. Lantier était de retour. Lorilleux descendit. Un pâtissier venait d'apporter une tourte, car la blanchisseuse n'avait pas la tête à s'occuper de cuisine. Comme on s'asseyait, Boche entra dire que M. Marescot demandait à se présenter, et le propriétaire se présenta, très grave, avec sa large décoration sur sa redingote. Il salua en silence, alla droit au cabinet, où il s'agenouilla. Il était d'une grande piété; il pria d'un air recueilli de curé, puis traça une croix en l'air, en aspergeant le corps avec la branche de buis. Toute la famille, qui avait quitté la table, se tenait debout, fortement impressionnée. M. Marescot, ayant achevé ses dévotions, passa dans la boutique et dit aux Coupeau:

— Je suis venu pour les deux loyers arriérés. Êtes-vous en mesure?

— Non, monsieur, pas tout à fait, balbutia Gervaise très contrariée d'entendre parler de ça devant les Lorilleux. Vous comprenez, avec le malheur qui nous arrive...

— Sans doute, mais chacun a ses peines, reprit le propriétaire en élargissant ses doigts immenses d'ancien ouvrier. Je suis bien fâché, je ne puis attendre davantage... Si je ne suis pas payé après-demain matin, je serai forcé d'avoir recours à une expulsion.

Gervaise joignit les mains, les larmes aux yeux, muette et l'implorant. D'un hochement énergique de sa grosse tête osseuse, il lui fit comprendre que les supplications étaient inutiles. D'ailleurs, le respect dû aux morts interdisait toute discussion. Il se retira discrètement, à reculons.

— Mille pardons de vous avoir dérangés, murmura-t-il. Après demain, n'oubliez pas.

Et, comme en s'en allant il passait de nouveau devant le cabinet, il salua une dernière fois le corps d'une génuflexion dévote, à travers la porte grande ouverte.

On mangea d'abord vite, pour ne pas paraître y prendre du plaisir. Mais, arrivé au dessert, on s'attarda, envahi d'un besoin de bien-être. Par moments, la bouche pleine, Gervaise ou l'une des deux sœurs se levait, allait jeter un coup d'œil dans le cabinet, sans même lâcher sa serviette; et quand elle se rasseyait, achevant sa bouchée, les autres la regardaient une seconde, pour voir si tout marchait bien, à côté. Puis, les dames se dérangèrent moins souvent, maman Coupeau fut oubliée. On avait fait un baquet de café, et du très fort, afin de se tenir éveillé toute la nuit. Les Poisson vinrent sur les huit heures. On les invita à en boire un verre. Alors, Lantier, qui guettait le visage de Gervaise, parut saisir une occasion attendue par lui depuis le matin. A propos de la saleté des propriétaires qui entraient demander de l'argent dans les maisons où il y avait un mort, il dit brusquement:

— C'est un jésuite, ce salaud, avec son air de servir la messe!... Mais, moi, à votre place, je lui planterais là sa boutique.

Gervaise, éreintée de fatigue, molle et énervée, répondit en s'abandonnant:

— Oui, bien sûr, je n'attendrai pas les hommes de loi... Ah! j'en ai plein le dos, plein le dos.

Les Lorilleux, jouissant à l'idée que la Banban n'aurait plus de magasin, l'approuvèrent beaucoup. On ne se doutait pas de ce que coûtait une boutique. Si elle ne gagnait que trois francs chez les autres, au moins elle n'avait pas de frais, elle ne risquait pas de perdre de grosses sommes. Ils firent répéter cet argument-là à Coupeau, en le poussant ; il buvait beaucoup, il se maintenait dans un attendrissement continu, pleurant tout seul dans son assiette. Comme la blanchisseuse semblait se laisser convaincre, Lantier cligna les yeux, en regardant les Poisson. Et la grande Virginie intervint, se montra très aimable.

— Vous savez, on pourrait s'entendre. Je prendrais la suite du bail, j'arrangerais votre affaire avec le propriétaire... Enfin, vous seriez toujours plus tranquille.

— Non, merci, déclara Gervaise, qui se secoua, comme prise d'un frisson. Je sais où trouver les termes, si je veux. Je travaillerai ; j'ai mes deux bras, Dieu merci ! pour me tirer d'embarras.

— On causera de ça plus tard, se hâta de dire le chapelier. Ce n'est pas convenable, ce soir... Plus tard, demain, par exemple.

A ce moment, Mme Lerat, qui était allée dans le cabinet, poussa un léger cri. Elle avait eu peur, parce qu'elle avait trouvé la chandelle éteinte, brûlée jusqu'au bout. Tout le monde s'occupa à en rallumer une autre ; et l'on hochait la tête, en répétant que ce n'était pas bon signe, quand la lumière s'éteignait auprès d'un mort.

La veillée commença. Coupeau s'était allongé, pas pour dormir, disait-il, pour réfléchir ; et il ronflait cinq minutes après. Lorsqu'on envoya Nana coucher chez les Boche, elle pleura ; elle se régalait depuis le matin, à l'espoir d'avoir bien chaud dans le grand lit de son bon ami Lantier. Les Poisson restèrent jusqu'à minuit. On avait fini par faire du vin à la française, dans un saladier, parce que le café donnait trop sur les nerfs de ces dames. La conversation tournait aux effusions tendres. Virginie parlait de la campagne : elle aurait voulu être enterrée au coin d'un bois, avec des fleurs des champs sur sa tombe. Mme Lerat gardait déjà, dans son armoire, le drap pour l'ensevelir, et elle le parfumait toujours d'un bouquet de lavande ; elle tenait à avoir une bonne odeur sous le nez, quand elle mangerait les pissenlits par la racine. Puis, sans transition, le sergent de ville raconta qu'il avait arrêté une grande belle fille brune, qui venait de voler dans la boutique d'un charcutier ; en la déshabillant chez le commissaire, on lui avait trouvé dix saucissons pendus autour du corps, devant et derrière. Et, Mme Lorilleux ayant dit d'un air de dégoût qu'elle n'en mangerait pas, de ces saucissons-là, la société s'était mise à rire doucement. La veillée s'égaya, en gardant les convenances.

Mais comme on achevait le vin à la française, un bruit singulier, un ruissellement sourd, sortit du cabinet. Tous levèrent la tête, se regardèrent.

— Ce n'est rien, dit tranquillement Lantier, en baissant la voix. Elle se vide.

L'explication fit hocher la tête, d'un air rassuré, et la compagnie reposa les verres sur la table.

Enfin, les Poisson se retirèrent. Lantier partit avec eux : il allait chez son ami, disait-il, pour laisser son lit aux dames, qui pourraient s'y reposer une heure, chacune à son tour. Lorilleux monta se coucher tout seul, en répétant que ça ne lui était pas arrivé depuis son mariage. Alors, Gervaise et les deux sœurs, restées avec Coupeau endormi, s'organisèrent auprès du poêle, sur lequel elles tinrent du café chaud. Elles étaient là, pelotonnées, pliées en deux, les mains sous leur tablier, le nez au-dessus du feu, à causer très bas, dans le grand silence du quartier. Mme Lorilleux geignait : elle n'avait pas de robe noire, elle aurait pourtant voulu éviter d'en acheter une, car ils étaient bien gênés, bien gênés ; et elle questionna Gervaise, demandant si maman Coupeau ne laissait pas une jupe noire, cette jupe qu'on lui avait donnée pour sa fête. Gervaise dut aller chercher la jupe. Avec un pli à la taille, elle pourrait servir. Mais Mme Lorilleux voulait aussi du vieux linge, parlait du lit, de l'armoire, des deux chaises, cherchait des yeux les bibelots qu'il fallait partager. On manqua se fâcher. Mme Lerat mit la paix ; elle était plus juste : les Coupeau avaient eu la charge de la mère, ils avaient bien gagné ses quatre guenilles. Et, toutes trois, elles s'assoupirent de nouveau au-dessus du poêle, dans des ragots monotones. La nuit leur semblait terriblement longue. Par moments, elles se secouaient, buvaient du café, allongeaient la tête dans le cabinet, où la chandelle, qu'on ne devait pas moucher, brûlait avec une flamme rouge et triste, grossie par les champignons charbonneux de la mèche. Vers le matin, elles grelottaient, malgré la forte chaleur du poêle. Une angoisse, une lassitude d'avoir trop causé, les suffoquaient, la langue sèche, les yeux malades. Mme Lerat se jeta sur le lit de Lantier et ronfla comme un homme ; tandis que les deux autres, la tête tombée et touchant les genoux, dormaient devant le feu. Au petit jour, un frisson les réveilla. La chandelle de maman Coupeau venait encore de s'éteindre. Et, comme, dans l'obscurité, le ruissellement sourd recommençait, Mme Lorilleux donna l'explication à voix haute, pour se tranquilliser elle-même.

— Elle se vide, répéta-t-elle, en allumant une autre chandelle.

L'enterrement était pour dix heures et demie. Une jolie matinée, à mettre avec la nuit et avec la journée de la veille ! C'est-à-dire que Gervaise, tout en n'ayant pas un sou, aurait donné cent francs à celui qui serait venu prendre maman Coupeau trois heures plus tôt. Non, on a beau aimer les gens, ils sont trop lourds, quand ils sont morts; et même plus on les aime, plus on voudrait se vite débarrasser d'eux.

Une matinée d'enterrement est par bonheur pleine de distractions. On a toutes sortes de préparatifs à faire. On déjeuna d'abord. Puis, ce fut justement le père Bazouge, le croque-mort du sixième, qui apporta la bière et le sac de son. Il ne dessoûlait pas, ce brave homme. Ce jour-là, à huit heures, il était encore tout rigolo d'une cuite prise la veille.

— Voilà, c'est pour ici, n'est-ce pas ? dit-il.

Et il posa la bière, qui eut un craquement de boîte neuve.

Mais, comme il jetait à côté le sac de son, il resta les yeux écarquillés, la bouche ouverte, en apercevant Gervaise devant lui.

— Pardon, excuse, je me trompe, balbutia-t-il. On m'avait dit que c'était pour chez vous.

Il avait déjà repris le sac, la blanchisseuse dut lui crier :

— Laissez donc ça, c'est pour ici.

— Ah! tonnerre de Dieu! faut s'expliquer! reprit-il en se tapant sur la cuisse. Je comprends, c'est la vieille...

Gervaise était devenue toute blanche. Le père Bazouge avait apporté la bière pour elle. Il continuait, se montrant galant, cherchant à s'excuser :

— N'est-ce pas ? on racontait hier qu'il y en avait une de partie, au rez-de-chaussée. Alors, moi, j'avais cru... Vous savez, dans notre métier, ces choses-là, ça entre par une oreille et ça vous sort par l'autre... Je vous fais tout de même mon compliment. Hein ? le plus tard, c'est encore le meilleur, quoique la vie ne soit pas toujours drôle, ah! non, par exemple!

Elle l'écoutait, se reculait, avec la peur qu'il ne la saisît de ses grandes mains sales, pour l'emporter dans sa boîte. Déjà une fois, le soir de ses noces, il lui avait dit en connaître des femmes, qui le remercieraient, s'il montait les prendre. Eh bien! elle n'en était pas là, ça lui faisait froid dans l'échine. Son existence s'était gâtée, mais elle ne voulait pas s'en aller si tôt; oui, elle aimait mieux crever la faim pendant des années, que de crever la mort, l'histoire d'une seconde.

— Il est poivre, murmura-t-elle d'un air de dégoût mêlé d'épouvante. L'administration devrait au moins ne pas envoyer des pochards. On paye assez cher.

Alors, le croque-mort se montra goguenard et insolent.

— Dites donc, ma petite mère, ce sera pour une autre fois. Tout à votre service, entendez-vous! Vous n'avez qu'à me faire signe. C'est moi qui suis le consolateur des dames... Et ne crache pas sur le père Bazouge, parce qu'il en a tenu dans ses bras de plus chic que toi, qui se sont laissé arranger sans se plaindre, bien contentes de continuer leur dodo à l'ombre.

— Taisez-vous, père Bazouge! dit sévèrement Lorilleux, accouru au bruit des voix. Ce ne sont pas des plaisanteries convenables. Si l'on se plaignait, vous seriez renvoyé... Allons, fichez le camp, puisque vous ne respectez pas les principes.

Le croque-mort s'éloigna, mais on l'entendit longtemps sur le trottoir, qui bégayait :

— De quoi, les principes!... Il n'y a pas de principes... il n'y a pas de principes... il n'y a que l'honnêteté!

Enfin, dix heures sonnèrent. Le corbillard était en retard. Il y avait déjà du monde dans la boutique, des amis et des voisins, M. Madinier, Mes-Bottes, Mme Gaudron, Mlle Remanjou; et, toutes les minutes, entre les volets fermés, par l'ouverture béante de la porte, une tête d'homme ou de femme s'allongeait, pour voir si ce lambin de corbillard n'arrivait pas. La famille, réunie dans la pièce du fond, donnait des poignées de main. De courts silences se faisaient, coupés de chuchotements rapides, une attente agacée et fiévreuse, avec des courses brusques de robe, Mme Lorilleux qui avait oublié son mouchoir, ou bien Mme Lerat qui cherchait un paroissien à emprunter. Chacun, en arrivant, apercevait au milieu du cabinet, devant le lit, la bière ouverte; et, malgré soi, chacun restait à l'étudier du coin de l'œil, calculant que jamais la grosse maman Coupeau ne tiendrait là-dedans. Tout le monde se regardait, avec cette pensée dans les yeux, sans se la communiquer. Mais il y eut une poussée à la porte de la rue. M. Madinier vint annoncer d'une voix grave et contenue, en arrondissant les bras :

— Les voici!

Ce n'était pas encore le corbillard. Quatre croque-morts entrèrent à la file, d'un pas pressé, avec leurs faces rouges et leurs mains gourdes de déménageurs, dans le noir pisseux de leurs vêtements, usés et blanchis au frottement des bières. Le père Bazouge marchait le premier, très soûl et très convenable; dès qu'il était à la besogne, il retrouvait son aplomb. Ils ne prononcèrent pas un mot, la tête un peu basse, pesant déjà maman Coupeau du regard. Et ça ne traîna pas, la pauvre vieille fut emballée, le temps d'éternuer. Le plus petit, un jeune qui louchait, avait vidé le son dans le cercueil, et l'étalait en le pétrissant, comme s'il voulait faire du pain. Un autre, un grand maigre celui-là, l'air farceur, venait d'étendre le drap pardessus. Puis, une, deux, allez-y! tous les quatre saisirent le corps, l'enlevèrent, deux aux pieds, deux à la tête. On ne retourne pas plus vite une crêpe. Les gens qui allongeaient le cou purent croire que maman Coupeau était sautée d'elle-même dans la boîte. Elle avait glissé là comme chez elle, oh! tout juste, si juste, qu'on avait entendu son frôlement contre le bois neuf. Elle touchait de tous les côtés, un vrai tableau dans un cadre. Mais enfin elle y tenait, ce qui étonna les assistants; bien sûr, elle avait dû diminuer depuis la veille. Cependant, les croque-morts s'étaient relevés et attendaient; le petit louche prit le couvercle, pour inviter la famille à faire les derniers adieux; tandis que Bazouge mettait des clous dans sa bouche et apprêtait le marteau. Alors, Coupeau, ses deux sœurs, Gervaise, d'autres encore, se jetèrent à genoux, embrassèrent la maman qui s'en allait, avec de grosses larmes, dont les gouttes chaudes tombaient et roulaient sur ce visage raidi, froid comme une glace. Il y avait un bruit prolongé de sanglots. Le couvercle s'abattit, le père Bazouge enfonça ses clous avec le chic d'un emballeur, deux coups pour chaque pointe; et personne ne s'écouta pleurer davantage dans ce vacarme de meuble qu'on répare. C'était fini. On partait.

— S'il est possible de faire tant d'esbrouffe, dans un moment pareil! dit Mme Lorilleux à son mari, en apercevant le corbillard devant la porte.

Le corbillard révolutionnait le quartier. La tripière appelait les garçons de l'épicier, le petit horloger était sorti sur le trottoir, les voisins se penchaient aux fenêtres. Et tout ce monde causait du lambrequin à franges de coton blanches. Ah! les Coupeau auraient mieux fait de payer leurs dettes! Mais, comme le déclaraient les Lorilleux, lorsqu'on a de l'orgueil, ça sort partout et quand même.

— C'est honteux! répétait au même instant Gervaise, en parlant du chaîniste et de sa femme. Dire que ces rapiats n'ont pas même apporté un bouquet de violettes pour leur mère!

Les Lorilleux, en effet, étaient venus les mains vides. Mme Lerat avait donné une couronne de fleurs artificielles. Et l'on mit encore sur la bière une couronne d'immortelles et un bouquet achetés par les Coupeau. Les croque-morts avaient dû donner un fameux coup d'épaule pour hisser et char-

ger le corps. Le cortège fut lent à s'organiser. Coupeau et Lorilleux, en redingote, le chapeau à la main, conduisaient le deuil; le premier dans son attendrissement que deux verres de vin blanc, le matin, avaient entretenu, se tenait au bras de son beau-frère, les jambes molles et les cheveux malades. Puis marchaient les hommes, M. Madinier, très grave, tout en noir, Mes-Bottes, un paletot sur sa blouse, Boche, dont le pantalon jaune fichait un pétard, Lantier, Gaudron, Bibi-la-Grillade, Poisson, d'autres encore. Les dames arrivaient ensuite, au premier rang Mme Lorilleux qui traînait la jupe retapée de la morte, Mme Lerat cachant sous un châle son deuil improvisé, un caraco garni de lilas, et à la file Virginie, Mme Gaudron, Mme Fauconnier, Mlle Remanjou, tout le reste de la queue. Quand le corbillard s'ébranla et descendit lentement la rue de la Goutte-d'Or, au milieu des signes de croix et des coups de chapeau, les quatre croquemorts prirent la tête, deux en avant, les deux autres à droite et à gauche. Gervaise était restée pour fermer la boutique. Elle confia Nana à Mme Boche, et elle rejoignit le convoi en courant, pendant que la petite, tenue par la concierge, sous le porche, regardait d'un œil profondément intéressé sa grand-mère disparaître au fond de la rue, dans cette belle voiture.

Juste au moment où la blanchisseuse essoufflée rattrapait la queue, Goujet arrivait de son côté. Il se mit avec les hommes; mais il se retourna, et la salua d'un signe de tête, si doucement, qu'elle se sentit tout d'un coup très malheureuse et qu'elle fut reprise par les larmes. Elle ne pleurait plus seulement maman Coupeau, elle pleurait quelque chose d'abominable, qu'elle n'aurait pas pu dire, et qui l'étouffait. Durant tout le trajet, elle tint son mouchoir appuyé contre ses yeux. Mme Lorilleux, les joues sèches et enflammées, la regardait de côté, en ayant l'air de l'accuser de faire du genre.

A l'église, la cérémonie fut vite bâclée. La messe traîna pourtant un peu, parce que le prêtre était très vieux. Mes-Bottes et Bibi-la-Grillade avaient préféré rester dehors, à cause de la quête. M. Madinier, tout le temps, étudia les curés, et il communiquait à Lantier ses observations: ces farceurs-là, en crachant leur latin, ne savaient seulement pas ce qu'ils dégoisaient; ils vous enterraient une personne comme ils vous l'auraient baptisée ou mariée, sans avoir dans le cœur le moindre sentiment. Puis, M. Madinier blâma ce tas de cérémonies, ces lumières, ces voix tristes, cet étalage devant les familles. Vrai, on perdait les siens deux fois, chez soi et à l'église. Et tous les hommes lui donnaient raison, car ce fut encore un moment pénible, lorsque, la messe finie, il y eut un barbotement de prières, et que les assistants durent défiler devant le corps, en jetant de l'eau bénite. Heureusement, le cimetière n'était pas loin, le petit cimetière de La Chapelle, un bout de jardin qui s'ouvrait sur la rue Marcadet. Le cortège y arriva débandé, tapant les pieds, chacun causant de ses affaires. La terre dure sonnait, on aurait volontiers battu la semelle. Le trou béant, près duquel on avait posé la bière, était déjà tout gelé, blafard et pierreux comme une carrière à plâtre ; et les assistants, rangés autour des monticules de gravats, ne trouvaient pas drôle d'attendre par un froid pareil, embêtés aussi de regarder le trou. Enfin, un prêtre en surplis sortit d'une maisonnette, il grelottait, on voyait son haleine fumer, à chaque « de profundis » qu'il lâchait. Au dernier signe de croix, il se sauva, sans avoir envie de recommencer. Le fossoyeur prit sa pelle ; mais à cause de la gelée, il ne détachait que de grosses mottes, qui battaient une jolie musique là-bas au fond, un vrai bombardement sur le cercueil, une enfilade de coups de canon à croire que le bois se fendait. On a beau être égoïste, cette musique-là vous casse l'estomac. Les larmes recommencèrent. On s'en allait, on était dehors, qu'on entendait encore les détonations. Mes-Bottes, soufflant dans ses doigts, fit tout haut une remarque : Ah ! tonnerre de Dieu ! non ! la pauvre maman Coupeau n'allait pas avoir chaud !

— Mesdames et la compagnie, dit le zingueur aux quelques amis restés dans la rue avec la famille, si vous voulez bien nous permettre de vous offrir quelque chose...

Et il entra le premier chez un marchand de vin de la rue Marcadet, A la descente du cimetière. Gervaise, demeurée sur le trottoir, appela Goujet qui s'éloignait, après l'avoir saluée d'un nouveau signe de tête. Pourquoi n'acceptait-il pas un verre de vin ? Mais il était pressé, il retournait à l'atelier. Alors, ils se regardèrent un moment sans rien dire.

— Je vous demande pardon pour les soixante francs, murmura enfin la blanchisseuse. J'étais comme une folle, j'ai songé à vous...

— Oh ! il n'y a pas de quoi, vous êtes pardonnée, interrompit le forgeron. Et, vous savez, tout à votre service, s'il vous arrivait un malheur... Mais n'en dites rien à maman, parce qu'elle a ses idées, et que je ne veux pas la contrarier.

Elle le regardait toujours ; et, en le voyant si bon, si triste, avec sa belle barbe jaune, elle fut sur le point d'accepter son ancienne proposition, de s'en aller avec lui, pour être heureux ensemble quelque part. Puis, il lui vint une autre mauvaise pensée, celle de lui emprunter ses deux termes, à n'importe quel prix. Elle tremblait, elle reprit d'une voix caressante :

— Nous ne sommes pas fâchés, n'est-ce pas ?

Lui, hocha la tête, en répondant :

— Non, bien sûr, jamais nous ne serons fâchés... Seulement, vous comprenez, tout est fini.

Et il s'en alla à grandes enjambées, laissant Gervaise étourdie, écoutant sa dernière parole battre dans ses oreilles avec un bourdonnement de cloche. En entrant chez le marchand de vin, elle entendait sourdement au fond d'elle : « Tout est fini, eh bien ! tout est fini ; je n'ai plus rien à faire, moi, si tout est fini ! » Elle s'assit, elle avala une bouchée de pain et de fromage, vida un verre plein qu'elle trouva devant elle.

C'était, au rez-de-chaussée, une longue salle à plafond bas, occupée par deux grandes tables. Des litres, des quarts de pain, de larges triangles de brie sur trois assiettes, s'étalaient à la file. La société mangeait sur le pouce, sans nappe et sans couverts. Plus loin, près du poêle qui ronflait, les quatre croque-morts achevaient de déjeuner.

— Mon Dieu ! expliquait M. Madinier, chacun son tour. Les vieux font de la place aux jeunes... Ça va vous sembler bien vide, votre logement, quand vous rentrerez.

— Oh ! mon frère donne congé, dit vivement Mme Lorilleux. C'est une ruine, cette boutique.

On avait travaillé Coupeau. Tout le monde le poussait à céder le bail. Mme Lerat elle-même, très bien avec Lantier et Virginie depuis quelque temps, chatouillée par l'idée qu'ils devaient avoir un béguin l'un pour l'autre, parlait de faillite et de prison, en prenant des airs effrayés. Et, brusquement, le zingueur se fâcha, son attendrissement tournait à la fureur, déjà trop arrosé de liquide.

— Écoute, cria-t-il dans le nez de sa femme, je veux que tu m'écoutes ! Ta sacrée tête fait toujours des siennes. Mais, cette fois, je suivrai ma volonté, je t'avertis !

— Ah bien ! dit Lantier, si jamais on la réduit par de bonnes paroles ! Il faudrait un maillet pour lui entrer ça dans le crâne.

Et tous deux tapèrent un instant sur elle. Ça n'empêchait pas les mâchoires de fonctionner. Le brie disparaissait, les litres coulaient comme des fontaines. Cependant, Gervaise mollissait sous les coups. Elle ne répondait rien, la bouche toujours pleine, se dépêchant, comme si elle avait eu très faim. Quand ils se lassèrent, elle leva doucement la tête, elle dit :

— En voilà assez, hein ? Je m'en fiche pas mal de la boutique! Je n'en veux plus... Comprenez-vous, je m'en fiche! Tout est fini!

Alors, on redemanda du fromage et du pain, on causa sérieusement. Les Poisson prenaient le bail et offraient de répondre des deux termes arriérés. D'ailleurs, Boche acceptait l'arrangement, d'un air d'importance, au nom du propriétaire. Il loua même, séance tenante, un logement aux Coupeau, le logement vacant du sixième, dans le corridor des Lorilleux. Quant à Lantier, mon Dieu! il voulait bien garder sa chambre, si cela ne gênait pas les Poisson. Le sergent de ville s'inclina, ça ne le gênait pas du tout; on s'entend toujours entre amis, malgré les idées politiques. Et Lantier, sans se mêler davantage de la cession, en homme qui a conclu enfin sa petite affaire, se confectionna une énorme tartine de fromage de Brie; il se renversait, il la mangeait dévotement, le sang sous la peau, brûlant d'une joie sournoise, clignant les yeux pour guigner tour à tour Gervaise et Virginie.

— Eh! père Bazouge! appela Coupeau, venez donc boire un coup. Nous ne sommes pas fiers, nous sommes tous des travailleurs.

Les quatre croque-morts, qui s'en allaient, rentrèrent pour trinquer avec la société. Ce n'était pas un reproche, mais la dame de tout à l'heure pesait son poids et valait bien un verre de vin. Le père Bazouge regardait fixement la blanchisseuse, sans lâcher un mot déplacé. Elle se leva mal à l'aise, elle quitta les hommes qui achevaient de se cocarder. Coupeau, soûl comme une grive, recommençait à viauper [182] et disait que c'était le chagrin.

Le soir, quand Gervaise se retrouva chez elle, elle resta abêtie sur une chaise. Il lui semblait que les pièces étaient désertes et immenses. Vrai, ça faisait un fameux débarras. Mais elle n'avait bien sûr pas laissé que maman Coupeau au fond du trou, dans le petit jardin de la rue Marcadet. Il lui manquait trop de choses, ça devait être un morceau de sa vie à elle, et sa boutique, et son orgueil de patronne, et d'autres sentiments encore, qu'elle avait enterrés ce jour-là. Oui, les murs étaient nus, son cœur aussi, c'était un déménagement complet, une dégringolade dans le fossé. Et elle se sentait trop lasse, elle se ramasserait plus tard, si elle pouvait.

A dix heures, en se déshabillant, Nana pleura, trépigna. Elle voulait coucher dans le lit de maman Coupeau. Sa mère essaya de lui faire peur; mais la petite était très précoce, les morts lui causaient seulement une grosse curiosité; si bien que, pour avoir la paix, on finit par lui permettre de s'allonger à la place de maman Coupeau. Elle aimait les grands lits, cette gamine; elle s'étalait, elle se roulait. Cette nuit-là, elle dormit joliment bien, dans la bonne chaleur et les chatouilles du matelas de plume [183].

10

Le nouveau logement [184] des Coupeau se trouvait au sixième, escalier B. Quand on avait passé devant Mlle Remanjou, on prenait le corridor, à gauche. Puis, il fallait encore tourner. La première porte était celle des Bijard. Presque en face, dans un trou sans air, sous un petit escalier qui montait à la toiture, couchait le père Bru. Deux logements plus loin, on arrivait chez Bazouge. Enfin, contre Bazouge, c'étaient les Coupeau, une chambre et un cabinet donnant sur la cour. Et il n'y avait plus, au fond du couloir, que deux ménages, avant d'être chez les Lorilleux, tout au bout.

Une chambre et un cabinet, pas plus. Les Coupeau perchaient là, maintenant. Et encore la chambre était-elle large comme la main. Il fallait y faire tout, dormir, manger et le reste. Dans le cabinet, le lit de Nana tenait juste; elle devait se déshabiller chez son père et sa mère, et on laissait la porte ouverte, la nuit, pour qu'elle n'étouffât pas. C'était si petit, que Gervaise avait cédé des affaires aux Poisson en quittant la boutique, ne pouvant tout caser. Le lit, la table, quatre chaises, le logement était plein. Même, le cœur crevé, n'ayant pas le courage de se séparer de sa commode, elle avait encombré le carreau de ce grand coquin de meuble, qui bouchait la moitié de la fenêtre. Un des battants se trouvait condamné, ça enlevait de la lumière et de la gaieté. Quand elle voulait regarder dans la cour, comme elle devenait très grosse, elle n'avait pas la place de ses coudes, elle se penchait de biais, le cou tordu, pour voir.

Les premiers jours, la blanchisseuse s'asseyait et pleurait. Ça lui semblait trop dur, de ne plus pouvoir se remuer chez elle, après avoir toujours été au large. Elle suffoquait, elle restait à la fenêtre pendant des heures, écrasée entre le mur et la commode,

---

182. Pleurer comme un veau, prononcé « viau » à la paysanne.
183. Ce plaisir ambigu annonce *Nana*.
184. Le chapitre porte sur les années 1863-1865.

à prendre des torticolis. Là seulement elle respirait. La cour, pourtant, ne lui inspirait guère que des idées tristes. En face d'elle, du côté du soleil, elle apercevait son rêve d'autrefois, cette fenêtre du cinquième où des haricots d'Espagne, à chaque printemps, enroulaient leurs tiges minces sur un berceau de ficelles. Sa chambre, à elle, était du côté de l'ombre, les pots de réséda y mouraient en huit jours. Ah! non, la vie ne tournait pas gentiment, ce n'était guère l'existence qu'elle avait espérée. Au lieu d'avoir des fleurs sur sa vieillesse, elle roulait dans les choses qui ne sont pas propres. Un jour, se penchant, elle eut une drôle de sensation, elle crut se voir en personne là-bas, sous le porche, près de la loge du concierge, le nez en l'air, examinant la maison pour la première fois; et ce saut de treize ans en arrière lui donna un élancement au cœur. La cour n'avait pas changé, les façades nues à peine plus noires et plus lépreuses; une puanteur montait des plombs rongés de rouille; aux cordes des croisées, séchaient des linges, des couches d'enfant emplâtrées d'ordure; en bas, le pavé défoncé restait sali des escarbilles de charbon du serrurier et des copeaux du menuisier; même, dans le coin humide de la fontaine, une mare coulée de la teinturerie avait une belle teinte bleue, d'un bleu aussi tendre que le bleu de jadis. Mais elle, à cette heure, se sentait joliment changée et décatie. Elle n'était plus en bas, d'abord, la figure vers le ciel, contente et courageuse, ambitionnant un bel appartement. Elle était sous les toits, dans le coin des pouilleux, dans le trou le plus sale, à l'endroit où l'on ne recevait jamais la visite d'un rayon. Et ça expliquait ses larmes, elle ne pouvait pas être enchantée de son sort.

Cependant, lorsque Gervaise se fut un peu accoutumée, les commencements du ménage, dans le nouveau logement, ne se présentèrent pas mal. L'hiver était presque fini, les quatre sous des meubles cédés à Virginie avaient facilité l'installation. Puis, dès les beaux jours, il arriva une chance, Coupeau se trouva embauché pour aller travailler en province, à Étampes; et là, il fit près de trois mois sans se soûler, guéri un moment par l'air de la campagne. On ne se doute pas combien ça désaltère les pochards, de quitter l'air de Paris, où il y a dans les rues une vraie fumée d'eau-de-vie et de vin. A son retour, il était frais comme une rose, et il rapportait quatre cents francs, avec lesquels ils payèrent les deux termes arriérés de la boutique, dont les Poisson avaient répondu, ainsi que d'autres petites dettes du quartier, les plus criardes. Gervaise déboucha deux ou trois rues où elle ne passait plus.

Naturellement, elle s'était mise repasseuse à la journée. Mme Fauconnier, très bonne femme, pourvu qu'on la flattât, avait bien voulu la reprendre. Elle lui donnait même trois francs, comme à une première ouvrière, par égard pour son ancienne position de patronne. Aussi le ménage semblait-il devoir boulotter. Même, avec du travail et de l'économie, Gervaise voyait le jour où ils pourraient tout payer et s'arranger un petit train-train supportable. Seulement, elle se promettait ça, dans la fièvre de la grosse somme gagnée par son mari. A froid, elle acceptait le temps comme il venait, elle disait que les belles choses ne duraient pas.

Ce dont les Coupeau eurent le plus à souffrir alors, ce fut de voir les Poisson s'installer dans leur boutique. Ils n'étaient point trop jaloux de leur naturel, mais on les agaçait, on s'émerveillait exprès devant eux sur les embellissements de leurs successeurs. Les Boche, surtout les Lorilleux, ne tarissaient pas. A les entendre, jamais on n'aurait vu une boutique plus belle. Et ils parlaient de l'état de saleté où les Poisson avaient trouvé les lieux, ils racontaient que le lessivage seul était monté à trente francs. Virginie, après des hésitations, s'était décidée pour un petit commerce d'épicerie fine, des bonbons, du chocolat, du café, du thé. Lantier lui avait vivement conseillé ce commerce, car il y avait, disait-il, des sommes énormes à gagner dans la friandise. La boutique fut peinte en noir, et relevée de filets jaunes, deux couleurs distinguées. Trois menuisiers travaillèrent huit jours à l'agencement des casiers, des vitrines, un comptoir avec des tablettes pour les bocaux, comme chez les confiseurs. Le petit héritage, que Poisson tenait en réserve, dut être rudement écorné. Mais Virginie triomphait, et les Lorilleux, aidés des portiers, n'épargnaient pas à Gervaise un casier, une vitrine, un bocal, amusés quand ils voyaient sa figure changer. On a beau n'être pas envieux, on rage toujours quand les autres chaussent vos souliers et vous écrasent.

Il y avait aussi une question d'homme par-dessous. On affirmait que Lantier avait quitté Virginie. Le quartier déclarait ça très bien. Enfin, ça mettait un peu de morale dans la rue. Et tout l'honneur de la séparation revenait à ce finaud de chapelier, que les dames gobaient toujours. On donnait des détails, il avait dû calotter la blanchisseuse pour la faire tenir tranquille, tant elle était acharnée après lui. Naturellement, personne ne disait la vérité vraie; ceux qui auraient pu la savoir, la jugeaient trop simple et pas assez intéressante. Si l'on voulait, Lantier avait en effet quitté Gervaise, en ce sens qu'il ne la tenait plus à sa disposition, le jour et la nuit; mais il montait pour sûr la voir au sixième, quand l'envie l'en prenait, car Mlle Remanjou le rencontrait sortant de chez les Coupeau à des heures peu naturelles. Enfin, les rapports continuaient, de bric et de broc, va comme je te pousse, sans que l'un ni l'autre y eût beaucoup de plaisir; un reste d'habitude, des complaisances réciproques, pas davantage. Seulement, ce qui compliquait la situation, c'était que le quartier, maintenant, fourrait Lantier et Virginie dans la même paire de draps. Là encore le quartier se pressait trop. Sans doute, le chapelier chauffait la grande brune; et ça se trouvait indiqué, puisqu'elle remplaçait Gervaise en tout et pour tout, dans le logement. Il courait justement une blague, on prétendait qu'une nuit il était allé chercher Gervaise sur l'oreiller du voisin, et qu'il avait ramené et gardé Virginie sans la reconnaître avant le petit jour, à cause de l'obscurité. L'histoire faisait rigoler, mais il n'était réellement pas si avancé, il se permettait à peine de lui pincer les hanches. Les Lorilleux n'en parlaient pas moins devant la blanchisseuse des amours de Lantier et de Mme Poisson avec attendrissement, espérant la rendre jalouse. Les Boche, eux aussi, laissaient entendre que jamais ils n'avaient vu un plus beau couple. Le drôle dans tout ça, c'était que la rue de la Goutte-d'Or ne semblait pas se formaliser du nouveau ménage à trois; non, la morale, dure pour Gervaise, se montrait douce pour Virginie. Peut-être l'indulgence souriante de la rue venait-elle de ce que le mari était sergent de ville.

Heureusement, la jalousie ne tourmentait guère Gervaise. Les infidélités de Lantier la laissaient bien calme, parce que son cœur, depuis longtemps, n'était plus pour rien dans leurs rapports. Elle avait appris, sans chercher à les savoir, des histoires malpropres, des liaisons du chapelier avec toutes sortes de filles, les premiers chiens coiffés qui passaient dans la rue; et ça lui faisait si peu d'effet, qu'elle avait continué d'être complaisante, sans même trouver en elle assez de colère pour rompre. Cependant, elle n'accepta pas si aisément le nouveau béguin de son amant. Avec Virginie, c'était autre chose. Ils avaient inventé ça dans le seul but de la taquiner tous les deux; et si elle se moquait de la bagatelle, elle tenait aux égards. Aussi, lorsque Mme Lorilleux ou quelque autre méchante bête affectait en sa présence de dire que Poisson ne pouvait plus passer sous la porte Saint-Denis, devenait-elle toute blanche, la poitrine arrachée, une brûlure dans l'estomac. Elle pinçait les lèvres, elle évitait de se fâcher, ne voulant pas donner ce plaisir à ses ennemis. Mais elle dut quereller Lantier, car

Mlle Remanjou crut distinguer le bruit d'un soufflet, une après-midi; d'ailleurs, il y eut certainement une brouille, Lantier cessa de lui parler pendant quinze jours, puis il revint le premier, et le train-train parut recommencer, comme si de rien n'était. La blanchisseuse préférait en prendre son parti, reculant devant un crêpage de chignons, désireuse de ne pas gâter sa vie davantage. Ah! elle n'avait plus vingt ans, elle n'aimait plus les hommes, au point de distribuer des fessées pour leurs beaux yeux et de risquer le poste. Seulement, elle additionnait ça avec le reste.

Coupeau blaguait. Ce mari commode, qui n'avait pas voulu voir le cocuage chez lui, rigolait à mort de la paire de cornes de Poisson. Dans son ménage, ça ne comptait pas; mais, dans le ménage des autres, ça lui semblait farce, et il se donnait un mal du diable pour guetter ces accidents-là, quand les dames des voisins allaient regarder la feuille à l'envers. Quel jean-jean, ce Poisson! et ça portait une épée, ça se permettait de bousculer le monde sur les trottoirs! Puis, Coupeau poussait le toupet à plaisanter Gervaise. Ah bien! son amoureux la lâchait joliment! Elle n'avait pas de chance : une première fois, les forgerons ne lui avaient pas réussi, et, pour la seconde, c'étaient les chapeliers qui lui claquaient dans la main. Aussi, elle s'adressait aux corps d'état pas sérieux. Pourquoi ne prenait-elle pas un maçon, un homme d'attache, habitué à gâcher solidement son plâtre ? Bien sûr, il disait ces choses en manière de rigolade, mais Gervaise n'en devenait pas moins toute verte, parce qu'il la fouillait de ses petits yeux gris, comme s'il avait voulu lui entrer les paroles avec une vrille. Lorsqu'il abordait le chapitre des saletés, elle ne savait jamais s'il parlait pour rire ou pour de bon. Un homme qui se soûle d'un bout de l'année à l'autre, n'a plus la tête à lui, et il y a des maris, très jaloux à vingt ans, que la boisson rend très coulants à trente sur le chapitre de la fidélité conjugale.

Il fallait voir Coupeau crâner dans la rue de la Goutte-d'Or! Il appelait Poisson le cocu. Ça leur clouait le bec, aux bavardes! Ce n'était plus lui, le cocu. Oh! il savait ce qu'il savait. S'il avait eu l'air de ne pas entendre, dans le temps, c'était apparemment qu'il n'aimait pas les potins. Chacun connaît son chez soi et se gratte où ça le démange. Ça ne le démangeait pas, lui; il ne pouvait pas se gratter, pour faire plaisir au monde. Eh bien! et le sergent de ville, est-ce qu'il entendait ? Pourtant ça y était, cette fois; on avait vu les amoureux, il ne s'agissait plus d'un cancan en l'air. Et il se fâchait, il ne comprenait pas comment un homme, un fonctionnaire du gouvernement, souffrait chez lui un pareil scandale. Le sergent de ville devait aimer la resucée des autres, voilà tout. Les soirs où Coupeau s'ennuyait, seul avec sa femme dans leur trou, sous les toits, ça ne l'empêchait pas de descendre chercher Lantier et de l'amener de force. Il trouvait la cambuse triste, depuis que le camarade n'était plus là. Il le raccommodait avec Gervaise, s'il les voyait en froid. Tonnerre de Dieu! est-ce qu'on n'envoie pas le monde à la balançoire, est-ce qu'il est défendu de s'amuser comme on l'entend? Il ricanait, des idées larges s'allumaient dans ses yeux vacillants de pochard, des besoins de tout partager avec le chapelier, pour embellir la vie. Et c'était surtout ces soirs-là que Gervaise ne savait plus s'il parlait pour rire ou pour de bon.

Au milieu de ces histoires, Lantier faisait le gros dos. Il se montrait paternel et digne. A trois reprises, il avait empêché des brouilles entre les Coupeau et les Poisson. Le bon accord des deux ménages entrait dans son contentement. Grâce aux regards tendres et fermes dont il surveillait Gervaise et Virginie, elles affectaient toujours l'une pour l'autre une grande amitié. Lui, régnant sur la blonde et sur la brune avec une tranquillité de pacha, s'engraissait de sa roublardise. Ce mâtin-là digérait encore les Coupeau qu'il mangeait déjà les Poisson. Oh! ça ne le gênait guère! une boutique avalée, il entamait une seconde boutique. Enfin, il n'y a que les hommes de cette espèce qui aient de la chance.

Ce fut cette année-là, en juin, que Nana fit sa première communion. Elle allait sur ses treize ans, grande déjà comme une asperge montée, avec un air d'effronterie; l'année précédente, on l'avait renvoyée du catéchisme, à cause de sa mauvaise conduite; et, si le curé l'admettait cette fois, c'était de peur de ne pas la voir revenir et de lâcher sur le pavé une païenne de plus. Nana dansait de joie en pensant à la robe blanche. Les Lorilleux, comme parrain et marraine, avaient promis la robe, un cadeau dont ils parlaient dans toute la maison; Mme Lerat devait donner le voile et le bonnet, Virginie la bourse, Lantier le paroissien; de façon que les Coupeau attendaient la cérémonie sans trop s'inquiéter. Même les Poisson, qui voulaient pendre la crémaillère, choisirent justement cette occasion, sans doute sur le conseil du chapelier. Ils invitèrent les Coupeau et les Boche, dont la petite faisait aussi sa première communion. Le soir, on mangerait chez eux un gigot et quelque chose autour.

Justement, la veille, au moment où Nana émerveillée regardait les cadeaux étalés sur la commode, Coupeau rentra dans un état abominable. L'air de Paris le reprenait. Et il attrapa sa femme et l'enfant, avec des raisons d'ivrogne, des mots dégoûtants qui n'étaient pas à dire dans la situation. D'ailleurs, Nana elle-même devenait mal embouchée, au milieu des conversations sales qu'elle entendait continuellement. Les jours de dispute, elle traitait très bien sa mère de chameau et de vache.

— Et du pain! gueulait le zingueur. Je veux ma soupe, tas de rosses!... En voilà des femelles avec leurs chiffons! Je m'assois sur les affutiaux, vous savez, si je n'ai pas ma soupe!

— Quel lavement, quand il est paf! murmura Gervaise impatientée.

Et, se tournant vers lui:

— Elle chauffe, tu nous embêtes.

Nana faisait la modeste, parce qu'elle trouvait ça gentil, ce jour-là. Elle continuait à regarder les cadeaux sur la commode, en affectant de baisser les yeux et de ne pas comprendre les vilains propos de son père. Mais le zingueur était joliment taquin, les soirs de ribote. Il lui parlait dans le cou.

— Je t'en ficherai, des robes blanches! Hein? c'est encore pour te faire des nichons dans ton corsage avec des boules de papier, comme l'autre dimanche?... Oui, oui, attends un peu! Je te vois bien tortiller ton derrière. Ça te chatouille, les belles frusques. Ça te monte le coco... Veux-tu décaniller de là, bougre de chenillon! Retire tes patoches [185], colle-moi ça dans un tiroir, ou je te débarbouille avec!

Nana, la tête basse, ne répondait toujours rien. Elle avait pris le petit bonnet de tulle, elle demandait à sa mère combien ça coûtait. Et, comme Coupeau allongeait la main pour arracher le bonnet, ce fut Gervaise qui le repoussa, en criant:

— Mais laisse-la donc, cette enfant! elle est gentille, elle ne fait rien de mal.

Alors le zingueur lâcha tout son paquet.

— Ah! les garces! La mère et la fille, ça fait la paire. Et c'est du propre d'aller manger le bon Dieu en guignant les hommes. Ose donc dire le contraire, petite salope!... Je vas t'habiller avec un sac, nous verrons si ça te grattera la peau. Oui, avec un sac, pour vous dégoûter, toi et tes curés. Est-ce que j'ai besoin qu'on te donne du vice?... Nom de Dieu! voulez-vous m'écouter, toutes les deux!

Et, du coup, Nana furieuse se tourna, pendant que Gervaise devait étendre les bras, afin de protéger les affaires que Coupeau parlait de déchirer. L'enfant regarda son père fixement; puis, oubliant la modestie recommandée par son confesseur:

---

185. « Mains » (Delvau).

— Cochon! dit-elle, les dents serrées.

Dès que le zingueur eut mangé sa soupe, il ronfla. Le lendemain, il s'éveilla très bon enfant. Il avait un reste de la veille, tout juste de quoi être aimable. Il assista à la toilette de la petite, attendri par la robe blanche, trouvant qu'un rien du tout donnait à cette vermine un air de vraie demoiselle. Enfin, comme il le disait, un père, en un pareil jour, était naturellement fier de sa fille. Et il fallait voir le chic de Nana, qui avait des sourires embarrassés de mariée, dans sa robe trop courte. Quand on descendit et qu'elle aperçut sur le seuil de la loge Pauline, également habillée, elle s'arrêta, l'enveloppa d'un regard clair, puis se montra très bonne, en la trouvant moins bien mise qu'elle, arrangée comme un paquet. Les deux familles partirent ensemble pour l'église. Nana et Pauline marchaient les premières, le paroissien à la main, retenant leurs voiles que le vent gonflait; et elles ne causaient pas, crevant de plaisir à voir les gens sortir des boutiques, faisant une moue dévote pour entendre dire sur leur passage qu'elles étaient bien gentilles. Mme Boche et Mme Lorilleux s'attardaient, parce qu'elles se communiquaient leurs réflexions sur la Banban, une mange-tout, dont la fille n'aurait jamais communié si les parents ne lui avaient tout donné, oui, tout, jusqu'à une chemise neuve, par respect pour la sainte table. Mme Lorilleux s'occupait surtout de la robe, son cadeau à elle, foudroyant Nana et l'appelant « grande sale », chaque fois que l'enfant ramassait la poussière avec sa jupe, en s'approchant trop des magasins.

A l'église, Coupeau pleura tout le temps. C'était bête, mais il ne pouvait se retenir. Ça le saisissait, le curé faisant les grands bras, les petites filles pareilles à des anges défilant les mains jointes; et la musique des orgues lui barbotait dans le ventre, et la bonne odeur de l'encens l'obligeait à renifler, comme si on lui avait poussé un bouquet dans la figure. Enfin, il voyait bleu, il était pincé au cœur. Il y eut particulièrement un cantique, quelque chose de suave, pendant que les gamines avalaient le bon Dieu, qui lui sembla couler dans son cou, avec un frisson tout le long de l'échine. Autour de lui, d'ailleurs, les personnes sensibles trempaient aussi leur mouchoir. Vrai, c'était un beau jour, le plus beau jour de la vie. Seulement, au sortir de l'église, quand il alla prendre un canon avec Lorilleux, qui était resté les yeux secs et qui le blaguait, il se fâcha, il accusa les corbeaux de brûler chez eux des herbes du diable pour amollir les hommes. Puis, après tout, il ne s'en cachait pas, ses yeux avaient fondu, ça prouvait simplement qu'il n'avait pas un pavé dans la poitrine. Et il commanda une autre tournée.

Le soir, la crémaillère fut très gaie, chez les Poisson. L'amitié régna sans un accroc, d'un bout à l'autre du repas. Lorsque les mauvais jours arrivent, on tombe ainsi sur de bonnes soirées, des heures où l'on s'aime entre gens qui se détestent. Lantier, ayant à sa gauche Gervaise et Virginie à sa droite, se montra aimable pour toutes les deux, leur prodiguant des tendresses de coq qui veut la paix dans son poulailler. En face, Poisson gardait sa rêverie calme et sévère de sergent de ville, son habitude de ne penser à rien, les yeux voilés, pendant ses longues factions sur les trottoirs. Mais les reines de la fête furent les deux petites, Nana et Pauline, auxquelles on avait permis de ne pas se déshabiller; elles se tenaient raides, de crainte de tacher leurs robes blanches, et on leur criait, à chaque bouchée, de lever le menton, pour avaler proprement. Nana, ennuyée, finit par baver tout son vin sur son corsage; ce fut une affaire, on la déshabilla, on lava immédiatement le corsage dans un verre d'eau.

Puis, au dessert, on causa sérieusement de l'avenir des enfants. Mme Boche avait fait son choix, Pauline allait entrer dans un atelier de reperceuses sur or et sur argent; on gagnait là-dedans des cinq et six francs. Gervaise ne savait pas encore, Nana ne montrait aucun goût. Oh! elle galopinait, elle montrait ce goût; mais, pour le reste, elle avait des mains de beurre.

— Moi, à votre place, dit Mme Lerat, j'en ferais une fleuriste. C'est un état propre et gentil.

— Les fleuristes, murmura Lorilleux, toutes des Marie-couche-toi-là.

— Eh bien! et moi? reprit la grande veuve, les lèvres pincées. Vous êtes galant. Vous savez, je ne suis pas une chienne, je ne me mets pas les pattes en l'air, quand on siffle!

Mais toute la société la fit taire.

— Madame Lerat, oh! madame Lerat!

Et on lui indiquait du coin de l'œil les deux premières communiantes qui se fourraient le nez dans leurs verres pour ne pas rire. Par convenance, les hommes eux-mêmes avaient choisi jusque-là les mots distingués. Mais Mme Lerat n'accepta pas la leçon. Ce qu'elle venait de dire, elle l'avait entendu dans les meilleures sociétés. D'ailleurs, elle se flattait de savoir sa langue; on lui faisait souvent compliment de la façon dont elle parlait de tout, même devant des enfants, sans jamais blesser la décence.

— Il y a des femmes très bien parmi les fleuristes, apprenez ça! criait-elle. Elles sont faites comme les autres femmes, elles n'ont pas de la peau partout, bien sûr. Seulement, elles se tiennent, elles choisissent avec goût, quand elles ont une faute à faire... Oui, ça leur vient des fleurs. Moi, c'est ce qui m'a conservée...

— Mon Dieu! interrompit Gervaise, je n'ai pas de répugnance pour les fleurs. Il faut que ça plaise à Nana, pas davantage; on ne doit pas contrarier les enfants sur la vocation... Voyons, Nana, ne fais pas la bête, réponds. Ça te plaît-il, les fleurs?

La petite, penchée au-dessus de son assiette, ramassait des miettes de gâteau avec son doigt mouillé, qu'elle suçait ensuite. Elle ne se dépêcha pas. Elle avait son rire vicieux.

— Mais oui, maman, ça me plaît, finit-elle par déclarer.

Alors, l'affaire fut tout de suite arrangée. Coupeau voulut bien que Mme Lerat emmenât l'enfant à son atelier, rue du Caire, dès le lendemain. Et la société parla gravement des devoirs de la vie. Boche disait que Nana et Pauline étaient des femmes, maintenant qu'elles avaient communié. Poisson ajoutait qu'elles devaient désormais savoir faire la cuisine, raccommoder les chaussettes, conduire une maison. On leur parla même de leur mariage et des enfants qui leur pousseraient un jour. Les gamines écoutaient et rigolaient en dessous, se frottaient l'une contre l'autre, le cœur gonflé d'être des femmes, rouges et embarrassées dans leurs robes blanches. Mais ce qui les chatouilla le plus, ce fut lorsque Lantier les plaisanta, en leur demandant si elles n'avaient pas déjà des petits maris. Et l'on fit avouer de force à Nana qu'elle aimait bien Victor Fauconnier, le fils de la patronne de sa mère.

— Ah bien! dit Mme Lorilleux devant les Boche, comme on partait, c'est notre filleule, mais du moment où ils en font une fleuriste, nous ne voulons plus entendre parler d'elle. Encore une roulure pour les boulevards... Elle leur chiera du poivre, avant six mois.

En remontant se coucher, les Coupeau convinrent que tout avait bien marché et que les Poisson n'étaient pas de méchantes gens. Gervaise trouvait même la boutique proprement arrangée. Elle s'attendait à souffrir, en passant ainsi la soirée dans son ancien logement, où d'autres se carraient à cette heure; et elle restait surprise de n'avoir pas ragé une seconde. Nana, qui se déshabillait, demanda à sa mère si la robe de la demoiselle du second, qu'on avait mariée le mois dernier, était en mousseline comme la sienne.

Mais ce fut là le dernier beau jour du ménage. Deux années s'écoulèrent, pendant lesquelles ils s'enfoncèrent de plus en plus. Les hivers surtout les nettoyaient. S'ils mangeaient du pain au beau temps, les fringales arrivaient avec la pluie et le froid, les danses devant le buffet, les dîners par cœur, dans la petite Sibérie de leur cambuse. Ce gredin de décembre entrait chez eux par-dessous la porte, et il apportait tous les maux, le chômage des ateliers, les fainéantises engourdies des gelées, la misère noire des temps humides. Le premier hiver, ils firent encore du feu quelquefois, se pelotonnant autour du poêle, aimant mieux avoir chaud que de manger; le second hiver, le poêle ne se dérouilla seulement pas, il glaçait la pièce de sa mine lugubre de borne de fonte. Et ce qui leur cassait les jambes, ce qui les exterminait, c'était par-dessus tout de payer leur terme. Oh! le terme de janvier, quand il n'y avait pas un radis à la maison et que le père Boche présentait la quittance! Ça soufflait davantage de froid, une tempête du Nord. M. Marescot arrivait, le samedi suivant, couvert d'un bon paletot, ses grandes pattes fourrées dans des gants de laine; et il avait toujours le mot d'expulsion à la bouche, pendant que la neige tombait dehors, comme si elle leur préparait un lit sur le trottoir, avec des draps blancs. Pour payer le terme, ils auraient vendu de leur chair. C'était le terme qui vidait le buffet et le poêle. Dans la maison entière, d'ailleurs, une lamentation montait. On pleurait à tous les étages, une musique de malheur ronflant le long de l'escalier et des corridors. Si chacun avait eu un mort chez lui, ça n'aurait pas produit un air d'orgues aussi abominable. Un vrai jour du jugement dernier, la fin des fins, la vie impossible, l'écrasement du pauvre monde. La femme du troisième allait faire huit jours au coin de la rue Belhomme. Un ouvrier, le maçon du cinquième, avait volé chez son patron.

Sans doute, les Coupeau devaient s'en prendre à eux seuls. L'existence a beau être dure, on s'en tire toujours, lorsqu'on a de l'ordre et de l'économie, témoin les Lorilleux qui allongeaient leurs termes régulièrement, pliés dans des morceaux de papier sales; mais, ceux-là, vraiment, menaient une vie d'araignées maigres à dégoûter du travail. Nana ne gagnait encore rien, dans les fleurs; elle dépensait même pas mal pour son entretien. Gervaise, chez Mme Fauconnier, finissait par être mal regardée. Elle perdait de plus en plus la main, elle bousillait l'ouvrage, au point que la patronne l'avait réduite à quarante sous, le prix des gâcheuses. Avec ça, très fière, très susceptible, jetant à la tête de tout le monde son ancienne position de femme établie. Elle manquait des journées, elle quittait l'atelier, par coup de tête; ainsi, une fois, elle s'était trouvée si vexée de voir Mme Fauconnier prendre Mme Putois chez elle, et de travailler ainsi coude à coude avec son ancienne ouvrière, qu'elle n'avait pas reparu de quinze jours. Après ces foucades, on la reprenait par charité, ce qui l'aigrissait davantage. Naturellement, au bout de la semaine, la paye n'était pas grasse; et, comme elle le disait amèrement, c'était elle qui finirait un samedi par en redevoir à la patronne. Quant à Coupeau, il travaillait peut-être, mais alors il faisait, pour sûr, cadeau de son travail au gouvernement; car Gervaise, depuis l'embauchage d'Étampes, n'avait pas revu la couleur de sa monnaie. Les jours de sainte-touche, elle ne lui regardait plus les mains, quand il rentrait. Il arrivait les bras ballants, les goussets vides, souvent même sans mouchoir; mon Dieu! oui, il avait perdu son tire-jus, ou bien quelque fripouille de camarade le lui avait fait. Les premières fois, il s'établissait les comptes, il inventait des craques [186], des dix francs pour une souscription, des vingt francs coulés de sa poche par un trou qu'il montrait, des cinquante francs dont il arrosait des dettes imaginaires. Puis, il ne s'était plus gêné. L'argent s'évaporait, voilà! Il ne l'avait plus dans la poche, il l'avait dans le ventre, une autre façon pas drôle de le rapporter à sa bourgeoise. La blanchisseuse, sur les conseils de Mme Boche, allait bien parfois guetter son homme à la sortie de l'atelier, pour pincer le magot tout frais pondu; mais ça ne l'avançait guère, des camarades prévenaient Coupeau, l'argent filait dans les souliers ou dans un porte-monnaie moins propre encore. Mme Boche était très maligne sur ce chapitre, parce que Boche lui faisait passer au bleu des pièces de dix francs, des cachettes destinées à payer des lapins aux dames aimables de sa connaissance; elle visitait les plus petits coins de ses vêtements, elle trouvait généralement la pièce qui manquait à l'appel dans la visière de la casquette, cousue entre le cuir et l'étoffe. Ah! ce n'était pas le zingueur qui ouatait ses frusques avec de l'or! Lui, se le mettait sous la chair. Gervaise ne pouvait pourtant pas prendre ses ciseaux et lui découdre la peau du ventre.

Oui, c'était la faute du ménage, s'il dégringolait de saison en saison. Mais ce sont des choses qu'on ne se dit jamais, surtout quand on est dans la crotte. Ils accusaient la malechance, ils prétendaient

que Dieu leur en voulait. Un vrai bousin [187], leur chez eux, à cette heure. La journée entière, ils s'empoignaient. Pourtant, ils ne se tapaient pas encore, à peine quelques claques parties toutes seules dans le fort des disputes. Le plus triste était qu'ils avaient ouvert la cage à l'amitié, les sentiments s'étaient envolés comme des serins. La bonne chaleur des pères, des mères et des enfants, lorsque ce petit monde se tient serré, en tas, se retirait d'eux, les laissait grelottants, chacun dans son coin. Tous les trois, Coupeau, Gervaise, Nana, restaient pareils à des crins, s'avalant pour un mot, avec de la haine plein les yeux; et il semblait que quelque chose avait cassé, le grand ressort de la famille, la mécanique, qui, chez les gens heureux, fait battre les cœurs ensemble. Ah! bien sûr, Gervaise n'était plus remuée comme autrefois, quand elle voyait Coupeau au bord des gouttières, à des douze et des quinze mètres du trottoir. Elle ne l'aurait pas poussé elle-même; mais s'il était tombé naturellement, ma foi! ça aurait débarrassé la surface de la terre d'un pas grand-chose. Les jours où le torchon brûlait, elle criait qu'on ne le lui rapporterait donc jamais sur une civière. Elle attendait ça, ce serait son bonheur qu'on lui rapporterait. A quoi servait-il, ce soûlard? à la faire pleurer, à lui manger tout, à la pousser au mal. Eh bien! des hommes si peu utiles, on les jetait le plus vite possible dans le trou, on dansait sur eux la polka de la délivrance. Et lorsque la mère disait : Tue! la fille répondait : Assomme! Nana lisait les accidents, dans le journal, avec des réflexions de fille éhontée. Son père avait une telle chance, qu'un omnibus l'avait renversé, sans seulement le dessoûler. Quand donc crèvera-t-il, cette rosse?

Au milieu de cette existence enragée par la misère, Gervaise souffrait encore des faims qu'elle entendait râler autour d'elle. Ce coin de la maison était le coin des pouilleux, où trois ou quatre ménages semblaient s'être donné le mot pour ne pas avoir du pain tous les jours. Les portes avaient beau s'ouvrir, elles ne lâchaient guère souvent des odeurs de cuisine. Le long du corridor, il y avait un silence de crevaison, et les murs sonnaient creux, comme des ventres vides. Par moments, des danses s'élevaient, des larmes de femmes, des plaintes de mioches affamés, des familles qui se mangeaient pour tromper leur estomac. On était là dans une crampe au gosier générale, bâillant par toutes ces bouches tendues; et les poitrines se creusaient, rien qu'à respirer cet air, où les moucherons eux-

186. « Menterie – dans l'argot des enfants et des faubouriens, qui ont vu jouer sans doute *le Monsieur de Crac dans son petit castel*, de Colin d'Harleville » (Delvau).

187. « Maison mal famée; cabaret borgne » (Delvau).

mêmes n'auraient pas pu vivre, faute de nourriture. Mais la grande pitié de Gervaise était surtout le père Bru, dans son trou, sous le petit escalier. Il s'y retirait comme une marmotte, s'y mettait en boule, pour avoir moins froid; il restait des journées sans bouger, sur un tas de paille. La faim ne le faisait même plus sortir, car c'était bien inutile d'aller gagner dehors de l'appétit, lorsque personne ne l'avait invité en ville. Quand il ne reparaissait pas de trois ou quatre jours, les voisins poussaient sa porte, regardaient s'il n'était pas fini. Non, il vivait quand même, pas beaucoup, mais un peu, d'un œil seulement; jusqu'à la mort qui l'oubliait! Gervaise, dès qu'elle avait du pain, lui jetait des croûtes. Si elle devenait mauvaise et détestait les hommes, à cause de son mari, elle plaignait toujours bien sincèrement les animaux; et le père Bru, ce pauvre vieux, qu'on laissait crever, parce qu'il ne pouvait plus tenir un outil, était comme un chien pour elle, une bête hors de service, dont les équarrisseurs ne voulaient même pas acheter la peau ni la graisse. Elle en gardait un poids sur le cœur, de le savoir continuellement là, de l'autre côté du corridor, abandonné de Dieu et des hommes, se nourrissant uniquement de lui-même, retournant à la taille d'un enfant, ratatiné et desséché à la manière des oranges qui se racornissent sur les cheminées.

La blanchisseuse souffrait également beaucoup du voisinage de Bazouge, le croque-mort. Une simple cloison, très mince, séparait les deux chambres. Il ne pouvait pas se mettre un doigt dans la bouche sans qu'elle l'entendît. Dès qu'il rentrait, le soir, elle suivait malgré elle son petit ménage, le chapeau de cuir noir sonnant sourdement sur la commode comme une pelletée de terre, le manteau noir accroché et frôlant le mur avec le bruit d'ailes d'un oiseau de nuit, toute la défroque noire jetée au milieu de la pièce et l'emplissant d'un déballage de deuil. Elle l'écoutait piétiner, s'inquiétait au moindre de ses mouvements, sursautait s'il se tapait dans un meuble ou s'il bousculait sa vaisselle. Ce sacré soûlard était sa préoccupation, une peur sourde mêlée à une envie de savoir. Lui, rigolo, le sac plein tous les jours, la tête sens devant dimanche, toussait, crachait, chantait la mère Godichon, lâchait des choses pas propres, se battait avec les quatre murailles avant de trouver son lit. Et elle restait toute pâle, à se demander quel négoce il menait là; elle avait des imaginations atroces, elle se fourrait dans la tête qu'il devait avoir apporté un mort et qu'il le remisait sous son lit. Mon Dieu! les journaux racontaient bien une anecdote, un employé des pompes funèbres qui collectionnait chez lui les cercueils des petits enfants, histoire de s'éviter de la peine et de faire une seule course au cimetière. Pour sûr, quand Bazouge arrivait, ça sentait le mort à travers la cloison. On se serait cru logé devant le Père-Lachaise, en plein royaume des taupes. Il était effrayant, cet animal, à rire continuellement tout seul, comme si sa profession l'égayait. Même, quand il avait fini son sabbat et qu'il tombait sur le dos, il ronflait d'une façon extraordinaire, qui coupait la respiration à la blanchisseuse. Pendant des heures, elle tendait l'oreille, elle croyait que des enterrements défilaient chez le voisin.

Oui, le pis était que, dans ses terreurs, Gervaise se trouvait attirée jusqu'à coller son oreille contre le mur, pour mieux se rendre compte. Bazouge lui faisait l'effet que les beaux hommes font aux femmes honnêtes : elles voudraient les tâter, mais elles n'osent pas; la bonne éducation les retient. Eh bien! si la peur ne l'avait pas retenue, Gervaise aurait voulu tâter la mort, voir comment c'était bâti. Elle devenait si drôle par moments, l'haleine suspendue, attentive, attendant le mot du secret dans un mouvement de Bazouge, que Coupeau lui demandait en ricanant si elle avait un béguin pour le croque-mort d'à-côté. Elle se fâchait, parlait de déménager, tant ce voisinage la répugnait; et, malgré elle, dès que le vieux arrivait avec son odeur de cimetière, elle retombait à ses réflexions, et prenait l'air allumé et craintif d'une épouse qui rêve de donner des coups de canif dans le contrat. Ne lui avait-il pas offert deux fois de l'emballer, de l'emmener avec lui quelque part, sur un dodo où la jouissance du sommeil est si forte, qu'on oublie du coup toutes les misères ? Peut-être était-ce en effet bien bon. Peu à peu, une tentation plus cuisante lui venait d'y goûter. Elle aurait voulu essayer pour quinze jours, un mois. Oh! dormir un mois, surtout en hiver, le mois du terme quand les embêtements de la vie la crevaient! Mais ce n'était pas possible, il fallait continuer de dormir toujours, si l'on commençait à dormir une heure; et, cette pensée la glaçait, son béguin de la mort s'en allait, devant l'éternelle et sévère amitié que demandait la terre.

Cependant, un soir de janvier, elle cogna des deux poings contre la cloison. Elle avait passé une semaine affreuse, bousculée par tout le monde, sans le sou, à bout de courage. Ce soir-là, elle n'était pas bien, elle grelottait la fièvre et voyait danser des flammes. Alors, au lieu de se jeter par la fenêtre, comme elle en avait eu l'envie un moment, elle se mit à taper et à appeler :

— Père Bazouge! père Bazouge!

Le croque-mort ôtait ses souliers en chantant : *Il était trois belles filles*. L'ouvrage avait dû marcher dans la journée, car il paraissait plus ému encore que d'habitude.

— Père Bazouge! père Bazouge! cria Gervaise en haussant la voix.

Il ne l'entendait donc pas ? Elle se donnait tout de suite, il pouvait bien la prendre à son cou et l'emporter où il l'emportait ses autres femmes, les pauvres et les riches qu'il consolait. Elle souffrait de sa chanson : *Il était trois belles filles*, parce qu'elle y voyait le dédain d'un homme qui a trop d'amoureuses.

— Quoi donc ? quoi donc ? bégaya Bazouge, qui est-ce qui se trouve mal ?... On y va, la petite mère!

Mais, à cette voix enrouée, Gervaise s'éveilla comme d'un cauchemar. Qu'avait-elle fait ? elle avait tapé à la cloison, bien sûr. Alors ce fut un vrai coup de bâton sur ses reins, le trac lui serra les fesses, elle recula en croyant voir les grosses mains du croque-mort passer au travers du mur pour la saisir par la tignasse. Non, non, elle ne voulait pas, elle n'était pas prête. Si elle avait frappé, ce devait être avec le coude, en se retournant, sans en avoir l'idée. Et une horreur lui montait des genoux aux épaules, à la pensée de se voir trimbaler entre les bras du vieux, toute raide, la figure blanche comme une assiette.

— Eh bien! il n'y a plus personne ? reprit Bazouge dans le silence. Attendez, on est complaisant pour les dames.

— Rien, ce n'est rien, dit enfin la blanchisseuse d'une voix étranglée. Je n'ai besoin de rien. Merci.

Pendant que le croque-mort s'endormait en grognant, elle demeura anxieuse, l'écoutant, n'osant remuer, de peur qu'il ne s'imaginât l'entendre frapper de nouveau. Elle se jurait bien de faire attention maintenant. Elle pouvait râler, elle ne demanderait pas du secours au voisin. Et elle disait cela pour se rassurer, car à certaines heures, malgré son taf [188], elle gardait toujours son béguin épouvanté.

Dans son coin de misère, au milieu de ses soucis et de ceux des autres, Gervaise trouvait pourtant un bel exemple de courage chez les Bijard. La petite Lalie, cette gamine de huit ans, grosse comme deux sous de beurre, soignait le ménage avec une propreté de grande personne; et la besogne était rude, elle avait la charge de deux mioches, son frère Jules et sa sœur Henriette, des mômes de trois ans et de

cinq ans, sur lesquels elle devait veiller toute la journée, même en balayant et en lavant la vaisselle. Depuis que le père Bijard avait tué sa bourgeoise d'un coup de pied dans le ventre, Lalie s'était faite la petite mère de tout ce monde. Sans rien dire, d'elle-même, elle tenait la place de la morte, cela au point que sa bête brute de père, pour compléter sans doute la ressemblance, assommait aujourd'hui la fille comme il avait assommé la maman autrefois. Quand il revenait soûl, il lui fallait des femmes à massacrer. Il ne s'apercevait seulement pas que Lalie était toute petite; il n'aurait pas tapé plus fort sur une vieille peau. D'une claque, il lui couvrait la figure entière, et la chair avait encore tant de délicatesse, que les cinq doigts restaient marqués pendant deux jours. C'étaient des tripotées indignes, des trépignées pour un oui, pour un non, un loup enragé tombant sur un pauvre petit chat, craintif et câlin, maigre à faire pleurer, et qui recevait ça avec ses beaux yeux résignés, sans se plaindre. Non, jamais Lalie ne se révoltait. Elle pliait un peu le cou, pour protéger son visage; elle se retenait de crier, afin de ne pas révolutionner la maison. Puis, quand le père était las de l'envoyer promener à coups de soulier aux quatre coins de la pièce, elle attendait d'avoir la force de se ramasser; et elle se remettait au travail, débarbouillait ses enfants, faisait la soupe, ne laissait pas un grain de poussière sur les meubles. Ça rentrait dans sa tâche de tous les jours d'être battue.

Gervaise s'était prise d'une grande amitié pour sa voisine. Elle la traitait en égale, en femme d'âge, qui connaît l'existence. Il faut dire que Lalie avait une mine pâle et sérieuse, avec une expression de vieille fille. On lui aurait donné trente ans, quand on l'entendait causer. Elle savait très bien acheter, raccommoder, tenir son chez elle, et elle parlait des enfants comme si elle avait eu déjà deux ou trois couches dans sa vie. A huit ans, cela faisait sourire les gens de l'entendre; puis, on avait la gorge serrée, on s'en allait pour ne pas pleurer. Gervaise l'attirait le plus possible, lui donnait ce qu'elle pouvait, du manger, des vieilles robes. Un jour, comme elle lui essayait un ancien caraco à Nana, elle était restée suffoquée, en lui voyant l'échine bleue, le coude écorché et saignant encore, toute sa chair d'innocente martyrisée et collée aux os. Eh bien! le père Bazouge pouvait apprêter sa boîte, elle n'irait pas loin de ce train-là! Mais la petite avait prié la blanchisseuse de ne rien dire. Elle ne voulait pas qu'on embêtât son père à cause d'elle. Elle le défendait, assurait qu'il n'aurait pas été méchant, s'il n'avait pas bu. Il était fou, il ne

---

188. « Peur – dans l'argot des voleurs » (Delvau).

savait plus. Oh! elle lui pardonnait, parce qu'on doit tout pardonner aux fous.

Depuis lors, Gervaise veillait, tâchait d'intervenir, dès qu'elle entendait le père Bijard monter l'escalier. Mais, la plupart du temps, elle attrapait simplement quelque torgnole pour sa part. Dans la journée, quand elle entrait, elle trouvait souvent Lalie attachée au pied du lit de fer; une idée du serrurier, qui, avant de sortir, lui ficelait les jambes et le ventre avec de la grosse corde, sans qu'on pût savoir pourquoi; une toquade de cerveau dérangé par la boisson, histoire sans doute de tyranniser la petite, même lorsqu'il n'était plus là. Lalie, raide comme un pieu, avec des fourmis dans les jambes, restait au poteau pendant des journées entières; même elle y resta une nuit, Bijard ayant oublié de rentrer. Quand Gervaise, indignée, parlait de la détacher, elle la suppliait de ne pas déranger une corde, parce que son père devenait furieux, s'il ne retrouvait pas les nœuds faits de la même façon. Vrai, elle n'était pas mal, ça la reposait; et elle disait cela en souriant, ses courtes jambes de chérubin enflées et mortes. Ce qui la chagrinait, c'était que ça n'avançait guère l'ouvrage, d'être collée à ce lit, en face de la débandade du ménage. Son père aurait bien dû inventer autre chose. Elle surveillait tout de même ses enfants, se faisait obéir, appelait près d'elle Henriette et Jules pour les moucher. Comme elle avait les mains libres, elle tricotait en attendant d'être délivrée, afin de ne pas perdre complètement son temps. Et elle souffrait surtout, lorsque Bijard la déficelait; elle se traînait un bon quart d'heure par terre, ne pouvant se tenir debout, à cause du sang qui ne circulait plus.

Le serrurier avait aussi imaginé un autre petit jeu. Il mettait des sous à rougir dans le poêle, puis les posait sur un coin de la cheminée. Et il appelait Lalie, il lui disait d'aller chercher deux livres de pain. La petite, sans défiance, empoignait les sous, poussait un cri, les jetait en secouant sa menotte brûlée. Alors, il entrait en rage. Qui est-ce qui lui avait fichu une voirie [189] pareille! Elle perdait l'argent, maintenant! Et il menaçait de lui enlever le troufignon, si elle ne ramassait pas l'argent tout de suite. Quand la petite hésitait, elle recevait un premier avertissement, une beigne d'une telle force qu'elle en voyait trente-six chandelles. Muette, avec deux grosses larmes au bord des yeux, elle ramassait les sous et s'en allait, en les faisant sauter dans le creux de sa main, pour les refroidir.

Non, jamais on ne se douterait des idées de féro-

189. Femme de mauvaise vie. Au propre : dépotoir aux ordures.

cité qui peuvent pousser au fond d'une cervelle de pochard. Une après-midi, par exemple, Lalie, après avoir tout rangé, jouait avec ses enfants. La fenêtre était ouverte, il y avait un courant d'air, et le vent engouffré dans le corridor poussait la porte par légères secousses.

— C'est monsieur Hardi, disait la petite. Entrez donc, monsieur Hardi. Donnez-vous donc la peine d'entrer.

Et elle faisait des révérences devant la porte, elle saluait le vent. Henriette et Jules, derrière elle, saluaient aussi, ravis de ce jeu-là, se tordant de rire comme si on les avait chatouillés. Elle était toute rose de les voir s'amuser de si bon cœur, elle y prenait même du plaisir pour son compte, ce qui lui arrivait le trente-six de chaque mois.

— Bonjour, monsieur Hardi. Comment vous portez-vous, monsieur Hardi ?

Mais une main brutale poussa la porte, le père Bijard entra. Alors, la scène changea, Henriette et Jules tombèrent sur leur derrière, contre le mur, tandis que Lalie, terrifiée, restait au beau milieu d'une révérence. Le serrurier tenait un grand fouet de charretier tout neuf, à long manche de bois blanc, à lanière de cuir terminée par un bout de ficelle mince. Il posa ce fouet dans le coin du lit, il n'allongea pas son coup de soulier habituel à la petite, qui se garait déjà en présentant les reins. Un ricanement montrait ses dents noires, et il était très gai, très soûl, la trogne allumée d'une idée de rigolade.

— Hein ? dit-il, tu fais la traînée, bougre de trognon! Je t'ai entendue danser d'en bas... Allons, avance! Plus près, nom de Dieu! et en face; je n'ai pas besoin de renifler ton moutardier. Est-ce que je te touche, pour trembler comme un quiqui ?... Ôte-moi mes souliers.

Lalie, épouvantée de ne pas recevoir sa tatouille, redevenue toute pâle, lui ôta ses souliers. Il était assis au bord du lit, il se coucha habillé, resta les yeux ouverts, à suivre les mouvements de la petite dans la pièce. Elle tournait, abêtie sous ce regard, les membres travaillés peu à peu d'une telle peur, qu'elle finit par casser une tasse. Alors, sans se déranger, il prit le fouet, il le lui montra.

— Dis donc, le petit veau, regarde ça; c'est un cadeau pour toi. Oui, c'est encore cinquante sous que tu me coûtes... Avec ce joujou-là, je ne serai plus obligé de courir, et tu auras beau te fourrer dans les coins. Veux-tu essayer ?... Ah! tu casses les tasses!... Allons, houp! danse donc, fais donc des révérences à monsieur Hardi!

Il ne se souleva seulement pas, vautré sur le dos,

la tête enfoncée dans l'oreiller, faisant claquer le grand fouet par la chambre, avec un vacarme de postillon qui lance ses chevaux. Puis, abattant le bras, il cingla Lalie au milieu du corps, l'enroula, la déroula comme une toupie. Elle tomba, voulut se sauver à quatre pattes ; mais il la cingla de nouveau et la remit debout.

— Hop ! hop ! gueulait-il, c'est la course des bourriques !... Hein ? très chouette, le matin, en hiver ; je fais dodo, je ne m'enrhume pas, j'attrape les veaux de loin, sans écorcher mes engelures... Dans ce coin là, touchée, margot ! Et dans cet autre coin, touchée aussi ! Et dans cet autre, touchée encore ! Ah ! si tu te fourres sous le lit, je cogne avec le manche... Hop ! hop ! à dada ! à dada !

Une légère écume lui venait aux lèvres, ses yeux jaunes sortaient de leurs trous noirs. Lalie, affolée, hurlante, sautait aux quatre angles de la pièce, se pelotonnait par terre, se collait contre les murs ; mais la mèche mince du grand fouet l'atteignait partout, claquant à ses oreilles avec des bruits de pétard, lui pinçant la chair de longues brûlures. Une vraie danse de bête à qui on apprend des tours. Ce pauvre petit chat valsait, fallait voir ! les talons en l'air comme les gamines qui jouent à la corde et qui crient : Vinaigre ! Elle ne pouvait plus souffler, rebondissant d'elle-même ainsi qu'une balle élastique, se laissant taper, aveuglée, lasse d'avoir cherché un trou. Et son loup de père triomphait, l'appelait vadrouille [190], lui demandait si elle en avait assez et si elle comprenait suffisamment qu'elle devait lâcher l'espoir de lui échapper, à cette heure.

Mais Gervaise, tout d'un coup, entra, attirée par les hurlements de la petite. Devant un pareil tableau, elle fut prise d'une indignation furieuse.

— Ah ! la saleté d'homme ! cria-t-elle. Voulez-vous bien la laisser, brigand ! Je vais vous dénoncer à la police, moi !

Bijard eut un grognement d'animal qu'on dérange. Il bégaya :

— Dites donc, vous, la Tortillard ! mêlez-vous un peu de vos affaires. Il faut peut-être que je mette des gants pour la trifouiller... C'est à la seule fin de l'avertir, vous voyez bien, histoire simplement de lui montrer que j'ai le bras long.

Et il lança un dernier coup de fouet qui atteignit Lalie au visage. La lèvre supérieure fut fendue, le sang coula. Gervaise avait pris une chaise, voulait tomber sur le serrurier. Mais la petite tendait vers elle des mains suppliantes, disait que ce n'était rien,

que c'était fini. Elle épongeait le sang avec le coin de son tablier, et faisait taire ses enfants qui pleuraient à gros sanglots, comme s'ils avaient reçu la dégelée de coups de fouet.

Lorsque Gervaise songeait à Lalie, elle n'osait plus se plaindre. Elle aurait voulu avoir le courage de cette bambine de huit ans, qui en endurait à elle seule autant que toutes les femmes de l'escalier réunies. Elle l'avait vue au pain sec pendant trois mois, ne mangeant pas même des croûtes à sa faim, si maigre et si affaiblie, qu'elle se tenait aux murs pour marcher ; et, quand elle lui portait des restants de viande en cachette, elle sentait son cœur se fendre, en la regardant avaler avec de grosses larmes silencieuses, par petits morceaux, parce que son gosier rétréci ne laissait plus passer la nourriture. Toujours tendre et dévouée malgré ça, d'une raison au-dessus de son âge, remplissant ses devoirs de petite mère, jusqu'à mourir de sa maternité, éveillée trop tôt dans son innocence frêle de gamine. Aussi Gervaise prenait-elle exemple sur cette chère créature de souffrance et de pardon, essayant d'apprendre d'elle à taire son martyre. Lalie gardait seulement son regard muet, ses grands yeux noirs résignés, au fond desquels on ne devinait qu'une nuit d'agonie et de misère. Jamais une parole, rien que ses grands yeux noirs, ouverts largement.

C'est que, dans le ménage des Coupeau, le vitriol de l'Assommoir commençait à faire aussi son ravage. La blanchisseuse voyait arriver l'heure où son homme prendrait un fouet comme Bijard, pour mener la danse. Et le malheur qui la menaçait, la rendait naturellement plus sensible encore au malheur de la petite. Oui, Coupeau filait un mauvais coton. L'heure était passée où le cric lui donnait des couleurs. Il ne pouvait plus se taper sur le torse, et crâner, en disant que le sacré chien l'engraissait ; car sa vilaine graisse jaune des premières années avait fondu, et il tournait au sécot, il se plombait, avec des tons verts de macchabée pourrissant dans une mare. L'appétit, lui aussi, était rasé. Peu à peu, il n'avait plus eu de goût pour le pain, il en était de même arrivé à cracher sur le fricot. On aurait pu lui servir la ratatouille la mieux accommodée, son estomac se barrait, ses dents molles refusaient de mâcher. Pour se soutenir, il lui fallait sa chopine d'eau-de-vie par jour ; c'était sa ration, son manger et son boire, la seule nourriture qu'il digérât. Le matin, dès qu'il sautait du lit, il restait un gros quart d'heure plié en deux, toussant et claquant des os, se tenant la tête et lâchant de la pituite, quelque chose d'amer comme chicotin qui lui ramonait la gorge. Ça ne manquait jamais, on pouvait apprêter

190. « Drôlesse, fille ou femme de peu » (Delvau).

Thomas [191] à l'avance. Il ne retombait d'aplomb sur ses pattes qu'après son premier verre de consolation, un vrai remède dont le feu lui cautérisait les boyaux. Mais, dans la journée, les forces reprenaient. D'abord, il avait senti des chatouilles, des picotements sur la peau, aux pieds et aux mains; et il rigolait, il racontait qu'on lui faisait des minettes, que sa bourgeoise devait mettre du poil à gratter entre les draps. Puis, ses jambes étaient devenues lourdes, les chatouilles avaient fini par se changer en crampes abominables qui lui pinçaient la viande comme dans un étau. Ça, par exemple, lui semblait moins drôle. Il ne riait plus, s'arrêtait court sur le trottoir, étourdi, les oreilles bourdonnantes, les yeux aveuglés d'étincelles. Tout lui paraissait jaune, les maisons dansaient, il festonnait trois secondes, avec la peur de s'étaler. D'autres fois, l'échine au grand soleil, il avait un frisson, comme une eau glacée qui lui aurait coulé des épaules au derrière. Ce qui l'enquiquinait le plus, c'était un tremblement de ses deux mains; la main droite surtout devait avoir commis un mauvais coup, tant elle avait des cauchemars. Nom de Dieu! il n'était donc plus un homme, il tournait à la vieille femme! Il tendait furieusement ses muscles, il empoignait son verre, pariait de le tenir immobile, comme au bout d'une main de marbre; mais, le verre, malgré son effort, dansait le chahut, sautait à droite, sautait à gauche, avec un petit tremblement pressé et régulier. Alors, il se le vidait dans le coco, furieux, gueulant qu'il lui en faudrait des douzaines et qu'ensuite il se chargeait de porter un tonneau sans remuer un doigt. Gervaise lui disait au contraire de ne plus boire, s'il voulait cesser de trembler. Et il se fichait d'elle, il buvait des litres à recommencer l'expérience, s'enrageant, accusant les omnibus qui passaient de lui bousculer son liquide.

Au mois de mars, Coupeau rentra un soir trempé jusqu'aux os; il revenait avec Mes-Bottes de Montrouge, où ils s'étaient flanqué une ventrée de soupe à l'anguille; et il avait reçu une averse, de la barrière des Fourneaux à la barrière Poissonnière, un fier ruban de queue [192]. Dans la nuit, il fut pris d'une sacrée toux; il était très rouge, galopé par une fièvre de cheval, battant des flancs comme un soufflet crevé. Quand le médecin des Boche l'eut vu le matin et qu'il lui eut écouté dans le dos, il branla la tête, il prit Gervaise à part pour lui conseiller de faire

porter tout de suite son mari à l'hôpital. Coupeau avait une fluxion de poitrine.

Et Gervaise ne se fâcha pas, bien sûr. Autrefois, elle se serait plutôt fait hacher que de confier son homme aux carabins. Lors de l'accident, rue de la Nation, elle avait mangé leur magot, pour le dorloter. Mais ces beaux sentiments-là n'ont qu'un temps, lorsque les hommes tombent dans la crapule. Non, non, elle n'entendait plus se donner un pareil tintouin. On pouvait le lui prendre et ne jamais le rapporter, elle dirait un grand merci. Pourtant, quand le brancard arriva et qu'on chargea Coupeau comme un meuble, elle devint toute pâle, les lèvres pincées; et si elle rognonnait et trouvait toujours que c'était bien fait, son cœur n'y était plus, elle aurait voulu avoir seulement dix francs dans sa commode, pour ne pas le laisser partir. Elle l'accompagna à Lariboisière, regarda les infirmiers le coucher, au bout d'une grande salle, où les malades à la file, avec des mines de trépassés, se soulevaient et suivaient des yeux le camarade qu'on amenait; une jolie crevaison là-dedans, une odeur de fièvre à suffoquer et une musique de poitrinaire à vous faire cracher vos poumons; sans compter que la salle avait l'air d'un petit Père-Lachaise, bordée de lits tout blancs, une vraie allée de tombeaux. Puis, comme il restait aplati sur son oreiller, elle fila, ne trouvant pas un mot, n'ayant malheureusement rien dans la poche pour le soulager. Dehors, en en face de l'hôpital, elle se retourna, elle jeta un coup d'œil sur le monument. Et elle pensait aux jours d'autrefois, lorsque Coupeau, perché au bord des gouttières, posait là-haut ses plaques de zinc, en chantant dans le soleil. Il ne buvait pas alors, il avait une peau de fille. Elle, de sa fenêtre de l'hôtel Boncœur, le cherchait, l'apercevait au beau milieu du ciel; et tous les deux agitaient des mouchoirs, s'envoyaient des risettes par le télégraphe. Oui, Coupeau avait travaillé là-haut, en ne se doutant guère qu'il travaillait pour lui. Maintenant, il n'était plus sur les toits, pareil à un moineau rigoleur et putassier; il était dessous, il avait bâti sa niche à l'hôpital, et il y venait crever, la couenne râpeuse. Mon Dieu, que le temps des amours semblait loin, aujourd'hui!

Le surlendemain, lorsque Gervaise se présenta pour avoir des nouvelles, elle trouva le lit vide. Une sœur lui expliqua qu'on avait dû transporter son mari à l'asile Sainte-Anne, parce que, la veille, il avait tout d'un coup battu la campagne. Oh! un déménagement complet, des idées de se casser la tête contre le mur, des hurlements qui empêchaient les autres malades de dormir. Ça venait de la bois-

---

191. « Pot qu'en chambre on demande – dans l'argot du peuple » (Delvau). Il est à noter que, pendant l'affaire Dreyfus, cet ustensile, rapporte François Mauriac, était appelé un *Zola* dans les milieux anti-dreyfusards.

192. « Long chemin, route qui n'en finit pas » (Delvau).

son, paraissait-il. La boisson, qui couvait dans son corps, avait profité, pour lui attaquer et lui tordre les nerfs, de l'instant où la fluxion de poitrine le tenait sans forces sur le dos. La blanchisseuse rentra bouleversée. Son homme était fou à cette heure! La vie allait devenir drôle, si on le lâchait. Nana criait qu'il fallait le laisser à l'hôpital, parce qu'il finirait par les massacrer toutes les deux.

Le dimanche seulement, Gervaise put se rendre à Sainte-Anne. C'était un vrai voyage. Heureusement, l'omnibus du boulevard Rochechouart à la Glacière passait près de l'asile. Elle descendit rue de la Santé, elle acheta deux oranges pour ne pas entrer les mains vides. Encore un monument, avec des cours grises, des corridors interminables, une odeur de vieux remèdes rances, qui n'inspirait pas précisément la gaieté. Mais, quand on l'eut fait entrer dans une cellule, elle fut toute surprise de voir Coupeau presque gaillard. Il était justement sur le trône, une caisse de bois très propre, qui ne répandait pas la moindre odeur; et ils rirent de ce qu'elle le trouvait en fonction, son trou de balle au grand air. N'est-ce pas? on sait bien ce que c'est qu'un malade. Il se carrait là-dessus comme un pape, avec son bagou d'autrefois. Oh! il allait mieux, puisque ça reprenait son cours.

— Et la fluxion? demanda la blanchisseuse.

— Emballée! répondit-il. Ils m'ont retiré ça avec la main. Je tousse encore un peu, mais c'est la fin du ramonage.

Puis, au moment de quitter le trône pour se refourrer dans son lit, il rigola de nouveau.

— T'as le nez solide, t'as pas peur de prendre une prise, toi!

Et ils s'égayèrent davantage. Au fond, ils avaient de la joie. C'était par manière de se témoigner leur contentement, sans faire de phrases, qu'ils plaisantaient ainsi ensemble sur la plus fine. Il faut avoir eu des malades pour connaître le plaisir qu'on éprouve à les revoir bien travailler de tous les côtés.

Quand il fut dans son lit, elle lui donna les deux oranges, ce qui lui causa un attendrissement. Il redevenait gentil, depuis qu'il buvait de la tisane et qu'il ne pouvait plus laisser son cœur sur les comptoirs des mastroquets. Elle finit par oser lui parler de son coup de marteau, surprise de l'entendre raisonner comme au bon temps.

— Ah! oui, dit-il en se blaguant lui-même, j'ai joliment rabâché!... Imagine-toi, je voyais des rats, je courais à quatre pattes pour leur mettre un grain de sel sous la queue. Et toi, tu m'appelais, des hommes voulaient t'y faire passer. Enfin, toutes

sortes de bêtises, des revenants en plein jour... Oh! je me souviens très bien, la caboche est encore solide... A présent, c'est fini, je rêvasse en m'endormant, j'ai des cauchemars, mais tout le monde a des cauchemars.

Gervaise resta près de lui jusqu'au soir. Quand l'interne vint, à la visite de six heures, il lui fit étendre les mains; elles ne tremblaient presque plus, à peine un frisson qui agitait le bout des doigts. Cependant, comme la nuit tombait, Coupeau fut peu à peu pris d'une inquiétude. Il se leva deux fois sur son séant, regardant par terre, dans les coins d'ombre de la pièce. Brusquement, il allongea le bras et parut écraser une bête contre le mur.

— Qu'est-ce donc? demanda Gervaise, effrayée.

— Les rats, les rats, murmura-t-il.

Puis, après un silence, glissant au sommeil, il se débattit, en lâchant des mots entrecoupés.

— Nom de Dieu! ils me trouent la pelure!... Oh! les sales bêtes!... Tiens bon! serre tes jupes! méfie-toi du salopiaud, derrière toi!... Sacré tonnerre, la voilà culbutée, et ces mufes qui rigolent!... Tas de mufes! tas de fripouilles! tas de brigands!

Il lançait des claques dans le vide, tirait sa couverture, la roulait en tapon contre sa poitrine, comme pour la protéger contre les violences des hommes barbus qu'il voyait. Alors, un gardien étant accouru, Gervaise se retira, toute glacée par cette scène. Mais, lorsqu'elle revint, quelques jours plus tard, elle trouva Coupeau complètement guéri. Les cauchemars eux-mêmes s'en étaient allés; il avait un sommeil d'enfant, il dormait ses dix heures sans bouger un membre. Aussi permit-on à sa femme de l'emmener. Seulement, l'interne lui dit à la sortie les bonnes paroles d'usage, en lui conseillant de les méditer. S'il recommençait à boire, il retomberait et finirait par y laisser sa peau. Oui ça dépendait uniquement de lui. Il avait vu comme on redevenait gaillard et gentil, quand on ne se soûlait pas. Eh bien! il devait continuer à la maison sa vie sage de Sainte-Anne, s'imaginer qu'il était sous clef et que les marchands de vin n'existaient plus.

— Il a raison, ce monsieur, dit Gervaise dans l'omnibus qui les ramenait rue de la Goutte-d'Or.

— Sans doute qu'il a raison, répondit Coupeau.

Puis, après avoir songé une minute, il reprit:

— Oh! tu sais, un petit verre par-ci par-là, ça ne peut pourtant pas tuer un homme, ça fait digérer.

Et, le soir même, il but un petit verre de cric, pour la digestion. Pendant huit jours, il se montra cependant assez raisonnable. Il était très tracqueur [193] au fond, il ne se souciait pas de finir à Bicêtre. Mais, sa passion l'emportait, le premier petit verre le conduisait malgré lui à un deuxième, à un troisième, à un quatrième; et, dès la fin de la quinzaine, il avait repris sa ration ordinaire, sa chopine de tord-boyaux par jour. Gervaise, exaspérée, aurait cogné. Dire qu'elle était assez bête pour avoir rêvé de nouveau une vie honnête, quand elle l'avait vu dans tout son bon sens à l'asile! Encore une heure de joie envolée, la dernière bien sûr! Oh! maintenant, puisque rien ne pouvait le corriger, pas même la peur de sa crevaison prochaine, elle jurait de ne plus se gêner; le ménage irait à la six-quatre-deux, elle s'en battait l'œil; et elle parlait de prendre, elle aussi, du plaisir où elle en trouverait. Alors, l'enfer recommença, une vie enfoncée davantage dans la crotte, sans coin d'espoir ouvert sur une meilleure saison. Nana, quand son père l'avait giflée, demandait furieusement pourquoi cette rosse n'était pas restée à l'hôpital. Elle attendait de gagner de l'argent, disait-elle, pour lui payer de l'eau-de-vie et le faire crever plus vite. Gervaise, de son côté, un jour que Coupeau regrettait leur mariage, s'emporta. Ah! elle lui avait apporté la resucée des autres, ah! elle s'était fait ramasser sur le trottoir, en l'enjôlant par ses mines de rosière! Nom d'un chien! il ne manquait pas d'aplomb! Autant de paroles, autant de menteries. Elle ne voulait pas de lui, voilà la vérité. Il se traînait à ses pieds pour la décider, pendant qu'elle lui conseillait de bien réfléchir. Et si c'était à refaire, comme elle dirait non! elle se laisserait plutôt couper un bras. Oui, elle avait vu la lune, avant lui; mais une femme qui a vu la lune et qui est travailleuse, vaut mieux qu'un feignant d'homme qui salit son honneur et celui de sa famille dans tous les mannezingues. Ce jour-là, pour la première fois, chez les Coupeau, on se flanqua une volée en règle, on se tapa même si dur, qu'un vieux parapluie et le balai furent cassés.

Et Gervaise tint parole. Elle s'avachit encore; elle manquait l'atelier plus souvent, jacassait des journées entières, devenait molle comme une chiffe à la besogne. Quand une chose lui tombait des mains, ça pouvait bien rester par terre, ce n'était pas elle qui se serait baissée pour la ramasser. Les côtes lui poussaient en long. Elle voulait sauver son lard. Elle en prenait à son aise et ne donnait plus un coup de balai que lorsque les ordures manquaient de la faire tomber. Les Lorilleux, maintenant, affectaient de se boucher le nez, en passant devant sa chambre; une vraie poison, disaient-ils. Eux, vivaient en sournois, au fond du corridor, se garant de toutes ces misères qui piaulaient dans ce coin de la maison, s'enfermant pour ne pas avoir à prêter des pièces de vingt sous. Oh! des bons cœurs, des voisins joliment obligeants! oui, c'était le chat! On n'avait qu'à frapper et à demander du feu, ou une pincée de sel, ou une carafe d'eau, on était sûr de recevoir tout de suite la porte sur le nez. Avec ça, des langues de vipère. Ils criaient qu'ils ne s'occupaient jamais des autres, quand il était question de secourir leur prochain; mais ils s'en occupaient du matin au soir, dès qu'il s'agissait de mordre le monde à belles dents. Le verrou poussé, une couverture accrochée pour boucher les fentes et le trou de la serrure, ils se régalaient de potins, sans quitter leurs fils d'or une seconde. La dégringolade de la Banban surtout les faisait ronronner la journée entière, comme des matous qu'on caresse. Quelle dèche, quel décatissage, mes amis! Ils la guettaient aller aux provisions et rigolaient du tout petit morceau de pain qu'elle rapportait sous son tablier. Ils calculaient les jours où elle dansait devant le buffet. Ils savaient, chez elle, l'épaisseur de la poussière, le nombre d'assiettes sales laissées en plan, chacun des abandons croissants de la misère et de la paresse. Et ses toilettes donc, des guenilles dégoûtantes qu'une chiffonnière n'aurait pas ramassées! Dieu de Dieu! il pleuvait drôlement sur sa mercerie, à cette belle blonde, cette cato [194] qui tortillait tant son derrière, autrefois, dans sa belle boutique bleue. Voilà où menaient l'amour de la fripe [195], les lichades et les gueuletons. Gervaise, qui se doutait de la façon dont ils l'arrangeaient, ôtait ses souliers, collait son oreille contre leur porte; mais la couverture l'empêchait d'entendre. Elle les surprit seulement un jour en train de l'appeler « la grand-tétasse », parce que sans doute son devant de gilet était un peu fort, malgré la mauvaise nourriture qui lui vidait la peau. D'ailleurs, elle les avait quelque part; elle continuait à leur parler, pour éviter les commentaires, n'attendant de ces salauds que des avanies, mais n'ayant même plus la force de leur répondre et de les lâcher là comme un paquet de sottises. Et puis, zut! elle demandait son plaisir, rester en

---

193. « Poltron » (Delvau).

194. Denis Poulot écrit ainsi le mot et le définit : « Prostituée de bas étage. » Delvau l'écrit Cathau et donne cette plaisante définition : « Fille qui n'a pas voulu coiffer sainte Catherine et s'est mariée avec le général Macadam. » Dans certaines campagnes de l'ouest de la France on appelle ainsi de vieilles poupées défraîchies.

195. « Action de manger ou de cuisiner – dans l'argot du peuple. Signifie aussi : dépense, écot de chacun » (Delvau).

tas, tourner ses pouces, bouger quand il s'agissait de prendre du bon temps, pas davantage.

Un samedi, Coupeau lui avait promis de la mener au cirque. Voir des dames galoper sur des chevaux et sauter dans des ronds de papier, voilà au moins qui valait la peine de se déranger. Coupeau justement venait de faire une quinzaine, il pouvait se fendre de quarante sous; et même ils devaient manger tous les deux dehors, Nana ayant à veiller très tard ce soir-là chez son patron pour une commande pressée. Mais, à sept heures, pas de Coupeau; à huit heures, toujours personne, Gervaise était furieuse. Son soûlard fricassait pour sûr la quinzaine avec les camarades, chez les marchands de vin du quartier. Elle avait lavé un bonnet, et s'escrimait, depuis le matin, sur les trous d'une vieille robe, voulant être présentable. Enfin, vers neuf heures, l'estomac vide, bleue de colère, elle se décida à descendre, pour chercher Coupeau dans les environs.

— C'est votre mari que vous demandez? lui cria Mme Boche, en l'apercevant la figure à l'envers. Il est chez le père Colombe. Boche vient de prendre des cerises avec lui.

Elle dit merci. Elle fila raide sur le trottoir, en roulant l'idée de sauter aux yeux de Coupeau. Une petite pluie fine tombait, ce qui rendait la promenade encore moins amusante. Mais, quand elle fut arrivée devant l'Assommoir, la peur de la danser elle-même, si elle taquinait son homme, la calma brusquement et la rendit prudente. La boutique flambait, son gaz allumé, les glaces blanches comme des soleils, les fioles et les bocaux illuminant les murs de leurs verres de couleur. Elle resta là un instant, l'échine tendue, l'œil appliqué contre la vitre, entre deux bouteilles de l'étalage, à guigner Coupeau, dans le fond de la salle; il était assis avec des camarades, autour d'une petite table de zinc, tous vagues et bleus par la fumée des pipes; et, comme on ne les entendait pas gueuler, ça faisait un drôle d'effet de les voir se démancher, le menton en avant, les yeux sortis de la figure. Était-il Dieu possible que des hommes pussent lâcher leurs femmes et leur chez eux pour s'enfermer ainsi dans un trou où ils s'étouffaient! La pluie lui dégouttait le long du cou; elle se releva, elle s'en alla sur le boulevard extérieur, réfléchissant, n'osant pas entrer. Ah bien! Coupeau l'aurait joliment reçue, lui qui ne voulait pas être relancé! Puis, vrai, ça ne lui semblait guère la place d'une femme honnête. Cependant, sous les arbres trempés, un léger frisson la prenait, et elle songeait, hésitante encore, qu'elle était pour sûr en train de pincer quelque

bonne maladie. Deux fois, elle retourna se planter devant la vitre, son œil collé de nouveau, vexée de retrouver ces sacrés pochards à couvert, toujours gueulant et buvant. Le coup de lumière de l'Assommoir se reflétait dans les flaques des pavés, où la pluie mettait un frémissement de petits bouillons. Elle se sauvait, elle pataugeait là-dedans, dès que la porte s'ouvrait et retombait, avec le claquement de ses bandes de cuivre. Enfin, elle s'appela trop bête, elle poussa la porte et marcha droit à la table de Coupeau. Après tout, n'est-ce pas? c'était son mari qu'elle venait demander; et elle y était autorisée, puisqu'il avait promis, ce soir-là, de la mener au cirque. Tant pis! elle n'avait pas envie de fondre comme un pain de savon, sur le trottoir.

— Tiens! c'est toi, la vieille! cria le zingueur, qu'un ricanement étranglait. Ah! elle est farce, par exemple!... Hein? pas vrai, elle est farce!

Tous riaient, Mes-Bottes, Bibi-la-Grillade, Bec-Salé, dit Boit-sans-Soif. Oui, ça leur semblait farce; et ils n'expliquaient pas pourquoi. Gervaise restait debout, un peu étourdie. Coupeau lui paraissant très gentil, elle se risqua à dire:

— Tu sais, nous allons là-bas. Faut nous cavaler. Nous arriverons encore à temps pour voir quelque chose.

— Je ne peux pas me lever, je suis collé, oh! sans blague, reprit Coupeau qui rigolait toujours. Essaye, pour te renseigner; tire-moi le bras, de toutes tes forces, nom de Dieu! plus fort que ça, ohé, hisse!... Tu vois, c'est ce roussin de père Colombe qui m'a vissé sur sa banquette.

Gervaise s'était prêtée à ce jeu; et, quand elle lui lâcha le bras, les camarades trouvèrent la blague si bonne, qu'ils se jetèrent les uns sur les autres, braillant et se frottant les épaules comme des ânes qu'on étrille. Le zingueur avait la bouche fendue par un tel rire, qu'on lui voyait jusqu'au gosier.

— Fichue bête! dit-il enfin, tu peux bien t'asseoir une minute. On est mieux là qu'à barboter dehors... Eh bien! oui, je ne suis pas rentré, j'ai eu des affaires. Quand tu feras ton nez, ça n'avancera à rien... Reculez-vous donc, vous autres.

— Si madame voulait accepter mes genoux, ça serait plus tendre, dit galamment Mes-Bottes.

Gervaise, pour ne pas se faire remarquer, prit une chaise et s'assit à trois pas de la table. Elle regarda ce que buvaient les hommes, du casse-gueule qui luisait pareil à de l'or, dans les verres; il y en avait une petite mare coulée sur la table, et Bec-Salé, dit Boit-sans-Soif, tout en causant, trempait son doigt, écrivait un nom de femme: *Eulalie*, en grosses lettres. Elle trouva Bibi-la-Grillade joliment ravagé, plus maigre qu'un cent de clous. Mes-Bottes avait un nez qui fleurissait, un vrai dahlia bleu de Bourgogne. Ils étaient très sales tous les quatre, avec leurs ordures de barbes raides et pisseuses comme des balais à pot de chambre, étalant des guenilles de blouses, allongeant des pattes noires aux ongles en deuil. Mais, vrai, on pouvait encore se montrer dans leur société, car s'ils gobelottaient depuis six heures, ils restaient tout de même comme il faut, juste à ce point où l'on charme ses puces. Gervaise en vit deux autres devant le comptoir en train de se gargariser, si pafs, qu'ils se jetaient leur petit verre sous le menton, et imbibaient leur chemise, en croyant se rincer la dalle. Le gros père Colombe, qui allongeait ses bras énormes, les porte-respect de son établissement, versait tranquillement les tournées. Il faisait très chaud, la fumée des pipes montait dans la clarté aveuglante du gaz, où elle roulait comme une poussière, noyant les consommateurs d'une buée, lentement épaissie; et, de ce nuage, un vacarme sortait, assourdissant et confus, des voix cassées, des chocs de verre, des jurons et des coups de poing semblables à des détonations. Aussi Gervaise avait-elle pris sa figure en coin de rue, car une pareille vue n'est pas drôle pour une femme, surtout quand elle n'en a pas l'habitude; elle étouffait, les yeux brûlés, la tête déjà alourdie par l'odeur d'alcool qui s'exhalait de la salle entière. Puis, brusquement, elle eut la sensation d'un malaise plus inquiétant derrière son dos. Elle se tourna, elle aperçut l'alambic, la machine à soûler, fonctionnant sous le vitrage de l'étroite cour, avec la trépidation profonde de sa cuisine d'enfer. Le soir, les cuivres étaient plus mornes, allumés seulement sur leur rondeur d'une large étoile rouge; et l'ombre de l'appareil, contre la muraille du fond, dessinait des abominations, des figures avec des queues, des monstres ouvrant leurs mâchoires comme pour avaler le monde.

— Dis donc, Marie-bon-Bec, ne fais pas ta gueule! cria Coupeau. Tu sais, à Chaillot les rabat-joie!... Qu'est-ce que tu veux boire?

— Rien, bien sûr, répondit la blanchisseuse. Je n'ai pas dîné, moi.

— Eh bien! raison de plus; ça soutient, une goutte de quelque chose.

Mais, comme elle ne se déridait pas, Mes-Bottes se montra galant de nouveau.

— Madame doit aimer les douceurs, murmura-t-il.

— J'aime les hommes qui ne se soûlent pas, reprit-elle en se fâchant. Oui, j'aime qu'on rapporte sa paie et qu'on soit de parole, quand on a fait une promesse.

— Ah! c'est ça qui te chiffonne! dit le zingueur, sans cesser de ricaner. Tu veux ta part. Alors, grande cruche, pourquoi refuses-tu une consommation?... Prends donc, c'est tout bénéfice.

Elle le regarda fixement, l'air sérieux, avec un pli qui lui traversait le front d'une raie noire. Et elle répondit d'une voix lente :

— Tiens! tu as raison, c'est une bonne idée. Comme ça, nous boirons la monnaie ensemble.

Bibi-la-Grillade se leva pour aller lui chercher un verre d'anisette. Elle approcha sa chaise, elle s'attabla. Pendant qu'elle sirotait son anisette, elle eut tout d'un coup un souvenir, elle se rappela la prune qu'elle avait mangée avec Coupeau, jadis, près de la porte, lorsqu'il lui faisait la cour. En ce temps-là, elle laissait la sauce des fruits à l'eau-de-vie. Et, maintenant, voici qu'elle se remettait aux liqueurs. Oh! elle se connaissait, elle n'avait pas pour deux liards de volonté. On n'aurait eu qu'à lui donner une chiquenaude sur les reins pour l'envoyer faire une culbute dans la boisson. Même ça lui semblait très bon, l'anisette, peut-être un peu trop doux, un peu écœurant. Et elle suçait son verre, en écoutant Bec-Salé, dit Boit-sans-Soif, raconter sa liaison avec la grosse Eulalie, celle qui vendait du poisson dans la rue, une femme rudement maligne, une particulière qui le flairait chez les marchands de vin, tout en poussant sa voiture, le long des trottoirs; les camarades avaient beau l'avertir et le cacher, elle le pinçait souvent, elle lui avait même, la veille, envoyé une limande par la figure, pour lui apprendre à manquer l'atelier. Par exemple, ça, c'était drôle. Bibi-la-Grillade et Mes-Bottes, les côtes crevées de rire, appliquaient des claques sur les épaules de Gervaise, qui rigolait enfin, comme chatouillée et malgré elle; et ils lui conseillaient d'imiter la grosse Eulalie, d'apporter ses fers et de repasser les oreilles de Coupeau sur le zinc des mastroquets.

— Ah bien! merci, cria Coupeau qui retourna le verre d'anisette vidé par sa femme, tu vous pompes joliment ça! Voyez donc, la coterie, ça ne lanterne guère.

— Madame redouble? demanda Bec-Salé, dit Boit-sans-Soif.

Non, elle en avait assez. Elle hésitait pourtant. L'anisette lui barbouillait le cœur. Elle aurait plutôt pris quelque chose de raide pour se guérir l'estomac. Et elle jetait des regards obliques sur la machine à soûler, derrière elle. Cette sacrée marmite, ronde comme un ventre de chaudronnière grasse, avec son nez qui s'allongeait et se tortillait, lui soufflait un frisson dans les épaules, une peur mêlée d'un désir. Oui, on aurait dit la fressure [196] de métal d'une grande gueuse, de quelque sorcière qui lâchait goutte à goutte le feu de ses entrailles. Une jolie source de poison, une opération qu'on aurait dû enterrer dans une cave, tant elle était effrontée et abominable! Mais ça n'empêchait pas, elle aurait voulu mettre son nez là-dedans, renifler l'odeur, goûter à la cochonnerie, quand même sa langue brûlée aurait dû en peler du coup comme une orange.

— Qu'est-ce que vous buvez donc là? demanda-t-elle sournoisement aux hommes, l'œil allumé par la belle couleur d'or de leurs verres.

— Ça, ma vieille, répondit Coupeau, c'est le camphre du papa Colombe... Fais pas la bête, n'est-ce pas? On va t'y faire goûter.

Et lorsqu'on lui eut apporté un verre de vitriol, et que sa mâchoire se contracta, à la première gorgée, le zingueur reprit, en se tapant sur les cuisses :

— Hein! ça te rabote le sifflet!... Avale d'une lampée. Chaque tournée retire un écu de six francs de la poche du médecin.

Au deuxième verre, Gervaise ne sentit plus la faim qui la tourmentait. Maintenant, elle était raccommodée avec Coupeau, elle ne lui en voulait plus de son manque de parole. Ils iraient au cirque une autre fois; ce n'était pas si drôle, des faiseurs de tours qui galopaient sur des chevaux. Il ne pleuvait pas chez le père Colombe, et si la paie fondait dans le fil-en-quatre [197], on se la mettait sur le torse au moins, on la buvait limpide et luisante comme du bel or liquide. Ah! elle envoyait joliment flûter le monde! La vie ne lui offrait pas tant de plaisirs; d'ailleurs, ça lui semblait une consolation d'être de moitié dans le nettoyage de la monnaie. Puisqu'elle était bien, pourquoi donc ne serait-elle pas restée? On pouvait tirer le canon, elle n'aimait plus bouger, quand elle avait fait son tas. Elle mijotait dans une bonne chaleur, son corsage collé à son dos, envahie d'un bien-être qui l'engourdissait les membres. Elle rigolait toute seule, les coudes sur la table, les yeux perdus, très amusée par deux clients, un gros mastoc et un nabot, à une table voisine, en train de s'embrasser comme du pain, tant ils étaient gris. Oui, elle riait à l'Assommoir, à la pleine lune du père Colombe, une vraie vessie de saindoux, aux consommateurs fumant

leur brûle-gueule, criant et crachant, aux grandes flammes du gaz qui allumaient les glaces et les bouteilles de liqueur. L'odeur ne la gênait plus; au contraire, elle avait des chatouilles dans le nez, elle trouvait que ça sentait bon; ses paupières se fermaient un peu, tandis qu'elle respirait très court, sans étouffement, goûtant la jouissance du lent sommeil dont elle était prise. Puis, après son troisième petit verre, elle laissa tomber son menton sur ses mains, elle ne vit plus que Coupeau et ses camarades; et elle demeura nez à nez avec eux, tout près, les joues chauffées par leur haleine, regardant leurs barbes sales, comme si elle en avait compté les poils. Ils étaient très soûls, à cette heure. Mes-Bottes bavait, la pipe aux dents, de l'air muet et grave d'un bœuf assoupi. Bibi-la-Grillade racontait une histoire, la façon dont il vidait un litre d'un trait, en lui fichant un tel baiser à la régalade, qu'on lui voyait le derrière. Cependant, Bec-Salé, dit Boit-sans-Soif, était allé chercher le tourniquet sur le comptoir et jouait des consommations avec Coupeau.

— Deux cents!... T'es rupin, tu amènes les gros numéros à tous coups.

La plume du tourniquet grinçait, l'image de la Fortune, une grande femme rouge, placée sous un verre, tournait et ne mettait plus au milieu qu'une tache ronde, pareille à une tache de vin.

— Trois cent cinquante!... T'as donc marché dedans, bougre de lascar! Ah! zut! je ne joue plus!

Et Gervaise s'intéressait au tourniquet. Elle soiffait à tire-larigot, et appelait Mes-Bottes « mon fiston ». Derrière elle, la machine à soûler fonctionnait toujours, avec son murmure de ruisseau souterrain; et elle désespérait de l'arrêter, de l'épuiser, prise contre elle d'une colère sombre, ayant des envies de sauter sur le grand alambic comme sur une bête, pour le taper à coups de talon et lui crever le ventre. Tout se brouillait, elle voyait la machine remuer, elle se sentait prise par ses pattes de cuivre, pendant que le ruisseau coulait maintenant au travers de son corps.

Puis, la salle dansa, avec les becs de gaz qui filaient comme des étoiles. Gervaise était poivre. Elle entendait une discussion furieuse entre Bec-Salé, dit Boit-sans-Soif, et cet encloué de père Colombe. En voilà un voleur de patron qui marquait à la fourchette [198]! On n'était pourtant pas à

---

196. « Le cœur et ses dépendances, siège des désirs » (Delvau).
197. « Eau-de-vie très forte, – dans l'argot du peuple » (Delvau). Le mot s'emploie également dans la langue des paysans et on le trouve fréquemment chez Maupassant qui parle de fil-en-six...

198. « Exagérer le compte d'un débiteur, en marquant « quatre » quand il a dépensé « un » – ainsi qu'il arrive de faire à beaucoup de cafetiers, de restaurateurs, de tailleurs, pour se rattraper sur une bonne paye, distraite, des pertes qu'ils ont subies avec une mauvaise, plus distraite encore » (Delvau).

La buveuse, dessin de Toulouse-Lautrec, 1889.

Bondy [199]. Mais, brusquement, il y eut une bousculade, des hurlements, un vacarme de tables renversées. C'était le père Colombe qui flanquait la société
dehors, sans se gêner, en un tour de main. Devant la
porte, on l'engueula, on l'appela fripouille. Il pleuvait toujours, un petit vent glacé soufflait. Gervaise
perdit Coupeau, le retrouva et le perdit encore. Elle
voulait rentrer, elle tâtait les boutiques pour reconnaître son chemin. Cette nuit soudaine l'étonnait
beaucoup. Au coin de la rue des Poissonniers, elle
s'assit dans le ruisseau, elle se crut au lavoir. Toute
l'eau qui coulait lui tournait la tête et la rendait
très malade. Enfin, elle arriva, elle fila raide devant
la porte des concierges, chez lesquels elle vit parfaitement les Lorilleux et les Poisson attablés, qui
firent des grimaces de dégoût en l'apercevant dans
ce bel état.

Jamais elle ne sut comment elle avait monté les
six étages. En haut, au moment où elle prenait le
corridor, la petite Lalie, qui entendait son pas,
accourut, les bras ouverts dans un geste de caresse,
riant et disant :

— Madame Gervaise, papa n'est pas rentré,
venez donc voir dormir mes enfants... Oh! ils sont
gentils!

Mais, en face du visage hébété de la blanchisseuse, elle recula et trembla. Elle connaissait ce
souffle d'eau-de-vie, ces yeux pâles, cette bouche
convulsée. Alors, Gervaise passa en trébuchant,
sans dire un mot, pendant que la petite, debout
sur le seuil de sa porte, la suivait de son regard
noir, muet et grave.

11

Nana grandissait [200], devenait garce. A quinze
ans, elle avait poussé comme un veau, très blanche
de chair, très grasse, si dodue même qu'on aurait
dit une pelote. Oui, c'était ça, quinze ans, toutes
ses dents et pas de corset. Une vraie frimousse de
margot, trempée dans du lait, une peau veloutée de
pêche, un nez drôle, un bec rose, des quinquets
luisants auxquels les hommes avaient envie d'allumer leur pipe. Son tas de cheveux blonds, couleur
d'avoine fraîche, semblait lui avoir jeté de la poudre
d'or sur les tempes, des taches de rousseur, qui lui

mettaient là une couronne de soleil. Ah! une jolie
pépée, comme disaient les Lorilleux, une morveuse qu'on aurait encore dû moucher et dont les
grosses épaules avaient les rondeurs pleines, l'odeur
mûre d'une femme faite.

Maintenant, Nana ne fourrait plus des boules de
papier dans son corsage. Des nichons lui étaient
venus, une paire de nichons de satin blanc tout
neufs. Et ça ne l'embarrassait guère, elle aurait
voulu en avoir plein les bras, elle rêvait des tétais
de nounou, tant la jeunesse est gourmande et in-
considérée. Ce qui la rendait surtout friande, c'était
une vilaine habitude qu'elle avait prise de sortir
un petit bout de sa langue entre ses quenottes
blanches. Sans doute, en se regardant dans les
glaces, elle s'était trouvée gentille ainsi. Alors, tout
le long de la journée, pour faire la belle, elle tirait
la langue.

— Cache donc ta menteuse! lui criait sa mère.

Et il fallait souvent que Coupeau s'en mêlât,
tapant du poing, gueulant avec des jurons :

— Veux-tu bien rentrer ton chiffon rouge!

Nana se montrait très coquette. Elle ne se lavait
pas toujours les pieds, mais elle prenait ses bottines
si étroites, qu'elle souffrait le martyre dans la prison
de Saint-Crépin; et si on l'interrogeait, en la voyant
devenir violette, elle répondait qu'elle avait des
coliques, pour ne pas confesser sa coquetterie.
Quand le pain manquait à la maison, il lui était
difficile de se pomponner. Alors, elle faisait des
miracles, elle rapportait des rubans de l'atelier, elle
s'arrangeait des toilettes, des robes sales couvertes
de nœuds et de bouffettes. L'été était la saison de
ses triomphes. Avec une robe de percale de six
francs, elle passait tous ses dimanches, elle emplissait le quartier de la Goutte-d'Or de sa beauté
blonde. Oui, on la connaissait des boulevards extérieurs aux fortifications [201], et de la chaussée de
Clignancourt à la Grande Rue de La Chapelle. On
l'appelait « la petite poule », parce qu'elle avait
vraiment la chair tendre et l'air frais d'une poulette.

Une robe surtout lui alla à la perfection. C'était
une robe blanche à pois roses, très simple, sans
garniture aucune. La jupe, un peu courte, dégageait
ses pieds; les manches, largement ouvertes et tombantes, découvraient ses bras jusqu'aux coudes;
l'encolure du corsage, qu'elle ouvrait en cœur avec
des épingles, dans un coin noir de l'escalier, pour
éviter les calottes du père Coupeau, montrait la
neige de son cou et l'ombre dorée de sa gorge. Et

199. Jusqu'au XIXᵉ siècle, la forêt de Bondy était dangereuse à
cause de détrousseurs de grand chemin qui en avaient fait leur
repaire.
200. Le chapitre se passe pendant les années 1866-1868. La déchéance de Gervaise est parallèle à la chute de l'Empire.

201. Le boulevard Rochechouart et le boulevard de La Chapelle
conduisaient aux fortifications. Il s'agit du quartier chanté par
Aristide Bruant quelques années plus tard.

rien autre, rien qu'un ruban rose noué autour de ses cheveux blonds, un ruban dont les bouts s'envolaient sur sa nuque. Elle avait là-dedans une fraîcheur de bouquet. Elle sentait bon la jeunesse, le nu de l'enfant et de la femme.

Les dimanches furent pour elle, à cette époque, des journées de rendez-vous avec la foule, avec tous les hommes qui passaient et qui la reluquaient. Elle les attendait la semaine entière, chatouillée de petits désirs, étouffant, prise d'un besoin de grand air, de promenade au soleil, dans la cohue du faubourg endimanché. Dès le matin, elle s'habillait, elle restait des heures en chemise devant le morceau de glace accroché au-dessus de la commode; et, comme toute la maison pouvait la voir par la fenêtre, sa mère se fâchait, lui demandait si elle n'avait pas bientôt fini de se promener en panais [202]. Mais, elle, tranquille, se collait des accroche-cœur sur le front avec de l'eau sucrée, recousait les boutons de ses bottines ou faisait un point à sa robe, les jambes nues, la chemise glissée des épaules, dans le désordre de ses cheveux ébouriffés. Ah! elle était chouette, comme ça! disait le père Coupeau, qui ricanait et la blaguait; une vraie Madeleine-la-Désolée! Elle aurait pu servir de femme sauvage et se montrer pour deux sous. Il lui criait : « Cache donc ta viande, que je mange mon pain! » Et elle était adorable, blanche et fine sous le débordement de sa toison blonde, rageant si fort que sa peau en devenait rose, n'osant répondre à son père et cassant son fil entre ses dents, d'un coup sec et furieux, qui secouait d'un frisson sa nudité de belle fille.

Puis, aussitôt après le déjeuner, elle filait, elle descendait dans la cour. La paix chaude du dimanche endormait la maison; en bas, les ateliers étaient fermés; les logements bâillaient par leurs croisées ouvertes, montraient des tables déjà mises pour le soir, qui attendaient les ménages, en train de gagner de l'appétit sur les fortifications; une femme, au troisième, employait la journée à laver sa chambre, roulant son lit, bousculant ses meubles, chantant pendant des heures la même chanson, sur un ton doux et pleurard. Et, dans le repos des métiers, au milieu de la cour vide et sonore, des parties de volants s'engageaient entre Nana, Pauline et d'autres grandes filles. Elles étaient cinq ou six, poussées ensemble, qui devenaient les reines de la maison et se partageaient les œillades des messieurs. Quand un homme traversait la cour, des rires flûtés montaient, les froufrous de leurs jupes amidonnées passaient comme un coup de vent. Au-dessus d'elles,

l'air des jours de fête flambait, brûlant et lourd, comme amolli de paresse et blanchi par la poussière des promenades.

Mais les parties de volants n'étaient qu'une frime pour s'échapper. Brusquement, la maison tombait à un grand silence. Elles venaient de se glisser dans la rue et de gagner les boulevards extérieurs. Alors, toutes les six, se tenant par les bras, occupant la largeur des chaussées, s'en allaient, vêtues de clair, avec leurs rubans noués autour de leurs cheveux nus. Les yeux vifs, coulant de minces regards par le coin pincé des paupières, elles voyaient tout, elles renversaient le cou pour rire, en montrant le gras du menton. Dans les gros éclats de gaieté, lorsqu'un bossu passait ou qu'une vieille femme attendait son chien au coin des bornes, leur ligne se brisait, les unes restaient en arrière, tandis que les autres les tiraient violemment; et elles balançaient les hanches, se pelotonnaient, se dégingandaient, histoire d'attrouper le monde et de faire craquer leur corsage sous leurs formes naissantes. La rue était à elles; elles y avaient grandi, en relevant leurs jupes le long des boutiques; elles s'y retroussaient encore jusqu'aux cuisses, pour rattacher leurs jarretières. Au milieu de la foule lente et blême, entre les arbres grêles des boulevards, leur débandade courait ainsi, de la barrière Rochechouart à la barrière Saint-Denis, bousculant les gens, coupant les groupes en zigzag, se retournant et lâchant des mots dans les fusées de leurs rires. Et leurs robes envolées laissaient, derrière elles, l'insolence de leur jeunesse; elles s'étalaient en plein air, sous la lumière crue, d'une grossièreté ordurière de voyous, désirables et tendres comme des vierges qui reviennent du bain, la nuque trempée.

Nana prenait le milieu, avec sa robe rose, qui s'allumait dans le soleil. Elle donnait le bras à Pauline, dont la robe, des fleurs jaunes sur un fond blanc, flambait aussi, piquée de petites flammes. Et comme elles étaient les plus grosses toutes les deux, les plus femmes et les plus effrontées, elles menaient la bande, se rengorgeaient sous les regards et les compliments. Les autres, les gamines, faisaient des queues à droite et à gauche, en tâchant de s'enfler pour être prises au sérieux. Nana et Pauline avaient dans le fond, des plans très compliqués de ruses coquettes. Si elles couraient à perdre haleine, c'était histoire de montrer leurs bas blancs et de faire flotter les rubans de leurs chignons. Puis, quand elles s'arrêtaient, en affectant de suffoquer, la gorge renversée et palpitante, on pouvait chercher, il y avait bien sûr par là une de leurs connaissances, quelque garçon du quartier; et elles mar-

202. « ... en chemise, sans aucun pantalon » (Delvau).

Aquarelle de Renoir inspirée du roman, 1877, avec une citation autographe de Zola.

par les bras, occupant la largeur des chaussées,
avec des rubans noués autour de leurs che-
noix, page 453.
— Emile Zola

chaient languissamment alors, chuchotant et riant entre elles, guettant, les yeux en dessous. Elles se cavalaient surtout pour ces rendez-vous du hasard, au milieu des bousculades de la chaussée. De grands garçons endimanchés, en veste et en chapeau rond, les retenaient un instant au bord du ruisseau, à rigoler et à vouloir leur pincer la taille. Des ouvriers de vingt ans, débraillés dans des blouses grises, causaient lentement avec elles, les bras croisés, leur soufflant au nez la fumée de leurs brûle-gueule. Ça ne tirait pas à conséquence, ces gamins avaient poussé en même temps qu'elles sur le pavé. Mais, dans le nombre, elles choisissaient déjà. Pauline rencontrait toujours un des fils de Mme Gaudron, un menuisier de dix-sept ans, qui lui payait des pommes. Nana apercevait du bout d'une avenue à l'autre Victor Fauconnier, le fils de la blanchisseuse, avec lequel elle s'embrassait dans les coins noirs. Et ça n'allait pas plus loin ; elles avaient trop de vice pour faire une bêtise sans savoir. Seulement, on en disait de raides.

Puis, quand le soleil tombait, la grande joie de ces mâtines était de s'arrêter aux faiseurs de tours. Des escamoteurs, des hercules arrivaient, qui étalaient sur la terre de l'avenue un tapis mangé d'usure. Alors, les badauds s'attroupaient, un cercle se formait, tandis que le saltimbanque, au milieu, jouait des muscles dans son maillot fané. Nana et Pauline restaient des heures debout, au plus épais de la foule. Leurs belles robes fraîches s'écrasaient entre les paletots et les bourgerons sales. Leurs bras nus, leur cou nu, leurs cheveux nus, s'échauffaient sous les haleines empestées, dans une odeur de vin et de sueur. Et elles riaient, amusées, sans un dégoût, plus roses et comme sur leur fumier naturel. Autour d'elles, les gros mots partaient, des ordures toutes crues, des réflexions d'hommes soûls. C'était leur langue, elles savaient tout, elles se retournaient avec un sourire, tranquilles d'impudeur, gardant la pâleur délicate de leur peau de satin.

La seule chose qui les contrariait, était de rencontrer leurs pères, surtout quand ils avaient bu. Elles veillaient et s'avertissaient.

— Dis donc, Nana, criait tout d'un coup Pauline, voilà le père Coupeau !

— Ah bien ! il n'est pas poivre, non, c'est que je tousse[203] ! disait Nana embêtée. Moi, je m'esbigne, vous savez ! Je n'ai pas envie qu'il secoue mes puces... Tiens ! il a piqué une tête ! Dieu de Dieu, s'il pouvait se casser la gueule !

D'autres fois, lorsque Coupeau arrivait droit sur elle, sans lui laisser le temps de se sauver, elle s'accroupissait, elle murmurait :

— Cachez-moi donc, vous autres !... Il me cherche, il a promis de m'enlever le ballon[204], s'il me pinçait encore à traîner ma peau.

Puis, lorsque l'ivrogne l'avait dépassées, elle se relevait, et toutes le suivaient en pouffant de rire. Il la trouvera ! il ne la trouvera pas ! C'était un vrai jeu de cache-cache. Un jour pourtant, Boche était venu chercher Pauline par les deux oreilles, et Coupeau avait ramené Nana à coups de pied au derrière.

Le jour baissait, elles faisaient un dernier tour de balade, elles rentraient dans le crépuscule blafard, au milieu de la foule éreintée. La poussière de l'air s'était épaissie, et pâlissait le ciel lourd. Rue de la Goutte-d'Or, on aurait dit un coin de province, avec les commères sur les portes, des éclats de voix coupant le silence tiède du quartier vide des voitures. Elles s'arrêtaient un instant dans la cour, reprenaient les raquettes, tâchaient de faire croire qu'elles n'avaient pas bougé de là. Et elles remontaient chez elles, en arrangeant une histoire, dont elles ne se servaient souvent pas, lorsqu'elles trouvaient leurs parents occupés à s'allonger des gifles, pour une soupe mal salée ou pas assez cuite.

Maintenant, Nana était ouvrière, elle gagnait quarante sous chez Titreville, la maison de la rue du Caire où elle avait fait son apprentissage. Les Coupeau ne voulaient pas la changer, pour qu'elle restât sous la surveillance de Mme Lerat, qui était première dans l'atelier depuis dix ans. Le matin, pendant que la mère regardait l'heure au coucou, la petite partait toute seule, l'air gentil, serrée aux épaules par sa vieille robe noire trop étroite et trop courte ; et Mme Lerat était chargée de constater l'heure de son arrivée, qu'elle disait ensuite à Gervaise. On lui donnait vingt minutes pour aller de la rue de la Goutte-d'Or à la rue du Caire, ce qui était suffisant, car ces tortillons de filles ont des jambes de cerf. Des fois, elle arrivait juste, mais si rouge, si essoufflée, qu'elle venait bien sûr de dégringoler de la barrière en dix minutes, après avoir musé en chemin. Le plus souvent, elle avait sept minutes, huit minutes de retard ; et, jusqu'au soir, elle se montrait très câline pour sa tante, avec des yeux suppliants, tâchant

---

203. « Tousser. Ce verbe – de l'argot des faubouriens – ne s'emploie qu'à un seul temps et dans les deux acceptions suivantes : « C'est de l'or comme je tousse », c'est-à-dire : ce n'est pas de l'or. « Elle n'est pas belle, non ! c'est que je tousse ! » c'est-à-dire : elle est très belle » (Delvau).

204. Donner un coup de pied dans le bas du dos.

ainsi de la toucher et de l'empêcher de parler. Mme Lerat, qui comprenait la jeunesse, mentait aux Coupeau, mais en sermonnant Nana dans des bavardages interminables, où elle parlait de sa responsabilité et des dangers qu'une jeune fille courait sur le pavé de Paris. Ah! Dieu de Dieu! la poursuivait-on assez elle-même! Elle couvait sa nièce de ses yeux allumés de continuelles préoccupations polissonnes, elle restait tout échauffée à l'idée de garder et de mijoter l'innocence de ce pauvre petit chat.

— Vois-tu, lui répétait-elle, il faut tout me dire. Je suis trop bonne pour toi, je n'aurais plus qu'à me jeter à la Seine, s'il t'arrivait un malheur... Entends-tu, mon petit chat, si des hommes te parlaient, il faudrait tout me répéter, tout, sans oublier un mot... Hein? on ne t'a encore rien dit, tu me le jures?

Nana riait alors d'un rire qui lui pinçait drôlement la bouche. Non, non, les hommes ne lui parlaient pas. Elle marchait trop vite. Puis, qu'est-ce qu'ils lui auraient dit? elle n'avait rien à démêler avec eux, peut-être! Et elle expliquait ses retards d'un air de niaise : elle s'était arrêtée pour regarder les images, ou bien elle avait accompagné Pauline qui savait des histoires. On pouvait la suivre, si on ne la croyait pas; elle ne quittait même jamais le trottoir de gauche; et elle filait joliment, elle devançait toutes les autres demoiselles, comme une voiture. Un jour, à la vérité, Mme Lerat l'avait surprise, rue du Petit-Carreau, le nez en l'air, riant avec trois autres traînées de fleuristes, parce qu'un homme se faisait la barbe, à une fenêtre; mais la petite s'était fâchée, en jurant qu'elle entrait justement chez le boulanger du coin acheter un pain d'un sou.

— Oh! je veille, n'ayez pas peur, disait la grande veuve aux Coupeau. Je vous réponds d'elle comme de moi-même. Si un salaud voulait seulement la pincer, je me mettrais plutôt en travers.

L'atelier, chez Titreville, était une grande pièce à l'entresol, avec un large établi posé sur des tréteaux, occupant le milieu. Le long des quatre murs vides, dont le papier d'un gris pisseux montrait le plâtre par des éraflures, s'allongeaient des étagères encombrées de vieux cartons, de paquets, de modèles de rebut oubliés là sous une épaisse couche de poussière. Au plafond, le gaz avait passé comme un badigeon de suie. Les deux fenêtres s'ouvraient si larges, que les ouvrières, sans quitter l'établi, voyaient défiler le monde sur le trottoir d'en face.

Mme Lerat, pour donner l'exemple, arrivait la première. Puis, la porte battait pendant un quart

d'heure, tous les petits bonnichons de fleuristes entraient à la débandade, suantes, décoiffées. Un matin de juillet, Nana se présenta la dernière, ce qui d'ailleurs était assez dans ses habitudes.

— Ah bien! dit-elle, ce ne sera pas malheureux quand j'aurai voiture!

Et, sans même ôter son chapeau, un caloquet noir qu'elle appelait sa casquette et qu'elle était lasse de retaper, elle s'approcha de la fenêtre, se pencha à droite et à gauche, pour voir dans la rue.

— Qu'est-ce que tu regardes donc? lui demanda Mme Lerat, méfiante. Est-ce que ton père t'a accompagnée?

— Non, bien sûr, répondit Nana tranquillement. Je ne regarde rien... Je regarde qu'il fait joliment chaud. Vrai, il y a de quoi vous donner du mal à vous faire courir ainsi.

La matinée fut d'une chaleur étouffante. Les ouvrières avaient baissé les jalousies, entre lesquelles elles mouchardaient le mouvement de la rue; et elles s'étaient enfin mises au travail, rangées des deux côtés de la table, dont Mme Lerat occupait seule le haut bout. Elles étaient huit, ayant chacune devant soi son pot à colle, sa pince, ses outils et sa pelote à gaufrer. Sur l'établi traînait un fouillis de fils de fer, de bobines, d'ouate, de papier vert et de papier marron, de feuilles et de pétales, taillés dans de la soie, du satin ou du velours. Au milieu, dans le goulot d'une grande carafe, une fleuriste avait fourré un petit bouquet de deux sous, qui se fanait depuis la veille à son corsage.

— Ah! vous ne savez pas, dit Léonie, une jolie brune, en se penchant sur sa pelote où elle gaufrait des pétales de rose, eh bien! cette pauvre Caroline est joliment malheureuse avec ce garçon qui venait l'attendre le soir.

Nana, en train de couper de minces bandes de papier vert, s'écria :

— Pardi! un homme qui lui fait des queues [205] tous les jours!

L'atelier fut pris d'une gaieté sournoise, et Mme Lerat dut se montrer sévère. Elle pinça le nez, en murmurant :

— Tu es propre, ma fille, tu as de jolis mots! Je rapporterai ça à ton père, nous verrons si ça lui plaira.

Nana gonfla les joues, comme si elle retenait un grand rire. Ah bien! son père! il en disait d'autres!

---

205. « Infidélité faite à une femme par son amant ou à un homme par sa maîtresse. *Faire une queue à sa femme* : la tromper en faveur d'une autre femme » (Delvau).

Mais Léonie, tout d'un coup, souffla très bas et très vite :

— Eh! méfiez-vous! la patronne!

En effet, Mme Titreville, une longue femme sèche, entrait. Elle se tenait d'ordinaire en bas, dans le magasin. Les ouvrières la craignaient beaucoup, parce qu'elle ne plaisantait jamais. Elle fit lentement le tour de l'établi, au-dessus duquel maintenant toutes les nuques restaient penchées, silencieuses et actives. Elle traita une ouvrière de sabot, l'obligea à recommencer une marguerite. Puis, elle s'en alla de l'air raide dont elle était venue.

— Houp! houp! répéta Nana, au milieu d'un grognement général.

— Mesdemoiselles, vraiment, mesdemoiselles! dit Mme Lerat qui voulut prendre un air de sévérité. Vous me forcerez à des mesures...

Mais on ne l'écoutait pas, on ne la craignait guère. Elle se montrait trop tolérante, chatouillée parmi ces petites qui avaient de la rigolade plein les yeux, les prenant à part pour leur tirer les vers du nez sur leurs amants, leur faisant même les cartes, lorsqu'un bout de l'établi était libre. Sa peau dure, sa carcasse de gendarme tressautait d'une joie dansante de commère, dès qu'on était sur le chapitre de la bagatelle. Elle se blessait seulement des mots crus; pourvu qu'on n'employât pas les mots crus, on pouvait tout dire.

Vrai! Nana complétait à l'atelier une jolie éducation! Oh! elle avait des dispositions, bien sûr. Mais ça l'achevait, la fréquentation d'un tas de filles déjà éreintées de misère et de vice. On était là les unes sur les autres, on se pourrissait ensemble; juste l'histoire des paniers de pommes, quand il y a des pommes gâtées. Sans doute, on se tenait devant la société, on évitait de paraître trop rosse de caractère, trop dégoûtante d'expressions. Enfin, on posait pour la demoiselle comme il faut. Seulement, à l'oreille, dans les coins, les saletés marchaient bon train. On ne pouvait pas se trouver deux ensemble, sans tout de suite se tordre de rire, en disant des cochonneries. Puis, on s'accompagnait le soir, c'étaient alors des confidences, des histoires à faire dresser les cheveux, qui attardaient sur les trottoirs les deux gamines, allumées au milieu des coudoiements de la foule. Et il y avait encore, pour les filles restées sages comme Nana, un mauvais air à l'atelier, l'odeur de bastringue et de nuits peu catholiques, apportée par les ouvrières coureuses, dans leurs chignons mal rattachés, dans leurs jupes si fripées qu'elles semblaient avoir couché avec. Les paresses molles des lendemains de noce, les

yeux culottés, ce noir des yeux que Mme Lerat appelait honnêtement les coups de poing de l'amour, les déhanchements, les voix enrouées, soufflaient une perversion au-dessus de l'établi, parmi l'éclat et la fragilité des fleurs artificielles. Nana reniflait, se grisait, lorsqu'elle sentait à côté d'elle une fille qui avait déjà vu le loup. Longtemps elle s'était mise auprès de la grande Lisa, qu'on disait grosse; et elle coulait des regards luisants sur sa voisine, comme si elle s'était attendue à la voir enfler et éclater tout d'un coup. Pour apprendre du nouveau, ça paraissait difficile. La gredine savait tout, avait tout appris sur le pavé de la rue de la Goutte-d'Or. A l'atelier, simplement, elle voyait faire, il lui poussait peu à peu l'envie et le toupet de faire à son tour.

— On étouffe, murmura-t-elle en s'approchant d'une fenêtre comme pour baisser davantage la jalousie.

Mais elle se pencha, regarda de nouveau à droite et à gauche. Au même instant, Léonie qui guettait un homme, arrêté sur le trottoir d'en face, s'écria :

— Qu'est-ce qu'il fait là, ce vieux ? Il y a un quart d'heure qu'il espionne ici.

— Quelque matou [206], dit Mme Lerat. Nana, veux-tu bien venir t'asseoir! Je t'ai défendu de rester à la fenêtre.

Nana reprit les queues de violettes qu'elle roulait, et tout l'atelier s'occupa de l'homme. C'était un monsieur bien vêtu, en paletot, d'une cinquantaine d'années; il avait une face blême, très sérieuse et très digne, avec un collier de barbe grise, correctement taillé. Pendant une heure, il resta devant la boutique d'un herboriste, levant les yeux sur les jalousies de l'atelier. Les fleuristes poussaient des petits rires, qui s'étouffaient dans le bruit de la rue; et elles se courbaient, très affairées au-dessus de l'ouvrage, avec des coups d'œil, pour ne pas perdre de vue le monsieur.

— Tiens! fit remarquer Léonie, il a un lorgnon. Oh! c'est un homme chic... Il attend Augustine, bien sûr.

Mais Augustine, une grande blonde laide, répondit aigrement qu'elle n'aimait pas les vieux. Et Mme Lerat, hochant la tête, murmura avec son sourire pincé, plein de sous-entendus :

— Vous avez tort, ma chère; les vieux sont plus tendres.

A ce moment, la voisine de Léonie, une petite personne grasse, lui lâcha dans l'oreille une phrase; et Léonie, brusquement, se renversa sur sa chaise,

---

206. « Homme aimant les femmes » (Delvau).

prise d'un accès de fou rire, se tordant, jetant des regards vers le monsieur et riant plus fort. Elle bégayait :

— C'est ça, oh! c'est ça!... Ah! cette Sophie, est-elle sale!

— Qu'est-ce qu'elle a dit ? qu'est-ce qu'elle a dit ? demandait tout l'atelier brûlant de curiosité. Léonie essuyait les larmes de ses yeux, sans répondre. Quand elle fut un peu calmée, elle se remit à gaufrer, en déclarant :

— Ça ne peut pas se répéter.

On insistait, elle refusait de la tête, reprise par des bouffées de gaieté. Alors Augustine, sa voisine de gauche, la supplia de le lui dire tout bas. Et Léonie, enfin, voulut bien le lui dire, les lèvres contre l'oreille. Augustine se renversa, se tordit à son tour. Puis, elle-même répéta la phrase, qui courut ainsi d'oreille à oreille, au milieu des exclamations et des rires étouffés. Lorsque toutes connurent la saleté de Sophie, elles se regardèrent, elles éclatèrent ensemble, un peu rouges et confuses pourtant. Seule, Mme Lerat ne savait pas. Elle était très vexée.

— C'est bien mal poli ce que vous faites là, mesdemoiselles, dit-elle. On ne se parle jamais tout bas, quand il y a du monde... Quelque indécence, n'est-ce pas ? Ah! c'est du propre!

Elle n'osa pourtant pas demander qu'on lui répétât la saleté de Sophie, malgré son envie furieuse de la connaître. Mais, pendant un instant, le nez baissé, faisant de la dignité, elle se régala de la conversation des ouvrières. Une d'elles ne pouvait lâcher un mot, le mot le plus innocent, à propos de son ouvrage par exemple, sans qu'aussitôt les autres y entendissent malice; elles détournaient le mot de son sens, lui donnaient une signification cochonne, mettaient des allusions extraordinaires sous des paroles simples comme celles-ci : « Ma pince est fendue », ou bien : « Qui est-ce qui a fouillé dans mon petit pot ? » Et elles rapportaient tout au monsieur qui faisait le pied de grue en face, c'était le monsieur qui arrivait quand même au bout des allusions. Ah! les oreilles devaient lui corner! Elles finissaient par dire des choses très bêtes, tant elles voulaient être malignes. Mais ça ne les empêchait pas de trouver ce jeu-là bien amusant, excitées, les yeux fous, allant de plus en plus fort. Mme Lerat n'avait pas à se fâcher, on ne disait rien de cru. Elle-même les fit toutes se rouler, en demandant :

— Mademoiselle Lisa, mon feu est éteint, passez-moi le vôtre.

— Ah! le feu de madame Lerat qui est éteint! cria l'atelier.

Elle voulut commencer une explication.

— Quand vous aurez mon âge, mesdemoiselles...

Mais on ne l'écoutait pas, on parlait d'appeler le monsieur pour rallumer le feu de Mme Lerat.

Dans cette bosse de rires, Nana rigolait, il fallait voir! Aucun mot à double entente ne lui échappait. Elle en lâchait elle-même de raides, en les appuyant du menton, rengorgée et crevant d'aise. Elle était dans le vice comme un poisson dans l'eau. Et elle roulait très bien ses queues de violettes, tout en se tortillant sur sa chaise. Oh! un chic épatant, pas même le temps de rouler une cigarette. Rien que le geste de prendre une mince bande de papier vert, et, allez-y! le papier filait et enveloppait le laiton; puis, une goutte de gomme en haut pour coller, c'était fait, c'était un brin de verdure frais et délicat, bon à mettre sur les appas des dames. Le chic était dans les doigts, dans ses doigts minces de gourgandine, qui semblaient désossés, souples et câlins. Elle n'avait pu apprendre que ça du métier. On lui donnait à faire toutes les queues de l'atelier, tant elle les faisait bien.

Cependant, le monsieur du trottoir d'en face s'en était allé. L'atelier se calmait, travaillait dans la grosse chaleur. Quand sonna midi, l'heure du déjeuner, toutes se secouèrent. Nana, qui s'était précipitée vers la fenêtre, leur cria qu'elle allait descendre faire les commissions, si elles voulaient. Et Léonie lui commanda deux sous de crevettes, Augustine un cornet de pommes de terre frites, Lisa une botte de radis, Sophie une saucisse. Puis, comme elle descendait, Mme Lerat qui trouvait drôle son amour pour la fenêtre, ce jour-là, dit en la rattrapant de ses grandes jambes :

— Attends donc, je vais avec toi, j'ai besoin de quelque chose.

Mais voilà que, dans l'allée, elle aperçut le monsieur planté comme un cierge, en train de jouer de la prunelle avec Nana! La petite devint très rouge. Sa tante lui prit le bras d'une secousse, la fit trotter sur le pavé, tandis que le particulier emboîtait le pas. Ah! le matou venait pour Nana! Eh bien! c'était gentil, à quinze ans et demi, de traîner ainsi des hommes à ses jupes! Et Mme Lerat, vivement, la questionnait. Oh! mon Dieu! Nana ne savait pas : il la suivait depuis cinq jours seulement, elle ne pouvait plus mettre le nez dehors, sans le rencontrer dans ses jambes; elle le croyait dans le commerce, oui, un fabricant de boutons en os. Mme Lerat fut très impressionnée. Elle se retourna, guigna le monsieur du coin de l'œil.

— On voit bien qu'il a le sac, murmura-t-elle. Écoute, mon petit chat, il faudra tout me dire. Maintenant, tu n'as plus rien à craindre.

En causant, elles couraient de boutique en boutique, chez le charcutier, chez la fruitière, chez le rôtisseur. Et les commissions, dans des papiers gras, s'empilaient sur leurs mains. Mais elles restaient aimables, se dandinant, jetant derrière elles de légers rires et des œillades luisantes. Mme Lerat elle-même prenait des grâces, faisait la jeune fille, à cause du fabricant de boutons qui les suivait toujours.

— Il est très distingué, déclara-t-elle en rentrant dans l'allée. S'il avait seulement des intentions honnêtes...

Puis, comme elles montaient l'escalier, elle parut brusquement se souvenir.

— A propos, dis-moi donc ce que ces demoiselles se sont dit à l'oreille ; tu sais, la saleté de Sophie ?

Et Nana ne fit pas de façons. Seulement, elle prit Mme Lerat par le cou, la força à redescendre deux marches, parce que, vrai, ça ne pouvait pas se répéter tout haut, même dans un escalier. Et elle souffla le mot. C'était si gros, que la tante se contenta de hocher la tête, en arrondissant les yeux et en tordant la bouche. Enfin, elle savait, ça ne la démangeait plus.

Les fleuristes déjeunaient sur leurs genoux, pour ne pas salir l'établi. Elles se dépêchaient d'avaler, ennuyées de manger, préférant employer l'heure du repas à regarder les gens qui passaient ou à se faire des confidences dans les coins. Ce jour-là, on tâcha de savoir où se cachait le monsieur de la matinée ; mais, décidément, il avait disparu. Mme Lerat et Nana se jetaient des coups d'œil, les lèvres cousues. Et il était déjà une heure dix, les ouvrières ne paraissaient pas pressées de reprendre leurs pinces, lorsque Léonie, d'un bruit de lèvres, du prrrout ! dont les ouvriers peintres s'appellent, signala l'approche de la patronne. Aussitôt, toutes furent sur leurs chaises, le nez dans l'ouvrage. Mme Titreville entra et fit le tour, sévèrement.

A partir de ce jour, Mme Lerat se régala de la première histoire de sa nièce. Elle ne la lâchait plus, l'accompagnait matin et soir, en mettant en avant sa responsabilité. Ça ennuyait bien un peu Nana ; mais ça la gonflait tout de même, d'être gardée comme un trésor ; et les conversations qu'elles avaient dans les rues toutes les deux, avec le fabricant de boutons derrière elles, l'échauffaient et lui donnaient plutôt l'envie de faire le saut. Oh ! sa tante comprenait le sentiment ; même le fabricant de boutons, ce monsieur âgé déjà et si convenable, l'attendrissait, car enfin le sentiment chez les personnes mûres a toujours des racines plus profondes. Seulement, elle veillait. Oui, il lui passerait plutôt sur le corps avant d'arriver à la petite. Un soir, elle s'approcha du monsieur et lui envoya raide comme balle que ce qu'il faisait là n'était pas bien. Il la salua poliment, sans répondre, en vieux rocantin habitué aux rebuffades des parents. Elle ne pouvait vraiment pas se fâcher, il avait de trop bonnes manières. Et c'étaient des conseils pratiques sur l'amour, des allusions sur les salopiauds d'hommes, toutes sortes d'histoires de margots qui s'étaient bien repenties d'y avoir passé, dont Nana sortait languissante, avec des yeux de scélératesse dans son visage blanc.

Mais, un jour, rue du Faubourg-Poissonnière, le fabricant de boutons avait osé allonger son nez entre la nièce et la tante, pour murmurer des choses qui n'étaient pas à dire. Et Mme Lerat, effrayée, répétant qu'elle n'était même plus tranquille pour elle, lâcha tout le paquet à son frère. Alors, ce fut un autre train. Il y eut, chez les Coupeau, de jolis charivaris. D'abord, le zingueur flanqua une tripotée à Nana. Qu'est-ce qu'on lui apprenait ? cette gueuse-là donnait dans les vieux ! Ah bien ! qu'elle se laissât surprendre à se faire relicher [207] dehors, elle était sûre de son affaire, il lui couperait le cou un peu vivement ! Avait-on jamais vu ! une morveuse qui se mêlait de déshonorer la famille ! Et il la secouait, en disant, nom de Dieu ! qu'elle eût à marcher droit, car ce serait lui qui la surveillerait à l'avenir. Dès qu'elle rentrait, il la visitait, il la regardait bien en face, pour deviner si elle ne rapportait pas une souris sur l'œil, un de ces petits baisers qui se fourrent là sans bruit. Il la flairait, la retournait. Un soir, elle reçut encore une danse, parce qu'il avait trouvé une tache noire au cou. La mâtine osait dire que ce n'était pas un suçon ! oui, elle appelait ça un bleu, tout simplement un bleu que Léonie lui avait fait en jouant. Il lui en donnerait des bleus, il l'empêcherait bien de rouscailler, lorsqu'il devrait lui casser les pattes. D'autres fois, quand il était de belle humeur, il se moquait d'elle, il la blaguait. Vrai ! un joli morceau pour les hommes, une sole tant elle était plate, et avec ça des salières aux épaules grandes à y fourrer le poing ! Nana, battue pour les vilaines choses qu'elle n'avait pas commises, traînée dans la crudité des accusations abominables de son père, montrait la soumission sournoise et furieuse des bêtes traquées.

— Laisse-la donc tranquille ! répétait Gervaise plus raisonnable. Tu finiras par lui en donner l'envie, à force de lui en parler.

---

207. « *Relicher (se)*. S'embrasser tendrement. On dit aussi *se relicher le morviau* » (Delvau).

Ah! oui, par exemple, l'envie lui en venait! C'est-à-dire que ça lui démangeait par tout le corps, de se cavaler et d'y passer, comme disait le père Coupeau. Il la faisait trop vivre dans cette idée-là, une fille honnête s'y serait allumée. Même, avec sa façon de gueuler, il lui apprit des choses qu'elle ne savait pas encore, ce qui était bien étonnant. Alors, peu à peu, elle prit de drôles de manières. Un matin, il l'aperçut qui fouillait dans un papier, pour se coller quelque chose sur la frimousse. C'était de la poudre de riz, dont elle emplâtrait par un goût pervers le satin si délicat de sa peau. Il la barbouilla avec le papier, à lui écorcher la figure, en la traitant de fille de meunier. Une autre fois, elle rapporta des rubans rouges pour retaper sa casquette, ce vieux chapeau noir qui lui faisait tant de honte. Et il lui demanda furieusement d'où venaient ces rubans. Hein? c'était sur le dos qu'elle avait gagné ça! Ou bien elle les avait achetés à la foire d'empoigne? Salope ou voleuse, peut-être déjà toutes les deux. A plusieurs reprises, il lui vit ainsi dans les mains des objets gentils, une bague de cornaline, une paire de manches avec une petite dentelle, un de ces cœurs en doublé, des « Tâtez-y », que les filles se mettent entre les deux nénais. Coupeau voulait tout piler; mais elle défendait ses affaires avec rage, c'était à elle, des dames les lui avaient données, ou encore elle avait fait des échanges à l'atelier. Par exemple, le cœur, elle l'avait trouvé rue d'Aboukir. Lorsque son père écrasa son cœur d'un coup de talon, elle resta toute droite, blanche et crispée, tandis qu'une révolte intérieure la poussait à se jeter sur lui, pour lui arracher quelque chose. Depuis deux ans, elle rêvait d'avoir ce cœur, et voilà qu'on le lui aplatissait! Non, elle trouvait ça trop fort, ça finirait à la fin!

Cependant, Coupeau mettait plus de taquinerie que d'honnêteté dans la façon dont il entendait mener Nana au doigt et à l'œil. Souvent, il avait tort, ses injustices exaspéraient la petite. Elle en vint à manquer l'atelier; puis, quand le zingueur lui administra sa roulée, elle se moqua de lui, elle répondit qu'elle ne voulait plus retourner chez Titreville, parce qu'on la plaçait près d'Augustine, qui bien sûr devait avoir mangé ses pieds, tant elle trouillotait du goulot. Alors, Coupeau la conduisit lui-même rue du Caire, en priant la patronne de la coller toujours à côté d'Augustine, par punition. Chaque matin, pendant quinze jours, il prit la peine de descendre de la barrière Poissonnière pour accompagner Nana jusqu'à la porte de l'atelier. Et il restait cinq minutes sur le trottoir, afin d'être certain qu'elle était entrée. Mais, un matin, comme il s'était arrêté avec un camarade chez un marchand de la rue Saint-Denis, il aperçut la mâtine, dix minutes plus tard, qui filait vite vers le bas de la rue, en secouant son panier aux crottes. Depuis quinze jours, elle le faisait poser, elle montait deux étages au lieu d'entrer chez Titreville, et s'asseyait sur une marche, en attendant qu'il fût parti. Lorsque Coupeau voulut s'en prendre à Mme Lerat, celle-ci lui cria très vertement qu'elle n'acceptait pas la leçon; elle avait dit à sa nièce tout ce qu'elle devait dire contre les hommes, ce n'était pas sa faute si la gamine gardait du goût pour ces salopiauds; maintenant, elle s'en lavait les mains, elle jurait de ne plus se mêler de rien, parce qu'elle savait ce qu'elle savait, des cancans dans la famille, oui, des personnes qui osaient l'accuser de se perdre avec Nana et de goûter un sale plaisir à lui voir exécuter sous ses yeux le grand écart. D'ailleurs, Coupeau apprit par la patronne que Nana était débauchée par une autre ouvrière, ce petit chameau de Léonie, qui venait de lâcher les fleurs pour faire la noce. Sans doute l'enfant gourmande seulement de galette et de vacherie dans les rues, aurait encore pu se marier avec une couronne d'oranger sur la tête. Mais, fichtre! il fallait se presser joliment si l'on voulait la donner à un mari sans rien de déchiré, propre et en bon état, complète enfin ainsi que les demoiselles qui se respectent.

Dans la maison, rue de la Goutte-d'Or, on parlait du vieux de Nana, comme d'un monsieur que tout le monde connaissait. Oh! il restait très poli, un peu timide même, mais entêté et patient en diable, la suivant à dix pas d'un air de toutou obéissant. Des fois même, il entrait jusque dans la cour. Mme Gaudron le rencontra un soir sur le palier du second, qui filait le long de la rampe, le nez baissé, allumé et peureux. Et les Lorilleux menaçaient de déménager si leur chiffon de nièce amenait encore des hommes à son derrière, car ça devenait dégoûtant, l'escalier en était plein, on ne pouvait plus descendre, sans en voir à toutes les marches, en train de renifler et d'attendre; vrai, on aurait cru qu'il y avait une bête en folie, dans ce coin de la maison. Les Boche s'apitoyaient sur le sort de ce pauvre monsieur, un homme si respectable, qui se toquait d'une petite coureuse. Enfin! c'était un commerçant, ils avaient vu sa fabrique de boutons boulevard de La Villette, il aurait pu faire un sort à une femme, s'il était tombé sur une fille honnête. Grâce aux détails donnés par les concierges, tous les gens du quartier, les Lorilleux eux-mêmes, montraient la plus grande considération pour le vieux, quand il passait sur les talons de Nana, la lèvre pendante dans sa face blême, avec son collier de barbe grise, correctement taillé.

Pendant le premier mois, Nana s'amusa joliment de son vieux. Il fallait le voir, toujours en petoche [208] autour d'elle. Un vrai fouille-au-pot, qui tâtait sa jupe par derrière, dans la foule, sans avoir l'air de rien. Et ses jambes! des cotrets [209] de charbonnier, de vraies allumettes! Plus de mousse sur le caillou, quatre cheveux frisant à plat dans le cou, si bien qu'elle était toujours tentée de lui demander l'adresse du merlan qui lui faisait la raie. Ah! quel vieux birbe! il était rien folichon!

Puis, à le trouver sans cesse là, il ne lui parut plus si drôle. Elle avait une peur sourde de lui, elle aurait crié s'il s'était approché. Souvent, lorsqu'elle s'arrêtait devant un bijoutier, elle l'entendait tout d'un coup qui lui bégayait des choses dans le dos. Et c'était vrai ce qu'il disait, elle aurait bien voulu avoir une croix avec un velours au cou, ou encore de petites boucles d'oreilles de corail, si petites, qu'on croirait des gouttes de sang. Même, sans ambitionner des bijoux, elle ne pouvait vraiment pas rester un guenillon, elle était lasse de se retaper avec la gratte des ateliers de la rue du Caire, elle avait surtout assez de sa casquette, ce caloquet sur lequel les fleurs chipées chez Titreville faisaient un effet de gringuenaudes [210] pendues comme des sonnettes au derrière d'un pauvre homme. Alors, trottant dans la boue, éclaboussée par les voitures, aveuglée par le resplendissement des étalages, elle avait des envies qui la tortillaient à l'estomac, ainsi que des fringales, des envies d'être bien mise, de manger dans les restaurants, d'aller au spectacle, d'avoir une chambre à elle avec de beaux meubles. Elle s'arrêtait toute pâle de désir, elle sentait monter du pavé de Paris une chaleur le long de ses cuisses, un appétit féroce de mordre aux jouissances dont elle était bousculée, dans la grande cohue des trottoirs. Et, ça ne manquait jamais, justement à ces moments-là, son vieux lui coulait à l'oreille des propositions. Ah! comme elle lui aurait tapé dans la main, si elle n'avait pas eu peur de lui, une révolte intérieure qui la raidissait dans ses refus, furieuse et dégoûtée de l'inconnu de l'homme, malgré tout son vice.

Mais, lorsque l'hiver arriva, l'existence devint impossible chez les Coupeau. Chaque soir, Nana recevait sa raclée. Quand le père était las de la battre, la mère lui envoyait des torgnoles, pour lui apprendre à bien se conduire. Et c'étaient souvent des danses générales; dès que l'un tapait, l'autre la défendait, si bien que tous les trois finissaient par se rouler sur le carreau, au milieu de la vaisselle cassée. Avec ça, on ne mangeait point à sa faim, on crevait de froid. Si la petite s'achetait quelque chose de gentil, un nœud de ruban, des boutons de manchettes, les parents le lui confisquaient et allaient le laver. Elle n'avait rien à elle que sa rente de calottes avant de se fourrer dans le lambeau de drap, où elle grelottait sous son petit jupon noir qu'elle étalait pour toute couverture. Non, cette sacrée vie-là ne pouvait pas continuer, elle ne voulait point y laisser sa peau. Son père, depuis longtemps ne comptait plus; quand un père se soûle comme le sien se soûlait, ce n'est pas un père, c'est une sale bête dont on voudrait bien être débarrassé. Et, maintenant, sa mère dégringolait à son tour dans son amitié. Elle buvait, elle aussi. Elle entrait par goût chercher son homme chez le père Colombe, histoire de se faire offrir des consommations; et elle s'attablait très bien, sans afficher des airs dégoûtés comme la première fois, sifflant les verres d'un trait, traînant ses coudes pendant des heures et sortant de là avec les yeux hors de la tête. Lorsque Nana, en passant devant l'Assommoir, apercevait sa mère au fond, le nez dans la goutte, avachie au milieu des engueulades des hommes, elle était prise d'une colère bleue, parce que la jeunesse, qui a le bec tourné à une autre friandise, ne comprend pas la boisson. Ces soirs-là, elle avait un beau tableau, le papa pochard, la maman pocharde, un tonnerre de Dieu de cambuse où il n'y avait pas de pain et qui empoisonnait la liqueur. Enfin, une sainte ne serait pas restée là-dedans. Tant pis! si elle prenait de la poudre d'escampette un de ces jours; ses parents pourraient bien faire leur *mea culpa* et dire qu'ils l'avaient eux-mêmes poussée dehors.

Un samedi, Nana trouva en rentrant son père et sa mère dans un état abominable. Coupeau, tombé en travers du lit, ronflait. Gervaise, tassée sur une chaise, roulait la tête avec des yeux vagues et inquiétants ouverts sur le vide. Elle avait oublié de faire chauffer le dîner, un restant de ragoût. Une chandelle, qu'elle ne mouchait pas, éclairait la misère honteuse du taudis.

— C'est toi, chenillon? bégaya Gervaise. Ah bien! ton père va te ramasser!

Nana ne répondait pas, restait toute blanche, regardait le poêle froid, la table sans assiettes, la pièce lugubre où cette paire de soûlards mettaient l'horreur blême de leur hébétement. Elle n'ôta pas son chapeau, fit le tour de la chambre; puis, les dents serrées, elle rouvrit la porte, elle s'en alla.

---

208. Dérivé de l'expression « faire le pet », s'impatienter.
209. « Jambes – dans l'argot des faubouriens » (Delvau).
210. Saletés.

— Tu redescends ? demanda sa mère, sans pouvoir tourner la tête.

— Oui, j'ai oublié quelque chose. Je vais remonter... Bonsoir.

Et elle ne revint pas. Le lendemain, les Coupeau, dessoûlés, se battirent, en se jetant l'un à l'autre à la figure l'envolement de Nana. Ah! elle était loin, si elle courait toujours! Comme on dit aux enfants pour les moineaux, les parents pouvaient aller lui mettre un grain de sel au derrière, ils la rattraperaient peut-être. Ce fut un grand coup qui écrasa encore Gervaise; car elle sentit bien, malgré son avachissement, que la culbute de sa petite, en train de se faire caramboler, l'enfonçait davantage, seule maintenant, n'ayant plus d'enfant à respecter, pouvant se lâcher aussi bas qu'elle tomberait. Oui, ce chameau dénaturé lui emportait le dernier morceau de son honnêteté dans ses jupons sales. Et elle se grisa trois jours, furieuse, les poings serrés, la bouche enflée de mots abominables contre sa garce de fille. Coupeau, après avoir roulé les boulevards extérieurs et regardé sous le nez tous les torchons qui passaient, fumait de nouveau sa pipe, tranquille comme Baptiste; seulement, quand il était à table, il se levait parfois, les bras en l'air, un couteau au poing, en criant qu'il était déshonoré; et il se rasseyait pour finir sa soupe.

Dans la maison, où chaque mois des filles s'envolaient comme des serins dont on laisserait les cages ouvertes, l'accident des Coupeau n'étonna personne. Mais les Lorilleux triomphaient. Ah! ils l'avaient prédit que la petite leur chierait du poivre! C'était mérité, toutes les fleuristes tournaient mal. Les Boche et les Poisson ricanaient également, en faisant une dépense et un étalage extraordinaires de vertu. Seul, Lantier défendait sournoisement Nana. Mon Dieu! sans doute, déclarait-il de son air puritain, une demoiselle qui se cavalait offensait toutes les lois; puis, il ajoutait, avec une flamme dans le coin des yeux, que, sacredié! la gamine était aussi trop jolie pour foutre la misère à son âge.

— Vous ne savez pas ? cria un jour Mme Lorilleux dans la loge des Boche, où la coterie prenait du café, eh bien! vrai comme la lumière du jour nous éclaire, c'est la Banban qui a vendu sa fille... Oui, elle l'a vendue, et j'ai des preuves!... Ce vieux, qu'on rencontrait matin et soir dans l'escalier, il montait déjà donner des acomptes. Ça crevait les yeux. Et, hier donc! quelqu'un les a aperçus ensemble à l'Ambigu, la donzelle et son matou... Ma parole d'honneur! ils sont ensemble, vous voyez bien!

On acheva le café, en discutant ça. Après tout, c'était possible, il se passait des choses encore plus fortes. Et, dans le quartier, les gens les mieux posés finirent pas répéter que Gervaise avait vendu sa fille.

Gervaise, maintenant, traînait ses savates, en se fichant du monde. On l'aurait appelée voleuse, dans la rue, qu'elle ne se serait pas retournée. Depuis un mois, elle ne travaillait plus chez Mme Fauconnier, qui avait dû la flanquer à la porte, pour éviter des disputes. En quelques semaines, elle était entrée chez huit blanchisseuses; elle faisait deux ou trois jours dans chaque atelier, puis elle recevait son paquet, tellement elle cochonnait l'ouvrage, sans soin, malpropre, perdant la tête jusqu'à oublier son métier. Enfin, se sentant gâcheuse, elle venait de quitter le repassage, elle lavait à la journée, au lavoir de la rue Neuve; patauger, se battre avec la crasse, redescendre dans ce que le métier a de rude et de facile, ça marchait encore, ça l'abaissait d'un cran sur la pente de sa dégringolade. Par exemple, le lavoir ne l'embellissait guère. Un vrai chien crotté, quand elle sortait de là-dedans, trempée, montrant sa chair bleue. Avec ça, elle grossissait toujours, malgré ses danses devant le buffet vide, et sa jambe se tortillait si fort, qu'elle ne pouvait plus marcher près de quelqu'un, sans manquer de le jeter par terre, tant elle boitait.

Naturellement, lorsqu'on se décatit à ce point, tout l'orgueil de la femme s'en va. Gervaise avait mis sous elle ses anciennes fiertés, ses coquetteries, ses besoins de sentiments, de convenances et d'égards. On pouvait lui allonger des coups de soulier partout, devant et derrière, elle ne les sentait pas, elle devenait trop flasque et trop molle. Ainsi, Lantier l'avait complètement lâchée; il ne la pinçait même plus pour la forme; et elle semblait ne s'être pas aperçue de cette fin d'une longue liaison, lentement traînée et dénouée dans une lassitude mutuelle. C'était, pour elle, une corvée de moins. Même les rapports de Lantier et de Virginie la laissaient parfaitement calme, tant elle avait une grosse indifférence pour toutes ces bêtises dont elle rageait si fort autrefois. Elle aurait tenu la chandelle, s'ils avaient voulu. Personne maintenant n'ignorait la chose, le chapelier et l'épicière menaient un beau train. Ça leur était trop commode aussi, ce cornard de Poisson avait tous les deux jours un service de nuit, qui le faisait grelotter sur les trottoirs déserts, pendant que sa femme et le voisin, à la maison, se tenaient les pieds chauds. Oh! ils ne se pressaient pas, ils entendaient sonner lentement ses bottes, le long de la boutique, dans la rue noire et vide, sans pour cela hasarder leurs nez hors de la couverture. Un sergent de ville ne connaît que son devoir, n'est-ce pas ? et ils restaient tranquillement jusqu'au jour à lui endommager sa propriété, pendant que cet homme sévère veillait sur la propriété des autres. Tout le quartier de la Goutte-d'Or rigolait de cette bonne farce. On trouvait drôle le cocuage de l'autorité. D'ailleurs, Lantier avait conquis ce coin-là. La boutique et la boutiquière allaient ensemble. Il venait de manger une blanchisseuse ; à présent, il croquait une épicière ; et s'il s'établissait à la file des merciers, des papetières, des modistes, il était de mâchoires assez larges pour les avaler.

Non, jamais on n'a vu un homme se rouler comme ça dans le sucre. Lantier avait joliment choisi son affaire en conseillant à Virginie un commerce de friandises. Il était trop Provençal pour ne pas adorer les douceurs ; c'est-à-dire qu'il aurait vécu de pastilles, de boules de gomme, de dragées et de chocolat. Les dragées surtout, qu'il appelait des « amandes sucrées », lui mettaient une petite mousse aux lèvres, tant elles lui chatouillaient la gargamelle. Depuis un an, il ne vivait plus que de bonbons. Il ouvrait les tiroirs, se fichait des culottes tout seul, quand Virginie le priait de garder la boutique. Souvent, en causant, devant des cinq ou six personnes, il ôtait le couvercle d'un bocal du comptoir, plongeait la main, croquait quelque chose ; le bocal restait ouvert et se vidait. On ne faisait plus attention à ça, une manie, disait-il. Puis, il avait imaginé un rhume perpétuel, une irritation de la gorge, qu'il parlait d'adoucir. Il ne travaillait toujours pas, avait en vue des affaires de plus en plus considérables ; pour lors, il mijotait une invention superbe, le chapeau-parapluie, un chapeau qui se transformait sur la tête en rifflard, aux premières gouttes d'une averse ; et il promettait à Poisson une moitié des bénéfices, il lui empruntait même des pièces de vingt francs, pour les expériences. En attendant, la boutique fondait sur sa langue ; toutes les marchandises y passaient, jusqu'aux cigares en chocolat et aux pipes de caramel rouge. Quand il crevait de sucreries, et que, pris de tendresse, il se payait une dernière lichade sur la patronne, dans un coin, celle-ci le trouvait tout sucré, les lèvres comme des pralines. Un homme joliment gentil à embrasser ! Positivement, il devenait tout miel. Les Boche disaient qu'il lui suffisait de tremper son doigt dans son café, pour en faire un vrai sirop.

Lantier, attendri par ce dessert continu, se montrait paternel pour Gervaise. Il lui donnait des conseils, la grondait de ne plus aimer le travail. Que diable ! une femme, à son âge, devait savoir se retourner ! Et il l'accusait d'avoir toujours été gourmande. Mais, comme il faut tendre la main aux gens, même lorsqu'ils ne le méritent guère, il tâchait de lui trouver de petits travaux. Ainsi, il avait décidé Virginie à faire venir Gervaise une fois par semaine pour laver la boutique et les chambres ; ça la connaissait, l'eau de potasse ; et, chaque fois, elle gagnait trente sous. Gervaise arrivait le samedi matin, avec un seau et sa brosse, sans paraître souffrir de revenir ainsi faire une sale et humble besogne, la besogne des torchons de vaisselle, dans ce logement où elle avait trôné en belle patronne blonde. C'était un dernier aplatissement, la fin de son orgueil.

Un samedi, elle eut joliment du mal. Il avait plu trois jours, les pieds des pratiques semblaient avoir apporté dans le magasin toute la boue du quartier. Virginie était au comptoir, en train de faire la dame, bien peignée, avec un petit col et des manches de dentelle. A côté d'elle, sur l'étroite banquette de moleskine rouge, Lantier se prélassait, l'air chez lui, comme le vrai patron de la baraque ; et il envoyait négligemment la main dans un bocal de pastilles à la menthe, histoire de croquer du sucre, par habitude.

— Dites donc, madame Coupeau ! cria Virginie qui suivait le travail de la laveuse, les lèvres pincées, vous laissez de la crasse, là-bas, dans ce coin. Frottez-moi donc un peu mieux ça !

Gervaise obéit. Elle retourna dans le coin, recommença à laver. Agenouillée par terre, au milieu de l'eau sale, elle se pliait en deux, les épaules saillantes, les bras violets et raidis. Son vieux jupon trempé lui collait aux fesses. Elle faisait sur le parquet un tas de quelque chose de pas propre, dépeignée, montrant par les trous de sa camisole l'enflure de son corps, un débordement de chairs molles qui voyageaient, roulaient et sautaient, sous les rudes secousses de sa besogne ; et elle suait tellement, que, de son visage inondé, pissaient de grosses gouttes.

— Plus on met de l'huile de coude, plus ça reluit, dit sentencieusement Lantier, la bouche pleine de de pastilles.

Virginie, renversée avec un air de princesse, les yeux demi-clos, suivait toujours le lavage, lâchant des réflexions.

— Encore un peu à droite. Maintenant, faites bien attention à la boiserie... Vous savez, je n'ai pas été très contente, samedi dernier. Les taches étaient restées.

Et tous les deux, le chapelier et l'épicière, se carraient davantage, comme sur un trône, tandis que Gervaise se traînait à leurs pieds, dans la boue noire. Virginie devait jouir, car ses yeux de chat s'éclairèrent un instant d'étincelles jaunes, et elle regarda Lantier avec un sourire mince. Enfin, ça la vengeait donc de l'ancienne fessée du lavoir, qu'elle avait toujours gardée sur la conscience!

Cependant, un léger bruit de scie venait de la pièce du fond, lorsque Gervaise cessait de frotter. Par la porte ouverte, on apercevait, se détachant sur le jour blafard de la cour, le profil de Poisson, en congé ce jour-là, et profitant de son loisir pour se livrer à sa passion des petites boîtes. Il était assis devant une table et découpait, avec un soin extraordinaire, des arabesques dans l'acajou d'une caisse à cigares.

— Écoutez, Badingue! cria Lantier, qui s'était remis à lui donner ce surnom, par amitié; je retiens votre boîte, un cadeau pour une demoiselle.

Virginie le pinça, mais le chapelier galamment, sans cesser de sourire, lui rendit le bien pour le mal, en faisant la souris le long de son genou, sous le comptoir; et il retira sa main d'une façon naturelle, lorsque le mari leva la tête, montrant son impériale et ses moustaches rouges, hérissées dans sa face terreuse.

— Justement, dit le sergent de ville, je travaillais à votre intention, Auguste. C'était un souvenir d'amitié.

— Ah! fichtre alors, je garderai votre petite machine! reprit Lantier en riant. Vous savez, je me la mettrai au cou avec un ruban.

Puis, brusquement, comme si cette idée en éveillait une autre :

— A propos! s'écria-t-il, j'ai rencontré Nana, hier soir.

Du coup, l'émotion de cette nouvelle assit Gervaise dans la mare d'eau sale qui emplissait la boutique. Elle demeura suante, essoufflée, avec sa brosse à la main.

— Ah! murmura-t-elle simplement.

— Oui, je descendais la rue des Martyrs, je regardais une petite qui se tortillait au bras d'un vieux, devant moi, et je me disais : Voilà un troufignon que je connais... Alors, j'ai redoublé le pas, je me suis trouvé nez à nez avec ma sacrée Nana... Allez, vous n'avez pas à la plaindre, elle est bien heureuse, une jolie robe de laine sur le dos, une croix d'or au cou, et l'air drolichon avec ça!

— Ah! répéta Gervaise d'une voix plus sourde.

Lantier, qui avait fini les pastilles, prit un sucre d'orge dans un autre bocal.

— Elle a un vice, cette enfant! continua-t-il. Imaginez-vous qu'elle m'a fait signe de la suivre, avec un aplomb de bœuf. Puis, elle a remisé son vieux quelque part, dans un café... Oh! épatant, le vieux! vidé, le vieux!... Et elle est revenue me rejoindre sous une porte. Un vrai serpent! gentille, et faisant sa tata[211], et vous lichant comme un petit chien! Oui, elle m'a embrassé, elle a voulu savoir des nouvelles de tout le monde... Enfin, j'ai été bien content de la rencontrer.

— Ah! dit une troisième fois Gervaise.

Elle se tassait, elle attendait toujours. Sa fille n'avait donc pas eu une parole pour elle ? Dans le silence, on entendait de nouveau la scie de Poisson. Lantier, égayé, suçait rapidement son sucre d'orge, avec un sifflement des lèvres.

— Eh bien! moi, je puis la voir, je passerai de l'autre côté de la rue, reprit Virginie, qui venait de pincer le chapelier d'une main féroce. Oui, le rouge me monterait au front, d'être saluée en public par une de ces filles... Ce n'est pas parce que vous êtes là, madame Coupeau, mais votre fille est une jolie pourriture. Poisson en ramasse tous les jours qui valent davantage.

Gervaise ne disait rien, ne bougeait pas, les yeux fixes dans le vide. Elle finit par hocher lentement la tête, comme pour répondre aux idées qu'elle gardait en elle, pendant que le chapelier, la mine friande, murmurait :

— De cette pourriture-là, on s'en ficherait volontiers des indigestions. C'est tendre comme du poulet...

Mais l'épicière le regardait d'un air si terrible, qu'il dut s'interrompre et l'apaiser par une gentillesse. Il guetta le sergent de ville, l'aperçut le nez sur sa petite boîte, et profita de ça pour fourrer le sucre d'orge dans la bouche de Virginie. Alors, celle-ci eut un rire complaisant. Puis, elle tourna sa colère contre la laveuse.

— Dépêchez-vous un peu, n'est-ce pas ? Ça n'avance guère la besogne, de rester là comme une borne... Voyons, remuez-vous, je n'ai pas envie de patauger dans l'eau jusqu'à ce soir.

Et elle ajouta plus bas, méchamment :

— Est-ce que c'est de ma faute si sa fille fait la noce!

Sans doute, Gervaise n'entendit pas. Elle s'était remise à frotter le parquet, l'échine cassée, aplatie par terre et se traînant avec des mouvements engourdis de grenouille. De ses deux mains, crispées sur le bois de la brosse, elle poussait devant elle un

---

211. « *Faire sa tata* : se donner de l'importance; être une commère écoutée » (Delvau). Il y eut, après *l'Assommoir*, une chanson « Nana, fais pas ta tata ».

flot noir dont les éclaboussures la mouchetaient de boue, jusque dans ses cheveux. Il n'y avait plus qu'à rincer, après avoir balayé les eaux sales au ruisseau.

Cependant, au bout d'un silence, Lantier qui s'ennuyait haussa la voix.

— Vous ne savez pas, Badingue, cria-t-il, j'ai vu votre patron hier, rue de Rivoli. Il est diablement ravagé, il n'en a pas pour six mois dans le corps... Ah! dame! avec la vie qu'il fait!

Il parlait de l'empereur. Le sergent de ville répondit d'un ton sec, sans lever les yeux :

— Si vous étiez le gouvernement, vous ne seriez pas si gras.

— Oh! mon bon, si j'étais le gouvernement, reprit le chapelier en affectant une brusque gravité, les choses iraient un peu mieux, je vous en flanque mon billet... Ainsi, leur politique extérieure, vrai! ça fait suer, depuis quelque temps. Moi, moi qui vous parle, si je connaissais seulement un journaliste, pour l'inspirer de mes idées...

Il s'animait, et comme il avait fini de croquer son sucre d'orge, il venait d'ouvrir un tiroir, dans lequel il prenait des morceaux de pâte de guimauve, qu'il gobait en gesticulant.

— C'est bien simple... Avant tout, je reconstituerais la Pologne, et j'établirais un grand État scandinave, qui tiendrait en respect le géant du Nord... Ensuite, je ferais une république de tous les petits royaumes allemands... Quant à l'Angleterre, elle n'est guère à craindre; si elle bougeait, j'enverrais cent mille hommes dans l'Inde... Ajoutez que je reconduirais, la crosse dans le dos, le Grand Turc à La Mecque, et le pape à Jérusalem... Hein ? l'Europe serait vite propre. Tenez! Badingue, regardez un peu...

Il s'interrompit pour prendre à poignée cinq ou six morceaux de pâte de guimauve.

— Eh bien! ce ne serait pas plus long que d'avaler ça.

Et il jetait, dans sa bouche ouverte, les morceaux les uns après les autres.

— L'empereur a un autre plan, dit le sergent de ville, au bout de deux grandes minutes de réflexion.

— Laissez donc! reprit violemment le chapelier. On le connaît, son plan! L'Europe se fiche de nous... Tous les jours, les larbins des Tuileries ramassent votre patron sous la table, entre deux gadoues du grand monde.

Mais Poisson s'était levé. Il s'avança et mit la main sur son cœur, en disant :

— Vous me blessez, Auguste. Discutez sans faire de personnalités.

Virginie alors intervint, en les priant de lui flanquer la paix. Elle avait l'Europe quelque part. Comment deux hommes qui partageaient tout le reste, pouvaient-ils s'attraper sans cesse à propos de la politique ? Ils mâchèrent un instant de sourdes paroles. Puis, le sergent de ville, pour montrer qu'il n'avait pas de rancune, apporta le couvercle de sa petite boîte, qu'il venait de terminer; on lisait dessus, en lettres marquetées : *A Auguste, souvenir d'amitié.* Lantier, très flatté, se renversa, s'étala, si bien qu'il était presque sur Virginie. Et le mari regardait ça, avec son visage couleur de vieux mur, dans lequel ses yeux troubles ne disaient rien; mais les poils rouges de ses moustaches remuaient tout seuls par moments, d'une drôle de façon, ce qui aurait pu inquiéter un homme moins sûr de son affaire que le chapelier.

Cet animal de Lantier avait ce toupet tranquille qui plaît aux dames. Comme Poisson tournait le dos, il lui poussa l'idée farce de poser un baiser sur l'œil gauche de Mme Poisson. D'ordinaire, il montrait une prudence sournoise; mais, quand il s'était disputé pour la politique, il risquait tout, histoire d'avoir raison sur la femme. Ces caresses goulues, chipées effrontément derrière le sergent de ville, le vengeaient de l'Empire, qui faisait de la France une maison à gros numéro. Seulement, cette fois, il avait oublié la présence de Gervaise. Elle venait de rincer et d'essuyer la boutique, elle se tenait debout près du comptoir, à attendre qu'on lui donnât ses trente sous. Le baiser sur l'œil la laissa très calme, comme une chose naturelle dont elle ne devait pas se mêler. Virginie parut un peu embêtée. Elle jeta les trente sous sur le comptoir, devant Gervaise. Celle-ci ne bougea pas, ayant l'air d'attendre toujours, secouée encore par le lavage, mouillée et laide comme un chien qu'on tirerait d'un égout.

— Alors, elle ne vous a rien dit ? demanda-t-elle enfin au chapelier.

— Qui ça ? cria-t-il. Ah! oui, Nana!... Mais non, rien autre chose. La gueuse a une bouche! un petit pot de fraises!

Et Gervaise s'en alla avec ses trente sous dans la main. Ses savates éculées crachaient comme des pompes, de véritables souliers à musique, qui jouaient un air en laissant sur le trottoir les empreintes mouillées de leurs larges semelles.

Dans le quartier, les soûlardes de son espèce racontaient maintenant qu'elle buvait pour se consoler de la culbute de sa fille. Elle-même, quand elle sifflait son verre de rogome[212] sur le comptoir,

212. « Eau-de-vie – dans l'argot du peuple » (Delvau). L'orthographe habituelle est *rogomme*.

prenait des airs de drame, se jetait ça dans le plomb en souhaitant que ça la fît crever. Et, les jours, où elle rentrait ronde comme une bourrique, elle bégayait que c'était le chagrin. Mais les gens honnêtes haussaient les épaules ; on la connaît celle-là, de mettre les culottes de poivre d'Assommoir sur le compte du chagrin ; en tout cas, ça devait s'appeler du chagrin en bouteille. Sans doute, au commencement, elle n'avait pas digéré la fugue de Nana. Ce qui restait en elle d'honnêteté se révoltait ; puis, généralement, une mère n'aime pas se dire que sa demoiselle, juste à la minute, se fait peut-être tutoyer par le premier venu. Mais elle était déjà trop abêtie, la tête malade et le cœur écrasé, pour garder longtemps cette honte. Chez elle, ça entrait et ça sortait. Elle restait très bien des huit jours sans songer à sa gourgandine ; et, brusquement, une tendresse ou une colère l'empoignait, des fois à jeun, des fois le sac plein, un besoin furieux de pincer Nana dans un petit endroit, où elle l'aurait peut-être embrassée, peut-être rouée de coups, selon son envie du moment. Elle finissait par n'avoir plus une idée bien nette de l'honnêteté. Seulement, Nana était à elle, n'est-ce pas ? Eh bien ! lorsqu'on a une propriété, on ne veut pas la voir s'évaporer.

Alors, dès que ces pensées la prenaient, Gervaise regardait dans les rues avec des yeux de gendarme. Ah ! si elle avait aperçu son ordure, comme elle l'aurait raccompagnée à la maison ! On bouleversait le quartier, cette année-là. On perçait le boulevard Magenta et le boulevard Ornano, qui emportaient l'ancienne barrière Poissonnière et trouaient le boulevard extérieur [213]. C'était à ne plus s'y reconnaître. Tout un côté de la rue des Poissonniers était par terre. Maintenant, de la rue de la Goutte-d'Or, on voyait une immense éclaircie, un coup de soleil et d'air libre ; et, à la place des masures qui bouchaient la vue de ce côté, s'élevait, sur le boulevard Ornano, un vrai monument, une maison à six étages, sculptée comme une église, dont les fenêtres claires, tendues de rideaux brodés, sentaient la richesse. Cette maison-là, toute blanche, posée juste en face de la rue, semblait l'éclairer d'une enfilade de lumière. Même, chaque jour, elle faisait disputer Lantier et Poisson. Le chapelier ne tarissait pas sur les démolitions de Paris ; il accusait l'empereur de mettre partout des palais, pour renvoyer les ouvriers en province ; et le sergent de ville, pâle d'une colère froide, répondait qu'au contraire l'empereur songeait d'abord aux ouvriers, qu'il raserait Paris, s'il le fallait, dans le seul but de leur donner du travail. Gervaise, elle aussi, se montrait ennuyée de ces embellissements, qui lui dérangeaient le coin noir de faubourg auquel elle était accoutumée. Son ennui venait de ce que, précisément, le quartier s'embellissait à l'heure où elle-même tournait à la ruine. On n'aime pas, quand on est dans la crotte, recevoir un rayon en plein sur la tête. Aussi, les jours où elle cherchait Nana, rageait-elle d'enjamber des matériaux, de patauger le long des trottoirs en construction, de buter contre des palissades. La belle bâtisse du boulevard Ornano la mettait hors des gonds. Des bâtisses pareilles, c'était pour des catins comme Nana.

Cependant, elle avait eu plusieurs fois des nouvelles de la petite. Il y a toujours de bonnes langues qui sont pressées de vous faire un mauvais compliment. Oui, on lui avait conté que la petite venait de planter là son vieux, un beau coup de fille sans expérience. Elle était très bien chez ce vieux, dorlotée, adorée, libre même, si elle avait su s'y prendre. Mais la jeunesse est bête, elle devait s'en être allée avec quelque godelureau, on ne savait pas bien au juste. Ce qui semblait certain, c'était qu'une après-midi, sur la place de la Bastille, elle avait demandé à son vieux trois sous pour un petit besoin, et que le vieux l'attendait encore. Dans les meilleures compagnies, on appelle ça pisser à l'anglaise [214]. D'autres personnes juraient l'avoir aperçue depuis, pinçant un chahut au Grand Salon de la Folie [215], rue de La Chapelle. Et ce fut alors que Gervaise s'imagina de fréquenter les bastringues du quartier. Elle ne passa plus devant la porte d'un bal sans entrer. Coupeau l'accompagnait. D'abord, ils firent simplement le tour des salles, en dévisageant les traînées qui se trémoussaient. Puis, un soir, ayant de la monnaie, ils s'attablèrent et burent un saladier de vin à la française, histoire de se rafraîchir et d'attendre voir si Nana ne viendrait pas. Au bout d'un mois, ils avaient oublié Nana, ils se payaient le bastringue pour leur plaisir, aimant regarder les danses. Pendant des heures, sans rien se dire, ils restaient le coude sur la table, hébétés au milieu du tremblement du plancher, s'amusant sans doute au fond à suivre de leurs yeux pâles les roulures de barrière, dans l'étouffement et la clarté rouge de la salle.

Justement, un soir de novembre, ils étaient entrés au Grand Salon de la Folie pour se réchauffer. Dehors, un petit frisquet coupait en deux la figure des passants. Mais la salle était bondée. Il y avait là-dedans un grouillement du tonnerre de Dieu, du

213. Boulevard Barbès.
214. « Disparaître sournoisement au moment décisif » (Delvau).
215. Ce café-concert se trouvait bien rue de La Chapelle.

monde à toutes les tables, du monde au milieu, du monde en l'air, un vrai tas de charcuterie ; oui, ceux qui aimaient les tripes à la mode de Caen, pouvaient se régaler. Quand ils eurent fait deux fois le tour sans trouver une table, ils prirent le parti de rester debout, à attendre qu'une société eût débarrassé le plancher. Coupeau se dandinait sur ses pieds, en blouse sale, en vieille casquette de drap sans visière, aplatie au sommet du crâne. Et, comme il barrait le passage, il vit un petit jeune homme maigre qui essuyait la manche de son paletot, après lui avoir donné un coup de coude.

— Dites donc ! cria-t-il, furieux, en retirant son brûle-gueule de sa bouche noire, vous ne pourriez pas demander excuse ?... Et ça fait le dégoûté encore, parce qu'on porte une blouse !

Le jeune homme s'était retourné, toisant le zingueur, qui continuait :

— Apprends un peu, bougre de greluchon, que la blouse est le plus beau vêtement, oui ! le vêtement du travail !... Va t'essuyer, moi, si tu veux, avec une paire de claques... A-t-on jamais vu des tantes pareilles qui insultent l'ouvrier !

Gervaise tâchait vainement de le calmer. Il s'étalait dans ses guenilles, il tapait sur sa blouse, en gueulant :

— Là-dedans, il y a la poitrine d'un homme !

Alors, le jeune homme se perdit au milieu de la foule, en murmurant :

— En voilà un sale voyou !

Coupeau voulut le rattraper. Plus souvent qu'il se laissât mécaniser[216] par un paletot ! Il n'était seulement pas payé, celui-là ! Quelque pelure d'occasion pour lever une femme sans lâcher un centime. S'il le retrouvait, il le collait à genoux et lui faisait saluer la blouse. Mais l'étouffement était trop grand, on ne pouvait pas marcher. Gervaise et lui tournaient avec lenteur autour des danses ; un triple rang de curieux s'écrasaient, les faces allumées, lorsqu'un homme s'étalait ou qu'une dame montrait tout en levant la jambe ; et, comme ils étaient petits l'un et l'autre, ils se haussaient sur les pieds, pour voir quelque chose, les chignons et les chapeaux qui sautaient. L'orchestre, de ses instruments de cuivre fêlés, jouait furieusement un quadrille, une tempête dont la salle tremblait ; tandis que les danseurs, tapant des pieds, soulevaient une poussière qui alourdissait le flamboiement du gaz. La chaleur était à crever.

— Regarde donc ! dit tout d'un coup Gervaise.

— Quoi donc ?

— Ce caloquet de velours, là-bas.

Ils se grandirent. C'était, à gauche, un vieux chapeau de velours noir, avec deux plumes déguenillées qui se balançaient ; un vrai plumet de corbillard. Mais ils n'apercevaient toujours que ce chapeau, dansant un chahut de tous les diables, cabriolant, tourbillonnant, plongeant et jaillissant. Ils le perdaient parmi la débandade enragée des têtes, et ils le retrouvaient, se balançant au-dessus des autres, d'une effronterie si drôle, que les gens, autour d'eux, rigolaient, rien qu'à regarder ce chapeau danser, sans savoir ce qu'il y avait dessous.

— Eh bien ? demanda Coupeau.

— Tu ne reconnais pas ce chignon-là ? murmura Gervaise, étranglée. Ma tête à couper que c'est elle !

Le zingueur, d'une poussée, écarta la foule. Nom de Dieu ! oui, c'était Nana ! Et dans une jolie toilette encore ! Elle n'avait plus sur le derrière qu'une vieille robe de soie, toute poissée d'avoir essuyé les tables des caboulots, et dont les volants arrachés dégobillaient de partout. Avec ça, en taille, sans un bout de châle sur les épaules, montrant son corsage nu aux boutonnières craquées. Dire que cette gueuse-là avait un vieux rempli d'attentions, et qu'elle en était tombée à ce point, pour suivre quelque marlou qui devait la battre ! N'importe, elle restait joliment fraîche et friande, ébouriffée comme un caniche, et le bec rose sous son grand coquin de chapeau.

— Attends, je vas te la faire danser ! reprit Coupeau.

Nana ne se méfiait pas, naturellement. Elle se tortillait, fallait voir ! Et des coups de derrière à gauche, et des coups de derrière à droite, des révérences qui la cassaient en deux, des battements de pieds jetés dans la figure de son cavalier, comme si elle allait se fendre ! On faisait cercle, on l'applaudissait ; et, lancée, elle ramassait ses jupes, les retroussait jusqu'aux genoux, toute secouée par le branle du chahut, fouettée et tournant pareille à une toupie, s'abattant sur le plancher dans de grands écarts qui l'aplatissaient, puis reprenant une petite danse modeste, avec un roulement de hanches et de gorge d'un chic épatant. C'était à l'emporter dans un coin pour la manger de caresses.

Cependant, Coupeau, tombant en plein dans la pastourelle, dérangeait la figure et recevait des bourrades.

— Je vous dis que c'est ma fille ! cria-t-il. Laissez-moi passer !

Nana, précisément, s'en allait à reculons, balayant le parquet avec ses plumes, arrondissant son postérieur et lui donnant de petites secousses, pour

---

216. « Vexer, se moquer de... » (Delvau).

Nana dansant le chahut, autre gravure de Gaston Latouche extraite
de son album sur l'*Assommoir* (1879).

que ce fût plus gentil. Elle reçut un maître coup de soulier, juste au bon endroit, se releva et devint toute pâle en reconnaissant son père et sa mère. Pas de chance, par exemple!

— A la porte! hurlaient les danseurs.

Mais Coupeau, qui venait de retrouver dans le cavalier de sa fille le jeune homme maigre au paletot, se fichait pas mal du monde.

— Oui, c'est nous! gueulait-il. Hein! tu ne t'attendais pas... Ah! c'est ici qu'on te pince, et avec un blanc-bec qui m'a manqué de respect tout à l'heure!

Gervaise, les dents serrées, le poussa, en disant :

— Tais-toi!... Il n'y a pas besoin de tant d'explications.

Et, s'avançant, elle flanqua à Nana deux gifles soignées. La première mit de côté le chapeau à plumes, la seconde resta marquée en rouge sur la joue blanche comme un linge. Nana, stupide, les reçut sans pleurer, sans se rebiffer. L'orchestre continuait, la foule se fâchait et répétait violemment :

— A la porte! à la porte!

— Allons, file! reprit Gervaise; marche devant! et ne t'avise pas de te sauver, ou je te fais coucher en prison!

Le petit jeune homme avait prudemment disparu. Alors, Nana marcha devant, très raide, encore dans la stupeur de sa mauvaise chance. Quand elle faisait mine de rechigner, une calotte par-derrière la remettait dans le chemin de la porte. Et ils sortirent ainsi tous les trois, au milieu des plaisanteries et des huées de la salle, tandis que l'orchestre achevait la pastourelle, avec un tel tonnerre que les trombones semblaient cracher des boulets.

La vie recommença. Nana, après avoir dormi douze heures dans son ancien cabinet, se montra très gentille pendant une semaine. Elle s'était rafistolé une petite robe modeste, elle portait un bonnet dont elle nouait les brides sous son chignon. Même, prise d'un beau feu, elle déclara qu'elle voulait travailler chez elle; on gagnait ce qu'on voulait chez soi, puis on n'entendait pas les saletés de l'atelier; et elle chercha de l'ouvrage, elle s'installa sur une table avec ses outils, se levant à cinq heures, les premiers jours, pour rouler ses queues de violettes. Mais, quand elle en eut livré quelques grosses, elle s'étira les bras devant la besogne, les mains tordues de crampes, ayant perdu l'habitude des queues et suffoquant de rester enfermée, elle qui s'était donné un si joli courant d'air de six mois. Alors, le pot de colle sécha, les pétales et le papier vert attrapèrent des taches de graisse, le patron

vint trois fois lui-même faire des scènes en réclamant ses fournitures perdues. Nana se traînait, empochait toujours des tatouilles de son père, s'empoignait avec sa mère matin et soir, des querelles où les deux femmes se jetaient à la tête des abominations. Ça ne pouvait pas durer; le douzième jour, la garce fila, emportant pour tout bagage sa robe modeste à son derrière et son bonnichon sur l'oreille. Les Lorilleux, que le retour et le repentir de la petite laissaient pincés, faillirent s'étaler les quatre fers en l'air, tant ils crevèrent de rire. Deuxième représentation, éclipse second numéro, les demoiselles pour Saint-Lazare [217], en voiture! Non, c'était trop comique. Nana avait un chic pour se tirer les pattes! Ah bien! si les Coupeau voulaient la garder maintenant, ils n'avaient plus qu'à lui coudre son affaire et à la mettre en cage!

Les Coupeau, devant le monde, affectèrent d'être bien débarrassés. Au fond, ils rageaient. Mais la rage n'a toujours qu'un temps. Bientôt, ils apprirent, sans même cligner un œil, que Nana roulait le quartier. Gervaise, qui l'accusait de faire ça pour les déshonorer, se mettait au-dessus des potins; elle pouvait rencontrer sa donzelle dans la rue, elle ne se salirait seulement pas la main à lui envoyer une baffe; oui, c'était bien fini, elle l'aurait trouvée en train de crever par terre, la peau nue sur le pavé, qu'elle serait passée sans dire que ce chameau venait de ses entrailles. Nana allumait tous les bals des environs. On la connaissait de la Reine Blanche au Grand Salon de la Folie. Quand elle entrait à l'Élysée-Montmartre, on montait sur les tables pour lui voir faire, à la pastourelle, l'écrevisse qui renifle [218]. Comme on l'avait flanquée deux fois dehors, au Château Rouge, elle rôdait seulement devant la porte, en attendant des personnes de sa connaissance. La Boule Noire, sur le boulevard, et le Grand Turc, rue des Poissonniers, étaient des salles comme il faut où elle allait lorsqu'elle avait du linge. Mais, de tous les bastringues du quartier, elle préférait encore le Bal de l'Ermitage [219], dans une cour humide, et le Bal Robert, impasse du Cadran, deux infectes petites salles éclairées par une demi-douzaine de quinquets, tenues à la papa, tous contents et tous libres, si bien qu'on laissait les cavaliers et leurs dames s'embrasser au fond, sans les déranger. Et Nana avait des hauts et des bas,

217. C'est à Saint-Lazare qu'étaient détenues les femmes et Bruant a consacré une chanson à cette prison célèbre.
218. Renifler veut dire reculer.
219. Il s'agit de cafés-concerts de bas étage où il y avait fréquemment des rixes. La Reine Blanche était rue de l'Empereur, le Château Rouge, où Huysmans avait ses habitudes, rue du Château, la Boule Noire rue de Rochechouart et le Bal de l'Ermitage rue des Martyrs.

de vrais coups de baguette, tantôt nippée comme une femme chic, tantôt balayant la crotte comme une souillon. Ah! elle menait une belle vie! Plusieurs fois, les Coupeau crurent apercevoir leur fille dans des endroits pas propres. Ils tournaient le dos, ils décampaient d'un autre côté, pour ne pas être obligés de la reconnaître. Ils n'étaient plus d'humeur à se faire blaguer de toute une salle, pour ramener chez eux une voirie pareille. Mais, un soir, vers dix heures, comme ils se couchaient, on donna des coups de poing dans la porte. C'était Nana qui, tranquillement, venait demander à coucher; et dans quel état, bon Dieu! nu-tête, une robe en loques, des bottines éculées, une toilette à se faire ramasser et conduire au Dépôt. Elle reçut une rossée, naturellement; puis, elle tomba goulûment sur un morceau de pain dur, et s'endormit, éreintée, avec une dernière bouchée aux dents. Alors, ce train-train continua. Quand la petite se sentait un peu requinquée, elle s'évaporait un matin. Ni vu ni connu! l'oiseau était parti. Et des semaines, des mois s'écoulaient, elle semblait perdue, lorsqu'elle reparaissait tout d'un coup, sans jamais dire d'où elle arrivait, des fois sale à ne pas être prise avec des pincettes, et égratignée du haut en bas du corps, d'autres fois bien mise, mais si molle et vidée par la noce, qu'elle ne tenait plus debout. Les parents avaient dû s'accoutumer. Les roulées n'y faisaient rien. Ils la trépignaient, ce qui ne l'empêchait pas de prendre leur chez eux comme une auberge, où l'on couchait à la semaine. Elle savait qu'elle payait son lit d'une danse; elle se tâtait et venait recevoir la danse, s'il y avait bénéfice pour elle. D'ailleurs, on se lasse de taper. Les Coupeau finissaient par accepter les bordées de Nana. Elle rentrait, ne rentrait pas, pourvu qu'elle ne laissât pas la porte ouverte, ça suffisait. Mon Dieu! l'habitude use l'honnêteté comme autre chose.

Une seule chose mettait Gervaise hors d'elle. C'était lorsque sa fille reparaissait avec des robes à queue et des chapeaux couverts de plumes. Non, ce luxe-là, elle ne pouvait pas l'avaler. Que Nana fît la noce, si elle voulait; mais, quand elle venait chez sa mère, qu'elle s'habillât au moins comme une ouvrière doit être habillée. Les robes à queue faisaient une révolution dans la maison: les Lorilleux ricanaient; Lantier, tout émoustillé, tournait autour de la petite, pour renifler sa bonne odeur; les Boche avaient défendu à Pauline de fréquenter cette rouchie, avec ses oripeaux. Et Gervaise se fâchait également des sommeils écrasés de Nana, lorsque, après une de ces fugues, elle dormait jusqu'à midi, dépoitraillée, le chignon défait et plein

encore d'épingles à cheveux, si blanche, respirant si court, qu'elle semblait morte. Elle la secouait des cinq ou six fois dans la matinée, en la menaçant de lui flanquer sur le ventre une potée d'eau. Cette belle fille fainéante, à moitié nue, toute grasse de vice l'exaspérait en cuvant ainsi l'amour dont sa chair semblait gonflée, sans pouvoir même se réveiller. Nana ouvrait un œil, le refermait, s'étalait davantage.

Un jour, Gervaise qui lui reprochait sa vie crûment, et lui demandait si elle donnait dans les pantalons rouges [220], pour rentrer cassée à ce point, exécuta enfin sa menace en lui secouant sa main mouillée sur le corps. La petite, furieuse, se roula dans le drap, en criant:

— En voilà assez, n'est-ce pas? maman! Ne causons pas des hommes, ça vaudra mieux. Tu as fait ce que tu as voulu, je fais ce que je veux.

— Comment? comment? bégaya la mère.

— Oui, je ne t'en ai jamais parlé, parce que ça ne me regardait pas; mais tu ne te gênais guère, je t'ai vue assez souvent te promener en chemise, en bas, quand papa ronflait... Ça ne te plaît plus maintenant, mais ça plaît aux autres. Fiche-moi la paix, fallait pas me donner l'exemple!

Gervaise resta toute pâle, les mains tremblantes, tournant sans savoir ce qu'elle faisait, pendant que Nana, aplatie sur le ventre, serrant son oreiller entre ses bras, retombait dans l'engourdissement de son sommeil de plomb.

Coupeau grognait, n'ayant même plus l'idée d'allonger des claques. Il perdait la boule, complètement. Et, vraiment, il n'y avait pas à le traiter de père sans moralité, car la boisson lui ôtait toute conscience du bien et du mal.

Maintenant, c'était réglé. Il ne dessoûlait pas de six mois, puis il tombait et entrait à Sainte-Anne; une partie de campagne pour lui. Les Lorilleux disaient que M. le duc de Tord-Boyaux se rendait dans ses propriétés. Au bout de quelques semaines, il sortait de l'asile, réparé, recloué, et recommençait à se démolir, jusqu'au jour où, de nouveau sur le flanc, il avait encore besoin d'un raccommodage. En trois ans, il entra ainsi sept fois à Sainte-Anne. Le quartier racontait qu'on lui gardait sa cellule. Mais le vilain de l'histoire était que cet entêté soûlard se cassait davantage chaque fois, si bien que, de rechute en rechute, on pouvait prévoir la cabriole finale, le dernier craquement de ce tonneau malade dont les cercles pétaient les uns après les autres.

220. Les soldats, qui constituaient la plus basse clientèle des filles.

Avec ça, il oubliait d'embellir; un revenant à regarder! Le poison le travaillait rudement. Son corps imbibé d'alcool se ratatinait comme les fœtus qui sont dans des bocaux, chez les pharmaciens. Quand il se mettait devant une fenêtre, on apercevait le jour au travers de ses côtes, tant il était maigre. Les joues creuses, les yeux dégouttant, pleurant assez de cire pour fournir une cathédrale, il ne gardait que sa truffe de fleurie, belle et rouge, pareille à un œillet au milieu de sa trogne dévastée. Ceux qui savaient son âge, quarante ans sonnés, avaient un petit frisson, lorsqu'il passait, courbé, vacillant, vieux comme les rues. Et le tremblement de ses mains redoublait, sa main droite surtout battait tellement la breloque, que, certains jours, il devait prendre son verre dans ses deux poings, pour le porter à ses lèvres. Oh! ce nom de Dieu de tremblement! c'était la seule chose qui le taquinât encore, au milieu de sa vacherie générale. On l'entendait grogner des injures féroces contre ses mains. D'autres fois, on le voyait pendant des heures en contemplation devant ses mains qui dansaient, les regardant sauter comme des grenouilles, sans rien dire, ne se fâchant plus, ayant l'air de chercher quelle mécanique intérieure pouvait leur faire faire joujou de la sorte; et, un soir, Gervaise l'avait trouvé ainsi, avec deux grosses larmes qui coulaient sur ses joues cuites de pochard.

Le dernier été, pendant lequel Nana traîna chez ses parents les restes de ses nuits, fut surtout mauvais pour Coupeau. Sa voix changea complètement, comme si le fil-en-quatre avait mis une musique nouvelle dans sa gorge. Il devint sourd d'une oreille. Puis, en quelques jours, sa vue baissa; il lui fallait tenir la rampe de l'escalier, s'il ne voulait pas dégringoler. Quant à sa santé, elle se reposait, comme on dit. Il avait des maux de tête abominables, des étourdissements qui lui faisaient voir trente-six chandelles. Tout d'un coup, des douleurs aiguës le prenaient dans les bras et dans les jambes; il pâlissait, il était obligé de s'asseoir, et restait sur une chaise hébété pendant des heures; même, après une de ces crises, il avait gardé son bras paralysé tout un jour. Plusieurs fois, il s'alita; il se pelotonnait, se cachait sous le drap, avec le souffle fort et continu d'un animal qui souffre. Alors, les extravagances de Sainte-Anne recommençaient. Méfiant, inquiet, tourmenté d'une fièvre ardente, il se roulait dans des rages folles, déchirait ses blouses, mordait les meubles de sa mâchoire convulsée; ou bien il tombait à un grand attendrissement, lâchant des plaintes de fille, sanglotant et se lamentant de n'être aimé par personne. Un soir, Gervaise et Nana, qui rentraient ensemble, ne le trouvèrent plus dans son lit. A sa place, il avait couché le traversin. Et, quand elles le découvrirent, caché entre le lit et le mur, il claquait des dents, il racontait que des hommes allaient venir l'assassiner. Les deux femmes durent le recoucher et le rassurer comme un enfant.

Coupeau ne connaissait qu'un remède, se coller sa chopine de cric, un coup de bâton dans l'estomac, qui le mettait debout. Tous les matins, il guérissait ainsi sa pituite. La mémoire avait filé depuis longtemps, son crâne était vide; et il ne se trouvait pas plus tôt sur les pieds, qu'il blaguait la maladie. Il n'avait jamais été malade. Oui, il en était à point où l'on crève en disant qu'on se porte bien. D'ailleurs, il déménageait aussi pour le reste. Quand Nana rentrait, après des six semaines de promenade, il semblait croire qu'elle revenait d'une commission dans le quartier. Souvent, accrochée au bras d'un monsieur, elle le rencontrait et rigolait, sans qu'il la reconnût. Enfin, il ne comptait plus, elle se serait assise sur lui, si elle n'avait pas trouvé de chaise.

Ce fut aux premières gelées que Nana s'esbigna une fois encore, sous le prétexte d'aller voir chez la fruitière s'il y avait des poires cuites. Elle sentait l'hiver, elle ne voulait pas claquer des dents devant le poêle éteint. Les Coupeau la traitèrent simplement de rosse, parce qu'ils attendaient les poires. Sans doute elle rentrerait; l'autre hiver, elle était bien restée trois semaines pour descendre chercher deux sous de tabac. Mais les mois s'écoulèrent, la petite ne reparaissait plus. Cette fois, elle avait dû prendre un fameux galop. Lorsque juin arriva, elle ne revint pas davantage avec le soleil. Décidément, c'était fini, elle avait trouvé du pain blanc quelque part. Les Coupeau, un jour de dèche, vendirent le lit de fer de l'enfant, six francs tout ronds qu'ils burent à Saint-Ouen. Ça les encombrait, ce lit.

En juillet, un matin, Virginie appela Gervaise qui passait, et la pria de donner un coup de main pour la vaisselle, parce que la veille Lantier avait amené deux amis à régaler. Et, comme Gervaise lavait la vaisselle, une vaisselle joliment grasse du gueuleton du chapelier, celui-ci, en train de digérer encore dans la boutique, cria tout d'un coup :

— Vous ne savez pas, la mère! j'ai vu Nana, l'autre jour.

Virginie, assise au comptoir, l'air soucieux en face des bocaux et des tiroirs qui se vidaient, hocha furieusement la tête. Elle se retenait, pour ne pas en lâcher trop long; car ça finissait par sentir mauvais. Lantier voyait Nana bien souvent. Oh! elle n'en aurait pas mis la main au feu, il était homme à faire pire, quand une jupe lui trottait dans la tête.

Mme Lerat, qui venait d'entrer, très liée en ce moment avec Virginie dont elle recevait les confidences, fit sa moue pleine de gaillardise, en demandant :

— Dans quel sens l'avez-vous vue ?

— Oh! dans le bon sens, répondit le chapelier, très flatté, riant et frisant ses moustaches. Elle était en voiture; moi, je pataugeais sur le pavé... Vrai, je vous le jure! Il n'y aurait pas à se défendre, car les fils de famille qui la tutoient de près sont bigrement heureux!

Son regard s'était allumé, il se tourna vers Gervaise, debout au fond de la boutique, en train d'essuyer un plat.

— Oui, elle était en voiture, et une toilette d'un chic!... Je ne la reconnaissais pas, tant elle ressemblait à une dame de la haute, les quenottes blanches dans sa frimousse fraîche comme une fleur. C'est elle qui m'a envoyé une risette avec son gant... Elle a fait un vicomte, je crois. Oh! très lancée! Elle peut se ficher de nous tous, elle a du bonheur pardessus la tête, cette gueuse!... L'amour de petit chat! non, vous n'avez pas idée d'un petit chat pareil!

Gervaise essuyait toujours son plat, bien qu'il fût net et luisant depuis longtemps. Virginie réfléchissait, inquiète de deux billets qu'elle ne savait pas comment payer, le lendemain; tandis que Lantier, gros et gras, suant le sucre dont il se nourrissait, emplissait de son enthousiasme pour les petits trognons bien mis la boutique d'épicerie fine, mangée déjà aux trois quarts, et où soufflait une odeur de ruine. Oui, il n'avait plus que quelques pralines à croquer, quelques sucres d'orge à sucer, pour nettoyer le commerce des Poisson. Tout d'un coup, il aperçut, sur le trottoir d'en face, le sergent de ville qui était de service et qui passait boutonné, l'épée battant la cuisse. Et ça l'égaya davantage. Il força Virginie à regarder son mari.

— Ah bien! murmura-t-il, il a une bonne tête ce matin, Badingue!... Attention! il serre trop les fesses, il a dû se faire coller un œil de verre quelque part, pour surprendre son monde.

Quand Gervaise remonta chez elle, elle trouva Coupeau assis au bord du lit, dans l'hébétement d'une de ses crises. Il regardait le carreau de ses yeux morts. Alors, elle s'assit elle-même sur une chaise, les membres cassés, les mains tombées le long de sa jupe sale. Et, pendant un quart d'heure, elle resta en face de lui, sans rien dire.

— J'ai eu des nouvelles, murmura-t-elle enfin. On a vu ta fille... Oui, ta fille est très chic et n'a plus besoin de toi. Elle est joliment heureuse, celle-là,

par exemple!... Ah! Dieu de Dieu! je donnerais gros pour être à sa place.

Coupeau regardait toujours le carreau. Puis, il leva sa face ravagée, il eut un rire d'idiot, en bégayant :

— Dis donc, ma biche, je ne te retiens pas... T'es pas encore trop mal, quand tu te débarbouilles. Tu sais, comme on dit, il n'y a pas si vieille marmite qui ne trouve son couvercle... Dame! si ça devait mettre du beurre dans les épinards!

12

Ce devait être [221] le samedi après le terme, quelque chose comme le 12 ou le 13 janvier, Gervaise ne savait plus au juste. Elle perdait la boule, parce qu'il y avait des siècles qu'elle ne s'était rien mis de chaud dans le ventre. Ah! quelle semaine infernale! un ratissage complet, deux pains de quatre livres le mardi qui avaient duré jusqu'au jeudi, puis une croûte sèche retrouvée la veille, et pas une miette depuis trente-six heures, une vraie danse devant le buffet! Ce qu'elle savait, par exemple, ce qu'elle sentait sur son dos, c'était le temps de chien, un froid noir, un ciel barbouillé comme le cul d'une poêle, crevant d'une neige qui s'entêtait à ne pas tomber. Quand on a l'hiver et la faim dans les tripes, on peut serrer sa ceinture, ça ne vous nourrit guère.

Peut-être, le soir, Coupeau rapporterait-il de l'argent. Il disait qu'il travaillait. Tout est possible, n'est-ce pas ? et Gervaise, attrapée pourtant bien des fois, avait fini par compter sur cet argent-là. Elle, après toutes sortes d'histoires, ne trouvait plus seulement un torchon à laver dans le quartier; même une vieille dame dont elle faisait le ménage, venait de la flanquer dehors, en l'accusant de boire ses liqueurs. On ne voulait d'elle nulle part, elle était brûlée; ce qui l'arrangeait dans le fond, car elle en était tombée à ce point d'abrutissement, où l'on préfère crever que de remuer ses dix doigts. Enfin, si Coupeau rapportait sa paie, on mangerait quelque chose de chaud. Et, en attendant, comme midi n'avait pas sonné, elle restait allongée sur la paillasse, parce qu'on a moins froid et moins faim, lorsqu'on est allongé.

Gervaise appelait ça la paillasse; mais, à la vérité, ça n'était qu'un tas de paille dans un coin. Peu à

---

221. Le chapitre se situe en janvier 1869.

peu, le dodo avait filé chez les revendeurs du quartier. D'abord, les jours de débine, elle avait décousu le matelas, où elle prenait des poignées de laine, qu'elle sortait dans son tablier et vendait dix sous la livre, rue Belhomme. Ensuite, le matelas vidé, elle s'était fait trente sous de la toile, un matin, pour se payer du café. Les oreillers avaient suivi, puis le traversin. Restait le bois de lit, qu'elle ne pouvait mettre sous son bras, à cause des Boche, qui auraient ameuté la maison, s'ils avaient vu s'envoler la garantie du propriétaire. Et cependant, un soir, aidée de Coupeau, elle guetta les Boche en train de gueuletonner, et déménagea le lit tranquillement, morceau par morceau, les bateaux, les dossiers, le cadre de fond. Avec les dix francs de ce lavage, ils fricotèrent trois jours. Est-ce que la paillasse ne suffisait pas ? Même la toile était allée rejoindre celle du matelas, ils avaient ainsi achevé de manger le dodo, en se donnant une indigestion de pain, après une fringale de vingt-quatre heures. On poussait la paille d'un coup de balai, le poussier était toujours retourné, et ça n'était pas plus sale qu'autre chose.

Sur le tas de paille, Gervaise, tout habillée, se tenait en chien de fusil, les pattes ramenées sous sa guenille de jupon, pour avoir plus chaud. Et, pelotonnée, les yeux grands ouverts, elle remuait des idées pas drôles, ce jour-là. Ah ! non, sacré mâtin ? on ne pouvait continuer ainsi à vivre sans manger ! Elle ne sentait plus sa faim ; seulement, elle avait un plomb dans l'estomac, tandis que son crâne lui semblait vide. Bien sûr, ce n'était pas aux quatre coins de la turne qu'elle trouvait des sujets de gaieté ! Un vrai chenil, maintenant, où les levrettes qui portent des paletots, dans les rues, ne seraient pas demeurées en peinture. Ses yeux pâles regardaient les murailles nues. Depuis longtemps, ma tante avait tout pris. Il restait la commode, la table et une chaise ; encore le marbre et les tiroirs de la commode s'étaient-ils évaporés par le même chemin que le bois de lit. Un incendie n'aurait pas mieux nettoyé ça, les petits bibelots avaient fondu, à commencer par la toquante, une montre de douze francs, jusqu'aux photographies de la famille, dont une marchande lui avait acheté les cadres ; une marchande bien complaisante, chez laquelle elle portait une casserole, un fer à repasser, un peigne, et qui lui allongeait cinq sous, trois sous, deux sous, selon l'objet, de quoi remonter avec un morceau de pain. A présent, il ne restait plus qu'une vieille paire de mouchettes cassée, dont la marchande lui refusait un sou. Oh ! si elle avait su à qui vendre les ordures, la poussière et la crasse, elle aurait vite ouvert bou-

tique, car la chambre était d'une jolie saleté ! Elle n'apercevait que des toiles d'araignée, dans les coins, et les toiles d'araignée sont peut-être bonnes pour les coupures [222], mais il n'y a pas encore de négociant qui les achète. Alors, la tête tournée, lâchant l'espoir de faire du commerce, elle se recroquevillait davantage sur sa paillasse, elle préférait regarder par la fenêtre le ciel chargé de neige, un jour triste qui lui glaçait la moëlle de ses os.

Que d'embêtements ! A quoi bon se mettre dans tous ses états et se turlupiner la cervelle ? Si elle avait pu pioncer au moins ! Mais sa pétaudière de cambuse lui trottait par la tête. M. Marescot, le propriétaire, était venu lui-même, la veille, leur dire qu'il les expulserait, s'ils n'avaient pas payé les deux termes arriérés dans les huit jours. Eh bien ! il les expulserait, ils ne seraient certainement pas plus mal sur le pavé ! Voyez-vous ce sagouin avec son pardessus et ses gants de laine, qui montait leur parler des termes, comme s'ils avaient eu un boursicot [223] caché quelque part ! Nom d'un chien ! au lieu de se serrer le gaviot, elle aurait commencé par se coller quelque chose dans les badigoinces ! Vrai, elle le trouvait trop rossard, cet entripaillé, elle l'avait où vous savez, et profondément encore ! C'était comme sa bête brute de Coupeau, qui ne pouvait plus rentrer sans lui tomber sur le casaquin : elle le mettait dans le même endroit que le propriétaire. A cette heure, son endroit devait être bigrement large, car elle y envoyait tout le monde, tant elle aurait voulu se débarrasser du monde et de la vie. Elle devenait un vrai grenier à coups de poing. Coupeau avait un gourdin qu'il appelait son éventail à bourrique ; et il éventait la bourgeoise, fallait voir ! des sucées abominables, dont elle sortait en nage. Elle, pas trop bonne non plus, mordait et griffait. Alors, on se trépignait dans la chambre vide, des peignées à se faire passer le goût du pain. Mais elle finissait par se ficher des dégelées comme du reste. Coupeau pouvait faire la Saint-Lundi [224] des semaines entières, tirer des bordées qui duraient des mois, rentrer fou de boisson et vouloir la régaler, elle s'était habituée, elle le trouvait tannant, pas davantage. Et c'était ces jours-là, qu'elle l'avait dans le derrière. Oui, dans le derrière, son cochon d'homme ! dans le derrière, les Lorilleux, les Boche et les Poisson ! dans le derrière, le quartier qui la méprisait ! Tout Paris y entrait, et elle l'y enfonçait

222. Il y avait, dans les milieux populaires, beaucoup de remèdes de ce genre. L'araignée a toujours eu une réputation maléfique, ce qui permettait de détourner son pouvoir vers d'heureux effets.
223. « Porte-monnaie et l'argent qu'il contient » (Delvau).
224. « Jour choisi chaque semaine par le peuple pour aller « ripailler aux barrières ». Fêter la Saint-Lundi : se soûler » (Delvau).

d'une tape, avec un geste de suprême indifférence, heureuse et vengée pourtant de le fourrer là.

Par malheur, si l'on s'accoutume à tout, on n'a pas encore pu prendre l'habitude de ne point manger. C'était uniquement là ce qui défrisait Gervaise. Elle se moquait d'être la dernière des dernières, au fin fond du ruisseau, et de voir les gens s'essuyer, quand elle passait près d'eux. Les mauvaises manières ne la gênaient plus, tandis que la faim lui tordait toujours les boyaux. Oh! elle avait dit adieu aux petits plats, elle était descendue à dévorer tout ce qu'elle trouvait. Les jours de noce, maintenant, elle achetait chez le boucher des déchets de viande à quatre sous la livre, las de traîner et de noircir dans une assiette; et elle mettait ça avec une potée de pommes de terre, qu'elle touillait au fond d'un poêlon. Ou bien elle fricassait un cœur de bœuf, un rata dont elle se léchait les lèvres. D'autres fois, quand elle avait du vin, elle se payait une trempette, une vraie soupe de perroquet. Les deux sous de fromage d'Italie, les boisseaux de pommes blanches, les quarts de haricots secs cuits dans leur jus, étaient encore des régals qu'elle ne pouvait plus se donner souvent. Elle tombait aux arlequins [225], dans les gargots borgnes, où, pour un sou, elle avait des tas d'arêtes de poisson mêlées à des rognures de rôti gâté. Elle tombait plus bas, mendiait chez un restaurateur charitable les croûtes des clients, et faisait une panade, en les laissant mitonner le plus longtemps possible sur le fourneau d'un voisin. Elle en arrivait, les matins de fringale, à rôder avec les chiens, pour voir aux portes des marchands, avant le passage des boueux; et c'était ainsi qu'elle avait parfois des plats de riches, des melons pourris, des maquereaux tournés, des côtelettes dont elle visitait le manche, par crainte des asticots. Oui, elle en était là; ça répugne les délicats, cette idée; mais si les délicats n'avaient rien tortillé de trois jours, nous verrions un peu s'ils bouderaient contre leur ventre; ils se mettraient à quatre pattes et mangeraient aux ordures comme les camarades. Ah! la crevaison des pauvres, les entrailles vides qui crient la faim, le besoin des bêtes claquant des dents et s'empiffrant de choses immondes, dans ce grand Paris si doré et si flambant! Et dire que Gervaise s'était fichu des ventrées d'oie grasse! Maintenant, elle pouvait s'en torcher le nez. Un jour, Coupeau lui ayant chipé deux bons de pain pour les revendre et les boire, elle avait failli le tuer d'un coup de pelle,

affamée, enragée par le vol de ce morceau de pain.

Cependant, à force de regarder le ciel blafard, elle s'était endormie d'un petit sommeil pénible. Elle rêvait que ce ciel chargé de neige crevait sur elle, tant le froid la pinçait. Brusquement, elle se mit debout, réveillée en sursaut par un grand frisson d'angoisse. Mon Dieu! est-ce qu'elle allait mourir? Grelottante, hagarde, elle vit qu'il faisait jour encore. La nuit ne viendrait donc pas! Comme le temps est long, quand on n'a rien dans le ventre! Son estomac s'éveillait, lui aussi, et la torturait. Tombée sur la chaise, la tête basse, les mains entre les cuisses pour se réchauffer, elle calculait déjà le dîner, dès que Coupeau apporterait l'argent : un pain, un litre, deux portions de gras-double à la lyonnaise. Trois heures sonnèrent au coucou du père Bazouge. Il n'était que trois heures. Alors, elle pleura. Jamais elle n'aurait la force d'attendre sept heures. Elle avait un balancement de tout son corps, le dandinement d'une petite fille qui berce sa grosse douleur, pliée en deux, s'écrasant l'estomac, pour ne plus le sentir. Ah! il vaut mieux accoucher que d'avoir faim! Et, ne se soulageant pas, prise d'une rage, elle se leva, piétina, espérant rendormir sa faim comme un enfant qu'on promène. Pendant une demi-heure, elle se cogna aux quatre coins de la chambre vide. Puis, tout d'un coup, elle s'arrêta, les yeux fixes. Tant pis! ils diraient ce qu'ils diraient, elle leur lécherait les pieds s'ils voulaient, mais elle allait emprunter dix sous aux Lorilleux.

L'hiver, dans cet escalier de la maison, l'escalier des pouilleux, c'étaient de continuels emprunts de dix sous, de vingt sous, des petits services que ces meurt-de-faim se rendaient les uns aux autres. Seulement, on serait plutôt mort que de s'adresser aux Lorilleux, parce qu'on les savait trop durs à la détente. Gervaise, en allant frapper chez eux, montrait un beau courage. Elle avait si peur, dans le corridor, qu'elle éprouva ce brusque soulagement des gens qui sonnent chez les dentistes.

— Entrez! cria la voix aigre du chaîniste.

Comme il faisait bon, là-dedans! La forge flambait, allumait l'étroit atelier de sa flamme blanche, pendant que Mme Lorilleux mettait à recuire une pelote de fil d'or. Lorilleux, devant son établi, suait, tant il avait chaud, en train de souder des maillons au chalumeau. Et ça sentait bon, une soupe aux choux mijotait sur le poêle, exhalant une vapeur qui retournait le cœur de Gervaise et la faisait s'évanouir.

— Ah! c'est vous, grogna Mme Lorilleux, sans

---

225. « Plat à l'usage des pauvres, et qui, composé de la desserte de la table des riches, offre une grande variété d'aliments réunis, depuis le morceau de nougat jusqu'à la tête de maquereau. C'est une sorte de carte d'échantillons culinaires » (Delvau).

lui dire seulement de s'asseoir. Qu'est-ce que vous voulez ?

Gervaise ne répondit pas. Elle n'était pas trop mal avec les Lorilleux, cette semaine-là. Mais la demande des dix sous lui restait dans la gorge, parce qu'elle venait d'apercevoir Boche, carrément assis près du poêle, en train de faire des cancans. Il avait un air de se ficher du monde, cet animal ! Il riait comme un cul, le trou de la bouche arrondi, et les joues tellement bouffies qu'elles lui cachaient le nez ; un vrai cul, enfin !

— Qu'est-ce que vous voulez ? répéta Lorilleux.

— Vous n'avez pas vu Coupeau ? finit par balbutier Gervaise. Je le croyais ici.

Les chaînistes et le concierge ricanèrent. Non, bien sûr, ils n'avaient pas vu Coupeau. Ils n'offraient pas assez de petits verres pour voir Coupeau comme ça. Gervaise fit un effort et reprit en bégayant :

— C'est qu'il m'avait promis de rentrer... Oui, il doit m'apporter de l'argent... Et comme j'ai absolument besoin de quelque chose...

Un gros silence régna. Mme Lorilleux éventait rudement le feu de la forge, Lorilleux avait baissé le nez sur le bout de chaîne qui s'allongeait entre ses doigts, tandis que Boche gardait son rire de pleine lune, le trou de la bouche si rond, qu'on éprouvait l'envie d'y fourrer le doigt, pour voir.

— Si j'avais seulement dix sous, murmura Gervaise à voix basse.

Le silence continua.

— Vous ne pourriez pas me prêter dix sous ?... Oh ! je vous les rendrais ce soir !

Mme Lorilleux se tourna et la regarda fixement. En voilà une peloteuse qui venait les embobiner ! Aujourd'hui, elle les tapait de dix sous, demain ce serait de vingt, et il n'y avait plus de raison pour s'arrêter. Non, non, pas de ça. Mardi, s'il fait chaud !

— Mais, ma chère, cria-t-elle, vous savez bien que nous n'avons pas d'argent ! Tenez, voilà la doublure de ma poche. Vous pouvez nous fouiller... Ce serait de bon cœur, naturellement.

— Le cœur y est toujours, grogna Lorilleux ; seulement, quand on ne peut pas, on ne peut pas.

Gervaise, très humble, les approuvait de la tête. Cependant, elle ne s'en allait pas, elle guignait l'or du coin de l'œil, les liasses d'or pendues au mur, le fil d'or que la femme tirait à la filière de toute la force de ses petits bras, les maillons d'or en tas sous les doigts noueux du mari. Et elle pensait qu'un bout de ce vilain métal noirâtre aurait suffi pour se payer un bon dîner. Ce jour-là, l'atelier

avait beau être sale, avec ses vieux fers, sa poussière de charbon, sa crasse des huiles mal essuyées, elle le voyait resplendissant de richesses, comme la boutique d'un changeur. Aussi se risqua-t-elle à répéter, doucement :

— Je vous les rendrais, je vous les rendrais, bien sûr... Dix sous, ça ne vous gênerait pas.

Elle avait le cœur tout gonflé, en ne voulant pas avouer qu'elle se brossait le ventre depuis la veille. Puis, elle sentit ses jambes qui se cassaient, elle eut peur de fondre en larmes, bégayant encore :

— Vous seriez si gentils !... Vous ne pouvez pas savoir... Oui, j'en suis là, mon Dieu ! j'en suis là...

Alors, les Lorilleux pincèrent les lèvres et échangèrent un mince regard. La Banban mendiait, à cette heure ! Eh bien ! le plongeon était complet. C'est eux qui n'aimaient pas ça ! S'ils avaient su, ils se seraient barricadés, parce qu'on doit toujours être sur l'œil avec les mendiants, des gens qui s'introduisent dans les appartements sous des prétextes, et qui filent en déménageant les objets précieux. D'autant plus que, chez eux, il y avait de quoi voler ; on pouvait envoyer les doigts partout, et en emporter des trente et des quarante francs, rien qu'en fermant le poing. Déjà plusieurs fois, ils s'étaient méfiés, en remarquant la drôle de figure de Gervaise, quand elle se plantait devant l'or. Cette fois, par exemple, ils allaient la surveiller. Et, comme elle s'approchait davantage, les pieds sur la claie de bois, le chaîniste lui cria rudement, sans répondre davantage à sa demande :

— Dites donc ! faites un peu attention, vous allez encore emporter des brins d'or à vos semelles... Vrai, on dirait que vous avez là-dessous de la graisse, pour que ça colle.

Gervaise, lentement, recula. Elle s'était appuyée un instant à une étagère, et voyant Mme Lorilleux lui examiner les mains, elle les ouvrit toutes grandes, les montra, disant de sa voix molle, sans se fâcher, en femme tombée qui accepte tout :

— Je n'ai rien pris, vous pouvez regarder.

Et elle s'en alla, parce que l'odeur forte de la soupe aux choux et la bonne chaleur de l'atelier la rendaient trop malade.

Ah ! pour le coup, les Lorilleux ne la retinrent pas ! Bon voyage, du diable s'ils lui ouvraient encore ! Ils avaient assez vu sa figure, ils ne voulaient pas chez eux de la misère des autres, quand cette misère était méritée. Et ils se laissèrent aller à une grosse jouissance d'égoïsme, en se trouvant calés, bien au chaud, avec la perspective d'une fameuse soupe. Boche aussi s'étalait, enflant encore ses joues, si bien que son rire devenait malpropre. Ils se trouvaient tous joliment vengés des anciennes manières de la Banban, de la boutique bleue, des gueuletons, et du reste. C'était trop réussi, ça prouvait où conduisait l'amour de la frigousse [226]. Au rancart les gourmandes, les paresseuses et les dévergondées!

— Que ça de genre! ça vient quémander des dix sous! s'écria Mme Lorilleux derrière le dos de Gervaise. Oui, je t'en fiche, je vas lui prêter dix sous tout de suite, pour qu'elle aille boire la goutte!

Gervaise traîna ses savates dans le corridor, alourdie, pliant les épaules. Quand elle fut à sa porte, elle n'entra pas, sa chambre lui faisait peur. Autant marcher, elle aurait plus chaud et prendrait patience. En passant, elle allongea le cou dans la niche du père Bru, sous l'escalier; encore un, celui-là, qui devait avoir un bel appétit, car il déjeunait et dînait par cœur depuis trois jours; mais il n'était pas là, il n'y avait que son trou, et elle éprouva une jalousie, en s'imaginant qu'on pouvait l'avoir invité quelque part. Puis, comme elle arrivait devant les Bijard, elle entendit des plaintes, elle entra, la clef étant toujours sur la serrure.

— Qu'est-ce qu'il y a donc? demanda-t-elle.

La chambre était très propre. On voyait bien que Lalie avait, le matin encore, balayé et rangé les affaires. La misère avait beau souffler là-dedans, emporter les frusques, étaler sa ribambelle d'ordures, Lalie venait derrière, et récurait tout, et donnait aux choses un air gentil. Si ce n'était pas riche, ça sentait bon la ménagère, chez elle. Ce jour-là, ses deux enfants, Henriette et Jules, avaient trouvé de vieilles images, qu'ils découpaient tranquillement dans un coin. Mais Gervaise fut toute surprise de trouver Lalie couchée, sur son étroit lit de sangle, le drap au menton, très pâle. Elle couchée, par exemple! elle était donc bien malade!

— Qu'est-ce que vous avez? répéta Gervaise, inquiète.

Lalie ne se plaignait plus. Elle souleva lentement ses paupières blanches, et voulut sourire de ses lèvres qu'un frisson convulsait.

— Je n'ai rien, souffla-t-elle très bas, oh! bien vrai, rien du tout.

Puis, les yeux refermés, avec un effort :

— J'étais trop fatiguée tous ces jours-ci, alors je fiche la paresse, je me dorlote, vous voyez.

Mais son visage de gamine, marbré de taches livides, prenait une telle expression de douleur suprême, que Gervaise, oubliant sa propre agonie,

joignit les mains et tomba à genoux près d'elle. Depuis un mois, elle la voyait se tenir aux murs pour marcher, pliée en deux par une toux qui sonnait joliment le sapin. La petite ne pouvait même plus tousser. Elle eut un hoquet, des filets de sang coulèrent aux coins de sa bouche.

— Ce n'est pas ma faute, je ne me sens guère forte, murmura-t-elle comme soulagée. Je me suis traînée, j'ai mis un peu d'ordre... C'est assez propre, n'est-ce pas?... Et je voulais nettoyer les vitres, mais les jambes m'ont manqué. Est-ce bête! Enfin, quand on a fini, on se couche.

Elle s'interrompit pour dire :

— Voyez donc si mes enfants ne se coupent pas avec leurs ciseaux.

Et elle se tut, tremblante, écoutant un pas lourd qui montait l'escalier. Brutalement, le père Bijard poussa la porte. Il avait son coup de bouteille comme à l'ordinaire, les yeux flambant de la folie furieuse du vitriol. Quand il aperçut Lalie couchée, il tapa sur ses cuisses avec un ricanement, il décrocha le grand fouet, en grognant :

— Ah! nom de Dieu, c'est trop fort! nous allons rire!... Les vaches se mettent à la paille en plein midi, maintenant!... Est-ce que tu te moques des paroissiens, sacrée feignante?... Allons, houp! décanillons!

Il faisait déjà claquer le fouet au-dessus du lit. Mais l'enfant, suppliante, répétait :

— Non, papa, je t'en prie, ne frappe pas... Je te jure que tu aurais du chagrin... Ne frappe pas.

— Veux-tu sauter, gueula-t-il plus fort, ou je te chatouille les côtes!... Veux-tu sauter, bougre de rosse!

Alors, elle dit doucement :

— Je ne puis pas, comprends-tu?... Je vais mourir.

Gervaise s'était jetée sur Bijard et lui arrachait le fouet. Lui, hébété, restait devant le lit de sangle. Qu'est-ce qu'elle chantait là, cette morveuse? Est-ce qu'on meurt si jeune, quand on n'a pas été malade! Quelque frime pour se faire donner du sucre! Ah! il allait se renseigner, et si elle mentait!

— Tu verras, c'est la vérité, continuait-elle. Tant que j'ai pu, je vous ai évité de la peine... Sois gentil, à cette heure, et dis-moi adieu, papa.

Bijard tortillait son nez, de peur d'être mis dedans. C'était pourtant vrai qu'elle avait une drôle de figure, une figure allongée et sérieuse de grande personne. Le souffle de la mort, qui passait dans la chambre, le dessoûlait. Il promena un regard autour de lui, de l'air d'un homme tiré d'un long sommeil, vit le ménage en ordre, les deux enfants débarbouil-

---

226. « Cuisine, ou plutôt chose cuisinée – dans l'argot des faubouriens. Signifie spécialement ragoût de pommes de terre » (Delvau).

lés, en train de jouer et de rire. Et il tomba sur une chaise, balbutiant :

— Notre petite mère, notre petite mère...

Il ne trouvait que ça, et c'était déjà bien tendre pour Lalie, qui n'avait jamais été tant gâtée. Elle consola son père. Elle était surtout ennuyée de s'en aller ainsi, avant d'avoir élevé tout à fait ses enfants. Il en prendrait soin, n'est-ce pas ? Elle lui donna de sa voix mourante des détails sur la façon de les arranger, de les tenir propres. Lui, abruti, repris par les fumées de l'ivresse, roulait la tête en la regardant passer de ses yeux ronds. Ça remuait en lui toutes sortes de choses ; mais il ne trouvait plus rien, et avait la couenne trop brûlée pour pleurer.

— Écoute encore, reprit Lalie après un silence. Nous devons quatre francs sept sous au boulanger ; il faudra payer ça... Madame Gaudron a un fer à nous que tu lui réclameras... Ce soir, je n'ai pas pu faire de la soupe, mais il reste du pain, et tu mettras chauffer les pommes de terre...

Jusqu'à son dernier râle, ce pauvre chat restait la petite mère de tout son monde. En voilà une qu'on ne remplacerait pas, bien sûr ! Elle mourait d'avoir eu à son âge la raison d'une vraie mère, la poitrine encore trop tendre et trop étroite pour contenir une aussi large maternité. Et, s'il perdait ce trésor, c'était bien la faute de sa bête féroce de père. Après avoir tué la maman d'un coup de pied, est-ce qu'il ne venait pas de massacrer la fille ! Les deux bons anges seraient dans la fosse, et lui n'aurait plus qu'à crever comme un chien au coin d'une borne.

Gervaise, cependant, se retenait pour ne pas éclater en sanglots. Elle tendait les mains, avec le désir de soulager l'enfant ; et, comme le lambeau de drap glissait, elle voulut le rabattre et arranger le lit. Alors, le pauvre petit corps de la mourante apparut. Ah ! Seigneur ! quelle misère et quelle pitié ! Les pierres auraient pleuré. Lalie était toute nue, un reste de camisole aux épaules en guise de chemise ; oui, toute nue, et d'une nudité saignante et douloureuse de martyre. Elle n'avait plus de chair, les os trouaient la peau. Sur les côtes, de minces zébrures violettes descendaient jusqu'aux cuisses, les cinglements du fouet imprimés là tout vifs. Une tache livide cerclait le bras gauche, comme si la mâchoire d'un étau avait broyé ce membre si tendre, pas plus gros qu'une allumette. La jambe droite montrait une déchirure mal fermée, quelque mauvais coup rouvert chaque matin en trottant pour faire le ménage. Des pieds à la tête, elle n'était qu'un noir. Oh ! ce massacre de l'enfance, ces lourdes pattes d'homme écrasant cet amour de

quiqui [227], cette abomination de tant de faiblesse râlant sous une pareille croix ! On adore dans les églises des saintes fouettées dont la nudité est moins pure. Gervaise, de nouveau, s'était accroupie, ne songeant plus à tirer le drap, renversée par la vue de ce rien du tout pitoyable, aplati au fond du lit ; et ses lèvres tremblantes cherchaient des prières.

— Madame Coupeau, murmura la petite, je vous en prie...

De ses bras trop courts, elle cherchait à rabattre le drap, toute pudique, prise de honte pour son père. Bijard, stupide, les yeux sur ce cadavre qu'il avait fait, roulait toujours la tête, du mouvement ralenti d'un animal qui a de l'embêtement.

Et quand elle eut recouvert Lalie, Gervaise ne put rester là davantage. La mourante s'affaiblissait, ne parlant plus, n'ayant plus que son regard, son ancien regard noir de petite fille résignée et songeuse, qu'elle fixait sur ses deux enfants, en train de découper leurs images. La chambre s'emplissait d'ombre, Bijard cuvait sa bordée dans l'hébétement de cette agonie. Non, non, la vie était trop abominable ! Ah ! quelle sale chose ! ah ! quelle sale chose ! Et Gervaise partit, descendit l'escalier, sans savoir, la tête perdue, si gonflée d'emmerdement qu'elle se serait volontiers allongée sous les roues d'un omnibus, pour en finir.

Tout en courant, en bougonnant contre le sacré sort, elle se trouva devant la porte du patron, où Coupeau prétendait travailler. Ses jambes l'avaient conduite là, son estomac reprenait sa chanson, la complainte de la faim en quatre-vingt-dix couplets, une complainte qu'elle savait par cœur. De cette manière, si elle pinçait Coupeau à la sortie, elle mettrait la main sur la monnaie, elle achèterait des provisions. Une petite heure d'attente au plus, elle avalerait bien encore ça, elle qui se suçait les pouces depuis la veille.

C'était rue de la Charbonnière, à l'angle de la rue de Chartres, un fichu carrefour dans lequel le vent jouait aux quatre coins. Nom d'un chien ! il ne faisait pas chaud, à arpenter le pavé. Encore si l'on avait eu des fourrures ! Le ciel restait d'une vilaine couleur de plomb, et la neige, amassée là-haut, coiffait le quartier d'une calotte de glace. Rien ne tombait, mais il y avait un gros silence en l'air, qui apprêtait pour Paris un déguisement complet, une jolie robe de bal, blanche et neuve. Gervaise levait le nez, en priant le bon Dieu de ne pas lâcher sa mousseline tout de suite. Elle tapait des pieds, regardait une boutique d'épicier, en face,

---

227. Il faut voir là un mot à sens affectif vague.

puis tournait les talons, parce que c'était inutile de se donner trop faim à l'avance. Le carrefour n'offrait pas de distractions. Les quelques passants filaient raide, entortillés dans des cache-nez; car, naturellement, on ne flâne pas, quand le froid vous serre les fesses. Cependant, Gervaise aperçut quatre ou cinq femmes qui montaient la garde comme elle, à la porte du maître zingueur; encore des malheureuses, bien sûr, des épouses guettant la paie, pour l'empêcher de s'envoler chez le marchand de vin. Il y avait une grande haridelle, une figure de gendarme, collée contre le mur, prête à sauter sur le dos de son homme. Une petite, toute noire, l'air humble et délicat, se promenait de l'autre côté de la chaussée. Une autre, empotée, avait amené ses deux mioches, qu'elle traînait à droite et à gauche, grelottant et pleurant. Et toutes, Gervaise comme ses camarades de faction, passaient et repassaient, en se jetant des coups d'œil obliques, sans se parler. Une agréable rencontre, ah! oui, je t'en fiche! Elles n'avaient pas besoin de lier connaissance, pour connaître leur numéro. Elles logeaient toutes à la même enseigne, chez misère et compagnie. Ça donnait plus froid encore, de les voir piétiner et se croiser silencieusement, dans cette terrible température de janvier.

Pourtant, pas un chat ne sortait de chez le patron. Enfin, un ouvrier parut, puis deux, puis trois; mais ceux-là, sans doute, étaient de bons zigs, qui rapportaient fidèlement leur prêt, car ils eurent un hochement de tête en apercevant les ombres rôdant devant l'atelier. La grande haridelle se collait davantage à côté de la porte; et, tout d'un coup, elle tomba sur un petit homme pâlot, en train d'allonger prudemment la tête. Oh! ce fut vite réglé! elle le fouilla, lui ratissa la monnaie. Pincé, plus de braise, pas de quoi boire une goutte! Alors, le petit homme, vexé et désespéré, suivit son gendarme en pleurant de grosses larmes d'enfant. Des ouvriers sortaient toujours, et comme la forte commère, avec ses deux mioches, s'était approchée, un grand brun, l'air roublard, qui l'aperçut, rentra vivement pour prévenir le mari; lorsque celui-ci arriva en se dandinant, il avait étouffé deux roues de derrière, deux belles pièces de cent sous neuves, une dans chaque soulier. Il prit l'un de ses gosses sur son bras, il s'en alla en contant des craques à sa bourgeoise qui le querellait. Il y en avait de rigolos, sautant d'un bond dans la rue, pressés de courir béquiller leur quinzaine avec les amis. Il y en avait aussi de lugubres, la mine rafalée, serrant dans leur poing crispé les trois ou quatre journées sur quinze qu'ils avaient faites, se traitant de feignants et faisant des serments d'ivrogne. Mais le plus triste, c'était la douleur de la petite femme noire, humble et délicate : son homme, un beau garçon, venait de se cavaler sous son nez, si brutalement, qu'il avait failli la jeter par terre; et elle rentrait seule, chancelant le long des boutiques, pleurant toutes les larmes de son corps.

Enfin, le défilé avait cessé. Gervaise, droite au milieu de la rue, regardait la porte. Ça commençait à sentir mauvais. Deux ouvriers attardés se montrèrent encore, mais toujours pas de Coupeau. Et, comme elle demandait aux ouvriers si Coupeau n'allait pas sortir, eux qui étaient à la couleur, lui répondirent en blaguant que le camarade venait tout juste de filer avec Lantimêche par une porte de derrière, pour mener les poules pisser. Gervaise comprit. Encore une menterie de Coupeau, elle pouvait aller voir s'il pleuvait! Alors, lentement, traînant sa paire de ripatons éculés, elle descendit la rue de la Charbonnière. Son dîner courait joliment devant elle, et elle le regardait courir, dans le crépuscule jaune, avec un petit frisson. Cette fois, c'était fini. Pas un fifrelin, plus un espoir, plus que de la nuit et de la faim. Ah! une belle nuit de crevaison, cette nuit sale qui tombait sur ses épaules!

Elle montait lourdement la rue des Poissonniers, lorsqu'elle entendit la voix de Coupeau. Oui, il était là, à la Petite Civette, en train de se faire payer une tournée par Mes-Bottes. Ce farceur de Mes-Bottes, vers la fin de l'été, avait eu le truc d'épouser pour de vrai une dame, très décatie déjà, mais qui possédait de beaux restes; oh! une dame de la rue des Martyrs, pas de la gnognotte de barrière. Et il fallait voir cet heureux mortel, vivant en bourgeois, les mains dans les poches, bien vêtu, bien nourri. On ne le reconnaissait plus, tellement il était gras. Les camarades disaient que sa femme avait de l'ouvrage tant qu'elle voulait chez des messieurs de sa connaissance. Une femme comme ça et une maison de campagne, c'est tout ce qu'on peut désirer pour embellir la vie. Aussi Coupeau guignait-il Mes-Bottes avec admiration. Est-ce que le lascar n'avait pas jusqu'à une bague d'or au petit doigt!

Gervaise posa la main sur l'épaule de Coupeau, au moment où il sortait de la Petite Civette.

— Dis donc, j'attends, moi... J'ai faim. C'est tout ce que tu paies ?

Mais il lui riva son clou de la belle façon.

— T'as faim, mange ton poing!... Et garde l'autre pour demain.

C'est lui qui trouvait ça patagueule[228], de jouer

---

228. « Compassé, qui fait sa tête » (Delvau).

le drame devant le monde! Eh bien! quoi! il n'avait pas travaillé, les boulangers pétrissaient tout de même. Elle le prenait peut-être pour un dépuceleur de nourrices [229], à venir l'intimider avec ses histoires.

— Tu veux donc que je vole, murmura-t-elle d'une voix sourde.

Mes-Bottes se caressait le menton d'un air conciliant.

— Non, ça, c'est défendu, dit-il. Mais quand une femme sait se retourner...

Et Coupeau l'interrompit pour crier bravo! Oui, une femme devait savoir se retourner. Mais la sienne avait toujours été une guimbarde, un tas. Ce serait sa faute, s'ils crevaient sur la paille. Puis, il retomba dans son admiration devant Mes-Bottes. Était-il assez suiffard [230], l'animal! Un vrai propriétaire; du linge blanc et des escarpins un peu chouettes! Fichtre! ce n'était pas de la ripopée [231]! En voilà un au moins dont la bourgeoise menait bien la barque!

Les deux hommes descendaient vers le boulevard extérieur. Gervaise les suivit. Au bout d'un silence, elle reprit, derrière Coupeau :

— J'ai faim, tu sais... J'ai compté sur toi. Faut me trouver quelque chose à claquer [232].

Il ne répondit pas, et elle répéta sur un ton navrant d'agonie :

— Alors, c'est tout ce que tu paies ?

— Mais, nom de Dieu! puisque je n'ai rien! gueula-t-il, en se retournant furieusement. Lâche-moi, n'est-ce pas ? ou je cogne!

Il levait déjà le poing. Elle recula et parut prendre une décision.

— Va, je te laisse, je trouverai bien un homme.

Du coup, le zingueur rigola. Il affectait de prendre la chose en blague, il la poussait, sans en avoir l'air. Par exemple, c'était une riche idée! Le soir, aux lumières, elle pouvait encore faire des conquêtes. Si elle levait un homme, il lui recommandait le restaurant du Capucin, où il y avait des petits cabinets dans lesquels on mangeait parfaitement. Et, comme elle s'en allait sur le boulevard extérieur, blême et farouche, il lui cria encore :

— Écoute donc, rapporte-moi du dessert, moi j'aime les gâteaux... Et, si ton monsieur est bien nippé, demande-lui un vieux paletot, j'en ferai mon beurre.

Gervaise, poursuivie par ce bagou infernal, marchait vite. Puis, elle se trouva seule au milieu de la foule, elle ralentit le pas. Elle était bien résolue. Entre voler et faire ça, elle aimait mieux faire ça, parce qu'au moins elle ne causerait du tort à personne. Elle n'allait jamais disposer que de son bien. Sans doute, ce n'était guère propre; mais le propre et le pas propre se brouillaient dans sa caboche, à cette heure; quand on crève de faim, on ne cause pas tant philosophie, on mange le pain qui se présente. Elle était remontée jusqu'à la chaussée Clignancourt. La nuit n'en finissait plus d'arriver. Alors, en attendant, elle suivit les boulevards, comme une dame qui prend l'air avant de rentrer pour la soupe.

Ce quartier où elle éprouvait une honte, tant il embellissait, s'ouvrait maintenant de toutes parts au grand air. Le boulevard Magenta, montant du cœur de Paris, et le boulevard Ornano, s'en allant dans la campagne, l'avaient troué à l'ancienne barrière, un fier abattis de maisons, deux vastes avenues encore blanches de plâtre, qui gardaient à leurs flancs les rues du Faubourg-Poissonnière et des Poissonniers, dont les bouts s'enfonçaient, écornés, mutilés, tordus comme des boyaux sombres. Depuis longtemps, la démolition du mur de l'octroi avait déjà élargi les boulevards extérieurs, avec les chaussées latérales et le terre-plein au milieu pour les piétons, planté de quatre rangées de petits platanes. C'était un carrefour immense débouchant au loin sur l'horizon, par des voies sans fin, grouillantes de foule, se noyant dans le chaos perdu des constructions. Mais, parmi les hautes maisons neuves, bien des masures branlantes restaient debout; entre les façades sculptées, des enfoncements noirs se creusaient, des chenils bâillaient, étalant les loques de leurs fenêtres. Sous le luxe montant de Paris, la misère du faubourg crevait et salissait ce chantier d'une ville nouvelle, si hâtivement bâtie.

Perdue dans la cohue du large trottoir, le long des petits platanes, Gervaise se sentait seule et abandonnée. Ces échappées d'avenues, tout là-bas, lui vidaient l'estomac davantage; et dire que, parmi ce flot de monde, où il y avait pourtant des gens à leur aise, pas un chrétien ne devinait sa situation et ne lui glissait dix sous dans la main! Oui, c'était trop grand, c'était trop beau, sa tête tournait et ses jambes s'en allaient, sous ce pan démesuré de ciel gris, tendu au-dessus d'un si vaste espace. Le crépuscule avait cette sale couleur jaune des crépuscules parisiens, une couleur qui donne envie de mourir tout de suite, tellement la vie des rues semble laide. L'heure devenait louche, les lointains

---

229. « Fat ridicule, cousin germain de l'amoureux des onze mille vierges – dans l'argot du peuple, qui n'aime pas les Gascons » (Delvau).
230. « Homme mis avec élégance, avec *chic* » (Delvau).
231. « Mauvais vin, toute chose médiocre » (Delvau).
232. « Manger – dans l'argot des voyous, qui font allusion au bruit de la mâchoire pendant la mastication » (Delvau).

se brouillaient d'une teinte boueuse. Gervaise, déjà lasse, tombait justement en plein dans la rentrée des ouvriers. A cette heure, les dames en chapeau, les messieurs bien mis habitant les maisons neuves, étaient noyés au milieu du peuple, des processions d'hommes et de femmes encore blêmes de l'air vicié des ateliers. Le boulevard Magenta et la rue du Faubourg-Poissonnière en lâchaient des bandes, essoufflées de la montée. Dans le roulement plus assourdi des omnibus et des fiacres, parmi les haquets, les tapissières, les fardiers, qui rentraient vides et au galop, un pullulement toujours croissant de blouses et de bourgerons couvrait la chaussée. Les commissionnaires revenaient, leurs crochets sur les épaules. Deux ouvriers, allongeant le pas, faisaient côte à côte de grandes enjambées, en parlant très fort, avec des gestes, sans se regarder; d'autres, seuls, en paletot et en casquette, marchaient au bord du trottoir, le nez baissé; d'autres venaient par cinq ou six, se suivant et n'échangeant pas une parole, les mains dans les poches, les yeux pâles. Quelques-uns gardaient leurs .pipes éteintes entre les dents. Des maçons, dans un sapin, qu'ils avaient frété à quatre et sur lequel dansaient leurs auges, passaient en montrant leurs faces blanches aux portières. Des peintres balançaient leurs pots à couleur; un zingueur rapportait une longue échelle, dont il manquait d'éborgner le monde; tandis qu'un fontainier, attardé, avec sa boîte sur le dos, jouait l'air du bon roi Dagobert dans sa petite trompette, un air de tristesse au fond du crépuscule navré. Ah! la triste musique, qui semblait accompagner le piétinement du troupeau, les bêtes de somme se traînant, éreintées! Encore une journée de finie! Vrai, les journées étaient longues et recommençaient trop souvent. A peine le temps de s'emplir et de cuver son manger, il faisait déjà grand jour, il fallait reprendre son collier de misère. Les gaillards pourtant sifflaient, tapant des pieds, filant raides, le bec tourné vers la soupe. Et Gervaise laissait couler la cohue, indifférente aux chocs, coudoyée à droite, coudoyée à gauche, roulée au milieu du flot; car les hommes n'ont pas le temps de se montrer galants, quand ils sont cassés en deux de fatigue et galopés par la faim.

Brusquement, en levant les yeux, la blanchisseuse aperçut devant elle l'ancien hôtel Boncœur. La petite maison, après avoir été un café suspect, que la police avait fermé, se trouvait abandonnée, les volets couverts d'affiches, la lanterne cassée, s'émiettant et se pourrissant du haut en bas sous la pluie, avec les moisissures de son ignoble badigeon lie-de-vin. Et rien ne paraissait changé autour d'elle.

Le papetier et le marchand de tabac étaient toujours là. Derrière, par-dessus les constructions basses, on apercevait encore des façades lépreuses de maisons à cinq étages, haussant leurs grandes silhouettes délabrées. Seul, le bal du Grand Balcon n'existait plus; dans la salle aux dix fenêtres flambantes venait de s'établir une scierie de sucre, dont on entendait les sifflements continus. C'était pourtant là, au fond de ce bouge de l'hôtel Boncœur, que toute la sacrée vie avait commencé. Elle restait debout, regardant la fenêtre du premier, où une persienne arrachée pendait, et elle se rappelait sa jeunesse avec Lantier, leurs premiers attrapages, la façon dégoûtante dont il l'avait lâchée. N'importe, elle était jeune, tout ça lui semblait gai, vu de loin. Vingt ans seulement, mon Dieu! et elle tombait au trottoir. Alors, la vue de l'hôtel lui fit mal, elle remonta le boulevard, du côté de Montmartre.

Sur les tas de sable, entre les bancs, des gamins jouaient encore, dans la nuit croissante. Le défilé continuait, les ouvrières passaient, trottant, se dépêchant, pour rattraper le temps perdu aux étalages; une grande, arrêtée, laissait sa main dans celle d'un garçon, qui l'accompagnait à trois portes de chez elle; d'autres, en se quittant, se donnaient des rendez-vous pour la nuit, au Grand Salon de la Folie ou à la Boule Noire. Au milieu des groupes, des ouvriers à façon s'en retournaient, leurs toilettes pliées sous le bras. Un fumiste, attelé à des bricoles, tirant une voiture remplie de gravats, manquait de se faire écraser par un omnibus. Cependant, parmi la foule plus rare, couraient des femmes en cheveux, redescendues après avoir allumé le feu, et se hâtant pour le dîner; elles bousculaient le monde, se jetaient chez les boulangers et les charcutiers, repartaient sans traîner, avec des provisions dans les mains. Il y avait des petites filles de huit ans, envoyées en commission, qui s'en allaient le long des boutiques, serrant sur leur poitrine de grands pains de quatre livres aussi hauts qu'elles, pareils à de belles poupées jaunes, et qui s'oubliaient pendant des cinq minutes devant des images, la joue appuyée contre leurs grands pains. Puis, le flot s'épuisait, les groupes s'espaçaient, le travail était rentré; et, dans les flamboiements du gaz, après la journée finie, montait la sourde revanche des paresses et des noces qui s'éveillaient.

Ah! oui, Gervaise avait fini sa journée! Elle était plus éreintée que tout ce peuple de travailleurs, dont le passage venait de la secouer. Elle pouvait se coucher là et crever, car le travail ne voulait plus d'elle, et elle avait assez peiné dans son existence, pour dire : « A qui le tour? moi, j'en ai ma claque! »

Tout le monde mangeait, à cette heure. C'était bien la fin, le soleil avait soufflé sa chandelle, la nuit serait longue. Mon Dieu! s'étendre à son aise et ne plus se relever, penser qu'on a remisé ses outils pour toujours et qu'on fera la vache éternellement! Voilà qui est bon, après s'être esquintée pendant vingt ans! Et Gervaise, dans les crampes qui lui tordaient l'estomac, pensait malgré elle aux jours de fête, aux gueuletons et aux rigolades de sa vie. Une fois surtout, par un froid de chien, un jeudi de la mi-carême, elle avait joliment nocé. Elle était bien gentille, blonde et fraîche, en ce temps-là. Son lavoir, rue Neuve, l'avait nommée reine, malgré sa jambe. Alors, on s'était baladé sur les boulevards, dans des chars ornés de verdure, au milieu du beau monde qui la reluquait joliment. Des messieurs mettaient leurs lorgnons comme pour une vraie reine. Puis, le soir, on avait fichu un balthazar [233] à tout casser, et jusqu'au jour on avait joué des guibolles. Reine, oui, reine! avec une couronne et une écharpe, pendant vingt-quatre heures, deux fois le tour du cadran! Et, alourdie, dans les tortures de sa faim, elle regardait par terre, comme si elle eût cherché le ruisseau où elle avait laissé choir sa majesté tombée.

Elle leva de nouveau les yeux. Elle se trouvait en face des abattoirs qu'on démolissait; la façade éventrée montrait des cours sombres, puantes, encore humides de sang. Et, lorsqu'elle eut redescendu le boulevard, elle vit aussi l'hôpital Lariboisière, avec son grand mur gris, au-dessus duquel se dépliaient en éventail les ailes mornes, percées de fenêtres régulières; une porte, dans la muraille, terrifiait le quartier, la porte des morts, dont le chêne solide, sans une fissure, avait la sévérité et le silence d'une pierre tombale. Alors, pour s'échapper, elle poussa plus loin, elle descendit jusqu'au pont du chemin de fer. Les hauts parapets de forte tôle boulonnée lui masquaient la voie; elle distinguait seulement, sur l'horizon lumineux de Paris, l'angle élargi de la gare, une vaste toiture, noire de la poussière du charbon; elle entendait, dans ce vaste espace clair, des sifflets de locomotives, les secousses rythmées des plaques tournantes, toute une activité colossale et cachée. Puis, un train passa, sortant de Paris, arrivant avec l'essoufflement de son haleine et son roulement peu à peu enflé. Et elle n'aperçut de ce train qu'un panache blanc, une brusque bouffée qui déborda du parapet et se perdit. Mais le pont avait tremblé, elle-même restait dans le branle de ce départ à toute vapeur. Elle se

tourna, comme pour suivre la locomotive invisible, dont le grondement se mourait. De ce côté, elle devinait la campagne, le ciel libre, au fond d'une trouée, avec de hautes maisons à droite et à gauche, isolées, plantées sans ordre, présentant des façades, des murs non crépis, des murs peints de réclames géantes, salis de la même teinte jaunâtre par la suie des machines. Oh! si elle avait pu partir ainsi, s'en aller là-bas, en dehors de ces maisons de misère et de souffrance! Peut-être aurait-elle recommencé à vivre. Puis, elle se retrouva lisant stupidement les affiches collées contre la tôle. Il y en avait de toutes les couleurs. Une, petite, d'un joli bleu, promettait cinquante francs de récompense pour une chienne perdue. Voilà une bête qui avait dû être aimée!

Gervaise reprit lentement sa marche. Dans le brouillard d'ombre fumeuse qui tombait, les becs de gaz s'allumaient; et ces longues avenues, peu à peu noyées et devenues noires, reparaissaient toutes braisillantes, s'allongeant encore et coupant la nuit, jusqu'aux ténèbres perdues de l'horizon. Un grand souffle passait, le quartier élargi enfonçait des cordons de petites flammes sous le ciel immense et sans lune. C'était l'heure, où d'un bout à l'autre des boulevards, les marchands de vin, les bastringues, les bousingots [234], à la file, flambaient gaiement dans la rigolade des premières tournées et du premier chahut. La paie de grande quinzaine emplissait le trottoir d'une bousculade de gouapeurs [235] tirant une bordée. Ça sentait dans l'air la noce, une sacrée noce, mais gentille encore, un commencement d'allumage, rien de plus. On s'empiffrait au fond des gargotes; par toutes les vitres éclairées, on voyait des gens manger, la bouche pleine, riant sans même prendre la peine d'avaler. Chez les marchands de vin, des pochards s'installaient déjà, gueulant et gesticulant. Et un bruit du tonnerre de Dieu montait, des voix glapissantes, des voix grasses, au milieu du continuel roulement des pieds sur le trottoir. « Dis donc! viens-tu becqueter?... Arrive clampin [236]! je paie un canon de la bouteille... Tiens! v'la Pauline! ah bien! non, on va rien se tordre! » Les portes battaient, lâchant des odeurs de vin et des bouffées de cornet à pistons. On faisait queue devant l'Assommoir du père Colombe,

---

234. Nom donné après la révolution de 1830 à des jeunes gens qui affichaient des opinions démocratiques. Zola semble faire ici une confusion avec *bousin* : maison mal famée d'où vient peut-être le mot bousingot.

235. On dit plutôt gouape, pour désigner un filou, un habitué de cabarets.

236. « Fainéant, traîne-guêtres, homme qui a besoin d'être fortifié par un *clamp* – le clamp de l'énergie et de la volonté » (Delvau).

233. « Repas copieux, dans l'argot des étudiants » (Delvau).

allumé comme une cathédrale pour une grand-messe; et, nom de Dieu! on aurait dit une vraie cérémonie, car les bons zigs chantaient là-dedans avec des mines de chantres au lutrin, les joues enflées, le bedon arrondi. On célébrait la Sainte-Touche, quoi! une sainte bien aimable, qui doit tenir la caisse au paradis. Seulement, à voir avec quel entrain ça débutait, les petits rentiers, promenant leurs épouses, répétaient en hochant la tête qu'il y aurait bigrement des hommes soûls dans Paris, cette nuit-là. Et la nuit était très sombre, morte et glacée, au-dessus de ce bousin, trouée uniquement par les lignes de feu des boulevards, aux quatre coins du ciel.

Plantée devant l'Assommoir, Gervaise songeait. Si elle avait eu deux sous, elle serait entrée boire la goutte. Peut-être qu'une goutte lui aurait coupé la faim. Ah! elle en avait bu des gouttes! Ça lui semblait bien bon de même. Et, de loin, elle contemplait la machine à soûler, en sentant que son malheur venait de là, et en faisant le rêve de s'achever avec de l'eau-de-vie, le jour où elle aurait de quoi. Mais un frisson lui passa dans les cheveux, elle vit que la nuit était noire. Allons, la bonne heure arrivait. C'était l'instant d'avoir du cœur et de se montrer gentille, si elle ne voulait pas crever au milieu de l'allégresse générale. D'autant plus que de voir les autres bâfrer ne lui remplissait pas précisément le ventre. Elle ralentit encore le pas, regarda autour d'elle. Sous les arbres, traînait une ombre plus épaisse. Il passait peu de monde, des gens pressés, traversant vivement le boulevard. Et, sur ce large trottoir sombre et désert, où venaient mourir les gaietés des chaussées voisines, des femmes, debout, attendaient. Elles restaient de longs moments immobiles, patientes, raidies comme les petits platanes maigres; puis, lentement, elles se mouvaient, traînaient leurs savates sur le sol glacé, faisaient dix pas et s'arrêtaient de nouveau, collées à la terre. Il y en avait une, au tronc énorme, avec des jambes et des bras d'insecte, débordante et roulante, dans une guenille de soie noire, coiffée d'un foulard jaune; il y en avait une autre, grande, sèche, en cheveux, qui avait un tablier de bonne; et d'autres encore, des vieilles replâtrées, des jeunes très sales, si sales, si minables, qu'un chiffonnier ne les aurait pas ramassées. Gervaise, pourtant, ne savait pas, tâchait d'apprendre, en faisant comme elles. Une émotion de petite fille la serrait à la gorge; elle ne sentait pas si elle avait honte, elle agissait dans un vilain rêve. Pendant un quart d'heure, elle se tint toute droite. Des hommes filaient, sans tourner la tête. Alors, elle se remua à

son tour, elle osa accoster un homme qui sifflait, les mains dans les poches, et elle murmura d'une voix étranglée:

— Monsieur, écoutez donc...

L'homme la regarda de côté et s'en alla en sifflant plus fort.

Gervaise s'enhardissait. Et elle s'oublia dans l'âpreté de cette chasse, le ventre creux, s'acharnant après son dîner qui courait toujours. Longtemps, elle piétina, ignorante de l'heure et du chemin. Autour d'elle, les femmes muettes et noires, sous les arbres, voyageaient, enfermaient leur marche dans le va-et-vient régulier des bêtes en cage. Elles sortaient de l'ombre, avec une lenteur vague d'apparitions; elles passaient dans le coup de lumière d'un bec de gaz, où leur masque blafard nettement surgissait; et elles se noyaient de nouveau, reprises par l'ombre, balançant la raie blanche de leur jupon, retrouvant le charme frissonnant des ténèbres du trottoir. Des hommes se laissaient arrêter, causaient pour la blague, repartaient en rigolant. D'autres, discrets, effacés, s'éloignaient, à dix pas derrière une femme. Il y avait de gros murmures, des querelles à voix étouffée, des marchandages furieux, qui tombaient tout d'un coup à de grands silences. Et Gervaise, aussi loin qu'elle s'enfonçait, voyait s'espacer ces factions de femme dans la nuit, comme si, d'un bout à l'autre des boulevards extérieurs, des femmes fussent plantées. Toujours, à vingt pas d'une autre, elle en apercevait une autre. La file se perdait, Paris entier était gardé. Elle, dédaignée, s'enrageait, changeait de place, allait maintenant de la chaussée de Clignancourt à la Grande Rue de La Chapelle.

— Monsieur, écoutez donc...

Mais les hommes passaient. Elle partait des abattoirs, dont les décombres puaient le sang. Elle donnait un regard à l'ancien hôtel Boncœur, fermé et louche. Elle passait devant l'hôpital Lariboisière, comptait machinalement le long des façades les fenêtres éclairées, brûlant comme des veilleuses d'agonisant, avec des lueurs pâles et tranquilles. Elle traversait le pont du chemin de fer, dans le branle des trains, grondant et déchirant l'air du cri désespéré de leurs sifflets. Oh! que la nuit faisait toutes ces choses tristes! Puis, elle tournait sur ses talons, elle s'emplissait les yeux des mêmes maisons, du défilé toujours semblable de ce bout d'avenue; et cela à dix, à vingt reprises, sans relâche, sans un repos d'une minute sur un banc. Non, personne ne voulait d'elle. Sa honte lui semblait grandir de ce dédain. Elle descendait encore vers l'hôpital, elle remontait vers les abattoirs. C'était sa promenade dernière, des cours sanglantes où l'on assommait, aux salles blafardes où la mort raidissait les gens dans les draps de tout le monde. Sa vie avait tenu là.

— Monsieur, écoutez donc...

Et, brusquement, elle aperçut son ombre par terre. Quand elle approchait d'un bec de gaz, l'ombre vague se ramassait et se précisait, une ombre énorme, trapue, grotesque tant elle était ronde. Cela s'étalait, le ventre, la gorge, les hanches, coulant et flottant ensemble. Elle louchait si fort de la jambe, que, sur le sol, l'ombre faisait la culbute à chaque pas; un vrai guignol! Puis, lorsqu'elle s'éloignait, le guignol grandissait, devenait géant, emplissait le boulevard, avec des révérences qui lui cassaient le nez contre les arbres et contre les maisons. Mon Dieu! qu'elle était drôle et effrayante! Jamais elle n'avait si bien compris son avachissement. Alors, elle ne put s'empêcher de regarder ça, attendant les becs de gaz, suivant des yeux le chahut de son ombre. Ah! elle avait là une belle gaupe [237] qui marchait à côté d'elle! Quelle touche! Ça devait attirer les hommes tout de suite. Et elle baissait la voix, elle n'osait plus que bégayer dans le dos des passants.

— Monsieur, écoutez donc...

Cependant, il devait être très tard. Ça se gâtait, dans le quartier. Les gargots étaient fermés, le gaz rougissait chez les marchands de vin, d'où sortaient des voix empâtées d'ivresse. La rigolade tournait aux querelles et aux coups. Un grand diable dépenaillé gueulait : « Je vas te démolir, numérote tes os! » Une fille s'était empoignée avec son amant, à la porte d'un bastringue, l'appelant sale mufe et cochon malade, tandis que l'amant répétait : « Et ta sœur ? » sans trouver autre chose. La soûlerie soufflait dehors un besoin de s'assommer, quelque chose de farouche, qui donnait aux passants plus rares des visages pâles et convulsés. Il y eut une bataille, un soûlard tomba pile, les quatre fers en l'air, pendant que son camarade, croyant lui avoir réglé son compte, fuyait en tapant ses gros souliers. Des bandes braillaient de sales chansons, de grands silences se faisaient, coupés des hoquets et des chutes sourdes d'ivrognes. La noce de la quinzaine finissait toujours ainsi, le vin coulait si fort depuis six heures, qu'il allait se promener sur les trottoirs. Oh! de belles fusées, des queues de renard élargies au beau milieu du pavé, que les gens attardés et délicats étaient obligés d'enjamber, pour ne pas marcher dedans! Vrai, le quartier était propre! Un

237. « Fille d'une conduite lamentable » (Delvau).

étranger, qui serait venu le visiter avant le balayage du matin, en aurait emporté une jolie idée. Mais, à cette heure, les soûlards étaient chez eux, ils se fichaient de l'Europe. Nom de Dieu! les couteaux sortaient des poches et la petite fête s'achevait dans le sang. Des femmes marchaient vite, des hommes rôdaient avec des yeux de loup, la nuit s'épaississait, gonflée d'abominations.

Gervaise allait toujours, gambillant, remontant et redescendant dans la seule pensée de marcher sans cesse. Des somnolences la prenaient, elle s'endormait, bercée par sa jambe; puis, elle regardait en sursaut autour d'elle, et elle s'apercevait qu'elle avait fait cent pas sans connaissance, comme morte. Ses pieds à dormir debout s'élargissaient dans ses savates trouées. Elle ne se sentait plus, tant elle était lasse et vide. La dernière idée nette qui l'occupât, fut que sa garce de fille, au même instant, mangeait peut-être des huîtres. Ensuite, tout se brouilla, elle resta les yeux ouverts, mais il lui fallait faire un trop grand effort pour penser. Et la seule sensation qui persistait en elle, au milieu de l'anéantissement de son être, était celle d'un froid de chien, d'un froid aigu et mortel comme jamais elle n'en avait éprouvé. Bien sûr, les morts n'ont pas si froid dans la terre. Elle souleva pesamment la tête, elle reçut au visage un cinglement glacial. C'était la neige qui se décidait enfin à tomber du ciel fumeux, une neige fine, drue, qu'un léger vent soufflait en tourbillons. Depuis trois jours, on l'attendait. Elle tombait au bon moment.

Alors, dans cette première rafale, Gervaise, réveillée, marcha plus vite. Des hommes couraient, se hâtaient de rentrer, les épaules déjà blanches. Et, comme elle en voyait un qui venait lentement sous les arbres, elle s'approcha, elle dit encore :

— Monsieur, écoutez donc...

L'homme s'était arrêté. Mais il n'avait pas semblé entendre. Il tendait la main, il murmurait d'une voix basse :

— La charité, s'il vous plaît...

Tous deux se regardèrent. Ah! mon Dieu! Ils en étaient là, le père Bru mendiant, Mme Coupeau faisant le trottoir! Ils demeuraient béants en face l'un de l'autre. A cette heure, ils pouvaient se donner la main. Toute la soirée, le vieil ouvrier avait rôdé, n'osant aborder le monde; et la première personne qu'il arrêtait, était une meurt-de-faim comme lui. Seigneur! n'était-ce pas une pitié ? avoir travaillé cinquante ans, et mendier! s'être vue une des plus fortes blanchisseuses de la rue de la Goutte-d'Or, et finir au bord du ruisseau! Ils se regardaient toujours. Puis, sans rien se dire, ils s'en

La neige à Paris en 1879, par Buhot : la place Bréda (aujourd'hui
place Gustave-Toudouze), près de Notre-Dame de Lorette.

allèrent chacun de son côté, sous la neige qui les fouettait.

C'était une vraie tempête. Sur ces hauteurs, au milieu de ces espaces largement ouverts, la neige fine tournoyait, semblait soufflée à la fois des quatre points du ciel. On ne voyait pas à dix pas, tout se noyait dans cette poussière volante. Le quartier avait disparu, le boulevard paraissait mort, comme si la rafale venait de jeter le silence de son drap blanc sur les hoquets des derniers ivrognes. Gervaise, péniblement, allait toujours, aveuglée, perdue. Elle touchait les arbres pour se retrouver. A mesure qu'elle avançait, les becs de gaz sortaient de la pâleur de l'air, pareils à des torches éteintes. Puis, tout d'un coup, lorsqu'elle traversait un carrefour, ces lueurs elles-mêmes manquaient ; elle était prise et roulée dans un tourbillon blafard, sans distinguer rien qui pût la guider. Sous elle, le sol fuyait, d'une blancheur vague. Des murs gris l'enfermaient. Et, quand elle s'arrêtait, hésitante, tournant la tête, elle devinait, derrière ce voile de glace, l'immensité des avenues, les files interminables des becs de gaz, tout cet infini noir et désert de Paris endormi.

Elle était là, à la rencontre du boulevard extérieur et des boulevards de Magenta et d'Ornano, rêvant de se coucher par terre, lorsqu'elle entendit un bruit de pas. Elle courut, mais la neige lui bouchait les yeux, et les pas s'éloignaient, sans qu'elle pût saisir s'ils allaient à droite ou à gauche. Enfin elle aperçut les larges épaules d'un homme, une tache sombre et dansante, s'enfonçant dans un brouillard. Oh ! celui-là, elle le voulait, elle ne le lâcherait pas ! Et elle courut plus fort, elle l'atteignit, le prit par la blouse.

— Monsieur, monsieur, écoutez donc...

L'homme se tourna. C'était Goujet.

Voilà qu'elle raccrochait la Gueule-d'Or, maintenant ! Mais qu'avait-elle donc fait au bon Dieu, pour être ainsi torturée jusqu'à la fin ? C'était le dernier coup, se jeter dans les jambes du forgeron, être vue par lui au rang des rouleuses de barrière, blême et suppliante. Et ça se passait sous un bec de gaz, elle apercevait son ombre difforme qui avait l'air de rigoler sur la neige, comme une vraie caricature. On aurait dit une femme soûle. Mon Dieu ! ne pas avoir une lichette de pain, ni une goutte de vin dans le corps, et être prise pour une femme soûle ! C'était sa faute, pourquoi se soûlait-elle ? Bien sûr, Goujet croyait qu'elle avait bu et qu'elle faisait une sale noce.

Goujet, cependant, la regardait, tandis que la neige effeuillait des pâquerettes dans sa belle barbe jaune. Puis, comme elle baissait la tête en reculant, il la retint.

— Venez, dit-il.

Et il marcha le premier. Elle le suivit. Tous deux traversèrent le quartier muet, filant sans bruit le long des murs. La pauvre Mme Goujet était morte au mois d'octobre, d'un rhumatisme aigu. Goujet habitait toujours la petite maison de la rue Neuve, sombre et seul. Ce jour-là, il s'était attardé à veiller un camarade blessé. Quand il eut ouvert la porte et allumé une lampe, il se tourna vers Gervaise, restée humblement sur le palier. Il dit très bas, comme si sa mère avait encore pu l'entendre :

— Entrez.

La première chambre, celle de Mme Goujet, était conservée pieusement dans l'état où elle l'avait laissée. Près de la fenêtre, sur une chaise, le tambour se trouvait posé, à côté du grand fauteuil qui semblait attendre la vieille dentellière. Le lit était fait, et elle aurait pu se coucher, si elle avait quitté le cimetière pour venir passer la soirée avec son enfant. La chambre gardait un recueillement, une odeur d'honnêteté et de bonté.

— Entrez, répéta plus haut le forgeron.

Elle entra, peureuse, de l'air d'une fille qui se coule dans un endroit respectable. Lui, était tout pâle et tout tremblant, d'introduire ainsi une femme chez sa mère morte. Ils traversèrent la pièce à pas étouffés, comme pour éviter la honte d'être entendus. Puis, quand il eut poussé Gervaise dans sa chambre, il ferma la porte. Là, il était chez lui. C'était l'étroit cabinet qu'elle connaissait, une chambre de pensionnaire, avec un petit lit de fer garni de rideaux blancs. Contre les murs, seulement, les images découpées s'étaient encore étalées et montaient jusqu'au plafond. Gervaise, dans cette pureté [238], n'osait avancer, se retirait, loin de la lampe. Alors, sans une parole, pris d'une rage, il voulut la saisir et l'écraser entre ses bras. Mais elle défaillait, elle murmura :

— Oh ! mon Dieu !... oh ! mon Dieu !...

Le poêle, couvert de poussière de coke, brûlait encore et un restant de ragoût, que le forgeron avait laissé au chaud, en croyant rentrer, fumait devant le cendrier. Gervaise, dégourdie par la grosse chaleur, se serait mise à quatre pattes pour manger dans le poêlon. C'était plus fort qu'elle, son estomac se déchirait, et elle se baissa, avec un soupir. Mais Goujet avait compris. Il posa le ragoût sur la table, coupa du pain, lui versa à boire.

238. Gervaise conserve toujours la nosfalgie d'une sorte d'état d'innocence que sa lamentable condition ne lui a pas permis de connaître.

— Merci! merci! disait-elle. Oh! que vous êtes bon! Merci!

Elle bégayait, elle ne pouvait plus prononcer les mots. Lorsqu'elle empoigna la fourchette, elle tremblait tellement qu'elle la laissa retomber. La faim qui l'étranglait lui donnait un branle sénile de la tête. Elle dut prendre avec les doigts. A la première pomme de terre qu'elle se fourra dans la bouche, elle éclata en sanglots. De grosses larmes roulaient le long de ses joues, tombaient sur son pain. Elle mangeait toujours, elle dévorait goulûment son pain trempé de ses larmes, soufflant très fort, le menton convulsé. Goujet la força à boire, pour qu'elle n'étouffât pas; et son verre eut un petit claquement contre ses dents.

— Voulez-vous encore du pain? demandait-il à demi-voix.

Elle pleurait, elle disait non, elle disait oui, elle ne savait pas. Ah! Seigneur! que cela est bon et triste de manger, quand on crève!

Et lui, debout en face d'elle, la contemplait. Maintenant, il la voyait bien, sous la vive clarté de l'abat-jour. Comme elle était vieillie et dégommée [239]! La chaleur fondait la neige sur ses cheveux et ses vêtements, elle ruisselait. Sa pauvre tête branlante était toute grise, des mèches grises que le vent avait envolées. Le cou engoncé dans les épaules, elle se tassait, laide et grosse à donner envie de pleurer. Et il se rappelait leurs amours, lorsqu'elle était toute rose, tapant ses fers, montrant le pli de bébé qui lui mettait un si joli collier au cou. Il allait, dans ce temps, la reluquer pendant des heures, satisfait de la voir. Plus tard, elle était venue à la forge, et là ils avaient goûté de grosses jouissances, tandis qu'il frappait sur son fer et qu'elle restait dans la danse de son marteau. Alors, que de fois il avait mordu son oreiller, la nuit, en souhaitant de la tenir ainsi dans sa chambre! Oh! il l'aurait cassée, s'il l'avait prise, tant il la désirait! Et elle était à lui, à cette heure, il pouvait la prendre. Elle achevait son pain, elle torchait ses larmes au fond du poêlon, ses grosses larmes silencieuses qui tombaient toujours dans son manger.

Gervaise se leva. Elle avait fini. Elle demeura un instant la tête basse, gênée, ne sachant pas s'il voulait d'elle. Puis, croyant voir une flamme s'allumer dans ses yeux, elle porta la main à sa camisole, elle ôta le premier bouton. Mais Goujet s'était mis à genoux, il lui prenait les mains, en disant doucement :

239. « Dégommer : vieillir, perdre de ses cheveux, de son élégance, de sa fraîcheur – au propre et au figuré » (Delvau).

— Je vous aime, madame Gervaise, oh! je vous aime encore et malgré tout, je vous le jure!

— Ne dites pas cela, monsieur Goujet! s'écriat-elle, affolée de le voir ainsi à ses pieds. Non, ne dites pas cela, vous me faites trop de peine!

Et comme il répétait qu'il ne pouvait pas avoir deux sentiments dans sa vie, elle se désespéra davantage.

— Non, non, je ne veux plus, j'ai trop de honte... pour l'amour de Dieu! relevez-vous. C'est ma place, d'être par terre.

Il se releva, il était tout frissonnant, et d'une voix balbutiante :

— Voulez-vous me permettre de vous embrasser?

Elle, éperdue de surprise et d'émotion ne trouvait pas une parole. Elle dit oui de la tête. Mon Dieu! elle était à lui, il pouvait faire d'elle ce qu'il lui plairait. Mais il allongeait seulement les lèvres.

— Ça suffit entre nous, madame Gervaise, murmura-t-il. C'est toute notre amitié, n'est-ce pas?

Il la baisa sur le front, sur une mèche de ses cheveux gris. Il n'avait embrassé personne, depuis que sa mère était morte. Sa bonne amie Gervaise seule lui restait dans l'existence. Alors, quand il l'eut baisée avec tant de respect, il s'en alla à reculons tomber en travers de son lit, la gorge crevée de sanglots. Et Gervaise ne put pas demeurer là plus longtemps; c'était trop triste et trop abominable, de se retrouver dans ces conditions, lorsqu'on s'aimait. Elle lui cria :

Gervaise chez Goujet.

— Je vous aime, monsieur Goujet, je vous aime bien aussi... Oh! ce n'est pas possible, je comprends... Adieu, adieu, car ça nous étoufferait tous les deux.

Et elle traversa en courant la chambre de Mme Goujet, elle se retrouva sur le pavé. Quand elle revint à elle, elle avait sonné rue de la Goutte-d'Or, Boche tirait le cordon. La maison était toute sombre. Elle entra là-dedans, comme dans son deuil. A cette heure de nuit, le porche, béant et délabré, semblait une gueule ouverte. Dire que jadis elle avait ambitionné un coin de cette carcasse de caserne! Ses oreilles étaient donc bouchées, qu'elle n'entendait pas à cette époque la sacrée musique de désespoir qui ronflait derrière les murs! Depuis le jour où elle y avait fichu les pieds, elle s'était mise à dégringoler. Oui, ça devait porter malheur d'être ainsi les uns sur les autres, dans ces grandes gueuses de maisons ouvrières; on y attrapait le choléra de la misère. Ce soir-là, tout le monde paraissait crevé. Elle écoutait seulement les Boche ronfler, à droite; tandis que Lantier et Virginie, à gauche, faisaient un ronron, comme des chats qui ne dorment pas et qui ont chaud, les yeux fermés. Dans la cour, elle se crut au milieu d'un vrai cimetière; la neige faisait par terre un carré pâle; les hautes façades montaient, d'un gris livide, sans une lumière, pareilles à des pans de ruine; et pas un soupir, l'ensevelissement de tout un village raidi de froid et de faim. Il lui fallut enjamber un ruisseau noir, une mare lâchée par la teinturerie, fumant et s'ouvrant un lit boueux dans la blancheur de la neige. C'était une eau couleur de ses pensées. Elles avaient coulé, les belles eaux bleu tendre et rose tendre!

Puis, en montant les six étages, dans l'obscurité, elle ne put s'empêcher de rire; un vilain rire, qui lui faisait du mal. Elle se souvenait de son idéal, anciennement: travailler tranquille, manger toujours du pain, avoir un trou propre pour un peu dormir, bien élever ses enfants, ne pas être battue, mourir dans son lit. Non, vrai, c'était comique, comme tout ça se réalisait! Elle ne travaillait plus, elle ne mangeait plus, elle dormait sur l'ordure, sa fille courait le guilledou, son mari lui flanquait des tatouilles; il ne lui restait qu'à crever sur le pavé, et ce serait tout de suite, si elle trouvait le courage de se flanquer par la fenêtre, en rentrant chez elle. N'aurait-on pas dit qu'elle avait demandé au ciel trente mille francs de rente et des égards? Ah! vrai, dans cette vie, on a beau être modeste, on peut se fouiller! Pas même la pâtée et la niche, voilà le sort commun. Et ce qui redoublait son mauvais rire,

c'était de se rappeler son bel espoir de se retirer à la campagne, après vingt ans de repassage. Eh bien! elle y allait, à la campagne. Elle voulait son coin de verdure au Père-Lachaise.

Lorsqu'elle s'engagea dans le corridor, elle était comme folle. Sa pauvre tête tournait. Au fond, sa grosse douleur venait d'avoir dit un adieu éternel au forgeron. C'était fini entre eux, ils ne se reverraient jamais. Puis, là-dessus, toutes les autres idées de malheur arrivaient et achevaient de lui casser le crâne. En passant, elle allongea le nez chez les Bijard, elle aperçut Lalie morte, l'air content d'être allongée, en train de se dorloter pour toujours. Ah bien! les enfants avaient plus de chance que les grandes personnes! Et, comme la porte du père Bazouge laissait passer une raie de lumière, elle entra droit chez lui, prise d'une rage de s'en aller par le même voyage que la petite.

Ce vieux rigolo de père Bazouge était revenu, cette nuit-là, dans un état de gaieté extraordinaire. Il avait pris une telle culotte, qu'il ronflait par terre, malgré la température; et ça ne l'empêchait pas de faire sans doute un joli rêve, car il semblait rire du ventre, en dormant. La camoufle[240], restée allumée, éclairait sa défroque, son chapeau noir aplati dans un coin, son manteau noir qu'il avait tiré sur ses genoux, comme un bout de couverture.

Gervaise, en l'apercevant, venait tout d'un coup de se lamenter si fort, qu'il se réveilla.

— Nom de Dieu! fermez donc la porte! Ça fiche un froid!... Hein! c'est vous!... Qu'est-ce qu'il y a? qu'est-ce que vous voulez?

Alors, Gervaise, les bras tendus, ne sachant plus ce qu'elle bégayait, se mit à le supplier avec passion.

— Oh! emmenez-moi, j'en ai assez, je veux m'en aller... Il ne faut pas me garder rancune. Je ne savais pas, mon Dieu! On ne sait jamais, tant qu'on n'est pas prête... Oh! oui, l'on est content d'y passer un jour!... Emmenez-moi, emmenez-moi, je vous crierai merci!

Et elle se mettait à genoux, toute secouée d'un désir qui la pâlissait. Jamais elle ne s'était ainsi roulée aux pieds d'un homme. La trogne du père Bazouge, avec sa bouche tordue et son cuir encrassé par la poussière des enterrements, lui semblait belle et resplendissante comme un soleil. Cependant, le vieux, mal éveillé, croyait à quelque mauvaise farce.

— Dites donc, murmurait-il, il ne faut pas me la faire!

240. « Chandelle » (Delvau).

— Emmenez-moi, répéta plus ardemment Gervaise. Vous vous rappelez, un soir, j'ai cogné à la cloison; puis, j'ai dit que ce n'était pas vrai, parce que j'étais encore trop bête... Mais, tenez! donnez vos mains, je n'ai plus peur! Emmenez-moi faire dodo, vous sentirez si je remue... Oh! je n'ai que cette envie, oh! je vous aimerai bien!

Bazouge, toujours galant, pensa qu'il ne devait pas bousculer une dame, qui semblait avoir un tel béguin pour lui. Elle déménageait, mais elle avait tout de même de beaux restes, quand elle se montait.

— Vous êtes joliment dans le vrai, dit-il d'un air convaincu; j'en ai encore emballé trois, aujourd'hui, qui m'auraient donné un fameux pourboire, si elles avaient pu envoyer la main à la poche... Seulement, ma petite mère, ça ne peut pas s'arranger comme ça...

— Emmenez-moi, emmenez-moi, criait toujours Gervaise, je veux m'en aller...

— Dame! il y a une petite opération auparavant... Vous savez, couic!

Et il fit un effort de la gorge, comme s'il avalait sa langue. Puis, trouvant la blague bonne, il ricana.

Gervaise s'était relevée lentement. Lui non plus ne pouvait donc rien pour elle? Elle rentra dans sa chambre, stupide, et se jeta sur sa paille, en regrettant d'avoir mangé. Ah! non, par exemple, la misère ne tuait pas assez vite!

13

Coupeau tira une bordée, cette nuit-là. Le lendemain, Gervaise reçut dix francs de son fils Étienne, qui était mécanicien dans un chemin de fer; le petit lui envoyait des pièces de cent sous de temps à autre, sachant qu'il n'y avait pas gras à la maison. Elle fit un pot-au-feu et le mangea toute seule, car cette rosse de Coupeau ne rentra pas davantage le lendemain. Le lundi personne, le mardi personne encore. Toute la semaine se passa. Ah! nom d'un chien! si une dame l'avait enlevé, c'est ça qui aurait pu s'appeler une chance. Mais, juste le dimanche, Gervaise reçut un papier imprimé, qui lui fit peur d'abord, parce qu'on aurait dit une lettre du commissaire de police. Puis, elle se rassura, c'était simplement pour lui apprendre que son cochon était en train de crever à Sainte-Anne. Le papier disait ça plus poliment, seulement ça revenait au même.

Oui, c'était bien une dame qui avait enlevé Coupeau, et cette dame s'appelait Sophie Tourne-de-l'œil, la dernière bonne amie des pochards.

Ma foi, Gervaise ne se dérangea pas. Il connaissait le chemin, il reviendrait bien tout seul de l'asile; on l'y avait tant de fois guéri, qu'on lui ferait une fois de plus la mauvaise farce de le remettre sur ses pattes. Est-ce qu'elle ne venait pas d'apprendre le matin même que, pendant huit jours, on avait aperçu Coupeau, rond comme une balle, roulant les marchands de vin de Belleville, en compagnie de Mes-Bottes! Parfaitement, c'était même Mes-Bottes qui finançait; il avait dû jeter le grappin sur le magot de sa bourgeoise, des économies gagnées au joli jeu que vous savez. Ah! ils buvaient là du propre argent, capable de flanquer toutes les mauvaises maladies! Tant mieux, si Coupeau avait empoigné des coliques! Et Gervaise était surtout furieuse, en songeant que ces deux bougres d'égoïstes n'auraient seulement pas songé à venir la prendre pour lui payer sa goutte. A-t-on jamais vu! une noce de huit jours, et pas une galanterie aux dames! Quand on boit seul, on crève seul, voilà!

Pourtant, le lundi, comme Gervaise avait un bon petit repas pour le soir, un reste de haricots et une chopine, elle se donna le prétexte qu'une promenade lui ouvrirait l'appétit. La lettre de l'asile, sur la commode, l'embêtait. La neige avait fondu, il faisait un temps de demoiselle, gris et doux, avec un fond vif dans l'air qui ragaillardissait. Elle partit à midi, car la course était longue; il fallait traverser Paris, et sa gigue restait toujours en retard. Avec ça, il y avait une nuée de monde dans les rues; mais le monde l'amusait, elle arriva très gentiment. Lorsqu'elle se fut nommée, on lui en raconta une raide: il paraît qu'on avait repêché Coupeau au Pont-Neuf; il s'était élancé par-dessus le parapet, en croyant voir un homme barbu qui lui barrait le chemin. Un joli saut, n'est-ce pas? et quant à savoir comment Coupeau se trouvait sur le Pont-Neuf, c'était une chose qu'il ne pouvait pas expliquer lui-même.

Cependant un gardien conduisit Gervaise. Elle montait un escalier, lorsqu'elle entendit des gueulements qui lui donnèrent froid aux os.

— Hein? il en fait, une musique! dit le gardien.

— Qui donc? demanda-t-elle.

— Mais votre homme! Il gueule comme ça depuis avant-hier. Et il danse, vous allez voir.

Ah! mon Dieu! quelle vue! Elle resta saisie. La cellule était matelassée du haut en bas; par terre, il y avait deux paillassons, l'un sur l'autre; et, dans un coin, s'allongeaient un matelas et un traversin, pas davantage. Là-dedans, Coupeau dansait et gueulait. Un vrai chienlit de la Courtille, avec sa blouse en lambeaux et ses membres qui battaient l'air; mais un chienlit pas drôle, oh! non, un chienlit dont le chahut effrayant vous faisait dresser tout le poil du corps. Il était déguisé en un-qui-va-mourir. Cré nom! quel cavalier seul! Il butait contre la fenêtre, s'en retournait à reculons, les bras marquant la mesure, secouant les mains, comme s'il avait voulu se les casser et les envoyer à la figure du monde. On rencontre des farceurs dans les bastringues, qui imitent ça; seulement, ils l'imitent mal, il faut voir sauter ce rigodon des soûlards, si l'on veut juger quel chic ça prend, quand c'est exécuté pour de bon. La chanson a son cachet aussi, une engueulade continue de carnaval, une bouche grande ouverte lâchant pendant des heures les mêmes notes de trombone enroué. Coupeau, lui, avait le cri d'une bête dont on a écrasé la patte. Et, en avant l'orchestre, balancez vos dames!

— Seigneur! qu'est-ce qu'il a donc?... qu'est-ce qu'il a donc?... répétait Gervaise, prise de taf.

Un interne, un gros garçon blond et rose, en tablier blanc, tranquillement assis, prenait des notes. Le cas était curieux, l'interne ne quittait pas le malade.

L'ASSOMMOIR

Delirium trémens de Coupeau

— Restez un instant, si vous voulez, dit-il à la blanchisseuse; mais tenez-vous tranquille... Essayez de lui parler, il ne vous reconnaîtra pas.

Coupeau, en effet, ne parut même pas apercevoir sa femme. Elle l'avait mal vu en entrant tant il se disloquait. Quand elle le regarda sous le nez, les bras lui tombèrent. Était-ce Dieu possible qu'il eût une figure pareille, avec du sang dans les yeux et des croûtes plein les lèvres? Elle ne l'aurait bien sûr pas reconnu. D'abord, il faisait trop de grimaces, sans dire pourquoi, la margoulette tout d'un coup à l'envers, le nez froncé, les joues tirées, un vrai museau d'animal. Il avait la peau si chaude, que l'air fumait autour de lui; et son cuir était comme verni, ruisselant d'une sueur lourde qui dégoulinait. Dans sa danse de chicard [241] enragé, on comprenait tout de même qu'il n'était pas à son aise, la tête lourde, avec des douleurs dans les membres.

Gervaise s'était rapprochée de l'interne, qui battait un air du bout des doigts sur le dossier de sa chaise.

— Dites donc, monsieur, c'est sérieux alors, cette fois?

L'interne hocha la tête sans répondre.

— Dites donc, est-ce qu'il ne jacasse pas tout bas?... Hein? vous entendez, qu'est-ce que c'est?

— Des choses qu'il voit, murmura le jeune homme. Taisez-vous, laissez-moi écouter.

Coupeau parlait d'une voix saccadée. Pourtant, une flamme de rigolade lui éclairait les yeux. Il regardait par terre, à droite, à gauche, et tournait, comme s'il avait flâné au bois de Vincennes, en causant tout seul.

— Ah! ça, c'est gentil, c'est pommé... Il y a des chalets, une vraie foire. Et de la musique un peu chouette! Quel balthazar! ils cassent les pots, làdedans... Très chic! V'là que ça s'illumine; des ballons rouges en l'air, et ça saute, et ça file!... Oh! oh! que de lanternes dans les arbres!... Il fait joliment bon! Ça pisse de partout, des fontaines, des cascades, de l'eau qui chante, oh! d'une voix d'enfant de chœur... Épatant! les cascades!

Et il se redressait, comme pour mieux entendre la chanson délicieuse de l'eau; il aspirait l'air fortement, croyant boire la pluie fraîche envolée des fontaines. Mais, peu à peu, sa face reprit une expression d'angoisse. Alors, il se courba, il fila plus vite

241. « Type de carnaval, qui a été imaginé par un honorable commerçant en cuirs, M. Levesque, et qui est maintenant dans la circulation générale, comme synonyme de farceur, de RogerBontemps, de mauvais sujet » (Delvau).

le long des murs de la cellule, avec de sourdes menaces.

— Encore des fourbis, tout ça!... Je me méfiais... Silence, tas de gouapes! Oui, vous vous fichez de moi. C'est pour me turlupiner que vous buvez et que vous braillez là-dedans avec vos traînées... Je vas vous démolir, moi, dans votre chalet!... Nom de Dieu! voulez-vous me foutre la paix!

Il serrait les poings; puis, il poussa un cri rauque, il s'aplatit en courant. Et il bégayait, les dents claquant d'épouvante :

— C'est pour que je me tue. Non, je ne me jetterai pas!... Toute cette eau, ça signifie que je n'ai pas de cœur. Non, je ne me jetterai pas!

Les cascades, qui fuyaient à son approche, s'avançaient quand il reculait. Et, tout d'un coup, il regarda stupidement autour de lui, il balbutia, d'une voix à peine distincte :

— Ce n'est pas possible, on a embauché des physiciens contre moi!

— Je m'en vais, monsieur, bonsoir! dit Gervaise à l'interne. Ça me retourne trop, je reviendrai.

Elle était blanche. Coupeau continuait son cavalier seul, de la fenêtre au matelas, et du matelas à la fenêtre, suant, s'échinant, battant la même mesure. Alors, elle se sauva. Mais elle eut beau dégringoler l'escalier, elle entendit jusqu'en bas le sacré chahut de son homme. Ah! mon Dieu! qu'il faisait bon dehors, on respirait!

Le soir, toute la maison de la Goutte-d'Or causait de l'étrange maladie du père Coupeau. Les Boche, qui traitaient la Banban par-dessous la jambe maintenant, lui offrirent pourtant un cassis dans leur loge, histoire d'avoir des détails. Mme Lorilleux arriva, Mme Poisson aussi. Ce furent des commentaires interminables. Boche avait connu un menuisier qui s'était mis tout nu dans la rue Saint-Martin, et qui était mort en dansant la polka; celui-là buvait de l'absinthe. Ces dames se tortillèrent de rire, parce que ça leur semblait drôle tout de même, quoique triste. Puis, comme on ne comprenait pas bien, Gervaise repoussa le monde, cria pour avoir de la place; et, au milieu de la loge, tandis que les autres regardaient, elle fit Coupeau, braillant, sautant, se démanchant avec des grimaces abominables. Oui, parole d'honneur! c'était tout à fait ça! Alors, les autres s'épatèrent : pas possible! un homme n'aurait pas duré trois heures à un commerce pareil. Eh bien! elle le jurait sur ce qu'elle avait de plus sacré, Coupeau durait depuis la veille, trente-six heures déjà. On pouvait aller y voir, d'ailleurs, si on ne la croyait pas. Mais, Mme Lorilleux déclara que, merci bien! elle était revenue de

Sainte-Anne; elle empêcherait même Lorilleux d'y ficher les pieds. Quant à Virginie, dont la boutique tournait de plus mal en plus mal, et qui avait une figure d'enterrement, elle se contenta de murmurer que la vie n'était pas toujours gaie, ah! sacredié, non! On acheva le cassis, Gervaise souhaita le bonsoir à la compagnie. Lorsqu'elle ne parlait plus, elle prenait tout de suite la tête d'un ahuri de Chaillot, les yeux grands ouverts. Sans doute elle voyait son homme en train de valser. Le lendemain, en se levant, elle se promit de ne plus aller là-bas. A quoi bon? Elle ne voulait pas perdre la boule, à son tour. Cependant, toutes les dix minutes, elle retombait dans ses réflexions, elle était sortie, comme on dit. Ça serait curieux pourtant, s'il faisait toujours ses ronds de jambe. Quand midi sonna, elle ne put tenir davantage, elle ne s'aperçut pas de la longueur du chemin, tant le désir et la peur de ce qui l'attendait lui occupaient la cervelle.

Oh! elle n'eut pas besoin de demander des nouvelles. Dès le bas de l'escalier, elle entendit la chanson de Coupeau. Juste le même air, juste la même danse. Elle pouvait croire qu'elle venait de descendre à la minute, et qu'elle remontait. Le gardien de la veille, qui portait des pots de tisane dans le corridor, cligna de l'œil en la rencontrant, pour se montrer aimable.

— Alors, toujours! dit-elle.

— Oh! toujours! répondit-il sans s'arrêter.

Elle entra, mais elle se tint dans le coin de la porte, parce qu'il y avait du monde avec Coupeau. L'interne blond et rose était debout, ayant cédé sa chaise à un vieux monsieur décoré, chauve et la figure en museau de fouine. C'était bien sûr le médecin en chef, car il avait des regards minces et perçants comme des vrilles. Tous les marchands de mort subite vous ont de ces regards-là.

Gervaise, d'ailleurs, n'était pas venue pour ce monsieur, et elle se haussait derrière son crâne, mangeant Coupeau des yeux. Cet enragé dansait et gueulait plus fort que la veille. Elle avait bien vu, autrefois, à des bals de la mi-carême, des garçons de lavoir solides s'en donner pendant toute une nuit; mais jamais, au grand jamais, elle ne se serait imaginé qu'un homme pût prendre du plaisir si longtemps; quand elle disait prendre du plaisir, c'était une façon de parler, car il n'y a pas de plaisir à faire malgré soi des sauts de carpe, comme si on avait avalé une poudrière. Coupeau, trempé de sueur, fumait davantage, voilà tout. Sa bouche semblait plus grande, à force de crier. Oh! les dames enceintes faisaient bien de rester dehors. Il avait tant marché du matelas à la fenêtre, qu'on voyait son petit chemin à terre; le paillasson était mangé par ses savates.

Non, vrai, ça n'offrait rien de beau, et Gervaise, tremblante, se demandait pourquoi elle était revenue. Dire que, la veille au soir, chez les Boche, on l'accusait d'exagérer le tableau! Ah bien! elle n'en avait pas fait la moitié assez! Maintenant, elle voyait mieux comment Coupeau s'y prenait, elle ne l'oublierait jamais plus, les yeux grands ouverts sur le vide. Pourtant, elle saisissait des phrases, entre l'interne et le médecin. Le premier donnait des détails sur la nuit, avec des mots qu'elle ne comprenait pas. Toute la nuit, son homme avait causé et pirouetté, voilà ce que ça signifiait au fond. Puis, le vieux monsieur chauve, pas très poli d'ailleurs, parut enfin s'apercevoir de sa présence; et, quand l'interne lui eut dit qu'elle était la femme du malade, il se mit à l'interroger, d'un air méchant de commissaire de police.

— Est-ce que le père de cet homme buvait?

— Oui, monsieur, un petit peu, comme tout le monde... Il s'est tué en dégringolant d'un toit, un jour de ribote.

— Est-ce que sa mère buvait?

— Dame! monsieur, comme tout le monde, vous savez, une goutte par-ci, une goutte par-là... Oh! la famille est très bien!... Il y a eu un frère, mort très jeune dans des convulsions.

Le médecin la regardait de son œil perçant. Il reprit, de sa voix brutale:

— Vous buvez aussi, vous?

Gervaise bégaya, se défendit, posa la main sur son cœur pour donner sa parole sacrée.

— Vous buvez! Prenez garde, voyez où mène la boisson... Un jour ou l'autre, vous mourrez ainsi.

Alors, elle resta collée contre le mur. Le médecin avait tourné le dos. Il s'accroupit, sans s'inquiéter s'il ne ramassait pas la poussière du paillasson avec sa redingote; il étudia longtemps le tremblement de Coupeau, l'attendant au passage, le suivant du regard. Ce jour-là, les jambes sautaient à leur tour, le tremblement était descendu des mains dans les pieds; un vrai polichinelle, dont on aurait tiré les fils, rigolant des membres, le tronc raide comme du bois. Le mal gagnait petit à petit. On aurait dit une musique sous la peau; ça partait toutes les trois ou quatre secondes, roulait un instant; puis ça s'arrêtait et ça reprenait, juste le petit frisson qui secoue les chiens perdus, quand ils ont froid l'hiver, sous une porte. Déjà le ventre et les épaules avaient un frémissement d'eau sur le point de bouillir. Une

drôle de démolition tout de même, s'en aller en se tordant comme une fille à laquelle les chatouilles font de l'effet!

Coupeau, cependant, se plaignait d'une voix sourde. Il semblait souffrir beaucoup plus que la veille. Ses plaintes entrecoupées laissaient deviner toutes sorte de maux. Des milliers d'épingles le piquaient. Il avait partout sur la peau quelque chose de pesant; une bête froide et mouillée se traînait sur ses cuisses et lui enfonçait des crocs dans la chair. Puis, c'étaient d'autres bêtes qui collaient à ses épaules, en lui arrachant le dos à coups de griffes.

— J'ai soif, oh! j'ai soif! grognait-il continuellement.

L'interne prit le pot de limonade sur une planchette et le lui donna. Il saisit le pot à deux mains, aspira goulûment une gorgée, en répandant la moitié du liquide; mais il cracha tout de suite la gorgée, avec un dégoût furieux, en criant:

— Nom de Dieu! c'est de l'eau-de-vie!

Alors, l'interne, sur un signe du médecin, voulut lui faire boire de l'eau, sans lâcher la carafe. Cette fois, il avala la gorgée, en hurlant, comme s'il avait avalé du feu.

— C'est de l'eau-de-vie, nom de Dieu! c'est de l'eau-de-vie!

Depuis la veille, tout ce qu'il buvait était de l'eau-de-vie. Ça redoublait sa soif, et il ne pouvait plus boire, parce que tout le brûlait. On lui avait apporté un potage, mais on cherchait à l'empoisonner bien sûr, car ce potage sentait le vitriol. Le pain était aigre et gâté. Il n'y avait que du poison autour de lui. La cellule puait le soufre. Même il accusait des gens de frotter des allumettes sous son nez pour l'empester.

Le médecin venait de se relever et écoutait Coupeau, qui maintenant voyait de nouveau des fantômes en plein midi. Est-ce qu'il ne croyait pas apercevoir sur les murs des toiles d'araignée grandes comme des voiles de bateau! Puis, ces toiles devenaient des filets avec des mailles qui se rétrécissaient et s'allongeaient, un drôle de joujou! Des boules noires voyageaient dans les mailles, de vraies boules d'escamoteur, d'abord grosses comme des billes, puis grosses comme des boulets; et elles enflaient, et elles maigrissaient, histoire simplement de l'embêter. Tout d'un coup il cria:

— Oh! les rats, v'là les rats, à cette heure!

C'étaient les boules qui devenaient des rats. Ces sales animaux grossissaient, passaient à travers le filet, sautaient sur le matelas, où ils s'évaporaient. Il y avait aussi un singe, qui sortait du mur, qui rentrait dans le mur, en s'approchant chaque fois si près de lui, qu'il reculait, de peur d'avoir le nez croqué. Brusquement, ça changea encore; les murs devaient cabrioler, car il répétait, étranglé de terreur et de rage :

— C'est ça, aïe donc! secouez-moi, je m'en fiche!... Aïe donc! la cambuse! aïe donc! par terre!... Oui, sonnez les cloches, tas de corbeaux! jouez de l'orgue pour m'empêcher d'appeler la garde!... Et ils ont mis une machine derrière le mur, ces racailles! Je l'entends bien, elle ronfle, ils vont nous faire sauter... Au feu! nom de Dieu! au feu. On crie au feu! voilà que ça flambe. Oh! ça s'éclaire, ça s'éclaire! tout le ciel brûle, des feux rouges, des feux verts, des feux jaunes... A moi! au secours! au feu!

Ses cris se perdaient dans un râle. Il ne marmottait plus que des mots sans suite, une écume à la bouche, le menton mouillé de salive. Le médecin se frottait le nez avec le doigt, un tic qui lui était sans doute habituel, en face des cas graves. Il se tourna vers l'interne, lui demanda à demi-voix :

— Et la température, toujours quarante degrés, n'est-ce pas ?

— Oui, monsieur.

Le médecin fit une moue. Il demeura encore là deux minutes, les yeux fixés sur Coupeau. Puis, il haussa les épaules, en ajoutant :

— Le même traitement, bouillon, lait, limonade citrique, extrait mou de quinquina en potion... Ne le quittez pas, et faites-moi appeler.

Il sortit, Gervaise le suivit, pour lui demander s'il n'y avait plus d'espoir. Mais il marchait si raide dans le corridor, qu'elle n'osa pas l'aborder. Elle resta plantée là un instant, hésitant à rentrer voir son homme. La séance lui semblait déjà joliment rude. Comme elle l'entendait crier encore que la limonade sentait l'eau-de-vie, ma foi! elle fila, ayant assez d'une représentation. Dans les rues, le galop des chevaux et le bruit des voitures lui firent croire que tout Sainte-Anne était à ses trousses. Et ce médecin qui l'avait menacée! Vrai, elle croyait déjà avoir la maladie.

Naturellement, rue de la Goutte-d'Or, les Boche et les autres l'attendaient. Dès qu'elle parut sous la porte, on l'appela dans la loge. Eh bien! est-ce que le père Coupeau durait toujours? Mon Dieu! oui, il durait toujours. Boche semblait stupéfait et consterné : il avait parié un litre que le père Coupeau n'irait pas jusqu'au soir. Comment! il durait encore! Et toute la société s'étonnait, en se tapant sur les cuisses. En voilà un gaillard qui résistait! Mme Lorilleux calcula les heures : trente-six heures

L'actrice Hélène Petit jouant le rôle de Gervaise dans *l'Assommoir*, au théâtre de l'Ambigu, en 1879, photographie de Nadar. « Mais je veux surtout rester dans la simplicité des faits, dans le courant vulgaire de la vie, tout en restant très dramatique et très touchant. Je montre donc Gervaise, tombant à une déchéance... » (notes de Zola).

et vingt-quatre heures, soixante heures. Sacré mâtin ! soixante heures déjà qu'il jouait des quilles et de la gueule ! On n'avait jamais vu un pareil tour de force. Mais Boche, qui riait jaune à cause de son litre, questionnait Gervaise d'un air de doute, en lui demandant si elle était bien sûre qu'il n'eût pas défilé la parade [242] derrière son dos. Oh ! non, il sautait trop fort, il n'en avait pas envie. Alors, Boche, insistant davantage, la pria de refaire un peu comme il faisait, pour voir. Oui, oui, encore un peu ! à la demande générale ! la société lui disait qu'elle serait bien gentille, car justement il y avait là deux voisines, qui n'avaient pas vu la veille, et qui venaient de descendre exprès pour assister au tableau. La concierge criait au monde de se ranger, les gens débarrassaient le milieu de la loge, en se poussant du coude, avec un frémissement de curiosité. Cependant, Gervaise baissait la tête. Vrai, elle craignait de se rendre malade. Pourtant, désirant prouver que ce n'était pas histoire de se faire prier, elle commença deux ou trois petits sauts ; mais elle devint toute chose, elle se rejeta en arrière ; parole d'honneur, elle ne pouvait pas ! Un murmure de désappointement courut : c'était dommage, elle imitait ça à la perfection. Enfin, si elle ne pouvait pas ! Et, comme Virginie retournait à sa boutique, on oublia le père Coupeau, pour causer vivement du ménage Poisson, une pétaudière maintenant ; la veille, les huissiers étaient venus ; le sergent de ville allait perdre sa place ; quant à Lantier, il tournait autour de la fille du restaurant d'à côté, une femme magnifique qui parlait de s'établir tripière. Dame ! on en rigolait, on voyait déjà une tripière installée dans la boutique ; après la friandise, le solide. Ce cocu de Poisson avait une bonne tête, dans tout ça ; comment diable un homme, dont le métier était d'être malin, se montrait-il si godiche chez lui. Mais on se tut brusquement, en apercevant Gervaise qu'on ne regardait plus et qui s'essayait toute seule au fond de la loge, tremblant des pieds et des mains, faisant Coupeau. Bravo ! c'était ça, on n'en demandait pas davantage. Elle resta hébétée, ayant l'air de sortir d'un rêve. Puis, elle fila raide. Bien le bonsoir, la compagnie ! elle montait pour tâcher de dormir.

Le lendemain, les Boche la virent partir à midi, comme les deux autres jours. Ils lui souhaitaient bien de l'agrément. Ce jour-là, à Sainte-Anne, le corridor tremblait des gueulements et des coups de talon de Coupeau. Elle tenait encore la rampe de l'escalier, qu'elle l'entendit hurler :

— En v'là des punaises !... Rappliquez un peu par ici, que je vous désosse !... Ah ! ils veulent m'es-

coffier, ah ! les punaises !... Je suis plus rupin que tous ! Décarrez, nom de Dieu !

Un instant, elle souffla devant la porte. Il se battait donc avec une armée ! Quand elle entra, ça croissait et ça embellissait. Coupeau était fou furieux, un échappé de Charenton ! Il se démenait au milieu de la cellule, envoyant les mains partout, sur lui, sur les murs, par terre, culbutant, tapant dans le vide ; et il voulait ouvrir la fenêtre, et il se cachait, se défendait, appelait, répondait, tout seul pour faire ce sabbat, de l'air exaspéré d'un homme cauchemardé par une flopée de monde. Puis, Gervaise comprit qu'il s'imaginait être sur un toit, en train de poser des plaques de zinc. Il faisait le soufflet avec sa bouche, il remuait des fers dans le réchaud, se mettait à genoux, pour passer le pouce sur les bords du paillasson, en croyant qu'il le soudait. Oui, son métier lui revenait, au moment de crever ; et s'il gueulait si fort, s'il se crochait sur son toit, c'était que des mufes l'empêchaient d'exécuter proprement son travail. Sur les toits voisins, il y avait de la fripouille qui le mécanisait. Avec ça, ces blagueurs lui lâchaient des bandes de rats dans les jambes. Ah ! les sales bêtes, il les voyait toujours ! Il avait beau les écraser, en frottant son pied sur le sol de toutes ses forces, il en passait de nouvelles ribambelles, le toit en était noir. Est-ce qu'il n'y avait pas des araignées aussi ! Il serrait rudement son pantalon pour tuer contre sa cuisse de grosses araignées, qui s'étaient fourrées là. Sacré tonnerre ! Il ne finirait jamais sa journée, on voulait le perdre, son patron allait l'envoyer à Mazas [243]. Alors, en se dépêchant, il crut qu'il avait une machine à vapeur dans le ventre ; la bouche grande ouverte, il soufflait de la fumée, une fumée épaisse qui emplissait la cellule et qui sortait par la fenêtre ; et, penché, soufflant toujours, il regardait dehors le ruban de fumée se dérouler, monter dans le ciel, où il cachait le soleil.

— Tiens ! cria-t-il, c'est la bande de la chaussée Clignancourt, déguisée en ours, avec des flafla [244]...

Il restait accroupi devant la fenêtre, comme s'il avait suivi un cortège dans une rue, du haut d'une toiture.

— V'là la calvacade, des lions et des panthères qui font des grimaces... Il y a des mômes habillés en chiens et en chats... Il y a la grande Clémence, avec sa tignasse pleine de plumes. Ah ! sacredié ! elle fait la culbute, elle montre tout ce qu'elle a !...

---

242. « Mourir, dans l'argot des troupiers » (Delvau).
243. A Mazas se trouvait encore la prison pour dettes.
244. « Étalage pompeux en paroles et en actions » (Delvau).

Dis donc, ma biche, faut nous carapater... Eh! bougres de roussins, voulez-vous bien ne pas la prendre!... Ne tirez pas, tonnerre! ne tirez pas...

Sa voix montait, rauque, épouvantée, et il se baissait vivement, répétant que la rousse [245] et les pantalons rouges étaient en bas, des hommes qui le visaient avec des fusils. Dans le mur, il voyait le canon d'un pistolet braqué sur sa poitrine. On venait lui reprendre la fille.

— Ne tirez pas, nom de Dieu! ne tirez pas...

Puis, les maisons s'effondraient, il imitait le craquement d'un quartier qui croule; et tout disparaissait, tout s'envolait. Mais il n'avait pas le temps de souffler, d'autres tableaux passaient, avec une mobilité extraordinaire. Un besoin furieux de parler lui emplissait la bouche de mots, qu'il lâchait sans suite, avec un barbotement de la gorge. Il haussait toujours la voix.

— Tiens, c'est toi, bonjour!... Pas de blague! ne me fais pas manger tes cheveux.

Et il passait la main devant son visage, il soufflait pour écarter les poils. L'interne l'interrogea :

— Qui voyez-vous donc ?

— Ma femme, pardi!

Il regardait le mur, tournant le dos à Gervaise. Celle-ci eut un joli trac, et elle examina aussi le mur, pour voir si elle ne s'apercevait pas. Lui, continuait de causer.

— Tu sais, ne m'embobine pas... Je ne veux pas qu'on m'attache... Fichtre! te voilà belle, t'as une toilette chic. Où as-tu gagné ça, vache! Tu viens de la retape, chameau! Attends un peu que je t'arrange!... Hein? tu caches ton monsieur derrière tes jupes. Qu'est-ce que c'est que celui-là ? Fais donc la révérence, pour voir... Nom de Dieu! c'est encore lui!

D'un saut terrible, il alla se heurter la tête contre la muraille; mais la tenture rembourrée amortit le coup. On entendit seulement le rebondissement de son corps sur le paillasson, où la secousse l'avait jeté.

— Qui voyez-vous donc ? répéta l'interne.

— Le chapelier! le chapelier! hurlait Coupeau.

Et, l'interne ayant interrogé Gervaise, celle-ci bégaya sans pouvoir répondre, car cette scène remuait en elle tous les embêtements de sa vie. Le zingueur allongeait les poings.

— A nous deux, mon cadet! Faut que je te nettoie à la fin! Ah! tu viens tout de go, avec cette drogue [246] au bras, pour te ficher de moi en public. Eh bien! je

vas t'estrangouiller, oui, oui, moi! et sans mettre des gants encore!... Ne fais pas le fendant [247]... Empoche ça. Et atout! atout! atout!

Il lançait ses poings dans le vide. Alors, une fureur s'empara de lui. Ayant rencontré le mur en reculant, il crut qu'on l'attaquait par-derrière. Il se retourna, s'acharna sur la tenture. Il bondissait, sautait d'un coin à un autre, tapait du ventre, des fesses, d'une épaule, roulait, se relevait. Ses os mollissaient, ses chairs avaient un bruit d'étoupes mouillées. Et il accompagnait ce joli jeu de menaces atroces, de cris gutturaux et sauvages. Cependant, la bataille devait mal tourner pour lui, car sa respiration devenait courte, ses yeux sortaient de leurs orbites; et il semblait peu à peu pris d'une lâcheté d'enfant.

— A l'assassin! à l'assassin!... Foutez le camp, tous les deux. Oh! les salauds, ils rigolent. La voilà les quatre fers en l'air, cette garce!... Il faut qu'elle y passe, c'est décidé... Ah! le brigand, il la massacre! Il lui coupe une quille avec son couteau. L'autre quille est par terre, le ventre est en deux, c'est plein de sang... Oh! mon Dieu, oh! mon Dieu, oh! mon Dieu...

Et, baigné de sueur, les cheveux dressés sur le front, effrayant, il s'en alla à reculons, en agitant violemment les bras, comme pour repousser l'abominable scène. Il jeta deux plaintes déchirantes, il s'étala à la renverse sur le matelas, dans lequel ses talons s'étaient empêtrés.

— Monsieur, monsieur, il est mort! dit Gervaise, les mains jointes.

L'interne s'était avancé, tirant Coupeau au milieu du matelas. Non, il n'était pas mort. On l'avait déchaussé; ses pieds nus passaient, au bout; et ils dansaient tout seuls, l'un à côté de l'autre, en mesure, d'une petite danse pressée et régulière.

Justement, le médecin entra. Il amenait deux collègues, un maigre et un gras, décorés comme lui. Tous les trois se penchèrent, sans rien dire, regardant l'homme partout; puis, rapidement, à demi-voix, ils causèrent. Ils avaient découvert l'homme des cuisses aux épaules, Gervaise voyait, en se haussant, ce torse nu étalé. Eh bien! c'était complet, le tremblement était descendu des bras et monté des jambes, le tronc lui-même entrait en gaieté, à cette heure! Positivement, le polichinelle rigolait aussi du ventre. C'étaient des risettes le long des côtes, un essoufflement de la berdouille [248], qui semblait crever de rire. Et tout marchait, il n'y avait pas à dire! les muscles se faisaient vis-à-vis, la peau vi-

---

245. La police. Les sergents de ville étaient appelés les roussins.
246. « Femme acariâtre, et de plus, laide – dans l'argot du peuple, qui a de la peine à *avaler* ces créatures-là » (Delvau).

247. Mot vieilli, plutôt qu'argotique, pour désigner un matamore.
248. « Le ventre » (Delvau).

brait comme un tambour, les poils valsaient en se saluant. Enfin, ça devait être le grand branle-bas, comme qui dirait le galop de la fin, quand le jour paraît et que tous les danseurs se tiennent par la patte en tapant du talon.

— Il dort, murmura le médecin en chef.

Et il fit remarquer la figure de l'homme aux deux autres. Coupeau, les paupières closes, avait de petites secousses nerveuses qui lui tiraient toute la face. Il était plus affreux encore, ainsi écrasé, la mâchoire saillante, avec le masque déformé d'un mort qui aurait eu des cauchemars. Mais les médecins, ayant aperçu les pieds, vinrent mettre leurs nez dessus d'un air de profond intérêt. Les pieds dansaient toujours. Coupeau avait beau dormir, les pieds dansaient. Oh! leur patron pouvait ronfler, ça ne les regardait pas, ils continuaient leur train-train, sans se presser ni se ralentir. De vrais pieds mécaniques, des pieds qui prenaient leur plaisir où ils le trouvaient.

Pourtant, Gervaise, ayant vu les médecins poser leurs mains sur le torse de son homme, voulut le tâter elle aussi. Elle s'approcha doucement, lui appliqua sa main sur une épaule. Et elle la laissa une minute. Mon Dieu! qu'est-ce qui se passait donc là-dedans? Ça dansait jusqu'au fond de la viande; les os eux-mêmes devaient sauter. Des frémissements, des ondulations arrivaient de loin, coulaient pareils à une rivière, sous la peau. Quand elle appuyait un peu, elle sentait les cris de souffrance de la moelle. A l'œil nu, on voyait seulement les petites ondes creusant des fossettes, comme à la surface d'un tourbillon; mais, dans l'intérieur, il devait y avoir un joli ravage. Quel sacré travail! un travail de taupe! C'était le vitriol de l'Assommoir qui donnait là-bas des coups de pioche. Le corps entier en était saucé, et dame! il fallait que ce travail s'achevât, émiettant, emportant Coupeau, dans le tremblement général et continu de toute la carcasse.

Les médecins s'en étaient allés. Au bout d'une heure, Gervaise, restée avec l'interne, répéta à voix basse:

— Monsieur, monsieur, il est mort...

Mais l'interne, qui regardait les pieds, dit non de la tête. Les pieds nus, hors du lit, dansaient toujours. Ils n'étaient guère propres, et ils avaient les ongles longs. Des heures encore passèrent. Tout d'un coup, ils se raidirent, immobiles. Alors, l'interne se tourna vers Gervaise, en disant:

— Ça y est.

La mort seule avait arrêté les pieds.

Quand Gervaise rentra rue de la Goutte-d'Or, elle trouva chez les Boche un tas de commères qui jabotaient d'une voix allumée. Elle crut qu'on l'attendait pour avoir des nouvelles, comme les autres jours.

— Il est claqué, dit-elle en poussant la porte, tranquillement, la mine éreintée et abêtie.

Mais on ne l'écoutait pas. Toute la maison était en l'air. Oh! une histoire impayable! Poisson avait pigé sa femme avec Lantier. On ne savait pas au juste les choses, parce que chacun racontait ça à sa manière. Enfin, il était tombé sur leur dos au moment où les deux autres ne l'attendaient pas. Même on ajoutait des détails que les dames se répétaient en pinçant les lèvres. Une vue pareille, naturellement, avait fait sortir Poisson de son caractère. Un vrai tigre! Cet homme, peu causeur, qui semblait marcher avec un bâton dans le derrière, s'était mis à rugir et à bondir. Puis, on n'avait plus rien entendu. Lantier devait avoir expliqué l'affaire au mari. N'importe, ça ne pouvait plus aller loin. Et Boche annonçait que la fille du restaurant d'à-côté prenait décidément la boutique, pour y installer une triperie. Ce roublard de chapelier adorait les tripes.

Cependant, Gervaise, en voyant arriver Mme Lorilleux avec Mme Lerat, répéta mollement:

— Il est claqué... Mon Dieu! quatre jours à gigoter et à gueuler...

Alors, les deux sœurs ne purent pas faire autrement que de tirer leurs mouchoirs. Leur frère avait eu bien des torts, mais enfin c'était leur frère. Boche haussa les épaules, en disant assez haut pour être entendu de tout le monde:

— Bah! c'est un soûlard de moins!

Depuis ce jour, comme Gervaise perdait la tête souvent, une des curiosités de la maison était de lui voir faire Coupeau. On n'avait plus besoin de la prier, elle donnait le tableau gratis, tremblement des pieds et des mains, lâchant de petits cris involontaires. Sans doute elle avait pris ce tic-là à Sainte-Anne, en regardant trop longtemps son homme. Mais elle n'était pas chanceuse, elle n'en crevait pas comme lui. Ça se bornait à des grimaces de singe échappé, qui lui faisaient jeter des trognons de choux par les gamins, dans les rues.

Gervaise dura ainsi pendant des mois. Elle dégringolait plus bas encore, acceptait les dernières avanies, mourait un peu de faim tous les jours. Dès qu'elle possédait quatre sous, elle buvait et battait les murs. On la chargeait des sales commissions du quartier. Un soir, on avait parié qu'elle ne mangerait pas quelque chose de dégoûtant; et elle l'avait mangé, pour gagner dix sous. M. Marescot s'était décidé à l'expulser de la chambre du sixième. Mais,

comme on venait de trouver le père Bru mort dans
son trou, sous l'escalier, le propriétaire avait bien
voulu lui laisser cette niche. Maintenant, elle habitait la niche du père Bru. C'était là-dedans, sur de
la vieille paille, qu'elle claquait du bec, le ventre
vide et les os glacés. La terre ne voulait pas d'elle,
apparemment. Elle devenait idiote, elle ne songeait
seulement pas à se jeter du sixième sur le pavé de
la cour, pour en finir. La mort devait la prendre
petit à petit, morceau par morceau, en la traînant
ainsi jusqu'au bout dans la sacrée existence qu'elle
s'était faite. Même on ne sut jamais au juste de quoi
elle était morte. On parla d'un froid et chaud. Mais
la vérité était qu'elle s'en allait de misère, des ordures et des fatigues de sa vie gâtée. Elle creva
d'avachissement, selon le mot des Lorilleux. Un
matin, comme ça sentait mauvais dans le corridor,
on se rappela qu'on ne l'avait pas vue depuis deux
jours ; et on la découvrit déjà verte, dans sa niche.

Justement, ce fut le père Bazouge qui vint, avec
la caisse des pauvres sous le bras, pour l'emballer.
Il était encore joliment soûl, ce jour-là, mais bon
zig tout de même, et gai comme un pinson. Quand
il eut reconnu la pratique à laquelle il avait affaire,
il lâcha des réflexions philosophiques, en préparant son petit ménage.

— Tout le monde y passe... On n'a pas besoin
de se bousculer, il y a de la place pour tout le
monde... Et c'est bête d'être pressé, parce qu'on
arrive moins vite... Moi, je ne demande pas mieux
que de faire plaisir. Les uns veulent, les autres ne
veulent pas. Arrangez un peu ça, pour voir... En
v'là une qui ne voulait pas, puis elle a voulu. Alors,
on l'a fait attendre... Enfin, ça y est, et, vrai ! elle
l'a gagné ! Allons-y gaiement !

Et, lorsqu'il empoigna Gervaise dans ses grosses
mains noires, il fut pris d'une tendresse, il souleva
doucement cette femme qui avait eu un si long béguin pour lui. Puis, en l'allongeant au fond de la
bière avec un soin paternel, il bégaya, entre deux
hoquets :

— Tu sais... écoute bien... c'est moi, Bibi-la-
Gaieté, dit le consolateur des dames... Va, t'es heureuse. Fais dodo, ma belle !

Mort de Gervaise

table du second volume

ILLUSTRATIONS

— Collection Jean-Claude Le Blond-Zola : Zola et *Son Excellence Eugène Rougon* par Gill, 176; *la Fille Élisa* et *l'Assommoir*, dessin de Pépin, 366; la maison de Médan, Zola avec son chien à Médan, 367; Zola et *l'Assommoir* par Gill, 373; lettre de Cézanne avec dessin, 450; assiettes à sujets tirés de *l'Assommoir*, 374, 387, 390, 415, 429, 492, 493, 502, 503, 575, 577, 585. — Collection Jacques Émile-Zola : *l'Assommoir* publié par *le Bien public*, 426. — Bibliothèque nationale : plans et notes autographes de Zola, 14, 36, 66, 75, 94, 127, 174, 208, 357, 377, 389; Zola en 1876 par Carjat, 3; la place Saint-Georges en 1874, 8; le cloître Saint-Sauveur à Aix, 42; Adam et Ève au Paradis par Gustave Doré, 67; vasque, dessin de Manet, 83; détail d'herbes et arbre par Bresdin, 95, 112; forêt par Français, 99; prêtre en prières par Tirpenne, 149; portrait de Flaubert, 178; séances à la Chambre, 183, 357; Baroche, 204; le comte de Persigny, 205; Eugène Rouher, 208; cortège du baptême, 223; château de Compiègne, 254; chasse à courre et curée, 268, 269; le Petit-Pont par Lepère, 285; conseil à Saint-Cloud, 315; Napoléon III, 321; café de la cascade au Bois, 331; dîner aux Tuileries, 335; Zola en 1875 par Desboutin, 363; Gervaise, Coupeau, la maison de la Goutte-d'Or, Mes-Bottes, Coupeau faisant entrer Lantier chez Gervaise (1re éd. illustrée de *l'Assommoir*, dessins de Gill, Leloir), 360, 374, 397, 414, 481; scène du lavoir, Nana dansant le chahut par Latouche, 386, 557; terrains vagues à Montmartre, la Taverne du bagne, la place Bréda en hiver par Buhot, 493, 502, 573; le mont-de-piété, 509. — Cabinet des dessins au Louvre, cl. Musées nationaux : le carrosse de l'empereur par Guys, 227. — Archives phot. : paysage de Cézanne, 15; de Sisley, 81; les Goncourt, Morny, par Nadar, 178, 204; les repasseuses de Degas, 512; Hélène Petit jouant Gervaise, 581. — Bulloz : Monet par Manet, 8; prêtre en prières, paysage par Granet, 55, 121; l'enlèvement par Cézanne, 115; Montmartre par Van Gogh, 492. — Giraudon : Mallarmé, par Manet, 371; Vierge par Botticelli, 52; la Castiglione, 211; la blanchisseuse, la buveuse par Toulouse-Lautrec, 437, 539; aquarelle de Renoir : 542-543. — © SPADEM 1969 : tome 1, 30, 299, 375, 385, 532; 1970 : tome 2, 15, 115, 285, 386, 481, 512, 542, 557.

Achevé d'imprimer en 1970 par l'Imprimerie Mame à Tours.
Dépôt légal : 1er tr. 1970. No 2485. (3170).

Printed in France.

COLLECTIONS MICROCOSME
ÉCRIVAINS DE TOUJOURS

Ce n'est pas seulement le profil d'une œuvre éclairée par l'homme et son époque que cherche à esquisser cette collection, mais un dialogue toujours vivant entre les écrivains de toujours et les hommes d'aujourd'hui. Chacun des volumes, bien que d'un prix modique, est abondamment illustré.